AF218747

ACCESO GRATIS a la Lectura en la Nube

Para visualizar el libro electrónico en la nube de lectura envíe junto a su nombre y apellidos una fotografía del código de barras situado en la contraportada del libro y otra del ticket de compra a la dirección:

ebooktirant@tirant.com

En un máximo de 72 horas laborales le enviaremos el código de acceso con sus instrucciones.

INTELIGENCIA ARTIFICIAL Y RIESGOS CIBERNÉTICOS

RESPONSABILIDADES Y ASEGURAMIENTO

COMITÉ CIENTÍFICO DE LA EDITORIAL TIRANT LO BLANCH

INTELIGENCIA ARTIFICIAL Y RIESGOS CIBERNÉTICOS

RESPONSABILIDADES Y ASEGURAMIENTO

Directora

ESTHER MONTERROSSO CASADO

Coordinador

ALBERTO MUÑOZ VILLARREAL

Autores

PILAR ÁLVAREZ OLALLA
JOSÉ ANTONIO BADILLO ARIAS
EFRÉN DÍAZ DÍAZ
JOSÉ MARÍA ELGUERO
DANIEL FERNÁNDEZ BERMEJO
VÍCTOR GALLEGO CORCHERO
EUGENIO LANZADERA ARENCIBIA
LUIS FELIPE LÓPEZ ÁLVAREZ
ESTHER LÓPEZ BARRERO
MARÍA AURORA MARTÍNEZ REY
ESTHER MONTERROSO CASADO
ALBERTO MUÑOZ VILLARREAL
JUAN PAZOS SIERRA
BERNARDO YBARRA MALO DE MOLINA

tirant lo blanch
Valencia, 2019

© VV.AA.

© TIRANT LO BLANCH
  EDITA: TIRANT LO BLANCH
  C/ Artes Gráficas, 14 - 46010 - Valencia
  TELFS.: 96/361 00 48 - 50
  FAX: 96/369 41 51
  Email:tlb@tirant.com
  www.tirant.com
  Librería virtual: www.tirant.es
  DEPÓSITO LEGAL: V-1791-2019
  ISBN: 978-84-1313-012-5
  IMPRIME: Guada Impresores, S.L.
  MAQUETA: Tink Factoría de Color

ÍNDICE

PARTE II
RESPONSABILIDAD DERIVADA
DE LOS RIESGOS CIBERNÉTICOS

CAPÍTULO 9
EL SEGURO DE RIESGOS CIBERNÉTICOS
José María Elguero

PARTE IV
RESPONSABILIDAD LABORAL EN PLATAFORMAS DIGITALES

INTRODUCCIÓN

La inteligencia artificial (IA) es una expresión de uso común que define, en general, la creación y el desarrollo de herramientas con capacidad sustitutiva de los procesos decisorios y mecánicos propios del ser humano. A pesar de la indefinición que rodea en estos momentos al concepto de inteligencia, o precisamente por esa indeterminación conceptual, la difusión de las tecnologías dotadas de IA, como soluciones a una infinidad de problemas de orden práctico, suponen un gran reto para los científicos que analizan su repercusión social.

Las ciencias sociales, en su sentido más amplio, preocupadas por la adaptación de los seres humanos y sus instituciones a las nuevas tecnologías, han demostrado empíricamente cómo la llegada de innovaciones de gran impacto, o disruptivas —tales como el fuego, la rueda, la máquina de vapor o internet—, propician un fenómeno conocido como 'retraso cultural' (*cultural lag*): un desfase entre las capacidades materiales que incorporan las creaciones exitosas y la capacidad de las culturas humanas para reconocer sus implicaciones sociales y adaptarse a los desafíos que entraña su utilización. Esta idea, desarrollada por William Ogburn a principios del siglo XX, permanece vigente para muchos investigadores de la sociedad contemporánea que observan, como antaño, la falta de sincronía entre el desarrollo de los conocimientos instrumentales que dan lugar a un cambio tecnológico y los valores, las creencias y las normas sociales que constituyen los mecanismos de control del desarrollo material de una sociedad (Ogburn, 1922). Debido a que existe un intervalo de tiempo en el que la sociedad trata de acomodar sus usos, costumbres y normas al cambio tecnológico, la cultura adaptativa se encuentra siempre rezagada con respecto al desarrollo técnico, esto es, hay un desajuste cronológico entre la innovación, el cambio tecnológico y el cambio social.

Resulta obvio, por tanto, que la obra que presentamos a continuación se enmarca dentro de esta adaptación diferida, a la que el Derecho siempre llega tarde. Los robots inteligentes forman parte ya de nuestra vida cotidiana. Entre otros muchos ejemplos, la IA constituye a día de hoy la base sobre la que se asienta el *software* de generación, procesamiento y análisis de lenguaje natural que, junto con los sistemas de reconocimiento de voz y los agentes virtuales, las plataformas de *machine learning*, las plataformas de aprendizaje profundo o las aplicaciones biométricas ofrecen una variedad de servicios (mayoritariamente de marketing) asociados a nuestra huella digital. En lo que respecta al *hardware*, la IA es reconocible, sobre todo, en los robots industriales, asistenciales y sanitarios, en los vehículos autónomos y en los drones inteligentes.

El Derecho debe permanecer atento a la realidad social. Como ciencia social, también debe analizar las consecuencias que acarrea la generalización de estos artefactos, concurriendo a la compresión de los efectos jurídico-legales que ya se observan en la sociedad que los ha recibido y que los utiliza corrientemente. En tanto en cuanto la relación jurídica entre el humano y las máquinas inteligentes produce efectos indeseados, el jurista debe prestar una atención especial a las responsabilidades derivadas de la disfuncionalidad tecnológica, cuando no anticiparse a las situaciones conflictivas que, por analogía con las herramientas precedentes, emergerán en el ámbito público y privado.

La mayoría de los robots que se utilizan hoy en día, aun siendo pioneros de la IA, comparten un aspecto que es central para la valoración de su responsabilidad: la máquina funciona y toma decisiones que deben ser supervisadas por las personas que la han diseñado, programado o utilizado a partir de los sistemas de retroalimentación informativa que ésta proporciona. La mano humana define, guía y controla el proceso, bien directamente o a consecuencia de la capacidad para anular al robot o retomar su control. Por ejemplo, el sistema operativo que controla el pilotaje automático de algunos modelos de aviones Airbus mantiene la nave en una ruta fijada por los pilotos mediante la comprobación de los cambios en el viento y las corrientes, aunque sin referencia del tráfico aéreo circundante, por lo que la responsabilidad de vigilar tanto el funcionamiento del pilotaje autónomo como la proximidad de otras aeronaves recae sobre los tripulantes.

El coche autónomo de Google utiliza toda una serie de sensores de radar y láseres, cámaras, dispositivos de geolocalización, algoritmos y programas analíticos complejos para conseguir que el vehículo imite la conducción humana, mejorándola. El automóvil vigila la carretera, controla de manera constante las eventualidades de la conducción normal, tales como la cercanía de otros coches, peatones, obstáculos y desvíos, y ajusta la velocidad y la trayectoria según las condiciones del tráfico, la climatología y cualquier otro factor que puede afectar al manejo seguro del vehículo. Por supuesto, el *Google car* está programado para evitar una colisión con un peatón, con otro vehículo o con un obstáculo. Sin embargo, el 14 de febrero de 2016 se registró el primer accidente de este coche autónomo, una colisión contra un autobús en California, en la que no se registraron daños personales. Google alegó al respecto que el humano que iba a bordo no tomó el control de la situación porque confió en la inteligencia artificial. En el informe enviado por Google, explican que su coche creyó que no pasaría nada cuando se aproximó el autobús: "Nuestro conductor de pruebas, que iba dentro, se había dado cuenta de que venía el autobús, lo vio por el espejo, pero asumió que el conductor del autobús aminoraría la marcha. Sin embargo, el que ambas partes asumieran que el otro cedería el mismo espacio en el mismo carril, llevó al accidente" (Jiménez, 2016). El 18 de marzo de 2018 se confirmó la primera muerte provocada por un coche autónomo. En este caso se trató de la empresa de transporte Uber, cuyo vehículo inteligente atropelló a una mujer en Tempe, Arizona, mientras el coche circulaba en modo automático con conductor de seguridad y la mujer cruzaba la calle fuera de un paso de peatones. Cinco días más tarde, otro vehículo autónomo de la compañía estadounidense Tesla chocó contra una barrera de hormigón en Mountain View (California), con el sistema de conducción autónoma activado. De acuerdo con el fabricante del robot, el accidente mortal fue la consecuencia de una negligencia del conductor, quien no mantuvo las manos en el volante de manera constante, como es preceptivo en el uso de los vehículos de Tesla.

A pesar de que el sistema operativo intermediario de los robots inteligentes depende para su correcta ejecución de un régimen de *feedback* positivo, que podría entenderse como IA, y a pesar de su gran nivel de sofisticación, nos encontramos, en estos casos, como en el de la mayoría de los artefactos que utilizan la IA en la actualidad, con máquinas semiautónomas. Se trata de herramientas en las que la implicación del ser humano en su diseño y manejo es tan evidente que el deber jurídico de resarcir o indemnizar los daños y perjuicios causados por su uso se sustenta en la individualización de la conducta dañosa, según unos criterios de imputación subjetivos (dolo o culpa) u objetivos (riesgo). Una persona física o jurídica puede reultar imputable por las acciones u omisiones cometidos, directa o indirectamente, por una máquina cuya creación o supervisión está bajo su responsabilidad de manera parcial o total.

La preocupación por los riesgos y la reparación de los daños causados por las máquinas inteligentes exige un nuevo análisis jurídico, a la vista de que la responsabilidad y el aseguramiento de las mismas se erige ya en uno de los campos con mayor proyección del Derecho. Se trata de un ámbito todavía no regulado en el que confluyen los intereses propios de la economía de mercado y la coyuntura actual de cambio tecnológico y social acelerado, razón por la cual resultará inevitable la existencia de conflictos jurídicos y morales de la más variada índole. Por otra parte, y sin duda también por este mismo motivo, con la paulatina generalización de la IA y de los robots inteligentes deberá consolidarse la contratación de seguros, que atemperen o cubran los daños, que irán en consonancia con los criterios de imputación de la responsabilidad que se establezcan.

En este contexto, cuando se producen daños como consecuencia de la utilización de estos robots es preciso dirimir quiénes son los responsables, que pueden ser demandados: los programadores del software de la IA que controla al robot, el fabricante o productor por el mal funcionamiento del producto o por la deficiente información sobre los riesgos del producto, el sujeto que lo maneja o el que lo supervisa, el sujeto o la empresa propietaria, o, incluso, en el caso de robots autónomos, se podría cuestionar si lo sería el propio robot. En este sentido, señala el Parlamento Europeo, a este respecto, en su Resolución de 16 de febrero de 2017 con recomendaciones destinadas a la Comisión sobre normas de Derecho civil sobre robótica que "en el supuesto de que un robot pueda tomar decisiones autónomas, las normas tradicionales no bastarán para generar responsabilidad jurídica por los daños ocasionados por el robot, ya que no permitirán determinar la parte que ha de hacerse cargo de la indemnización, ni exigir a dicha parte que repare el daño ocasionado".

Como hemos puesto de relieve, la respuesta no siempre es sencilla y precisa delimitar el ámbito en el que nos encontramos y establecer el criterio jurídico de imputación de esa responsabilidad, objetivo que persiguen los autores de esta monografía.

La nueva casuística que emerge con la autonomía creciente de los robots abre un nuevo espacio teórico y práctico sobre la responsabilidad derivada del comportamiento de quienes diseñan, programan o manipulan tecnologías cuya operatividad depende de la IA. Por primera vez en la Historia, los sistemas legales deben dirimir la imputación de responsabilidad a seres humanos por los daños causados por las decisiones que adopta un sistema operativo intermediario. Además, este tipo de responsabilidad exige analizar las peculiaridades de los distintos tipos de robots implicados en el daño, según el ámbito al que se destinan las tecnologías sustitutivas de humanos: desde los aparatos ideados para ofrecer servicios hasta las herramientas de IA empleadas en la industria, el comercio, la seguridad ciudadana o la sanidad. Este es, precisamente, uno de los aspectos más innovadores en el campo del derecho de los robots. ¿Es necesario ampliar las formas convencionales de responsabilidad de los seres humanos creadores o manipuladores de robots hacia un régimen de responsabilidad objetiva, que se mitigaran mediante nuevos modelos aseguradores o, en su defecto, debería imputarse la responsabilidad por culpa, adoptando, por ejemplo, mecanismos de inversión de la carga de la prueba?

La delimitación y la atribución de las responsabilidades que entraña la IA resulta compleja. Se espera que el Derecho determine la responsabilidad entre el usuario del robot, o su propietario, su programador, su diseñador o su fabricante, y otros posibles sujetos intervinientes ante un fallo mecánico. Sin embargo, cabe preguntarnos si es indispensable la intervención de un humano para atribuir una responsabilidad jurídica. A pesar de que siempre existe alguien que diseña, produce o controla hasta cierto punto a los autómatas sustitutos de seres humanos, las 'máquinas egocéntricas' van poco a poco adquiriendo independencia e individualidad (singularidad tecnológica). En nuestro trabajo se abordará este dilema, desde un punto de vista jurídico, analizando distintos ámbitos.

El argumento de que es posible identificar una serie de supuestos legales de acuerdo con las distintas categorías y tipos de herramientas automatizadas invita a una indagación más detallada acerca de la posibilidad de dotar de personalidad jurídica a las entidades computerizadas (como indica la Resolución del Parlamento Europeo antes citada) y, por equivalencia, a las empresas que las producen o utilizan, a todos los efectos y, por tanto, considerarlos dentro del ordenamiento jurídico como 'objetos receptores de derechos y obligaciones'.

En la elaboración de esta monografía se ha efectuado un análisis de la responsabilidad de los robots desde múltiples ángulos. La primera parte de la obra, titulada Inteligencia Artificial y Responsabilidad Civil, engloba cinco capítulos en los que se analizan la responsabilidad civil y el aseguramiento obligatorio de los robots, por un lado, y la irrupción en nuestro ordenamiento jurídico de la personalidad electrónica de los robots, por otro; y, ya en un ámbito más especializado, se realiza el estudio de tres sectores concretos de responsabilidad civil de especial relevancia: la utilización de los robots en el ámbito sanitario, la circulación de vehículos autónomos y el uso de los drones.

En una segunda parte, relativa a la responsabilidad derivada de los riesgos cibernéticos, se analizan las distintas responsabilidades que se pueden derivar del ámbito cibernético, en concreto las responsabilidades civiles, penales y administrativas, y el aseguramiento de tales riesgos. Para ello, los autores han desarrollado distintos capítulos, donde se analizan las responsabilidades en el ámbito cibernético, los riesgos cibernéticos y la responsabilidad civil de administradores y directivos, la ciberdelincuencia desde un análisis jurídico penal y, por último, cerrando este bloque temático, el seguro de riesgos cibernéticos.

La siguiente sección se centra en la responsabilidad por seguridad en las redes y protección de datos, ya que un incidente cibernético puede comprometer la información, y los datos personales contenidos en las redes y en los sistemas de información del afectado. Probablemente, ningún sector se encuentre inmune a la posibilidad de sufrir un ataque cibernético. De este modo, en este segundo bloque se comprende los capítulos relativos a la responsabilidad por seguridad en las redes y protección de datos, la evaluación de los riesgos en la ciberseguridad y la protección de datos personales, y los derechos de los particulares en el nuevo reglamento general de protección de datos, donde se cuestiona la necesidad de una mayor protección hacia los ciberriesgos.

A continuación, se analiza la responsabilidad laboral en plataformas digitales, a través de un interesante capítulo sobre el levantamiento del velo digital frente a las responsabilidades laborales derivadas del trabajo en plataformas de internet.

Y, por último, se concluye con una última parte relativa a las perspectivas del porvenir de la inteligencia artificial, donde se parte desde una perspectiva sobre el pasado, presente y futuro sobre Inteligencia Artificial y Derecho, ya que es importante conocer cómo comenzó todo para poder comprender a dónde nos dirigimos, y que nos abre las puertas a los retos del futuro.

Se ha tratado, en definitiva, de contribuir, por un lado, al conocimiento de los efectos jurídicos que plantea la progresiva e inevitable incorporación de entes no humanos inteligentes a las reglas de imputación de la responsabilidad; y, por otro lado, al marco de gestión de las responsabilidades derivadas de los riesgos cibernéticos.

Conscientes de la relevancia actual de la inteligencia artificial y de los ciberriegos, y de las distintas problemáticas que suscita, la obra que me honro en dirigir es el fruto de una ardua labor de reflexión, donde cada uno de los distintos ámbitos que la constituyen ha sido objeto de un riguroso e interesante análisis. Esperamos que todo aquel que se acerque a estas páginas encontrará sugestivas ideas sobre las cuestiones analizadas, confiando en que estas aportaciones contribuyan a nutrir el debate interdisciplinar de esta materia, tan necesario para su comprensión y para *recorrer* los senderos del progreso de nuestra muy cambiante actualidad.

Esther Monterroso Casado
Profesora Titular de Derecho Civil
Universidad a Distancia de Madrid
Madrid, octubre de 2018

PARTE I
INTELIGENCIA ARTIFICIAL Y RESPONSABILIDAD CIVIL

CAPÍTULO 1

RESPONSABILIDAD CIVIL Y ASEGURAMIENTO OBLIGATORIO DE LOS ROBOTS

JOSÉ ANTONIO BADILLO ARIAS

Profesor de Derecho Mercantil. Universidad de Alcalá

Sumario: I. CONSIDERACIONES GENERALES. II. LA RESOLUCIÓN DEL PARLAMENTO EUROPEO, DE 16 DE FEBRERO DE 2017, CON RECOMENDACIONES DESTINADAS A LA COMISIÓN SOBRE NORMAS DE DERECHO CIVIL SOBRE ROBÓTICA. 1. Antecedentes. 2. Análisis de la Resolución. 3. Comunicación de la Comisión sobre inteligencia artificial. III. LA RESPONSABILIDAD CIVIL Y EL SEGURO OBLIGATORIO DE LOS ROBOTS. 1. Concepto de robot. 2. Registro obligatorio de los robots. 3. La personalidad jurídica de los robots. 4. Régimen de responsabilidad civil de los robots. 4.1. Consideraciones generales. 4.2. La responsabilidad civil en la Resolución del Parlamento Europeo de febrero de 2017. 4.3. Aplicación de la legislación sobre productos defectuosos. 4.4. Seguro obligatorio que garantice los daños producidos por los robots. 4.4.1. Aspectos generales. 4.4.2. La regulación y justificación de los seguros obligatorios. 4.4.3. La creación del seguro obligatorio. Aspectos aseguradores. IV. LA CREACIÓN DE FONDOS DE COMPENSACIÓN EN EL ASEGURAMIENTO DE LOS ROBOTS. 1. Fondo de compensación similar al que ya existe en automóviles. 2. Fondo de compensación general para limitar la responsabilidad. V. BIBLIOGRAFÍA.

Palabras clave: responsabilidad civil de los robots; responsabilidad objetiva; responsabilidad por riesgo; seguro obligatorio de responsabilidad civil para los robots; fondo de compensación; fondo de garantía; concepto de robot; personalidad jurídica de los robots; personalidad electrónica de los robots.

Resumen: En este capítulo, después de referirnos a la importancia de la robótica y la inteligencia artificial, donde resaltamos la necesidad de su regulación y su estudio desde distintos puntos de vista (jurídico, ético y social), nos centramos en analizar, teniendo en cuenta la Resolución del Parlamento Europeo de febrero de 2017, la responsabilidad civil y el aseguramiento obligatorio de los robots. Para ello, nos referimos al concepto de robot a estos efectos, su naturaleza jurídica o la necesidad de llevar a cabo un registro de robots. También estudiamos aspectos relativos a dicha responsabilidad civil y al seguro obligatorio de robots al que alude la citada Resolución del Parlamento Europeo, señalando nuestras propuestas al respecto, así como los inconvenientes que pudiera haber desde el punto de vista asegurador, dadas las características de estas máquinas, capaces de ocasionar daños de manera imprevista y descontrolada. Finalizaremos el capítulo ha-

---

*   Trabajo realizado en marco del Proyecto de Investigación RT12018-97418-B-100 del Programa de I+D+i orientada a los Retos de la sociedad, del Ministerio de Ciencia, Innovación y Universidades.

ciendo un análisis de la eventual creación de un fondo de garantía que resarza a las víctimas de los daños causados por los robots cuando fallen los mecanismos del aseguramiento obligatorio, y un fondo de compensación que permita limitar la responsabilidad del fabricante, propietario o usuario del robot.

I. CONSIDERACIONES GENERALES

No cabe duda de que estamos en una nueva época, la llamada Cuarta Revolución, donde los robots y los sistemas de inteligencia artificial ocupan un papel transcendental, que está cambiando nuestra forma de vivir y de relacionarnos entre los seres humanos. Debemos ser conscientes que esta revolución ya forma parte de nuestras vidas. Es cierto que quedan muchas cosas por venir, pero ya es una realidad los beneficios —y también algún que otro perjuicio— que tenemos con los ordenadores, los teléfonos móviles, los sistemas domóticos, los motores de búsqueda o las redes sociales que, querámoslo o no, no dejan de ser sistemas de inteligencia artificial que están modificando nuestros hábitos y comportamientos. Así, por ejemplo, es habitual la preocupación que muestran los padres de niños y adolescentes por la forma en la que interactúan y se relacionan sus hijos y por las consecuencias que esto puede tener en su desarrollo personal, debido a la utilización de ordenadores, tablets, redes sociales, etc.

Por eso, esta disciplina no se puede estudiar solo desde la ingeniería, la robótica, la informática o las matemáticas, sino que debe abordarse desde el punto de vista jurídico[1] y, sin duda, también, desde un prisma ético[2], de tal modo que

---

[1]   En tal sentido, vid. BARRIO ANDRÉS M., *Derecho de los robots*, La Ley, Las Rozas (Madrid), 2018, p. 63. Indica este autor que "El Derecho está obligado a elaborar una regulación avanzada que pueda impulsar el desenvolvimiento de la robótica y asegurarle un desarrollo congruente con los valores propios del ordenamiento jurídico".
En la misma línea, se pronuncia ARANSAY ALEJANDRE A. M, "Antecedentes y propuestas para la regulación jurídica de los robots", en BARRIO ANDRÉS M. (Dr.) *Derecho de los robots*, La Ley, Las Rozas (Madrid), 2018, p. 89, al señalar que "...la introducción y generalización de la robótica en la sociedad (así como su producción, distribución y consumo en el mercado) plantean la necesidad de establecer un marco normativo imperativo que los discipline, tutelando jurídicamente los desafíos y retos a los que se enfrentará el legislador en su regulación.

[2]   Vid. la Comunicación de la Comisión al Parlamento Europeo, al Consejo europeo, al Consejo, al Comité Económico y Social Europeo y al Comité de las Regiones, de 25 de abril de 2018, sobre inteligencia artificial (COM(2018) 237 final), donde se establece que el primer paso para responder a las preocupaciones relacionadas con cuestiones éticas, de aquí a finales de año (2018) será la elaboración de un proyecto de directrices éticas en relación con la IA, teniendo debidamente en cuenta la Carta de los Derechos Fundamentales de la Unión Europea. La Comisión reunirá a todas las partes interesadas pertinentes, para que contribuyan al desarrollo de este proyecto. El proyecto de directrices abordará cuestiones tales como el futuro del trabajo,

permita la convivencia de estas máquinas en nuestra sociedad, capaces, no solo de interactuar con los seres humanos, sino también de aprender y tomar determinadas decisiones de manera autónoma.

Nunca debemos perder de vista que el control de estas máquinas, por muy perfectas que puedan llegar a ser, debe estar siempre en manos del ser humano y, por ello, debemos buscar mecanismos jurídicos, éticos y sociales para integrarlas en nuestra sociedad y en nuestra forma de vivir[3]. No puede olvidarse que deben concebirse para hacernos la vida más fácil a los humanos y para mejorar nuestra calidad de vida[4]. Por muchos avances que se consigan, siempre van a tener diferencias con los seres humanos, porque no van a tener sentimientos, emociones, capacidad volitiva, etc.

En dicho sentido, los avances tecnológicos, que pueden ser aplicados en muchos ámbitos, como la industria[5], los servicios, la salud, la educación, la agricultura, etc., no pueden mermar los derechos y libertades de los seres humanos. La tecnología debe estar al servicio del ser humano, pero no debe hacernos personas pasivas y subordinadas al dictado de las máquinas, que coarten nuestra libertad y nuestra capacidad de iniciativa y de creación[6].

---

la equidad, la seguridad, la protección, la inclusión social y la transparencia de los algoritmos. En términos más generales, en él se examinará el impacto en los derechos fundamentales, en particular, a la intimidad, la dignidad, la protección de los consumidores y la lucha contra la discriminación. Se basará en el trabajo que desarrolla el Grupo europeo de ética de la ciencia y de las nuevas tecnologías y se inspirará en otras iniciativas similares.

[3]   Sobre esta cuestión, vid. GONZÁLEZ ESTÉVEZ A., "Robótica, inteligencia artificial y vehículos autónomos", *Consorseguros, Revista digital*, nº 7, octubre de 2017, p. 2, que nos recuerda, aludiendo a la obra "Yo robot" de Isaac Asimov, en 1950, las tres reglas de la robótica: i) Un robot no debe dañar a un ser humano o, por su inacción, dejar que un ser humano sufra daño; ii) Un robot debe obedecer las órdenes que le son dadas por un ser humano, excepto cuando estas órdenes se oponen a la primera ley y iii) Un robot debe proteger su propia existencia, hasta donde esta protección no entre en conflicto con la primera o segunda leyes.

[4]   Vid. el Considerando E, de la Resolución del Parlamento Europeo, de 16 de febrero de 2017, en la que se establecen recomendaciones destinadas a la Comisión sobre normas de Derecho civil sobre robótica (2015/2103 (INL)), que establece: "El desarrollo de la robótica y de la inteligencia artificial tiene potencial para transformar el modo de vida y las formas de trabajo, aumentar los niveles de eficiencia, ahorro y seguridad y mejorar la calidad de los servicios, y que se espera que, a corto y medio plazo, la robótica y la inteligencia artificial traigan consigo eficiencia y ahorro, no solo en la producción y el comercio, sino también en ámbitos como el transporte, la asistencia sanitaria, las operaciones de salvamento, la educación y la agricultura, permitiendo que los seres humanos dejen de exponerse a condiciones peligrosas, como, por ejemplo, las que entraña la limpieza de lugares contaminados con sustancias tóxicas".

[5]   La IA forma parte de la Estrategia de la Comisión Europea para la digitalización de la industria. Vid. (COM(2016) 180 final) y de la Estrategia renovada de política industrial de la UE (COM(2017) 479 final).

[6]   Así, EBERS M., "La utilización de agentes electrónicos inteligentes en el tráfico jurídico: ¿Necesitamos reglas especiales en el Derecho de la responsabilidad civil?, *Indret, Revista para el aná-*

Países como Japón, Estados Unidos, China, Canadá o Corea del Sur, están a la cabeza en la robótica y la inteligencia artificial y, desde hace algunos años, están invirtiendo en investigación y desarrollo, tanto en el ámbito publico como en el privado, con la finalidad de implementar medidas tecnológicas y legales para adaptarse a esta nueva realidad transformadora de nuestras sociedades.

La Unión europea no se quiere quedar atrás y también se ha dado cuenta de que el futuro económico y social pasa por estar a la vanguardia de esta cuarta revolución[7]. Fruto de ello, en lo que a la robótica se refiere, es la Resolución del Parlamento Europeo, de 16 de febrero de 2017, en la que se establecen recomendaciones destinadas a la Comisión sobre normas de Derecho civil sobre robótica (2015/2103 (INL)).

Los países —en este caso, la UE—, son conscientes de que estos cambios deben ser abordados por el Derecho, el cual tiene que ocuparse de regular y dar cobertura jurídica a esta nueva realidad que se nos avecina, para impulsar el desenvolvimiento de la robótica y asegurarle un desarrollo congruente con los valores propios del ordenamiento jurídico[8].

De este modo, la citada Resolución del Parlamento Europeo afirma que nos encontramos a las puertas de una era, en la que robots, bots, androides y otras formas de inteligencia artificial cada vez más sofisticadas, parecen dispuestas a desencadenar una nueva revolución industrial —que probablemente afecte a todos los estratos de la sociedad—, por lo que resulta de vital importancia que el legislador pondere las consecuencias jurídicas y éticas, sin obstaculizar con ello la innovación.

La Resolución aborda distintas materias de Derecho civil, si bien, en este capítulo nos vamos a centrar en cuestiones relativas al aseguramiento de los ro-

---

lisis del Derecho, n° 3, 2016, p. 6, sostiene que "Desde una perspectiva puramente real, fáctica, se constata de momento que la creciente utilización de sistemas autónomos y semiautónomos conduce a una pérdida de dirección y de control de la persona sobre el sistema y sus "acciones". Con el incremento de la autonomía de los sistemas técnicos descienden las posibilidades de la persona de ejercer influencia en la técnica. Cuanto más complejas son las tareas que el ser humano transfiere a agentes particulares o a enteros sistemas de asistencia, tanto mayor es la probabilidad de que el resultado suministrado por el sistema no coincida con las ideas y deseos del usuario".

[7]   Según se indica en la Comunicación de la Comisión al Parlamento Europeo, al Consejo europeo, al Consejo, al Comité Económico y Social Europeo y al Comité de las Regiones, de 25 de abril de 2018, sobre inteligencia artificial (COM(2018) 237 final), Europa se sitúa a la zaga en inversiones privadas en IA, las cuales oscilaron entre 2 400 y 3 200 millones EUR en 2016, frente a 6 500-9 700 millones EUR en Asia y 12 100-18 600 millones EUR en América del Norte.

[8]   Así lo indica BARRIO ANDRÉS M., "Del Derecho de Internet al Derecho de los Robots", *Diario La Ley,* La Ley, n° 16, 13 de marzo de 2018, p. 2.

bots, materia que también es tratada por esta norma, y a la posible creación de un fondo de garantía, similar al que en la actualidad disponemos en el ámbito de la UE en lo que se refiere al seguro de responsabilidad civil de la circulación de vehículos, que garantice que las víctimas de accidentes causados por los robots puedan ser compensadas adecuadamente, tanto por daños materiales como los perjuicios personales que sufran.

No cabe duda de que los potenciales beneficios que lleva consigo la inteligencia artificial en todos los ámbitos, tienen también una serie de riesgos asociados, que deben ser identificados, evaluados, gestionados y, muchos de ellos, transferidos al sector asegurador, el cuál debe adaptarse a la nueva realidad. Las entidades aseguradoras deben abordar este nuevo escenario, dando un mejor tratamiento a los riesgos de las empresas, como los ciberataques, el perjuicio reputacional, la pérdida de beneficios o la retirada de productos[9]. Asimismo, deben proteger también a los consumidores y a los perjudicados de los daños que pueden sufrir como consecuencia del desarrollo de los robots inteligentes, como pueden ser, por ejemplo, los daños derivados de los vehículos autónomos, los cuales reducirán de forma sustancial la siniestralidad viaria[10], pero, al mismo tiempo, podrán ser susceptibles de causar daños imprevisibles y, en algunos casos, de elevada cuantía.

En este caso, parece que la Resolución está pensando en un seguro obligatorio de responsabilidad civil de estas "máquinas" y no en otras formas de aseguramiento, con la finalidad de proteger a las víctimas de los daños que puedan sufrir. De esta forma, el n° 57 de los "principios generales relativos al desarrollo de la robótica y la inteligencia artificial para uso civil" de la Resolución, dispone que una posible solución a la complejidad de la asignación de responsabilidad por los daños y perjuicios causados por robots cada vez más autónomos, podría ser el establecimiento de un régimen de seguro obligatorio, como ya se aplica, por ejemplo, en el caso de los automóviles.

Más adelante, el n° 58 de estos principios, prevé que, al igual que en el seguro de vehículos de motor, dicho sistema podría completarse con un fondo que garantizara la reparación de daños en los casos de ausencia de una cobertura de seguro. Aunque no lo diga expresamente, como sí lo hace con el seguro obligatorio, dicho fondo podría ser similar al regulado en la Directiva 2009/103/CE del Parlamento Europeo y del Consejo de 16 de septiembre de 2009 relativa al seguro de la

---

[9]   El sector asegurador es uno de los sectores más afectados por los nuevos cambios y se está transformando gracias a la entrada de nuevas startups disruptivas, que utilizan técnicas y herramientas para el desarrollo de su negocio, como el Big Data, la Inteligencia Artificial, el Blockchain o el Internet de las Cosas.

[10]   Se calcula que alrededor del 90 % de los accidentes de tráfico se debe a errores humanos. Vid. el informe de la Comisión Europea sobre "Salvar vidas: impulsar la seguridad de los vehículos en la UE" (COM(2016) 0787 final).

responsabilidad civil que resulta de la circulación de vehículos automóviles, así como al control de la obligación de asegurar esta responsabilidad.

Por ello, analizaremos a continuación algunos aspectos de la citada Recomendación del Parlamento Europeo relacionados con estas materias, para, a continuación, abordar otras cuestiones relativas a la responsabilidad civil y su posible aseguramiento. Finalizaremos el capítulo haciendo un análisis de la eventual creación de un fondo de garantía que resarza a las víctimas de los daños causados por los robots cuando fallen los mecanismos del aseguramiento obligatorio y de un fondo de compensación que pueda limitar la responsabilidad de los distintos agentes intervinientes en esta materia.

II. LA RESOLUCIÓN DEL PARLAMENTO EUROPEO, DE 16 DE FEBRERO DE 2017, CON RECOMENDACIONES DESTINADAS A LA COMISIÓN SOBRE NORMAS DE DERECHO CIVIL SOBRE ROBÓTICA

1. Antecedentes

Se podría decir que a nivel europeo el precedente de esta Resolución del Parlamento Europeo es el Programa de Impulso de la Robótica de la UE, conocido como SPARC, presentado por la Comisión Europea junto a 180 empresas e instituciones para los años 2014-2020, que cuenta con un presupuesto de cerca de tres mil millones de euros y dará empleo durante su ejecución a 240.000 personas, 75.000 de ellos de máxima cualificación.

El plan pretendía —pretende— incrementar la cuota europea en esta industria un 42% (un impulso de 4.000 millones de euros al año) y generar un incremento del PIB europeo de 80.000 millones de euros, según declaró en su día —2014—, Neelie Kroes, en ese momento, Comisaria Europea de Agenda Digital.

No obstante, con carácter previo a las Recomendaciones del Parlamento de febrero de 2017, el 31 de mayo de 2016, se publicó el Proyecto de informe con recomendaciones destinadas a la Comisión sobre normas de Derecho civil sobre robótica (2015/2103(INL))[11], que podría considerarse como el primer documento relevante sobre esta cuestión, en el que se constata que tanto la robótica como la IA van a protagonizar una nueva revolución industrial, que va a afectar probablemente a todos los estratos de la sociedad.

---

[11]   http://www.europarl.europa.eu/sides/getDoc.do?pubRef=-//EP//NONSGML%2BCOMPARL%2BPE-582.443%2B01%2BDOC%2BPDF%2BV0//ES.

En este Proyecto de informe, elaborado por la Comisión de Asuntos Jurídicos, se pone de manifiesto que, a corto y medio plazo, se espera que la robótica y la inteligencia artificial traigan consigo eficiencia y ahorro, no solo en la producción y el comercio, sino también en ámbitos como el transporte, la asistencia sanitaria, la educación y la agricultura, y que, gracias a ellas, se podrá evitar que los seres humanos se expongan a condiciones peligrosas, como, por ejemplo, las que entraña la limpieza de lugares contaminados con sustancias tóxicas.

2. *Análisis de la Resolución*

Meses después de este Proyecto, el 16 de febrero de 2017, se publicó la Resolución del Parlamento Europeo con recomendaciones destinadas a la Comisión sobre normas de Derecho civil sobre robótica (2015/2103(INL)), que comentamos sucintamente en este apartado.

Esta Resolución viene acompañada de un Anexo, que contiene pautas que son de gran interés, como la definición, clasificación y registro de los robots inteligentes; pautas sobre responsabilidad civil, que analizaremos en el apartado siguiente; la propuesta de un código de conducta ética en el campo de la robótica, que sentará las bases para la identificación, la supervisión y el cumplimiento de los principios éticos fundamentales desde la fase de diseño y desarrollo; un código de conducta ética para los ingenieros en robótica o un código deontológico para los comités de ética de la investigación.

Debemos advertir que esta Resolución es un documento de preparación de una Propuesta de Directiva relativa a las normas de legislación civil en materia de robótica, siguiendo las recomendaciones detalladas que figuran en el anexo, tal como se indica en el nº 65 del apartado "Aspectos finales".

Esta Resolución, dada su naturaleza de recomendaciones, no trata todos los temas que abarca la IA y, sobre los que se pronuncia ofrece distintas alternativas, sin definir cuál va a ser el criterio de esa futura Directiva a la que alude, en temas vitales sobre esta materia, tales como decidir quién va a responder de los daños producidos por los robots inteligentes o los criterios de atribución de esta responsabilidad civil[12].

Bajo el apartado de "Introducción", la Resolución contiene una serie de considerandos —letras A-S—, en los que pone de manifiesto la nueva realidad a la que deben enfrentarse Estados, empresas y particulares, con la aparición y el auge de la robótica y la IA, aportando datos que expresan la relevancia económica de este sector y advirtiendo, entre otras muchas cosas, de la necesidad de que el

---

[12] Así lo pone de manifiesto DÍAZ ALABART S., *Robots y responsabilidad civil*, Reus, Madrid, 2018, p. 32.

legislador pondere las consecuencias jurídicas y éticas a que da lugar esta nueva revolución industrial, sin obstaculizar con ello la innovación.

La Resolución alude a la capacidad que la robótica y la IA tienen de transformar el modo de vida y las formas de trabajo, aumentar los niveles de eficiencia, ahorro y seguridad y mejorar la calidad de los servicios, no solo en la producción y el comercio, sino también en ámbitos como el transporte, la asistencia sanitaria, las operaciones de salvamento, la educación y la agricultura, permitiendo que los seres humanos dejen de exponerse a condiciones peligrosas.

No obstante, el legislador comunitario no es ajeno a los desafíos e inconvenientes que traerá consigo estos avances para la sociedad, poniendo énfasis en los perjuicios que esta revolución pueden tener para el conjunto de la sociedad, puesto que su utilización puede entrañar una transformación del mercado de trabajo y la necesidad de reflexionar en consecuencia sobre el futuro de la educación, el empleo y las políticas sociales, advirtiendo que es probable que los empleos menos cualificados en sectores intensivos en mano de obra sean más vulnerables a la automatización.

Vemos que el Parlamento, en estos principios introductorios, muestra su preocupación por las consecuencias que la IA puede acarrear sobre el empleo y la distribución de la riqueza. Así, enfatiza en que el progreso de la robótica podría traducirse en una elevada concentración de la riqueza y el poder en manos de una minoría. Quizá, por ello, ya se está planteando la posibilidad de que las empresas propietarias de robots, que los adquieren en perjuicio de los trabajadores, paguen algún tipo de impuesto que compense de alguna manera la eliminación de los puestos de trabajo[13].

El Parlamento muestra también su preocupación por la protección de datos de carácter personal. Por ello, dada la cantidad de datos que pueden almacenarse en aplicaciones y dispositivos que se comunican entre sí y con bases de datos sin intervención humana, plantea la posibilidad de que el reciente Reglamento de Protección de Datos no sea suficiente para garantizar la privacidad de las personas[14].

---

[13] Vid. sobre los impuestos de los robots, SEGURA ALASTRUÉ M, "Los robots en el Derecho financiero y tributario", en *Derecho de los robots*, AA. VV., dirigido por BARRIO ANDRÉS M., La Ley, Madrid, 2018, pp. 174-187. Este autor, p. 177, plantea, incluso, la posibilidad de establecer una renta universal. Así, sostiene, como justificación de esta medida, que "...millones de trabajadores en todo el mundo van ser sustituidos en sus empleos por sistemas robóticos e inteligencias artificiales durante los próximos veinte años y no van a ser capaces de reubicarse en los nuevos empleos que se están creando con la denominada Revolución Digital o cuarta Revolución Industrial".

[14] Alude a esta cuestión, DÍAZ ALABAR S., *Robots y responsabilidad civil, ...op. cit.*, p. 38, indicando que: "Los riesgos derivados del tratamiento electrónico de datos para el derecho a la

A continuación, letras T-Y, la Resolución establece una serie de principios generales, entre los que cabe destacar el papel que la Unión podrá desempeñar a la hora de establecer principios éticos básicos que deban respetarse en el desarrollo, la programación y la utilización de robots y de la IA.

La Propuesta continua analizando determinados temas de interés, como la responsabilidad de los robots, principios generales relativos al desarrollo de la robótica y la IA para uso civil, cuestiones relacionadas con la investigación e innovación de la robótica, principios éticos, la posibilidad de creación en el seno de la UE una agencia europea para la robótica y la IA, Derechos de propiedad intelectual y flujo de datos, normalización, seguridad y protección, medios de transporte autónomos, robots asistenciales y médicos, etc.

Algunos de estos asuntos, relacionados con la responsabilidad civil y su aseguramiento obligatorio, objeto de estudio en este capítulo, serán analizados en los apartados siguientes.

3. Comunicación de la Comisión sobre inteligencia artificial

Por último, debemos referirnos también a la Comunicación de la Comisión al Parlamento Europeo, al Consejo Europeo, al Consejo, al Comité Económico y Social Europeo y al Comité de las Regiones, de 25 de abril de 2018, sobre inteligencia artificial (COM(2018) 237 final), que pretende: i) potenciar la capacidad tecnológica e industrial de la UE e impulsar la adopción de la IA en todos los ámbitos de la economía, tanto en el sector privado como en el público; ii) prepararse para las transformaciones socioeconómicas que origina la IA, fomentando la modernización de los sistemas de educación y formación, favoreciendo el talento y, por último, iii) garantizar el establecimiento de un marco ético y jurídico apropiado, basado en los valores de la Unión y en consonancia con la Carta de los Derechos Fundamentales de la UE.

Junto con esta Comunicación, la Comisión ha presentado un conjunto de iniciativas para ampliar el espacio europeo de datos[15]. Se trata de las siguientes: i) una actualización de la Directiva sobre la información del sector público, por ejemplo, tráfico, meteorología, datos económicos y financieros o registros mercantiles; ii) directrices sobre la puesta en común de datos del sector privado en la economía (incluidos los industriales); iii) una actualización de la Recomendación relativa al acceso a la información científica y a su preservación; y iv) una Co-

---

intimidad de las personas y, su uso fraudulento, ya se ha puesto de relieve de forma evidente con la reciente filtración masiva de datos recogidos por *Facebook* y utilizados por una compañía (*Cambridge Analytica*)".

[15]   https://ec.europa.eu/digital-single-market/en/policies/building-european-data-economy.

municación sobre la transformación digital de la sanidad y la asistencia sanitaria, que incluye la puesta en común de la genómica y otros conjuntos de datos relacionados con la sanidad.

En esta Comunicación, la Comisión es consciente, entre otras muchas cuestiones, de los problemas de seguridad y responsabilidad que plantea la IA. Así, considera que el complejo ecosistema que la hace posible y la característica de la adopción autónoma de decisiones, exige una reflexión acerca de la idoneidad de algunas de las normas establecidas en materia de seguridad y de Derecho civil relativas a la responsabilidad, cuestiones que veremos en los epígrafes siguientes.

III. LA RESPONSABILIDAD CIVIL Y EL SEGURO OBLIGATORIO DE LOS ROBOTS

Al hablar de la responsabilidad civil y el aseguramiento obligatorio de los robots, son muchas las cuestiones que debemos plantearnos, desde el concepto de robot, a estos efectos, hasta su régimen de responsabilidad civil y, sobre todo, a qué agente, de los que de una forma u otra tienen relación con la fabricación, el diseño, la utilización o la propiedad de los robots, se le puede atribuir dicha responsabilidad. Por ello, tenemos que aludir a la personalidad jurídica de los robots que, en la actualidad, carecen de ella; a un posible registro de robots objeto del seguro; a los criterios de imputación de la responsabilidad civil en estos casos o a la viabilidad de un seguro de suscripción obligatoria de responsabilidad civil por los eventuales daños que pudieran ocasionar a terceros, tal como recomienda el Parlamento Europeo, con todos los inconvenientes que su puesta en marcha pueda conllevar.

1. Concepto de robot

A los efectos de determinar la responsabilidad civil de los robots y su aseguramiento obligatorio, es necesario perfilar un concepto de robot, puesto que no parece razonable que cualquier máquina capaz de realizar trabajos más o menos repetitivos pueda encajar dentro de esta noción. Sería inviable e innecesario crear un registro y un seguro obligatorio para todo tipo de máquinas. Por ello, es preciso que nos posicionamos sobre qué máquinas de inteligencia artificial cabrían dentro del concepto de robot a los efectos que estudiamos. No cabe duda que tendrán que ser aquellas que no solo sean capaces de interactuar con los seres humanos, sino también de aprender y tomar determinadas decisiones de manera autónoma. En definitiva, como después analizaremos, deberán ser aquellas que más se parezcan a los comportamientos humanos y que sean capaces de ocasionar daños a terceros, en muchos casos, de manera imprevista y descontrolada.

Cualquier máquina con cierta singularidad, apta para realizar tareas de forma repetitiva, podría considerarse, en un sentido amplio, como robot. Así, sobre todo, desde la revolución industrial, finales del siglo XVIII y principios del XIX, de forma paulatina y con mayor complejidad, han ido apareciendo máquinas, cada vez más sofisticadas, aplicadas fundamentalmente a la industria, que pudieran caber dentro de la noción de robots[16].

En las primeras décadas del siglo XX empiezan a perfeccionarse estas máquinas y poco a poco se van adaptando a los sistemas de producción, expandiéndose a un número cada vez mayor de industrias[17]. Se caracterizan por la enorme influencia de la mecánica y la electrónica primero, y la informática después, aunque siempre determinada por una contribución borrosa entre diferentes ramas de la automática, la física y la ingeniería[18].

Estos primeros robots, que se utilizaron a partir de la década de los 50 con gran éxito en la industria automovilística, no eran autónomos ni actuaban de forma inteligente, puesto que necesitaban la supervisión humana y la conexión a un programa que dirigía su actuación.

A partir de la década de los setenta del pasado siglo, con la aparición de la tecnología de los sensores y la informática, empiezan a surgir los primeros robots capaces de interactuar en su entorno y tomar decisiones más o menos autónomas. En tal sentido, resulta de interés la reflexión del profesor ROTH, catedrático de la Escuela del Ingeniería Mecánica del la Universidad de Stanford, al afirmar que *"Mi impresión es que la noción de robot tiene que ver con qué funciones realiza una máquina y cuáles un humano. A media que la máquina se incorpora a las funciones de un humano, solemos llamarlo robot. A medida que nos acostumbra-*

---

[16] Vid. GARCÍA-PRIETO CUESTA J, "¿Qué es un robot?", en *Derecho de los robots*, AA. VV., dirigido por BARRIO ANDRÉS M., La Ley, Madrid, 2018, p. 28. Este autor sitúa el origen de los robots a mediados del Siglo XX. Indica que "... parece apropiado partir del origen de los robots como máquinas, que primero fueron mecánicas, después hidráulicas y finalmente híbridas, a partir del desarrollo de la electrónica, la biología y multitud de otras disciplinas más modernas de la ciencia y la tecnología durante la primera mitad del Siglo XX. En concreto, fue en la década de 1940, a partir de la aplicación de importantes avances en la mecánica y la hidráulica, cuando se configura la realidad del robot en su concepción moderna".

[17] Vid. PALMERINI E., "Robótica y derecho: sugerencias, confluencias, evoluciones en el marco de una investigación europea", *Revista de Derecho Privado*, nº 32, 2017, p. 54. Señala esta autora que: "La automatización está presente desde hace tiempo en el sector industrial, donde cada vez más se hace uso de robots en el ámbito de los procesos productivos, en el ensamble y la manipulación de materiales, en las cadenas de montaje, en la confección de mercancías".

[18] Así lo expone, GARCÍA-PRIETO CUESTA J, "¿Qué es un robot?", en *Derecho de los robots*, AA. VV..., *op. cit.*, p. 31.

mos a esta función y volvemos a interpretar que dicha función no es propia de humanos, volvemos a llamarlo máquina. (...). Es cierto que las máquinas antropomorfas y móviles son más proclives a su denominación como robots, pero en todo caso la definición es borrosa y variable"[19].

En los últimos años del siglo pasado, el desarrollo de la informática y después con la aparición y extensión de internet, dio lugar a que, ya en el siglo XXI, se empezase a implementar la robótica y la IA, influenciadas también por otras ciencias, como la psicología, la biología, la antropología, la estadística o la neurociencia. Esto ha dado lugar a que ya se empiece a hablar de robots, bots, androides y otras formas de inteligencia artificial cada vez más sofisticadas, que parecen dispuestas a desencadenar una nueva revolución industrial.

De este modo, como indica la letra D del apartado introductorio de la Resolución del Parlamento Europeo, entre 2010 y 2014, las ventas de robots aumentaron un 17 % de media cada año, registrándose en 2014 el mayor incremento anual de ventas observado hasta ahora —un 29 %—. Asimismo, los principales motores de este crecimiento han sido los proveedores de componentes de automoción y la industria electrónica y eléctrica, triplicándose en el último decenio las solicitudes anuales de patentes en el sector de la tecnología robótica.

En la actualidad, ya sabemos que los robots, mediante la aplicación de técnicas de IA, nos solo son capaces de trabajar con algoritmos con base en información directamente obtenida a través de los sensores, sino que puedan trabajar con base en conocimiento, extraer reglas a partir de principios y generalizar su aplicación sobre situaciones previamente desconocidas al sistema robótico, así como tolerar excepciones a la regla e, incluso, seguir funcionando correctamente cuando una parte del sistema haya sufrido un fallo[20]. También sabemos que su utilización va más allá de la industria, introduciéndose en sectores corrientes, como la medicina, la agricultura, el transporte, la educación, la atención a los mayores, etc[21]..

---

[19]   Reflexión citada por GARCÍA-PRIETO CUESTA J, "¿Qué es un robot?", en Derecho de los robots, AA. VV..., *op. cit.*, p. 33.

[20]   Así lo indica GARCÍA-PRIETO CUESTA J, "¿Qué es un robot?", en Derecho de los robots, AA. VV..., *op. cit.*, p. 36.

[21]   De este modo, PALMERINI E., "Robótica y derecho: sugerencias, confluencias, evoluciones en el marco de una investigación europea"..., *op. cit.*, p. 55, entiende que "... la promesa de la investigación científica en el campo de la robótica es la de introducir a los robots en ambientes corrientes, para desarrollar la función de ayuda doméstica o de asistencia a la persona; transformar el sistema de transporte haciéndolo siempre menos dependiente del control del hombre; ampliar el uso de aviones autónomos o teleoperantes, en el ámbito civil —en la agricultura, en la logística, en el control del territorio, en las redes de carreteras urbanas y ferroviarias, y de las infraestructuras hídricas y energéticas, en la distribución comercial; finalmente, valerse de la tecnología robótica en las actividades de formación y educación".

En consecuencia, como decíamos al inicio de este epígrafe, el concepto de robot que debemos tener en cuenta a los efectos que nos ocupan, son aquellos que más se acercan al comportamiento humano, aquellos que son capaces, más allá de su configuración inicial, de interactuar con el ser humano y con otros robots, de aprender, de analizar datos, de tomar decisiones con un alto grado de autonomía. Estos robots inteligentes aportarán muchos beneficios a nuestra sociedad, pero también son susceptibles de causar daños a terceros y, en consecuencia, consideramos que serán los destinados al aseguramiento obligatorio al que se refiere la Resolución del Parlamento Europeo de febrero de 2017, que hemos comentado en el apartado anterior.

Esta misma Resolución nos propone en su anexo unas pautas para definir y clasificar a los robots inteligentes. Nos dice que debe establecerse una definición europea común de robots autónomos "inteligentes", cuando proceda, incluidas las definiciones de sus subcategorías, teniendo en cuenta las siguientes características: i) la capacidad de adquirir autonomía mediante sensores y/o mediante el intercambio de datos con su entorno (interconectividad) y el análisis de dichos datos; ii) la capacidad de aprender a través de la experiencia y la interacción; iii) la forma del soporte físico del robot y iv) la capacidad de adaptar su comportamiento y acciones al entorno.

2. *Registro obligatorio de los robots*

Sin perjuicio de que el registro de robots se pueda utilizar para otros fines "—como que se pueda conocer con seguridad, tanto la remesa de fabricación a la que pertenecen, como quién es el que lo fabricó (entendido como tal, tanto al del *hardware* como al del *software* o al "entrenador")—"[22], si, finalmente, se crea un sistema de aseguramiento obligatorio de robots inteligentes, es necesario la creación de un registro también obligatorio de robots, con el fin, en este caso, de saber cuáles serían objeto de dicho aseguramiento, así como quién es su fabricante, propietario o usuario, sus características técnicas, inspecciones o revisiones, etc., datos que se revelan transcendentales para su aseguramiento.

Este registro podría ser similar al que en la actualidad existe para automóviles, mediante el Fichero de Vehículos Asegurados (FIVA), que permite que diariamente las entidades aseguradoras comuniquen al fichero las altas, bajas y cualquier otra incidencia que pudiera surgir en los vehículos objeto del registro y que tiene como fines identificar a la entidad aseguradora que cubre la responsabilidad civil de cada uno de los vehículos implicados en el accidente y controlar

---

[22] Así lo pone de manifiesto DÍAZ ALABART S., *Robots y responsabilidad civil...*, *op. cit.*, p. 81.

el efectivo cumplimiento de la obligación de aseguramiento que tienen todos los vehículos a motor[23].

El Anexo de la Resolución del Parlamento de febrero de 2017 se ocupa de dar algunas pautas sobre este registro, indicando que a los efectos de la trazabilidad y para facilitar la aplicación de nuevas recomendaciones, cabe introducir un sistema de registro de robots avanzados, basado en los criterios establecidos para la clasificación de los robots[24]. A continuación —añade— que, tanto el sistema de registro como el propio registro deberían establecerse a escala de la Unión, de forma que cubran el mercado interior, y podrían ser gestionados por una agencia designada de la Unión para la robótica y la inteligencia artificial en el caso de que se procediera a la creación de dicha agencia.

Pensemos en que los robots, principalmente los vehículos autónomos y los drones, pueden transitar por espacios en los que haya personas o bienes, especialmente por la vía pública —o el espacio aéreo en el caso de los drones—, por lo que las autoridades deben poder identificarlos para garantizar la seguridad y el orden público. Por ello, estos robots deben cumplir las normas cívicas y de convivencia, como puedan ser, por ejemplo, las de tráfico y seguridad vial o las de orden público.

---

[23]   El art. 2.2 del Real Decreto Legislativo 8/2004, de 29 de octubre, por el que se aprueba el texto refundido de la Ley sobre responsabilidad civil y seguro en la circulación de vehículos a motor, dispone: "Con el objeto de controlar el efectivo cumplimiento de la obligación a que se refiere el apartado 1 y de que las personas implicadas en un accidente de circulación puedan averiguar con la mayor brevedad posible las circunstancias relativas a la entidad aseguradora que cubre la responsabilidad civil de cada uno de los vehículos implicados en el accidente, las entidades aseguradoras remitirán al Ministerio de Economía y Hacienda, a través del Consorcio de Compensación de Seguros, la información sobre los contratos de seguro que sea necesaria con los requisitos, en la forma y con la periodicidad que se determine reglamentariamente (...)".
Esta previsión, que provenía del mandato de la Directiva 90/232/CEE, de 14 de mayo de 1990, relativa a la aproximación de las legislaciones de los Estados miembros sobre el seguro de responsabilidad civil derivada de la circulación de vehículos automóviles, que estableció en su artículo 5 la obligatoriedad, para los Estados miembros, de arbitrar un sistema para garantizar, a las personas implicadas en un accidente de circulación, el conocimiento de la entidad aseguradora que cubre la responsabilidad civil derivada de la utilización de cada uno de los vehículos implicados en el accidente, fue desarrollada, en un primer momento, por la Resolución de 27 de febrero de 2001, de la DGSFP, sobre suministro de información por las entidades aseguradoras, de los datos relativos a los vehículos asegurados por ellas, al Ministerio de Economía y, posteriormente, por los artículos 23 a 28 y Anexo del Reglamento del seguro obligatorio de responsabilidad civil en la circulación de vehículos a motor, aprobado por el RD 1507/2008, de 12 de septiembre.

[24]   Apunta DÍAZ ALABART S., *Robots y responsabilidad civil...*, op. cit., p. 82, que el sistema de trazabilidad "sería una especie de "caja negra" como las que se emplean en los aviones para recoger todos los datos sobre su funcionamiento y las incidencias que se puedan producir".

Naturalmente, este control de robots inteligentes, estaría orientado a registrar a su fabricante, su titular, sus características técnicas, las actividades que realiza, los lugares en los que puede intervenir, sus revisiones o inspecciones técnicas, etc[25]..

3. La personalidad jurídica de los robots

Al abordar el tema de la responsabilidad civil de los robots y su posible aseguramiento, debemos plantarnos algunas cuestiones, como ¿quién va a responder de las acciones u omisiones de los robots inteligentes?, ¿cuál va a ser su status jurídico? o ¿deben los robots ser sujetos de derechos y obligaciones? En definitiva, lo que nos preguntamos es si los robots pueden o deben tener personalidad jurídica o, como ya se apunta, "personalidad jurídica electrónica", como tienen, por ejemplo, otros entes creados por el Derecho, como las sociedades mercantiles que, actualmente, no solo responden por ilícitos civiles, administrativos, fiscales o laborales, sino también por ilícitos penales. De esta forma, una empresa, como sujeto de derechos y obligaciones, puede responder de los daños causados a terceros, como también puede responder penalmente por los delitos cometidos por la propia empresa, tal como dispone el artículo 31 bis de la Ley Orgánica 10/1995, de 23 de noviembre, del Código Penal.

Hay que advertir que las posibilidades de los robots van mas allá de las que tienen las empresas, puesto que éstas no toman decisiones de forma autónoma ni tienen capacidad de aprendizaje ni, mucho menos, de interactuar con personas o con otras empresas. Son los administradores, los directivos, los socios —a través de la junta general—, o los trabajadores, los que toman las decisiones y actúan en nombre de la empresa. Sabemos, por el Derecho societario, que, cuando los órganos de las empresas adoptan decisiones o llegan a acuerdos, siguiendo el procedimiento adecuado, se forma la voluntad social, de tal manera que esa decisión o acuerdo, el acto derivado de ella y la responsabilidad que pudiera exigirse,

---

[25]   Vid. SANTOS GONZÁLEZ M.J., "Regulación legal de la robótica y la inteligencia artificial: retos de futuro", *Revista Jurídica de la Universidad de León*, Nº 4, 2017, p. 23. Señala esa autora que "En el registro cada robot tendría su propia DNI o DIRIA (Documento de identificación de robot inteligente artificialmente) que sería emitido por una autoridad dependiente del Ministerio de Interior o de la Agencia Europea en esta materia que se cree. Por tanto, el registro será único para cada robot. Junto con el DIRIA se deberá otorgar un permiso que establezca el lugar de actividad del robot y donde puede moverse. Este permiso de circulación debe renovarse periódicamente y siempre que se produzca un cambio de titular registral del robot".

recaerán sobre la sociedad y el patrimonio social y, salvo excepciones, no afectará a las personas físicas que han participado en esa decisión[26].

Ahora bien, a la hora de cuestionarnos la personalidad jurídica de los robots se plantea, al menos en la actualidad, otros problemas de índole social y ético. Si ya resulta alarmante e, incluso, desafiante, el alcance que puede llegar a tener el desarrollo de la IA y la robótica, superando el conocimiento humano e, incluso, amenazando a nuestra especie, el hecho de otorgarles a estas máquinas personalidad jurídica o, si se quiere, personalidad electrónica, puede resultar un asunto muy controvertido. No obstante, siempre sería una opción del legislador y lo que debemos plantearnos, como hace la Resolución del Parlamento Europea de febrero de 2017, es si la normativa actual resulta suficiente para responder a esta nueva realidad. Sabemos que casi siempre los hechos van por delante del Derecho, si bien, en este caso, dada su transcendencia y lo rápido que avanza la tecnología, las normas jurídicas no deberían quedarse rezagadas al desarrollo de esta nueva revolución.

No cabe duda que el debate está presente, suscitándose la cuestión de su naturaleza jurídica y de si los robots inteligentes encajan en algunas de las categorías jurídicas existentes en la actualidad (personas físicas, personas jurídicas, animales y objetos) o si debe crearse una nueva categoría jurídica específica, dadas sus propias características[27].

No es objeto de este trabajo extenderse sobre esta cuestión ni quizá, de momento, se tengan las ideas claras sobre la naturaleza jurídica de los robots inteligentes. En la actualidad, pese a tratarse de un asunto controvertido, no parece que los robots inteligentes encajen en ninguna de las categorías jurídicas mencionadas[28]. Quizá puedan asimilarse a las cosas, en los términos del artículo 333 CC, a cuyo tenor "Todas las cosas que son o pueden ser objeto de apropiación se consideran como bienes muebles o inmuebles". Así, como después analizaremos, no habría inconveniente para aplicar a estas "máquinas" singulares la legislación

---

[26]   Vid. GARCÍA-CRUCES J.A., *Derecho de sociedades mercantiles*, Tirant lo Blanch, Valencia, 2016, p. 270. Sobre esta cuestión, advierte el autor que "El Derecho de Sociedades configura determinadas estructuras en las que, con la participación de las personas naturales, se alcanza la formación de la voluntad social. Estas estructuras son los denominados órganos sociales. Con la doctrina de los órganos sociales se quiere atender un problema de gran relevancia, pues se trata de determinar cuándo la voluntad de esas personas naturales supone la vinculación de la sociedad por haber conformado la voluntad de la persona jurídica".

[27]   Así lo apunta SANTOS GONZÁLEZ M.J., "Regulación legal de la robótica y la inteligencia artificial: retos de futuro"..., *op. cit.*, p. 39.

[28]   La propia Resolución del Parlamento Europeo, de febrero de 2017, en el considerando AC, se cuestiona la naturaleza de los robots y de si pertenecen a una de las categorías jurídicas existentes o si debe crearse una nueva categoría con sus propias características jurídicas.

de productos defectuosos, aunque quizá, como proponen las instituciones comunitarias, haya que hacer algún cambio al respecto.

En cualquier caso, no debe pasar inadvertido lo señalado en los principios relativos de la robótica incluidos en la Resolución del Parlamento Europeo de febrero de 2017, en el n° 59, letra f), donde ya se apunta sobre la posibilidad de crear a largo plazo una personalidad jurídica específica para los robots, de forma que como mínimo los robots autónomos más complejos puedan ser considerados personas electrónicas responsables de reparar los daños que puedan causar, y, posiblemente, aplicar la personalidad electrónica a aquellos supuestos en los que los robots tomen decisiones autónomas inteligentes o interactúen con terceros de forma independiente.

En este sentido, se ha señalado que "... se constata que la creciente automatización ha conducido al resultado de que las actividades que al ordenamiento jurídico tradicionalmente le sirven como criterio para la imputación, se desplazan, paso por paso, del usuario al sistema. Puesto que el comportamiento de la máquina se determina cada vez menos desde una programación fijada de antemano y depende cada vez más de su interacción con el entorno, y el entorno respectivo a su vez genera procesos de aprendizaje y nuevas formas de comportamiento del sistema, surgen zonas ampliadas de acción de las máquinas que ya no pueden ser reducidas a determinadas cadenas de acciones. Más bien se trata de procesos que no están precisamente fijados en su desarrollo y que cada vez menos se pueden controlar durante el funcionamiento"[29].

De todos modo, como también se ha dicho[30], por mucho que se avance en la robótica, el aprendizaje y las decisiones autónomas de los robots van a derivar siempre de su creación y programación, y no de una capacidad volitiva propia, que nunca van a tener. Por ello, aunque se distingan de las cosas por esa capacidad de aprendizaje, seguirán siendo cosas, aunque, por dicha singularidad, tendrán, seguramente, en el futuro un tratamiento diferente.

Podrían tener un régimen similar al que tienen los animales, que puedan actuar de forma independiente e impredecible, pero que, sin embargo, de los daños que causan a terceros responden sus poseedores o los que se sirven de ellos, según establece en articulo 1905 CC.

Los animales, los robots, en definitiva, las cosas, no tienen patrimonio propio y no pueden responder frente a terceros por sí mismos. Tan solo podrían responder por su valor, lo que no parece que tenga mucho sentido, porque, entre

---

[29]   Vid. EBERS M., "La utilización de agentes electrónicos inteligentes en el tráfico jurídico: ¿Necesitamos reglas especiales en el Derecho de la responsabilidad civil? ..., *op. cit.*, pp. 8 y 9.

[30]   Así lo apunta DÍAZ ALABAR S., *Robots y responsabilidad civil, ...op. cit.*, p. 75.

otras cosas, en la mayoría de las situaciones dicho valor no sería suficiente para indemnizar el daño producido.

No obstante, como decimos, el debate está abierto para buscar una solución pensando, sobre todo, en el futuro. Quizá el fondo de compensación al que se refiere el considerando 59 de la Resolución del Parlamento, que analizamos en el último apartado, podría ser una solución para que sea este fondo el que haga cargo de indemnizar los daños a terceros. En este caso, habría que determinar, entre otras muchas cosas, quién es el obligado a nutrir a ese fondo.

4. Régimen de responsabilidad civil de los robots

4.1. Consideraciones generales

Los criterios para la determinación de la responsabilidad civil han ido evolucionando a lo largo del tiempo, influenciados en gran medida por el desarrollo económico que ha experimentado nuestra sociedad. En efecto, ha sido, sobre todo, el llamado maquinismo, en los inicios de la revolución industrial, que ha servido para el impulso y desarrollo de las sociedades modernas, el que ha conllevado un incremento considerable e inevitable de los riesgos que amenazan cada vez más a las personas y a los bienes[31].

Aunque resulte paradójico, es curioso que las sociedades más avanzadas y que más han progresado técnicamente, están sometidas a mayores riesgos derivados del uso de máquinas, que las hacen más vulnerables y, por tanto, más necesitadas de buscar soluciones para resolver los problemas de distinta índole que causan. Así, además de los daños directos a las personas y bienes, existen otros, como daños al medioambiente, que influyen en nuestro ecosistema y en la salud de todos los ciudadanos.

Parece que, de alguna forma, nuestra sociedad acepta de antemano que se produzcan los daños que son normales en una actividad que es, al mismo tiempo, peligrosa[32]. En las economías modernas, para mantener el estado del bienestar, no se puede dejar de producir, aunque el hacerlo conlleve, inevitablemente, que se produzcan daños. Se dice que es preferible indemnizar los daños que se causan

---

[31]   Vid. JOURDAIN, P., *Les principes de la responsabilité civile*, Paris, Dalloz, 1992, p. 10.
En el mismo sentido, MORILLAS JARILLO, M.J., *El seguro del automóvil: el aseguramiento obligatorio de la responsabilidad civil automovilística*, J. M. Bosch, Barcelona, 1992, p. 87, indica, que "el desarrollo económico, la Revolución Industrial y el progreso técnico condujeron a un incremento cuantitativo y cualitativo de los daños".

[32]   Así lo expresa ROGEL VIDE, C., *la responsabilidad civil extracontractual en el derecho español*, Cívitas, Madrid, 1976.

como consecuencia de la actividad productiva que paralizarla[33]. Naturalmente, esta teoría tiene sus propios límites, que vendrán dados por el interés de la colectividad, frente a los intereses de un grupo social más o menos amplio. Cada vez se habla más de proteger el medio ambiente o de no hipotecar a las futuras generaciones con los daños al ecosistema, en contraposición con los intereses de las grandes multinacionales o de los propios Estados, que quieren mantener su "bienestar" sin importarles demasiado los daños que causen o, al menos, sin que esto sea prioritario para ellos.

Por otro lado, la propia sociedad, en base a ese beneficio que le supone la utilización de máquinas para su desarrollo, busca medios de compensación de los daños que se producen como consecuencia de su uso. Estos medios de compensación o de reparación del daño causado han ido evolucionando a lo largo del tiempo hasta llegar a nuestros días.

Debe añadirse, además, que a medida en que han aumentado las actividades peligrosas, generadoras de daños, los ciudadanos cada vez se resignan menos a tener que sufrirlos, como si se tratase de un deber impuesto por "la mano de Dios"[34]. La sociedad, con el paso del tiempo, cada vez exige con mayor determinación la búsqueda de un culpable que se haga cargo de indemnizar los perjuicios producidos, dando lugar a un incremento de las reclamaciones. Se alega, incluso, que hemos llegado a un cierto victimismo, más allá de lo razonable, pretendiendo que cualquier tipo de daño sufrido, debe ser reparado[35].

A esta cultura de reclamación, que ha ido aumentando poco a poco hasta nuestros días, debe añadirse, por su innegable influencia, la aparición de los seguros de responsabilidad civil, que han animado a las víctimas de daños a reclamar contra las entidades aseguradoras de responsabilidad civil, perdiendo el miedo a ir directamente contra el causante del daño. Se ha producido, lo que se ha llamado, la socialización de la responsabilidad civil[36], en el sentido de que, a través del

---

[33]   Vid. HEBRERO ALVÁREZ, J. I., *El aseguramiento de la responsabilidad civil por daños al medio ambiente*, Dykinson, Madrid, 2002, p. 12.

[34]   Señala, MORILLAS JARILLO, M.J., *El seguro del automóvil: el aseguramiento obligatorio de la responsabilidad civil...*, *op. cit.*, p. 87, que "la mentalidad social también evolucionó en el sentido, al entender como imperativo la indemnización de los perjudicados, con independencia de la culpabilidad de quien produjo los daños: la idea de sanción se pasa a la de tutela".

[35]   VICENTE DOMINGO, E., "El daño", en REGLERO CAMPOS, L.F. (Coord.), *Tratado de Responsabilidad Civil*, 4° ed., vol. I, Aranzadi, 2008, Navarra, p. 305, considera que "este hecho responde a un fenómeno social firmemente implantado en todas las sociedades desarrolladas y que consiste no solo en que se exige en todos los casos en los que hay un daño, la reposición del perjudicado al estado anterior a la producción del daño o su equivalente en dinero, sino también en que prácticamente toda frustración personal se convierte en daño en busca de un responsable".

[36]   Así lo expone VICENTE DOMINGO, E., "El daño"..., en *op. cit.*, p. 307.

mecanismo del seguro, los daños sufridos por unos pocos, han sido satisfechos por toda la comunidad asegurada.

De este modo, a finales del siglo XIX y principios del XX, se produce una clara transformación en la sociedad que reclama un resarcimiento de los daños producidos como consecuencia de la revolución industrial, que no solo amenazan a las clases más desfavorecidas, sino a toda la sociedad, aunque aquéllas se sientan más indefensas cuando son víctimas de accidentes[37]. Para ello, poco ayudaban los Códigos Civiles de la época[38], que estaban basados en la idea de la culpa con un alto reproche social y moral hacia la persona que había cometido el hecho dañoso[39]. Existía, por tanto, en este ámbito, una falta de correspondencia entre los problemas y las soluciones aportadas por los ordenamientos jurídicos[40].

Esta es la situación en la que nos encontramos en la actualidad, si bien, debemos entender que las nuevas "máquinas" que originan esta nueva revolución industrial, son más sofisticadas y van mucho más lejos que las que hemos conocido hasta ahora. Como venimos afirmando, se trata de máquinas inteligentes, capaces de interactuar con los humanos y, sobre todo, de tomar decisiones propias. Esto hace que se incrementen notablemente los beneficios sociales, pero, seguramente, no sabemos si en la misma proporción, ocurra lo mismo con los riesgos. De ahí que nos planteemos cuestiones relativas a la responsabilidad civil y a su aseguramiento obligatorio.

---

[37]   Vid. REGLERO CAMPOS L.F., *Accidentes de Circulación: Responsabilidad Civil y Seguro*, Aranzadi, 2ª edición, Cizur Menor (Navarra), 2007, p. 223., que señala que "Empezaron a oírse cada vez con más fuerza las voces que exigían indemnizaciones por los daños causados por el "maquinismo", y que reclamaban un nuevo sistema más equitativo y que rompiera con el tradicional basado en la culpa, en el que difícilmente llegaban a prosperar las reclamaciones de daños".

[38]   Como señala REGLERO CAMPOS, L.F (Coord.), *Tratado de Responsabilidad Civil*. Aranzadi, 4ª edición, Cizur Menor (Navarra), 2008, p. 255, "es cierto que la práctica totalidad de los Códigos y los sistemas del *Common Law* habían admitido la responsabilidad objetiva en ciertos casos, pero estaban pensados para unos sistemas de producción fundamentalmente agrícolas en el que los riesgos provenían de la actividad ganadera, ruina de edificios, propagación de incendios, etc., que nada tenían que ver con una economía industrial que exigía medidas renovadoras en este campo".

[39]   Sostiene REGLERO CAMPOS, L.F (Coord.), *Tratado de Responsabilidad Civil...*, *op. cit.*, p. 251, que "en la imputación de la culpa permanecía todavía latente la idea canónica de que la reparación del daño constituía la penitencia que se ligaba a la conducta negligente, y en la que la función compensatoria no desempeñaba sino un papel meramente complementario".

En el mismo sentido, CONCEPCIÓN RODRÍGUEZ, J.L., *Derecho de daños*, Bosch, 2ª edic., Barcelona, 1999, p. 18, indica que "en el derecho clásico el fundamento del resarcimiento estaba en el pecado y la subsiguiente conexión moral de reparar sus efectos".

[40]   Así lo expresa HEBRERO ÁLVAREZ, J.I., *El aseguramiento de la responsabilidad civil por daños al medio ambiente...*, *op. cit.*, p. 12.

Al estudiar un determinado seguro obligatorio de responsabilidad civil, no lo podemos hacer sin analizar previamente el régimen de responsabilidad civil sobre el que va a gravitar dicho seguro. Aunque estamos ante instituciones distintas, es evidente que ambas se complementan y, en ocasiones, de alguna manera, también se pueden llegar a desdibujar. Se ha dicho, no sin razón, que el seguro de responsabilidad civil se ha utilizado, a veces, como un criterio de imputación más, para proteger a las víctimas que han resultado perjudicadas por unos daños, sin que se dieran todos los elementos que configuran la responsabilidad civil. Así, en alguna ocasión, se ha prescindido del requisito de la culpa en actividades que no eran de riesgo ni era de aplicación el régimen de la responsabilidad civil objetiva[41]. Del mismo modo, también ha ocurrido que determinados seguros de responsabilidad se han desarrollado y comercializado porque ha habido, aunque sea de forma un tanto ligera y suavizando mucho los elementos de la responsabilidad, condenas a determinadas personas como responsables civiles.

No debe olvidarse que la responsabilidad civil es un instrumento de justicia conmutativa y no de justicia distributiva[42]. Para ello, para distribuir los recursos, existen otros mecanismos distintos a la responsabilidad civil, como puedan ser las ayudas públicas que se conceden ante una catástrofe o las pensiones no contributivas otorgadas por el Estado. El hecho de que haya un seguro no debe ser óbice para hacer responsable a quien no lo es. El paraguas del seguro solo debe abrirse cuando se dan todos los elementos de la responsabilidad. En ese caso, una vez determinada la responsabilidad civil del asegurado, veremos si el paraguas cubre

---

[41]   Como apunta YZQUIERDO TOLSADA M. "Evolución de la responsabilidad civil y el seguro de responsabilidad civil en los últimos 10 años" X *Congreso de responsabilidad civil y seguro*, Inese, Madrid, octubre de 2008, p. 3, "una cosa es suavizar el rigor probatorio de la culpa y otra prescindir directamente de ella, siquiera sea —insisto— de manera puramente formal. Y ello, no sólo en las actividades de riesgo, sino en todas en general. Una tendencia, la que trata de convencer de que la culpa ha desaparecido de la "receta" del artículo 1902, que es completamente minoritaria en la jurisprudencia civil, pero que ahí está. Ya no nos sorprende que, para un caso de accidente laboral, se puedan leer dislates como los de la STS de 9 octubre 2000: "la persona que causa el daño, lo hace por dolo o por culpa, pues de no haber uno u otra, no habría causado el daño". O como la de 11 abril 2002, o la de 21 enero 2000. Todas tienen, por cierto, al mismo Magistrado Ponente".

[42]   Así lo expone YZQUIERDO TOLSADA M. "Evolución de la responsabilidad civil y el seguro de responsabilidad civil en los últimos 10 años" ..., *op. cit.*, p. 3.
En el mismo sentido, vid. JIMENO MUÑOZ J., *La responsabilidad civil en el ámbito de los ciberriesgos*, Fundación Mapfre, Madrid, 2018, p. 126, señala el autor que "...la doctrina de la justicia conmutativa ha sido reconocida por la gran mayoría de ordenamientos jurídicos, y fue mantenida por Santo Tomás de Aquino al entender que la ley atiende solo a la diferencia del daño, de manera que el juez intentará dar solución a aquello que es injusto, que ha sido consecuencia de daños que uno propinó a otro, y que por tanto ha producido una situación de igualdad, devolviendo tal situación de igualdad en la misma cantidad de cosas".

todo, parte o nada de esa responsabilidad. Este es el mecanismo de interrelación entre la responsabilidad civil y el seguro.

En todo caso, lo que es evidente es que las entidades aseguradoras, al analizar el posible aseguramiento de la responsabilidad civil de un asegurado, deben conocer todas las cuestiones relativas a la responsabilidad civil a la que va a dar cobertura. No solo deben estudiar todos los elementos del seguro, sino también: qué régimen de atribución de responsabilidad opera en el ámbito que pretenden cubrir, si es por culpa, por riesgo u objetiva; qué tipo de daños puede causar el asegurado y con qué frecuencia se pueden producir; qué posibilidades y contra quiénes pueden ejercitar, en su caso, acciones de repetición o de regreso; cuáles son las causas de exoneración de la responsabilidad que están asegurando; cuáles son los plazos de reclamación; cómo interpretan los juzgados y tribunales las normas que deben aplicar, etc.

Como hemos manifestado, nuestro Derecho, en la actualidad, otorga personalidad jurídica a la personas físicas y jurídicas (empresas), quiénes son objeto de derechos y obligaciones. Entre éstas, puede encontrarse la de responder frente a terceros de los daños ocasionados. Sin embargo, los robots —que pueden tomar decisiones de forma autónoma—, de momento, no tienen personalidad jurídica y, por tanto, no se les puede atribuir responsabilidad por los daños que causen a terceros, debiendo responder, en su caso, una persona, ya sea física o jurídica.

Son muchas las preguntas que cabe hacerse cuando una de estas máquinas ocasiona daños a terceros: ¿Debe responder el fabricante, el programador, el detentador de la máquina o debe soportar el daño la víctima cuando no se pueda atribuir los daños a ninguno de los anteriores?

Sería fácil responder a estas preguntas y quizá encuentren fácil respuesta en nuestro ordenamiento jurídico si el daño pudiera atribuirse fácilmente al fabricante, al programador o al usuario, en los casos en los que hubieran incurrido en cualquier error en la fabricación, en la programación o en la utilización de estas máquinas. Pero lo cuestión más problemática, desde el punto de vista de la responsabilidad civil, es resolver en estos casos quién responde si el daño no deriva de ningún error de los agentes indicados y solo es atribuible a una decisión autónoma del propio robot o, dada la interconectividad de estas máquinas, proviene de un ciberataque causado por un tercero que no se puede identificar.

Por ello, con todas las particularidades que se quiera, pensamos que podría haber un sistema de responsabilidad civil objetiva atribuible al propietario, arrendatario o al detentador del robot, el cuál debería indemnizar los daños producidos al tercero, salvo que haya alguna causa de exoneración de esta responsabilidad, como la culpa exclusiva de la víctima o la fuerza mayor, en términos similares a lo previsto en nuestro artículo 1105 CC.

Una vez indemnizado al tercero por el responsable civil que, en caso de aseguramiento debería ser por parte de la entidad aseguradora como responsable civil directa, el que haya pagado podría repetir contra el que finalmente pudiera ser responsable de aquellos agentes que hayan intervenido en la fabricación, programación o entrenamiento del robot.

Como puede verse, proponemos un sistema de atribución de responsabilidad similar al que tenemos en nuestro país para indemnizar los daños personales derivados de la responsabilidad civil automovilística, establecido en el artículo 1 de la Ley de responsabilidad civil y seguro en la circulación de vehículos a motor[43], con un mayor protagonismo para las acciones de repetición[44]. Con ello, las víctimas quedarían siempre indemnizadas de estos daños, salvo que haya alguna causa de exoneración y, posteriormente, en vía de regreso, se depurarían las distintas responsabilidades entre todos los agentes intervinientes.

4.2. La responsabilidad civil en la Resolución del Parlamento Europeo de febrero de 2017

Las instituciones comunitarias son conscientes de esta problemática y, por ello, tanto la Resolución del Parlamento Europeo, de 16 de febrero de 2017, con recomendaciones destinadas a la Comisión sobre normas de Derecho civil sobre robótica, como la Comunicación de la Comisión al Parlamento Europeo, al Consejo europeo, al Consejo, al Comité Económico y Social Europeo y al Comité de las Regiones, de 25 de abril de 2018, sobre inteligencia artificial, se ocupan de abordar distintas cuestiones relacionadas con la responsabilidad civil de los robots.

La Resolución, en sus considerandos iniciales, apela a la responsabilidad de los implicados en el desarrollo y comercialización de aplicaciones de inteligencia artificial, quienes deben incorporar desde el principio características de seguridad y ética.

El Parlamento, es sus recomendaciones sobre responsabilidad, es consciente de que se tiene que estudiar la posible responsabilidad de los robots por los

---

[43]   No obstante, el sistema de atribución de responsabilidad civil del art. 1 LRCSCVM, recae sobre el conductor del vehículo y, de forma más residual, sobre su propietario, en virtud de lo establecido en los artículo 1903 CC y 120 CP.

[44]   Vid. ITURMENDI MORALES G., "Coches conectados autónomos. Papel de las aseguradoras", *Revista de la Asociación Española de Abogados Especializados en Responsabilidad Civil y Seguro*, nº 61, 2017, p. 22. Con buen criterio, afirma que "... es previsible que se multipliquen las acciones de regreso de las entidades aseguradoras de automóviles, una vez satisfechas las indemnizaciones de los daños y perjuicios causados a terceros, contra los directamente causantes de los errores y omisiones causantes de los accidentes".

daños que puedan ocasionar, puesto que, tras los avances tecnológicos de los últimos tiempos, ya no solo pueden realizar actividades que antes eran típica y exclusivamente humanas, sino que el desarrollo de determinados rasgos cognitivos y autónomos —como la capacidad de aprender de la experiencia y tomar decisiones cuasi independientes— ha hecho que estos robots se asimilen cada vez más a agentes que interactúan con su entorno y pueden modificarlo de forma significativa.

Por esa autonomía cada vez mayor de los robots, la Resolución se cuestiona si la normativa general sobre responsabilidad, que no permite que los propios robots puedan ser considerados responsables de los daños que causen a terceros, es suficiente o si se requieren normas y principios específicos que aporten claridad sobre la responsabilidad jurídica de los distintos agentes y su responsabilidad por los actos y omisiones de los robots, cuya causa no pueda atribuirse a un agente humano concreto, y de si los actos u omisiones de los robots que han causado daños podrían haberse evitado.

Se considera que, actualmente, conforme al vigente marco jurídico europeo, a los daños ocasionados por los robots y la IA, sería aplicable la normativa sobre productos defectuosos por los daños que causen los robots a terceros, en los casos de responsabilidad del fabricante, y las normas que rigen la responsabilidad en general por una actuación que ocasiona daños —en la que el usuario de un producto es responsable de un comportamiento que deriva en un perjuicio—. En nuestro caso, artículos 1101 y ss. CC, para la responsabilidad civil contractual y 1902 y ss. CC para la extracontractual.

Ahora bien, lo que pone de relieve la Resolución es si la normativa actual es suficiente para contemplar los supuestos que se pueden dar. No cabe duda que, cuanto mayor sea la autonomía de los robots, más difícil será aplicar la legislación actual sobre responsabilidad civil, por cuanto la responsabilidad de los distintos agentes intervinientes quedará más diluida[45].

---

[45]   Así lo entiende SANTOS GONZÁLEZ M.J., "Regulación legal de la robótica y la inteligencia artificial: retos de futuro" ..., *op. cit.*, p. 38. Sostiene con acierto la autora que: "Cuanto más aumenta su autonomía, la responsabilidad se diluye en los múltiples actores que participan con el robot; el programador, el fabricante, el operador, el comprador, el propietario, el usuario del robot etc. Las normas tradicionales de responsabilidad civil no son suficientes para generar responsabilidad jurídica por los daños ocasionados por el robot, ya que no permiten determinar la parte que ha de hacerse cargo de la indemnización, ni exigir a dicha parte que repare el daño ocasionado. Por tanto, en la medida que son más inteligentes y autónomos se plantea la posibilidad de responsabilizar al mismo robot por actos u omisiones cuya causa no pueda atribuirse a un humano concreto y a los humanos por actos u omisiones de los robots que hayan causado daños que se podrían haber evitado".

Además, no solo se cuestionan las normas sobre responsabilidad civil extracontractual, sino también las que regulan la responsabilidad civil contractual, poniendo de relieve la insuficiencia de dicha regulación, por cuanto que la existencia de máquinas concebidas para elegir a sus contrapartes, negociar cláusulas contractuales, celebrar contratos y decidir sobre su aplicación, hace inaplicables las normas tradicionales.

Por ello, el Parlamento pide a la Comisión que presente, sobre la base del artículo 114 del TFUE, una propuesta de instrumentos legislativos sobre los aspectos jurídicos relacionados con el desarrollo y el uso de la robótica y la inteligencia artificial previsibles en los próximos diez o quince años, junto con instrumentos no legislativos —por ejemplo, directrices y códigos de conducta—, advirtiendo que estos instrumentos legislativos no deben en modo alguno limitar el tipo o el alcance de los daños y perjuicios que puedan ser objeto de compensación, ni tampoco limitar la naturaleza de dicha compensación, por el único motivo de que los daños y perjuicios hayan sido causados por un agente no perteneciente a la especie humana[46].

En tal sentido, se pide a la Comisión que en dichos instrumentos legislativos estudie si debe aplicarse el enfoque de la responsabilidad objetiva o el de gestión de riesgos, matizando que en la responsabilidad objetiva únicamente exige, en términos semejantes a la legislación sobre productos defectuosos, probar que se ha producido un daño o perjuicio y el establecimiento de un nexo causal entre el funcionamiento perjudicial del robot y los daños o perjuicios causados a la persona que los haya sufrido.

El Parlamento, después de recomendar distintos aspectos relativos al aseguramiento de esta responsabilidad civil, finaliza pidiéndole a la Comisión, sobre la base del artículo 225 del TFUE, que presente una propuesta de Directiva[47], relativa a las normas de legislación civil en materia de robótica, siguiendo las recomendaciones detalladas que figuran en el anexo.

---

[46] En esta previsión, se aparta de lo regulado en la Directiva 85/374/CEE del Consejo, de 25 de julio de 1985, relativa a la aproximación de las disposiciones legales, reglamentarias y administrativas de los Estados Miembros en materia de responsabilidad por los daños causados por productos defectuosos, cuyo artículo 16.1 permitía a los Estados miembros la posibilidad de limitar la responsabilidad por daños personales.

[47] Vid. DÍAZ ALABAR S., *Robots y responsabilidad civil, ...op. cit.*, p. 59 que, reseñando otros autores, muestra sus dudas sobre si le Directiva es el instrumento legislativo más idóneo para regular aspectos de responsabilidad civil sobre los robots, advirtiendo que: "La Directiva, al ser un tipo de norma no aplicable directamente a los ciudadanos comunitarios, sino que precisa de una transposición a los ordenamientos jurídicos de los Estados miembros, ralentizará la eficacia de las nuevas normas".

La Comisión, a través de la reciente Comunicación a la que nos hemos referido al inicio de este epígrafe, de 25 de abril de 2018, señala que está evaluando si, habida cuenta de estos nuevos desafíos, los marcos en materia de seguridad y los marcos nacionales y de la UE en materia de responsabilidad resultan adecuados para el fin previsto o si existen lagunas que deben colmarse.

De esta forma —indica—, que ya se han llevado a cabo las evaluaciones de la Directiva sobre responsabilidad por los daños causados por productos defectuosos y la Directiva sobre máquinas y se ha efectuado también una evaluación preliminar de los actuales marcos en materia de responsabilidad a la luz de la IA y las tecnologías emergentes, donde un grupo de expertos ayudará a la Comisión a analizar estos en profundidad.

La Comisión se plantea publicar, para mediados de 2019, un informe acerca de los marcos en materia de responsabilidad y de seguridad en relación con la IA, el Internet de las cosas y la robótica donde se analicen las repercusiones de carácter general y las posibles lagunas y se expongan las directrices correspondientes.

4.3. Aplicación de la legislación sobre productos defectuosos

Son continuas las referencias de la Resolución del Parlamento Europeo a la legislación sobre productos defectuosos y, en concreto, a la Directiva 85/374/CEE del Consejo, de 25 de julio de 1985, relativa a la aproximación de las disposiciones legales, reglamentarias y administrativas de los Estados Miembros en materia de responsabilidad por los daños causados por productos defectuosos.

Ya hemos puesto de manifiesto que el Parlamento se cuestiona si la actual legislación de productos defectuosos, promovida por la Directiva 85/375/CEE, es suficiente para para resolver la problemática que se pueda plantear —derivada fundamentalmente de la autonomía que pueden llegar al alcanzar los robots—, puesto que solo cubre los daños ocasionados por los defectos de fabricación de un robot a condición de que el perjudicado pueda demostrar el daño real, el defecto del producto y la relación de causa a efecto entre el defecto y el daño (responsabilidad objetiva o responsabilidad sin culpa);

El art. 2 de la Directiva 85/375/CEE, "entiende por «producto» cualquier bien mueble, excepto las materias primas agrícolas y los productos de la caza, aun cuando está incorporado a otro bien mueble o a uno inmueble. Se entiende por «materias primas agrícolas» los productos de la tierra, la ganadería y la pesca, exceptuando aquellos productos que hayan sufrido una transformación inicial. Por «producto» se entiende también la electricidad".

Este concepto de producto fue modificado por la Directiva 1999/34/CE de 10 de mayo de 1999, suprimiendo la excepción de materias primas agrícolas y los productos de caza, ampliando el ámbito de aplicación de la Directiva de productos defectuosos.

En la actualidad, como hemos puesto de manifiesto, los robots, con más o menos autonomía, encajarían en la noción de producto y, en consecuencia, habría que aplicarles la legislación de productos defectuosos[48], haciendo responsable a los fabricantes de los mismos, o, en su caso, aplicando las normas generales sobre responsabilidad civil contractual y extracontractual, serían responsables de los daños que ocasionan personas físicas o jurídicas, como el fabricante, distribuidor, propietario u usuario.

4.4. Seguro obligatorio que garantice los daños producidos por los robots

4.4.1. Aspectos generales

Ya hemos apuntado que la Resolución del Parlamento Europeo sugiere la posibilidad del establecimiento de un régimen de seguro obligatorio, similar al que en la actualidad existe para dar cobertura a la responsabilidad civil de los vehículos a motor, con el fin de garantizar la responsabilidad por los daños y perjuicios causados por robots cada vez más autónomos.

Se está pensando en un seguro obligatorio de responsabilidad civil, que cubra los daños que los robots puedan ocasionar a terceros. Estamos ante máquinas, más o menos autónomas, susceptibles de ocasionar daños de cierta gravedad y, por tanto, el Parlamento Europeo pretende que las víctimas de estas máquinas sean debidamente protegidas. Incluso, va más allá, en el sentido de sugerir la posibilidad de que dicho sistema de aseguramiento obligatorio se complete con la creación de un fondo que garantizará la reparación de daños en los casos de ausencia de una cobertura de seguro.

Con algunas diferencias que pudiera haber, parece que se está pensando en una regulación similar a la que ya existe en el ámbito del seguro de responsabilidad civil en la circulación de vehículos a motor, cuyo origen está en la cinco Directivas Comunitarias sobre esta materia, codificadas por la Directiva 2009/103/CE del Parlamento Europeo y del Consejo de 16 de septiembre de 2009, relativa

---

[48]   Sobre esta cuestión, refiriéndose a los vehículos autónomos, vid. DÍEZ BALLESTEROS J. A., "La responsabilidad civil del fabricante de vehículos defectuosos. Los vehículos sin conductor", *Revista de Responsabilidad Civil, Circulación y Seguro*, INESE, n° 8, sept. 2015, p. 21. Sostiene esta autor que: "Es razonable considerar que los daños causados por esta clase de vehículos quedarían sujetos a la responsabilidad objetiva por producto, dado que parece que lo que se daría es una falta de seguridad en el funcionamiento del vehículo en su conjunto o en sus partes integrantes".

al seguro de la responsabilidad civil que resulta de la circulación de vehículos automóviles, así como al control de la obligación de asegurar esta responsabilidad.

Debe quedar claro que esta Directiva no regula aspectos sustantivos de la responsabilidad automovilística, materia que no está armonizada por el Derecho Comunitario[49], sino cuestiones relativas al seguro de responsabilidad civil en este ámbito. No obstante, la jurisprudencia emanada del TJUE, interpretando está norma, sí que ha tratado, aunque sea de forma tangencial, asuntos sustantivos, como el concepto de "circulación de vehículos"[50] o cómo deben ser indemnizados los daños inmateriales (morales)[51].

En cualquier caso, esta regulación del seguro obligatorio debe quedar al margen de la regulación de la responsabilidad civil de los robots, donde se tienen que resolver las cuestiones que hemos analizado en los párrafos precedentes, como el criterio de atribución de responsabilidad civil o la propia naturaleza jurídica de los robots. Esto no quiere decir que la regulación de estas cuestiones sustantivas no tenga influencia en la propia regulación del seguro. Así, si se opta por establecer un sistema de responsabilidad objetiva, como, por ejemplo, existe en nuestro país para regular la responsabilidad civil automovilista por daños personales, tendría una enorme repercusión en el seguro, porque podría dar lugar a un incremento de reclamaciones. Esto, podría originar cierta reticencia por parte de las aseguradoras a dar cobertura a estos riesgos[52].

---

[49] Como nos recuerda la STJUE (Sala Tercera) de 9 de junio de 2011, en el asunto C-409/09: "En efecto, el Tribunal de Justicia ya ha declarado que tanto del objeto de las Directivas Primera, Segunda y Tercera como de su tenor se desprende que su finalidad no es armonizar los regímenes de responsabilidad civil de los Estados miembros y que, en el estado actual del Derecho de la Unión, éstos tienen libertad para definir el régimen de responsabilidad civil aplicable a los siniestros derivados de la circulación de vehículos (sentencia Carvalho Ferreira Santos, antes citada, apartado 32 y jurisprudencia citada)".

[50] En los últimos años, el TJUE, se ha pronunciado en tres ocasiones sobre el concepto de "circulación de vehículos" recogido en el artículo 3 de la citada Directiva 2009/103/CEE —SSTJUE de 4 de septiembre de 2014 (C-162/13), de 28 de noviembre de 2017 (C-514/16) y 20 de diciembre de 2017 (C-334/16)— y hay, alguna cuestión prejudicial pendiente de resolución sobre el mismo asunto.

[51] En la STJUE de 24 de octubre de 2013 (Sala Segunda), en el asunto C-277/12, el Tribunal comunitario señala que "Cabe recordar que el Tribunal de Justicia ha tenido ocasión de declarar que el artículo 1, apartado 2, de la Segunda Directiva se opone a una normativa nacional que prevé importes máximos de indemnización inferiores a los importes mínimos de garantía establecidos en dicho artículo (véanse, en este sentido, la sentencia de 14 de septiembre de 2000, Mendes Ferreira y Delgado Correia Ferreira, C-348/98, Rec. p. I-6711, apartado 40, y el auto de 24 de julio de 2003, Messejana Viegas, C-166/02, Rec. p. I-7871, apartado 20)".

[52] Vid. GÓMEZ-RIESGO TABERNERO DE PAZ J., "Los robots y la responsabilidad civil extracontractual", *Derecho de los robots*, VV. AA., dirigido por BARRIO ANDRÉS M., La Ley, 2018, Madrid, 2018, pp. 125 y 126. Sostiene esta autor que: "La existencia de seguro obligatorio unido a la obligatoriedad de indemnizar los daños sin atender a la culpa o negligencia,

Se añade por parte de la Resolución que este seguro obligatorio, no solo debe cubrir errores humanos y fallos mecánicos, como ocurre en automóviles, sino que debe ir más allá y tener en cuenta todas las responsabilidades potenciales en la cadena. Como puede deducirse, no solo está pensando en el usuario del robot, sino en todos los agentes que intervienen en el proceso, como pueden ser: fabricante, programador, distribuidor, propietario, etc.

Lo que habrá que determinar con claridad es sobre quién recae la obligación de contratar el seguro obligatorio de responsabilidad. Esta cuestión es transcendental para la regulación del seguro. A nuestro juicio, la persona que tendría que suscribir el seguro obligatorio debería ser el propietario, arrendatario o detentador de la máquina, de forma similar a lo que ocurre en el ámbito de la circulación de vehículos a motor. Asegurar al fabricante, como proponen algunos autores[53], podría plantear problemas relacionados con la responsabilidad civil y con el propio seguro obligatorio.

Lo anterior no es óbice a que se prevean acciones de repetición de la aseguradora del propietario —o su compañía aseguradora—, contra cualquiera de los agentes indicados, si el daño es debido a la negligencia de cualquiera de ellos. Naturalmente, estos agentes distintos del propietario del robot, también podrían tener sus seguros de responsabilidad civil empresarial, de productos o profesional, según los casos, que otorgasen cobertura a esas eventuales acciones de repetición que se pudieran entablar por parte de la aseguradora que ha indemnizado al tercero.

Esta cuestión que proponemos encajaría perfectamente en un sistema de responsabilidad objetiva o por riesgo, como también sugiere el Parlamento en la Resolución analizada, puesto que garantizaría una mejor protección de las víctimas de los daños ocasionados por los robots, sin perjuicio del derecho de repetición que, en su caso, tuviera la aseguradora que se haya hecho cargo de los daños. Por el contrario, si se optase por un criterio culpabilístico, perjudicaría a las víctimas y plantearía más problemas a la hora de determinar el sujeto responsable y sobre quién debe recaer la suscripción del seguro obligatorio.

---

sino, tan solo a la generación de un riesgo por el obligado a indemnizar, puede acarrear el inconveniente de que, en el ámbito de los robots, y, particularmente, en aquellos cuya autonomía sea creciente, así como imprevisibles las acciones o reacciones que puedan tener los robots en la realidad en que operan, puede dar lugar a que las reclamaciones por daños aumenten de modo desproporcionado y se produzca lo que se ha calificado como el problema de la "teoría del saco sin fondo" o de reclamaciones indiscriminadas a las compañías se seguros, al saber que existen mayores posibilidades de indemnización".

53 Así, vid. DÍAZ ALABAR S., *Robots y responsabilidad civil...op. cit.*, p. 84.

4.4.2. La regulación y justificación de los seguros obligatorios

No hay duda de que el seguro de responsabilidad civil de la circulación de vehículos a motor es el seguro obligatorio por excelencia, regulado, como hemos indicado, en cinco Directivas comunitarias, que han sido codificadas por la Directiva 2009/103/CE, antes citada.

Son pocas las Directivas que prevén la creación de seguros obligatorios de responsabilidad civil. La Directiva 2006/123/CE del Parlamento Europeo y del Consejo de 12 de diciembre de 2006 relativa a los servicios en el mercado interior, prevé en su artículo 14.7 que los Estados miembros no supeditarán el acceso a una actividad de servicios o su ejercicio en sus respectivos territorios, si no cumplen determinados requisitos, entre los que se encuentra, la obligación de constituir un aval financiero, de participar en él o de suscribir un seguro con un prestador u organismo establecido en el territorio nacional. Más recientemente, la Directiva 2016/97 del Parlamento Europeo y del Consejo de 20 de enero de 2016 sobre la distribución de seguros, señala en su artículo 10.5 que "Los intermediarios de seguros y reaseguros deberán disponer de un seguro de responsabilidad civil profesional que cubra todo el territorio de la Unión, o de cualquier otra garantía comparable para las responsabilidades que pudieran surgir por negligencia profesional".

No obstante, la Directiva 2009/138/CE del Parlamento Europeo y del Consejo, de 25 de noviembre de 2009, sobre el seguro de vida, el acceso a la actividad de seguro y de reaseguro y su ejercicio (Solvencia II), sí se ocupa de regular los seguros obligatorios con carácter general y de llevar un control de los que tienen los distintos Estados. De esta forma, el artículo 179.3, establece que "Cuando un Estado miembro imponga la obligación de suscribir un seguro, el contrato de seguro solo cumplirá dicha obligación si es conforme con las disposiciones específicas relativas a dicho seguro previstas por dicho Estado miembro". Por su parte, el apartado 4, obliga a los Estados miembros a comunicar a la Comisión los riesgos para los cuales su legislación impone la obligatoriedad del seguro.

Volviendo a la regulación del seguro de automóviles, debemos indicar que, al margen del cumplimiento de los objetivos comunitarios de favorecer la libre circulación de personas y vehículos, y de fortalecer y consolidar el mercado interior del seguro de vehículos automóviles, es evidente que la regulación de este seguro y de cualquier otro seguro obligatorio de responsabilidad civil responde a la necesidad de proteger debidamente a la víctimas, normalmente, de daños ocasionados por actividades potencialmente peligrosas o de riesgo[54] que, si no fuera así, se

---

[54] Vid. PAVELEK ZAMORA E., "Seguros obligatorios y obligación de Asegurarse", *Revista Española de Seguros*, Seaida, Nº 106, abril-junio de 2001, p. 241. Para este autor "...el objetivo

quedarían sin ser indemnizadas si el responsable no pudiera con su patrimonio hacerse cargo de las indemnizaciones correspondientes[55]. En definitiva, se busca un patrimonio más solvente que el del asegurado, habitualmente, personas físicas, que pueda asumir esas indemnizaciones.

En nuestro país existe una regulación excesiva de seguros obligatorios, la mayoría de responsabilidad civil[56], que ponen en duda el argumento principal de que la regulación de estos seguros responden a actividades potencialmente peligrosas, como ocurría hace años con los primeros seguros obligatorios (automóviles, energía nuclear, caza o navegación aérea), caracterizados, además de por su potencial peligro, por estar regulados en leyes especiales y por responder a un sistema de responsabilidad objetiva atribuible al titular de la actividad[57].

Sin embargo, hay otros seguros obligatorios de responsabilidad civil que no tienen tanta justificación, por cuanto que en muchas ocasiones no existe ese potencial riesgo para los ciudadanos y los bienes, dando lugar a una carga burocrática y económica para los obligados, que dificulta o pone trabas a esas actividades económicas o profesionales, precisamente en estos tiempos en los que otras leyes promueven justamente lo contrario.

Nos referimos, fundamentalmente, a los seguros obligatorios de responsabilidad civil que deben suscribir los profesionales, los cuáles han proliferado en los últimos años: administradores concursales, mediadores concursales, árbitros, auditores de cuentas, mediadores civiles y mercantiles, etc. ¿Realmente, la actividad de estos profesionales genera un potencial riesgo para las personas y los bienes, que hace necesaria su obligatoriedad?

La regulación de los seguros obligatorios estaba contenida en el artículo 75 de la Ley de Contrato de Seguro, que fue derogado por la disposición derogatoria

---

prioritario de los Seguros Obligatorios es proteger a las víctimas y perjudicados de ciertas conductas sujetas a la obligatoriedad de asegurarse al mismo tiempo que se busca un patrimonio responsable y solvente que afronte la reparación de los daños producidos, todo ello presidido por el interés público que supone la exigencia de estos seguros en el ejercicio de determinadas actividades "riesgosas" susceptibles de causar cierto tipo de daños que merecen, a juicio del legislador, una especial protección".

[55]   En el mismo sentido, ELGUERO MERINO J.M., "Comentario del artículo 75 Ley de Contrato de Seguro", en BADILLO ARIAS J.A. (Coord.), *Ley de Contrato de Seguro: Jurisprudencia comentada*, Aranzadi, 3ª edición, 2017, p. 1308. Para este autor que "El fundamento de los seguros obligatorios reside en garantizar el resarcimiento de los daños causados por el ejercicio de actividades peligrosas. Los seguros obligatorios responden al criterio del riesgo y no al de la culpa".

[56]   En España hay más de 800 seguros obligatorios, regulados por distintas normas y diferentes administraciones, con un cierto desorden respecto a su regulación y, en algunos casos, con dificultades de encontrar entidades aseguradoras que cubran los citados seguros obligatorios.

[57]   Vid. sobre esta cuestión, PAVELEK ZAMORA E., "Seguros obligatorios y obligación de Asegurarse", *Revista Española de Seguros*, Seaida, Nº 106, 2001, pp. 235-276.

a) de la Ley 20/2015, de 14 de julio, de ordenación, supervisión y solvencia de las entidades aseguradoras y reaseguradoras, ley que pasa a regularlos de una forma más extensa y ordenada en su disposición adicional segunda[58]. Aunque nada se dice en la Exposición de Motivos de la LOSSEAR sobre esta nueva regulación, parece más lógico regular estos seguros en una ley de ordenación que en una ley, como anteriormente ocurría, que regula el contrato de seguro y las relaciones de las partes contratantes.

El apartado 1° de la citada disposición apela al riesgo, como fundamento de estos seguros, al disponer que: "Se podrá exigir a quienes ejerzan determinadas actividades que presenten un riesgo directo y concreto para la salud o para la seguridad de las personas, incluida la seguridad financiera, la suscripción de un seguro u otra garantía equivalente que cubra los daños y perjuicios que puedan provocar y de los que sean responsables. La garantía exigida deberá ser proporcionada a la naturaleza y alcance del riesgo cubierto".

Para intentar ordenar esta materia, el apartado 2° de la disposición analizada señala que la obligación de suscripción de seguros deberá establecerse mediante normas con rango de Ley. Además —añade—, que se deberá contar con un informe preceptivo de la DGSFP, o del órgano competente de las Comunidades Autónomas, con objeto de que puedan formular observaciones en materia de técnica aseguradora. Se trata, como analizaremos en el siguiente epígrafe, de que la creación de cualquier seguro obligatorio, desde el punto de vista de técnica aseguradora, tenga un contenido mínimo, sea viable y encuentre cobertura en el mercado asegurador.

Por último, para cumplir con el mandato de la Directiva Solvencia II, de comunicar a la Comisión la relación de los distintos seguros obligatorios por parte de los Estados miembros, el aparado 3° de la disposición adicional segunda alude a que "La DGSFP comunicará a la Comisión Europea, de acuerdo con el registro que se desarrolle reglamentariamente y que gestionará el Consorcio de Compensación de Seguros, los seguros obligatorios existentes en España, indicando las disposiciones específicas que regulan el seguro obligatorio"[59].

---

[58]   Indica ELGUERO MERINO J.M., "Comentario del artículo 75 Ley de Contrato de Seguro" ..., *op. cit.*, p. 1313, que "Es fácil percibir que los seguros obligatorios tienen ahora un estatuto legal mucho más amplio y complejo que el que tenían en la LCS. No era ésta la norma adecuada para regular los seguros obligatorios de responsabilidad civil ya que no regulaba técnicamente nada; el extinto artículo 75 LCS era solo un precepto declarativo o meramente informativo..."

[59]   Este registro ha sido regulado reglamentariamente por el Real Decreto 1060/2015, de 20 de noviembre, de ordenación, supervisión y solvencia de las entidades aseguradoras y reaseguradoras. En su disposición adicional primera atribuye al Consorcio de Compensación de Seguros la gestión del registro público de seguros obligatorios, creado *ex novo* por la ley, en cumplimiento de la Directiva Solvencia II. En este registro deberán figurar todos los seguros cuya

4.4.3.   La creación del seguro obligatorio. Aspectos aseguradores

Hemos aludido al interés por parte de las instituciones comunitarias respecto a la regulación de los seguros obligatorios, mediante el mandato de la Directiva "Solvencia II" de comunicar a la Comisión los riesgos para los cuales su legislación impone la obligatoriedad del seguro. Y no solo debe cumplir con esto, sino que también debe comunicar las disposiciones jurídicas específicas relativas a dicho seguro y los elementos que deban constar en el certificado que la empresa de seguros debe entregar al asegurado, cuando el Estado exija una prueba del cumplimiento de la obligación del seguro.

Por otro lado, no hay duda de la justificación del seguro obligatorio al que se refiere la Resolución del Parlamento, que garantice la cobertura de los daños que los robots puedan ocasionar a terceros. En efecto, la robótica y la IA, por sus particulares características, es una actividad generadora de riesgos a las personas y los bienes y, por tanto, tendrá sentido socializar su cobertura mediante la obligatoriedad de un seguro que garantice la indemnidad de los eventuales perjudicados.

Ahora bien, como se ha expuesto, solo deberían ser objeto de este aseguramiento obligatorio aquellos robots que supongan un riesgo considerable para terceros. Se trataría de contemplar, por tanto, los más complejos con respecto a su autonomía y a la posibilidad de aprendizaje. Naturalmente, deberían estar incluidos los que transiten por lugares y vías públicas, especialmente todos los vehículos[60], con independencia de su grado de autonomía, y, por supuesto, los drones[61].

---

obligatoriedad haya sido establecida por una ley estatal o autonómica y se habilita a la DGSFP para regular mediante resolución la información a remitir al registro cuando se establezca un seguro obligatorio y el procedimiento de remisión.

[60]   En este caso, la Resolución del Parlamento establece que "...a diferencia del régimen de seguros en la circulación por carretera, en el que el seguro cubre tanto las actuaciones humanas como los fallos mecánicos, un sistema de seguros para robots debería tener en cuenta todas las responsabilidades potenciales en la cadena".

[61]   En nuestro caso, el artículo 26 c) del Real Decreto 1036/2017, de 15 de diciembre, por el que se regula la utilización civil de las aeronaves pilotadas por control remoto, establece que el operador de sistemas de aeronaves pilotadas por control remoto (RPAS), deberá "disponer de una póliza de seguro u otra garantía financiera que cubra la responsabilidad civil frente a terceros por los daños que puedan ocasionarse durante y por causa de la ejecución de las operaciones aéreas especializadas o vuelos experimentales, según los límites de cobertura que se establecen: 1.° En el Real Decreto 37/2001, de 19 de enero, por el que se actualiza la cuantía de las indemnizaciones por daños previstas en la Ley 48/1960, de 21 de julio, de Navegación Aérea, para las aeronaves de menos de 20 kg de masa máxima al despegue y 2.° En el Reglamento (CE) n.° 785/2004 del Parlamento Europeo y del Consejo, de 21 de abril de 2004, sobre los requisitos de seguro de las compañías aéreas y operadores aéreos, para aquellas aeronaves de masa máxima al despegue igual o superior a 20 kg".

Dicho seguro, como apunta la Resolución del Parlamento, debería hacerse por categorías de robots con las características indicadas, obligando a los fabricantes o propietarios a suscribirlo. Este deberá ser un asunto importante para determinar el sistema de responsabilidad civil y, a efectos aseguradores, para concretar quién es el asegurado. Pensamos que la obligatoriedad del seguro debería recaer sobre el propietario o, en su caso, sobre el usuario o detentador del robot, en los supuestos, por ejemplo, de arrendamiento.

Lo anterior obligaría también a crear un sistema de identificación de cada uno de los robots, creando un registro específico para ello, de tal forma que cualquier persona que interactúe con el robot, pueda conocer todos los datos relativos a su identidad, fabricación, propiedad, seguro, etc.

Otras de las cuestiones que pueden ser de interés respecto a la contratación de un seguro obligatorio, es establecer límites cuantitativos respecto a la suma asegurada. Las entidades aseguradoras no pueden dar cobertura de forma ilimitada. Por ello, si no se ponen límites, aunque sean altos, a un hipotético seguro obligatorio de responsabilidad civil, las aseguradoras podrían ser reticentes respecto a su suscripción.

En nuestro país, como hemos señalado, tenemos cierta experiencia sobre esta materia, dada la proliferación de seguros obligatorios de responsabilidad civil que se han promulgado. Uno de los problemas que se han puesto de manifiesto es que muchos de estos seguros se creaban sin haberse debatido previamente con el sector asegurador respecto a la forma de aseguramiento, lo que provocaba, en algunos casos, que el obligado a suscribirlo no encontrara cobertura en el mercado asegurador. En ocasiones, dicha regulación era incompleta porque no se contemplan determinados elementos imprescindibles para la suscripción del seguro: suma asegurada, falta de concreción del objeto del seguro o en sobre quién debe recaer la obligación, ausencia de fondos de garantía, etc.

Por ello, en los últimos años se ha producido un acercamiento a la industria aseguradora para evitar lo anterior y, sobre todo, para analizar la viabilidad de cualquier seguro. Por tal motivo, hemos comentado que la LOSSEAR dispone que los seguros obligatorios deberán establecerse mediante normas con rango de Ley y contar con un informe preceptivo de la DGSFP, o del órgano competente de las Comunidades Autónomas, con objeto de que puedan formular observaciones en materia de técnica aseguradora.

Antes de esta regulación, UNESPA, patronal del seguro, en el año 2011, había publicado una guía de recomendaciones para el establecimiento de seguros obligatorios. Con esta guía pretendía sensibilizar al legislador a la hora de regular un seguro obligatorio, para que tuviera en cuenta una serie de cuestiones imprescindibles para su posterior viabilidad, como: (1) ¿realmente es necesario el establecimiento de una obligatoriedad de aseguramiento?, (2) ¿la actividad a regular representa un verdadero peligro social?, (3) ¿es el riesgo asegurable?, (4) ¿existe información suficiente que permita medir el riesgo?, (5), ¿existe la, posibilidad de valorar económicamente sus consecuencias?, (6) ¿qué es lo que se quiere asegurar?, (7) ¿quiénes han de ser los elementos personales en el contrato de seguro?, (8) ¿cuáles deberían ser las condiciones económicas del seguro?, (9) ¿cuál es el ámbito temporal de la cobertura?, (10) ¿cuál es el control de la vigencia de la cobertura?

Es cierto que el seguro obligatorio de los robots, cuyo estudio propone la Resolución del Parlamento que comentamos en este trabajo, va más allá de nuestras fronteras, pero nuestra experiencia y, seguramente, la de otros países, nos obliga a manifestar que el establecimiento de este seguro debe contar con la participación en su regulación del sector asegurador y de aquellas instituciones públicas que se ocupan de ordenar y supervisar dicho sector. No se puede acometer un proyecto de esta naturaleza sin que previamente haya habido un estudio pormenorizado de todos los elementos del seguro y un consenso por parte de todos los agentes implicados.

IV. LA CREACIÓN DE FONDOS DE COMPENSACIÓN EN EL ASEGURAMIENTO DE LOS ROBOTS

La Resolución del Parlamento, en su considerando 59, de una forma poco clara, parece que se refiere a dos tipos de fondos de compensación. El primero, que sería similar al existente en la actualidad en automóviles, se haría cargo de cubrir los daños producidos por los robots que no tienen seguro de responsabilidad civil, pese a la obligación de tenerlo, y, por otro lado, un fondo de compensación distinto, que compense los daños ocasionados por los robots, pudiendo limitar con ello la responsabilidad civil de los agentes intervinientes y, por ende, de las propias entidades aseguradoras.

Pensamos que estos dos fondos podrían complementarse, lo que daría lugar a la creación de un solo fondo que tuviera la misión de hacerse cargo de la cobertura de los daños en ambos supuestos. En todo caso, se trataría de sistemas de compensación de daños, que estarían orientados a atender al dañado y, por ello, se podría plantear su vinculación o no a una cobertura de responsabilidad civil. Es decir, producido el daño por un robot, se podría vincular a un seguro de responsabilidad civil o, simplemente, sin analizar la responsabilidad civil del causante, sería sufragado por el fondo de compensación creado al efecto o, incluso, por un seguro de naturaleza distinta al de responsabilidad civil.

Sin perjuicio de la complementación de ambos fondos, para una mejor comprensión, analizados dichos fondos por separado, puesto que sus funciones son distintas.

1. Fondo de compensación similar al que ya existe en automóviles

En este caso, como ya se ha apuntado, se trataría de la creación de un fondo de garantía similar al que en la actualidad existe en automóviles. En tal sentido, este fondo se haría cargo, no solo de los daños de los robots sin seguro, como indica la Propuesta del Parlamento, sino de otros supuestos en los que los mecanismos del seguro obligatorio no se activen por otras causas, como pueda ser porque no se sepa cuál ha sido el robot que ha causado el daño y, por tanto, la entidad aseguradora que debe responder, y en los casos en los que la entidad aseguradora que garantiza la responsabilidad civil de un robot no se puede hacer cargo por estar incursa en un procedimiento concursal.

La justificación de este fondo de garantía es evidente: se podría decir que si se quiere proteger a las víctimas en su máxima expresión, no solo es preciso instaurar un sistema de responsabilidad objetiva y un seguro que garantice la misma, sino también un patrimonio o fondo que se haga cargo de indemnizar a las víctimas en los casos en los que no sea posible hacerlo con el sistema creado, porque fallen los mecanismos del mismo[62].

La regulación comunitaria del fondo de garantía para accidentes de circulación vino dada por el apartado 4 del artículo 1 de la Segunda Directiva 84/5/CEE del Consejo, de 30 de diciembre de 1983, relativa a la aproximación de las legislaciones de los Estados miembros sobre el seguro de responsabilidad civil que resulta de la circulación de los vehículos automóviles, que obligaba a cada Estado miembro a crear o autorizar un organismo que indemnice a las víctimas de accidentes producidos por vehículos que carezcan de seguro o que no hayan podido ser identificados.

En el caso español, con anterioridad, la Ley 122/1962, 24 de diciembre, de uso y circulación de vehículos a motor, que instauró en nuestro país el seguro obligatorio de automóviles, contemplaba en su Título III la creación de un Fondo Nacional de Garantía de Riesgos de la Circulación. Asimismo, en su disposición final, autorizaba al Gobierno para que, dentro del plazo señalado en la disposición final cuarta de la citada Ley, establezca la regulación del seguro obligatorio y del Fondo de Garantía.

Cumpliendo ese mandato, el gobierno dictó el Decreto Ley 18/1964, de 3 de octubre, por el que se organiza el Fondo Nacional de Garantía de Riesgos de la Circulación, que ya había sido regulado en el artículo 45 de la LUCVM. Estas funciones fueron posteriormente encomendadas al Consorcio de Compensación

---

[62]   Así lo expresa BADILLO ARIAS J.A., *La responsabilidad civil automovilística. El hecho de la circulación*, Aranzadi, Cizur Menor (Navarra), 2016, p. 93.

de Seguros (CCS), en virtud del Real Decreto 958/1986, de 25 de abril, por el que se modifica la estructura orgánica del Consorcio de Compensación de Seguros[63]. En la actualidad, estas funciones están recogidas en el artículo 11 del texto refundido de la Ley sobre responsabilidad civil y seguro en la circulación de vehículos a motor, aprobado por el Real Decreto Legislativo 8/2004, de 29 de octubre, que establece las funciones que corresponden al CCS en relación con este seguro obligatorio, constitutivas de su actividad como fondo de garantía del seguro del automóvil, que se concretan, de forma resumida, en la indemnización de los siniestros causados por vehículos desconocidos, no asegurados que hayan sido objeto de robo o robo de uso o, finalmente, que se encuentren asegurados en una entidad que hubiera sido declarada judicialmente en concurso o, habiendo sido disuelta y encontrándose en situación de insolvencia, estuviera sujeta a un procedimiento de liquidación intervenida o ésta hubiera sido asumida por el propio CCS.

Para cumplir las citadas funciones, desde su origen, se estableció un recargo a favor del CCS sobre la prima comercial del SOA. Actualmente, dicho recargo, viene regulado en la Resolución de 31 de mayo de 2016, de la Dirección General de Seguros y Fondos de Pensiones[64], quedando fijado en el 1,5 por cien de las primas comerciales del citado seguro obligatorio.

A nuestro juicio, este sistema, con todos los matices que se quiera, es trasladable al que pudiera haber en el futuro para garantizar que las víctimas de daños ocasionados por los robots van a ser indemnizadas, también en su máxima expresión, como decíamos más arriba.

En este caso, una de las cuestiones que habría que analizar es la viabilidad de este fondo de garantía. Pensemos que, al igual que ocurre actualmente en automóviles, los recargos pagados por los robots asegurados son los que contribuirían a dotar este fondo para que se haga cargo de indemnizar a los perjudicados en los supuestos descritos. Si hay un porcentaje elevado de obligados a suscribir el seguro que, pese a que sea obligatorio y se determine un régimen sancionador en caso de incumplimiento de este deber, no lo suscriben, daría lugar a que este sistema fuera inviable, porque el recargo que tendrían que abonar los tomadores cumplidores sería muy elevado. Por ello, este sistema de fondos de garantía, a nuestro juicio, es asumible si la mayoría de los obligados a suscribir el seguro cumplen con este deber.

En el caso del fondo de garantía de automóviles, hemos indicado que se paga un recargo del 1,5 por ciento de la prima comercial del seguro obligatorio responsabilidad civil. Entendemos que este porcentaje es asumible porque se calcula que

---

[63]   BOE, número 119, de 19 de mayo de 1986, páginas 17765 a 17765.
[64]   BOE nº 135, de 4 de julio de 2016.

en nuestro país más del 90 por ciento de los vehículos están asegurados. Si dicho porcentaje fuera, por ejemplo, del 50 por ciento, parece evidente que este fondo no sería viable, puesto que los asegurados deberían pagar, probablemente, más del doble de la prima comercial del SOA para dotar este fondo.

2. Fondo de compensación general para limitar la responsabilidad

Ya hemos advertido que la sociedad, en base a los beneficios que suponen los avances tecnológicos, busca sistemas de compensación de los daños que se pueden producir como consecuencia de las nuevas tecnologías. Estos medios de compensación o de reparación del daño causado han ido evolucionando a lo largo del tiempo hasta llegar a nuestros días. Por eso, se dice, al menos en las últimas décadas, que la responsabilidad civil debe prestar su atención en el daño y en la búsqueda de los mecanismos adecuados para su resarcimiento, y no centrarse exclusivamente, como en otras épocas, en la culpa del causante del mismo[65]. Sin duda, este planteamiento ha dado lugar a que la responsabilidad civil haya experimentado una evolución y esté en la primera línea de atención de los civilistas[66].

El desarrollo de la sociedad de los últimos siglos ha estado muy vinculado al seguro y la industria aseguradora está capacitada, como lo hecho en los últimos tiempos, para dar respuesta a las nuevas necesidades y a los retos que el futuro nos depare. Así lo está haciendo últimamente con la aparición de nuevos riesgos, como los cibernéticos, los medioambientales o los regulatorios. Por ello, es posible que la institución aseguradora, con sus distintos mecanismos, como puede ser el coaseguro y reaseguro, pueda dar respuesta a los riesgos derivados de la IA y la robótica, incluso, en este caso, en el que con bastante probabilidad tenga que dar cobertura a una responsabilidad objetiva, en términos similares a la que existe para atender los daños personales derivados de la circulación de vehículos a motor.

---

[65]   Sobre esta cuestión, se ha pronunciado MEDINA ALCOZ, recogiendo las ideas de LÓPEZ JACOISTE, cuando sostiene que "el cometido y sentido inicial de la responsabilidad civil radicó en un juicio valorativo, incluso psicológico, acerca del acto y del proceder del sujeto generador del daño. Seguía operando en ella una dimensión represiva, aunque de manera difusa y no declarada. Pero hoy día, al regir como meta la reposición de la integridad lesionada, la consideración más significativa y justificante de la obligación resarcitoria se encuentra primariamente en la realidad del daño mismo, en su entidad, en su carácter y en sus circunstancias"(MEDINA ALCOZ, M., *La culpa de la víctima en la producción del daño extracontractual*. Dykinson, Madrid, 2003, p. 42).

[66]   Vid. MEDINA ALCOZ, M., *La culpa de la víctima en la producción del daño extracontractual...*, *op. cit.*, p. 39, quien señala, en línea con lo que decimos, que uno de los factores generadores de ese cambio, ha sido: "La Revolución Industrial, con sus secuelas del maquinismo, la evolución de los métodos de trabajo, la producción en masa y los modernos medios de transporte, que producen un enorme incremento de los riesgos".

No obstante, en los inicios de esta nueva revolución industrial, donde faltan datos estadísticos de siniestralidad y no hay una masa suficiente para realizar cálculos actuariales para determinar la prima, es posible que haya ciertas reticencias a la hora de asegurar estos nuevos riesgos. A esto hay que añadir también la imprevisibilidad y la cuantía de los daños, porque no va a ser fácil saber la capacidad de dañar que pueden llegar a alcanzar estas nuevas máquinas, sobre todo cuando adopten decisiones de forma autónoma y actúen de manera descontrolada por distintos motivos.

Quizá por ello, la Resolución del Parlamento Europeo de febrero de 2017, en su fundamento 59, pide a la Comisión que estudie la posibilidad de crear un fondo de compensación que permita al fabricante, al programador, al propietario o al usuario que puedan beneficiarse de un régimen de responsabilidad limitada si contribuyen a dotar este fondo o bien si suscriben conjuntamente un seguro que garantice la compensación de daños o perjuicios causados por un robot.

Vemos que, por un lado, permite que los agentes relacionados con los robots puedan limitar su responsabilidad contribuyendo a dotar este fondo de compensación o, en otro caso, a suscribir un seguro que garantice la compensación de los daños y perjuicios causados por los robots.

Estas previsiones deben relacionarse con el considerando 52 de la Resolución, que advierte que cualquier instrumento legislativo que se adopte sobre aspectos jurídicos relacionados con el desarrollo y el uso de la robótica y la IA, no deben en modo alguno limitar el tipo o el alcance de los daños y perjuicios que puedan ser objeto de compensación, ni tampoco limitar la naturaleza de dicha compensación, por el único motivo de que los daños y perjuicios hayan sido causados por un agente no perteneciente a la especie humana. Por ello, parece una contradicción que se pueda limitar la responsabilidad, cuando la propia Resolución nos indica que el daño debe repararse íntegramente. Habría que entender que lo que pretende la Resolución es que el agente responsable pueda limitar su cobertura del daño y que sea el fondo de compensación, a partir de una determinada cantidad, el que se haga cargo del resto de la indemnización.

En cualquier caso y con independencia del sistema que pueda llegar a adoptarse respecto al fondo de compensación o al aseguramiento obligatorio, lo que queda claro es que el daño causado debe ser indemnizado en su integridad, sin que quepa limitación alguna sobre su compensación.

Por tanto, lo que se pretende es que se estudien las distintas posibilidades que pudiera haber para indemnizar los daños producidos por los robots. Habría que buscar fórmulas para que los fabricantes no tuvieran trabas en la producción de estas máquinas y no estuvieran desincentivados para ello, preocupados por su responsabilidad civil frente a terceros. También habría que analizar, como apuntaba más arriba, si la industria aseguradora, teniendo en cuenta todas las cuestiones que hemos planteado, tiene capacidad suficiente para asegurar la responsabilidad civil de estas máquinas con una suma asegurada lo suficientemente amplia para que queden indemnizados prácticamente todos los eventuales daños que se puedan producir.

A nuestro juicio, lo anterior no va a ser tarea fácil, al menos, durante los próximos años. Dada la imprevisibilidad de los daños que se puedan ocasionar, su cuantía y su frecuencia, se nos antoja complicado que el sector asegurador, ante esa falta de datos, pueda proporcionar una cobertura aseguradora en los términos indicados. Por ello, quizá cabría pensar en un seguro con coberturas limitadas, en el que los asegurados contribuyan a un fondo de compensación que se hiciera cargo de los daños que superasen la suma asegurada. De este modo, hasta dichos límites, las entidades aseguradoras asumirían los daños ocasionados y, a partir de los mismos, fuera el fondo de compensación el que asumiera dichos daños. El problema principal de este sistema sería determinar las cantidades que se deben aportar a ese fondo, ante la falta de datos sobre siniestralidad.

Otra fórmula podría ser la establecida para el transporte aéreo, regulada en el Convenio e Montreal, de 28 de mayo de 1999. En este caso, se establece una responsabilidad civil objetiva del transportista hasta una determinada cantidad, 100.000 derechos especiales de giro por pasajero[67]. Si los daños superan esta cantidad, se establece una culpa presunta del causante, que puede ser desvirtuada si prueba que el daño no se debió a la negligencia o a otra acción u omisión indebida del transportista o sus dependientes o agentes o que el daño se debió únicamente a la negligencia o a otra acción u omisión indebida de un tercero. Como puede verse, hasta una determinada cantidad la responsabilidad civil es objetiva y, a partir de la misma, es subjetiva, si bien hay una inversión de la carga de la prueba a cargo del transportista. Al establecerse en esta segunda capa una responsabilidad subjetiva, quizá habría menos problemas de aseguramiento de esta responsabilidad.

En cualquier caso, estos fondos de garantía o de compensación de los que habla la Resolución del Parlamento Europeo, deben ser analizados con profundidad y contar con todos los agentes implicados en esta materia, sin olvidar el objetivo de que las víctimas de los daños producidos por los robots sean debidamente indemnizadas.

---

[67] El artículo 17.1 del Convenio de Montreal establece que "el transportista es responsable del daño causado en caso de muerte o de lesión corporal por la sola razón de que el accidente que causó la muerte o lesión se haya producido a bordo de la aeronave o durante cualquiera de las operaciones de embarque o desembarque". El artículo 21.1, precisa que "respecto al daño previsto en el párrafo 1 del artículo 17 que no exceda de 100.000 derechos especiales de giro por pasajero, el transportista no podrá excluir ni limitar su responsabilidad".

V. BIBLIOGRAFÍA

ARANSAY ALEJANDRE AM, "Antecedentes y propuestas para la regulación jurídica de los robots", en *Derecho de los robots*, VV. AA., dirigido por BARRIO ANDRÉS, La Ley, Madrid, 2018.

BADILLO ARIAS J.A., *La responsabilidad civil automovilística. El hecho de la circulación*, Aranzadi, Cizur Menor (Navarra), 2016.

BARRIO ANDRÉS M. (Dr.), *Derecho de los robots*, La Ley, Madrid, 2018.

DÍAZ ALABART S., *Robots y responsabilidad civil*, Reus, Madrid, 2018.

CONCEPCIÓN RODRÍGUEZ, J.L., *Derecho de daños*, Bosch, 2ª edic., Barcelona, 1999.

DÍEZ BALLESTEROS J.A., "La responsabilidad civil del fabricante de vehículos defectuosos. Los vehículos sin conductor", *Revista de Responsabilidad Civil, Circulación y Seguro*, INESE, nº 8, sept. 2015.

EBERS M., "La utilización de agentes electrónicos inteligentes en el tráfico jurídico: ¿Necesitamos reglas especiales en el Derecho de la responsabilidad civil?, *Indret, Revista para el análisis del Derecho*, nº 3, 2016.

ELGUERO MERINO J.M., "Comentario del artículo 75 Ley de Contrato de Seguro", en BADILLO ARIAS J.A. (Coord.), *Ley de Contrato de Seguro: Jurisprudencia comentada*, Aranzadi, 3ª edición, 2017.

GARCÍA-CRUCES J.A., *Derecho de sociedades mercantiles*, Tirant lo Blanch, Valencia, 2016.

GARCÍA-PRIETO CUESTA J, "¿Qué es un robot?", en *Derecho de los robots*, AA. VV., dirigido por BARRIO ANDRÉS M., La Ley, Madrid, 2018.

GÓMEZ-RIESGO TABERNERO DE PAZ J., "Los robots y la responsabilidad civil extracontractual", *Derecho de los robots*, VV. AA., dirigido por BARRIO ANDRÉS M., La Ley, Madrid, 2018.

GONZÁLEZ ESTÉVEZ A., "Robótica, inteligencia artificial y vehículos autónomos", *Consorseguros, Revista digital*, nº 7, octubre de 2017.

HEBRERO ALVÁREZ, J. I., *El aseguramiento de la responsabilidad civil por daños al medio ambiente*. Dykinson, Madrid, 2002.

ITURMENDI MORALES G., "Coches conectados autónomos. Papel de las aseguradoras", *Revista de la Asociación Española de Abogados Especializados en Responsabilidad Civil y Seguro*, nº 61, 2017.

JIMENO MUÑOZ J., *La responsabilidad civil en el ámbito de los ciberriesgos*, Fundación Mapfre, Madrid, 2018.

JOURDAIN, P., *Les principes de la responsabilité civile*, Paris, Dalloz, 1992.

MEDINA ALCOZ, M., *La culpa de la víctima en la producción del daño extracontractual*. Dykinson, Madrid, 2003.

MORILLAS JARILLO, M.J., *El seguro del automóvil: el aseguramiento obligatorio de la responsabilidad civil automovilística*, J. M. Bosch, Barcelona, 1992.

PALMERINI E., "Robótica y derecho: sugerencias, confluencias, evoluciones en el marco de una investigación europea", *Revista de Derecho Privado*, nº 32, 2017.

PAVELEK ZAMORA E., "Seguros obligatorios y obligación de Asegurarse", *Revista Española de Seguros*, Seaida, Nº 106, 2001, pp. 235-276.

REGLERO CAMPOS L.F., *Accidentes de Circulación: Responsabilidad Civil y Seguro*, Aranzadi, 2ª edición, Cizur Menor (Navarra), 2007.

REGLERO CAMPOS, L.F (Coord.), *Tratado de Responsabilidad Civil*. Aranzadi, 4ª edición, Cizur Menor (Navarra), 2008.

ROGEL VIDE, C., *la responsabilidad civil extracontractual en el derecho español*. Cívitas, Madrid, 1976.

SANTOS GONZÁLEZ M.J., "Regulación legal de la robótica y la inteligencia artificial: retos de futuro", *Revista Jurídica de la Universidad de León*, Nº 4, 2017.

SEGURA ALASTRUÉ M, "Los robots en el Derecho financiero y tributario", en *Derecho de los robots*, AA. VV., dirigido por BARRIO ANDRÉS M., La Ley, Madrid, 2018.

VICENTE DOMINGO, E., "El daño", en REGLERO CAMPOS, L.F. (Coord.), *Tratado de Responsabilidad Civil*, 4º ed., vol. I, Aranzadi, 2008.

YZQUIERDO TOLSADA M. "Evolución de la responsabilidad civil y el seguro de responsabilidad civil en los últimos 10 años" *X Congreso de responsabilidad civil y seguro*, Inese, Madrid, octubre de 2008.

CAPÍTULO 2
INTELIGENCIA ARTIFICIAL E IRRUPCIÓN DE UNA NUEVA PERSONALIDAD EN NUESTRO ORDENAMIENTO JURÍDICO ANTE LA IMPUTACIÓN DE RESPONSABILIDAD A LOS ROBOTS

ALBERTO MUÑOZ VILLARREAL
Socio de Muñoz Arribas Abogados, S.L.P.
Profesor Contrato Doctor (Acr.)
Universidad Autónoma de Madrid
VÍCTOR GALLEGO CORCHERO
Letrado de Muñoz Arribas Abogados, S.L.P.
Master en Propiedad Intelectual
Universidad Carlos III de Madrid

Sumario: I. INTELIGENCIA ARTIFICIAL. II. PERSONALIDAD ELECTRÓNICA. III. RESPON-SABILIDAD CIVIL E INTELIGENCIA ARTIFICIAL. 1. Definición de responsabilidad civil y clases. 1.1. Responsabilidad contractual. 1.2. Responsabilidad extracontractual. 2. Responsabilidad Civil y sistemas de Inteligencia Artificial. IV. CONCLUSIONES. V. BIBLIOGRAFÍA[1].

Palabras clave: inteligencia artificial, responsabilidad civil, personalidad electrónica.

Resumen: La Inteligencia Artificial requiere el establecimiento de un marco jurídico adecuado, dentro del cual tiene especial relevancia la aprobación de instrumentos normativos que regulen la responsabilidad derivada de las acciones y omisiones de los distintos sistemas de Inteligencia Artificial.
Para ello la Unión Europea y parte de la doctrina académica plantea la posible creación de una nueva personalidad en nuestro ordenamiento jurídico, es decir regular una personalidad electrónica como la mejor manera de encuadrar jurídicamente esta nueva realidad.

---

[1]   Todas las consultas de internet estaban disponibles a 28 de septiembre de 2018.

I. INTELIGENCIA ARTIFICIAL

Todos conocemos películas como Terminator y su famosa rebelión de las máquinas, en la que Skynet, un sistema operativo diseñado por el hombre, somete a la humanidad; o Her, en la que su protagonista se enamora del sistema operativo Samantha. Es cierto que estas son sólo películas, pero quizás, la realidad está más cerca de la ficción de lo que pensamos.

Hace unos meses Facebook tuvo que cancelar uno de sus proyectos ya que los ordenadores habían desarrollado un lenguaje propio para comunicarse entre ellos. En Japón son un hecho los matrimonios entre humanos y personajes de anime, es más, la compañía Gatebox Lab, asentada en Tokio, ya reconoce estos matrimonios, y sus empleados por ejemplo pueden obtener un día libre para celebrar el cumpleaños de su cónyuge virtual. La realidad, como siempre, supera la imaginación.

La Inteligencia Artificial (en adelante IA) ya está aquí y avanza a pasos agigantados, las nuevas tecnologías están cambiando la manera en la que vivimos, trabajamos y nos relacionamos los unos con los otros. Estamos, según los expertos, ante la Cuarta revolución industrial, la revolución 4.0.

Esta nueva revolución industrial sigue a las tres anteriores que constituyeron procesos históricos transformadores. La primera, entre 1760 y 1840, marcó el paso desde una económica rural basada fundamentalmente en la agricultura y el comercio a una economía urbana, industrializada y mecanizada; la segunda, entre 1870 y 1914, trajo la electricidad y permitió la manufactura en masa; la tercera, a mediados del S XX, vino marcada por la llegada de la información y las telecomunicaciones.

En la cuarta juegan un papel fundamental la IA y el internet de las cosas[2]. La comunicación de las máquinas entre ellas y de éstas con los seres humanos está logrando una mayor optimización de los procesos con un menor coste, una mayor calidad y mayores vías de comunicación entre el fabricante y el consumidor final a través de una mayor personalización, en palabras de los teóricos, estamos ante una fábrica inteligente, verdaderamente inteligente.

Las nuevas tecnologías traerán nuevas oportunidades socioeconómicas, aunque todavía no está claro cuáles van a ser sus impactos y costos para las personas y las sociedades, lo que sí se puede afirmar es que estas nuevas tecnologías van a

---

[2]   En relación al Internet de las Cosas, véase MUÑOZ VILLARREAL, A., "La responsabilidad derivada del Internet de las cosas y de los sistemas de inteligencia artificial", En JIMENO MUÑOZ, J., (Coord.), *Insurtech y Responsabilidad Civil Tecnológica*, Madrid, Sepin, 2019, pp. 37-60.

suponer un cambio en nuestra toma de decisiones, y que debemos prepararnos para asegurarnos de que los humanos permanezcan "al mando".

Antes de entrar a analizar cuál es la influencia que estas nuevas tecnologías tendrán en nuestra vida, es fundamental que entendamos lo que son, por ello hemos querido realizar un primer acercamiento apriorístico a las mismas.

El término IA es complejo, existen ideas y conceptos preconcebidos que pueden generar confusiones. Al hablar de IA, es muy fácil caer en el error de pensar únicamente en robots. Si bien estos forman parte, sin duda, de la IA, esta comprende mucho más.

La IA está presente cuando utilizamos el móvil para hacer una foto y la cámara reconoce los rostros, cuando realizamos búsquedas en internet, cuando Netflix nos recomienda una película en función de nuestros gustos, cuando usamos Google Maps para compartir nuestra localización o cuando Facebook te muestra determinadas actualizaciones de tus amigos.

MCCARTHY, uno de los pioneros en este campo y el primero en acuñar el término de IA en 1956 (Conferencia de Dartmouth, 1956) la definió en los siguientes términos: "*la ciencia e ingeniería de hacer máquinas inteligentes*".

Con el paso de los años la definición de McCarthy quedó obsoleta, y comenzaron a surgir nuevas definiciones de la IA. De todas las definiciones propuestas, nos decantamos por la acuñada por RUSSELL y NORVIG por la cual "*un agente inteligente es un sistema que percibe su ambiente y tomo acciones que maximizan su probabilidades de éxito*"[3].

De una forma muy sencilla y descriptiva, la IA se ha definido como el desarrollo de sistemas informáticos capaces de realizar tareas que, por lo general, requieren de una inteligencia humana.

Al contrario de lo que se pueda pensar, la inteligencia artificial no es una área de trabajo monolítica. Esta comprende un conjunto de áreas las cuales se pueden añadir, y complementar la noción que tenemos de "inteligencia".

A continuación extractamos una lista de algunas de las principales áreas de desarrollo de la IA:

1. Procesamiento del lenguaje natural.
2. Representación del conocimiento.
3. Razonamiento automático.
4. Aprendizaje automático (Machine Learning).
5. Visión computacional.
6. Robótica

---

3   RUSELL, S. y NORVING, P., *Inteligencia Artificial: Un Enfoque Moderno*, Madrid, Pearson Educación, 2008, p. 2.

Ahora bien, para hablar de IA, no es necesario que exista capacidad en todos y cada uno de estos campos, es suficiente con que exista capacidad en uno de ellos, así, por ejemplo, un traductor de idiomas es una manifestación de IA. Siguiendo esta línea, no sólo destacar los diferentes campos que integran la IA, sino también los diferentes tipos de IA que existen, a saber:

• IA débil

La mayoría de la IA es débil (Narrow AI, también conocida como weak AI). Este término hace referencia a un software que es automatizado para una determinada actividad humana, y que, en la mayoría de los casos, la realiza mejor que un humano en términos de eficiencia.

En otras palabras, son sistemas que pueden actuar como humanos para un rango de tareas determinado, un ejemplo es Deep Blue de IBM, la supercomputadora desarrollada para jugar al ajedrez, que fue la primera que venció en 1996 al entonces campeón del mundo, Gary Kaspárov.

Deep Blue puede identificar piezas en el tablero de ajedrez y hacer predicciones, pero no tiene memoria y no puede usar experiencias pasadas para informar a las futuras. Analiza movimientos posibles —los propios y los de su oponente— y elige el movimiento más estratégico, pero no puede aplicarse a otra situación distinta a una partida de ajedrez.

Otros ejemplo de este tipo de inteligencia son Siri de Apple, el asistente personal que consigue simular que estamos hablando con una persona, incluso parece demostrar sentimientos, o Cortana, el agente virtual creado por Microsoft.

• IA fuerte

La Strong AI o IA fuerte hace referencia a sistemas (ordenadores) que se comportan con las mismas o más capacidades cognitivas que los humanos, de modo que cuando se les presenta una tarea desconocida, son capaces de encontrar una solución. En otras palabras, se trata de crear una máquina que tenga todos los algoritmos que conforman la mente humana, para ello hay que ir descubriendo los mecanismos de la mente, traducirlos en algoritmos e incluirlos en el sistema, hasta que se halla reproducido totalmente la mente humana, y pueda funcionar en un ordenador con capacidad para resolver problemas nuevos. Este tipo de IA está cada día más cerca.

En el mes de octubre de 2017 Google Deep Mind (una división de la multinacional Google) anunciaba la creación de "AlphaGo Zero" una máquina diseñada para jugar a un juego de mesa denominado "Go". Es un juego de estrategia —muy compleja— de origen chino que se juega en un tablero de 19x19 casillas con fichas blancas y negras, cada color de un jugador.

AlphaGo, la primera máquina diseñada para jugar a este juego, fue entrenada basándose en la experiencia humana. Se alimentó con los datos de miles de partidas y millones de movimientos de jugadores humanos.

La nueva versión desarrollada, —AlphaGo Zero— ejecuta un nuevo algoritmo que se sustenta en una red neuronal basada en el "aprendizaje por refuerzo": la máquina se auto-enseña practicando consigo misma hasta alcanzar una capacidad muy superior a la de sus previas versiones. Memoriza cada partida, analizando posibles variaciones en cada movimiento, logrando la capacidad de que su "cerebro" se bifurque en dos jugadores distintos, el de las fichas blancas y el de las negras. De esta forma puede jugar un número infinito de veces contra sí misma.

Esto supone la creación de una máquina capaz de aprender de la experiencia humana (machine learning) y con independencia cognitiva, que adquiere conocimientos de forma autónoma; sin el concurso humano (Deep learning). En definitiva, supone la constatación de que la inteligencia artificial narrow es casi una realidad[4].

La importancia que esto tiene en el mundo del Derecho nos la resume DESANTES LEAL[5], al indicar que *"antes, con el Derecho romano, el orden jurídico seguía a la sociedad, y cuando los jueces no podían adaptar más la realidad a la ley, se modificaba la ley. La sociedad adoptaba el cambio y seguía adelante. Sin embargo, ahora, con el cambio exponencial estructural que comenzó en 1987, con la web 1.0, se pasó de lo analógico a lo digital. En 2007 llegaron los datos generados por humanos a través de las RRSS. En 2010, sin tiempo a adaptarse, la geolocalización. En 2015 la IoT y en 2018 los datos generados por dispositivos que aprenden. Luego llegará la computación cuántica y después ya veremos (...) No hay que llevar la IA al Derecho, sino el Derecho a la IA"*.

Una vez que hemos hecho una aproximación a la definición de la IA, cabe plantearnos, ¿para que se utiliza?

Lo cierto es que es difícil dar una respuesta concisa y clara, ya que son muchas las actividades a las que se aplica la IA, y, además, esas actividades se dividen a su vez en numerosos subcampos.

Sin ánimo exhaustivo, y tan sólo para hacernos una idea, decir qué el abanico de aplicaciones es de lo más diverso y permite, por ejemplo detectar el cáncer

---

[4]   En relación a dicho juego véase ANGUIANO, J.M., "Las personas electrónicas", *Diario La Ley,* *Nº 14, Sección Ciberderecho,* 18 de Enero de 2018.

[5]   Intervención en la jornada titulada "Inteligencia Artificial y desarrollo humano", celebrada el 4 de julio de 2018 y organizada por la Cátedra Microsoft de Privacidad y Transformación Digital de la Universidad de Valencia.

de piel, mejorar significativamente la predicción de terremotos, tsunamis y otros desastres naturales, conducir vehículos, pintar cuadros (con estilos de artistas célebres), escribir guiones o historias, componer música, detectar enfermedades en cultivos con la finalidad de evitar su contagio, o reconocer emociones en fotografías y en la voz humana, entre otras ilimitadas posibilidades que crecen día a día.

Las aplicaciones son innumerables, y actualmente la humanidad se encuentra a las puertas de una era en la que robots, bots, androides y otras formas de IA cada vez más sofisticadas, que está desencadenando, como ya hemos dicho, una nueva revolución industrial, siendo de vital importancia que el legislador pondere las consecuencias jurídicas de tal revolución.

A continuación exponemos algunos ejemplos de esta tecnología:

a) Edificios inteligentes

Para que los edificios sean más eficientes y competitivos, la digitalización de las viviendas tiene un papel fundamental.

Aquí entra en juego el Internet de las Cosas[6], pues una vez que un edificio ha sido digitalizado, se trasmiten datos e información de manera constante acerca del funcionamiento de todas las disciplinas integradas en un edificio: desde el

---

[6] *"(…) es la creación de un mundo inteligente donde lo real, lo digital y lo virtual converjan para crear un entorno inteligente que proporcione más inteligencia a la energía, la salud, el transporte, las ciudades, la industria, los edificios y muchas otras áreas de la vida diaria.*
La expectativa es la de interconectar millones de islas de redes inteligentes que habiliten el acceso a la información no sólo en cualquier momento y dondequiera, sino también usando cualquier cosa y por parte de cualquier persona, idealmente a través de cualquier ruta, red, y cualquier servicio. Esto se logrará si todos los objetos que manipulamos diariamente se dotan de sensores capaces de detectarlos, identificarlos o ubicar su posición, con una dirección IP que los convierta en objetos inteligentes capaces de comunicarse no sólo con otros objetos inteligentes, sino con seres humanos, en la expectativa de alcanzar ciertas áreas que serían inaccesibles sin los avances hechos por las tecnologías de sensores, identificación y posicionamiento.
Estos objetos inteligentes pueden ser globalmente identificados, interpelados, y al mismo tiempo pueden descubrir e interactuar con entidades externas a través de seres humanos, computadores u otros objetos inteligentes. Los objetos inteligentes, a su vez, pueden adquirir inteligencia por medio de la toma o habilitación de decisiones relacionadas con el entorno y aprovechar los canales de comunicación disponibles para dar información sobre sí mismos a la vez que acceden a la la información acumulada por otros objetos inteligentes", (LIÑÁN COLINA, A., *et alii, Internet de las Cosas*, 2016, p. 2. http://wireless.ictp.it/Papers/Internetdelas Cosas.pdf).
De una forma breve podemos decir que el Internet de las cosas supone que cualquier dispositivo, además del tradicional ordenador y móvil, pueda estar conectado a Internet en cualquier lugar y momento. En definitiva, consiste en que tanto personas como objetos puedan conectarse a Internet en cualquier lugar y en cualquier momento.

clima, hasta la protección contra los incendios. Por ejemplo, existen plataformas inteligentes de gestión que ayudan a que el usuario pueda administrar, directamente desde el móvil, el ambiente de sus oficinas de acuerdo a sus necesidades

b) Los Televisores:

Los televisores están conectados a Internet y permiten acceder al contenido por streaming de las series, películas, deportes y programas favoritos. Los 'smart tv' son ahora una exigencia por parte de los consumidores.

c) Los automóviles:

Todos recordamos la película 'Yo, robot' en la que en el vehículo de Will Smith, se controlaba de manera remota. Aunque aún no hemos alcanzado esta tecnología, muchos automóviles están hoy controlados electrónicamente y conectados a Internet para verificar el correcto funcionamiento de sus sistemas. Incluso, empresas de transporte como UBER, lanzaron un prototipo de coche que no requiere de conductor físico y que busca conectarse para poder pilotearlo en línea.

d) Zapatillas inteligentes:

Las zapatillas Under Armour Speedform 2 RE se sincronizan a una aplicación del smatphone llamada Map My Run. De esta manera se puede grabar el tiempo de carrera, la distancia recorrida, la cadencia y la duración total durante la ronda de ejercicio. Además, las zapatillas tienen sensor de GPS que muestra la ubicación del usuario.

Se puede dejar el teléfono móvil en casa, ya que una vez sincronizadas, las zapatillas recordarán todos los parámetros.

Estas zapatillas no tienen que ser conectadas a la red para volver a ponerlas en funcionamiento, sino que son completamente autónomas e infinitas. Eso sí, ¡hay que correr!

Las zapatillas "Gemini 2" son capaces de medir la distancia y el tiempo recorrido así como las calorías consumidas, sincronizando con su app vía bluetooth, donde se puede almacenar toda la actividad del usuario y solo después de finalizada la rutina, podrá descargar todos los datos al dispositivo móvil.

e) Wearables para perros:

El dispositivo "Fitbark" se coloca en el collar del perro para monitorear su actividad, calidad de sueño y ofrece detalles sobre su comportamiento. También detecta signos de enfermedad y controla una variedad de problemas médicos.

II. PERSONALIDAD ELECTRÓNICA

El legislador[7] y la doctrina académica[8] en su análisis de la naturaleza jurídica de los robots y otras formas de IA y antes las dudas para encajarlas en algunas de las categorías jurídicas que ya existen (cosas, art. 333 CC o animales 1905 CC) plantean la posibilidad de crear una nueva personalidad jurídica.

En el punto 59, letra f, de la Resolución con recomendaciones destinadas a la Comisión sobre normas de Derecho civil sobre robótica (2015/2103(INL)), el Parlamento Europeo considera oportuno que se estudie *"crear a largo plazo una personalidad jurídica específica para los robots, de forma que como mínimo los robots autónomos más complejos puedan ser considerados personas electrónicas responsables de reparar los daños que puedan causar, y posiblemente aplicar la personalidad electrónica a aquellos supuestos en los que los robots tomen decisiones autónomas inteligentes o interactúen con terceros de forma independiente"*.

Si bien, no hay unanimidad en la doctrina académica sobre la propuesta inicialmente planteada por la Unión Europea (en adelante UE), y parece que posteriormente desechada[9], de crear una personalidad jurídica electrónica.

Así, ERCILLA GARCÍA[10], considera que dado el desarrollo que están tomando los sistemas de IA, en cuanto a autonomía y voluntad, la personalidad jurídica específica para los robots inteligentes más complejos estaría justificada, mientras DÍAZ ALABART[11], considera que no es necesaria la creación de una nueva personalidad jurídica en nuestro ordenamiento pues en síntesis, dicho instituto jurídico, nada aportaría pues nuestro ordenamiento ya tiene las herramientas adecuadas.

---

[7]   *"Considerando que, en definitiva, la autonomía de los robots suscita la cuestión de su condición y pertenencia a una de las categorías jurídicas existentes —es decir, si deben considerarse personas físicas, personas jurídicas, animales u objetos—, o de la creación de una nueva categoría, con sus propias características y repercusiones en lo que se refiere a atribución de derechos y obligaciones, incluida la responsabilidad por daños"*, Considerando T de la Resolución del Parlamento Europeo con recomendaciones destinadas a la Comisión sobre normas de Derecho civil sobre robótica (2015/2103(INL)), 2016, http://www.europarl.europa.eu/sides/getDoc.do?pubRef=-//EP//NONSGML%2BCOMPARL%2BPE-582.443%2B01%2BDOC%2BPDF%2BV0//ES.

[8]   SANTOS GONZÁLEZ M.J., "Regulación legal de la robótica y la inteligencia artificial: retos de futuro", *Revista Jurídica de la Universidad de León*, N°. 4, 2017, p. 39.

[9]   *Dictamen del Comité Económico y Social Europeo sobre inteligencia artificial: las consecuencias de la inteligencia artificial para el mercado único (digital), la producción, el consumo, el empleo y la sociedad*, Diario Oficial de la Unión Europea de 31.08.2017.

[10]   ERCILLA GARCÍA, J., "Aproximación a una Personalidad Jurídica Específica para los robots", *Revista Aranzadi de derecho y nuevas tecnologías*, N°. 47, 2018, pp. 1-38.

[11]   DÍAZ ALABART, S., "Robótica y Responsabilidad Civil", Ponencia impartida en la Real Académica de Jurisprudencia y Legislación el 31 de mayo de 2018, y *Robots y responsabilidad civil*, Madrid, Reus, 2018.

Tampoco hay una postura doctrinal pacífica en cuanto a la implantación de una *Lex robótica*[12] y la creación de organismos reguladores específicos en el derecho comparado y así SÁNCHEZ-URÁN AZAÑA y GRAU RUIZ[13] nos resumen las distintas posturas de la siguiente manera:

> *"Es cierto que no hace mucho había un debate abierto entre dos perspectivas o enfoques diferentes.*
>
> *Por un lado, el proveniente de EEUU (defendido por CALO, R. y otros), apoyado en las que califican como características transformativas de la robótica: corporeidad —a diferencia del software, el robot es material, o analógico, más apegado al entorno analógico no digital—; impredecibilidad —basada en el piensa y decide con cierta autonomía—; e impacto social, en el sentido de agentes sociales que lleva a las personas a preocuparse por su situación; diferenciando Robótica de Internet y abogando por un Derecho Propio (el Derecho de la Robótica).*
>
> *Por otro, un enfoque más Europeo, que hace unos años renunciaba a un tratamiento legal sistemático para la robótica y con una visión funcional se orientaba hacia los que consideraban sus retos jurídicos, centrados en especial en la responsabilidad y seguridad, y con propuestas de regulación soft law, esto es, medidas regulatorias de promoción y orientación. En la actualidad se aprecia un avance en la perspectiva europea, que se aproxima más a una posición intermedia reivindicativa de una cierta autonomía académica, basada en normas mínimas imperativas que establezcan el necesario equilibrio entre facilitar el desarrollo tecnológico robótico y proteger los valores que son deseados por los humanos.*
>
> *Ésta es una de las cuestiones más importantes que se plantea en la actualidad en el ámbito del Derecho, tanto en nuestro contexto nacional como en el de la Unión Europea, que requiere conferir certeza al proceso de innovación tecnológica en general, y en particular al de innovación robótica, avanzando hacia un enfoque unitario y*

---

[12]   Propuesta del profesor de la Universidad de Washington, Ryan Calo, véase en CALO, R., "La robótica y las lecciones del derecho cibernético", *Revista de privacidad y derecho digital*, Nº. 2, 2016.
Véase una síntesis de las opciones de EE.UU y la UE en cuanto a la *Lex robótica* en GARCÍA MEXÍA, P., "El derecho de internet", En PÉREZ BES, F. (Coord.), *El derecho de Internet*, Atelier, Barcelona, 2016, pp. 36-39.
21 Así lo recoge NISA ÁVILA, J.A.: "Robótica e Inteligencia Artificial ¿legislación social o nuevo ordenamiento jurídico", El Derecho.com, Lefebvre, 2016, http://tecnologia.elderecho.com/tecnologia/internet_y_tecnologia/Robotica-Inteligencia-Artificial-legislacion-social-nuevo-ordenamiento_11_935305005.html.
22 Así lo expresa CORTINA, A., "Ciudadanía digital y dignidad humana", artículo de opinión en El País, 26 de marzo de 2018, para quien es una exigencia de justicia ineludible que la ciudadanía digital esté al servicio de las personas autónomas y vulnerables.
23 "

[13]   SÁNCHEZ-URÁN AZAÑA, Y., y GRAU RUIZ, Mª. A., "El impacto de la robótica, en especial la robótica inclusiva, en el trabajo: aspectos jurídicos-laborales y fiscales", en Congreso Internacional sobre Innovación Tecnológica y Futuro del Trabajo. International Conference "Technological Innovation and the Future of Work: Emerging aspects worldwide", 5 y 6 de abril 2018, Santiago de Compostela, https://eprints.ucm.es/47523/, pp. 6-8.

proactivo, aceptado ya por la instituciones comunitarias. Y adoptado cada vez más por más países en sus respectivos informes nacionales; unas veces en el marco general de la digitalización; otras incluido en el más específico de la Inteligencia Artificial; y otras, individualizando la Robótica respecto de la IA".

En nuestro país parte de la doctrina académica lo descartaba alegando lo prematura de la misma[14] si bien otra parte de la doctrina[15] en virtud de los rasgos jurídicos que caracterizan a los robots y los sistemas de IA, señalando sus propiedades distintivas y disruptivas que se resumen en las notas de corporeidad, impredecibilidad e impacto social, consideran que estamos ante el nacimiento de una nueva rama jurídica, el Derecho de los Robots[16], postura seguida por la UE que ya está trabajando en dicha legislación[17].

En concreto ya contamos con la Resolución[18] del Parlamento Europeo de 16 de febrero de 2017, que contiene una serie de recomendaciones destinadas a la Comisión sobre normas de Derecho civil sobre robótica.

Desde hace algunos años la UE es consciente de la necesidad de establecer una regulación específica para las distintas formas de IA. El programa específico FP7-SIS, capacidades: ciencia y sociedad·, 2006/974/EC de 19 de diciembre de 2006, enmarcó el proyecto denominado "robolaw" sobre la "regulación de las tecnologías robóticas emergentes en Europa: la robótica frente al derecho y la ética", para el análisis de las leyes y reglamentos requeridas por la tecnología robótica.

El proyecto "robolaw" fue coordinado por Dña. Erica Palmerini, de la Scuola Superiore di Studi Universitari e di Perfezionamento Sant'Anna de Pisa, tuvo un coste total de 1.908.342,02 €, y se desarrolló desde el mes de marzo de 2012 hasta el de mayo de 2014, ambos inclusive.

Entre los objetivos de este proyecto se encontraba, en primer lugar, identificar las cuestiones legales y éticas que plantean las tecnologías robóticas emergentes y

---

[14] GARCÍA MEXÍA, P.L., "Lex robótica y derecho digital", *Revista de privacidad y derecho digital*, N°. 2, 2016.
[15] Así podemos citar a SANTOS GONZÁLEZ, M.J., "Regulación legal de la robótica y la inteligencia artificial: retos de futuro", *Revista Jurídica de la Universidad de León*, N°. 4, 2017, pp. 25-50 o a BARRIO ANDRÉS, M., "Del Derecho de Internet al Derecho de los Robots", En BARRIO ANDRÉS, M. (Dir.), *Derecho de los Robots*, Wolters Kluwer, Madrid, 2018, pp. 61-81.
[16] Véase el capítulo 3, Corpus Iuris Robótico, de ERCILLA GARCÍA, J., *Normas de Derecho Civil y Robótica. Robots Inteligentes, Personalidad Jurídica, Responsabilidad Civil y Regulación*, Madrid, Civitas, 2018.
[17] https://www.europarltv.europa.eu/es/programme/society/robolaw-regulating-robotics.
[18] Al tratarse de una Resolución hemos de tener en cuenta que no tiene consecuencias jurídicas, sino que en síntesis se trata de un acto por el cual el Parlamento le pide a la Comisión que estudie el tema y responda a sus propuestas, lo que el Ejecutivo comunitario ha de hacer, salvo que justifique lo contrario.

si el marco regulatorio es adecuado; y, en segundo lugar, comprobar en qué modo afectan los avances en robótica a los valores sociales imperantes en Europa. El informe final se presentó en octubre de 2014.

El 20 de enero de 2015 la Comisión JURI decidió crear un Grupo de trabajo sobre las cuestiones jurídicas relacionadas con la evolución de la robótica y la inteligencia artificial en la Unión Europea. El objetivo principal del Grupo de trabajo consistía en elaborar normas de Derecho civil relacionadas con este tema. En junio de 2016 dicho grupo de trabajo hizo público un proyecto de informe con recomendaciones a la Comisión. El 27 de enero de 2017 se aprobó el informe referido con algunas modificaciones respecto al proyecto inicial[19].

Finalmente el 16 de febrero de 2017 el Parlamento Europeo aprueba una Resolución con recomendaciones destinadas a la Comisión sobre normas de Derecho civil sobre robótica (2015/2103 (INL)). En esta Resolución el Parlamento Europeo solicita a la Comisión la creación de un marco regulador que contemple los aspectos más relevantes en robótica.

En la introducción, los considerandos de la Resolución recogen hechos y reflexiones del Parlamento en la materia que nos ocupa, de ellos procede destacar los siguientes:

- El hecho indiscutible de que "la humanidad se encuentra a las puertas de una era en la que robots, bots, androides y otras formas de inteligencia artificial cada vez más sofisticadas parecen dispuestas a desencadenar una nueva revolución industrial —que va a afectar probablemente a todos los estratos de la sociedad—, resulta de vital importancia que el legislador tenga en cuenta todas las consecuencias que ello entraña".
- La necesidad de crear una definición generalmente aceptada de robot y de inteligencia artificial que sea flexible y no lastre la innovación.
- Los datos sobre la importancia del sector: entre 2010 y 2014, las ventas de robots aumentaron un 17 % de media cada año, en 2014 las ventas registraron el mayor incremento anual observado hasta ahora —a saber, un 29 %—.
- El factor potencial que la robótica ofrece de transformación del modo de vida y las formas de trabajo.
- Los beneficios que estas nuevas tecnologías pueden aportar a la sociedad, teniendo en cuenta su envejecimiento progresivo, en la medida que los

---

[19]   La ponente del informe referido, la eurodiputada luxemburguesa Mady Delvaux, señaló que *"un número cada vez mayor de áreas de nuestra vida cotidiana están cada vez más afectadas por la robótica. Para abordar esta realidad y garantizar que los robots estén y seguirán al servicio de los seres humanos, necesitamos urgentemente crear un marco jurídico europeo sólido".*

robots pueden prestar servicios asistenciales con relación directa con las personas.

- La necesidad de evaluar los cambios económicos y los efectos en el empleo ocasionados por la robótica y el aprendizaje automático, y de reflexionar sobre el futuro de la educación, el empleo y las políticas sociales.
- Su impacto en el mercado de trabajo, toda vez que los empleos menos cualificados en sectores intensivos de mano de obra son más vulnerables a la automatización, y que esa automatización puede liberar a las personas de tareas manuales y permitirles dedicarse a otras más creativas y significativas, y, en consecuencia, la inversión que los gobiernos deberán acometer en las reformas para la mejora de la redistribución de las nuevas capacidades que se necesitaran en el nuevo mercado laboral.
- La creación de fracturas sociales y el declive de la clase media, lo que puede traducirse en una elevada concentración de la riqueza y el poder en manos de una minoría.
- La protección de datos personales, y la posibilidad de que resulte necesario regular aspectos no contemplados en la normativa vigente en relación al acceso de datos y la intimidad.
- El hecho de que en varios países extranjeros, como los EE.UU., Japón, China y Corea del Sur, se están planteando adoptar medidas normativas en el ámbito de la robótica y la inteligencia artificial, y que en algunos casos ya han empezado a hacerlo; que algunos Estados miembros han empezado también a reflexionar sobre la posible elaboración de normas jurídicas o la introducción de cambios legislativos a fin de tener en cuenta las nuevas aplicaciones de dichas tecnologías.
- Los beneficios que podría suponer para la Unión Europea el desarrollo de un marco normativo adecuado, eficiente, y transparente, que le permita conservar el control sobre la normativa que se haya de establecer, evitando adoptar normas aprobadas por terceros países.

Realiza, por otra parte, una serie de consideraciones en relación a la responsabilidad derivada de las acciones y omisiones de los robots, que constituye el foco central de la propuesta. Llama la atención sobre el hecho de que los robots se asimilan cada vez más a agentes que interactúan con su entorno y pueden modificarlo de forma significativa, por lo que es crucial la cuestión de la responsabilidad jurídica de los robots por los daños que puedan causar. Asimismo, advierte que la autonomía de los robots suscita la cuestión de su naturaleza, y de si pertenecen a una de las categorías jurídicas existentes o si debe crearse una nueva categoría jurídica que los identifique.

Pone de manifiesto que la normativa actual resulta insuficiente para los supuestos de que un robot pueda tomar decisiones autónomas, tanto en el ámbito de la responsabilidad contractual, como en el de la responsabilidad extracontractual (Directiva 85/374/CEE).

Desarrolla unos principios generales relativos al desarrollo de la robótica y de la inteligencia artificial, y pide a la Comisión que proponga definiciones comunes de sistema ciberfísico, sistema autónomo, robot autónomo inteligente y sus distintas categorías, tomando en consideración las características de un robot inteligente: capacidad para adquirir autonomía, capacidad de autoaprendizaje, un soporte físico mínimo, capacidad de adaptarse al entorno, e inexistencia de vida en el sentido biológico.

Pide a la Comisión y a los Estados miembros que fomenten los programas de investigación, que estimulen la investigación sobre los posibles riesgos y oportunidades de la inteligencia artificial y los robots a largo plazo.

Relaciona una serie de principios éticos que deben inspirar el uso de la robótica, y manifiesta la necesidad de que la Unión establezca directrices éticas que reflejen la complejidad del ámbito de la robótica y sus numerosas implicaciones sociales, médicas y bioéticas.

Pide a la Comisión que estudie la posibilidad de designar una agencia europea, y que tanto la Comisión como los Estados miembros velen por que la legislación civil en el sector de la robótica se ajuste al Reglamento General de Protección de Datos y a los principios de necesidad y proporcionalidad.

Realiza también unas propuestas específicas en los aspectos prácticos de la vida ordinaria en los que la nueva generación de robots ya está incidiendo con resultados tangibles. Se refiere a los medios de transporte autónomos (vehículos autónomos y drones), a los robots asistenciales, a los robots médicos, al potencial de la robótica en la rehabilitación e intervenciones en el cuerpo humano, a la educación y al empleo, a los efectos sobre el medio ambiente, e incide en el ámbito de la responsabilidad, señalando que la responsabilidad civil por los daños y perjuicios causados por los robots es una cuestión fundamental que debe analizarse y abordarse a escala de la Unión, y pide a la Comisión una propuesta de instrumentos legislativos sobre los aspectos jurídicos relacionados con el desarrollo y uso de la robótica y la inteligencia artificial previsible en los próximos diez o quince años, así como que realice una evaluación de impacto de su futuro instrumento legislativo, y que explore, analice y considere las implicaciones de todas las posibles soluciones jurídicas, tales como:

a)	Establecer un régimen de seguro obligatorio.

b)	La creación de un fondo de compensación de los daños y perjuicios en los casos en los que no exista la cobertura de seguro.

c)	Permitir que el fabricante, el programador, el propietario o el usuario puedan beneficiarse de un régimen de responsabilidad limitada si contribuyen a un fondo de compensación o bien si suscriben conjuntamente un seguro que garantice la compensación de daños o perjuicios causados por un robot;

d) Decidir si conviene crear un fondo general para todos los robots autónomos inteligentes o crear un fondo individual para cada categoría de robot.

e) Crear un número de matrícula individual que figure en un registro específico de la Unión que asegure la asociación entre el robot y el fondo del que depende

f) Crear a largo plazo una personalidad jurídica específica para los robots.

Finalmente pide a la Comisión que presente una propuesta de Directiva relativa a las normas de legislación civil en materia de robótica, siguiendo una serie de recomendaciones que, en síntesis, son las siguientes:

La necesidad de establecer una definición y clasificación de los "robots inteligentes", teniendo en cuenta las siguientes características:

– la capacidad de adquirir autonomía mediante sensores y/o mediante el intercambio de datos con su entorno (interconectividad) y el análisis de dichos datos;

– la capacidad de aprender a través de la experiencia y la interacción;

– la forma del soporte físico del robot; la capacidad de adaptar su comportamiento y acciones al entorno.

La creación de un registro de los "robots inteligentes" a escala de la Unión.

El sistema de registro y el propio registro podrían ser gestionados por una agencia designada de la Unión para la robótica y la inteligencia artificial en el caso de que se procediera a la creación de dicha agencia.

El Parlamento deja claro que cualquier solución jurídica elegida en materia de responsabilidad de los robots y de la inteligencia artificial no debería, en modo alguno, restringir el tipo o el alcance de los daños que puedan ser objeto de compensación, ni tampoco limitar la naturaleza de dicha compensación por el único motivo de que los daños y perjuicios hayan sido causados por un agente no perteneciente a la especie humana.

Señala la conveniencia de establecer un régimen de seguro obligatorio, que debería complementarse con un fondo para garantizar la compensación de los daños y perjuicios en los supuestos en los que no exista una cobertura de seguro.

Y manifiesta la necesidad de consultar a los científicos y los expertos que sean capaces todos los riesgos y consecuencias.

Sobre la interoperabilidad, acceso al código fuente y derechos de propiedad intelectual el Parlamento literalmente señala que *"cabría garantizar la interoperabilidad de los robots autónomos conectados a la red autónoma que interactúan entre sí. El acceso al código fuente, a los datos de entrada y a los detalles de construcción debería estar disponible cuando fuera necesario, para investigar tanto los accidentes como los daños causados por "robots inteligentes", así como para velar por su funcionamiento, disponibilidad, fiabilidad, seguridad y protección continuados".*

Recoge los principios que a juicio del Parlamento debería tener en cuenta la Comisión cuando formule propuestas legislativas relativas a robótica, y contiene una propuesta de código de conducta en materia de robótica en el que señala la necesidad de cumplir una serie de principios éticos fundamentales desde la fase de diseño y desarrollo, y exhorta a los investigadores a cumplir los siguientes principios:

Beneficencia — los robots deben actuar en beneficio del hombre;

Principio de no perjuicio o maleficencia — la doctrina de "primero, no hacer daño", en virtud del cual los robots no deberían perjudicar a las personas;

Autonomía — la capacidad de tomar una decisión con conocimiento de causa e independiente sobre los términos de interacción con los robots;

Justicia — la distribución justa de los beneficios asociados a la robótica y la asequibilidad de los robots utilizados en el ámbito de la asistencia sanitaria a domicilio y de los cuidados sanitarios en particular.

En resumen la propuesta del Parlamento contiene soluciones prácticas en las que pone de manifiesto que es consciente de que la Inteligencia Artificial está transformando el mundo, y plantea nuevos retos para la Unión, que las nuevas tecnologías traen consigo cambios sociales y culturales, y es necesario adaptar tanto el ordenamiento jurídico europeo como los ordenamientos internos de los Estados miembros a las nueva era.

El 25 de abril de 2018 la Comisión Europea expuso una serie de medidas encaminadas a poner la IA al servicio de los ciudadanos europeos e impulsar la competitividad de Europa en este campo.

La Comisión propone un triple enfoque que refuerce la inversión pública y privada en IA, anticipe los cambios socioeconómicos y garantice un marco ético y jurídico adecuado. Esta iniciativa da respuesta a la solicitud de los líderes europeos de un enfoque europeo en materia de IA.

En relación al marco ético y jurídico el comunicado de prensa señala que la Comisión presentará unas directrices éticas sobre el desarrollo de la IA para finales de 2018, sobre la base de la Carta de los Derechos Fundamentales de la UE, teniendo en cuenta principios tales como la protección de datos y la transparencia, y apoyándose en los trabajos del Grupo Europeo de Ética de la Ciencia y de las Nuevas Tecnologías. A fin de contribuir a elaborar esas directrices, la Comisión reunirá a todas las partes interesadas pertinentes en una Alianza europea de la IA. A mediados de 2019, la Comisión publicará también orientaciones acerca de la interpretación de la Directiva sobre responsabilidad por productos defectuosos a la luz de los avances tecnológicos, a fin de garantizar la claridad jurídica para los consumidores y los productores en relación con estos productos.

En el Diario Oficial de la Unión Europea de 31 de agosto de 2017 se publicó el Dictamen del Comité Económico y Social Europeo (en adelante CESE) sobre inteligencia artificial; las consecuencias de su utilización.

El CESE señala once áreas donde la IA plantea desafíos sociales: ética; seguridad; privacidad; transparencia y rendición de cuentas; trabajo; educación y desarrollo de capacidades; (des)igualdad e inclusión; legislación y reglamentación; gobernanza y democracia; guerra; y superinteligencia. El CESE formula una serie de recomendaciones, entre las que destacaremos las siguientes:

a) La necesidad de control humano (human-in-command), con un marco de condiciones que regule el desarrollo responsable, seguro y útil de la IA de manera que las máquinas continúen siendo máquinas y los humanos conserven en todo momento el dominio sobre ellas.

b) La petición de que se elabore un código deontológico para el desarrollo, despliegue y utilización de la IA, de modo que durante todo su proceso de funcionamiento los sistemas de IA sean compatibles con los principios de la dignidad humana, la integridad, la libertad, la privacidad, la diversidad cultural y de género y los derechos humanos fundamentales.

c) Aboga por el desarrollo de un sistema de normalización para la verificación, validación y control de los sistemas de IA, basado en un amplio espectro de normas en materia de seguridad, transparencia, inteligibilidad, rendición de cuentas y valores éticos.

d) La necesidad de llevar a cabo una evaluación concreta de la legislación y la reglamentación de la UE.

e) Apoya el llamamiento de Human Rights Watch y otras organizaciones para que se prohíban las armas autónomas. En este sentido, celebra el acuerdo anunciado por las Naciones Unidas, pero opina que debería extenderse también a las aplicaciones de la IA en el ámbito de la ciberguerra.

En relación a la responsabilidad por daños el Dictamen señala que "Existe mucha controversia sobre la cuestión de quién es el responsable de los daños que pueda causar un sistema de IA, sobre todo cuando se trata de sistemas autodidactas que continúan aprendiendo después de su entrada en servicio.

El Parlamento Europeo ha formulado algunas recomendaciones relativas a la legislación civil en materia de robótica, incluida la propuesta de examinar la posibilidad de dotar a los robots de una "personalidad jurídica" (e-personality) para poder atribuirles la responsabilidad civil por los daños que causen.

El CESE se opone a cualquier tipo de estatuto jurídico para los robots o sistemas de IA por el riesgo moral inaceptable que ello conlleva ya que considera que:

"La legislación en materia de responsabilidad tiene un efecto correctivo y preventivo que podría desaparecer en cuanto el riesgo de responsabilidad civil dejase de recaer sobre el autor por haberse transferido al robot (o sistema de IA). Además, una forma

jurídica así sería susceptible de uso y aplicación indebidos. La comparación con la responsabilidad limitada de las sociedades no es válida, puesto que el responsable en última instancia es siempre una persona física. A este respecto, hay que investigar en qué medida responden satisfactoriamente a este problema la legislación, la reglamentación y la jurisprudencia de la UE y de cada Estado miembro en materia de responsabilidad (sobre el producto y el riesgo) y atribución de culpa, y, en su defecto, qué soluciones legales se ofrecen".

En definitiva el Dictamen destaca la repercusión a nivel mundial de la IA sobre la legislación y la reglamentación jurídica existente, y recomienda a la Unión Europea que adopte un papel de liderazgo en esta materia. La Resolución expone una serie de consideraciones, peticiones, y recomendaciones:

III. RESPONSABILIDAD CIVIL E INTELIGENCIA ARTIFICAL

Como hemos visto en el epígrafe precedente la propuesta de implantar una personalidad jurídica para los sistemas de IA, además de por cuestiones fiscales (obligados tributarios) y laborales (sujetos a cotizar a la Seguridad Social), buscaba allanar el camino de la aplicación del instituto de la Responsabilidad Civil (en adelante RC) a los sistemas de IA.

Estas nuevas tecnologías requieren que la sociedad y los gobiernos evalúen los cambios que va a ocasionar su uso, y que adopten las decisiones y medidas oportunas en una serie de ámbitos y áreas básicas, entre los que destaca la RC por los daños que puedan causar a terceros, o al propio usuario, el uso de las distintas formas de IA.

1. Definición de responsabilidad civil y clases

Con carácter general podemos definir la RC como el deber del causante de reparar las consecuencias de un hecho dañoso, ya sea porque dicho hecho sea consecuencia del incumplimiento de los deberes derivados de una relación jurídica preexistente entre el causante del daño y la víctima (responsabilidad contractual), o porque el daño se produzca sin que exista una relación jurídica previa entre ambos (responsabilidad extracontractual).

A estos dos tipos de responsabilidad se refiere el artículo (en adelante art.) 1.089 del Código Civil (en adelante CC) en los siguientes términos "*las obligaciones nacen de la ley, de los contratos y cuasi contratos, y de los actos y omisiones ilícitos o en que intervenga cualquier género de culpa o negligencia*".

Según la Sentencia del Tribunal Supremo de 24 de julio de 1969 hay responsabilidad contractual si se cumple un doble requisito: que entre las partes exista un contrato o una relación contractual y que los daños sean debidos a incumplimiento o cumplimiento defectuoso de lo que es estrictamente materia del contrato.

En cambio la responsabilidad es extracontractual cuando con total independencia de obligaciones de cualquier otro tipo que existan entre las partes, el daño se produce por violación de deberes generales de conducta dimanante o, de la regla general *alterum non laedere*.

A ambos tipos de responsabilidad y a su diferenciación se refiere también la sentencia del Tribunal Supremo 135/2009, de 4 de marzo de 2009, (Rec. 135/2009), Fundamento Jurídico (en adelante FJ) 9, en los siguientes términos:

> "A) La distinción entre la responsabilidad contractual y la responsabilidad extra-contractual impone que la primera alcanza únicamente a los daños por los que reclama el comprador en relación con el contenido y dentro de la reglamentación del contrato de compraventa, pero no puede ampliarse arbitrariamente el alcance de la responsabilidad nacida del contrato apelando a la existencia de daños cuyo alcance resulta ajeno a la órbita del contrato y, por ende, deben ser considerados de naturaleza extracontractual (STS 14 noviembre 2008, RC n.° 3992/2001).
>
> Según la jurisprudencia de esta Sala "la responsabilidad debe considerarse contractual cuando a la preexistencia de un vínculo o relación jurídica de esa índole entre personas determinadas se une la producción, por una a la otra, de un daño que se manifiesta como la violación de aquel y, por lo tanto, cuando concurren un elemento objetivo —el daño ha de resultar del incumplimiento o deficiente cumplimiento de la reglamentación contractual, creada por las partes e integrada conforme al artículo 1258 CC— y otro subjetivo —la relación de obligación en la que se localiza el incumplimiento o deficiente cumplimiento ha de mediar, precisamente, entre quien causa el daño y quien lo recibe—" (STS de 31 de octubre de 2007, RC n.° 3219/2000). Es aplicable el régimen de la responsabilidad extracontractual, aunque exista relación obligatoria previa, cuando el daño no haya sido causado en la estricta órbita de lo pactado por tratarse de daños ajenos a la naturaleza del negocio aunque hayan acaecido en la ejecución del mismo (SSTS 22 de julio de 1927, 29 de mayo de 1928, 29 de diciembre de 2000). Por el contrario, es aplicable el régimen contractual cuando en un determinado supuesto de hecho la norma prevé una consecuencia jurídica específica para el incumplimiento de la obligación. No cabe excluir la existencia de zonas mixtas, especialmente cuando el incumplimiento resulta de la reglamentación del contrato, pero se refiere a bienes de especial importancia, como la vida o integridad física, que pueden considerarse objeto de un deber general de protección que puede traducirse en el principio llamado a veces doctrinal y jurisprudencialmente de unidad de la culpa civil".

A la vista de lo expuesto procede plantear si las previsiones del ordenamiento jurídico son suficientes para afrontar las responsabilidades civiles derivadas del uso de las distintas formas de IA, o si por el contrario es necesaria una actividad legislativa que establezca una normativa clara y contundente que regule esta materia.

La realidad es que cada vez estamos más cerca de formas de IA con capacidad de actuar con autonomía, las distintas formas de IA (robots, bots, androides...)

ya no sólo pueden hacer actividades que antes eran típica y exclusivamente humanas, sino que el desarrollo de determinados rasgos cognitivos y autónomos —como la capacidad de aprender de la experiencia y tomar decisiones cuasi independientes— ha hecho que estas formas de IA se asemejen cada vez más a agentes que interactúan con su entorno y pueden modificarlo de forma significativa.

Sin embargo, ni el ordenamiento jurídico español, ni el de la UE, contemplan la posibilidad de instituir como responsable civil a las distintas formas de inteligencia artificial en sí mismas consideradas, ni disponen de ninguna previsión especial para los supuestos de daños causados por estás.

La profesora Lilian Edwards[20] ejemplifica determinadas situaciones que nos pueden parecer de ciencia ficción pero que muy probablemente tengamos que resolver a corto plazo, en concreto: ¿qué pasaría si un humanoide militar matara a un civil? ¿Y si un robot dedicado a cuidar ancianos le indicara tomar más pastillas de las que debería? ¿Quién es responsable si un coche sin conductor es hackeado y atropella a un peatón? ¿Y si un "robot sexual" aplica las preferencias de un usuario (por ejemplo, recibir azotes) a otro y le provoca daños?

Las situaciones descritas ponen de manifiesto que la normativa actual sobre responsabilidad, tanto contractual, como extracontractual, a la que a continuación nos vamos a referir, es insuficiente para cubrir la responsabilidad por los daños ocasionados por las distintas formas de IA, y la necesidad de establecer un marco de reglas jurídicas claras que pueda conferir certeza respecto de los deberes y de las responsabilidades en este ámbito, que determine cómo distribuir los derechos y las responsabilidades que surgen de las acciones de las distintas formas de IA.

La doctrina académica ya ha abordado, en la regulación de la IA, la disyuntiva entre optar por "soft law" o "hard law" (utilizando la terminología anglosajona"[21]), y en nuestra opinión tal y como señala DÍAZ ALABART[22], los códigos de conducta son insuficientes y hay que regular la situación entre otros por motivos de seguridad, incluida la seguridad física de los consumidores.

Como ya sabemos en el ámbito de la RC se distingue entre responsabilidad contractual y extracontractual:

---

[20]   En su Ponencia EDAWER, L., "Law and robots: the reality, en la Universidad de Strathdclyde", en agosto de 2013, https://www.slideshare.net/lilianed/9worlds-robots.

[21]   NAVAS NAVARRO, S., "Internet de las coas", En NAVAS NAVARRO, S., y CAMACHO CLAVIJO, S., *Mercado Digital. Principios y reglas jurídicas*, Valencia, Tirant lo Blanch, 2016, pp. 48-50.

[22]   En su ponencia, Robótica y Responsabilidad Civil, impartida en la Real Académica de Jurisprudencia y legislación el 31 de mayo de 2018.

1.1. Responsabilidad contractual

Aunque la mayor problemática se va a producir en el ámbito extracontractual, conviene indicar que las distintas formas de IA pueden producir daños en el ámbito del contrato (al propietario adquirente del elemento IA), resultando de aplicación (i) la normativa de RC contractual contenida en los artículos 1101 y siguientes del Código Civil, y las determinaciones contenidas en el propio contrato y (ii) el Real Decreto Legislativo 1/2007, de 16 de noviembre, por el que se aprueba el texto refundido de la Ley General para la Defensa de los Consumidores y Usuarios y otras leyes complementarias (en adelante LGDCU) —que recoge la normativa de bienes o servicios defectuosos (arts. 128 a 149— cuando resulte de aplicación (concepto de consumidor *ex* LGDCU), de tal modo que se podrá reclamar no sólo al vendedor, sino potencialmente al productor, fabricante, importador, etc.

El art. 135 se refiere a la responsabilidad de los productores, entendiendo por tales a fabricantes e importadores de la UE, y el art. 138, a efectos de responsabilidad, considera productor al importador, y para el caso de que no resulten identificados ninguno de los responsables anteriores establece la responsabilidad del proveedor.

El art. 139 exige para poder obtener la indemnización de los daños sufridos, que el perjudicado pruebe el defecto, el daño y la relación de causalidad entre ambos.

El art. 140 recoge causas de exoneración de responsabilidad del productor, el art. 141 establece límites de responsabilidad, el art. 142 se refiere a los daños en el producto defectuoso, el art. 143 a la prescripción de la acción, el art. 144 a la extinción de la responsabilidad, y el art. 145 a la concurrencia de culpa del perjudicado.

1.2. Responsabilidad extracontractual

El régimen general de responsabilidad civil extracontractual es el construido sobre la base del art. 1902 en el CC que estipula que "*el que por acción u omisión causa daño a otro, interviniendo culpa o negligencia, está obligado a reparar el daño causado*".

De acuerdo con el artículo transcrito, para que se pueda predicar la existencia de responsabilidad como consecuencia de una determinada conducta o actividad, se requiere la concurrencia de los siguientes requisitos:

a) La existencia de una acción o una omisión culposa o negligente

Dentro de este requisito hay que distinguir un elemento objetivo y uno subjetivo, aunque prácticamente toda la jurisprudencia se refiere únicamente a elemento subjetivo.

El elemento objetivo está constituido por la manifestación externa de la conducta del causante del daño, que puede estar constituida bien por una acción positiva o bien por una omisión.

El elemento subjetivo se ha definido por el Tribunal Supremo en Sentencia de 15 de julio de 1992, FJ 3, como "*un elemento subjetivo, representado por un hacer u omitir algo que se encuentra fuera de las normas de cautela y previsión establecidas por el ordenamiento y socialmente aceptadas*" y que "*se traduce en un animus de quien emplea o utiliza el medio productor del resultado*".

No obstante lo anterior, la evolución jurisprudencial en torno a la responsabilidad extracontractual, iniciada a partir de la sentencia del Tribunal Supremo de 10 de julio de 1943, en torno a la interpretación del art. 1902 CC, que se concreta, y desarrolla en sentencias posteriores, ha creado un doctrina bastante uniforme que tiende hacia un sistema que acepta soluciones "cuasiobjetivas" en el caso de las actividades peligrosas.

Esta objetivación se ha producido a través de la aplicación jurisprudencial de la teoría del riesgo, que se traduce en la inversión de la carga de la prueba, y en un mayor rigor en la diligencia requerida.

La teoría del riesgo aparece en un escenario en el que se han incrementado notablemente las actividades peligrosas, y por ende surge la necesidad de proteger a los perjudicados por dichas actividades, manifestándose como una tendencia clara a la objetivación de la responsabilidad extracontractual.

La teoría del riesgo se resume perfectamente en la locución latina "cuius commoda eius incommoda", esto es, quien obtiene los beneficios de una actividad debe asumir los perjuicios que la obtención de dicho beneficios implica.

b) La producción de un resultado dañoso

Nuestro CC no exige ninguna particularidad añadida que deba reunir el daño para que sea resarcible ni señala qué bienes de la persona han de ser afectados por la acción u omisión culposa.

No obstante, la jurisprudencia sí ha ido dibujando los perfiles del daño indemnizable:

I.   Son susceptibles de resarcimiento tanto los daños patrimoniales (lesión de la propiedad o de cualquier otro bien o derecho de naturaleza patrimonial) como los morales o extrapatrimoniales (el dolor causado por lesiones físicas, por ejemplo).

II. El daño debe ser cierto, realmente existente (y por tanto susceptible de prueba). Los daños puramente hipotéticos o eventuales no son indemnizables.

III. El daño indemnizable o reparable puede ser actual pero también futuro siempre que vaya a producirse con posterioridad, según racional certidumbre. Este sería el caso, por ejemplo, de aquellas lesiones que no han terminado de curarse en el momento en que se ejercita la acción. Por ello, los tribunales suelen dejar abierta la ejecución de sentencia y, en lugar de fijar como indemnización una cantidad determinada, se condena al responsable al pago de cuantos gastos de curación se hayan devengado o puedan devengarse.

c) Existencia de un nexo o relación de causalidad entre el acto desencadenante del resultado y la producción de éste

El último de los presupuestos esenciales que debe concurrir en un supuesto fáctico para que nazca la responsabilidad extracontractual es la relación de causalidad, esto es, el nexo causal directo y apreciable entre la acción u omisión del agente causante y el daño ocasionado, la relación causa-efecto entre aquéllas y éste.

Respecto a la causa, la Sentencia del Tribunal Supremo nº 1010/2006, de 20/10/2006 (Rec. 4880/1999), FJ 3, aclara que *"por causa se entiende el conjunto de condiciones empíricas antecedentes que proporciona la explicación, conforme con las leyes de la experiencia científica, de que el resultado haya sucedido"*.

Sentado el concepto de causa, se plantea ¿cómo determinar si una acción u omisión son la causa del daño? para dar respuesta a esta pregunta se han elaborado dos teorías:

– La teoría de la equivalencia, según la cual todo resultado o efecto es consecuencia de una multitud de condiciones, siendo todas ellas, desde el punto de vista causal, igualmente necesarias, y por tanto, equivalentes.

– La teoría de la causalidad adecuada, que considera que una acción es causa adecuada de un resultado, cuando éste era objetivamente previsible.

Hoy la jurisprudencia se decanta claramente por la segunda teoría, así, por ejemplo, la Sentencia del Tribunal Supremo nº 83/2010, de 22 de febrero de 2.010, (Rec. 356/2007) FJ 2, considera que para proceder a su valoración *"se exige ponderar que el resultado dañoso sea una consecuencia natural, adecuada y suficiente, valorada conforme a las circunstancias que el buen sentido impone en cada caso, lo que permite eliminar todas aquellas hipótesis lejanas o muy lejanas al nexo causal so pena de conducir a un resultado incomprensible o absurdo, haciendo imposible la prueba de la exclusividad de la culpa de la víctima"*.

De acuerdo con lo señalado, los daños causados por formas de IA, igual que los causados por cualquier otro agente concurriendo fuerza mayor, no se imputará responsabilidad.

Cuando el daño haya sido producido como consecuencia de un uso negligente de la máquina (robot, androide, dron o cualquier otra forma de inteligencia artificial) se imputará responsabilidad a quien la usaba cuando se produjo la circunstancia causante del daño.

Cuando sea consecuencia de un inadecuado diseño o un defecto constructivo, la responsabilidad será del fabricante.

Si el daño se produce por un deficiente mantenimiento de la máquina, la responsabilidad será del propietario o usuario de esta en función de los acuerdos que estos hayan alcanzado.

Pero que ocurre ¿si la actuación del elemento de inteligencia artificial no tuviese que ser necesariamente constante y predecible?

¿Y si las máquinas fuesen diseñadas para actuar de forma autónoma, sin ningún tipo de injerencia humana?

¿Quién responde de los daños que han causado esas máquinas?

La determinación del grado de autonomía de la máquina es esencial para aplicar las normas de responsabilidad y establecer nuevos esquemas.

En el Ordenamiento jurídico Español, es de aplicación como ya hemos visto la LGDCU, que complementa el régimen general de responsabilidad contenido en el Código Civil.

El art. 128 de la LGDCU prevé que "*todo perjudicado tiene derecho a ser indemnizado en los términos establecidos en este Libro por los daños o perjuicios causados por los bienes o servicios*".

Y el art. 137 de la misma norma dispone que "*se entenderá por producto defectuoso aquél que no ofrezca la seguridad que cabría legítimamente esperar, teniendo en cuenta todas las circunstancias y, especialmente, su presentación, el uso razonablemente previsible del mismo y el momento de su puesta en circulación. En todo caso, un producto es defectuoso si no ofrece la seguridad normalmente ofrecida por los demás ejemplares de la misma serie*".

Según el art. 139 del texto legal citado el perjudicado podrá solicitar la reparación de los daños causados siempre y cuando pueda probar el defecto, el daño y la relación de causalidad entre ambos.

La aplicación de estos artículos es sencilla cuando nos encontramos ante formas de IA monofunción, pero la cuestión es más difícil cuando nos movemos en el terreno de los "robots inteligentes" de esas otras formas de inteligencia artificial con capacidad para actuar con autonomía. Pues bien, en principio, la norma aplicable sería igualmente la LGDCU porque un robot, o cualquier otra forma de IA, es un producto, pero las circunstancias especiales y singulares de los casos mencionados complican la respuesta jurídica, ello por los siguientes motivos:

a) Es probable que muchas de esas formas de IA permitan la personalización por parte del usuario, y/o la instalación de aplicaciones adicionales que le doten de funcionalidades no incluidas inicialmente en el producto, por lo que será mucho más difícil determinar qué elemento provocó el daño y por tanto determinar quién es el responsable.

b) La LGDCU establece que producto defectuoso es "aquél que no ofrezca la seguridad que cabría legítimamente esperar, teniendo en cuenta todas las circunstancias", la constatación y comprobación de este requisito, puede ser complicado en determinados supuestos, a título de ejemplo baste citar el de los llamados robots quirúrgicos.

Pensemos en un supuesto de cirugías de columna vertebral en los que la cirugía convencional supone un riesgo en torno al 15 o 20% de malposición de prótesis, que nivel vamos a exigir en la cirugía robótica ¿el mismo que en la cirugía convencional?, ¿la mitad del riesgo que en la cirugía convencional? ¿o quizá un 0% de riesgo?

c) Otra cuestión difícil de determinar en determinados supuesto es ¿cuál es el uso "razonablemente previsto" del producto? pensemos, por ejemplo, en un robot multipropósito, diseñado para vivir con humanos como Pepper, ¿Tiene sentido que las condiciones generales de uso de Pepper regulen todo lo que no es "razonable" hacer con él? ¿Qué efecto tendrían las cláusulas de exoneración o limitación de responsabilidad en estos casos?

d) Pero quizá la mayor dificultad que se va a plantear es cómo aplicar el régimen de responsabilidad examinado anteriormente a algoritmos "inteligentes", que aprenden de la interacción con las personas de su entorno y pueden ser capaces de actuar de una manera no prevista inicialmente.

¿Quién sería responsable en ese caso de actuación no prevista? ¿Debemos prohibir o limitar esta posibilidad en el momento del diseño de forma que únicamente puedan ejecutar las tareas o funciones para las que se les diseñó originariamente?

O el supuesto de los coches autónomos ¿qué nivel de responsabilidad en la conducción, seguridad o siniestralidad vamos a exigir a este nuevo tipo de automóviles autónomos? ¿El mismo que el de un conductor medio, el de un conductor sobresaliente u otro nivel creado específicamente para este tipo de coches? La cuestión es relevante porque, dependiendo de dónde emplacemos el (mínimo) nivel de seguridad exigible y el de responsabilidad asociado al anterior, podemos afectar a la disponibilidad comercial de esta nueva tecnología.

Resulta ilustrativo el caso TESLA, nos referimos al accidente mortal de Joshua Brown ocurrido el 7 de mayo de 2.016 en la carretera de Florida. El fallecido conducía un vehículo Tesla semiautónomo sin prestar atención a la carretera delegando completamente la conducción en el sistema de piloto automático.

El Tesla Model S impactó directamente contra el remolque de un camión mientras este cruzaba de manera perpendicular, debido a que "el cielo estaba muy iluminado", los sensores del vehículo no detectaron el obstáculo y no se aplicaron los frenos ni estrategias de evasión.

La Junta de Seguridad en el Transporte, publicó un informe de 500 páginas que recopila información sobre el accidente. Uno de los detalles principales que se da a conocer es que, al contrario a lo que se había informado con anterioridad, Brown no estaba viendo una película en el momento del choque.

El informe señala que durante el recorrido de 37 minutos, el conductor solo tuvo sus manos sobre el volante un total de 25 segundos a pesar de las constantes alertas del sistema. También se señala que el conductor habría ajustado la velocidad en 74 millas por hora, cuando el límite eran 65 mph, apenas dos minutos antes de la colisión.

Señala, asimismo, que Brown tuvo que haber visto el camión atravesado en la carretera al menos siete segundos antes del choque, pero por alguna razón no aplicó los frenos ni realizó maniobras para evitar el impacto, y concluye que de haber seguido las indicaciones del piloto automático, quizás el accidente se hubiera evitado.

Las autoridades estadounidenses exoneraron a Tesla del accidente mortal por no hallarse defectos en el piloto automático, puesto que el vehículo semiautónomo no era defectuoso y la causa del accidente se identificó con la falta de atención por parte del conductor.

Es más, téngase en cuenta que actualmente ya está funcionando el tren de la Terminal 4 del Aeropuerto de Madrid-Barajas Adolfo Suarez sin conductor.

Sin menoscabo de utilizar los códigos de conductas en la gestión de riesgo, cálculos de las primas, etc.; e incluso, en el caso de los coches autónomos, SANCHÉZ DEL CAMPO[23], propone *"que las leyes que se desarrollen para permitir la comercialización de coches sin conductor contemplen una exención de responsabilidad temporal (pongamos 5 años) para los fabricantes y proveedores que se hayan adherido al código mencionado anteriormente. Durante ese período se podrá evaluar el funcionamiento (real, no teórico) de los vehículos sin conductor y elaborar así las normas más adecuadas para este caso"*.

La responsabilidad debe recaer sobre el fabricante o proveedor, como se desprende de los Estudios de la Comisión Europea sobre IA y como bien indica JI-

---

[23]   SÁNCHEZ DEL CAMPO RECONET, A. (2016), *Reflexiones de un replicante legal. Los retos jurídicos de la robótica y las tecnologías disruptivas*, Cizur Menor, Aranzadi, p. 63.

MENO MUÑOZ[24], aunque puede estudiarse, como hace NÚÑEZ ZORILLA[25], la viabilidad de solicitar al sistema de IA algún tipo de reparación que solo él pueda llevar a cabo.

---

[24] *"De tal forma, parece que se extiende el régimen de responsabilidad de los fabricantes y proveedores de los productos que forman parte del IoT a la mayor parte de los efectos del funcionamiento del producto, ya que el IoT sustituye la actuación del usuario por la interacción automática y programada. Así, la máxima de que el producto es defectuoso si no ofrece la seguridad que legítimamente cabría esperar se extiende al funcionamiento autónomo del mismo. Y de esta forma, la responsabilidad por los accidentes o fallos de los vehículos autónomos podría circunscribirse al ámbito de la responsabilidad del fabricante o proveedor si se considera que la venta de estos vehículos lleva implícita la garantía del preciso y seguro funcionamiento de los mismos.*
En este sentido, resulta adecuado hacer referencia al primer accidente mortal en un vehículo autónomo Tesla, por el que se criticó a la compañía por haber generado una expectativa de seguridad que se puso en evidencia. No obstante, la referenciada compañía ha mantenido que su sistema autopilot requiere que sea activado por el conductor, que deberá continuar en todo momento controlando el vehículo y con las manos sobre el volante, por lo que consideran que sigue siendo responsable del vehículo. Y en contra de esto, Volvo admite la existencia de sistemas de conducción completamente autónoma que no requieren de la intervención de un conductor, y sobre las que como fabricante declara hacerse responsable de los riesgos que puedan surgir como consecuencia de la circulación del vehículo", (JIMENO MUÑOZ, J., *La responsabilidad Civil en el ámbito de los ciberriesgos*, Fundación Mapfre, Madrid, 2017, p. 129-130).

[25] *"Las decisiones dañosas de un robot no pueden imputarse moralmente a éste, sino a quien ha permitido su funcionamiento; éste es el único responsable. Otra cosa distinta es que, según el caso, pueda resultar más beneficioso para la víctima que ésta pueda hacer efectivo el contenido de esta responsabilidad, a su elección, sobre el robot, por medio de la exigencia de una actuación concreta a éste, lo que no implica que sea el verdadero responsable, pero si un instrumento a través del cual encauzar otra vía o forma para exigir el contenido de esa responsabilidad. Lo que si puede articularse, a mi parecer, es la posibilidad de reclamar directamente al propio robot algún tipo de reparación que solo el mismo robot pudiese llevar a cabo, o que pudiese realizarse por éste en mejores condiciones para satisfacer o compensar a la víctima, en lugar de la que pueda exigirse al verdadero sujeto responsable del daño (propietario del robot, fabricante, programador.......). Un daño puede ser reparado de diversas maneras; entre ellas, se encuentra, como ya sabemos, la compensación económica, pero piénsese que la indemnización pecuniaria puede no resultarle de utilidad al agraviado, que puede preferir para reparar su daño algún tipo de actividad o de prestación de hacer concreta, que únicamente pueda ser ejecutada por el propio robot autor material del daño, precisamente por sus concretas características anatómicas, o en su caso, que pueda ser llevada a cabo en mejores condiciones por éste, en lugar del verdadero sujeto imputable. De este modo, la autonomía del robot que permita exigirle a éste una reparación determinada, serviría para descargar o para distribuir el contenido de la responsabilidad exigible al verdadero sujeto imputable-culpable, en aquellas ocasiones en las que la víctima prefiera compensarse más con algún tipo de actividad que con una suma dineraria"*, (NÚÑEZ ZORILLA, Mª C., "Los nuevos retos de la Unión Europea en la regulación de la responsabilidad civil por los daños causados por la inteligencia artificial", *Revista española de derecho europeo*, N. 66, 2018 pp. 20-21).

2. Responsabilidad Civil y sistemas de Inteligencia Artificial

Autores doctrinales señalan la problemática de la pérdida de control y dirección sobre la los sistemas autónomos[26], lo que nos alejan de la RC de Productos Defectuosos[27], y plantea problemas en el criterio de imputación[28], y proponen de *lege ferenda* instaurar un régimen de responsabilidad objetiva por riesgo para el operador de un agente de inteligencia artificial[29], que no esté limitado en cuanto

---

[26] *"Con el incremento de la autonomía de los sistemas técnicos descienden las posibilidades de la persona de ejercer influencia en la técnica. Cuanto más complejas son las tareas que el ser humano transfiere a agentes particulares o a enteros sistemas de asistencia, tanto mayor es la probabilidad de que el resultado suministrado por el sistema no coincida con las ideas y deseos del usuario. Si, por ejemplo, sistemas autónomos intervienen concluyendo contratos, a menudo no se puede comprender cómo han trabajado y cooperado tales sistemas y cómo ello ha llegado a ocasionar daños patrimoniales (...)*
Sin embargo, precisamente esto resulta problemático si un agente inteligente —como, por ejemplo, un coche automotriz o un dron, una aspiradora autónoma o una máquina agrícola inteligente— debe tomar decisiones y con ello llega a una situación para la cual, o bien no le fue programada reacción adecuada alguna o en la que el sistema, en razón de su "experiencia", autónomamente se decide por una determinada acción. Justo en tales casos se plantea la pregunta de cómo pueden ser aisladas aquellas actividades, que conforman el punto de partida de una responsabilidad, del resto de las que componen la secuencia o cadena de acontecimientos, y qué niveles de diligencia habría que fijar para una efectiva limitación de los riesgos asociados con agentes inteligentes", (EBERS, M., "La utilización de agentes electrónicos inteligentes en el tráfico jurídico: ¿Necesitamos reglas especiales en el Derecho de la responsabilidad civil?", *Indret: Revista para el Análisis del Derecho*, N. 3, 2016, pp. 6 y 9).

[27] *"El traslado de responsabilidad del productor al poseedor encuentra su justificación en que el dron aprende con el entorno en el cual opera. De modo que es su usuario, a través de sus interacciones o por no corregir determinadas conductas, quien puede influir en su comportamiento"*, (CASTELLS I MARQUÉS, M., "Drones civiles", En NAVARRO NAVAS, S. et alii, *Inteligencia Artificial, tecnología, derecho*, Valencia, Tirant lo Blanch, 2017, p. 98).

[28] *"El criterio de "culpa" como criterio de imputación deja de tener sentido, en mi opinión, en un mercado cuyos protagonistas son los sistemas expertos y la situación de incumplimiento proviene de ellos y no del humano que los ha empleado. De nuevo, se trataría más bien de establecer criterios de reparto del riesgo del incumplimiento"*, NAVAS NAVARRO, S., "Derecho e inteligencia artificial desde el diseño. Aproximaciones", En NAVARRO NAVAS, S. et alii, *Inteligencia Artificial, tecnología, derecho*, Valencia, Tirant lo Blanch, 2017, p. 44.

[29] Así EBERS, M., "La utilización de agentes electrónicos inteligentes en el tráfico jurídico: ¿Necesitamos reglas especiales en el Derecho de la responsabilidad civil?", *Indret: Revista para el Análisis del Derecho*, N. 3, 2016, pp. 15-16, indica que *"Ante este trasfondo podría considerarse si de lege ferenda —eventualmente incluso a nivel europeo— no debería ser tipificado un nuevo supuesto de hecho de la responsabilidad por riesgo para el operador.*
El atractivo de una tal solución es obvio. Tratándose de la responsabilidad por riesgos imprevisibles, que derivan de una tecnología socialmente deseada, pero peligrosa, la responsabilidad por riesgo presenta los mejores instrumentos en comparación con la responsabilidad por culpa.
Del mismo modo que el dueño de un automóvil debe responsabilizarse de los riesgos incontro-

al tipo de los daños y perjuicios indemnizables[30], mientras otros autores consideran que es mejor no aceptar el riesgo de que los robots[31] decidan por ellos mismos[32].

---

lables, debería también el operador, en otras situaciones de hecho, responder por tales agentes, cuyo comportamiento no es previsible.

En estos casos, la responsabilidad por riesgo es preferible, en primer lugar, por razones de seguridad jurídica. La introducción de la responsabilidad por riesgo presenta la ventaja de que, para el operador de un agente inteligente, desde el principio quedaría fijado bajo qué requisitos y dentro de qué límites surge la responsabilidad. Por el contrario, si se recurre a la aplicación de las normas sobre responsabilidad basadas en la culpa, se da el problema de que ex ante en absoluto se puede formular deber alguno de garantizar la seguridad de otros respecto a riesgos imprevisibles.

Mediante la introducción de una responsabilidad por riesgo se podría, en adelante, evitar que los Tribunales establezcan deberes de diligencia elevados, irrealizables o imposibles de cumplir, que en última instancia terminan en una prohibición judicial del uso de una tecnología peligrosa, pese a ser socialmente deseable.

Finalmente, es preferible la responsabilidad por riesgo también por razones jurídico-económicas, puesto que, a diferencia de la responsabilidad basada en la culpa, también se hace cargo de los daños residuales que, pese a la adopción de todas las precauciones aconsejables, surgen de una actividad peligrosa. Sin embargo, es problemática la introducción de una responsabilidad por riesgo del dueño por el peligro derivado del uso de un agente inteligente, puesto que podría llevar a proceder unilateral-mente contra el operador. No sólo se dirigirían los perjudicados por razones objetivas y de cercanía local al operador que al productor. También podría perfectamente ocurrir que una responsabilidad del operador, concebida como responsabilidad por riesgo, fuese más atractiva que la responsabilidad del productor, ya que esta, en la Directiva, no ha sido diseñada como una responsabilidad por riesgo pura, sino como un sistema de responsabilidad mixto, con elementos estrictos y basados en la culpa. Una tal responsabilidad por riesgo, centrada en el operador, contradiría la comprensión de que las esferas de riesgo del productor y del operador por la utilización de agentes inteligentes no se pueden diferenciar claramente la una de la otra. Por eso parece preferible que el productor y el operador respondan frente a terceros como obligados solidarios, si bien en su relación interna pueden repetir conforme a las cuotas de distribución de riesgos.

[30]   SANTOS GONZÁLEZ, M.J., "Regulación legal de la robótica y la inteligencia artificial: retos de futuro", *Revista Jurídica de la Universidad de León*, Nº. 4, 2017, p. 39.

[31]   *"Por su parte en 1942, Asimov en el relato "El círculo vicioso de Asimov" formula por primera vez el breve código que debe presidir el funcionamiento de estas máquinas tan sofisticadas, que a su juicio deben respetar las Tres Leyes siguientes:*

1ª No lastimar ni permitir que sea lastimado ningún ser humano.

2ª Debe obedecer a todas las órdenes de los humanos, excepto las que contradigan la primera ley.

3ª El robot debe autoprotegerse, salvo que para hacerlo entre en conflicto con la primera o la segunda ley.

Ese esquema parece aceptable en toda su extensión, pero queda pendiente ola duda de si el robot tendrá la capacidad necesaria para aplicar la segunda y la tercera leyes, Sin embargo, todas estas consideraciones van a ser de gran utilidad cuando se trate de depurar las responsabilidades", IGLESIAS CABERO, M., *Robótica y responsabilidad. Aspectos legales en las diferentes áreas del Derecho*, Barcelona, Colex, 2017, p. 14.

En cuanto a los autores que optan por la responsabilidad objetiva por riesgos, los hay que propugnan *diferenciar las clases de defectos para atribuir un régimen de responsabilidad u otro en función de aquéllos y no, simplemente, aplicar criterios de responsabilidad objetiva sin, en la norma, diferenciarlos*[33].

NÚÑEZ ZORILLA[34] indica como la aplicación directa de la LGDCU sería insuficiente y debería tenerse en cuenta, en relación a los sistemas de IA que tomen decisiones por sí mismos, la inclusión en el futuro régimen de RC aplicable a la IA de los daños morales y los daños causados a bienes destinados a la actividad empresarial o profesional del adquiriente.

Dicha autora considera que *"lo más acertado es el establecimiento de un sistema de responsabilidad objetiva plena por el desarrollo de una actividad empresarial que implica un riesgo considerable o anormal en relación con los estándares medios"*[35], si bien no obvia las dificultades de la prueba de *"defecto"*[36] y de *lege ferenda* propone la

---

[32]   DÍAZ ALABART, S., "Robótica y Responsabilidad Civil", Ponencia impartida en la Real Académica de Jurisprudencia y legislación el 31 de mayo de 2018, si bien indicó que cualquier avance tecnológico trae un riesgo y hasta cierto punto tenemos que aceptarlo por los beneficios que conllevan, indicando el ejemplo de la regulación de la RC en los inicios de la aviación civil.

[33]   NAVAS NAVARRO, S., "Derecho e inteligencia artificial desde el diseño. Aproximaciones", En NAVARRO NAVAS, S. *et alii, Inteligencia Artificial, tecnología, derecho*, Valencia, Tirant lo Blanch, 2017, p. 43.

[34]   NÚÑEZ ZORILLA, Mª C., "Los nuevos retos de la Unión Europea en la regulación de la responsabilidad civil por los daños causados por la inteligencia artificial", *Revista española de derecho europeo*, N. 66, 2018, pp. 9-53.

[35]   *"Un sistema que se base, no tanto en la presunción de culpa, sino en la creación misma del peligro para la sociedad, y en el que consiguientemente, no tenga ninguna cabida ni relevancia el dato de que el empresario-fabricante haya actuado o no con la diligencia debida. De hecho, este es el enfoque que quiere darle la RPE a este tipo de daños, cuando observa que la gestión de los riesgos no debe centrarse en la persona "que actuó de manera negligente", sino en aquella que tiene la capacidad de minimizar los riesgos y de gestionar el impacto negativo"*, NÚÑEZ ZORILLA, Mª C., "Los nuevos retos de la Unión Europea en la regulación de la responsabilidad civil por los daños causados por la inteligencia artificial", *Revista española de derecho europeo*, N. 66, 2018, p. 29.

[36]   *"Para que pudiese ser de aplicación este régimen a la responsabilidad de los androides, la noción de "defecto" o de "producto defectuoso" debería desaparecer o bien ampliarse, para abarcar también a los supuestos de productos no defectuosos en sí mismos, pero sí peligrosos, dentro de los cuales puede tener cabida la Inteligencia Artificial Fuerte. Efectivamente; la actual exigencia en la LGDCU de que el producto sea defectuoso en los estrictos términos definidos por ésta, limitaría la aplicación de su régimen de responsabilidad objetiva, por cuanto que no podría invocarse dicho régimen cuando los daños hubieren sido causados por un androide que no presenta ningún defecto o que pueda considerarse peligroso pero no defectuoso. El riesgo que entraña el producto peligroso; su falta de seguridad, es esperada por el consumidor, mientras que el riesgo que comporta el uso del producto defectuoso, tal y como es concebido por el ordenamiento hasta la fecha, no lo es. Un producto peligroso es defectuoso sólo cuando su peligrosidad se encuentra oculta, de modo que habiendo generado expectativas de seguridad*

siguiente redacción de la norma futura: "*se entenderá por robot defectuoso aquél que no ofrezca el comportamiento que cabría legítimamente esperar, teniendo en cuenta todas las circunstancias*".

De manera que como indica JIMENO MUÑOZ, "*en definitiva, el límite de la responsabilidad del fabricante dependerá de la autonomía del objeto que forma parte del IoT y, como hemos dicho, de la seguridad que legítimamente cabría esperar respecto al funcionamiento del mismo. Y, en este sentido, serán determinantes las advertencias de los riesgos y las precauciones de uso que el fabricante ofrezca [STS, 1.ª, 21.11.2008 (nº sentencia 1087/2008)]*"[37].

NÚÑEZ ZORRILLA propone que el concepto de productor se amplíe lo más posible, que no se limite la indemnización, se extienda el plazo de prescripción y para el supuesto de que un sistema de IA cause daño para evitar un daño mayor se aplique el principio de beneficencia.

Por su parte ERCILLA GARCÍA[38] propone un sistema de responsabilidad en cascada: *culpa in curando, culpa in faciendo, culpa in educando, culpa in codificando* y culpa del robot, de manera que: "*si el acto dañoso es consecuencia*

---

en los consumidores, éstas quedan frustradas al producirse el daño. Así entonces, si el daño es causado por un androide que puede considerarse peligroso por su margen de autonomía y de imprevisibilidad, pero no defectuoso, el fabricante no quedará obligado a indemnizar al perjudicado de acuerdo con el régimen de la LGDCU.", (NÚÑEZ ZORILLA, Mª C., "Los nuevos retos de la Unión Europea en la regulación de la responsabilidad civil por los daños causados por la inteligencia artificial", *Revista española de derecho europeo*, N. 66, 2018, pp. 32-33).

37   JIMENO MUÑOZ, J., *La responsabilidad Civil en el ámbito de los ciberriesgos*, Fundación Mapfre, Madrid, 2017, p. 130.

38   "*Dentro de este ámbito podríamos configurarse una estructura de responsabilidad en cascada, compaginando las culpas tradicionales de nuestro derecho, con otras culpas creadas ex novo. La primera de ellas sería la "culpa in curando". Un robot para ser inteligente debe tener capacidad de adquirir autonomía mediante sensores y/o mediante el intercambio de datos con su entorno (interconectividad) y el intercambio y análisis de dichos datos; en consecuencia el mantenimiento y cuidado (curae) de los sensores del robot habrán de ser responsabilidad de quien sea su dueño (dominus), de tal manera que si como consecuencia de la falta de mantenimiento de los sensores, la representación que el robot hace de la realidad resultara errónea, y ello fuera causa directa del daño a una persona, la responsabilidad primaria sería del dueño.*
Lo propio de todo sistema ciber-físico es la unión de sistemas físicos y de ingeniería con un núcleo de computación y comunicación, que controla, coordina, monitorea e integra a aquellos. Por ende tendremos dos ámbitos de responsabilidad, el relativo a la ingeniería y el atinente al núcleo. Consecuencia de ello sería la distinción entre una culpa del fabricante como responsable de los sistemas de ingeniería, y de otra la culpa del formador y programados del núcleo.
Por tanto, el segundo ámbito de culpa sería la "culpa in faciendo", o culpa del fabricante por todos los defectos de que podría adolecer el robot como consecuencia de su construcción y ensamblaje, desde el punto de vista de la ingeniería, a saber, de la parte física de la persona ciber-física. De tal manera que si como consecuencia de una defectuosa producción, fallos físicos en sistemas o dispositivos integrados, se causa un daño a un tercero, la responsabilidad primaria sería del fabricante.

de una decisión autónoma en sentido propio, y el actuar se aparta de la lógica humana, principio básico del código fuente de la misma, y por ende el robot ha operado conforme a principios lógicos por él concebidos, sería más exacto hablar de "culpa in singularitatem""[39].

IV. CONCLUSIONES

Si bien la Resolución del Parlamento Europeo propone crear a largo plazo una personalidad jurídica específica para los robots, el Comité Económico y Social Europeo, parte de la doctrina académica, se opone a crear una personalidad jurídica específica para los robots pues la legislación en materia de responsabilidad tiene un efecto correctivo y preventivo que podría desaparecer en cuanto el

---

La tercera de ellas sería la "culpa in educando". Esta responsabilidad ya ha sido contemplada por el Parlamento Europeo, al señalar en su recomendación 56 que "cuanto mayor sea la capacidad de aprendizaje o la autonomía y cuanto más larga haya sido la "formación" del robot, mayor debiera ser la responsabilidad de su formador". A saber, la previsión del Parlamento Europeo pasa por el reconocimiento de Inteligencias Artificiales débiles en la frontera con las Inteligencias Artificiales fuertes, a saber, aquellas que están programadas para la realización de determinadas tareas o para la realización de tareas en general con una inteligencia semejante o tan amplia como la humana (Epígrafe V). En esto supuestos, la Inteligencia Artificial no sólo debe ser programada, sino también formada. Un ejemplo de ello serían las inteligencias artificiales de reconocimiento fotográfico, que no solo deben mejorar sus algoritmos, sino que precisan de un entrenamiento al objeto de aprender de forma autónoma y heterónoma a examinar imágenes y clasificarlas. Si un robot, en perfecto estado de mantenimiento de sus sensores, como consecuencia de un defecto formativo, que no de programación, identifica de forma errónea una determinada figura de la realidad material, desembocando dicha identificación equivocada, en daño a una persona, habrán de responder los formadores.
La cuarta de ellas sería la "culpa in codificando". Esta responsabilidad devendría de la posible existencia de "bugs" o errores de código en la programación algorítmica de la Inteligencia Artificial. Esto es, si como consecuencia de un "bug" la actuación del robot determinara un daño a una persona, una vez auditado el código en busca de dicho error de programación, respondería el programador del daño causado.
La última de ellas sería la "culpa del robot". Y a ella también hace referencia el Parlamento Europeo al señalar que "Los diseñadores deberán analizar la previsibilidad de un sistema humano-robot teniendo en cuenta la incertidumbre en la interpretación y en la acción, así como los posibles fallos de los robots o del hombre". Estaríamos ante un supuesto de caso fortuito, esto es, aquel que escapa a toda previsibilidad. Esto es, cuando el código es correcto, la formación no ha sido equívoca y los sensores están en perfecto estado, y sin embargo, el robot ha operado de una manera contraria a la lógica humana", ERCILLA GARCÍA, J., "Aproximación a una Personalidad Jurídica Específica para los robots", *Revista Aranzadi de derecho y nuevas tecnologías*, N°. 47, 2018, pp. 21-22.
[39] ERCILLA GARCÍA, J., "Aproximación a una Personalidad Jurídica Específica para los robots", *Revista Aranzadi de derecho y nuevas tecnologías*, N°. 47, 2018, pp. 21-22.

riesgo de RC dejase de recaer sobre el autor por haberse transferido al robot o sistema de IA.

En cuanto a la RC consideramos que:

Cuando el daño haya sido producido como consecuencia de un uso negligente de la máquina (robot, androide, dron o cualquier otra forma de inteligencia artificial) se imputará responsabilidad a quien la usaba cuando se produjo la circunstancia causante del daño.

Cuando sea consecuencia de un inadecuado diseño o un defecto constructivo, la responsabilidad será del fabricante.

Si el daño se produce por un deficiente mantenimiento de la máquina, la responsabilidad será del propietario o usuario de esta en función de los acuerdos que estos hayan alcanzado.

La aplicación de la normativa de productos defectuosos es viable ante formas de IA mono función, pero presenta grandes carencias ante las formas de IA con capacidad para actuar con autonomía. Si bien entendemos que en tal caso, y prescindiendo de la posibilidad de instaurar una personalidad electrónica, la responsabilidad debe recaer sobre el fabricante o proveedor, también sería viable exigir al sistema de IA un reparación *in natura*.

El futuro régimen de RC podría incluir los daños morales, los daños causados a bienes destinados a la actividad profesional o empresarial del propietario y no estar limitado ni en los perjuicios indemnizables, tipo de daño ni en la cuantía, y la instauración de un régimen de aseguramiento obligatorio.

V. BIBLIOGRAFÍA

ANGUIANO, J.M., "Las personas electrónicas", *Diario La Ley*, N° 14, Sección Ciberderecho, 18 de Enero de 2018.

BARRIO ANDRÉS, M., *Internet de las cosas*, Barcelona, Editorial Reus, 2018.

BIURRUN ABAD, F., "El Internet de las cosas y las oportunidades en el sector legal", *Actualidad jurídica Aranzadi*, 2016, N. 917 p. 28.

BUSTOS LAGO. J.M., "La responsabilidad civil de los prestadores de servicios de la sociedad de la información (ISPs)", En REGLERO CAMPOS, L.F. y BUSTOS LAGO. J.M., (Coords.), *Tratado de responsabilidad civil*, Vol. 2, Cizor Menor, Aranzadi, 2014, pp. 598-747.

CALO, R., "La robótica y las lecciones del derecho cibernético", *Revista de privacidad y derecho digital*, N°. 2, 2016.

CAMACHO CLAVIJO, S. "Régimen Jurídico de los prestadores de servicios de la sociedad de la información", En NAVAS NAVARRO, S., y CAMACHO CLAVIJO, S., *Mercado Digital. Principios y reglas jurídicas*, Valencia, Tirant lo Blanch, 2016, pp. 105-156.

CASTELLS I MARQUÉS, M., "Drones civiles", En NAVARRO NAVAS, S. *et alii, Inteligencia Artificial, tecnología, derecho*, Valencia, Tirant lo Blanch, 2017, pp. 73-99.

CORTINA, A., "Ciudadanía digital y dignidad humana", artículo de opinión en El País, 26 de marzo de 2018.

DESANTES LEAL, M., "Inteligencia Artificial y desarrollo humano", jornada celebrada el 4 de julio de 2018 y organizada por la Cátedra Microsoft de Privacidad y Transformación Digital de la Universidad de Valencia, Inédito.

DÍAZ ALABART, S., "Robótica y Responsabilidad Civil", Ponencia impartida en la Real Académica de Jurisprudencia y legislación el 31 de mayo de 2018, inédito. *Robots y responsabilidad civil*, Madrid, Reus, 2018.

EBERS, M., "La utilización de agentes electrónicos inteligentes en el tráfico jurídico: ¿Necesitamos reglas especiales en el Derecho de la responsabilidad civil?", *Indret: Revista para el Análisis del Derecho*, N. 3, 2016, pp. 1-22.

EDAWER, L., "Law and robots: the reality, en la Universidad de Strathdclyde", en agosto de 2013, https://www.slideshare.net/lilianed/9worlds-robots.

ERCILLA GARCÍA, J., "Aproximación a una Personalidad Jurídica Específica para los robots", *Revista Aranzadi de derecho y nuevas tecnologías*, N°. 47, 2018, pp. 1-38.

– *Normas de Derecho Civil y Robótica. Robots Inteligentes, Personalidad Jurídica, Responsabilidad Civil y Regulación*, Madrid, Civitas, 2018.

GARCÍA MEXÍA, P.L., "Lex robótica y derecho digital", *Revista de privacidad y derecho digital*, N°. 2, 2016.

– "El derecho de internet", En PÉREZ BES, F. (Coord.), *El derecho de Internet*, Atelier, Barcelona, 2016, pp. 17-40.

IGLESIAS CABERO, M., *Robótica y responsabilidad. Aspectos legales en las diferentes áreas del Derecho*, Barcelona, Colex, 2017.

JIMENO MUÑOZ, J., *La responsabilidad Civil en el ámbito de los ciberriesgos*, Fundación Mapfre, Madrid, 2017.

LIÑÁN COLINA, A., et alii, *Internet de las Cosas*, 2016, http://wireless.ictp.it/Papers/InternetdelasCosas.pdf

MATEO BORGE, I., "La robótica y la inteligencia artificial en la prestación de servicios juríidicos", En NAVARRO NAVAS, S. *et alii, Inteligencia Artificial, tecnología, derecho*, Valencia, Tirant lo Blanch, 2017, pp. 123-150.

MUÑOZ VILLARREAL, A., "La responsabilidad derivada del IOT y de los sistemas de inteligencia artificial", En JIMENO MUÑOZ, J., (Coord.), *Insurtech y Responsabilidad Civil Tecnológica*, Madrid, Sepin, en prensa.

NAVAS NAVARRO, S., "Internet de las cosas", En NAVAS NAVARRO, S., y CAMACHO CLAVIJO, S., *Mercado Digital. Principios y reglas jurídicas*, Valencia, Tirant lo Blanch, 2016, pp. 27-61.

NAVAS NAVARRO, S., "Derecho e inteligencia artificial desde el diseño. Aproximaciones", En NAVARRO NAVAS, S. *et alii, Inteligencia Artificial, tecnología, derecho*, Valencia, Tirant lo Blanch, 2017, pp. 23-72.

NISA ÁVILA, J.A.: "Robótica e Inteligencia Artificial ¿legislación social o nuevo ordenamiento jurídico", *El Derecho.com*, Lefebvre, 2016, http://tecnologia.elderecho.com/tecnologia/internet_y_tecnologia/Robotica-Inteligencia-Artificial-legislacion-social-nuevo-ordenamiento_11_935305005.html.

NÚÑEZ ZORILLA, Mª C., "Los nuevos retos de la Unión Europea en la regulación de la responsabilidad civil por los daños causados por la inteligencia artificial", *Revista española de derecho europeo*, N. 66, 2018, pp. 9-53.

RUSELL, S. y NORVING, P., *Inteligencia Artificial: Un Enfoque Moderno*, Madrid, Pearson Educación, 2008.

SÁNCHEZ-URÁN AZAÑA, Y., y GRAU RUIZ, Mª. A., "El impacto de la robótica, en especial la robótica inclusiva, en el trabajo: aspectos jurídicos-laborales y fiscales", en *Congreso Internacional sobre Innovación Tecnológica y Futuro del Trabajo*. International Conference "Technological Innovation and the Future of Work: Emerging aspects worldwide", 5 y 6 de abril 2018, Santiago de Compostela, https://eprints.ucm.es/47523/.

SÁNCHEZ DEL CAMPO RECONET, A., *Reflexiones de un replicante legal. Los retos jurídicos de la robótica y las tecnologías disruptivas*, Cizur Menor, Aranzadi, 2016.

SANTOS GONZÁLEZ, M.J., "Regulación legal de la robótica y la inteligencia artificial: retos de futuro", *Revista Jurídica de la Universidad de León*, Nº. 4, 2017, pp. 25-50.

CAPÍTULO 3
RESPONSABILIDAD CIVIL POR DAÑOS CAUSADOS POR ROBOTS EN EL ÁMBITO SANITARIO

ESTHER MONTERROSO CASADO
Profesora Titular de Derecho Civil
Universidad a Distancia de Madrid

Sumario: I. INTRODUCCIÓN: LA ROBÓTICA EN EL ÁMBITO SANITARIO. II. DAÑOS CAUSADOS POR ROBOTS SANITARIOS. III. DELIMITACIÓN DE LA RESPONSABILIDAD EN LOS DAÑOS CAUSADOS POR LOS ROBOTS SANITARIOS. 1. El derecho de consumo en el uso de robots en el ámbito sanitario. 1.1. La delimitación de los consumidores. 1.2. La responsabilidad derivada de la prestación de servicios sanitarios. 2. La responsabilidad por productos defectuosos en los robots. 2.1. La delimitación de los robots como productos defectuosos. 2.2. La delimitación de los robots como productos sanitarios. 3. La responsabilidad civil de los médicos y centros sanitarios en la utilización de robots. 3.1. La delimitación de la responsabilidad civil extracontractual. 3.2. La delimitación de la responsabilidad civil contractual. c) La delimitación de la responsabilidad en los centros sanitarios públicos. IV. HACIA UN NUEVO CRITERIO DE IMPUTACIÓN DE LA RESPONSABILIDAD CIVIL DE LOS ROBOTS. 1. Las Recomendaciones del Parlamento Europeo sobre normas de Derecho civil sobre robótica. 2. El control como criterio de imputación de la responsabilidad. 3. La gestión del riesgo y la responsabilidad objetiva como criterio de imputación de la responsabilidad. V. MECANISMOS DE ASEGURAMIENTO DE LOS ROBOTS. VI. CONCLUSIONES. VII. BIBLIOGRAFÍA.

Palabras clave: Responsabilidad civil médica, robótica, imputación de la responsabilidad, productos defectuosos, culpa médica.

Resumen: La nueva casuística que emerge con la autonomía creciente de los robots y otros dispositivos dotados de inteligencia artificial abre un nuevo espacio teórico y práctico sobre la responsabilidad derivada del comportamiento de quienes diseñan, programan, manipulan o gestionan esta tecnología. Por primera vez en la Historia, es preciso dirimir la imputación de responsabilidad por los daños causados por las decisiones que adopta un sistema operativo intermediario en sustitución de los sanitarios.

El objetivo de este trabajo es establecer sobre qué criterios se determina la existencia de responsabilidad por daños causados por dispositivos tecnológicos semiautónomos en el ámbito sanitario, analizando las condiciones y las consecuencias que acarrean su utilización. Para ello, se identificarán los dispositivos dotados de inteligencia artificial y su autonomía y sus modos de imputación de la responsabilidad por los daños ocasionados de los distintos agentes que intervienen: desde profesionales médicos, con especial referencia a la intervención de los cirujanos; los centros sanitarios; así como los programadores y fabricantes de los robots utilizados en este ámbito. La investigación concluirá con unas propuestas relativas a la responsabilidad civil por estos daños y su aseguramiento.

I. INTRODUCCIÓN: LA ROBÓTICA
EN EL ÁMBITO SANITARIO

La Inteligencia Artificial (IA) aúna campos como la Robótica y los Sistemas de expertos con el objetivo de crear máquinas que puedan desempeñar tareas realizadas por el ser humano. Los robots pueden realizar diversas labores en función de las aplicaciones con las que cuentan y sus futuras posibilidades resultan aún inimaginables. La robótica y la IA forman parte de nuestra vida cotidiana, cada vez en mayor medida: robots industriales, empleados en el hogar, en entornos peligrosos, drones, juguetes y pequeños robots de entretenimiento, o electrodomésticos, son algunos de los ejemplos[1]. Uno de los ámbitos más relevantes y que será objeto de nuestro análisis es el de la salud, en el que se distinguen equipos médicos de enorme precisión que pueden obtener diagnósticos precisos[2] e, incluso, realizar complicadas intervenciones. De este modo, los robots quirúrgicos se han concebido para mejorar las habilidades de los cirujanos, posibilitando unas intervenciones menos invasivas, que reducen el riesgo de infecciones, la pérdida de sangre, el tamaño de las cicatrices, el dolor postoperatorio, la convalecencia o el tiempo de estancia en el hospital. Estos avances, que benefician en primer término a los pacientes, repercuten igualmente en la labor de los médicos y en el resarcimiento de los daños por las compañías de seguros en función de la póliza concertada, al producirse un descenso de los resultados desfavorables. Por otro lado, aunque se trata de una tecnología costosa, los hospitales y centros médicos son conscientes de que la adquisición de robots mejora su imagen corporativa y promueve el que los pacientes acudan o contraten sus servicios. En suma, la utilización de dispositivos médicos inteligentes se ha convertido en una ventaja competitiva dentro del mercado sanitario al conferir el atributo "vanguardista" con el que los pacientes identifican el equipamiento tecnológico más avanzado y las más novedosas modalidades de tratamiento y pruebas.

En este contexto, la cirugía robótica se anuncia como la nueva revolución sanitaria. No hay duda de que se convertirá en una herramienta de extrema relevancia en el arsenal quirúrgico, teniendo en cuenta que el alcance de su uso

---

[1]   Los expertos anticipan que la Inteligencia Artificial será la base de la nueva revolución industrial (la cuarta revolución industrial, denomina Industria 4.0). Cada vez hay más robots, y habrá aún más en el futuro, en todas las facetas de la vida. Véase GARCÍA DÍAZ, F.J.: "La robótica y el cambio de paradigma de la Cuarta Revolución Industrial", *Revista de privacidad y derecho digital*, núm. 2, 2016.

[2]   *Watson for Clinical Trials Matching* (CTM), elaborado por IBM, es capaz de procesar información para reducir en un 78% el tiempo necesario para evaluar la idoneidad de un paciente para formar parte de un un ensayo médico, o de identificar posibles opciones de tratamiento del cáncer para pacientes [En: https://www-03.ibm.com/press/es/es/pressrelease/52519.wss].

aún está evolucionando[3]. De hecho, los primeros registros de la utilización de los robots en cirugía comienza en 1985 con un robot denominado Puma 560, utilizado para realizar biopsias neuroquirúrgicas con mayor precisión[4] y, posteriormente, resecciones transuretrales de próstata[5], dando lugar al diseño de los robots PROBOT y ROBODOC, este último en cirugía de cadera, siendo el primer robot quirúrgico aprobado en 2008 por la FDA (la Agencia del gobierno de los EEUU responsable de los medicamentos)[6]. A partir de estas primeras experiencias, la NASA y el ejército americano comenzaron a trabajar con tecnologías de telepresencia con el propósito de que los soldados pudieran ser operados de forma remota por un cirujano, cuyos logros pronto se trasladaron al ámbito civil. Cuando la FDA autorizó al sistema de cirugía robótica DA VINCI, a comienzos del milenio, este artefacto fue considerado como el primer robot cirujano, si bien carecía de capacidad de decisión ya que para su manejo era necesario un humano, al consistir, básicamente, en extensiones electrónicas de los brazos y los ojos del médico. Este conocido robot quirúrgico cuenta con múltiples brazos operados de forma remota desde una consola maestra (donde se encuentra el cirujano que lo maneja) con visualización tridemensional[7]. Un año después, en 2001, se autorizó el sistema ZEUS en operaciones laparoscópicas, que fue utilizado para la primera intervención transatlántica asistida por un robot[8] (la consola del cirujano se encontraba en Nueva York conectada directamente por un cable de fibra óptica al brazo robótico de ZEUS localizado en Francia), lo que permitía efectuar inter-

---

3   LANFRANCO, A. R., CASTELLANOS, A. E., DESAI, J. P., y MEYERS, W. C.:"Robotic Surgery: A Current Perspective", *Annal of Surgery*, vol. 238, 2004, pp. 14-21 [En: https://www.ncbi.nlm.nih.gov/pmc/articles/PMC1356187/]; y SATAVA R.M.: "Surgical robotics: the early chronicles: a personal historical perspective", *Surgical Laparoscopy Endoscopy & Percutaneous Techniques*, Vol. 12, 2002, pp. 6-16 [En https://journals.lww.com/surgical-laparoscopy/pages/articleviewer.aspx?year=2002&issue=02000&article=00002&type=abstract].

4   Este robot fue utilizado por Kwoh et al., y referenciado en: KWOH Y.S. et al.: "A robot with improved absolute positioning accuracy for CT guided stereotactic brain surgery", *IEEE Transaction Biomedical* Engineering, 1988, vol. 35, núm. 2, pp. 153-161 [En: https://ieeexplore.ieee.org/document/1354/].

5   Realizado por: DAVIES B: "A Review of Robotics in Surgery", *Proceedings of the Institution of Mechanical Engineers*, Vol. 214, 2000, pp. 129-140 [En: http://journals.sagepub.com/doi/10.1243/0954411001535309].

6   LANFRANCO, et al.: "Robotic Surgery: A Current Perspective", *op. cit.*, p. 15; y OHUCHIDA, K.: y M. HASHIZUME, M.: "Overview of Robotic Surgery", en *Go Watanebe: Robotic Surgery*, Springer, Japón, 2014, p. 1.

7   LANFRANCO, et al.: "Robotic Surgery: A Current Perspective", *op. cit.*, p. 16.

8   OHUCHIDA, K. y M. HASHIZUME, M.: "Overview of Robotic Surgery", *op. cit.*, p. 2; y MARESCAUX J, et al.: "Transcontinental Robot-Assisted Remote Telesurgery: Feasibility and Potential Applications", *Annals of Surgery, vol.* 235, núm. 4, 2002, pp. 487-492 [En: https://www.ncbi.nlm.nih.gov/pmc/articles/PMC1422462/].

venciones quirúrgicas a distancia y poner cirujanos especializados a disposición de los pacientes prácticamente en cualquier parte del mundo.

Desde entonces, la lista de procedimientos en los que se emplean robots ha crecido a un ritmo vertiginoso en el ámbito sanitario, incorporando mejoras técnicas y nuevas habilidades en el campo de la cirugía. Entre las últimas innovaciones se encuentran los logros de STAR (acrónimo en inglés de Robot Inteligente Autónomo para Tejidos Blandos), un robot autónomo, que a diferencia de sus predecesores, actúa sin intervención humana en tiempo real. Los cirujanos se limitan a programar y supervisar la intervención. El robot, gracias a su visión 3D, luz de infrarrojos y un algoritmo de sutura programado con las técnicas más avanzadas de cirugía supera las habilidades de expertos cirujanos a la hora de reparar tejidos[9].

La utilización de los robots médicos trae consigo numerosas ventajas: proporciona una mayor destreza al cirujano al posibilitar un mayor grado de libertad para manipular instrumentos y tejidos, y al compensar sus movimientos para que se transformen en micromovimientos dentro del paciente; permiten una coordinación mano-ojo adecuada y una posición ergonómica; y ofrecen una visión mejorada y tridimensional, lo que permite aumentar el campo visual del cirujano y su margen de maniobra (estos sistemas potencian la visión en detrimento del sentido del tacto)[10]. Al obtenerse imágenes de mayor resolución, combinadas con mayores grados de libertad y destreza, y eliminarse los temblores, se consigue un aumento de la capacidad del cirujano para identificar y diseccionar los tejidos. Estos dispositivos permiten, incluso, expandir su uso integrando otras tecnologías de diagnóstico de la patología (como el TAC, la resonancia magnética, los ultrasonidos, los infrarrojos o la microscopia), así como realizar ensayos y simulaciones antes de la intervención. Las únicas desventajas que presentan estos sistemas, dejando al margen su elevado coste de adquisición, son que precisan de una actualización de los sistemas operativos; la falta de entrenamiento de los cirujanos en intervenciones rutinarias, ya que la utilización de estos robots se reserva a cirugías complejas, debido a que los centros hospitalarios disponen de un escaso número de ellos; así como el volumen que ocupan estos aparatos, que deben situarse en la sala de operaciones. No obstante, tales inconvenientes se irán resolviendo a medida que avance esta tecnología, reciban el impulso de los gobernantes y aumente su demanda en el mercado sanitario.

---

[9] SHADEMAN, A.; DECKER, R.; OPFERMANN, J.; LEONARD, S.; KRIEGER, A.; y KIM, P.: "Supervised autonomous robotic soft tissue surgery", *American Association for the Advancement of Science*, vol. 8, núm. 337, 2016 [En: http://stm.sciencemag.org/content/8/337/337ra64].

[10] LANFRANCO, et al.: "Robotic Surgery: A Current Perspective", *op. cit.*, pp. 15-18.

En la actualidad, las cirugías y la variedad de procedimientos que se realizan con robots está aumentando a medida que más centros sanitarios adquieren estos sistemas. A la par, se están desarrollando y actualizando muchos robots en este ámbito[11]. Es muy probable que, a corto plazo, la mayoría de los robots sean programados y que los cirujanos se limiten a supervisar las intervenciones del robot, que será el que efectúe la totalidad o la mayor parte de la misma. Con ello se abre un abanico de posibilidades que trascienden, incluso, los límites de la capacidad humana para incorporar tratamientos e intervenciones quirúrgicas. De este modo, la tecnología robótica revolucionará la cirugía a medida que se perfeccionen estos dispositivos inteligentes.

Esta vertiginosa evolución pone de relieve la importancia de comenzar a sentar las bases relativas a la imputación de los daños que puedan ocasionarse en los procedimientos que requieran de su utilización, pues siempre será posible un margen de error, sea de diagnóstico, de procedimiento, de datos incorrectamente administrados o de transferencia incorrecta.

Los legisladores europeos han comenzado a ser conscientes de este desarrollo. De hecho, el Parlamento Europeo, en la Resolución de 16 de febrero de 2017 con recomendaciones destinadas a la Comisión sobre normas de Derecho civil sobre robótica, ha puesto de manifiesto la relevancia que tiene, por un lado, el apoyo a los robots médicos por parte de los hospitales debido a que pueden mejorar los resultados y reducir los gastos sanitarios[12]; y, por otro, la necesidad de formación de los sanitarios y, en especial, la exigencia de unos requisitos profesionales mínimos para que un cirujano pueda utilizar robots quirúrgicos, así como una formación en el tratamiento con dispositivos móviles de autodiagnóstico[13].

---

[11]   La Comunicación de la Comisión COM (2018) 237, relativa a la Inteligencia artificial para Europa, pone de relieve algunos ejemplos de cómo la IA está ya ayudando a reducir la mortalidad en el ámbito sanitario: "En Dinamarca, la IA ayuda a salvar vidas al permitir a los servicios de emergencias diagnosticar paradas cardíacas u otras dolencias analizando la voz de la persona que llama. En Austria, ayuda a los radiólogos a detectar tumores con mayor precisión, al facilitarles la comparación instantánea de las radiografías con una gran cantidad de otros datos médicos", p. 1.

[12]   A tal efecto, en la Recomendación 34 de la Resolución de 16 de febrero de 2017, el Parlamento considera que: "Los robots en medicina avanzan cada vez más en la ejecución de cirugías de alta precisión y en la realización de procedimientos repetitivos, y que pueden mejorar los resultados de la rehabilitación y proporcionar un apoyo logístico sumamente eficaz en los hospitales; señala que los robots médicos tienen también el potencial de reducir los gastos sanitarios, permitiendo al personal médico desviar su atención del tratamiento a la prevención, así como de liberar más recursos presupuestarios para adaptarse mejor a las diversas necesidades de los pacientes, para la formación continua de los profesionales sanitarios y para la investigación".

[13]   La Recomendación 35 de la Resolución de 16 de febrero de 2017 subraya "la importancia de una educación, una formación y una preparación adecuadas de los profesionales de la salud, como médicos y auxiliares sanitarios, con el fin de garantizar el nivel más elevado posible de

II. DAÑOS CAUSADOS POR ROBOTS SANITARIOS

En la tesitura en la que nos encontramos, los efectos positivos de la IA en el ámbito sanitario resultan incuestionables al mejorar los pronósticos de curación y, por ende, proporcionar un incremento de la calidad de vida. La asistencia de programas inteligentes produce una mayor eficacia, un descenso de errores derivados de la precisión robótica y un mayor margen de seguridad de los trabajadores cuando se utilizan productos peligrosos en los medios de diagnóstico.

Aunque se espera que la prestación de estos servicios se realice conforme a las especificaciones de su diseño, también es lógico que se produzcan errores y fallos imprevistos en el uso de los robots. El progreso conlleva también estos resultados impredecibles a los que se les debe dotar de una regulación legal y un mecanismo asegurador para hacer frente a los posibles daños que se puedan ocasionar, que irán en consonancia con los criterios de imputación de la responsabilidad que se establezcan. De hecho, se ha constatado la existencia de un número considerable de víctimas tras incorporar estos robots a los hospitales. En un estudio realizado en los Estados Unidos se ha comprobado que, entre el año 2000 y el año 2013, fallecieron 144 personas en este país a costa de los errores de estas máquinas (en concreto, se toma como referencia el análisis de los modelos del sistema DA VIN-CI y ZEUS)[14]. Entre las causas aludidas en dicho informe se destacan aquellas relacionadas con el mal funcionamiento del dispositivo y del instrumento: caída de piezas rotas o quemadas dentro del paciente (14,7%), descargas eléctricas y

---

competencia profesional y proteger y salvaguardar la salud de los pacientes; hace hincapié en la necesidad de definir los requisitos profesionales mínimos que deberá cumplir un cirujano para operar y estar autorizado a utilizar robots quirúrgicos; considera fundamental que se respete el principio de autonomía supervisada de los robots, en virtud del cual la programación inicial de los cuidados y la elección final sobre la ejecución final pertenecen en todo caso al ámbito de decisión de un cirujano humano; subraya la especial importancia que reviste la formación de los usuarios para que puedan familiarizarse con los requisitos tecnológicos en este ámbito; llama la atención acerca de la creciente tendencia al autodiagnóstico mediante el uso de robots móviles y, por consiguiente, de la necesidad de formar a los médicos para que puedan tratar los casos de autodiagnóstico; considera que la utilización de estas tecnologías no debería disminuir ni perjudicar la relación entre médico y paciente, sino proporcionar al médico una asistencia para el diagnóstico y/o el tratamiento de los paciente, con el fin de reducir el riesgo de error humano y aumentar la calidad y la esperanza de vida".

[14]   En este trabajo se analizan los datos publicados por la Agencia de Alimentos y Medicamentos de EEUU: ALEMZADEH, H., RAMAN, J., LEVESON, N., KALBARCZYK, Z., y IYER, R. K.: "Adverse Events in Robotic Surgery: A Retrospective Study of 14 Years of FDA Data", *PLoS ONE*, vol. 11, núm. 4. [En: https://www.ncbi.nlm.nih.gov/pmc/articles/PMC4838256/pdf/pone.0151470.pdf]. Concretamente, se informaron 144 muertes (1,4% de los 10.624 informes), 1.391 lesiones de pacientes (13,1%) y 8.061 fallos en dispositivos (75,9%), lo que supone un 0,6% de los procedimientos con robots ya que durante el periodo de estudio (2000-2013) se efectuaron alrededor de 1.745.000 casos.

quemaduras (10,5%), funcionamiento involuntario o pérdida de control de los aparatos (10.1%), errores del sistema y problemas e interrupción de las transmisiones de vídeo o imagen (7,4%); y las restantes atañen a otros problemas que no se pudieron incluir en estas categorías (ej. roturas de cables, problemas con la unidad electroquirúrgica, con el suministro de energía o errores en la manipulación del paciente)[15].

En este contexto, cuando se producen daños como consecuencia de la utilización de estos dispositivos es preciso dirimir quiénes son los responsables, es decir, a quién podríamos demandar: a los programadores del software de la IA que controla al robot; al fabricante o productor por el mal funcionamiento del producto o por la deficiente información sobre los riesgos del producto; al profesional que lo utiliza, por ejemplo, a los cirujanos que controlan los brazos del robot y supervisan la intervención; a la empresa propietaria, si consideramos que es quien debe evaluar el uso que se realiza de la IA para la prestación de sus servicios; o, incluso, se llega a cuestionar si podría imputarse la responsabilidad al propio robot, en el caso de que su actuación fuera autónoma. La respuesta no es simple porque no es fácil encontrar la fuente, delimitar los riesgos y establecer el criterio jurídico de imputación de esa responsabilidad. Como los seres humanos cometemos errores, es lógico que al crear y manipular las tecnologías que soportan la IA se puedan diseñar robots o programar software que sean falibles. Además, en ocasiones se precisan actualizaciones para solucionar los fallos técnicos o de funcionamiento de estos artefactos, lo que conlleva detectar los mismos, actualizar el software, informar al usuario y, en último término, asumir la responsabilidad por los daños causados si estas acciones no se han ejecutado. Todo ello dificulta, sin duda, el complejo entramado de la responsabilidad jurídica y, en último término, de su aseguramiento.

Por lo tanto, resulta preciso identificar la causa del daño y el criterio de imputación de la responsabilidad que resulta aplicable, ya que no es equiparable un daño como consecuencia de una quemadura durante una intervención a que se deba a un error en el sistema (software). Del mismo modo, será relevante conocer si el daño es consecuencia de la pérdida de control del aparato o de la incorrecta utilización del cirujano, o si lo es por la ausencia de una actualización a una versión superior del sistema, o bien si el resultado se ha producido por una falta de mantenimiento del hospital, un acontecimiento externo (como un ataque informático o una avería en el suministro de energía) o una causa desconocida. E, incluso, a medida que los robots son más autónomos, las causas pueden derivar de una interacción de agentes (ingeniería mecánica, electrónica, tecnología de la

---

[15]   *Íd. íb*, pp. 10-11.

información y software incorporado)[16], lo que dificulta la delimitación del sujeto que debe soportar el daño, en cuyo caso podría tratarse del productor, del programador, del usuario, del hospital que dispone de dicha tecnología o del propio robot. Por otro lado, se presenta el problema de la prueba de la causa que originó el daño, y si ésta fue debida a la actuación negligente de uno o varios de los sujetos intervinientes, a un caso fortuito o a una fuerza mayor, o a una concurrencia de acontecimientos. Ello, unido a la presencia de redes artificiales neuronales, puede complicar localizar cuál fue el error del sistema[17].

Atribuir responsabilidad por el uso de la IA constituye un importante desafío, ya que se trata de un software que puede conducir a una acción u omisión de un resultado dañoso. La búsqueda de un remedio legal para discernir la responsabilidad resulta de gran relevancia, no solo en el ámbito sanitario, sino en cualquiera de los campos donde intervienen los robots. Téngase en cuenta que la confianza de la ciudadanía en los robots dependerá de cómo se impute esta responsabilidad y de quién asuma el resarcimiento de estos daños, repercutiendo en éste su aseguramiento.

III. DELIMITACIÓN DE LA RESPONSABILIDAD EN LOS DAÑOS CAUSADOS POR LOS ROBOTS SANITARIOS

A la hora de delimitar la responsabilidad por los daños causados por los robots sanitarios debemos establecer el ámbito de actuación en el que nos encontramos y si resultan aplicables las reglas generales de responsabilidad civil o el derecho de consumo, teniendo en cuenta que los criterios de imputación de la responsabilidad difieren en la responsabilidad civil contractual o extracontractual y en la responsabilidad por productos defectuosos. Del mismo modo, debemos cuestionarnos si es preciso elaborar una categoría nueva para estos supuestos mediante una ley general o disposiciones en legislaciones específicas en las áreas afectadas por el uso de robots.

---

[16] EBERS, M.: "La utilización de agentes electrónicos inteligentes en el tráfico jurídico: ¿Necesitamos reglas especiales en el Derecho de la responsabilidad civil?", *InDret: Revista para el Análisis del Derecho*, núm. 3, 2016, p. 7 [En: http://www.indret.com/code/getPdf.php?id=1982&pdf=1245.pdf].

[17] "Mientras que en la IA simbólica el programa puede examinarse línea por línea, instrucción por instrucción, en las redes artificiales neuronales desaparece la representación simbólica del saber y el control del proceso. En lugar de símbolos claros, comprensibles, contamos con una matriz de pesos sinápticos que se sustraen de la interpretación directa" (*íd., ib.*, p. 12).

1. El derecho de consumo en el uso de robots en el ámbito sanitario

1.1. La delimitación de los consumidores

Antes de analizar los criterios de imputación de la responsabilidad, resulta necesario precisar quiénes adquieren la categoría de consumidores en este contexto. El sujeto que adquiere un robot es un consumidor y también lo es la persona que acude a un centro hospitalario para la prestación de un servicio de salud. El prestador de este servicio sanitario se obliga a proporcionar asistencia sanitaria, siendo diferente del productor o fabricante de un producto sanitario[18]. Respecto al consumidor, el artículo 3 del Real Decreto Legislativo 1/2007, de 16 de noviembre, que aprueba el texto refundido de la Ley General para la Defensa de los Consumidores y Usuarios y otras leyes complementarias (TRLGDCU), tras la reforma de la Ley 3/2014, establece que son consumidores o usuarios, a efectos de esta norma y sin perjuicio de lo dispuesto expresamente en sus libros tercero y cuarto, "las personas físicas que actúen con un propósito ajeno a su actividad comercial, empresarial, oficio o profesión. Son también consumidores a efectos de esta norma las personas jurídicas y las entidades sin personalidad jurídica que actúen sin ánimo de lucro en un ámbito ajeno a una actividad comercial o empresarial". El hecho de que se exceptúe el libro tercero (relativo a la responsabilidad civil por bienes o servicios defectuosos) se debe a que resulta de aplicación el artículo 128 que señala que "todo perjudicado tiene derecho a ser indemnizado en los términos establecidos en este Libro por los daños o perjuicios causados por los bienes o servicios".

Por lo tanto, los centros hospitalarios no son consumidores al efectuar una intervención quirúrgica o un diagnóstico con estos robots ya que, por un lado, no actúan (o raramente lo harán) sin ánimo de lucro y, en segundo término, lo efectúan en un ámbito propio a su actividad comercial o empresarial. Sin embargo, si son perjudicados por la adquisición de un producto defectuoso podrían verse

---

[18]   CAYÓN DE LAS CUEVAS, J.: *La prestación de servicios sanitarios como relación jurídica de consumo*, Thomson Reuters, Madrid, 2017, pp. 250-251. En este sentido, señala el autor que "la condición de prestador puede derivar de diferentes tipos de contrato. Así, en primer término, del contrato de servicios médicos, cuando se concierta exclusivamente la asistencia sanitaria, y del contrato de clínica u hospitalización cuando, además de los servicios médico-quirúrgicos, se ponen a disposición del usuario los servicios extramédicos o paramédicos. Pero también cabe asumir tal posición en la relación jurídica en calidad de asegurador de la asistencia sanitaria siempre que la modalidad contratada sea la de seguro de prestación de servicios médico-quirúrgicos y no el denominado seguro de reembolso."

amparados por esas reglas relativas a la responsabilidad civil, aunque esta no es una cuestión pacífica[19].

Lo que resulta indiscutible es que el derecho de consumo a quien protege es al consumidor, es decir, al paciente, persona física, que acude a un centro hospitalario para que se le preste un servicio sanitario. Téngase en cuenta que el legislador no ofrece una definición de «servicios», sino que se limita a establecer dos presupuestos: por un lado, que se trate de servicios cuya "propia naturaleza, o por estar así reglamentariamente establecidos, incluya necesariamente la garantía de niveles determinados de eficacia o seguridad, en condiciones objetivas de determinación, y supongan controles técnicos, profesionales o sistemáticos de calidad, hasta llegar en debidas condiciones al consumidor y usuario"; y, por otro lado, establece un elenco de servicios que, en todo caso, tendrán dicha consideración, entre los que se encuentran precisamente los servicios sanitarios (artículo 148 TRLGDCU).

Realizadas las anteriores observaciones, es importante distinguir los siguientes ámbitos en los que se puede incardinar la responsabilidad por daños causados por los robots sanitarios: (a) la protección de los consumidores y usuarios en los servicios médicos sanitarios; (b) la responsabilidad por productos defectuosos; y c) la responsabilidad civil extracontractual del profesional sanitario, que se establece en virtud de la *lex artis* conforme a la responsabilidad general del Código Civil.

1.2. La responsabilidad derivada de la prestación de servicios sanitarios

El legislador exige una adecuada organización para que la prestación de los servicios sanitarios se realice de forma adecuada, resultando el TRLGDCU aplicable en los aspectos organizativos o de prestación de los mismos. A tal efecto, se delimita la regulación de la responsabilidad derivada de los daños originados por la prestación de servicios sanitarios en dos preceptos. En primer lugar, el artículo 147 TRLGDCU, que acoge un sistema de responsabilidad por culpa, es decir, para que se impute la responsabilidad es necesario

---

[19]   En este sentido, PARRA LUCÁN considera que la definición de consumidor o usuario del artículo 3 del TRLGDCU lo es sin perjuicio de lo dispuesto en el Libro III, relativo a la responsabilidad civil por bienes o servicios defectuosos, por lo que a los perjudicados, aunque no sean consumidores y usuarios del art. 3 del TRLGDCU, se les podría aplicar el régimen de responsabilidad del Libro tercero ("Responsabilidad civil por bienes y productos defectuosos", en Reglero, F. y Busto Lago, J.M., *Tratado de Responsabilidad Civil*, Tomo II, 5ª ed., Aranzadi, Navarra, 2014, pp. 69 y 70).

que exista una actuación culposa del prestador del servicio: el incumplimiento de las exigencias y requisitos reglamentariamente establecidos, y los demás cuidados y diligencias que exige la naturaleza del servicio. En segundo lugar, el artículo 148 TRLGDCU, que establece, como hemos visto, un régimen especial de responsabilidad objetiva, siempre que se haga un correcto uso de los servicios. La justificación de este régimen deriva de las características que deben reunir los servicios incluidos en este precepto, entre los que se incluyen, como hemos, visto los sanitarios. Se establece, así, una obligación de garantía; de manera que la responsabilidad surge por el incumpliendo de estas garantías (de eficacia o seguridad) y controles (técnicos, profesionales o sistemáticos de calidad)[20].

La Ley ampara a los perjudicados como consecuencia de los daños causados por productos defectuosos y de los daños causados por servicios sanitarios[21]. A tal efecto, la jurisprudencia viene estimando la aplicación de esta normativa a la hora de imputar responsabilidad al centro sanitario por los servicios prestados, concretamente, en los supuestos de infecciones nosocomiales (infecciones contraídas durante la estancia en el hospital), daños derivados de una incorrecta organización del centro sanitario o daños causados por productos defectuosos (por ejemplo, en los implantes o en el instrumental quirúrgico)[22]. Sin embargo, en el ámbito de la responsabilidad profesional médica se rechaza la aplicación de la normativa específica en materia de consumo y, por lo tanto, el criterio de imputación de la responsabilidad objetiva[23]. En consecuencia, únicamente se permite este criterio de imputación, aplicando la responsabilidad establecida por esta legislación, respecto a los aspectos organizativos o de prestación de servicios sanitarios, ajenos a la actividad médica[24]. En este sentido, las SSTS de 29 de junio y 3 de julio de 2013 señalan, en relación a la aplicación de legislación de los consumidores y usuarios, que "este tipo de responsabilidad no afecta a los actos

---

[20]   MONTERROSO CASADO, E.: "Responsabilidad civil médica: análisis de los criterios de imputación", en MONTERROSO (dir.): *Responsabilidad profesional*, Tirant lo Blanch, Valencia, 2018, pp. 96-97.

[21]   No obstante, son distintos los supuestos de hecho de la responsabilidad por productos, derivada del uso o consumo de productos defectuosos, que la responsabilidad por servicios, que se origina por la prestación de un servicio (PARRA LUCÁN, Mª. Á.: "Responsabilidad civil por bienes y productos defectuosos", *op. cit.*, p. 157).

[22]   Véase la recopilación de sentencias, en este sentido, recogidas por GALÁN CORTÉS, J.C.: "La responsabilidad civil médico-santaria", en J.A. SEIJAS QUINTANA (coord.), *Responsabilidad Civil. Aspectos fundamentales*, 2 edición, Sepin, Madrid, 2015, pp. 339-342.

[23]   MONTERROSO CASADO, E.: "Responsabilidad civil médica: análisis de los criterios de imputación", *op. cit.*, p. 97.

[24]   SSTS de 5 de febrero de 2001, 26 de marzo de 2004, 17 de noviembre de 2004, 5 de enero y 26 de abril de 2007, 20 de julio de 2009, 24 de mayo de 2012 o 4 de marzo 2013.

médicos propiamente dichos, dado que es inherente a los mismos la aplicación de criterios de responsabilidad fundados en la negligencia por incumplimiento de la *lex artis ad hoc*"[25].

2. La responsabilidad por productos defectuosos en los robots

En el ámbito de la medina, y concretamente en las intervenciones con robots, resulta preciso delimitar si los robots médicos o quirúrgicos tendrían la consideración de "productos defectuosos" o de "productos sanitarios" a la hora de analizar la responsabilidad derivada de los daños derivados por la utilización de dichos artefactos.

2.1. La delimitación de los robots como productos defectuosos

El artículo 6 del TRLGDCU delimita el concepto de "producto", a efectos de la aplicación de esa norma y sin perjuicio de lo establecido en el artículo 136, como "todo bien mueble conforme a lo previsto en el artículo 335 del Código Civil". Dicha remisión al Código Civil nos conduce a reputar como bienes muebles "los susceptibles de apropiación no comprendidos en el capítulo anterior [bienes inmuebles], y en general todos los que se pueden transportar de un punto a otro sin menoscabo de la cosa inmueble a que estuvieren unidos". Obviamente, un robot, con independencia de la tarea a la que se encuentre destinado, es un bien mueble, susceptible de dicha apropiación y que puede ser transportado. Y, del mismo, el artículo 136 del TRLGDCU también posibilita enmarcarlos en dicha definición. A tal efecto, dicho precepto considera como producto "cualquier bien mueble, aún cuando esté unido o incorporado a otro bien mueble o inmueble, así como el gas y la electricidad". También un software que se introduce en una estructura podría englobarse en esta categoría debido a que nuestra normativa no exige que el producto deba ser corporal[26].

---

25   Y, en el mismo sentido, la STS de 24 de mayo de 2012 recoge la doctrina jurisprudencial de esta Sala que "ha venido admitiendo la invocación de los preceptos de la Ley de Consumidores y Usuarios por el defectuoso funcionamiento de los servicios sanitarios, si bien advierte que los criterios de imputación de la expresada ley deben proyectarse sobre los aspectos funcionales del servicio sanitario, sin alcanzar los daños imputables directamente a los actos médicos" (tal y como señalan las SSTS de 5 de febrero de 2001, 26 de marzo de 2004, 17 de noviembre de 2004, y 5 de enero y 22 de mayo de 2007, y 20 de julio de 2009).

26   DÍAZ ALABART S.: *Robots y responsabilidad civil*, Reus, Madrid, 2018, pp. 100 y 101. Señala a este respecto la autora que sería deseable que los robots inteligentes fueran incluidos expresamente en el concepto de producto en la Directiva europea; y, por lo tanto, en nuestra normativa.

Una vez calificado como bien mueble al robot es necesario determinar qué se entiende por producto defectuoso. El artículo 137 del TRLGDCU señala tres precisiones al respeto. Las dos primeras ofrecen las condiciones para reputar al producto como tal y, por lo tanto, que exista responsabilidad del productor[27]: (1) *Se entenderá por producto defectuoso aquél que no ofrezca la seguridad que cabría legítimamente esperar, teniendo en cuenta todas las circunstancias y, especialmente, su presentación, el uso razonablemente previsible del mismo y el momento de su puesta en circulación.* (2) *En todo caso, un producto es defectuoso si no ofrece la seguridad normalmente ofrecida por los demás ejemplares de la misma serie.* Y, en el siguiente apartado exime de dicha consideración al producto *por el solo hecho de que tal producto se ponga posteriormente en circulación de forma más perfeccionada.*

La doctrina considera que es precisamente esa falta de seguridad la que proporciona la cualidad de defectuoso al producto[28]. Y ese criterio de exigencia de seguridad también puede aplicarse a los robots; y, en concreto, la clasificación de los defectos de fabricación, de diseño y de información[29]. Incluso, se sostiene por algún autor, la posibilidad de imputar la responsabilidad al prestador del servicio en virtud de ese defecto de seguridad[30].

---

[27]   El artículo 5 TRLGDCU establece el concepto de "productor" y considera como tal "al fabricante del bien o al prestador del servicio o su intermediario, o al importador del bien o servicio en el territorio de la Unión Europea, así como a cualquier persona que se presente como tal al indicar en el bien, ya sea en el envase, el envoltorio o cualquier otro elemento de protección o presentación, o servicio su nombre, marca u otro signo distintivo". Y el artículo 138 incluye, además, al fabricante o importador en la Unión Europea de un producto terminado, cualquier elemento integrado en un producto terminado o una materia prima. Y, en el supuesto de que el productor no pudiera ser identificado, se considerará como tal "el proveedor del producto, a menos que, dentro del plazo de tres meses, indique al dañado o perjudicado la identidad del productor o de quien le hubiera suministrado o facilitado a él dicho producto. La misma regla será de aplicación en el caso de un producto importado, si el producto no indica el nombre del importador, aun cuando se indique el nombre del fabricante".

[28]   Véanse GUTIÉRREZ SANTIAGO, P.: *Responsabilidad civil por productos defectuosos*, Comares, Madrid, 2006, pp. 68 y ss; MARTÍN-CASALS, M. Y SOLÉ FELIU, J.: "La responsabilidad civil por productos defectuosos", en REYES LÓPEZ, Mª. J. (coord.), *Derecho privado de consumo*, Tirant lo Blanch, Valencia 2004, pp. 157-196; o el Comentario al artículo 137 de PARRA LUCÁN, M. A.: "Libro III. Título II. Disposiciones específicas en materia de responsabilidad. Capítulo I. Daños causados por productos", en BERCOVITZ (coord.), *Comentario del Texto Refundido de la Ley General para la Defensa de Consumidores y Usuarios y otras Leyes Complementarias*, Thomson Aranzadi, 2ª ed., Navarra, 2015, pp. 1931-2066.

[29]   DÍAZ ALABART S.: *Robots y responsabilidad civil, op. cit.,* p. 105.

[30]   Aunque pudiera resultar una interpretación forzada, PASQUAU LIAÑO defiende la posibilidad de utilizar también el criterio de la seguridad que legítimamente cabe esperar como criterio de imputación de responsabilidad al ámbito de los daños a la salud derivados de la prestación de un servicio. Y, en este sentido, señala que, como sucede con el fabricante, "el prestador de

Además, el fabricante o distribuidor se encuentra obligado a averiguar la normativa que resulte de aplicación al sector[31]. No obstante, hay que tener en cuenta que se ha enfatizado que el nivel de diligencia en las exigencias de seguridad, que se traduce en comprobaciones y entrenamientos del producto, son mayores en ámbitos como en el de la medicina[32]. Y, en este sentido, un estándar de diligencia aceptable sería aquel en el que "la tasa de errores del sistema es menor que en los seres humanos"[33]. En nuestro ámbito, esto significaría, por ejemplo, que la tasa de errores de los robots quirúrgicos fuera menor que el de un cirujano. En mi opinión, ese nivel de diligencia y exigencia de seguridad tendría que ir más allá del de un cirujano medio, equiparándose, como mínimo, con el de un experimentado cirujano en el ámbito de una determinada intervención quirúrgica, ya que esta clase de robots se pueden utilizar, como vimos al inicio de este trabajo, para llevar a cabo distintos tipos de operaciones sobre diferentes partes de nuestra anatomía. En este sentido, "el uso de ayuda tecnológica también puede conducir a un incremento de las expectativas de seguridad"[34]. Y, por otro lado, entiendo que esa exigencia de seguridad debería, incluso, ser la requerida para dicha tecnología en productos similares que, por supuesto, se extiende más allá de la diligencia que deben cumplir los propios profesionales médicos.

Por otro lado, también se ha apuntado, además de la seguridad que legítimamente cabría esperar en su funcionamiento, la autonomía del objeto que forma

---

servicios tiene la obligación de garantizar al destinatario que el servicio no va a suponer más riesgos que los esperables si se presta en condiciones normales (o normalmente previsibles)" ("El defecto de seguridad como criterio de imputación de la responsabilidad al empresario de servicios", en García Garnica, M.ª C. y Antonio Orti Vallejo, A. (dir.), *La responsabilidad civil por daños causados por servicios defectuosos: estudio de la responsabilidad civil por servicios susceptibles de provocar daños a la salud y seguridad de las personas*, Aranzadi, Navarra, 2015, p. 103).

[31] DÍAZ ALABART S.: *Robots y responsabilidad civil, op. cit.*, p. 42.

[32] En este sentido señala EBERS que "las exigencias de seguridad son tanto mayores cuanto más elevado es el bien jurídico que puede verse amenazado mediante el sistema. Agentes que se utilizan en el campo de la medicina, que vigilan instalaciones, que conducen máquinas o coches, deben satisfacer por ello exigencias de seguridad más altas que, por ejemplo, los motores de búsqueda, que 'solo' llevan a una vulneración de la personalidad. El fabricante está justamente obligado, en especial por lo que se refiere a productos con un potencial de riesgo y peligro altos, a realizar operaciones de control y a poner en práctica métodos de ensayo de costes extremadamente elevados, hasta que la tasa de errores haya descendido por debajo de un valor límite mínimo predefinido" ("La utilización de agentes electrónicos inteligentes en el tráfico jurídico...", *op. cit.*, p. 11).

[33] *Íd., ib.*, p. 12.

[34] *Íd., ib.*, p. 12, con cita de SPINDLER, G.: "Roboter, Automation, künstliche Intelligenz, selbststeuernde Kfz - Braucht das Recht neue Haftungskategorien? Eine kritische Analyse möglicher Haftungsgrundla-gen für autonome Steuerungen", *Computer und Recht*, 2015, pp. 766-776.

parte de la IA como límite de la responsabilidad del fabricante[35]. Si bien, como veremos más adelante, esta autonomía presenta muchos matices a la hora de posibilitar o no la imputación de la responsabilidad.

A esto cabría añadir las obligaciones de poner en circulación productos seguros, así como la vigilancia del producto y de retirada cuando, una vez puesto en circulación, ocasiona resultados dañosos. En este sentido, la Directiva 2001/95/CE, que se ha traspuesto en nuestro país mediante el Real Decreto 1801/2003, de 26 de diciembre, sobre seguridad general de los productos establece, por un lado, el deber de los productores de poner en el mercado únicamente productos seguros, informando de los riegos de su utilización (art. 4 del Real Decreto)[36]; por otro lado, la obligación de los distribuidores de distribuir sólo productos seguros, absteniéndose de suministrar productos cuando sepan, o debieran saber, por la información que poseen y como profesionales, que no cumplen tal requisito (art. 5.1); y, además, la obligación de ambos, de los productores y de los distribuidores, de notificar a las autoridades competentes sobre los productos inseguros que ya han puesto en el mercado (art. 6.1 del Real Decreto). Por último, también merece especial mención, en materia de seguridad, la Recomendación 35 de la Resolución de 16 de febrero de 2017 del Parlamento Europeo, en la que solicita a la Comisión que garantice la seguridad de los procedimientos utilizados para ensayar nuevos dispositivos robóticos médicos, en particular en el caso de los dispositivos que se implanten en el cuerpo humano, antes de la fecha de entrada en vigor del Reglamento (UE) 2017/745, de 5 de abril de 2017, sobre productos sanitarios[37].

---

[35]   JIMENO MUÑOZ, J., *La responsabilidad Civil en el ámbito de los ciberriesgos*, Fundación Mapfre, Madrid, 2017, p. 130. Si bien el autor realiza esta manifestación respecto al Internet de las Cosas (IoT). A este respecto sostiene que estos sistemas posibilita el funcionamiento autónomo de los objetos, lo que conlleva el que se pueda alterar los límites de la responsabilidad de los fabricantes y proveedores de estos productos "ya que el IoT sustituye la actuación del usuario por la interacción automática y programada" (p. 129).

[36]   El artículo 4.3 estable la obligación de los productores, dentro de los límites de sus respectivas actividades y en función de las características de los productos, de: (a) mantenerse informados de los riesgos que dichos productos puedan presentar e informar convenientemente a los distribuidores; (b) cuando descubran o tengan indicios suficientes de que han puesto en el mercado productos que presentan para el consumidor riesgos incompatibles con el deber general de seguridad, adoptar, sin necesidad de requerimiento de los órganos administrativos competentes, las medidas adecuadas para evitar los riesgos, incluyendo informar a los consumidores mediante, en su caso, la publicación de avisos especiales, retirar los productos del mercado o recuperarlos de los consumidores; (c) indicar, en el producto o en su envase, los datos de identificación de su empresa y de la referencia del producto o, si procede, del lote de fabricación, salvo en los casos en que la omisión de dicha información esté justificada.

[37]   El Reglamento (UE) 2017/745 del Parlamento Europeo y del Consejo, de 5 de abril de 2017, sobre los productos sanitarios, por el que se modifican la Directiva 2001/83/CE, el Reglamento

También es importante diferenciar los productos no seguros y los productos que entrañan riesgos en su uso, donde resultan de especial importancia las instrucciones. Como pone de manifiesto la jurisprudencia, serán determinantes las advertencias de los riesgos y las precauciones de uso, sin que resulte de aplicación la normativa propia de consumidores y usuarios cuando el daño causado por el producto se produzca por el uso indebido de quien lo adquiere, ya que no debe confundirse producto peligroso con defectuoso (STS de 21 de noviembre de 2008).

En este sentido, el productor tendrá la obligación de informar sobre las condiciones de utilización de un robot de servicio. Como contrapartida, los usuarios de dichos robots también pueden ser gravados con deberes de cuidado, cuya falta de observación podría llevar a una distribución de la responsabilidad[38].

Por último, téngase en cuenta que si se desconoce si el daño ocasionado al paciente es consecuencia de un defecto en el robot o de un fallo en la operación realizada con el mismo, el perjudicado debería poder accionar contra el fabricante sin perjuicio de que éste pudiera repetir contra el médico o el hospital si logra probar la intervención en el daño causado.

Ahora bien, el artículo 140 del TRLGDCU establece, en su apartado primero, las causas de exoneración de la responsabilidad del productor, entre las que se encuentra la prueba de que "dadas las circunstancias del caso, es posible presumir que el defecto no existía en el momento en que se puso en circulación el producto"; y, lo que es más importante a efectos de su aplicación en este ámbito, el que "el estado de los conocimientos científicos y técnicos existentes en el momento de la puesta en circulación no permitía apreciar la existencia del defecto". De este modo, se tratarían de limitaciones del desarrollo, que implicarían la ausencia de imputación de responsabilidad al productor, sin perjuicio de, como hemos visto, su obligación de seguimiento de los riesgos del producto. Por otro lado, el apartado segundo exime de responsabilidad al productor de una parte integrante de un producto terminado "si prueba que el defecto es imputable a la concepción del producto al que ha sido incorporado o a las instrucciones dadas por el fabricante de ese producto". De este modo, si una empresa es fabricante del software del robot y otra del hardware, podrá el fabricante de la parte integrante liberarse de responsabilidad si prueba que el defecto es achacable al diseño del producto entero.

(CE) 178/2002 y el Reglamento (CE) 1223/2009 y por el que se derogan las Directivas 90/385/CEE y 93/42/CEE del Consejo, será aplicable a partir del 26 de mayo de 2020 [En https://eur-lex.europa.eu/legal-content/ES/TXT/?uri=CELEX:32017R0745].

38   DREIER, T., y SPIECKER, I.: "Legal aspects of service robotics", *Poiesis & Praxis*, vol. 9, 2012, p. 212.

Es decir, aunque podamos considerar un robot como producto defectuoso, si no ofrece la seguridad previsible, nos encontraríamos con muchas dificultades a la hora de imputar la responsabilidad por productos defectuosos debido a que el estado del conocimiento técnico puede no posibilitar la existencia de dicho defecto (art. 140.1 e), con independencia de que se ponga posteriormente en circulación una versión mejorada del producto (art. 137.3). De hecho, se apunta que esa condición conllevaría la pérdida de la cobertura la responsabilidad civil por los daños causados por los robots derivados de su carácter defectuoso[39]; o, al menos, pudiera resultar complicado una imputación de la misma.

En esta misma línea, el Parlamento Europeo, en la ya mencionada Resolución de 16 de febrero de 2017, advierte de esta circunstancia al considerar que en materia de responsabilidad extracontractual *podría no ser suficiente el marco ofrecido por la Directiva 85/374/CEE,* debido a que esta solo cubre los daños ocasionados por los defectos de fabricación de un robot si el perjudicado puede demostrar el daño real, el defecto del producto y la relación de causa a efecto entre el defecto y el daño (responsabilidad objetiva o responsabilidad sin culpa) (Considerando AH).

2.2. La delimitación de los robots como productos sanitarios

La regulación de estos productos se encuentran establecida en el Real Decreto 1591/2009, de 16 de octubre, por el que se regulan los productos sanitarios, y en el Real Decreto Legislativo 1/2015, de 24 de julio, que aprueba el texto refundido de la Ley de garantías y uso racional de los medicamentos y productos sanitarios (LGURMPS). Por otro lado, aunque no resulte de aplicación hasta mayo de 2020, también se dispone del Reglamento (UE) 2017/745 del Parlamento Europeo y del Consejo, de 5 de abril de 2017, sobre los productos sanitarios. De esta manera, por ejemplo, los implantes y las prótesis robóticas resultarían incorporados en este ámbito.

El legislador, aunque regule el producto sanitario y la actuación de las personas físicas o jurídicas en cuanto intervienen en la circulación industrial o comercial y en la prescripción o dispensación de los medicamentos y productos sanitarios[40], no establece un régimen de responsabilidad especial aplicable. Tampoco

---

[39]   GÓMEZ-RIESCO TABERNERO DE PAZ, J.: "Los robots y la responsabilidad civil extracontractual", en BARRIO ANDRÉS, M. (dir.): *Derecho de los robots,* Wolter Kluwer, Madrid, 2018, p. 121.

[40]   El artículo 2, letra l, de la LGURMPS define «producto sanitario» como: "Cualquier instrumento, dispositivo, equipo, programa informático, material u otro artículo, utilizado solo o en combinación, incluidos los programas informáticos destinados por su fabricante a finalidades específicas de diagnóstico y/o terapia y que intervengan en su buen funcionamiento, destinado

ha excluido a los productos sanitarios dentro de los riesgos de desarrollo como causa de exoneración de responsabilidad del artículo 140 e) TRLGDCU[41]. Por dicho motivo, se aplicarán las reglas generales de imputación de la responsabilidad, en este caso, el TRLGDCU, cuando los daños sean ocasionados por defectos en los mismos. Por lo tanto, a los productos sanitarios también se les puede aplicar la condición de defectuosos cuando no ofrezca la seguridad que cabría esperar, en los términos señalados en el artículo 137 del TRLGDCU[42].

En consecuencia, en los casos de responsabilidad por daños causados por un producto sanitario defectuoso utilizado en la prestación de un servicio asistencial, la responsabilidad será del productor, y solo se imputará la responsabilidad al profesional médico si contraviene la *lex artis*. No obstante, el médico tendrá el deber de proporcionar al paciente la información suministrada por el fabricante, "sin que el médico deba responder por los daños causados por la falta de la in-

---

por el fabricante a ser utilizado en seres humanos con fines de: 1.º diagnóstico, prevención, control, tratamiento o alivio de una enfermedad; 2.º diagnóstico, control, tratamiento, alivio o compensación de una lesión o de una deficiencia; 3.º investigación, sustitución o modificación de la anatomía o de un proceso fisiológico; 4.º regulación de la concepción, y que no ejerza la acción principal que se desee obtener en el interior o en la superficie del cuerpo humano por medios farmacológicos, inmunológicos ni metabólicos, pero a cuya función puedan contribuir tales medios". Por su parte, el artículo 2.1 del Reglamento (UE) 2017/745 define como "producto sanitario": todo instrumento, dispositivo, equipo, programa informático, implante, reactivo, material u otro artículo destinado por el fabricante a ser utilizado en personas, por separado o en combinación, con alguno de los siguientes fines médicos específicos: diagnóstico, prevención, seguimiento, predicción, pronóstico, tratamiento o alivio de una enfermedad; diagnóstico, seguimiento, tratamiento, alivio o compensación de una lesión o de una discapacidad: investigación, sustitución o modificación de la anatomía o de un proceso o estado fisiológico o patológico, entre otros.

41   El artículo 140.3 TRLGDCU establece que "en el caso de medicamentos, alimentos o productos alimentarios destinados al consumo humano, los sujetos responsables, de acuerdo con este capítulo, no podrán invocar la causa de exoneración del apartado 1, letra e)", es decir, que el estado de los conocimientos científicos y técnicos existentes en el momento de la puesta en circulación no permitía apreciar la existencia del defecto.

42   Resalta CAYÓN DE LAS CUEVAS que la noción de defecto del producto sanitario resulta un concepto jurídico indeterminado ya que "a parte del hecho de que la ley no precise el concreto sujeto de referencia desde el que debe medirse el nivel de seguridad esperable del producto, se han apuntado dos problemas adicionales: el primero consiste en que el consumidor ignora frecuentemente cuál es la seguridad que pueda esperar del medicamento producto sanitario; el segundo radica en que la noción de expectativas del consumidor resulta *per se* muy subjetiva y requiere que sean los tribunales los que en cada caso precisen cuál es la seguridad esperada del producto en cuestión, lo cual pone en riesgo la pretendida armonización de los Derechos internos de los Estados miembros" (*La prestación de servicios sanitarios como relación jurídica de consumo*, op. cit.,p. 537). Véase, en este sentido, SALVADOR CODERCH, P. Y SOLÉ FELIU, J.: *Brujos y aprendices: los riesgos de desarrollo en la responsabilidad de producto*, Marcial Pons, Madrid, 1999, p. 86.

formación exacta o suficiente por parte del productor"[43], al encontrarse en una posición más favorable para comprender el significado de los riesgos asociados al producto y valorar las ventajas e inconvenientes de la utilización de un robot en determinado procedimiento[44].

En definitiva, a los productos defectuosos sanitarios se les aplica el régimen de responsabilidad contenido en el TRLGDCU, siendo preciso distinguir también en este supuesto entre la responsabilidad del médico y la del productor. En este contexto, la obligación del médico será de medios (salvo que se pacte expresamente una obligación de resultado) y la imputación de su responsabilidad se realizará en consonancia con su *lex artis*, suministrando la información derivada de su actuación en los términos conocidos, sin que pueda ser declarado responsable de los daños ocasionados por un producto sanitario defectuoso[45].

Por otro lado, también es posible la existencia de daños derivados de un producto defectuoso en la prestación de un servicio sanitario. En tales casos, hay que tener en cuenta que en ocasiones resulta difícil delimitar si la causa del daño proviene de la prestación de dicho servicio sanitario o se debe al producto sanitario defectuoso, incluso a ambos. En tales casos, la jurisprudencia considera que "el defecto en el producto no excluye la responsabilidad solidaria de la Administración sanitaria que lo adquiere y utiliza en la prestación de asistencia sanitaria"[46]. Por tanto, en el caso de que no resulte posible atribuir un porcentaje de intervención causal al fabricante del producto sanitario (en este caso, al fabricante robot) y al hospital (sea público o privado) en la causación del daño, el perjudicado podrá dirigir la acción de reclamación de responsabilidad frente a uno u otro[47].

---

[43]   PEÑA APONTE, L. P.: *La prestación de servicios de salud y la responsabilidad por daños causados. Estudio normativo comparado entre Colombia y España.* Tesis doctoral, UDIMA, Madrid, 2018, pp. 336 y 337.

[44]   Véase, en este sentido, RAMOS GONZÁLEZ, si bien hace referencia a la información del profesional sanitario en relación a los medicamentos ("Responsabilidad civil por medicamento: el defecto del diseño. Un análisis comparado de los criterios de definición del defecto en España y en los EEUU", *InDret: Revista para el Análisis del Derecho*, núm. 287, 2005, p. 16 [En: http://www.indret.com/code/getPdf.php?id=778&pdf=287_es.pdf]).

[45]   MONTERROSO CASADO E.: "Responsabilidad civil médica: análisis de los criterios de imputación", *op. cit.*, p. 101.

[46]   CAYÓN DE LAS CUEVAS, J.: *La prestación de servicios sanitarios como relación jurídica de consumo, op. cit.*, p. 535.

[47]   SALVADOR CODERCH, tras analizar la jurisprudencia, ha puesto de relieve que "en las reclamaciones por daños derivados del uso de productos sanitarios se plantean el problema de la concurrencia entre las reglas de responsabilidad por producto y por prestación de servicios, pues no siempre es fácil identificar qué causó los daños: si el producto defectuoso, la prestación de la asistencia sanitaria, o ambos. Por esto, tal vez, la mayor parte de las demandas se dirigieron contra el fabricante, pero además contra la Administración sanitaria titular del hospital en que se utilizó el producto" ("Guía InDret de jurisprudencia sobre responsabilidad de pro-

Para Parra Lucán, aunque la víctima podrá optar por ejercer ambas acciones (la derivada de la responsabilidad por productos y la de la prestación de la asistencia sanitaria), incluso de manera acumulada, resulta más fácil obtener la reparación dirigiéndose contra el prestador del servicio (sin perjuicio de que este repita contra el fabricante o el suministrador)[48].

No obstante, téngase en cuenta, como veremos más adelante, que en el caso de que el prestador del servicio sea un centro público, la Administración sanitaria responderá por el funcionamiento normal o anormal del servicio público, de conformidad con la Ley 40/2015, de 1 de octubre, de Régimen Jurídico del Sector Público.

Además, es preciso atender a la regulación de la Unión Europea contenida en el Reglamento 2017/745 del Parlamento Europeo y del Consejo, de 5 de abril de 2017, sobre los productos sanitarios, por el que se modifican la Directiva 2001/83/CE, el Reglamento (CE) n.º 178/2002 y el Reglamento (CE) n.º 1223/2009 y por el que se derogan las Directivas 90/385/CEE y 93/42/CEE del Consejo. Este Reglamento ofrece una definición de «producto sanitario»[49] y establece normas para que los procesos de introducción en el mercado y comercialización de los productos sanitarios sean más rigurosos; se exige a los fabricantes un sistema de garantía de calidad y una persona cualificada para el cumplimiento de la regulación; y, además, se prevé la existencia de un seguro que cubra las indemnizaciones por los daños causados por los defectos de los productos.

Por último, es necesario destacar que, aunque no cabe duda de la aplicación de esta normativa estatal y europea a los robots médicos que se utilizan en las intervenciones quirúrgicas y a los robots protésicos, no resulta así en cuanto a los

---

ducto", 4ª ed., *InDret: Revista para el Análisis del Derecho*, 2004, p. 63 [En: *www.indret.com/pdf/248_es.pdf*]).

[48] PARRA LUCÁN, Mª. Á.: "Responsabilidad civil por bienes y productos defectuosos", *op. cit.*, pp. 157-160.

[49] El artículo 2 del Reglamento (UE) 2017/745 entiende como «producto sanitario»: "todo instrumento, dispositivo, equipo, programa informático, implante, reactivo, material u otro artículo destinado por el fabricante a ser utilizado en personas, por separado o en combinación, con alguno de los siguientes fines médicos específicos: diagnóstico, prevención, seguimiento, predicción, pronóstico, tratamiento o alivio de una enfermedad; diagnóstico, seguimiento, tratamiento, alivio o compensación de una lesión o de una discapacidad; investigación, sustitución o modificación de la anatomía o de un proceso o estado fisiológico o patológico; obtención de información mediante el examen in vitro de muestras procedentes del cuerpo humano, incluyendo donaciones de órganos, sangre y tejidos; y que no ejerce su acción principal prevista en el interior o en la superficie del cuerpo humano por mecanismos farmacológicos, inmunológicos ni metabólicos, pero a cuya función puedan contribuir tales mecanismos".

robots de atención y cuidado, es decir, a los robots asistenciales, porque estos no tendrían la consideración de productos sanitarios[50].

3. La responsabilidad civil de los médicos y centros sanitarios en la utilización de robots

3.1. La delimitación de la responsabilidad civil extracontractual

Desde el punto de vista jurídico son muchos los interrogantes planteados a la hora de delimitar tanto la responsabilidad profesional como la de los centros médicos cuando se trata de robots controlados por cirujanos o telecirujanos, o cuando nos encontramos con robots sanitarios dotados de autonomía. En estos momentos, los robots quirúrgicos, al menos a fecha de hoy, no realizan acciones autónomas, sino que es el cirujano el que decide o diseña la operación, dependiendo de las especificaciones del paciente. Esta premisa se muestra relevante por dos motivos fundamentales. En primer lugar, porque el hecho de que el robot permanezca vinculado a la acción humana resulta relevante para la imputación de la responsabilidad[51]. En segundo lugar, debido a que los cirujanos no pueden ser responsables de los daños producidos por los robots si estos poseen autonomía, es decir, si actúan sin seguir completamente sus órdenes. En este sentido, los cirujanos no pueden ser considerados responsables si actúan de manera diligente, es decir, si no se les puede reprochar una vulneración de la *lex artis*[52], que será el

---

[50]   GARCÍA PORTERO, R.: "Los robots en la sanidad", en BARRIO ANDRÉS, M. (dir.): *Derecho de los robots, op. cit.*, p. 220. El autor considera que debería atenderse, en esos casos, a la norma ISO 134882:2014 de la Organización Internacional de Normalización, que especifica los requisitos de seguridad de los robots de atención y cuidado.

[51]   Señala, a tal efecto, EBERS, recogiendo doctrina alemana, que "los agentes de software y robots hasta el momento no están en situación, en efecto, de determinar las condiciones de sus actos, y, especialmente, no pueden modificar la arquitectura de control, la cual garantiza que su actuar permanece dentro de guardarraíles predefinidos. Aparte de esto ocurre que, igualmente, los procesos de aprendizaje implementados hasta el momento no se corresponden con el aprendizaje natural, biológico, autónomo. Aunque se trate de un aprendizaje mecánico, en última instancia debe ser un experto humano quien ha de escoger los ejemplos de entrenamiento, determinar la representación de los datos, fijar objetivos parciales y establecer la estructura de determinadas representaciones del sistema" ("La utilización de agentes electrónicos inteligentes en el tráfico jurídico...", *op. cit.*, p. 8).

[52]   Se trata de un criterio valorativo de la corrección del concreto acto ejecutado por el profesional, que tiene en cuenta la ciencia del momento, las especiales características, su complejidad y las circunstancias y factores endógenos que tuvieron lugar. La STS de 25 de abril de 1994, y recogida en la Sentencia de 23 de septiembre de 2004, para los supuestos concretos de actuaciones médicas, señala que la misma consiste: "en tomar en consideración el caso concreto en que se produce y las circunstancias en que la misma se desarrolla, así como las incidencias inseparables en el normal actuar profesional, teniendo en cuenta las especiales características del actor

criterio que determine la diligencia o negligencia en la conducta del facultativo, en el caso concreto en que se produce la actuación o intervención médica atendiendo a las circunstancias[53]. Por otro lado, sabemos que, cuando se producen daños, muchos pacientes no acuden a los juzgados por la relación que mantiene con su médico, lo que no se sabe aún es cómo va a afectar el hecho de que éste se auxilie o transfiera su cometido a un robot[54].

Por lo tanto, ante la presencia de un robot o sistema automatizado que fuera un agente completamente autónomo, se podría afirmar que los médicos o cirujanos no podrían ser considerados responsables de los daños que los sistemas robóticos pudieran causar. Ahora bien, también habría que tener en cuenta la imprevisibilidad y la incapacidad para controlar esta tecnología por parte del usuario. Si se dispusiera de un equipo que funciona sobre la base de un algoritmo de aleatorización, o si se supiera que es peligroso y que no se puede predecir y controlar, sí que se podría imputar la responsabilidad por el daño que este instrumento pudiera causar si se decide utilizarlo[55].

Por último, también debemos recordar que en el caso de culpa médica se podría imputar responsabilidad al principal (centro sanitario) por los hechos de

---

[53] del acto, de la profesión, de la complejidad y trascendencia vital y, en su caso, la influencia de otros factores endógenos o exógenos para calificar dicho acto como conforme o no a la técnica médica normal requerida".

BLAS ORBÁN, C. *Responsabilidad profesional del médico, enfoque para el siglo XXI*, Bosch, Barcelona, 2003, p. 154; y RUIZ JIMÉNEZ, J.: "La delimitación del contenido de la lex artis ad hoc base de la responsabilidad en el ámbito sanitario", *Revista Crítica de Derecho Inmobiliario*, núm. 699, 2007, pp. 353 y ss. Véase también la definición de MARTÍNEZ CALCERRADA de la *lex artis ad hoc* como "el criterio valorativo de la corrección del concreto acto médico ejecutado por el profesional de la medicina, ciencia o arte médica, que tienen cuenta las especiales características de autor, de la profesión, de la complejidad y trascendencia vital del acto y, en su caso, de la influencia en otros factores endógenos, estado intervención del enfermo, de sus familiares o de la misma organización sanitaria, para calificar dicho acto de conformidad o no con la técnica normal requerida (derivando de ello tanto el acervo de exigencias o requisitos de legitimación o actuación lícita, de la correspondiente eficacia de los servicios prestados y, en particular, de la posible responsabilidad de su autor/médico por el resultado de su intervención o acto médico ejecutado)" ("Especial estudio de la denominada lex artis ad hoc en la función médica", *Actualidad Civil*, núm. 542, 1986, p. 1700).

[54] CALO pone de relieve cómo las demandas de los pacientes a los médicos por mala praxis dependen, en muchos casos, de la buena relación existente ambos, por lo que los hospitales tienen establecidos, incluso, protocolos para que antes de la cirugía exista un contacto entre ambos. Por ello, plantea si en un futuro resultará conveniente que a los pacientes se les presente a los robots ("Robotics and the Lessons of Cyberlaw", *California Law Review*, vol. 513, núm. 532, 2015, p. 547 [En https://papers.ssrn.com/sol3/papers.cfm?abstract_id=2402972]).

[55] NYHOLM, S..: "Attributing Agency to Automated Systems: Reflections on Human-Robot Collaborations and Responsibility-Loci", *Science and Engineering Ethics*, vol. 24, núm. 4, 2018, p. 1206.

sus auxiliares (el cirujano u otro personal sanitario) derivada del artículo 1903 del Código Civil[56]. Asimismo, esa imputación al centro sanitario podría deberse a que, precisamente, se trata del principal en cuyo beneficio ha funcionado la máquina[57].

3.2. La delimitación de la responsabilidad civil contractual

Cuando un robot de servicio causa un daño a una de las partes contratantes en el curso de una relación contractual, la responsabilidad también puede ser el resultado de obligaciones contractuales[58]. Además, esta responsabilidad es compatible con la responsabilidad derivada del TRLGDCU[59].

De esta manera de conformidad con el artículo 1101 del Código Civil, dicha responsabilidad procederá si la inobservancia e incumplimiento se deriva de la falta de realización del servicio o de la deficiente e incompleta ejecución de la prestación pactada en las condiciones previstas en el contrato, y sujetas a las reglas de temporalidad, identidad e integridad. Son diversas las hipótesis relativas a esa responsabilidad en función del contrato suscrito, en las que, mediante cláusulas contractuales, puede determinarse el contenido de la prestación y de los servicios médicos, con el alcance y delimitaciones de su cumplimiento. Por lo tanto, el centro médico se encuentra sometido a una responsabilidad contractual si existe una relación jurídica previa con el paciente, en virtud de un contrato de arrendamiento de servicio o de obra. Lo frecuente, en este sentido, es que el contrato se realice entre el paciente y el hospital, siendo

---

[56]   MEDINA ALCOZ resalta los criterios por los que la jurisprudencia, de conformidad con el artículo 1903 CC establece la existencia de una relación de dependencia profesional: "Si el principal regula el tiempo y el lugar de trabajo y las vacaciones; si se reserva funciones de control, vigilancia o dirección de las labores encomendadas; si pone a disposición del auxiliar los instrumentos y medios de trabajo necesarios; si asume los riesgos económicos y financieros de la actividad" ("La responsabilidad civil del empresario por el hecho dañoso de su dependiente: Derecho español y textos doctrinales europeos", en MONTERROSO CASADO, E. (dir.): *Responsabilidad empresarial*, Tirant lo Blanch, Valencia, 2015, p. 74).

[57]   Esta postura de imputar la responsabilidad civil al principal en cuyo beneficio haya funcionado la máquina ha sido puesta de manifiesto por ANGUIANO, J.A.: "Las personas electrónicas", *Diario La Ley, núm.* 14, Sección Ciberderecho, 2018 [En: http://diariolaley.laley.es/home/DT0000263132/20180118/Las-personas-electronicas].

[58]   DREIER, T., y SPIECKER, I.: "Legal aspects of service robotics", *op. cit.*, p. 213.

[59]   El artículo 128 TRLGDCU, así, lo reconoce: "Las acciones reconocidas en este libro no afectan a otros derechos que el perjudicado pueda tener a ser indemnizado por daños y perjuicios, incluidos los morales, como consecuencia de la responsabilidad contractual, fundada en la falta de conformidad de los bienes o servicios o en cualquier otra causa de incumplimiento o cumplimiento defectuoso del contrato, o de la responsabilidad extracontractual a que hubiere lugar".

éste, por ejemplo, el que designe a un cirujano para realizar una intervención[60]. En tal caso, se podrá exigir una responsabilidad contractual al centro y extracontractual al galeno[61].

Ahora bien, la responsabilidad del centro sanitario puede derivarse no solo de la negligencia de su personal, sino de culpa propia, debido al incumplimiento de los recursos necesarios para la atención de los pacientes o a las deficiencias del centro en su funcionamiento u organización, entre las que se puede incluir el uso de productos sanitarios, como lo son los robots. De esta manera, los daños que podrán ser resarcibles por «culpa propia» son diversos, como ocurre, por ejemplo, cuando éstos se deben al fallo de controles, a la falta de organización o de coordinación entre sus profesionales, a la insuficiente dotación de personal, al deterioro del mobiliario (camas, sillas, etc.), a la accesibilidad arquitectónica (escaleras, rampas, ascensores o puertas con sus accesorios), a las instalaciones (quirófanos)[62] y, por supuesto, a un uso inapropiado o a una falta de control de los robots. De hecho, el centro deberá asumir las funciones de inspección y vigilancia de estos sistemas para su correcto funcionamiento.

No obstante, como pone de relieve EBERS, para que sea reprochable una infracción de un deber de dirección y control de los sistemas se precisa que al operador de un agente inteligente "le sea posible impedir el «falso» comportamiento del robot en la situación crítica" y, precisamente, con el aumento en la utilización de sistemas autónomos o semiautónomos "descienden, sin embargo, las posibilidades de la persona de ejercer influencia sobre el sistema"[63]. A tal efecto, entendemos que ese operador podría tratarse de una persona jurídica (el hospital como

---

[60]   En la práctica, no suele existir una relación contractual directa entre el médico o el cirujano y el paciente, sino una relación extracontractual, porque el médico desempeña sus servicios vinculado funcionarial o contractualmente a un centro sanitario (público en el primer caso o privado en el segundo). Véase, en este sentido, PÉREZ VALLEJO, A. M.ª.: "Presupuestos de la responsabilidad civil médica en su desdoblamiento funcional", en MORILLAS CUEVA, L. (dir.): *Estudios jurídicos sobre responsabilidad penal, civil y administrativa del médico y otros agentes sanitarios*, Dykinson, Madrid, 2009, p. 562).

[61]   MONTERROSO CASADO, E.: "Responsabilidad civil médica: análisis de los criterios de imputación", *op. cit.*, p. 56.

[62]   MONTERROSO CASADO, E.: "La responsabilidad civil del empresario en centros residenciales para personas mayores en situación de dependencia", en *Responsabilidad empresarial*, Tirant lo Blanch, Valencia, 2015, p. 114.

[63]   EBERS sostiene que "una supervisión de la máquina es sencillamente imposible, si la persona (en los sistemas semiautónomos) en absoluto puede impedir, a causa de límites biológicos (velocidad y capacidad de procesamiento del cerebro humano), el comportamiento respectivo a través de una intervención, o el software (en los sistemas totalmente autónomos) no admite una intervención" ("La utilización de agentes electrónicos inteligentes en el tráfico jurídico...", *op. cit.*, p. 6).

propietario del robot) o física (el propio cirujano), dependiendo del supuesto en el que nos encontremos y de la autonomía del sistema.

Más difícil sería dirimir la existencia de responsabilidad por no utilizar innovaciones tecnológicas cuando, por ejemplo, un hospital, debido al coste económico de adquisición estos sistemas, no utiliza estos dispositivos dotados de inteligencia artificial para realizar diagnósticos o intervenciones quirúrgicas. En mi opinión, el mero hecho de no disponer de ellos no conllevaría una negligencia, pero sí la falta de consentimiento informado al paciente por omitir la advertencia relativa a la existencia de otras opciones menos invasivas para esa intervención, teniendo en cuenta si, por las circunstancias y el estado de salud del sujeto, puede realizarse satisfactoriamente mediante la utilización de un robot.

Una vez determinada la existencia de un incumplimiento contractual, procederá una indemnización de daños y perjuicios en aplicación de cuanto disponen los artículos 1124 y 1101 del Código Civil; sin perjuicio de la responsabilidad derivada por los daños causados por servicios que incluyen garantías de determinados niveles de eficacia o seguridad de conformidad con el ámbito de protección que proporciona la normativa de consumidores y usuarios.

Otra cuestión que podría analizarse, aunque por su extensión trasciende los límites de este trabajo, es la de los llamados «hospitales inteligentes» y las medidas de seguridad exigibles a estos centros. En este sentido, la Agencia Europea de Seguridad de las Redes y de la Información (ENISA) elaboró en 2016 una Guía de buenas prácticas de seguridad para estos centros[64] donde se incluyen aspectos como la seguridad de la información, acciones maliciosas, errores humanos o fallos del sistema y de terceros[65].

Cuestión distinta y futurible, que ya apuntamos por sus implicaciones en este ámbito, y que ya ha sido puesta de relieve por la doctrina anglosajona, es lo que sucederá cuando entren en funcionamiento (se presupone que a corto plazo) un robot inteligente autónomo que pueda ejercer funciones de enfermería y atender los asuntos de un discapacitado porque, en tal caso, resultará preciso resolver si podría celebrar contratos válidos de pleno derecho, sin el riesgo de que la contraparte pudiera impugnarlos[66].

---

[64] ENISA: *Smart Hospitals. Security and Resilience for Smart Health Service and Infrastructures*, 2016 [En: https://www.enisa.europa.eu/publications/cyber-security-and-resilience-for-smart-hospitals/at_download/fullReport].

[65] Para un análisis de la guía ENISA, me remito al apartado relativo a Hospitales inteligentes en LLANEZA GONZÁLEZ, P.: *Seguridad y responsabilidad en la Internet de las cosas*, Wolter Kluwer, Madrid, 2018, pp. 243-271.

[66] CAYTAS, J.: "European Perspectives on an Emergent Law of Robotics", *Columbia Journal of European Law: Preliminary Reference*, 4 de abril 2017, p. 3 [En https://papers.ssrn.com/sol3/papers.cfm?abstract_id=2956958].

3.3. La delimitación de la responsabilidad en los centros sanitarios públicos

Además de estos regímenes de responsabilidad en el caso de que el daño se ocasione en un centro público sanitario, no debemos olvidar la responsabilidad patrimonial de la Administración Pública, consagrada en la Ley 40/2015, de 1 de octubre, de Régimen Jurídico del Sector Público, concretamente en la Sección 1ª, del Capítulo IV, del Título Preliminar (arts. 32 a 37). En su artículo 32 se fijan los principios de responsabilidad y se delimita que los particulares tendrán derecho a indemnización por la Administración, en este caso, la sanitaria, cuando sufran una lesión en sus bienes y derechos, "siempre que la lesión sea consecuencia del funcionamiento normal o anormal de los servicios públicos salvo en los casos de fuerza mayor o de daños que el particular tenga el deber jurídico de soportar de acuerdo con la Ley".

IV. HACIA UN NUEVO CRITERIO DE IMPUTACIÓN DE LA RESPONSABILIDAD CIVIL DE LOS ROBOTS

1. Las recomendaciones del parlamento europeo sobre normas de derecho civil sobre robótica

El Parlamento Europeo ha comenzado a asentar los primeros pilares para legislar los aspectos jurídicos que entraña el uso de la robótica mediante la Resolución de 16 de febrero de 2017 con recomendaciones destinadas a la Comisión sobre normas de Derecho civil sobre robótica (2015/2103(INL))[67]. La Comisión parte de varios considerandos en los que destaca la cuestión de la responsabilidad jurídica por los daños que pueda ocasionar la actuación de los robots (Considerando Z) debido a los impresionantes avances tecnológicos de la última década, con el desarrollo de determinados rasgos cognitivos y autónomos —como la capacidad de aprender de la experiencia y tomar decisiones cuasi independientes.

---

[67] Resolución del Parlamento Europeo, de 16 de febrero de 2017, con recomendaciones destinadas a la Comisión sobre normas de Derecho civil sobre robótica [En http://www.europarl. europa.eu/sides/getDoc.do?pubRef=-//EP//TEXT+TA+P8-TA-2017-0051+0+DOC+XML+V0// ES]. En su introducción, considera que los seres humanos siempre han fantaseado (desde el monstruo de Frankenstein, el mito de Pigmalión, el Golem de Praga o el robot de Karel Čapek) con la posibilidad de construir máquinas inteligentes, sobre todo androides con características humanas, y que la humanidad se encuentra a las puertas de una era en la que robots, bots, androides y otras formas de inteligencia artificial cada vez más sofisticadas parecen dispuestas a desencadenar una nueva revolución industrial, por lo que resulta de vital importancia que el legislador pondere las consecuencias jurídicas y éticas, sin obstaculizar con ello la innovación.

Considera que las normas existentes de responsabilidad civil solo permiten la acción u omisión del robot a un agente humano concreto (sea el fabricante, el operador, el propietario o el usuario), por lo que, en el marco jurídico actual, los robots no pueden ser considerados responsables de los actos u omisiones que causan daños a terceros (Considerando AD). Sin embargo, si se da la circunstancia de que un robot pueda tomar decisiones autónomas, las normas sobre responsabilidad civil extracontractual no serían suficientes (Considerando AF y AH), ni tampoco las relativas a la responsabilidad contractual (Considerando AG). Además, considera que el marco jurídico de la Directiva 85/374/CEE relativa a la responsabilidad por los daños causados por productos defectuosos[68] no resulta suficiente debido a que a la nueva generación de robots "se les puede dotar de capacidades de adaptación y aprendizaje que entrañan cierto grado de imprevisibilidad en su comportamiento, ya que un robot podría aprender de forma autónoma de sus experiencias concretas e interactuar con su entorno de un modo imprevisible y propio únicamente a ese robot" (Considerando AI).

La Resolución solicita a la Comisión Europea que presente una propuesta de Directiva relativa a las normas de legislación civil en materia de robótica, siguiendo las recomendaciones de su anexo: a) definir y clasificar los "robots inteligentes"; b) introducir un sistema de registro de robots avanzados, basado en los criterios establecidos para la clasificación de los robots; c) establecer el régimen de responsabilidad civil, si debe aplicarse el enfoque de la responsabilidad objetiva o el de gestión de riesgos, y si sería conveniente establecer un régimen de seguro obligatorio; d) garantizar la interoperabilidad de los robots autónomos y el acceso al código fuente; y e) tener en cuenta los principios recogidos en la Carta sobre robótica (que se recoge en la Resolución) cuando se realicen propuestas legislativas sobre robótica.

En materia de responsabilidad civil, los daños y perjuicios causados por robots se consideran una cuestión fundamental que debe analizarse a nivel de la UE para garantizar el mismo grado de eficiencia, transparencia y coherencia en

---

[68] La Directiva 85/374/CEE fue traspuesta a nuestro ordenamiento por la Ley 22/1994, de 6 de julio, de Responsabilidad civil por daños causados por productos defectuoso. Dicha Ley fue posteriormente derogada por el Real Decreto Legislativo 1/2007, de 16 de noviembre, por el que se aprueba el texto refundido de la Ley General para la Defensa de los Consumidores y Usuarios y otras leyes complementarias, que refunde en dicha norma: la Ley 26/1984, de 19 de julio, General para la Defensa de los Consumidores y Usuarios; la Ley 26/1991, de 21 de noviembre, sobre contratos celebrados fuera de los establecimientos mercantiles; la regulación dictada en materia de protección a los consumidores y usuarios en la Ley 47/2002, de 19 de diciembre, de reforma de la Ley de Ordenación del Comercio Minorista; la Ley 23/2003, de 10 de julio, de Garantías en la Venta de Bienes de Consumo; la Ley 21/1995, de 6 de julio, sobre viajes combinados; y la mencionada Ley 22/1994, de 6 de julio.

la garantía de la seguridad jurídica de los ciudadanos, los consumidores y las empresas (R 49), y considera que para elaborar la futura legislación debe evaluarse si aplicar el enfoque de la responsabilidad objetiva o el de gestión de riesgos (R 53). A tal efecto, manifiesta que la responsabilidad objetiva "únicamente exige probar que se ha producido un daño o perjuicio y el establecimiento de un nexo causal entre el funcionamiento perjudicial del robot y los daños o perjuicios causados a la persona que los haya sufrido" (R 54) y "el enfoque de gestión de riesgos no se centra en la persona "que actuó de manera negligente" como personalmente responsable, sino en la persona que es capaz, en determinadas circunstancias, de minimizar los riesgos y gestionar el impacto negativo" (R 55).

La Comisión también establece, en su Recomendación 56, que la atribución de la responsabilidad debería ser proporcional al nivel de las instrucciones impartidas a los robots y a su grado de autonomía, es decir, "cuanto mayor sea la capacidad de aprendizaje o la autonomía y cuanto más larga haya sido la «formación» del robot, mayor debiera ser la responsabilidad de su formador". Si bien, aclara que estas competencias adquiridas no deben confundirse con su capacidad de aprender de modo autónomo; y finaliza identificando al ser humano como responsable de los daños o perjuicios causados por un robot, al menos en la etapa actual.

En su Recomendación número 59, el Parlamento solicita a la Comisión que, cuando realice una evaluación de impacto de su futuro instrumento legislativo, explore, analice y considere las implicaciones de todas las posibles soluciones jurídicas, tales como el establecimiento de (a) un régimen de seguro obligatorio para categorías específicas de robots, similar al de automóviles; (b) un fondo de compensación que garantice la reparación de los daños si no existe seguro; (c) un régimen de responsabilidad limitada si el fabricante, el programador, el propietario o el usuario participan en este fondo o suscriben un seguro; (d) un fondo general o un fondo individual para cada categoría de robot; (e) un número de matrícula individual que se inscriba en un registro donde conste el fondo del que depende para que se puedan conocer sus datos, así como los límites de su responsabilidad en caso de daños materiales; y (f) una personalidad jurídica específica (electrónica) para los robots autónomos más complejos para que puedan ser responsables de la reparación de los daños causados, siendo este un objetivo planteado a largo plazo y, posiblemente, uno de los aspectos más controvertidos[69]. No obstante, aunque

---

[69]   Algunos autores apuntan que nos encontramos ante un problema de titularidad y de aprendizaje progresivo de los robots dotados de IA, que precisa determinar si sus actuaciones son consecuencia del programa original o del aprendizaje que ha marcado un sujeto. Véanse SÁNCHEZ DEL CAMPO REDONET, A.: "Europa quiere regular a los robots", en *Diario La Ley*, núm. 4, 28 de febrero de 2017; y ARANSAY ALEJANDRE A.M.: "Antecedentes y propuestas para la

existan opiniones a favor de dicha posibilidad legal[70], son muchas las voces (a través de una Carta pública, una *Open Letter to the European Commission Artificial Intelligence and Robotics*) que se han alzado oponiéndose al reconocimiento de dicha personalidad desde distintos ámbitos[71]. De hecho, y sin ahondar más en esta interesante cuestión, por analizarse en otro capítulo de esta monografía, quizás, encontrar una solución a esta compensación de los daños, que es lo que realmente preocupa a la sociedad, no debiera buscarse incorporando nuevas personalidades jurídicas a nuestro ordenamiento, sino estableciendo un régimen de seguro obligatorio con una adecuada cobertura de los mismos.

En virtud de todo ello, en el Anexo A de la Resolución, se establecen unas recomendaciones referidas al contenido de la propuesta solicitada, en las que se estima apremiante una definición, una clasificación y un registro de los robots inteligentes. Y con respecto a la responsabilidad civil, plantea tres aspectos básicos. En primer lugar, que el hecho de que un daño sea causado por un agente no perteneciente a la especie humana no debería limitar la naturaleza de su compensación. En este sentido, considero importante advertir que la víctima consecuencia de la utilización de un robot no debería tener distinta consideración a otras víctimas. A este respecto, sería deseable un sistema en el que a todas ellas les fuera otorgada la misma consideración y, por lo tanto, sin recibir unos beneficios que para otras son denegados (tanto si se tratan de víctimas de accidentes de circulación, de accidentes laborales, de productos defectuosos o consecuencia de cualquier otra actividad), pues la necesidad de resarcimiento es la misma. La diferencia habría que colocarla en los factores de previsión del daño, dotando de mayor protección a los sujetos que se se encuentran sometidos a actividades generadoras de riesgos. En segundo lugar, apunta la Resolución, que es preciso un análisis en profundidad de si debe adoptarse un enfoque de la responsabilidad objetiva o el de gestión de riesgos. Y, por último, se pone de manifiesto la necesidad de establecer un régimen de seguro obligatorio, que podría basarse en "la obligación del productor de suscribir un seguro para los robots autónomos por él fabricados". Dicho sistema, consideran los autores de la Resolución, debería complementarse con un fondo de garantía para los casos en lo que no existiera un seguro.

---

regulación jurídica de los robots", en BARRIO ANDRÉS, M. (dir.): *Derecho de los robots, op. cit.*, pp. 102 y 103.

[70]   Señala ROSALES DE SALAMANCA, en su blog, que "nada impide reconocer personalidad jurídica a un robot con inteligencia artificial, o a un robot, o a un programa de inteligencia artificial" (¿Puede un robot ser sujeto de derecho?, 2016 [En https://www.notariofranciscorosales.com/puede-robot-sujeto-derecho/]).

[71]   *Open Letter to the European Commission Artificial Intelligence and Robotics* [En http://www.robotics-openletter.eu/]

2. El control como criterio de imputación de la responsabilidad

En el caso de que las máquinas o sistemas autónomos e inteligentes, con capacidad para tomar decisiones, se plantea si es posible que se les impute el daño haciéndoles responder de los daños causados. Si un robot es capaz de "replicar el proceso humano de toma de decisiones", "tomar decisiones", o "elegir sus propios objetivos", el robot sería un agente[72]. Para ello, sería preciso que estuvieran dotados de capacidad de obrar o, al menos, de alguna cualidad en este sentido y que no se encuentren ligadas al usuario del sistema. Señala EBERS que el problema se plantea cuando el robot inteligente "debe tomar decisiones y con ello llega a una situación para la cual, o bien no le fue programada reacción adecuada alguna o en la que el sistema, en razón de su «experiencia», autónomamente se decide por una determinada acción"[73]. Sin entrar a valorar si estos sistemas deben programarse con principios morales[74], la cuestión reside en determinar a quién resulta imputable la responsabilidad en estos casos, en definitiva, quién debe responder por los daños causados. Para ello, será preciso determinar cómo delimitar esa actividad autónoma del resto de la cadena de acontecimientos y qué nivel de diligencia se exige para limitar los riegos derivados en un agente inteligente[75].

El régimen legal aplicable en los casos de robots autónomos no puede responderse fácilmente bajo las normas existentes, centradas en el ser humano[76]. La doctrina anglosajona ha mostrado interés en abordar dicha responsabilidad en los supuestos de los coches autónomos, pero en otros ámbitos apenas existen

---

[72]   NYHOLM, S.: "Attributing Agency to Automated Systems", *op. cit.*, p. 1204.

[73]   De este modo, EBERS señala que "puesto que el comportamiento de la máquina se determina cada vez menos desde una programación fijada de antemano y depende cada vez más de su interacción con el entorno, y el entorno respectivo a su vez genera procesos de aprendizaje y nuevas formas de comportamiento del sistema, surgen zonas ampliadas de acción de las máquinas que ya no pueden ser reducidas a determinadas cadenas de acciones. Más bien se trata de procesos que no están precisamente fijados en su desarrollo y que cada vez menos se pueden controlar durante el funcionamiento. Incluso el programador pierde el control sobre el producto si la programación ya no está basada en un algoritmo simbólico, sino en el conjunto de pesos sinápticos en un sistema neuronal inter-conectado" ("La utilización de agentes electrónicos inteligentes en el tráfico jurídico...", *op. cit.*, p. 9).

[74]   Véanse ARKIN, R.: "The case for ethical autonomy in unmanned systems", *Journal of Military Ethics,* vol. *9,* núm. 4, 2010, pp. 332-341; o PURVES, D., JENKINS, R., y STRAWSER, B. J.: "Autonomous machines, moral judgment, and acting for the right reasons", *Ethical Theory and Moral Practice,* vol. *18,* núm. 4, 2015, pp. 851-872.

[75]   *Íd., ib.,* p. 9.

[76]   DREIER, T., y SPIECKER, I.: "Legal aspects of service robotics", *op. cit.*, p. 2020; y CALO, R.: "Robotics and the Lessons of Cyberlaw", *op. cit.*, pp. 513-563.

estudios específicos[77]. Entre ellos, para los fines de este trabajo, resulta interesante el análisis que realiza Nyholm sobre la agencia ejercida por las tecnologías automatizadas en términos de colaboraciones humano-robot. De este modo, si un humano viaja en un vehículo automatizado, aunque lo haga en modo «piloto automático» o «autónomo», está supervisando el manejo, y tomaría el control, o emitiría instrucciones de conducción diferentes, si lo encontrara necesario. Dado que el operador humano colabora con el automóvil como una especie de supervisor activo, tiene sentido señalar a la parte humana de esta colaboración como la parte responsable[78]. Cuestión distinta es el ejemplo que pone el autor en el que el rendimiento del vehículo automatizado fuera monitorizado por los diseñadores y fabricantes del automóvil, actualizando periódicamente el hardware y el software para ajustarlo a sus preferencias y sus juicios sobre cómo debería funcionar el automóvil en el tráfico. En este caso, debido a esa vigilancia e intervención de los diseñadores y fabricantes, parece más claro apuntar a estos ingenieros como la parte clave dentro de la colaboración humano-robot[79].

De esta manera, si aplicamos estas premisas al ámbito de las intervenciones quirúrgicas sanitarias, podríamos indicar que si es el cirujano el que tiene el control del robot y puede supervisar y corregir su tarea si lo estima necesario, la imputación de la responsabilidad en el caso de que se produzcan daños sería para el cirujano (en el caso de que se le pudiera reprochar culpa en su actuación) y, en último término, la responsabilidad sería imputable al hospital. Recordemos que el artículo 1903 del Código Civil, en su apartado cuarto, prevé la responsabilidad por hecho ajeno de los empresarios respecto de los perjuicios causados por sus dependientes en el servicio de los ramos en que los tuvieran empleados, o con ocasión de sus funciones.

Situémonos ahora en el otro supuesto en el que fuera la compañía fabricante, después de la venta del sistema, la que siguiera monitorizando regularmente el desempeño de estos robots, encargándose de actualizar el software e, incluso, también el hardware. Si la monitorización la realizara los ingenieros, analizando

---

[77]   COECKELBERGH, M.: "Responsibility and the moral phenomenonology of using self-driving cars", *Applied Artificial Intelligence*, vol. *30, núm. 8*, 2016, pp. 748-757; GOGOLL, J. y MÜLLER, J.: "Autonomous cars: In favor of a mandated ethics setting" *Science and Engineering Ethics*, Vol. 23, núm. 3, 2017, pp. 681-700; HEVELKE, A. y NIDA-RÜMELIN, J.: "Responsibility for crashes of autonomous vehicles: An ethical analysis" *Science and Engineering Ethics,* Vol, *21, núm.* 3, 2015, pp. 619-630; MLADENOVIC, M. N., y MCPHERSON, T.: "Engineering social justice into traffic control for self-driving vehicles?", *Science and Engineering Ethics,* 2016, Vol. 22, núm. 4, pp. 1131.1149; NYHOLM, S. y SMIDS, J.: "The ethics of accident-algorithms for self-driving cars: An applied trolley problem?", *Ethical Theory and Moral Practice,* vol. *19, núm. 5*, 2016, pp. 1275-1289.

[78]   NYHOLM, S.: "Attributing Agency to Automated Systems", *op. cit.*, p. 1212.

[79]   *Íd., ib.*

la información almacenada por el robot, actualizando y revisando el sistema, se le podría imputar a éstos la responsabilidad y, por lo tanto, a la empresa. Para Nyholm, lo que tiene sentido aquí es reflexionar sobre cuáles de los humanos involucrados son los más responsables[80]. En este sentido, argumenta el autor que, a menos que el robot aparezca de la nada y comience a actuar de una manera completamente independiente dentro de las interacciones humano-robot, está colaborando con los humanos involucrados[81]. En consecuencia, no deberían existir dudas de la posibilidad de atribuir responsabilidad a los actores humanos clave involucrados

En la actualidad, hay que tener en cuenta que los robots en el ámbito sanitario, en general, y en las intervenciones quirúrgicas, en particular, no operan de modo totalmente autónomo e independiente, fuera del control humano, sino en colaboración con los cirujanos de manera supervisada. Por lo tanto, a la hora de imputar la responsabilidad es preciso analizar quién supervisa y controla el robot, es decir, quién lo maneja, conoce su funcionamiento y puede detenerlo en el caso de que actúe de manera autónoma. En definitiva, bajo quién está su control y supervisión.

Como sostiene Anguiano, la determinación del grado de autonomía de la máquina es esencial para poder establecer regímenes de responsabilidad[82]. Y, tal y como sostiene el Parlamento Europeo en sus Recomendaciones sobre normas de Derecho civil sobre robótica, cuanto mayor sea el grado de autonomía un robots más difícil será considerarlos como simples instrumentos en manos de otros agentes[83]. Bajo esta premisa, deberíamos diferenciar entre la responsabilidad de las tecnologías que podemos controlar (aunque sea de forma indirecta) y

---

[80]   Íd., ib., p. 1213.
[81]   Íd., ib., pp. 1213 y 1214.
[82]   ANGUIANO, J.A.: "Las personas electrónicas", op. cit.
[83]   El Parlamento Europeo en sus Recomendaciones sobre normas de Derecho civil sobre robótica define la autonomía de un robot como "la capacidad de tomar decisiones y aplicarlas en el mundo exterior, con independencia de todo control o influencia externos; que esa autonomía es puramente tecnológica y que será mayor cuanto mayor sea el grado de sofisticación con que se haya diseñado el robot para interactuar con su entorno" (Considerando AA). Y, en este sentido, considera que cuanto mayor sea el grado de autonomía un robots más difícil será considerarlos como simples instrumentos en manos de otros agentes (como el fabricante, el operador, el propietario, el usuario, etc.); lo que cuestionaría si la normativa general sobre responsabilidad es suficiente o si se requieren normas y principios específicos al respecto para resolver los supuestos de actuaciones de los robots que no pueden atribuirse a un agente humano concreto o si podrían haberse evitado (Considerando AB). Dicha autonomía de los robots plantea la cuestión de cuál es la naturaleza jurídica de los robots y si es preciso elaborar una nueva categoría (Considerando AC).

que podamos actualizar, por una parte, de las que escapan al control humano[84]. Cuando una tecnología está sujeta a permisos y autorizaciones, ello implica inevitablemente el cumplimiento de determinados deberes de cuidado y vigilancia durante el funcionamiento, por ejemplo mediante el monitoreo de su seguridad operacional o de mantenimiento[85]. Por lo tanto, la ley establece obligaciones de responsabilidad y supervisión con respecto a terceros que se deben cumplir.

El criterio del control como criterio de imputación de la responsabilidad tiene sentido cuando los humanos tienen el control sobre los sistemas automatizados, pueden actualizar, modificar e introducir mejoras en esta tecnología o, por lo menos, pueden desactivarlos si lo consideran preciso conforme a nuestro juicio humano. No obstante, este criterio no es válido cuando no es posible realizar estas acciones, es decir, cuando el ser humano deja de tener el control sobre la máquina y, en especial, cuando pierde la posibilidad de detenerla. Esto nos lleva a cuestionarnos si aceptaríamos un robot quirúrgico con mente propia. Diseñar y programar robots que podamos controlar, actualizar y, si es preciso, detener resulta imperativo si queremos construir una sociedad en la que los robots se encuentren a cargo de los humanos y bajo su supervisión.

En cualquier caso, lo deseable sería contar con máquinas que colaboren con nosotros, que se sometan a nosotros, y cuya actuación sea supervisada y gestionada por los seres humanos[86]. En este sentido, las personas involucradas son las que deberían ser responsables de lo que hacen los robots porque son ellas las que los ponen en funcionamiento, y posteriormente los supervisan y administran. Y, a diferencia de los robots involucrados, son capaces de adoptar decisiones morales.

3. La gestión del riesgo y la responsabilidad objetiva como criterios de imputación de la responsabilidad

La gestión del riesgo consiste en una responsabilidad y supervisión por los hechos de un tercero, en este caso, de un robot. Del mismo modo que los padres o tutores son responsables por la conducta de los niños, o el empresario de la conducta de sus auxiliares, algunos autores mantienen que la responsabilidad por los daños ocasionados por los robots de servicios deben imputarse a los usuarios (se sobrentiende a los cirujanos y a los centros sanitarios, y no a los pacientes); aunque, en ocasiones, los fabricantes puedan ser considerados también responsa-

---

[84] NYHOLM, S.: "Attributing Agency to Automated Systems", *op. cit.*, p 1216.

[85] DREIER, T., y SPIECKER, I.: "Legal aspects of service robotics", *op. cit.*, pp. 211-212.

[86] NYHOLM, S.: "Attributing Agency to Automated Systems", *op. cit.*, p 1218.

bles[87]. Cuestión distinta sería el caso de una estructura robótica implantada, que pudiera ser controlada por el paciente.

Para Díaz Alabart, si se opta por la responsabilidad objetiva, al igual que sucede con las responsabilidad por productos defectuosos, debería probarse el daño, el funcionamiento incorrecto o defecto del robot y el nexo causal; sin embargo, en la gestión del riesgo hay que centrarse "en la persona que está capacitada, en determinadas circunstancias, para minimizar los riesgos y gestionar el impacto negativo"[88]. No obstante, la autora sostiene que ambas opciones no tienen que ser incompatibles[89].

El problema planteado que, a priori, podría resultar sencillo, se complica a medida que los robots ganan en autonomía y en los supuestos en los que el daño no es ocasionado por un único agente o en los que simplemente se desconoce cuál de los agentes intervinientes es la causa de daño, lo que dificulta la imputación y la distribución de la responsabilidad[90].

Siendo así, resulta preciso establecer reglas de imputación de la responsabilidad prescindiendo de la culpa, es decir, mediante un sistema de responsabilidad objetiva. Por este motivo y, a modo de propuesta de *lege ferenda*, sería oportuno elaborar una ley especial sobre robótica donde se impute la responsabilidad por riesgo al operador y al propietario, de manera similar a como se establece en nuestro Real Decreto Legislativo 8/2004, de 29 de octubre, por el que se aprueba el Texto refundido de la Ley sobre responsabilidad civil y seguro en la circulación de vehículos a motor (LRCSCVM). En este sentido, señala Ebers que "del mismo modo que el dueño de un automóvil debe responsabilizarse de los riesgos incontrolables, debería también el operador, en otras situaciones de hecho, responder por tales agentes, cuyo comportamiento no es previsible"[91]. No obstante, aunque

---

[87]   DREIER, T., y SPIECKER, I.: "Legal aspects of service robotics", *op. cit.*, p. 215.
[88]   DÍAZ ALABART S.: *Robots y responsabilidad civil, op. cit.*, pp. 66 y 67.
[89]   De hecho, la autora se muestra partidaria de la utilización de ambas opciones debido a la confluencia de dos tipos de intereses: el de los empresarios y el de los consumidores. Por un lado, para los primeros resulta esencial "la adopción del control de los riesgos derivados de la fabricación y puesta en el mercado de robots"; y, por otro lado, para los segundos es prioritario "garantizar a los propietarios o simples usuarios de los robots la indemnización por los daños que puedan sufrir al utilizarlos" (*íd., ib.*, p. 70).
[90]   En este sentido, señala el Parlamento Europeo, en su Resolución de 16 de febrero de 2017 con recomendaciones destinadas a la Comisión sobre normas de Derecho civil sobre robótica, que "en el supuesto de que un robot pueda tomar decisiones autónomas, las normas tradicionales no bastarán para generar responsabilidad jurídica por los daños ocasionados por el robot, ya que no permitirán determinar la parte que ha de hacerse cargo de la indemnización, ni exigir a dicha parte que repare el daño ocasionado".
[91]   EBERS, M: "La utilización de agentes electrónicos inteligentes en el tráfico jurídico...", *op. cit.*, p. 15. El autor, siguiendo a la doctrina alemana, destaca, además, que "mediante la in-

este autor se muestra partidario de que sean el productor y el operador quienes respondan frente a terceros como obligados solidarios, pudiendo en su relación interna repetir de acuerdo a las cuotas de distribución de riesgos[92], entiendo que, al menos en el ámbito del sector sanitario, deberían responder el cirujano y el hospital, salvo en los supuestos de productos defectuosos, como vimos. Tal y como sucede, en definitiva, en la LRCSCVM, en la que responde el conductor (art. 1.1) y el propietario cuando se encuentra vinculado con éste por alguna de las relaciones que regulan los artículos 1.903 del Código Civil y 120.5 del Código Penal (art. 1.3)[93]. Por lo tanto, también al propietario se le hace responder[94].

No obstante, esto no es óbice, como ya he apuntado, para que el régimen de responsabilidad no pueda coexistir junto a otro sistema de imputación de la responsabilidad si la causación del daño se debe a un uso negligente, por no seguir las instrucciones dadas por el fabricante, un defecto de fabricación o a una falta de actualización[95]. Y, del mismo modo, tampoco es incompatible con que establezcan estándares de calidad y reglas de seguridad que los robots tienen que cumplir y que serían exigibles a los fabricantes del hardware y del software.

---

troducción de una responsabilidad por riesgo se podría, en adelante, evitar que los Tribunales establezcan deberes de diligencia elevados, irrealizables o imposibles de cumplir, que en última instancia terminan en una prohibición judicial del uso de una tecnología peligrosa, pese a ser socialmente deseable.

[92] *Íd., ib.*, p. 16.

[93] La responsabilidad civil derivada de la circulación de vehículos de motor se rige por un sistema objetivo de imputación de la responsabilidad en virtud del riesgo creado por la conducción de estos, al disponer la LRCSCVM que "el conductor de vehículos de motor es responsable, en virtud del riesgo creado por la conducción de estos, de los daños causados a las personas o en los bienes con motivo de la circulación" (artículo 1.1). Y también se imputa la responsabilidad frente al propietario del vehículo "El propietario no conductor responderá de los daños a las personas y en los bienes ocasionados por el conductor cuando esté vinculado con este por alguna de las relaciones que regulan los artículos 1.903 del Código Civil y 120.5 del Código Penal. Esta responsabilidad cesará cuando el mencionado propietario pruebe que empleó toda la diligencia de un buen padre de familia para prevenir el daño" (artículo 1.3). Para un análisis exhaustivo, me remito a la obra MONTERROSO, E.: *Responsabilidad civil derivada de los accidentes de circulación y valoración de daños a las personas conforme a la Ley 35/2015, de 22 de septiembre*, CEF, Madrid, 2016, p. 14).

[94] A tal efecto, NYHOLM pone de manifiesto que no todas las responsabilidades humanas dependen del control directo. Muchas responsabilidades humanas también dependen del disfrute de los derechos (por ejemplo, los derechos de propiedad) y los roles con los que contamos, por lo que también tienen que ver con quién es el más responsable de las colaboraciones humano-robot que pueden existir entre humanos y vehículos automatizados ("Attributing Agency to Automated Systems", *op. cit.*, p. 1215).

[95] ANGUIANO destaca, en este sentido, que "ante la ausencia de causas de imputación subjetivas del fabricante, propietario o usuario de la máquina, pueda resultar conveniente la imputación directa de esta" ("Las personas electrónicas", *op. cit*).

De esta manera, sería deseable un sistema de responsabilidad de esta natura-leza para el uso de robots en todos los ámbitos, incluido el sanitario, junto con la exigencia de una seguro para hacer frente a los daños causados.

Quizás, en la fecha actual, y sin perjuicio de que a a largo plazo sería deseable una ley general para la robótica de servicios, no parece todavía lo más práctico. Sería más oportuno ir introduciendo disposiciones relativas a la utilización de los robots de servicio en áreas específicas, como podría ser la legislación sanitaria, la construcción o la circulación de vehículos o en el propio Código Civil[96].

V. MECANISMOS DE ASEGURAMIENTO DE LOS ROBOTS

La posible solución que ofrece la Comisión a la compleja distribución de la responsabilidad en los supuestos de robots autónomos (si bien la referencia expresa la efectúa sobre la base de robots cada vez más autónomos) es el estable-cimiento de seguro obligatorio (como sucede con los automóviles), que tuviera en cuenta todas las responsabilidades potenciales en la cadena (R 57). Este sistema estima que podría complementarse con un fondo que garantizara la reparación de daños en los casos de ausencia de una cobertura de seguro (similar al de cir-culación de vehículos al motor), por lo que se solicita la colaboración de las ase-guradoras para que desarrollen nuevos productos que se adapten a los progresos de la robótica (R 58).

Por otro lado, aunque el artículo 131 del TRLGDCU señala que el gobierno podrá establecer un sistema de seguro obligatorio de responsabilidad civil de-rivada de los daños causados por bienes o servicios defectuosos y un fondo de garantía que cubra, total o parcialmente, los daños personales, hasta el momento no se ha llevado a cabo de manera general, sino que solo se ha instaurado en algunos sectores concretos[97].

La existencia de este seguro obligatorio se observa como necesario, como recalca Badillo en esta misma obra.

De esta manera, y tal y como sucede en el caso de los vehículos a motor en circulación, debería existir un aseguramiento obligatorio de todos los robots, es-tableciéndose la obligación del propietario (persona que tenga interés en el asegu-ramiento) de suscribir una póliza de seguro por cada robot autónomo del que sea titular (con su correspondiente inscripción registral, creado a estos efectos), que cubra la responsabilidad civil del operario del mismo por los daños causados a las

---

[96]   Véase, también en esta línea, DREIER, T., y SPIECKER, I.: "Legal aspects of service robotics", *op. cit.*, p. 216.

[97]   DÍAZ ALABART S.: *Robots y responsabilidad civil, op. cit.*, p. 85.

personas y bienes, hasta la cuantía del límite del seguro obligatorio, que debería también determinarse.

En mi opinión, y dado que es posible que intervengan en la producción del daño múltiples agentes, sería más oportuno un seguro de daños, mediante un sistema de indemnización a la víctima ajeno a factores de culpa y acorde, además, con los Principios de Derecho europeo de la responsabilidad civil, que establece la responsabilidad objetiva (art. 5:101) para actividades anormalmente peligrosas. El llamado sistema sin culpa de indemnización por accidente (conocido en el derecho comparado como *no-fault system*) se caracteriza por propugnar un sistema en que el seguro obligatorio cubre a todas las víctimas de un accidente, sin tener en cuenta la culpa, excepto si la víctima actuó dolosamente. En este sentido, es necesario realizar una matización: es más correcto hablar de fórmula para determinar el deber de indemnizar, en lugar de sistema de responsabilidad civil (al llevar aparejado este último, indudablemente, ciertas connotaciones en torno a la idea de culpa)[98].

Algunos autores, sin embargo, son partidarios de una limitación de la responsabilidad, ya que estiman que la existencia de este seguro sumado a una imputación de la responsabilidad sin atender al criterio de la culpa pueden crear como efecto una dificultad para asegurar a los robots y que, como consecuencia, se pueda reducir el progreso[99]. Sin embargo, considero que tratándose de un criterio de resarcimiento social de la víctima, lejos de frenar el progreso, lo fomentaría. Si admitimos que el uso de robots acarrea una serie de beneficios sociales y económicos, a pesar de sus riesgos inherentes, este progreso o bienestar es el que fundamentaría el resarcimiento del sujeto que sufra un daño personal como consecuencia de dicha utilización. Las ventajas de instaurar un sistema de seguro de daños (mejor, incluso, que un seguro de responsabilidad civil) estriba en que se proporcionaría un mayor amparo a la víctima, una óptima distribución de las primas de seguros abonadas por los propietarios del robots, y se evitaría la demostrada ineficacia del criterio de la culpa como criterio de la imputación de la responsabilidad, reduciéndose además los costes de los litigios[100]. La culpa se

---

[98]   MONTERROSO CASADO, E.: *Responsabilidad por accidentes de circulación*, Aranzadi, Navarra, 2009, p. 511.

[99]   Señala GÓMEZ-RIESCO que "puede dar lugar a que las reclamaciones por daños aumenten de modo desproporcionado y se produzca lo que se ha calificado como el problema de la teoría del saco sin fondo o de reclamaciones indiscriminadas a las compañías de seguros, al saber que existen mayores posibilidades de indemnización ("Los robots y la responsabilidad civil extracontractual", *op. cit.*, pp. 125 y 126).

[100] El principal fundamento del sistema se encuentra en que es mejor dedicar los recursos disponibles para compensar a las víctimas de accidentes que gastarlos en largos procesos legales para resolver la cuestión de quién es culpable del accidente, habiendo quedado demostrado en otros

impone a una persona cuando ante dos alternativas de actuación, una adecuada y otra negligente, elige la última. Pues bien, en el ámbito de los robots es difícil determinar la responsabilidad en base a esta afirmación, puesto que en la mayoría de los supuestos no es posible clarificar si la actuación llevada a cabo debe calificarse como culpable en sentido estricto. En este sentido, al operar múltiples agentes, resulta difícil decidir no solo a quién se le imputa la responsabilidad, sino si la conducta llevada a cabo fue adecuada o errónea. En este sentido, nuestro Código Civil establece como nivel de diligencia adecuado el comportamiento de «un buen padre de familia» cuando la obligación no exprese la diligencia que ha de prestarse en su cumplimiento (art. 1104 CC) y, del mismo modo, este criterio se recoge respecto a la diligencia que ha de probarse para la exoneración de responsabilidad por hecho ajeno (art. 1903 CC).

Una vez determinados los beneficios que conlleva la adopción de este sistema de compensación de daños es preciso establecer qué sujeto debe contar con dicho seguro. La opción apuntada por el Parlamento, en el Anexo A de su Resolución de 16 de febrero de 2017, de obligar del productor a suscribir un seguro para los robots autónomos por él fabricados no parece la más adecuada. Ello equivaldría a obligar al fabricante de automóviles a contar con un seguro para la conducción de sus vehículos. Parece más oportuno que, sin perjuicio que la empresa fabricante deba contar con un seguro para el supuesto de que resulte imputable su responsabilidad por un defecto en la fabricación del producto, el tomador del seguro debería ser el propietario del robot (en este caso el hospital) que cubriera los daños que causaran sus operarios en la utilización de los mismos o, al menos, que se amplíen las coberturas de los seguros suscritos por los hospitales, incluyendo expresamente a los robots, sin perjuicio del hecho de que, como hemos visto, pudieran tener la consideración, al menos en la actualidad, de productos sanitarios. Resulta interesante, a este respecto, la regulación sobre la exigencia de un seguro obligatorio en «servicios de telemedicina», en los que se incluya el uso de tecnología o medios electrónicos, con el propósito de diagnosticar o tratar a un paciente o consultarlo con otros prestadores de asistencia médica[101]. En este sentido, sería deseable que expresamente se recogiera los «servicios de cirugía robótica» en todas las coberturas de seguros suscritas por los hospitales.

ámbitos, como el de los accidentes de circulación, que un sistema de responsabilidad por culpa no resulta eficiente en términos económicos (MONTERROSO CASADO, E.: *Responsabilidad por accidentes de circulación, op. cit.,* pp. 523 y 524).

[101]   Sirva de ejemplo el parágrafo § 38.2-3418.16 del Código de Virginia, que exige dicho seguro en esos servicios, en los que se incluye el uso de tecnología o medios electrónicos, incluidos audio o vídeo interactivos, con el propósito de diagnosticar o tratar a un paciente o consultarlo con otros prestadores de asistencia médica con respecto al diagnóstico o el tratamiento de un paciente.

VI. CONCLUSIONES

El rápido y continuo desarrollo de las aplicaciones y dispositivos de IA ha producido un escenario en el que el derecho precisa ofrecer soluciones a la responsabilidad por el daño causado por ellos y, en último término, por los robots. En este escenario, podemos partir de dos hipótesis: (a) que la regulación actual el derecho puedo ofrecer soluciones, adoptando la normativa existente; (b) o, una vez analizadas, que sea necesario construir una nueva disciplina jurídica teniendo en cuenta esta evolución tecnológica. En el marco jurídico actual, entiendo que la autonomía de los robots se encuentra en una fase incipiente, precisando del control humano, sin que, por ejemplo, una intervención quirúrgica se realice por un robot de modo totalmente autónomo e independiente, sino en colaboración con los cirujanos de manera supervisada. Por ello, podríamos resolver los supuestos en los que se producen daños con la normativa actual, es decir, el TRLGDCU cuando se producen daños por defecto en el producto o por la prestación de un servicio sanitario, o el Código Civil cuando existe negligencia imputable al médico o al hospital. En este sentido, entiendo que es preciso resaltar varias premisas clave. En primer lugar, que un robot tiene la consideración de producto y, en este ámbito, de producto sanitario. Por otro lado, es preciso conocer quién tiene el control del robot, ya que si quien dirige, controla y puede detener al robot es el cirujano, en ese caso existirá responsabilidad contractual del centro sanitario que ha efectuado el contrato con el paciente, pudiendo existir también una responsabilidad extracontractual imputable al profesional sanitario y al hospital (art. 1902 y art. 1903 CC, respectivamente), si el galeno se encuentra vinculado o contractualmente al centro sanitario. Además, es preciso tener en cuenta que la tecnología en servicios médicos está sujeta a permisos y autorizaciones, lo que implica inevitablemente el cumplimiento de determinados deberes de cuidado y vigilancia durante su puesta en marcha, su funcionamiento, el monitoreo de su seguridad operacional o su mantenimiento. Por último, también es importante considerar que, en muchos casos, esta tecnología médica precisa de actualización y, en el caso de que quien deba acometerla no informe ni lleve a cabo la misma, podrá incurrir en culpa si se producen fallos ocasionados por su omisión.

En definitiva, a la hora de imputar la responsabilidad es preciso analizar no solo el cumplimiento de estos deberes, sino también determinar quién supervisa y controla el robot, es decir, quién lo maneja, puede detenerlo y conoce su funcionamiento, que generalmente vendrá de la mano del profesional sanitario. Y, por último, debemos abrir la puerta a la evolución de esta tecnología, de manera que en el caso de que un robot operara de manera autónoma, deberíamos conocer quién, en último término, posee su control (aunque sea de forma indirecta) y su supervisión. De este modo, a medida que los robots vayan adquiriendo autonomía, la atribución de responsabilidad a un único agente será una tarea compleja, por lo que será preciso elaborar nuevos criterios de imputación de la responsabilidad o, simplemente, decidir quién debe resarcir los daños causados, siendo preciso tomar en consideración a los sujetos que se benefician de esta actividad en términos económicos ya que socialmente, aunque los beneficiarios seamos todos los ciudadanos, cuando acudimos a un centro sanitario para realizar una intervención utilizando esta tecnología no olvidemos que ya hemos realizado un desembolso a cambio de la prestación de este servicio.

VII. BIBLIOGRAFÍA[102]

ALEMZADEH, H., RAMAN, J., LEVESON, N., KALBARCZYK, Z., y IYER, R. K.: "Adverse Events in Robotic Surgery: A Retrospective Study of 14 Years of FDA Data", *PLoS ONE*, vol. 11, núm. 4 [En: https://www.ncbi.nlm.nih.gov/pmc/articles/PMC4838256/pdf/pone.0151470.pdf].

ANGUIANO, J.A.: "Las personas electrónicas", *Diario La Ley*, núm. 14, Sección Ciberderecho, 2018. [En: http://diariolaley.laley.es/home/DT0000263132/20180118/Las-personas-electronicas].

ARANSAY ALEJANDRE A.M.: "Antecedentes y propuestas para la regulación jurídica de los robots", en BARRIO ANDRÉS, M. (dir.): *Derecho de los robots*, Wolter Kluwer, Madrid, 2018, pp. 87-106.

ARKIN, R.: "The case for ethical autonomy in unmanned systems", *Journal of Military Ethics*, vol. 9, *núm.* 4, 2010, pp. 332-341.

BARRIO ANDRÉS, M.: *Derecho de los robots*, Wolter Kluwer, Madrid, 2018.

BLAS ORBÁN, C. *Responsabilidad profesional del médico, enfoque para el siglo XXI*, Bosch, Barcelona, 2003.

CALO, R.: "Robotics and the Lessons of Cyberlaw", *California Law Review*, vol. 513, núm. 532, 2015, pp. 513-563 [En https://papers.ssrn.com/sol3/papers.cfm?abstract_id=2402972]; y en "La robótica y las lecciones del derecho cibernético", *Revista de privacidad y derecho digital*, núm. 2, 2016.

CAYÓN DE LAS CUEVAS, J.: *La prestación de servicios sanitarios como relación jurídica de consumo*, Thomson Reuters, Madrid, 2017.

CAYTAS, J.: "European Perspectives on an Emergent Law of Robotics", *Columbia Journal of European Law: Preliminary Reference*, 4 de abril 2017 [En https://papers.ssrn.com/sol3/papers.cfm?abstract_id=2956958].

COECKELBERGH, M.: "Responsibility and the moral phenomenonology of using self-driving cars", *Applied Artificial Intelligence*, vol. 30, *núm.* 8, 2016, pp. 748-757.

DAVIES B: "A Review of Robotics in Surgery", *Proceedings of the Institution of Mechanical Engineer*s. Vol. 214, 2000, pp. 129-140 [En: http://journals.sagepub.com/doi/10.1243/0954411001535309].

---

[102] Todas las referencias bibliográficas on line, se encuentran disponibles a 24/09/2018.

DÍAZ ALABART S.: *Robots y responsabilidad civil*, Reus, Madrid, 2018.

DREIER, T., y SPIECKER, I.: "Legal aspects of service robotics", *Poiesis & Praxis*, vol. 9, 2012, pp. 201-217.

EBERS, M.: "La utilización de agentes electrónicos inteligentes en el tráfico jurídico: ¿Necesitamos reglas especiales en el Derecho de la responsabilidad civil?", *InDret: Revista para el Análisis del Derecho*, núm. 3, 2016. [En: http://www.indret.com/code/getPdf.php?id=1982&pdf=1245.pdf].

ENISA: *Smart Hospitals. Security and Resilience for Smart Health Service and Infrastructures*, 2016 [En: https://www.enisa.europa.eu/publications/cyber-security-and-resilience-for-smart-hospitals/at_download/fullReport].

GALÁN CORTÉS, J. C.: "La responsabilidad civil médico-santaria", en J.A. SEIJAS QUINTANA (coord.), *Responsabilidad Civil. Aspectos fundamentales*, 2 edición, Sepin, Madrid, 2015, pp. 321-352.

GARCÍA DÍAZ, F.J.: "La robótica y el cambio de paradigma de la Cuarta Revolución Industrial", *Revista de privacidad y derecho digital*, núm. 2, 2016.

GARCÍA PORTERO, R.: "Los robots en la sanidad", en BARRIO ANDRÉS, M. (dir.): *Derecho de los robots*, Wolter Kluwer, Madrid, 2018, pp. 203-228.

GOGOLL, J. y MÜLLER, J.: "Autonomous cars: In favor of a mandated ethics setting", *Science and Engineering Ethics*, *Vol. 23, núm. 3, 2017, pp 681-700*.

GÓMEZ-RIESCO TABERNERO DE PAZ, J.: "Los robots y la responsabilidad civil extracontractual", en BARRIO ANDRÉS (dir.): *Derecho de los robots*, Wolter Kluwer, Madrid, 2018, pp. 107-130.

GUTIÉRREZ SANTIAGO, P.: *Responsabilidad civil por productos defectuosos*, Comares, Madrid, 2006.

HEVELKE, A. y NIDA-RÜMELIN, J.: "Responsibility for crashes of autonomous vehicles: An ethical analysis" *Science and Engineering Ethics*, Vol, *21, núm. 3*, 2015, pp. 619-630 [En: https://link.springer.com/content/pdf/10.1007%2Fs10202-012-0115-4.pdf].

JIMENO MUÑOZ, J.: *La responsabilidad civil en el ámbito de los ciberriesgos*, Fundación Mapfre, Madrid, 2017.

KWOH Y.S. et al.: "A robot with improved absolute positioning accuracy for CT guided stereotactic brain surgery", *IEEE Transaction Biomedical* Engineering, 1988, vol. 35, núm. 2, pp. 153-161 [En: https://ieeexplore.ieee.org/document/1354/].

LANFRANCO, A. R., CASTELLANOS, A. E., DESAI, J. P., y MEYERS, W. C.:"Robotic Surgery: A Current Perspective", *Annal of Surgery*, vol. 238, 2004, pp. 14-21. [En: https://www.ncbi.nlm.nih.gov/pmc/articles/PMC1356187/].

LLANEZA GONZÁLEZ, P.: *Seguridad y responsabilidad en la Internet de las cosas*, Wolter Kluwer, Madrid, 2018, pp. 243-271.

MARESCAUX J, et al.: "Transcontinental Robot-Assisted Remote Telesurgery: Feasibility and Potential Applications", *Annals of Surgery, vol.* 235, núm. 4, 2002, pp. 487-492 [En: https://www.ncbi.nlm.nih.gov/pmc/articles/PMC1422462/].

MARTÍN-CASALS, M. Y SOLÉ FELIU, J.: "La responsabilidad civil por productos defectuosos", en REYES LÓPEZ, Mª. J. (coord.), *Derecho privado de consumo*, Tirant lo Blanch, Valencia 2004, pp. 157-196.

MARTÍNEZ CALCERRADA, L.: "Especial estudio de la denominada *lex artis ad hoc* en la función médica", *Actualidad Civil*, núm. 542, 1986.

MEDINA ALCOZ, M.: "La responsabilidad civil del empresario por el hecho dañoso de su dependiente: Derecho español y textos doctrinales europeos", en MONTERROSO CASADO, E. (dir.): *Responsabilidad empresarial*, Tirant lo Blanch, Valencia, 2015, pp. 73-106.

MLADENOVIC, M. N., y MCPHERSON, T.: "Engineering social justice into traffic control for self-driving vehicles?", *Science and Engineering Ethics, 2016*, Vol. 22, núm. 4, pp. 1131-1149.

MONTERROSO CASADO, E.: "La responsabilidad civil del empresario en centros residenciales para personas mayores en situación de dependencia", en *Responsabilidad empresarial*, Tirant lo Blanch, Valencia, 2015, p. 114.

MONTERROSO CASADO, E.: "Responsabilidad civil médica: análisis de los criterios de imputación", en MONTERROSO (dir.): *Responsabilidad profesional*, Tirant lo Blanch, Valencia, 2018.

MONTERROSO, E.: *Responsabilidad civil derivada de los accidentes de circulación y valoración de daños a las personas conforme a la Ley 35/2015, de 22 de septiembre*, 3ª ed., CEF, Madrid, 2018.

MONTERROSO CASADO, E.: *Responsabilidad por accidentes de circulación. La concurrencia de culpas*, Aranzadi, Navarra, 2009.

NYHOLM, S. y SMIDS, J.: "The ethics of accident-algorithms for self-driving cars: An applied trolley problem?", *Ethical Theory and Moral Practice, vol. 19, núm. 5*, 2016, pp. 1275-1289.

NYHOLM, S.: "Attributing Agency to Automated Systems: Reflections on Human-Robot Collaborations and Responsibility-Loci", *Science and Engineering Ethics*, vol. 24, núm. 4, 2018, pp. 1201-1219.

OHUCHIDA, K.: Y M. HASHIZUME, M.: "Overview of Robotic Surgery", en *Go Watanebe: Robotic Surgery*, Springer, Japón, 2014, p. 1.

PARRA LUCÁN, M.ª Á.: "Responsabilidad civil por bienes y servicios defectuosos", en Reglero, F. y Busto Lago, J.M., *Tratado de Responsabilidad Civil*, Tomo II, 5ª ed., Aranzadi, Navarra, 2014, pp. 57-178.

PARRA LUCÁN, M. A.: "Libro III. Título II. Disposiciones específicas en materia de responsabilidad. Capítulo I. Daños causados por productos", en BERCOVITZ (coord.), *Comentario del Texto Refundido de la Ley General para la Defensa de Consumidores y Usuarios y otras Leyes Complementarias*, Thomson Aranzadi, 2ª ed., Navarra, 2015, pp. 1931-2066.

PASQUAU LIAÑO, M.: "El defecto de seguridad como criterio de imputación de la responsabilidad al empresario de servicios", en García Garnica, M.ª C. y Antonio Orti Vallejo, A. (dir.), *La responsabilidad civil por daños causados por servicios defectuosos: estudio de la responsabilidad civil por servicios susceptibles de provocar daños a la salud y seguridad de las personas*, Aranzadi, Navarra, 2015, pp. 79-129.

PEÑA APONTE, L. P.: *La prestación de servicios de salud y la responsabilidad por daños causados. Estudio normativo comparado entre Colombia y España*. Tesis doctoral, UDIMA, Madrid, 2018.

PÉREZ VALLEJO, A. M.ª.: "Presupuestos de la responsabilidad civil médica en su desdoblamiento funcional", en MORILLAS CUEVA, L. (dir.): *Estudios jurídicos sobre responsabilidad penal, civil y administrativa del médico y otros agentes sanitarios*, Dykinson, Madrid, 2009, pp. 545-581.

PURVES, D., JENKINS, R., y STRAWSER, B. J.: "Autonomous machines, moral judgment, and acting for the right reasons", *Ethical Theory and Moral Practice*, vol. *18, núm.* 4, 2015, pp. 851-872.

RAMOS GONZÁLEZ, S.: "Responsabilidad civil por medicamento: el defecto del diseño. Un análisis comparado de los criterios de definición del defecto en España y en los EEUU", *InDret: Revista para el Análisis del Derecho*, núm. 287, 2005 [En: http://www.indret.com/code/getPdf.php?id=778&pdf=287_es.pdf].

RUIZ JIMÉNEZ, J.: "La delimitación del contenido de la lex artis ad hoc base de la responsabilidad en el ámbito sanitario", *Revista Crítica de Derecho Inmobiliario*, núm. 699, 2007, pp. 353 y ss.

SÁNCHEZ DEL CAMPO REDONET, A.: "Europa quiere regular a los robots", en *Diario La Ley*, núm. 4, 28 de febrero de 2017.

SALVADOR CODERCH, P. (Ed): "Guía InDret de jurisprudencia sobre responsabilidad de producto", 4ª ed., *InDret: Revista para el Análisis del Derecho*, 2004, p. 63 [En: *www.indret.com/pdf/248_es.pdf*].

SALVADOR CODERCH, P. Y SOLÉ FELIU, J.: *Brujos y aprendices: los riesgos de desarrollo en la responsabilidad de producto*, Marcial Pons, Madrid, 1999.

SATAVA R.M.: "Surgical robotics: the early chronicles: a personal historical perspective", *Surgical Laparoscopy Endoscopy & Percutaneous Techniques*, Vol. 12, 2002, pp. 6-16 [En https://journals.lww.com/surgical-laparoscopy/pages/articleviewer.aspx?year=200 2&issue=02000&article=00002&type=abstract].

SHADEMAN, A.; DECKER, R.; OPFERMANN, J.; LEONARD, S.; KRIEGER, A.; y KIM, P.: "Supervised autonomous robotic soft tissue surgery", *American Association for the Advancement of Science*, vol. 8, núm. 337, 2016 [En: http://stm.sciencemag.org/content/8/337/337ra64].

SPINDLER, G.: "Roboter, Automation, künstliche Intelligenz, selbst-steuernde Kfz - Braucht das Recht neue Haftungskategorien? Eine kritische Analyse möglicher Haftungsgrundla-gen für autonome Steuerungen", *Computer und Recht*, 2015, pp. 766-776.

ROSALES DE SALAMANCA, F.: ¿Puede un robot ser sujeto de derecho?, 2016 [En https://www.notariofranciscorosales.com/puede-robot-sujeto-derecho/]

CAPÍTULO 4
RESPONSABILIDAD CIVIL EN LA CIRCULACIÓN DE VEHÍCULOS AUTÓNOMOS*

PILAR ÁLVAREZ OLALLA
Profesora Titular de Derecho civil. Universidad Rey Juan Carlos.
Magistrada Suplente. Audiencia Provincial de Segovia.

Sumario: I. INTRODUCCIÓN. II. SUPUESTOS QUE ILUSTRAN LA PROBLEMÁTICA DE LOS COCHES AUTÓNOMOS. III. ESTADO DE LA CUESTIÓN EN ESTADOS UNIDOS Y EUROPA. IV. ASPECTOS ÉTICOS RELACIONADOS CON LA CIRCULACIÓN DE VEHÍCULOS AUTÓNOMOS. V. CIBERSEGURIDAD Y PROTECCIÓN DE DATOS. VI. RESPONSABILIDAD CIVIL Y ROBÓTICA. VII. RESPONSABILIDAD CIVIL EN CASO DE ACCIDENTES DE VEHÍCULOS AUTÓNOMOS. VII. BIBLIOGRAFÍA.

Palabras clave: Vehículos autónomos, implicaciones éticas, responsabilidad civil, ciberseguridad, seguro de automóviles.

Resumen: La irrupción en el mercado automovilístico de los vehículos de conducción autónoma plantea importantes retos que deberán ser resueltos por el legislador, a fin de lograr una adecuada protección de los intereses implicados. Ejemplos de tales retos son la dimensión ética de las decisiones a adoptar por el sistema de inteligencia artificial del vehículo ante diferentes eventualidades, los problemas relacionados con la ciberseguridad y la cuestión relativa a si es necesario modificar la legislación actual en materia de responsabilidad civil para determinar el sujeto responsable en caso de accidente.

I. INTRODUCCIÓN

Las revoluciones ya sean industriales, científicas o tecnológicas traen consigo nuevos retos relacionados con la adaptación de nuestras normas civiles y, más en concreto, nuestras normas de responsabilidad civil, a las nuevas circunstancias. El legislador debe actuar ponderando, por un lado, la necesidad de dar satisfac-

---

* Trabajo realizado en el marco del Proyecto de Investigación RT12018-97418-B-100 del Programa de I+D+i orientada a los Retos de la sociedad, del Ministerio de Ciencia, Innovación y Universidades.

ción a las víctimas de las actividades de riesgo que se desarrollan gracias a dichos avances y, por otro, la necesidad de no lacerar el avance investigador en el ámbito de tales actividades, sometiendo a los investigadores y fabricantes a un nivel de responsabilidad tal que desincentive el desarrollo tecnológico cuyos resultados pueden servir para mejorar notablemente la vida de las personas.

Del mismo modo que en los albores del siglo XX el campo de la circulación de vehículos a motor motivó, entre otras causas, el abandono de los tradicionales cauces de la culpa como criterio de imputación, a favor de la adopción de sistemas de responsabilidad objetiva, podemos preguntarnos si una nueva evolución se producirá como consecuencia de lo que hoy ya es una realidad: la aparición de vehículos autónomos que circulan "tomando sus propias decisiones" a instancias del software instalado en el vehículo, sin intervención alguna del ¿conductor? u ocupante del mismo.

Sin embargo, la responsabilidad civil no es el único aspecto legal afectado por la circulación de vehículos autónomos. Son varias las cuestiones e interrogantes que, desde el punto de vista ético y jurídico, suscita la utilización de vehículos autónomos cuyo uso, en el término de una década, se prevé generalizado, según los expertos. Por un lado, podemos adoptar una perspectiva desde el punto de vista de la ética y preguntarnos conforme a qué criterios éticos deben programarse los coches autónomos, en caso de accidente. Por otro, surgen las cuestiones relativas a la protección de datos del usuario respecto a factores tales como la localización y desplazamiento del vehículo y su usuario, máxime cuando los fabricantes del software son las grandes empresas tecnológicas a nivel mundial, que obtienen cuantiosos ingresos de actividades como la publicidad. Además, la Resolución del Parlamento europeo de 16 de febrero de 2017 se refiere a cuestiones tales como la seguridad vial, cuestiones relativas al medioambiente (eficiencia energética, fuentes de energía renovables… etc.) incidencia en infraestructuras TIC (incremento en la densidad de las comunicaciones), el empleo (creación y pérdida de puestos de trabajo) y el valor añadido que la circulación autónoma supone para las personas con movilidad reducida[1].

---

[1]   Un estudio detallado de todas las implicaciones sociales y legales de la utilización de vehículos autónomos puede verse en GRIFFIN, M.L.: "Steering (or not) through the social and legal implications of autonomous vehicles", *Pepperdine Journal of Business, Entrepreneurship & the Law*, 2018.

II. SUPUESTOS QUE ILUSTRAN LA PROBLEMÁTICA DE LOS VEHÍCULOS AUTÓNOMOS

Son varios los fabricantes de coches autónomos en la actualidad, tales como Google, Tesla, Volvo, Toyota, Mercedes Benz, Faraday o Waimo. Otras compañías como Apple han valorado la decisión de lanzar su propio coche autónomo, pero finalmente han decidido centrarse en la creación del software, esto es, de sistemas de conducción autónoma, que se venderían a los fabricantes. A pesar de que son numerosos los casos en los que algún vehículo autónomo se ha visto involucrado en accidentes, en la mayoría de ellos la causa no fue debida a fallos en el sistema de conducción autónoma, sino a fallos humanos, como alcances por detrás de terceros. Sin embargo, sí existen algunos ejemplos en los que el sistema de detección o el proceso de toma de decisiones adoptado por el ordenador no ha sido el adecuado, en función de las circunstancias.

En enero de 2016 murió un joven de 23 años en China al colisionar el Tesla en el que viajaba con la parte trasera de un camión. La familia del fallecido demandó a Tesla argumentando en torno a los defectos del sistema de Autopilot que equipa estos vehículos. Por su parte, Tesla alegó que, debido al estado en el que quedó el coche, no podía saberse si el sistema de conducción automática estaba activado en el momento de la colisión.

El 7 de mayo 2016, Joshua Brown de 40 años, que circulaba por una autopista de Pensylvania en un Tesla Model S, con el sistema Autopilot activado, falleció como consecuencia de que el sistema del vehículo no detectó un camión que irrumpió en la autopista de forma perpendicular al avance del Tesla. Al parecer, el color blanco del remolque confundió al sistema con el tono que el cielo tenía en ese momento, en un día claro. El conductor tampoco detectó la presencia del camión. Al parecer, el conductor estaba viendo una película de Harry Potter. El Tesla circulaba a una velocidad superior a la permitida (el sistema Autopilot no obliga al conductor a disminuir la velocidad para adaptarla a la establecida en las señales, salvo que el conductor así lo programe). En ausencia de programación específica, sólo adapta la velocidad que el conductor determina, en función del tráfico, con el fin de mantener la distancia de seguridad. El coche pasó por debajo del remolque y siguió circulando hasta que finalmente chocó con una valla. Un dato importante a tener en cuenta es que el Tesla Model S es un vehículo de nivel 3, ideado para asistir al conductor, y no pensado para conducir por sí mismo sin supervisión del conductor. Por ello, se exige que en todo momento el conductor tenga las manos en el volante y preste atención a la circulación. A raíz de este accidente, Tesla Motor implementó un nuevo sistema Autopilot para que los detectores de objetos por radar primen respecto a los detectores por cámaras de video, y para hacer detenerse al vehículo cuando el conductor haya sido requerido tres veces en una hora para poner las manos en el volante, se entiende, porque no las llevase puestas. Parece que los coches del nivel 3, que asisten al conductor, pero no le eximen de prestar atención a la conducción, son los más peligrosos pues el conductor tiende a desconectar de la conducción, utilizando dispositivos móviles o distrayéndose con más facilidad, de tal modo que le resulta más difícil reaccionar cuando es necesario.

En otra ocasión, el 14 de febrero de 2016, un Lexus modificado con el sistema de conducción autónoma de Google provoca un accidente. Al detectar un obstáculo en su carril (sacos de arena o baches) se cambia de carril impactando con el lateral de un autobús. Al parecer, el conductor del vehículo autónomo pudo ver el autobús, pero pensó —al igual que el sistema del propio vehículo— que el autobús frenaría para dejar pasar al Lexus. Los daños fueron materiales. Otro accidente grave, si bien no hubo fallecidos, tuvo lugar el 1 de julio de 2016 en Pensilvania, de nuevo al colisionar un Tesla, en este caso, Model X, con un camión. Mientras que el conductor sostuvo que estaba activado el sistema de conducción autónoma, la compañía Tesla Motor lo negaba.

En enero de 2018 un Tesla conducido en modo Autopilot colisionó a 105 km/hora con un camión de bomberos, pero afortunadamente no hubo víctimas. El primer caso de atropello de peatón se produjo en marzo de 2018, cuando un vehículo autónomo de Uber (marca Volvo) colisiona en Arizona con una mujer que atravesaba la carretera de noche, en una zona oscura, con una bicicleta en la mano y le causa la muerte. Presumiblemente, el accidente se hubiera producido igual de haber sido conducido el vehículo de forma tradicional. En ese mismo mes, un vehículo Tesla colisiona contra una mediana de hormigón y mata al ocupante. Y, por último, en mayo de 2018 un joven que viajaba con el sistema Autopilot perdía la vida al no detectar el vehículo automático que el camión que iba delante iniciaba una maniobra a la izquierda. Iba a gran velocidad y no frenó, de tal modo que el coche terminó debajo de la carga del camión.

III. EL ESTADO DE LA CUESTIÓN EN ESTADOS UNIDOS Y EUROPA

La convención de Viena de 1968, acordada en el ámbito de la ONU, establece en su art. 8 que "todo vehículo en movimiento o conjunto de vehículos en movimiento deberá tener un conductor". Sin embargo, esta premisa se tambalea en la actualidad[2], aunque hay que precisar que España firmó pero no ratificó dicha Convención.

---

[2]   De hecho, la Resolución del Parlamento Europeo de 16 de febrero de 2017, a la que luego aludiremos, señala la necesidad de modificar el Convenio de Viena a fin de hacer posible el

En EEUU, varios Estados permitieron por primera vez la circulación de estos vehículos. Nevada fue el primer Estado en permitir la circulación, en 2011. Posteriormente Estados como California, Florida o Lousiana, entre otros, admitieron también la circulación, en ocasiones como vehículos de prueba. El Departamento de Transportes (en concreto a través de la NHTSA, *National Highway Traffic Safety Administration*) publicó una Guía normativa en materia de Vehículos Autónomos en septiembre de 2016[3]. La Guía incluye la necesidad de que los fabricantes de coches autónomos cumplan en sus vehículos determinadas exigencias en lo relativo a la privacidad de los conductores, ciberseguridad, medidas a adoptar sobre comprobación de los vehículos después de un accidente, consideraciones éticas y protección y educación del consumidor, entre otras. En la Guía se adopta la clasificación de vehículos autónomos elaborada por la SAE[4] el 16 de enero de 2014, si bien la SAE modificó el texto el 30 de septiembre de 2016. En dicha clasificación (que como veremos, adoptará posteriormente nuestra DGT), se consideran HAV (*Highly Automated Vehicle*) a aquellos vehículos clasificados en los niveles 3 a 5. Más recientemente, el Congreso de los Estados Unidos aprobó la *Self Drive Act* en junio de 2017, con la intención de convertirse en norma federal en la materia, especialmente en lo atinente a los requisitos de seguridad[5], pero aún no ha sido aprobada en el Senado. Paralelamente, en el Senado, la Comisión de Comercio, Ciencia y Transporte del Senado presentó otro proyecto, la *AV Smart AcT*, sin embargo, el proceso de aprobación definitiva de ambos está encontrando dificultades en el entendimiento de que es una normativa hecha a impulso de los fabricantes de automóviles, que no ofrece suficiente protección a los usuarios, ni seguridad en el ámbito de la privacidad de los datos[6]. Pero en los diferentes Estados continúa incrementándose el uso de estos vehículos. Desde noviembre de 2017 están circulando vehículos nivel 4 de la marca Waymo por las calles de Phoenix (Arizona) sin conductor de seguridad. En California se ha aprobado una

---

transporte sin conductor. La Comisión Económica de la ONU para Europa (UNECE) introdujo enmiendas al Convenio de Viena en 2016 a fin de autorizar la circulación de vehículos autónomos, si bien, exige que siempre pueda ser desconectada por el conductor. http://www.unece.org/?id=42459&L=3

3   https://www.transportation.gov/sites/dot.gov/files/docs/AV%20policy%20guidance%20PDF.pdf.

4   "Sociedad de Ingenieros Automotrices", constituida, a principios del siglo XX, con el objetivo de crear estándares técnicos en la construcción de automóviles, tales como determinar la medida de la fuerza de los automóviles en caballos de potencia, estándares de clasificación del aceite motor o la necesidad de implementar el sistema diagnóstico.

5   Pues al menos 33 Estados tenían su propia regulación (https://www.wired.com/story/congress-self-driving-car-law-bill/)

6   De hecho, desde el accidente del vehículo Uber, en Arizona, el pasado mes de marzo de 2018, un gran número de senadores anunciaron su oposición a aprobar la AV Smart Act.

Ley para permitir igualmente la conducción de vehículos sin conductor desde abril de 2018[7].

En Reino Unido, el 19 de julio de 2018 se aprobó la *Automatic and Electric Vehicles Act* 2018[8]. La Ley se divide en dos partes, la primera dedicada a cuestiones relacionadas con la responsabilidad en caso de accidente de coche autónomo y la segunda dedicada a regular el modo de carga de los coches eléctricos. Lógicamente, la parte que más nos interesa es la primera, en la que se tratan aspectos tales como la responsabilidad de la aseguradora en caso de accidente de coche autónomo, así como la del propietario del vehículo en caso de que no esté asegurado, o la concurrencia de culpa con la víctima, ya sea de un tercero o del conductor a cargo del vehículo. Así mismo regula la responsabilidad en caso de que el accidente sea debido a alteraciones del software o falta de actualizaciones, como luego veremos. Por último, regula el derecho de la aseguradora a reclamar contra el responsable del daño.

En el ámbito de la Unión Europea, la regulación de los coches autónomos va de la mano de la regulación de la robótica e inteligencia artificial en su conjunto. La Comisión de Asuntos Jurídicos (JURI) del Parlamento Europeo creó en 2015 un Grupo de Trabajo que elaboró un Informe en materia de normas de responsabilidad civil sobre Robótica[9] que ha sido el germen de la Resolución del Parlamento Europeo de 16 de febrero de 2017, con recomendaciones destinadas a la Comisión sobre normas de Derecho civil en materia de robótica (2015/2103 (INL))[10]. En el documento, y a la luz del hecho de que la humanidad se encuentra "a las puertas de una era en la que robots, bots, androides y otras formas de inteligencia artificial cada vez más sofisticadas parecen dispuestas a desencadenar una nueva revolución industrial", se pone de manifiesto que resulta necesaria la adopción de normas que ponderen la necesidad de regular esta nueva realidad, "sin obstaculizar con ello la innovación", a fin de, entre otras consideraciones, no verse obligada a adoptar o aceptar normas establecidas por otros países que, como EEUU, Japón, China y Corea del Sur, han empezado ya a legislar sobre esta cuestión. Sin perjuicio de que luego volvamos sobre el contenido de la Resolución, podemos adelantar que, en la misma, se contienen unas consideraciones

---

7   Si bien deben estar pendientes de la conducción, a distancia, operarios de las compañías, aunque dentro del coche podrá no ir conductor alguno. Ello a fin de retomar el control del vehículo en cualquier momento, de ser necesario. https://www.xataka.com/vehiculos/los-coches-autonomos-sin-conductor-de-emergencia-a-bordo-se-veran-por-las-calles-de-california-en-unos-dias

8   http://www.legislation.gov.uk/ukpga/2018/18/contents/enacted

9   http://www.europarl.europa.eu/sides/getDoc.do?pubRef=-//EP//TEXT+REPORT+A8-2017-0005+0+DOC+XML+V0//ES

10 http://www.europarl.europa.eu/sides/getDoc.do?pubRef=-//EP//TEXT+TA+P8-TA-2017-0051+0+DOC+XML+V0//ES

relativas a una futura regulación de la responsabilidad civil por daños causados por robots; unas recomendaciones en materia de investigación; se incide en la necesidad de definir conceptos y articular un sistema de registros de robots; en la necesidad de establecer unos principios éticos aplicables a las implicaciones sociales, médicas y bioéticas del uso de la robótica; y se considera necesaria la creación de una Agencia europea para la robótica. Asimismo, se contiene una proclamación del respeto a los derechos de propiedad intelectual y a la protección de datos.

Con relación a los vehículos autónomos, la Resolución recomienda que la futura regulación afecte a las normas de responsabilidad civil, seguridad vial, cuestiones relativas al medio ambiente, protección de datos, cuestiones relativas a la infraestructura TIC y al empleo. En concreto se pide a la Comisión "sobre la base del art. 224 del TFUE, que presente una propuesta de Directiva, sobre la base del art. 113 del TFUE, relativa a las normas de legislación civil en materia de robótica, siguiendo las recomendaciones detalladas que figuran en el anexo de la Resolución" y que se refieren a la necesidad de definir y clasificar a los robots, establecer un Registro de robots, establecer reglas de responsabilidad civil; elaborar de una Carta sobre Robótica que contenga un Código de Conducta Ética en el campo de la robótica tras consultar un proyecto de investigación y desarrollo a escala europea, un Código de Conducta ética para ingenieros, un Código Deontológico para los comités de ética de la investigación y la necesidad de licencias para diseñadores y usuarios. Más recientemente, el documento de trabajo que acompaña a la Comunicación de la Comisión al Parlamento Europeo de 25 de abril de 2018 titulado "Liability for emerging digital tecnologies" señala que, si bien a nivel europeo existe una armonización de las cuestiones relativas al aseguramiento en la circulación de los vehículos a motor, ello no ocurre con el sistema de responsabilidad civil. Indica que, en caso de accidente en el que se ve involucrado un coche autónomo, la responsabilidad civil debe imponerse al usuario o propietario, o bien al fabricante bajo la normativa de responsabilidad por productos. Añade que en la mayoría de países se impone al conductor o propietario, pues la normativa de productos exige probar el defecto. Ello no impide que si el accidente fuese debido a defectos de software el asegurador del propietario o conductor pueda repetir frente al fabricante, diseñador o programador. En definitiva, parece decantarse a favor de la aplicación preferente del sistema de responsabilidad civil aplicable a la circulación de vehículos a motor en general.

En España no se permite el uso de vehículos totalmente autónomos, salvo que estén en fase de pruebas. La DGT dictó una instrucción (Instrucción 15/V-113) en 2015 en la que se regulan los requisitos para la realización de pruebas y ensayos con este tipo de vehículos[11]. En la Instrucción se define el vehículo autónomo co-

---

[11] http://www.dgt.es/Galerias/seguridad-vial/normativa-legislacion/otras-normas/
modificaciones/15.V-113-Vehiculos-Conduccionautomatizada.pdf

mo: "*Todo vehículo con capacidad motriz equipado con tecnología que permita su manejo o conducción sin precisar la forma activa de control o supervisión de un conductor, tanto si dicha tecnología autónoma estuviera activada o desactivada, de forma permanente o temporal. A estos efectos, no tendrá consideración de tecnología autónoma aquellos sistemas de seguridad activa o de ayuda a la conducción incluida como equipamiento de los vehículos que para su manejo o conducción sí requieran necesariamente control o supervisión humana activa. Son objeto de esta instrucción aquellos vehículos que incorporan tecnología con funciones asociadas a los niveles automatización 3,4 y 5 recogidos en la tabla I*"[12].

Como cuestiones a destacar reguladas en la Instrucción, ésta establece, con relación al conductor, que en todo momento deberá estar identificado y autorizado expresamente. Debe tener, además, capacidad para conducir un coche autónomo, habiendo recibido la formación necesaria. Debe estar en disposición de tomar el control del vehículo ante cualquier eventualidad, y tener permiso de conducir con una antigüedad al menos de dos años. En lo atinente al seguro, se establece que el propietario del vehículo autónomo o cualquier persona que tenga interés en su aseguramiento estará obligado a suscribir y mantener en vigor un contrato de seguro que cubra, hasta la cuantía de los límites del aseguramiento obligatorio de vehículos a motor, la responsabilidad civil derivada de los posibles daños causados en las personas o los bienes con motivo de la circulación durante la

---

[12]   En efecto, tal y como habíamos adelantado, la DGT ha adoptado, al igual que la NHTSA americana, la clasificación de vehículos autónomos elaborada por la SAE según la cual los vehículos pueden ser: Nivel 0: Ausencia total de automatismo en la conducción: El conductor realiza continuamente todas las tareas asociadas a la conducción incluso cuando son mejoradas a través de un aviso o intervención del sistema. Nivel 1: Asistencia al conductor: El sistema de ayuda al conductor realiza alguna tarea específica como la conducción dinámica lateral o longitudinal mientras el conductor realiza el resto de tareas. Son coches que incorporan el control de crucero o el mantenimiento del coche en el carril en el que se encuentra. Nivel 2: Automatismo parcial o coche semiautónomo. El conductor supervisa la conducción dinámica lateral o longitudinal, que es realizada por el vehículo. El conductor ha de permanecer atento por si existe un fallo. Nivel 3: Automatismo condicional. El vehículo puede circular por entornos determinados como autopistas de forma autónoma, pero necesita la supervisión del conductor. El vehículo circula de forma autónoma, pero a la expectativa de que el conductor reaccione cuando sea necesario. Nivel 4: Alto nivel de automatismo. Los vehículos pueden circular por determinadas vías, en las que el vehículo pueda obtener la información que precisa, sin que sea necesaria la supervisión del conductor. Nivel 5: Automatismo total. El coche puede circular por cualquier vía sin control por parte del conductor. El vehículo está equipado con sistemas de detección y seguridad suficientes para reaccionar ante cualquier eventualidad. Por el momento, no hay vehículos disponibles que cumplan con el nivel de seguridad exigido para ser de nivel 5.

realización de las pruebas en vías abiertas al tráfico en general[13]. Sin embargo, en los últimos meses han aparecido noticias en la prensa relativas a que la DGT quiere impulsar una nueva regulación a través de un "plan estratégico para el vehículo del siglo XXI" que estuviera listo al final de esta legislatura[14]. Al respecto, hay que señalar que una de las preocupaciones de la Resolución del Parlamento Europeo es que los Estados Miembros comiencen a regular las cuestiones relacionadas con la robótica de forma particular[15].

IV. ASPECTOS ÉTICOS RELACIONADOS CON LA CIRCULACIÓN DE VEHÍCULOS AUTÓNOMOS

Uno de los aspectos más relevantes que plantea la conducción de coches autónomos, además de la responsabilidad por daños, guarda relación con las implicaciones éticas de la toma de decisiones que conviene adoptar cuando varios bienes jurídicos se hallen en situación de riesgo. La Resolución del Parlamento muestra su preocupación, en efecto, por esta cuestión en los *Principios Generales* que contiene. Como curiosidad, toma en consideración las leyes de Asimov (1º Un robot no hará daño a un ser humano ni permitirá que, por inacción, este sufra daño. 2º Un robot obedecerá las órdenes que reciba de un ser humano, a no ser que las órdenes entren en conflicto con la primera Ley. 3º Un robot protegerá su propia existencia en la medida en que dicha protección no entre en conflicto con las leyes primera y segunda y 0º Un robot no hará daño a la humanidad ni permitirá que, por inacción, este sufra daño[16]), afirmando que deben ir dirigidas a los diseñadores, fabricantes y operadores de robots, incluidos los que disponen de autonomía y capacidad de aprendizaje. Considera que la Unión "podría desempeñar un papel esencial a la hora de establecer principios éticos básicos que deban respetarse en el desarrollo, la programación y la utilización de robots y de la inteligencia artificial, y a la hora de incorporar dichos principios a la normativa y los códigos de conducta de la Unión". Por otro lado, considera que el desarrollo de la robótica debe orientarse a complementar las capacidades humanas y no a

---

[13]   El nuevo marco legal fue utilizado por primera vez por Peugeot-Citroen en noviembre de 2015 en un viaje Vigo-Madrid.

[14]   https://noticias.coches.com/noticias-motor/espana-leyes-coches-autonomos/302182. De hecho, la DGT está colaborando con la israelí Mobileye, adquirida por Intel, siendo aquella una empresa líder en software de Sistemas Avanzados de Conducción Asistida.

[15]   Más en concreto, con relación a los vehículos autónomos, la Resolución señala "la fragmentación de los enfoques normativos podría obstaculizar la implantación de los sistemas de transporte autónomos y poner en peligro la competitividad europea".

[16]   ASIMOV I.: *Círculo vicioso (runaround)* 1943.

sustituirlas, teniendo los seres humanos en todo momento el control sobre las máquinas inteligentes, mostrando preocupación por el posible desarrollo de un vínculo emocional entre seres humanos y robots.

En definitiva, considera que "el actual marco normativo de la Unión debe actualizarse y completarse, en su caso, por medio de directrices éticas que reflejen la complejidad del ámbito de la robótica y sus numerosas implicaciones sociales, médicas y bioéticas". Incide, asimismo, en la necesidad de que siempre "ha de ser posible justificar cualquier decisión que se haya adoptado con ayuda de la inteligencia artificial y que pueda tener un impacto significativo sobre la vida de una o varias personas". El marco de orientaciones éticas debe basarse en "los principios de beneficencia, no maleficencia, autonomía y justicia, así como en los principios consagrados en la Carta de los Derechos Fundamentales de la Unión Europea, como la dignidad humana, la igualdad, la justicia y la equidad, la no discriminación, el consentimiento informado, la vida privada y familiar y la protección de datos". En virtud de todo ello, propone la elaboración de una Carta sobre Robótica, a fin de determinar, caso por caso, "si un determinado comportamiento es adecuado o equivocado en una situación determinada y tomar decisiones conforme a una jerarquía de valores preestablecidos". Se prevé igualmente la elaboración de un Código de Conducta ética para los ingenieros en robótica y un Código Deontológico para los comités de ética de la investigación.

Todas estas consideraciones tienen una especial incidencia en el ámbito de la circulación de coches autónomos. El sistema de conducción autónoma de los vehículos debe ser programado para tomar decisiones ante las eventualidades y circunstancias que pueden rodear a la circulación, en un momento dado. En la toma de decisiones, deberá primar la salvaguarda de la vida tanto de los pasajeros del propio vehículo como de terceros, siguiendo las leyes de Asimov antes trasncritas. El problema se plantea cuando estos bienes jurídicos no pueden protegerse simultáneamente. El vehículo tiene que elegir entre proteger uno u otro bien jurídico. Y lo hará en función de la decisión tomada por aquel que haya programado el sistema con los algoritmos necesarios para que el vehículo se comporte de ese modo, ante esa eventualidad. Para ejemplificar la cuestión tomamos el caso planteado por EL PAIS digital[17] en un post que data del 22 de junio de 2016. "Imagine que un coche se mueve a 80 kilómetros por hora por una carretera. En su interior viaja una niña sola, porque se trata de un vehículo inteligente, autónomo al 100%. De pronto, tres niños se abalanzan sobre la carretera por error y el coche debe elegir en milésimas de segundo: seguir hacia adelante y atropellar a tres niños o dar un volantazo y estamparse contra un muro, con su pequeña pasajera dentro.

---

[17]   http://elpais.com/elpais/2016/06/22/ciencia/1466610816_591801.html

¿Qué debería hacer el coche? Es probable que haya optado por salvar a los tres niños. Ahora, imagine que el coche es suyo y la niña, su hija. ¿Compraría para su familia un coche que va a matar a sus tripulantes para salvar otras vidas?"

El MIT Media Lab (Laboratorio de la Facultad de la Escuela de Arquitectura y Planificación del MIT) ha puesto en marcha un Test en internet (llamado *Moral Machine*[18]) para chequear qué opinión tenemos los humanos acerca de qué decisión debe tomarse en esos casos. El supuesto base es siempre el mismo: un coche se dirige hacia un paso de peatones. Al coche le fallan los frenos. El sujeto que realiza el test tiene que elegir entre dos posibilidades. Una de ellas es que el coche se estrelle contra una barrera y fallezcan los ocupantes del mismo, y la otra varía: que atropelle a tres perros que cruzan el paso de peatones, que atropelle a tres indigentes, que atropelle a un criminal... etc. En marzo de 2018 cuatro millones de personas habían realizado el test. Este arrojó el resultado de, aproximadamente, un 76% que consideraban que el vehículo debería optar por salvar el mayor número de personas (antes a tres peatones que a un conductor). Sin embargo, manifestaban que no querrían ir de pasajeros en estos coches. De hecho, si se trataba de su propio coche, un 40% optó por proteger al pasajero aunque falleciera un número mayor de peatones[19].

Desde el punto de vista filosófico, la cuestión está relacionada con el llamado "dilema del tranvía" que plantea qué decisión ha de adoptarse en caso de que un tranvía esté a punto de atropellar a varias personas que cruzan la vía, lo cual puede ser evitado si arrojamos a un sujeto de gran envergadura corporal a las ruedas del tranvía, con el fin de que éste pare. De adoptarse la postura consecuencialista, en virtud de la cual el fin justifica los medios, la respuesta correcta debería ser que es preferible sacrificar al hombre de mayor envergadura. Al parecer, sólo el 30% de los humanos elegirían esa solución. La cuestión debe ser resuelta por el legislador, y en esa línea se manifiesta la Resolución, haciéndolo de forma imperativa y uniforme para todos los vehículos, respetando las convicciones y el sentir de la sociedad sobre estas cuestiones. Tendremos que acostumbrarnos al hecho de que, en determinadas ocasiones, el vehículo que nos transporte opte por no respetar una determinada vida humana, sea la nuestra propia, sea la de un tercero; a cambio de salvar la vida de otros posibles usuarios de la vía. Todo ello en aras de la ventaja que supone, en abstracto, que las cifras de siniestralidad disminuyan radicalmente en la circulación de este tipo de vehículos, respecto a los vehículos convencionales, pues la mayoría de los accidentes (90%) tienen su origen en factores humanos y errores del conductor.

---

[18]   http://moralmachine.mit.edu
[19]   https://secondnexus.com/science/mit-global-ethics-study-uses-interactive-moral-machine-to-ask-whose-lives-autonomous-vehicles-should-be-programmed-to-save/

Téngase en cuenta, además, que es posible que en el futuro, muchos de los coches no tengan un propietario determinado sino que sean utilizados por el común de los individuos (tomemos como ejemplo la iniciativa de Car2Go). No se trata de que Mi Coche no me protege, sino de la utilización de un medio de transporte que elegirá la medida más oportuna para minimizar los daños ocasionados por un eventual accidente, accidente que siempre tendremos menos posibilidades de sufrir que en la conducción tradicional. Como curiosidad, añadimos que Mercedes Benz ha optado por elegir la protección de los pasajeros del vehículo antes que los de terceros, siguiendo la encuesta realizada también por el MIT, en virtud de la cual, el 76% de los encuestados no comprarían un coche que no protegiera a los pasajeros preferentemente[20].

V. CIBERSEGURIDAD Y PROTECCIÓN DE DATOS

Al margen de las implicaciones éticas y la determinación de la responsabilidad por accidentes, otras cuestiones relacionadas con la conducción de vehículos autónomos son objeto de preocupación para legisladores, fabricantes y usuarios. Hay que destacar la incidencia de la circulación de vehículos autónomos en los derechos a la intimidad y protección de datos. La Resolución muestra su preocupación por este aspecto considerando que "se debe prestar especial atención a los robots que representan una amenaza significativa para la privacidad debido a su ubicación en espacios tradicionalmente protegidos y privados y a su capacidad para obtener y transmitir información y datos personales y sensibles". Se pone de manifiesto que la normativa actual, fundamentalmente el Reglamento UE 2016/679 general de protección de datos[21], puede dar respuesta a estas cuestiones, si bien con las necesarias matizaciones. Especialmente, se llama la atención sobre la necesidad de aclarar las normas y criterios aplicables al uso de cámaras y sensores en los robots y, en definitiva, se defiende un alto nivel de seguridad y protección de los datos personales y de la intimidad. Se menciona esta cuestión, precisamente, como uno de los aspectos que debe tener en cuenta el Código de Conducta Ética para los ingenieros en robótica. Concretamente, se afirma que un ingeniero en robótica debe garantizar que la información privada se conservará con total seguridad y solo se utilizará de forma adecuada. En Estados Unidos, un

---

[20]   http://www.eleconomista.es/ecomotor/motor/noticias/7911573/10/16/Mercedes-resuelve-el-dilema-sus-coches-autonomos-mataran-antes-al-peaton-que-al-pasajero.html

[21]   En España, la Ley Orgánica 31/2018 de Protección de Datos y garantía de los derechos digitales se ha aprobado en diciembre de 2018. Por otro lado, se ha promulgado por el Gobierno un Real Decreto Ley 12/2018 de 7 de septiembre sobre seguridad de redes y sistemas de información, y en la actualidad se tramita como Proyecto de Ley.

estudio realizado por la Universidad de Michigan reveló que la ciberseguridad es una de las principales preocupaciones de los consumidores, con relación a la utilización de los vehículos autónomos[22].

Ello es especialmente relevante en la medida en que los vehículos autónomos deben interconectarse con otros vehículos[23], con los semáforos, con otras infraestructuras, motivo por el cual se envía información sobre datos personales (domicilio, trayectos habituales, lugares de trabajo, actividades de ocio...etc.) a terceros; envío del que el usuario puede no estar informado ni haberlo consentido. Los datos pueden ser utilizados con fines comerciales, políticos[24] o, incluso, criminales[25].

Por otro lado, más preocupante aún es el *hackeo* del vehículo por terceros, que pueda modificar su comportamiento, afectando gravemente a la seguridad del tráfico. Ya en julio de 2015, dos investigadores estadounidenses de IOActive Labs, consiguieron manipular desde su ordenador el sistema de un Jeep Cherokee, conectando el aire acondicionado, aumentando el volumen de la radio y haciéndolo detenerse en mitad de una autopista[26]. De hecho, bastaría con poner pegatinas en las señales de tráfico para confundir a los sensores de los coches autónomos[27]. Los problemas de ciberseguridad que presentan los coches autónomos han sido objeto de atención en la *AV Smart Act* (proyecto de ley presentado en el Senado de EEUU). En su sección 14 se requiere a los fabricantes para que desarrollen, mantengan y ejecuten un plan de ciberseguridad, y se prevé el trabajo conjunto del Departamento de Transportes con los fabricantes a fin de desarrollar un sistema compartido de información sobre vulnerabilidades.

VI. RESPONSABILIDAD CIVIL Y ROBÓTICA

Ante el panorama de accidentes causados por vehículos autónomos hasta el momento, y por más que todas las estadísticas indican que la conducción autó-

---

[22]   GRIFFIN, M.L.: "Steering..." (n. 160).

[23]   En efecto, los vehículos estarán conectados entre sí para informarse mutuamente de la velocidad, posición, posición del volante, presión en el freno... etc. (Vid. GRIFFIN, M.L.: "Steering...".(V2I).

[24]   Pone como ejemplo la profesora DÍAZ ALABART, S.: *Robots...*, p. 39, la utilización de datos para influir en la campaña presidencial por parte de Cambridge analityca.

[25]   Una de las grandes preocupaciones al respecto es la posibilidad de hackear vehículos con el fin de cometer atentados terroristas.

[26]   También es posible manipular un GPS de un coche convencional para dirigirlo a otro destino VVAA:"All Your GPS Are Belong To Us: Towards Stealthy Manipulation of Road Navigation Systems". https://www.microsoft.com/en-us/research/uploads/prod/2018/06/security18gps.pdf.

[27]   https://thehackernews.com/2017/08/self-driving-car-hacking.html

noma reducirá el número de accidentes, una cuestión que necesariamente ha de abordarse es si la circulación de vehículos autónomos implicará modificaciones en nuestro sistema de responsabilidad civil y seguro. Esta misma pregunta se formula en la Resolución del Parlamento europeo de 16 de febrero de 2017.

En principio, cabría considerar que los vehículos autónomos, como cualquier otro robot, puedan ser considerados *productos*, de cara a la aplicación de la normativa en materia de daños causados por productos defectuosos a los causados por el funcionamiento de los mismos. Y ello porque según el art. 136 TRLGDCU es producto "cualquier bien mueble aún cuando esté unido o incorporado a cualquier otro bien mueble o inmueble". Los daños causados por productos tratan de evitarse desde una doble perspectiva: la normativa de seguridad de productos, que pone el énfasis en la gestión del riesgo[28], y la normativa de responsabilidad civil, que establece en qué casos un daño causado por un producto puede ser puesto a cargo del fabricante, importador o distribuidor. La responsabilidad que establece la Directiva 85/374/CEE y la norma española de transposición (actualmente recogida en el TRLGDCU) no exige culpa del fabricante, importador o distribuidor, por lo que podría calificarse de objetiva, pero sí exige algún requisito más que la simple prueba del daño y la relación de causalidad con el uso del producto. Exige probar el defecto[29], el daño y la relación de causalidad entre ambos (art. 139 TRLGDCU). Si bien no es exigible que la víctima del daño pruebe la causa u origen del defecto del producto para que prospere su reclamación[30], ocurre que el fabricante sí puede acreditar que el defecto no es reconducible a su esfera de actuación, probando que no existía en el momento de ponerlo en circulación. Por ello, sí es recomendable que la víctima pruebe, en caso de ser posible, que el daño se produjo por la presencia de un error en la fabricación, diseño o información suministrada al consumidor[31]. Para conseguir tal acreditación podrá valerse la víctima de la prueba de presunciones "cuando la producción del daño alegado

---

[28] Siendo el riesgo la probabilidad de sufrir un daño y la gestión del riesgo el conjunto de actividades dirigidas a evitar o minimizar el riesgo.

[29] Según el art. 137 TRGLDCU "Se entenderá por producto defectuoso todo aquél que no ofrezca la seguridad que cabría legítimamente esperar, teniendo en cuenta todas las circunstancias y, especialmente su presentación, el uso razonablemente previsible del mismo y el momento de su puesta en circulación. En todo caso un producto es defectuoso si no ofrece la seguridad normalmente ofrecida por los demás ejemplares de la misma serie. Un producto no podrá ser considerado defectuoso por el solo hecho de que tal producto se ponga posteriormente en circulación de forma más perfeccionada".

[30] El origen del defecto podrá ser un error en la fabricación, diseño o información suministrada al consumidor o usuario.

[31] PARRA LUCÁN, Mª A.: "Responsabilidad civil por productos defectuosos", en *Tratado de Responsabilidad civil* T. II dirigido por F. Reglero/J.M. Busto, Thomson Reuters Aranzadi, 2014, p. 206.

por la víctima se haya producido en circunstancias tales que quepa presumir el carácter defectuoso, en cuanto que inseguro, del producto"[32].

Ahora bien, el principal problema que se plantea para la aplicación de esta normativa —y así se hace constar en la Resolución— es que los robots no pueden ser considerados meros instrumentos en manos de otros agentes (como el fabricante, operador, propietario...etc.) puesto que cada vez son más autónomos, en el sentido de que toman decisiones de forma independiente[33]. Esto es, los robots, pueden tomar decisiones al interactuar con su entorno, y tales decisiones no siempre pueden estar controladas por los programadores o los usuarios. Como señala M. EBERS[34], el campo de la inteligencia artificial ha experimentado un importante impulso desde sus inicios, en los años 50, momento en el que se intentaba "modelar pensamiento abstracto al nivel de algoritmos en una sucesión natural de pasos". Sin embargo, a partir de los años 80 se considera ya a la inteligencia artificial como "la capacidad de un sistema de ganar experiencia con el mundo físico y social", y actuar en consecuencia, a través de redes neuronales artificiales. Las máquinas ahora son entrenadas, con modelos de entrada y modelos de salida, para, a partir de ellos, aprender asociando similares escenarios a comportamientos, a su vez, similares. De este modo, a medida que avanza la autonomía del robot a la hora de asociar modelos de entrada a modelos de salida o, por así decirlo, "tomar decisiones", el programador, fabricante o usuario pierden capacidad de control sobre el mismo. Como señala M. EBERS "el comportamiento de la máquina por definición no es previsible al detalle, precisamente porque tal comportamiento depende de factores ambientales sensoriales percibidos"[35]. No todos esos posibles escenarios pueden ser previstos u objeto de entrenamiento específico, a fin de garantizar la respuesta adecuada por el robot. Por otro lado, hay que tener en cuenta la dificultad de prueba del defecto de software, a cargo

---

[32] Según afirma PARRA LUCÁN, Mª A.: "Responsabilidad civil...", p. 206. Añade la autora que "así sucederá, señaladamente, cuando en el accidente se ha destruido el producto". Puede verse sobre esta cuestión la STS de 14 de septiembre de 2018.

[33] Como señala TOMÁS MARTÍNEZ, G.: "¿Puede un robot ser responsable por causar daños? Primeras reflexiones ante el nuevo reto europeo de innovación legal", en *Culpa y Responsabilidad*, coordinado por Prats Albentosa y Tomás Martínez, Thomson Reuters Aranzadi, junio 2017, apd. 4.1. La razón de ser de la duda es "el salto cualitativo de la configuración del robot como máquina, a la de robot inteligente, con capacidades propias de los seres humanos. Esto es, robots sofisticados, complejos, que puedan realizar acciones no previstas por el fabricante".

[34] EBERS, M.: "La utilización de agentes electrónicos inteligentes en el tráfico jurídico: ¿Necesitamos reglas especiales en el Derecho de la Responsabilidad Civil?, *Indret*, n.° 3, Barcelona, julio 2016, p. 4. El autor pone el ejemplo de las partidas de ajedrez ganadas por robots (Deep Blue, Watson) frente a campeones de ajedrez.

[35] EBERS, M.: "La utilización...", p. 7.

del consumidor, por la complejidad que ello entraña, ya que necesitaría un especialista que determinase que había concurrido un defecto de programación[36]. En ese sentido, podría dificultarse la prosperabilidad de la acción indemnizatoria de la víctima que acciona contra el fabricante del robot, al poder alegar éste que el daño causado por la actividad del robot, en nuestro caso, por el vehículo autónomo, no provenía de un defecto de diseño, fabricación o información, sino que se trata de una respuesta al interpretar un escenario dado, que escapa del control del fabricante, o del diseñador o instalador del software[37], en definitiva, como decíamos antes, que el defecto no es reconducible a su esfera de actuación. Esto es, si por ejemplo un vehículo automático "debe tomar decisiones y con ello llega a una situación para la cual, o bien no le fue programada reacción adecuada alguna o en la que el sistema, en razón de su *experiencia*, autónomamente se decide por una determinada acción"[38] que finalmente causa un daño ¿podría imputarse ello a un defecto de diseño? El estándar de diligencia conforme al cual debe programar el diseñador del software dependerá de lo que es previsible, posible y razonable. Y como decimos, hay comportamientos que el programador no podrá predecir, puesto que todos los escenarios posibles de reacción del robot no son imaginables[39]. Por otro lado, no hay que perder de vista que estas cuestiones están también muy relacionadas con la posibilidad de alegar, como causa de exoneración los "riesgos del desarrollo" contenida en el art. 140 TRLGDCU[40]. De hecho, esta causa de exoneración se introduce para evitar que un sistema de responsabilidad objetivo excesivamente riguroso lastre el avance científico y tecnológico, o bien traiga consigo desigualdad y discriminación en el acceso a productos tecnológicos, por la carestía de los mismos al repercutir el importe de

---

[36]   Especialmente muestra preocupación por esta cuestión, GURNEY, J.K "Sue my car not me: product liability and accidents involving autonomous vehicles", *The Board of Trustees of the University of Illinois,* University of Illinois Journal of Law, Technology & Policy, 2013, quien considera que no es apropiada la normativa sobre responsabilidad por productos para determinar la responsabilidad civil del fabricante del coche autónomo. Y ello, entre otros motivos, por las dificultades probatorias de la existencia del defecto de diseño del software.

[37]   Recordemos que conforme al TRGLDCU puede ser responsable el fabricante de un producto terminado o de cualquier elemento incorporado a un producto terminado o de una materia prima (art. 138).

[38]   EBERS, M.: "La utilización…", p. 9.

[39]   Como señala EBERS.M: "La utilización…", p. 11, "¿se puede liberar al productor de responsabilidad con la indicación de que en el comportamiento del agente inteligente causante del daño no hay ningún defecto de construcción, sino más bien una cualidad necesaria para el aprendizaje y el comportamiento adaptativo?

[40]   El fabricante, en efecto, podrá exonerarse probando que el estado de los conocimientos científicos y técnicos existentes en el momento de la puesta en circulación no permitía apreciar la existencia del defecto. Ello salvo que se trate de medicamentos, alimentos, o productos alimentarios destinados al consumo humano (apdo. 3 art. 140).

la prima elevada del seguro en el precio del producto. En la misma línea, de no hacer responder al fabricante de hoy conforme a los estándares de seguridad del futuro, el art. 137.3 TRLGDCU puntualiza que un producto no podrá ser considerado defectuoso por el solo hecho de que tal producto se ponga posteriormente en circulación de forma más perfeccionada[41].

Además, como inconvenientes para aplicar la normativa actual de productos defectuosos a la robótica encontramos que existe un límite cuantitativo para muerte y daños personales causadas por productos idénticos, y una franquicia de 500 euros en caso de daños materiales, y que la responsabilidad se extingue a los 10 años de haberse puesto en el mercado el producto.

En definitiva, lo que la Resolución se pregunta es si debe implementarse una regulación diferente, de corte más objetivo, para reparar los daños causados por el uso de la robótica. Significativo al respecto es el considerando AB: "cuanto más autónomos sean los robots, más difícil será considerarlos simples instrumentos en manos de otros agentes... esta circunstancia suscita la cuestión de si la normativa general sobre responsabilidad es suficiente o si se requieren normas y principios específicos que aporten claridad sobre la responsabilidad jurídica de los distintos agentes y su responsabilidad por los actos y omisiones de los robots cuya causa no pueda atribuirse a un agente humano concreto y de si los actos y omisiones de los robots que han causado daño podrían haberse evitado". Añade la Resolución que los robots no pueden ser considerados responsables de los actos u omisiones que causan daños a terceros[42], y que la normativa actual de daños causados por productos defectuosos sería, en principio, de aplicación, pero que tal normativa no sería suficiente para reparar los daños causados por un robot que toma sus propias decisiones, pues tal normativa solo cubre los daños causados por de-

---

[41]   Señala PARRA LUCÁN, Mª A.: "La responsabilidad...", p. 249, que "la regla fue introducida en la Directiva para evitar la reproducción en el ámbito comunitario de situaciones semejantes a las planteadas ante los Tribunales estadounidenses, donde la introducción por el fabricante de dispositivos de seguridad fue interpretada como reconocimiento de inseguridad en los anteriores diseños del productos" y pone como ejemplo la instalación de los cinturones de seguridad en los asientos traseros de los vehículos.

[42]   Sin embargo, en el nº 59, apdo. f de la Resolución, se plantea la posibilidad de crear a largo plazo una personalidad jurídica específica para robots, de forma que los robots más complejos puedan ser considerados personas electrónicas responsables de reparar los daños que puedan causar. Puede verse sobre esta cuestión DÍAZ ALABART, S.: *Robots y responsabilidad civil*, Reus, Madrid, 2018, p. 75 y ss. y GÓMEZ-RIESCO TABERNERO DE PAZ, J.: "Los robots y la responsabilidad civil extracontractual" en *Derecho de Robots*, dirigido por M. Barrio Andrés, Wolters Kluwer, Madrid 2018, pp. 115, quienes coinciden en una actitud escéptica respecto a tal posibilidad, pues los robots carecen de patrimonio, salvo que respondan *in natura* con su propio valor.

fectos, cuando la víctima puede demostrar el defecto del producto y la relación causal con el daño[43].

La Resolución solicita a la Comisión que elabore una normativa (concretamente, una Directiva) que determine, tras una evaluación en profundidad de la cuestión, si debe aplicarse el enfoque de la responsabilidad objetiva o de la gestión de riesgos. En caso de optarse por un régimen de responsabilidad objetiva, sólo se debería tener que probar el daño y la relación de causalidad con el funcionamiento perjudicial del robot, y en caso de optarse por incidir en el aspecto de la gestión de riesgos, la normativa iría dirigida a la persona que es capaz de minimizar los riesgos y gestionar el impacto negativo. En realidad, reaparecen, de nuevo, las dos dimensiones antes señaladas en materia de protección del consumidor frente a los daños causados por productos: la seguridad y la responsabilidad[44]. Por otro lado, y para finalizar con las recomendaciones contenidas en la Resolución, la misma apunta a una responsabilidad proporcional al nivel real de instrucciones impartidas, en caso de que existan varios responsables; a la indemnización de todos los daños, personales y patrimoniales; a la necesidad de establecer un seguro obligatorio que cubriera todas las responsabilidades en cadena y un fondo (bien general, bien particular para cada categoría de robots) que garantizara la reparación de los daños en caso de ausencia de cobertura del seguro.

En definitiva, creemos que la opción entre establecer un régimen objetivo más estricto para la robótica, o mantener a los robots bajo el régimen de responsabilidad por productos, supondrá elegir, a nivel de política legislativa, el mal menor de entre los siguientes:

- Mantenimiento del régimen de responsabilidad por productos: determinadas víctimas soportarán el daño causado por decisiones equivocadas del robot, no imputables al programador. Como ventaja, la utilización de la robótica será más asequible para mayor número de usuarios pues el precio no se incrementará con el valor del seguro obligatorio, abonado por el adquirente/usuario del robot, o repercutido a este, vía precio, por el fabricante.

---

[43]   Literalmente en el Considerando AI del apartado "Responsabilidad" se expresa del siguiente modo "pese al ámbito de aplicación de la Directiva 85/374/CEE, el marco jurídico vigente no bastaría para cubrir los daños causados por la nueva generación de robots, en la medida en que se les puede dotar de capacidades de adaptación y aprendizaje que entrañan cierto grado de imprevisibilidad en su comportamiento, ya que un robot podría aprender de forma autónoma de sus experiencias concretas e interactuar con su entorno de un modo imprevisible y propio únicamente a ese robot".

[44]   Como señala DÍAZ ALABART, S. *Robots y responsabilidad civil,* p. 70, no hay incompatibilidad entre ambas opciones, es más, parece aconsejable la utilización de ambas.

– Régimen estricto de responsabilidad objetiva impuesta al fabricante. De optarse por esta posibilidad, el fabricante respondería de los daños causados por decisiones autónomas del robot, aunque no pudieran considerarse consecuencia de un defecto de diseño, fabricación o información. La cuestión es ¿qué límite temporal tendría esta responsabilidad? ¿sería ilimitada? ¿cuál sería el coste de asegurar la responsabilidad civil por daños causados por todos sus robots, fabricados en cualquier momento? Téngase en cuenta que la repercusión vía precio del aseguramiento por toda la vida útil del robot tendría que hacerse de una sola vez y ello encarecería enormemente el precio, con lo que se excluiría a una parte importante de la población del acceso a la robótica.

– Régimen estricto de responsabilidad objetiva impuesta al propietario/usuario. La cobertura de las víctimas sería la misma que en el caso anterior, pero la responsabilidad y, consecuentemente, el aseguramiento obligatorio, correría a cargo del propietario/usuario, por los daños causados por decisiones autónomas del robot. Este sistema tiene la ventaja, a mi juicio, que ello no encarecería desorbitadamente el precio del robot, pues el aseguramiento se iría abonando por el propietario usuario a lo largo de la vida útil del robot. Desde el punto de vista de la gestión del riesgo, esta solución no desincentivaría, además, la diligencia del fabricante a fin de evitar fallos de programación. Y ello ya que esta opción debería combinarse con la primera a efectos de que fabricante respondiera, bien de forma directa o en vía de regreso, si el daño proviene de un defecto de software[45].

VII. RESPONSABILIDAD CIVIL EN CASO DE ACCIDENTES DE VEHÍCULOS AUTÓNOMOS

Ahora bien, caso aparte es el de los vehículos autónomos. Si abordamos la cuestión de la responsabilidad civil por daños causados en la conducción de co-

---

[45]   Sobre esta cuestión EBERS, M.: "La utilización…", p. 16, señala que una responsabilidad centrada en el operador no diferenciaría correctamente las esferas de responsabilidad de éste y el fabricante, por lo que sugiere una responsabilidad solidaria de ambos, y que en las relaciones internas se produzca el reparto conforme a las cuotas de distribución de los riesgos. También GURNEY, J.K "Sue my car not me: product liability and accidents involving autonomous vehicles" *The Board of Trustees of the University of Illinois, University of Illinois Journal of Law, Technology & Policy*, 2013, incide en el hecho de que para incentivar el deber de cuidado a la hora de programar y prever actualizaciones del software, el fabricante debería ser responsable siempre de los accidentes ocasionados por vehículos autónomos.

ches autónomos desde la perspectiva que acabamos de analizar, vemos que, al menos *a priori*, los problemas que se plantean son menores que los que presenta la utilización de otro tipo de robots. Y ello, porque, en el ámbito de la circulación de vehículos, la decisión ante la disyuntiva antes expuesta ya está tomada: el régimen de responsabilidad es objetivo, al menos para los daños personales, aun a costa de encarecer el acceso a la conducción de vehículos a motor como consecuencia de la necesidad de concertar un seguro.

En efecto, en el ámbito de la responsabilidad por daños causados por circulación de vehículos autónomos, confluirían, en la actualidad, dos normativas, la normativa de productos y la normativa de responsabilidad civil automovilística. Pero, conforme al principio de especialidad, debería ser preferente la aplicación del régimen de responsabilidad automovilística, de corte objetivo, y más protector para las víctimas. En efecto, en este ámbito el sistema de responsabilidad elegido, al menos para daños corporales, es objetivo; y también se ha optado, como persona responsable, por el conductor; si bien, en el caso del vehículo autónomo, podríamos preguntarnos si el responsable lo debe ser el que se sirve del vehículo en cada momento —que quizá no podamos denominar propiamente conductor—, o el propietario en todo caso, con independencia de que, además, haya supuestos en los que deba responder, por vía de acción principal o de repetición, el fabricante por defectos de software.

Creemos que no existen grandes dificultades para incluir los accidentes en los que se ve involucrado un vehículo autónomo en el ámbito de aplicación del TRL-RCSCVM[46]. Desde luego, puede decirse que estos automóviles son "vehículos a motor" y que el accidente en el que intervienen es un "hecho de la circulación", conforme a lo exigido por los arts. 1 y 2 del RD 1507/2008. En efecto, un "vehículo a motor" es aquél que es idóneo para circular por la superficie terrestre, impulsado a motor y que requiera autorización administrativa. Un "hecho de la circulación" es un supuesto de conducción de vehículo a motor, tanto por garajes y aparcamientos, como por vías o terrenos públicos y privados aptos para la circulación, urbanos o interurbanos, así como por vías o terrenos que sin tener tal aptitud sean de uso común.

Habría que determinar con mayor precisión, eso sí, si, en caso de uso de vehículo totalmente autónomo, el responsable es el usuario del mismo en el momento del accidente, o al propietario en todo caso. El criterio de imputación sería la

---

[46]   En contra ITURMENDI MORALES, G.: "Coches autónomos y conectados. El papel de las aseguradoras". *Revista de la Asociación Española de Abogados Especializados en Responsabilidad Civil y Seguro*, n° 61, 2017, p. 23, considera que, en el momento en que los coches sean autónomos, y, no requieran la acción del ser humano, será necesario un auténtico cambio en el modo de regular la materia.

realización de una actividad de riesgo, y el sistema de responsabilidad, objetivo, por el mero uso o tenencia de un vehículo que realiza una actividad de riesgo. El correspondiente seguro obligatorio de responsabilidad civil cubriría el posible nacimiento de esa responsabilidad.

Es cierto que cabría plantearse si conviene simplemente reconducir la cuestión a un aseguramiento obligatorio de daños, y alejar la cuestión del derecho de la responsabilidad civil, puesto que lo normal es que no pueda imputarse reproche alguno al conductor o usuario ante una decisión tomada por el automóvil. Aunque habrá ocasiones en que sí podrá existir ese reproche, por ejemplo, en los casos de alteraciones del software o falta de actualización del sistema contemplados por la reciente Ley inglesa, como veremos a continuación. Pero no creemos que acudir a la idea de seguro de daños obligatorio sea necesario, y ello porque nuestro sistema, como es sabido, no exige culpa o negligencia del conductor o propietario del vehículo para atribuirles responsabilidad por daños corporales. Bastará que la circulación del vehículo sea la "causa" del accidente, siempre que no concurra culpa exclusiva de la víctima o fuerza mayor. Quedaría por determinar, eso sí:

- Si debería extenderse, para los coches autónomos, el régimen de responsabilidad objetiva a los daños materiales, lo cual no tendría que significar un aumento de la prima del seguro pues esta nueva cobertura podría verse compensada por la menor siniestralidad que se atribuye a la circulación de estos vehículos.

- Si al seguro obligatorio que cubre una responsabilidad objetiva del propietario/usuario, por realizar una actividad de riesgo, frente a terceros, cabe añadirle un seguro de daños, con carácter obligatorio, que indemnizara al propio conductor por los daños por él sufridos. Así lo hace, por ejemplo, la nueva Ley inglesa recientemente aprobada, como luego veremos.

De este modo, y en una primera aproximación la cuestión podría recibir el siguiente tratamiento:

- Accidentes debidos a decisiones autónomas del vehículo, que no pueden ser imputados a fallos de software. La atribución de responsabilidad objetiva al propietario o al usuario del vehículo determinaría la cobertura del daño por el seguro de responsabilidad automovilístico, que cubriría así los daños causados a terceros por toma de decisiones autónomas por parte del software. Estarían cubiertos así los daños causados en accidentes en los que el sistema hubiera tenido que elegir qué interés protege ante el riesgo de causar daño a varios bienes jurídicos. En este supuesto, no cabrá imputar responsabilidad al fabricante del vehículo o del software, pero la víctima elegida por los algoritmos debería ser igualmente indemnizada por el riesgo creado por la conducción. Ello en el bien entendido de que las "decisiones" adoptadas por el coche autónomo, en virtud de esa autonomía, no pueden ser consideradas *fuerza mayor*, sino riesgos típicos del hecho de la circulación. Esta solución es la que ya aporta nuestro TRLRCSCVM para los fallos de elementos mecánicos del vehículo.

– El accidente ha sido causado por un defecto en el software que ha inducido al vehículo a tomar la decisión equivocada que, a su vez, es causa del accidente[47]. Lógicamente, la respuesta variará en función de si es un vehículo de nivel 3, que requiere constante atención y supervisión del conductor, o es un vehículo de nivel 5. Pero en ambos casos, la responsabilidad civil *objetiva o subjetiva* del conductor o propietario, y la cobertura del seguro obligatorio, concurrirá con la atribución de responsabilidad civil a la empresa fabricante del vehículo, o fabricante del software (ambas responden solidariamente —art. 132— conforme al art. 138 del TRLGDCU que regula la responsabilidad por daños causados por productos defectuosos) y con la de sus compañías aseguradoras (art. 131 TRLGDCU)[48]. Si es así, en caso de haber abonado la indemnización la compañía aseguradora del vehículo, podría repetir el pago, en su totalidad, contra la empresa fabricante (art. 10 c TRLRCSCVM)[49]. De este modo, y como es lógico, en los casos en los que el accidente se deba a un defecto de software, los daños causados al "conductor" deben quedar a cargo de los fabricantes, ya del vehículo, ya del software, o de ambos —y del concesionario, por supuesto, si conocía el defecto (art. 146 TRLGDCU). Ello incentivaría el empleo de la diligencia debida en la programación de los coches autónomos. Algunos fabricantes de automóviles, como Volvo, Mercedes Benz y Google, han aceptado asumir la responsabilidad derivada de los accidentes causados por los vehículos autónomos que fabriquen, se entiende, cuando los mismos sean debidos a defectos de fabricación[50].

---

[47] Señala DÍAZ ALABART, S.: *Robots..*, p. 17, los errores o *sesgos* pueden provenir de la fuente de datos (si los datos no son fiables, tampoco lo serán las decisiones basadas en ellos), del propio algoritmo que no ha sido bien codificado (error del analista), o concurrir en el usuario, al interpretar las conclusiones.

[48] No creemos que el legislador deba elegir entre una y otra. En contra ITURMENDI MORALES, G.: "Coches…", p. 24.

[49] Ahora bien, habría que determinar previamente que el software no se hubiera fabricado cumpliendo normas imperativas (que serían en este caso defectuosas) y, además, habría que determinar si es aplicable la causa de exoneración denominada riesgos del desarrollo (art. 140 d) y e) TRLGDCU).

[50] http://thenandito.wixsite.com/todoauto/single-post/2014/01/01/Volvo-Mercedes-y-Google-discuten-sobre-la-responsabilidad-de-los-autos-autónomos

- Accidentes imputables a un tercero. También cabe preguntarse por las posibles acciones de repetición en caso de que el vehículo se vea obligado a "tomar una decisión" como consecuencia de una actuación culposa o dolosa de otro usuario de la vía. Por ejemplo, el vehículo circula correctamente por la calzada y un peatón irrumpe, negligentemente, en la vía, de tal modo que el vehículo adopta la decisión de cambiar de carril para colisionar con el vehículo que circula en la misma dirección, por el carril de la derecha, pues está programado para hacerlo de ese modo ante tal eventualidad, de forma acorde con lo establecido en la legislación *ética* vigente. El seguro automovilístico podría cubrir los daños del vehículo contra el que colisionó nuestro automóvil y, posteriormente, repetir contra el tercero responsable, esto es, el peatón que irrumpe negligentemente en la vía[51]. Sería un caso típico de aplicación del art. 10 b) TRLRCSCVM. Iguales consideraciones cabría hacer en caso de que el accidente hubiese sido causado por un "hacker" que interfiere en el sistema de inteligencia artificial del vehículo, cuestión que preocupa enormemente al sector del automóvil autónomo.
- Accidente causado por culpa exclusiva o concurrente de la víctima: las previsiones contenidas en el TRLRCSCVM al respecto serían fácilmente aplicables en caso de que en el accidente concurriese culpa exclusiva o concurrente de la víctima[52].

Algunas de estas cuestiones están contempladas en la reciente *Automatic and Electric Vehicles Act* 2018[53] aprobada el 19 de julio de 2018 en Reino Unido, cuya regulación ya adelantada en parte, pasamos brevemente a resumir.

La Ley establece, en la Sección 2:
- La responsabilidad de la aseguradora del vehículo cuando un vehículo autónomo asegurado sufra un accidente en el que se causa un daño a una persona asegurada (quedaría cubierta la responsabilidad del conductor o usuario, salvo que haya permitido conducir autónomamente al vehículo cuando ello no está permitido, v. Sección 3) o a un tercero.
- La responsabilidad del propietario del vehículo cuando un vehículo autónomo, no asegurado, sufre un accidente y causa daños a terceros.

---

[51] Ello salvo que se considere que el hecho de tercero integra la *fuerza mayor* como causa de exoneración de la responsabilidad objetiva del conductor.

[52] Para un análisis más exhaustivo del TRLRCSCVM, véanse las monografías de BADILLO, J.A.: *GPS Derecho de la Circulación*, 2ª ed., Tirant lo Blanch, Valencia, 2018; y MONTERROSO, E.: *Responsabilidad civil derivada de los accidentes de circulación y valoración de daños a las personas conforme a la Ley 35/2015, de 22 de septiembre*, 3ª ed., CEF, Madrid, 2018.

[53] http://www.legislation.gov.uk/ukpga/2018/18/pdfs/ukpga_20180018_en.pdf

Los daños cubiertos son muerte, daños personales y patrimoniales, excepto los causados al vehículo, objetos transportados en el vehículo objeto de contrato de transporte, u objetos pertenecientes o poseídos por el asegurado o el usuario a cargo del vehículo en el momento del accidente. Ahora bien, los daños patrimoniales a cargo del asegurador o del propietario tienen el mismo límite que el seguro obligatorio en daños patrimoniales, para vehículos convencionales.

Se añade, además, que la responsabilidad impuesta a la aseguradora o al propietario no es incompatible con considerar responsable a cualquier otro sujeto. En concreto, en la Sección 3 se regula la concurrencia de culpas con la víctima, de tal modo que la indemnización a abonar por la aseguradora o el propietario, conforme a lo señalado en la Sección 2, se reducirá conforme a lo establecido en la Ley de concurrencia de culpas (*contributory negligence*) de 1945, también si hay otro sujeto responsable además del asegurador o del propietario.

En la Sección 4 se regula el supuesto de alteraciones de software o falta de actualización por el asegurado. En caso de alteraciones del software realizadas por el asegurado o con su conocimiento, o en caso de falta de actualización del software en aspectos críticos para la seguridad, que hubiere conocido o debido conocer el asegurado, la póliza del seguro podrá limitar o excluir la responsabilidad del asegurador respecto a los daños sufridos por el asegurado. Respecto a los daños abonados a terceros, podrá reclamarlos la aseguradora del asegurado.

Asimismo, en la Sección 5 se regula la acción de repetición de la aseguradora, o del propietario que ha abonado la indemnización contra cualquier otra persona responsable del accidente, entre las cuales, quizá pueda encontrarse el fabricante que puso en circulación un vehículo con un defecto de programación.

En definitiva, del análisis de la Ley inglesa recién aprobada se deduce que la regulación no difiere mucho de la aplicable a los vehículos convencionales en España (a excepción de que los daños al conductor no están cubiertos en nuestro país, y de la referencia a las alteraciones del software o falta de actualización que es tratada por la Ley inglesa de modo similar a la normativa española en caso de conducción bajo la influencia de bebidas alcohólicas o estupefacientes). Del mismo modo, el documento de trabajo que acompaña a la comunicación de la Comisión al Parlamento europeo, al que hemos aludido anteriormente, se decanta por la aplicación del régimen de responsabilidad de la circulación de vehículos a motor a los coches autónomos. Por ello creemos que, si bien en el caso de otros agentes de inteligencia artificial puede ser conveniente una nueva normativa de responsabilidad civil, que aleje los daños causados por su uso de la normativa de productos defectuosos; en el caso de los automóviles, el régimen de responsabilidad y aseguramiento obligatorio en la circulación de vehículos a motor puede servir, con las debidas matizaciones y actualizaciones, como base del régimen de responsabilidad.

VIII. BIBLIOGRAFÍA

BADILLO, J.A.: *GPS Derecho de la Circulación*, 2ª ed., Tirant lo Blanch, Valencia, 2018.

DÍAZ ALABART, S.: *Robots y responsabilidad civil*, Reus, Madrid, 2018

EBERS, M.: "La utilización de agentes electrónicos inteligentes en el tráfico jurídico: ¿Necesitamos reglas especiales en el Derecho de la Responsabilidad Civil?", *Indret*, nº 3, Barcelona, julio 2016.

DIEZ BALLESTEROS, J.A.: "La responsabilidad civil del fabricante de vehículos defectuosos. Los vehículos sin conductor", *Revista de Responsabilidad civil, circulación y Seguro*, nº 8 2015, pp. 6-30.

GRIFFIN, M.L.: "Steering (or not) through the social and legal implications of autonomous vehicles", *Pepperdine Journal of Business, Entrepreneurship & the Law*, 2018.

GURNEY, J.K "Sue my car not me: product liability and accidents involving autonomous vehicles", *The Board of Trustees of the University of Illinois, University of Illinois Journal of Law*, Technology & Policy, 2013

ITURMENDI MORALES, G.: "Coches autónomos y conectados. El papel de las aseguradoras". *Revista de la Asociación Española de Abogados Especializados en Responsabilidad Civil y Seguro*, nº 61, 2017, pp. 9-24.

MONTERROSO, E.: *Responsabilidad civil derivada de los accidentes de circulación y valoración de daños a las personas conforme a la Ley 35/2015, de 22 de septiembre*, 3ª ed., CEF, Madrid, 2018.

TOMÁS MARTÍNEZ, G.: "¿Puede un robot ser responsable por causar daños? Primeras reflexiones ante el nuevo reto europeo de innovación legal", en *Culpa y Responsabilidad*, coordinado por Prats Albentosa y Tomás Martínez, Thomson Reuters Aranzadi, junio 2017.

PARRA LUCÁN, Mª A.: "Responsabilidad civil por productos defectuosos", en *Tratado de Responsabilidad civil* T. II, dirigido por F. Reglero/J.M. Busto, Thomson Reuters Aranzadi, 2014

VVAA "Los robots y la responsabilidad civil extracontractual", en *Derecho de Robots*, dirigido por M. Barrio Andrés, Wolters Kluver, Madrid 2018.

VVAA: "All Your GPS Are Belong To Us: Towards Stealthy Manipulation of Road Navigation Systems". https://www.microsoft.com/en-us/research/uploads/prod/2018/06/security18gps.pdf.

Páginas web consultadas

- https://www.transportation.gov/sites/dot.gov/files/docs/AV%20policy%20guidance%20PDF.pdf
- https://www.wired.com/story/congress-self-driving-car-law-bill/

- https://www.xataka.com/vehiculos/los-coches-autonomos-sin-conductor-de-emergencia-a-bordo-se-veran-por-las-calles-de-california-en-unos-dias
- http://www.legislation.gov.uk/ukpga/2018/18/contents/enacted
- http://www.europarl.europa.eu/sides/getDoc.do?pubRef=-//EP// TEXT+REPORT+A8-2017-0005+0+DOC+XML+V0//ES
- http://www.europarl.europa.eu/sides/getDoc.do?pubRef=-//EP//TEXT+TA+P8-TA-2017-0051+0+DOC+XML+V0//ES
- http://www.dgt.es/Galerias/seguridad-vial/normativa-legislacion/otras-normas/ modificaciones/15.V-113-Vehiculos-Conduccionautomatizada.pdf
- https://noticias.coches.com/noticias-motor/espana-leyes-coches-autono-mos/302182
- http://elpais.com/elpais/2016/06/22/ciencia/1466610816_591801.html
- http://moralmachine.mit.edu
- https://secondnexus.com/science/mit-global-ethics-study-uses-interactive-moral-machine-to-ask-whose-lives-autonomous-vehicles-should-be-programmed-to-save/
- http://www.eleconomista.es/ecomotor/motor/noticias/7911573/10/16/Mercedes-resuelve-el-dilema-sus-coches-autonomos-mataran-antes-al-peaton-que-al-pasaje-ro.html
- https://thehackernews.com/2017/08/self-driving-car-hacking.html
- http://thenandito.wixsite.com/todoauto/single-post/2014/01/01/Volvo-Mercedes-y-Google-discuten-sobre-la-responsabilidad-de-los-autos-autónomos
- http://www.legislation.gov.uk/ukpga/2018/18/pdfs/ukpga_20180018_en.pdf
- http://www.unece.org/?id=42459&L=3

CAPÍTULO 5
RESPONSABILIDAD CIVIL Y PROTECCIÓN DE DATOS EN EL USO DE LOS DRONES

ESTHER MONTERROSO CASADO

Profesora Titular de Derecho Civil
Universidad a Distancia de Madrid
Abogada

EFRÉN DÍAZ DÍAZ

Abogado, Asociado Senior del Bufete Mas y Calvet
European Data Protection Officer
Miembro del Grupo de Trabajo de la IDEE España
y Experto INSPIRE (European Comission)
Secretario General de la Asociación Española
de Derecho Aeronáutico y Espacial

Sumario: I. INTRODUCCIÓN: CONCEPTO Y EVOLUCIÓN. II. REGULACIÓN JURÍDICA SOBRE DRONES. 1. Legislación europea sobre drones. 2. Legislación europea en responsabilidad civil. 3. Legislación europea en privacidad. 4. Legislación española sobre drones. 5. Legislación española sobre responsabilidad civil. 6. Legislación española en privacidad. III. INTEGRACIÓN DE DRONES EN EL ESPACIO AÉREO CIVIL DE EUROPA. 1. Drones y sensores. 1.1. Qué son los "drones". 1.2. Ejemplos de equipos y sensores instalados. 2. Ventajas, muchas. Algunos riesgos. 2.1. Beneficios. 2.2. Riesgos paras las personas y los bienes. 2.3. Riesgos para la privacidad. 2.4. Riesgos específicos para la protección de datos. IV. OBLIGACIONES EXIGIDAS PARA LA UTILIZACIÓN DE DRONES 1. Uso profesional y experimental de RPAS. 1.1. Obligaciones de los pilotos y operadores. 1.2. Requisitos personales del piloto remoto. 2. Uso deportivo y recreativo de drones. 3. Uso de drones de juguetes. V. LA RESPONSABILIDAD CIVIL DERIVADA DE LA UTILIZACIÓN DE DRONES. 1. Régimen de responsabilidad objetiva de la Ley de Navegación Aérea. 2. Régimen de responsabilidad subjetiva del Código Civil y criterio de interpretación. 3. Régimen de responsabilidad civil por vulneración de los derechos de la personalidad. 4. Régimen de responsabilidad por productos defectuosos. 5. El aseguramiento de los drones. VI. LA PROTECCIÓN DE DATOS EN LOS DRONES. 1. Marco jurídico aplicable en Europa. 1.1. Aplicación de la directiva de protección de datos. 1.2. Tratamiento de datos personales con fines policiales. 1.3. Legalidad del procesamiento y limitación de la finalidad. 1.4. Proporcionalidad, calidad y minimización de los datos: privacidad por diseño y por defecto. 2. Recomendaciones prácticas aplicadas a España. 2.1. Medidas previas al uso de drones. 2.2. Recomendaciones para el uso legal de datos procesados por drones. VII. CONCLUSIONES. VIII. BIBLIOGRAFÍA.

Palabras clave: Derecho Geoespacial, drones (RPAS, UAV), interoperabilidad jurídica, Unión Europea, Seguridad Aérea, Responsabilidad Civil, Aseguramiento.

Resumen: Las aeronaves no tripuladas ("drones") han atraído recientemente la atención y la actividad de la industria, con importantes desarrollos operacionales e innovaciones tecnológicas.

Al mismo tiempo han interesado también a consumidores, legisladores y reguladores del espacio aéreo por sus múltiples usos y posibles riesgos e incidencias en la actividad aérea normal. En un contexto de avance tecnológico, la utilización militar y sobre todo civil de drones es una realidad que requiere conocer la regulación en vigor para su utilización legal. Además del posible uso restrictivo, contrario incluso al progreso industrial, cabe plantear su utilización desde una perspectiva constructiva, consciente de sus importantes beneficios y ventajas a la par que sensible a los riesgos inherentes a un sistema que ha de respetar los derechos fundamentales de las personas y las libertades civiles. Por ello, desde nuestra experiencia profesional y académica en materia de Derecho Geoespacial y Tecnológico, consideramos esencial una aproximación positiva e innovadora a la regulación y a la utilización legal de los drones, abordando dos aspectos básicos el de la responsabilidad civil y el de la protección de datos.

I. INTRODUCCIÓN: CONCEPTO Y EVOLUCIÓN

Las aeronaves no tripuladas o "drones" han acaparado recientemente la atención y la actividad de la industria, con importantes desarrollos operacionales e innovaciones tecnológicas. En poco tiempo han atraído también el interés de consumidores y, más especialmente, de legisladores y reguladores del espacio aéreo por sus múltiples usos y posibles riesgos e incidencias en la actividad normal que hasta ahora sólo ocupaba a las aeronaves.

Los términos RPAS (*Remotely Piloted Aircraft System*) y UAV (*Unmanned Aircraft Vehicle*) se ajustan a la normativa internacional de la Organización de Aviación Civil Internacional (OACI). La OACI no utiliza el término "dron", pero esta denominación ya se ha establecido en el lenguaje popular.

La rápida evolución de los RPAS no ha dejado indiferente al legislador nacional ni europeo ante una pujante industria tecnológica y aeronáutica. Según datos oficiales, la inversión mundial en el sector de los RPAS alcanzará los 114.000 millones de dólares hasta 2023, con EEUU a la cabeza[1].

En este contexto de progresivo e imparable avance tecnológico, la utilización militar y sobre todo civil de los drones es ya una realidad presente[2]. Podría plan-

---

[1]   La inversión mundial en el sector de los UAV alcanzará los 114.000 millones de dólares hasta 2023, con EEUU a la cabeza. Defensa.com. Viernes 02 de agosto de 2013. Disponible en: http://www.defensa.com/index.php?option=com_content&view=article&id=9760:la-inversion-mundial-en-el-sector-de-los-uav-alcanzara-los-114000-millones-de-dolares-hasta-2023-con-eeuu-a-la-cabeza&catid=56:industria&Itemid=164.

[2]   Sobre las aplicaciones y facetas técnicas de los drones, véanse los estudios y recopilaciones publicados en la Sección Normativa, *Revista Mapping*, vol. 24, núm. 171 mayo-junio 2015: AESA: "Agencia Estatal de Seguridad Aérea: Normativa"; APROCTA: "RPAS y la Navegación Aérea"; y COIAE: "Análisis de la normativa de drones" (pp. 6-25). En la Sección de pilotaje, cabe subrayar: COPAC: "La seguridad operacional de los RPAS", y DEURPAS: "Sobre el pilotaje y las aplicaciones de los drones" (pp. 26-33). Asimismo, en la sección de aplicaciones interesan particularmente: COIGT: "Usos y aplicaciones de los drones"; GALILEO GEOSYSTEM:

tearse un uso tan *restrictivo* que incluso fuera contrario al progreso industrial o poco consecuente con la estrategia seguida por una industria altamente innovadora. Por ello, también se podría abordar su utilización desde una *perspectiva constructiva*, consciente de sus importantes beneficios y ventajas a la par que sensible a los riesgos inherentes a un sistema que ha de respetar los derechos fundamentales de las personas y las libertades civiles.

Por ello, desde nuestra experiencia profesional en materia de Derecho Geoespacial y Tecnológico, consideramos esencial una aproximación positiva e innovadora a la utilización legal de los drones, para lograr su empleo multipropósito y optimizar jurídicamente la obtención oficial, fiable, interoperable y actualizada de información y datos espaciales, conforme al Derecho aplicable en cada caso y, por las citadas propiedades, aplicable en procedimientos administrativos y en procesos judiciales. Y, por otro lado, un análisis de la responsabilidad civil por los daños causados derivada de su utilización en los distintos ámbitos.

II. REGULACIÓN JURÍDICA SOBRE DRONES

1. Legislación europea sobre drones

El punto de partida hasta tiempos muy recientes ha sido la falta de regulación específica y sectorial en el ámbito de los sistemas aéreos pilotados remotamente, conocidos como RPAS o UAV por sus siglas en inglés.

Con el fin de lograr una efectiva integración de los RPAS en el espacio aéreo europeo, el Comité Económico y Social Europeo ha aprobado un Dictamen titulado *Una nueva era de la aviación. Abrir el mercado de la aviación al uso civil de sistemas de aeronaves pilotadas de forma remota de manera segura y sostenible*[3], con el fin de ofrecer respuestas a la fabricación, la industria y los servicios europeos de los RPAS, de modo que se supriman las barreras a la introducción de los drones para uso civil en el Mercado Único de la Unión Europea.

Destacan las palabras empleadas por el propio Comité Económico y Social Europeo en el Dictamen citado: "Europa goza de una posición muy favorable que

---

"Teledetección aerotransportada: caso de estudio de la agricultura de precisión", y TOPCON: "Fotogrametría con drones (aviones) sin puntos de apoyo" (pp. 34 y ss).

[3] Cfr. Dictamen del Comité Económico y Social Europeo sobre la Comunicación de la Comisión al Parlamento Europeo y al Consejo "Una nueva era de la aviación - Abrir el mercado de la aviación al uso civil de sistemas de aeronaves pilotadas de forma remota de manera segura y sostenible" [COM(2014) 207 final] (2015/C 012/14). Disponible en: http://eur-lex.europa.eu/legal-content/ES/TXT/?uri=uriserv:OJ.C_.2015.012.01.0087.01.SPA.

le permite aprovechar las ventajas de la industria en expansión de los sistemas de aeronaves pilotadas de forma remota (RPAS), lo que fomenta el empleo y afianza el papel de Europa como centro de conocimientos en materia de tecnología y desarrollo. La financiación europea que ya existe para las pymes podría estimular aún más el desarrollo de la industria de los RPAS".

La incorporación de los drones al mercado, y particularmente en el ámbito de su uso civil, requiere un marco regulatorio adecuado y la adopción, allí donde resulte necesario, de políticas nacionales y de estándares comunes europeos, que podrían ser desarrollados por la *European Aviation Safety Agency* (EASA). Esta imperiosa necesidad surge precisamente de la falta de una regulación adecuada en la mayoría de los Estados Miembros de la Unión Europea, de manera que es ineludible la armonización y la modernización de las regulaciones de aviación de los Estados Miembros en materia de drones.

Las autoridades europeas y nacionales no dudan de los beneficios económicos y sociales que comporta el uso civil de drones, así como de su potencial para el crecimiento y la generación de empleo. La Unión Europea lidera el sector de las aeronaves no tripuladas, un sector de la aviación de rápido desarrollo, con un gran potencial para generar nuevos puestos de trabajo y crecimiento. Es igualmente importante destacar las amenazas y riesgos que tal utilización, por el desarrollo a gran escala de la tecnología de los drones, comporta para la privacidad y la protección de datos personales, auténtico derecho fundamental reconocido en el artículo 8 de la Carta de los Derechos Fundamentales de la Unión Europea[4].

En este sentido, es relevante subrayar, como ya ha hecho el Comité Económico y Social Europeo en su Dictamen sobre *Una nueva era de la aviación,* los aspectos de la privacidad y de la colaboración institucional en este sector innovador. Ciertamente no es casual que se destaque la privacidad entre las dimensiones a tener en cuenta en la nueva regulación con estos términos: "El uso comercial de RPAS más pequeños (menos de 150 kilos), que permiten almacenar mucha información e imágenes, debe ir acompañado desde el principio por claras garantías para la protección de la vida privada. Entre otras cosas, se podría proponer bloquear las imágenes o conectar y desconectar las cámaras, así como proteger la información visual o de otro tipo. Existe una clara necesidad de normas nuevas o más estrictas que sean de aplicación para el uso tanto comercial como privado y que, por ejemplo, permitan identificar los RPAS pequeños, ofrezcan protección contra la piratería informática y eviten que terceros se hagan con el control".

Con igual detalle y concreción, se anticipa que estas cuestiones se han incluido entre las propuestas de adaptación de la regulación de la UE en materia

---

[4]   La Carta fue proclamada el 7 de diciembre de 2000, en vigor por el Tratado de Lisboa.

de protección de datos personales[5], reforma normativa que ha culminado con la aprobación del Reglamento (UE) 2016/679 del Parlamento Europeo y del Consejo de 27 de abril de 2016, relativo a la protección de las personas físicas en lo que respecta al tratamiento de datos personales y a la libre circulación de estos datos y por el que se deroga la Directiva 95/46/CE (Reglamento general de protección de datos)[6]. En esas propuestas europeas se clarifican, entre otras cuestiones, las responsabilidades y obligaciones de los fabricantes y usuarios de los RPAS. Está justificado esperar un enfoque proactivo por parte de la Comisión, sobre todo a la luz de si tales normas deberían elaborarse y aplicarse a escala europea o nacional, pues el Reglamento general de protección de datos tiene directa aplicación europea y claramente transnacional.

Esta reforma normativa de hondo calado europeo e internacional se ha desarrollado en un contexto en el cual "los datos son la moneda de la economía digital de hoy". Recopilados, analizados y transferidos a lo largo y ancho del mundo, los datos personales han adquirido una enorme importancia económica.

Según algunas estimaciones[7], "el valor de los datos personales de los ciudadanos europeos tiene el potencial de crecer hasta cerca de un trillón de euros anuales en 2020. El fortalecimiento de un alto nivel de protección de datos de Europa es una oportunidad de negocio".

Por ello, en este marco compartimos que es crucial la denominada cooperación civil y militar, puesto que: "La utilización civil y militar del espacio aéreo por parte de vehículos tripulados y no tripulados y las normas de seguridad correspondientes representarán una carga mayor para los servicios de tráfico aéreo. Por consiguiente, se apoya la intención de la Comisión de adoptar iniciativas

---

5   Cfr. la Propuesta de Reglamento del Parlamento Europeo y del Consejo relativo a la protección de las personas físicas en lo que respecta al tratamiento de datos personales y a la libre circulación de estos datos (Reglamento general de protección de datos), COM/2012/011 final. En Luxemburgo, el 15 de junio de 2015, los ministros, reunidos en el Consejo de Justicia, han fijado un planteamiento global acerca de la propuesta la Comisión sobre el Reglamento general de protección de datos. Unas normas de protección de datos armonizadas y modernas contribuirán a una Europa preparada para la era digital y representan un avance hacia el mercado único digital de la UE. Las negociaciones tripartitas con el Parlamento y el Consejo darán comienzo en el mes de junio. El propósito común es alcanzar un acuerdo definitivo a finales de 2015.

6   Unión Europea. (2016). Reglamento (UE) 2016/679 del Parlamento Europeo y del Consejo, de 27 de abril de 2016, relativo a la protección de las personas físicas en lo que respecta al tratamiento de datos personales ya la libre circulación de estos datos que viene a derogar y sust. Diario oficial de la Unión Europea, 27. Recuperado a partir de https://eur-lex.europa.eu/legal-content/ES/TXT/?uri=uriserv:OJ.L_.2016.119.01.0001.01.SPA&toc=OJ:L:2016:119:TOC

7   Cfr. European Commission, Stronger data protection rules for Europe, Luxembourg, 15 June 2015, MEMO/15/5170. Disponible en: http://europa.eu/rapid/press-release_MEMO-15-5170_en.htm

al respecto, así como la cooperación entre los ámbitos civil y militar, de modo que se puedan ensayar aplicaciones e innovaciones comerciales y se haga uso de las sinergias cuando sea posible. Asimismo, es indudable que también deberán tenerse en cuenta las prioridades regulatorias y la relación entre la legislación internacional y la europea"[8].

Por otro lado, la Unión Europea ha publicado un nuevo Reglamento de seguridad sobre las operaciones aéreas, que incluye una normativa específica para los drones civiles. La Comisión Europea adoptó la propuesta de revisión del Reglamento 216/2008 del Parlamento Europeo y del Consejo mediante una Propuesta de Reglamento sobre normas comunes en el ámbito de la aviación civil y por el que se creaba una Agencia de Seguridad Aérea de la Unión Europea en diciembre de 2015[9]. Esta propuesta incluía una transferencia de competencias para permitir a la UE regular los drones de todos los tamaños, incluidos los drones de menos de 150 kg. Para ello, la Agencia Europea de Seguridad Aérea (EASA) adoptó un plan (RMT.0230) para llevar a cabo todas las regulaciones necesarias para apoyar la completa integración de los drones en el espacio aéreo europeo. En mayo de 2017, EASA publicó la primera propuesta de consulta (NPA 2017-05) para un Reglamento de la Comisión sobre operaciones de aeronaves no tripuladas. En diciembre de 2017, los representantes permanentes ante la UE refrendaron el acuerdo alcanzado previamente entre la Presidencia del Consejo y el Parlamento Europeo. Como resultado, el 26 de junio de 2018, el Consejo ha adoptado unas normas de la UE sobre aeronaves civiles no tripuladas mediante el Reglamento (UE) 2018/1139 del Parlamento Europeo y del Consejo de 4 de julio de 2018 sobre normas comunes en el ámbito de la aviación civil y por el que se crea una Agencia de la Unión Europea para la Seguridad Aérea y por el que se modifican los Reglamentos (CE) 2111/2005, (CE) 1008/2008, (UE) 996/2010, (CE) 376/2014 y las Directivas 2014/30/UE y 2014/53/UE del Parlamento Europeo y del Consejo, y se derogan los Reglamentos (CE) 552/2004 y (CE) 216/2008 del Parlamento Europeo y del Consejo y el Reglamento (CEE) 3922/91 del Consejo[10].

---

[8]   Cfr. apartado 5.4 del Dictamen del Comité Económico y Social Europeo sobre la Comunicación de la Comisión al Parlamento Europeo y al Consejo, [COM(2014) 207 final] (2015/C 012/14). Disponible en: http://eur-lex.europa.eu/legal-content/ES/TXT/?uri=uriserv:OJ.C_.2015.012.01.0087.01.SPA

[9]   Véase la Propuesta de Reglamento del Parlamento Europeo y del Consejo sobre normas comunes en el ámbito de la aviación civil y por el que se crea una Agencia de Seguridad Aérea de la Unión Europea [En: https://eur-lex.europa.eu/legal-content/ES/TXT/HTML/?uri=CELEX:520 15PC0613&from=EN].

[10]   Reglamento (UE) 2018/1139 del Parlamento Europeo y del Consejo de 4 de julio de 2018 [En: http://www.europarl.europa.eu/sides/getDoc.do?pubRef=-//EP//TEXT+TA+P8-TA-2018-0245+0+DOC+XML+V0//ES]

El nuevo Reglamento resalta la necesidad de una regulación dentro de este ámbito. Por un lado, porque, dado que las aeronaves no tripuladas operan dentro del espacio aéreo junto con las tripuladas, esta normativa debe abarcarlas, con independencia de su masa operativa (Considerando 26), concediendo cierta flexibilidad a los Estados miembros conforme al riesgo y al principio de proporcionalidad (Considerando 27); y, por otro lado, debido a los riesgos que pueden representar las aeronaves no tripuladas para la seguridad operativa, la privacidad, la protección de datos personales, la seguridad en general o el medio ambiente, deben establecerse requisitos relativos al registro de aeronaves no tripuladas y de sus operadores (Considerando 31). Además, se considera preciso tener en cuenta la naturaleza y el riesgo de la aeronave no tripulada y el tipo de operación cuando las condiciones, las reglas y los procedimientos para situaciones en las que el diseño, producción, mantenimiento y operación de aeronaves no tripuladas, así como el personal y las organizaciones involucradas en esas actividades, estén sujetos a certificación (Considerando 32).

Tras estos considerandos, entre otros, y su desarrollo en los artículos 55 a 68, el Anexo IX del Reglamento establece unos requisitos esenciales para aeronaves no tripuladas y otros adicionales para el diseño, la producción, el mantenimiento y la operación de las aeronaves no tripuladas. Dentro de esos requisitos esenciales se encuentra el conocimiento de la normativa tanto nacional como europea y, en particular, la protección, la privacidad, la protección de datos, la responsabilidad, los seguros, la seguridad y la protección del medio ambiente; así como la capacidad del operador y del piloto a distancia para garantizar la seguridad de la operación y la separación segura de la aeronave no tripulada de las personas que se encuentran en tierra y de otros usuarios del espacio aéreo (punto 1.1). Respecto al diseño y producción de estas aeronaves, también se exigen requisitos, como el que sea apta para su función prevista, y que su operación, ajuste y mantenimiento puedan realizarse sin poner en riesgo a las personas (punto 1.2); o que cuenten con las características y funcionalidades correspondientes y específicas, cumpliendo con los principios de privacidad y protección de datos personales por diseño y por defecto, y garantizando su identificación y la naturaleza y la finalidad de la operación (punto 1.3). Dentro de los requisitos especiales se establecen el de la aeronavegabilidad, entre los que se destacan el que deban diseñarse o cuenten con características que demuestren la seguridad de la persona que opera la aeronave no tripulada o de terceros y propiedades (punto 2.1.1), o que se puedan controlar y maniobrar con seguridad en todas las condiciones de utilización previsibles, incluso en caso de avería (punto 2.1.3). También se establecen las condiciones que deben cumplir las organizaciones que intervengan en su diseño, producción, mantenimiento, operaciones y servicios relacionados, así como en la formación para operarlas (punto 2.2). En cuanto a las personas que participan en la operación de una aeronave no tripulada, incluido el piloto a distancia, es preciso que dispongan de los conocimientos y las destrezas necesarios para garantizar la seguridad de la operación, que deberán ser proporcionados al riesgo asociado con el tipo de operación (punto 2.3)[11]. Con respecto a las operaciones, expresamente se indica que el operador es el responsable de la operación y deberá adoptar todas las medidas apropiadas para garantizar la seguridad de la misma, y que el vuelo debe realizarse de conformidad con la legislación, los reglamentos y los procedimientos aplicables (puntos 2.4.1. y 2.4.2); siendo preciso garantizar la seguridad de terceros en tierra y de otros usuarios del espacio aéreo, y minimizar los riesgos derivados de condiciones externas e internas adversas, incluidas las condiciones ambientales, manteniendo la distancia de separación adecuada durante todas las fases del vuelo (punto 2.4.3). Y, en el punto 2.5. se contemplan los requisitos esenciales relativos a la compatibilidad electromagnética y al espectro radioeléctrico, para aeronaves no tripuladas, así como sus motores, hélices, componentes y equipo no instalado, cuyo diseño esté certificado y que se encuentren destinados a funcionar únicamente en frecuencias atribuidas por el Reglamento de Radiocomunicaciones de la Unión Internacional de Telecomunicaciones para un uso aeronáutico protegido. Por último, el punto 3, relativo a los requisitos medioambientales, se remite al Anexo III del Reglamento, y el punto 4 establece el Registro de aeronaves no tripuladas y sus operadores y el marcado. En este apartado se establece un umbral mínimo para el registro de los operadores de aeronaves, que deberán registrarse si operan con drones que puedan transmitir más de 80 julios de energía cinética en caso de colisión contra una persona.

Los cambios introducidos por este Reglamento tienen un impacto en la aplicación de otra legislación europea, como son el Reglamento (CE) 1008/2008 del Parlamento Europeo y del Consejo, de 24 de septiembre de 2008, sobre normas comunes para la explotación de servicios aéreos en la Comunidad; el Reglamento (UE) 996/2010, de 20 de octubre de 2010, sobre investigación y prevención de accidentes e incidentes en la aviación civil; o el Reglamento (UE) 376/2014, de 3 de abril de 2014, relativo a la notificación de sucesos en la aviación civil, que modifica el Reglamento 996/2010. Por otro lado, los cambios introducidos han hecho necesario una modificación de las Directivas 2014/30 / UE y 2014/53 / UE.

A pesar de que esta norma deroga el Reglamento (CE) 216/2008, con efectos desde el 11 de septiembre de 2018, contiene una disposición transitoria, en el artículo 140, cuyo apartado quinto dispone que: "No obstante lo dispues-

---

[11]   Originalmente, la propuesta del Reglamento hacía referencia a la persona que operaba con ella. Sin embargo, ahora, esta exigencia de conocimientos y destrezas se recoge respecto de la persona que participe en la operación.

to en los artículos 55 y 56, las disposiciones pertinentes del Reglamento (CE) 216/2008 seguirán aplicándose hasta que entren en vigor los actos delegados a que se refiere el artículo 58 y los actos de ejecución a que se refiere el artículo 57 del presente Reglamento". De este modo, aunque la Unión Europea planee una regulación sobre drones civiles, independientemente de su peso, de momento contamos con las normas contenidas en los artículos 56 a 58, que tan solo establecen unas líneas básicas, y un Anexo IX relativo a los requisitos para su diseño, producción, mantenimiento y operación de estas aeronaves, con una remisión expresa al Reglamento 216/2008 hasta que se desarrollen estas normas por la Comisión Europea en cooperación con la Agencia Europea de Seguridad Aérea. Por otro lado, el plazo máximo para adaptar las normas de desarrollo del Reglamento 216/2018 a este Reglamento se extenderá hasta el 12 de septiembre de 2023 (artículo 140.3).

En cualquier caso, seguirán quedando fuera del ámbito de aplicación de la Unión Europea los drones utilizados para actividades militares, de aduanas, de policía, de búsqueda y salvamento, de lucha contra incendios, de control de fronteras y de vigilancia costera, o similares, llevados a cabo en interés público. Y, por otro lado, el artículo 56.8 faculta a que los Estados miembros "promulguen normas nacionales para someter a determinadas condiciones la operación de aeronaves no tripuladas por razones ajenas al ámbito de aplicación del presente Reglamento, en particular por razones de seguridad pública o de protección de la privacidad y de los datos personales con arreglo al Derecho de la Unión".

En definitiva, como podemos observar, el escenario actual sobre el uso de RPAS plantea numerosas cuestiones técnicas y tecnológicas en las que desafortunadamente ahora no podemos ahondar, sin perjuicio de poner de relieve las diferencias existentes en los diversos Estados de la Unión Europea y nuestro entorno comercial o tecnológico más próximo, concretamente Estados Unidos y los países de su entorno y cultura legislativa.

Nos centraremos en el análisis de algunas cuestiones jurídicas de interés para los agentes técnicos y los operadores jurídicos, desde una interesante perspectiva como la que representa la cobertura de la responsabilidad civil, la privacidad y la protección de datos, la cual permite vertebrar y contextualizar diversos aspectos de una materia compleja que ofrece aproximaciones poliédricas.

2. Legislación europea en responsabilidad civil

El Reglamento (UE) 2018/1139 del Parlamento Europeo y del Consejo de 4 de julio de 2018 establece, en el punto 2.4.1 del Anexo IX, que "el operador de una aeronave no tripulada es responsable de la operación y deberá adoptar todas las medidas apropiadas para garantizar la seguridad de la misma". No indica un régimen de imputación de esa responsabilidad, pero sí unas exigencias mediante el cumplimiento de una serie de requisitos obligatorios. Por otro lado, también señala la responsabilidad al fabricante que se deriva de la inobservancia de unos requisitos en el diseño ya que, como hemos visto, estas aeronaves "deben diseñarse de manera tal o contar con características o detalles que permitan que se pueda demostrar satisfactoriamente la seguridad de la persona que opera la aeronave no tripulada o de terceros que se encuentren en el aire o en tierra, y de las propiedades" (punto 2.1.1), y "ofrecer una integridad del producto que sea proporcionada al riesgo en todas las condiciones de vuelo previstas" (punto 2.2.2).

El mencionado Reglamento solo establece el régimen de responsabilidad extracontractual de la Agencia de la Unión Europea para la Seguridad Aérea, que deberá reparar los daños causados por ella misma o su personal en el ejercicio de sus funciones, de conformidad con los principios generales comunes al Derecho de los Estados miembros (artículo 97.3). Es decir, se efectúa una remisión a la normativa general en materia de responsabilidad civil.

Por otro lado, aunque contemos con una Directiva europea relativa a la responsabilidad por los daños causados por productos defectuosos[12] o un Reglamento europeo sobre la responsabilidad de las compañías aéreas en caso de accidente[13], no existe un régimen específico de responsabilidad aplicable por los daños causados por los drones a terceros, por lo que debemos acudir a la legislación interna de los Estados miembros.

Por último, y desde una perspectiva de futuro, este apartado también debemos ponerlo en relación con los primeros capítulos de esta monografía y, en particular, con el análisis del texto del Parlamento Europeo, en la Resolución de 16 de febrero de 2017 con recomendaciones destinadas a la Comisión sobre normas de Derecho civil sobre robótica.

---

[12]   Vid. Directiva 85/374/CEE del Consejo, de 25 de julio de 1985, relativa a la aproximación de las disposiciones legales, reglamentarias y administrativas de los Estados Miembros en materia de responsabilidad por los daños causados por productos defectuosos, modificada por la Directiva 199/34/CE del Parlamento europeo y del Consejo, de 10 de mayo. Y traspuesta al derecho interno español, en principio. por la Ley 22/1994, de 6 de julio, de responsabilidad civil por los daños causados por productos defectuosos, y posteriormente incorporadas por el actual Real Decreto Legislativo 1/2007, de 16 de noviembre, por el que se aprueba el texto refundido de la Ley General para la Defensa de los Consumidores y Usuarios y otras leyes complementarias.

[13]   Vid. Reglamento (CE) 2027/97 del Consejo, de 9 de octubre de 1997, sobre la responsabilidad de las compañías aéreas en caso de accidente, modificado por el Reglamento (CE) 889/2002. Y respecto al aseguramiento, debe tenerse en cuenta el Reglamento (CE) Reglamento (CE) 785/2004 del Parlamento Europeo y del Consejo, de 21 de abril de 2004, sobre los requisitos de seguro de las compañías aéreas y operadores aéreo.

3. Legislación europea en privacidad

No todo es ni debe ser privacidad, pero quizá es un buen principio, una acertada aproximación. En especial si se comparte el presupuesto de que resultará mejor prestar atención a los principios generales más que a legislaciones profusas y confusas, siempre particulares en cada lugar.

La regulación europea actual la ha conformado hasta ahora la Directiva 95/46/CE del Parlamento Europeo y del Consejo, de 24 de octubre de 1995, relativa a la protección de las personas físicas en lo que respecta al tratamiento de datos personales y a la libre circulación de estos datos, actualmente derogada por el citado Reglamento general de protección de datos tras um largo proceso de revisión.

Asimismo, en materia de drones ha de tenerse en cuenta la Directiva 2002/58/CE del Parlamento Europeo y del Consejo, de 12 de julio de 2002, relativa al tratamiento de los datos personales y a la protección de la intimidad en el sector de las comunicaciones electrónicas (Directiva sobre la privacidad y las comunicaciones electrónicas).

En la actualidad la aprobación y entrada en aplicación el 25 de mayo de 2018 del Reglamento general de protección de datos, cuyas normas son de directa aplicación a la información personal procesada por los drones en todo el espacio de la Unión Europea, comporta un nuevo escenario normativo de un alto impacto en la actividad desarrollada por los operadores y pilotos remotos de drones.

Como señalan su exposición de motivos y el considerando 6, y los drones no son ajenos a esta realidad, sino que la ahondan: "La rápida evolución tecnológica y la globalización han planteado nuevos retos para la protección de los datos personales. La magnitud de la recogida y del intercambio de datos personales ha aumentado de manera significativa. La tecnología permite que tanto las empresas privadas como las autoridades públicas utilicen datos personales en una escala sin precedentes a la hora de realizar sus actividades. Las personas físicas difunden un volumen cada vez mayor de información personal a escala mundial. La tecnología ha transformado tanto la economía como la vida social, y ha de facilitar aún más la libre circulación de datos personales dentro de la Unión y la transferencia a terceros países y organizaciones internacionales, garantizando al mismo tiempo un elevado nivel de protección de los datos personales".

La integración progresiva de aeronaves no tripuladas en el espacio aéreo civil europeo y la aparición de numerosas aplicaciones de RPAS (que van desde el ocio, los servicios, la fotografía, la logística, la vigilancia de las infraestructuras, etc.) existe una verdadera necesidad de centrar jurídicamente los desafíos que un despliegue a gran escala de aeronaves no tripuladas y tecnología de sensores podría provocar para la intimidad y las libertades civiles y políticas, así como para evaluar las medidas necesarias para garantizar el respeto de los derechos fundamentales y la protección de datos con un enfoque —insistimos— constructivo, abierto a la innovación y favorable a la aplicación en entornos jurídicos.

En este sentido, Europa asiste actualmente a una regulación específica en preparación, de notable complejidad en su contenido y procedimientos legislativos. Los drones, y especialmente aquellos de más pequeño tamaño, se utilizan cada vez más en la Unión Europea (UE), pero actualmente bajo un marco regulatorio fragmentado. Aunque se aplican las normas nacionales de seguridad, las reglas vigentes difieren entre los diversos Estados miembros de la UE y no se aborda de forma coherente un conjunto de garantías clave.

En síntesis, el estado en la redacción del actual Marco Regulatorio es el siguiente. Tras un período de consulta de cuatro meses sobre la Notificación de Enmienda Propuesta, NPA 2017-05, la EASA (European Aviation Safety Agency) publicó la Opinión 01/2018, *Unmanned aircraft system (UAS) operations in the 'open' and 'specific' categories*, que incluye una propuesta de un nuevo Reglamento para las operaciones de UAS en la categoría 'abierta' y 'específica'.

La *categoría 'abierta'* es una categoría de operación de UAS que, considerando los riesgos involucrados, no requiere una autorización previa de la autoridad competente ni una declaración del operador de UAS antes de que la operación tenga lugar.

En cambio, la *categoría 'específica'* es una categoría de operación de UAS que, considerando los riesgos involucrados, requiere una autorización de la autoridad competente antes de que la operación tenga lugar, teniendo en cuenta las medidas de mitigación identificadas en una evaluación de riesgo operacional, excepto en ciertos escenarios estándar cuando la declaración del operador es suficiente o cuando el operador posee un certificado de operador UAS ligero (LUC, de *light UAS operator certificate*) con los privilegios apropiados.

La *categoría 'certificada'* es una categoría de operación de UAS que, considerando los riesgos involucrados, requiere la certificación del UAS, un piloto remoto con licencia y un operador aprobado por la autoridad competente, a fin de garantizar un nivel apropiado de seguridad.

El Reglamento propuesto irá acompañado de la documentación operativa apropiada, que se publicará oficialmente tan pronto como la Comisión de la UE haya adoptado el Reglamento en elaboración. Según informa la EASA, desde el 28 de febrero de 2019, Europa está un paso más cerca de las reglas armonizadas para la operación segura de drones.

El Comité EASA votó unánimemente para aprobar la propuesta de la Comisión Europea de una Ley de Implementación para regular las operaciones de los

Sistemas de Aviones No Tripulados (UAS) en Europa y el registro de operadores de aviones no tripulados y de aviones no tripulados certificados.

El Acta de Implementación está acompañada por un Acta Delegada, que define los requisitos técnicos para drones. Fue adoptada por la Comisión Europea el 12 de marzo de 2019 y enviada al Parlamento de la UE y al Consejo de la UE para el período de control obligatorio de 2 meses.

Si el Parlamento de la UE o el Consejo de la UE no plantean objeciones, ambos actos se publicarán antes del verano de 2019 y el Reglamento se aplicará gradualmente dentro del año de publicación. Para el año 2022, se completará el período de transición y el reglamento se aplicará plenamente.

Entretanto, a efectos operativos y jurídicos puede ser de mucha utilidad conocer los criterios contenidos en la *Opinión 01/2015 on Privacy and Data Protection Issues relating to the Utilisation of Drones*, dado que ofrecen recomendaciones prácticas de directa incidencia en el uso legal de drones. Centraremos nuestro estudio en su análisis y añadiremos algunos aspectos o consideraciones fruto de nuestra experiencia jurídica y profesional en asuntos geoespaciales y tecnológicos.

4. Legislación española sobre drones

La primera norma que establecía unos requisitos mínimos para operar con drones fue la Ley 18/2014, de 15 de octubre, de aprobación de medidas urgentes para el crecimiento, la competitividad y la eficiencia[14] (derogada en la actualidad).

La norma legal salía al paso de los avances científicos y técnicos que, en los últimos años, han contribuido al progreso de la aviación permitiendo la aparición de nuevos usuarios del espacio aéreo, concretamente de los drones, RPAS o UAVs. Se reconocía en la exposición de motivos del texto normativo que "estos avances tecnológicos han permitido, asimismo, una reducción considerable del coste de adquisición de este tipo de aeronaves, permitiendo una proliferación de su uso de manera casi indiscriminada con los consiguientes riesgos a la seguridad aérea que ello conlleva". Constata así tanto las ventajas como los posibles inconvenientes.

La Ley señalaba que la aplicación de estas condiciones tenía carácter temporal y se debían completar con el régimen general de la Ley 48/1960, de 21 de julio, sobre Navegación Aérea, que se modificaba para establecer el marco jurídico general para el uso y operación de los drones, contemplando, de conformidad a lo previsto en la normativa de la Unión Europea sobre operaciones especializadas, la doble posibilidad de someter la realización de la actividad a una comunicación

---

[14]   BOE núm. 163, de 5 de julio de 2014, páginas 52544 a 52715 (172 pp.). El Acuerdo de convalidación se publicó por Resolución de 10 de julio de 2014 (Ref. BOE-A-2014-7648).

previa o a una autorización. Por ello, con el fin de garantizar una transición progresiva y un alto nivel de seguridad de la aviación civil, se afirmaba, en su Preámbulo, que era necesario establecer el régimen jurídico específico aplicable a estas aeronaves y a las actividades aéreas desarrolladas por ellas. Estas medidas normativas debían reflejar el estado actual de la técnica, al mismo tiempo que recoger las necesidades de la industria del sector potenciando sus usos.

Este nuevo régimen jurídico, con rango de Ley, se estableció en la Sección 6ª del Título II, sobre *Infraestructuras y transporte*, dentro de su Capítulo I, relativo a *Aviación civil*, bajo el precepto de *Operación de aeronaves civiles pilotadas por control remoto*[15], en su artículo 50[16], el cual ha sido derogado por el Real Decreto 1036/2017, de 15 de diciembre, por el que se regula la utilización civil de las aeronaves pilotadas por control remoto, y se modifican el Real Decreto 552/2014, de 27 de junio, por el que se desarrolla el Reglamento del aire y disposiciones operativas comunes para los servicios y procedimientos de navegación aérea (que ha sido sustituido posteriormente por el Real Decreto 1180/2018, de 21 de septiembre), y el Real Decreto 57/2002, de 18 de enero, por el que se aprueba el Reglamento de Circulación Aérea.

La Ley 18/2014 únicamente abordaba la operación de aeronaves civiles pilotadas por control remoto de peso inferior a los 150 kg y aquellas de peso superior destinadas a la realización de actividades de lucha contra incendios y búsqueda y salvamento, dado que, en general, el resto estarían sujetas a la normativa de la Unión Europea. Y, por otro lado, reformaba, en su artículo 51, el artículo 11 de la Ley 48/1960[17], para que se comprendiera también en la definición como aeronave "cualquier máquina pilotada por control remoto que pueda sustentarse en la atmósfera por reacciones del aire que no sean las reacciones del mismo contra la superficie de la tierra", por lo que su uso civil queda sujeto a la legislación aeronáutica civil.

---

[15]   Cfr. una interesante explicación de este precepto en "Agencia Estatal de Seguridad Aérea (AESA): Normativa", en *Revista Mapping*, vol. 24, núm. 171 mayo-junio 2015, pp. 6-14.

[16]   Dicho precepto establecía que "las aeronaves civiles pilotadas por control remoto cuya masa máxima al despegue exceda de 25 kg deben estar inscritas en el Registro de matrícula de aeronaves y disponer de certificado de aeronavegabilidad, quedando exentas del cumplimiento de tales requisitos las aeronaves civiles pilotadas por control remoto con una masa máxima al despegue igual o inferior. Además, todas las aeronaves civiles pilotadas por control remoto deberán llevar fijada a su estructura una placa de identificación en la que deberá constar, de forma legible a simple vista e indeleble, la identificación de la aeronave, mediante la designación específica y, en su caso, número de serie, así como el nombre de la empresa operadora y los datos necesarios para ponerse en contacto con la misma" (art. 50.2).

[17]   Redactado por el apartado uno del artículo 51 de la Ley 18/2014, de 15 de octubre, de aprobación de medidas urgentes para el crecimiento, la competitividad y la eficiencia.

En resumen, esta disposición introdujo por primera vez en nuestro ordenamiento las condiciones de explotación de estas aeronaves para la realización de trabajos técnicos o científicos o, en los términos de la normativa de la Unión Europea, operaciones especializadas, así como para vuelos de prueba de producción y de mantenimiento, de demostración, para programas de investigación sobre la viabilidad de realizar determinada actividad con aeronaves civiles pilotadas por control remoto, de desarrollo de nuevos productos o para demostrar la seguridad de las operaciones específicas de trabajos técnicos o científicos, permitiendo, de esta forma, su inmediata aplicación.

Esta normativa muestra los límites y obligaciones para el uso de aeronaves no tripuladas en España. Solo se pueden realizar trabajos aéreos como actividades de investigación; observación y vigilancia de incendios forestales; publicidad aérea u operaciones de emergencia, búsqueda y salvamento.

La reglamentación definitiva ha sido aprobada por el Real Decreto 1036/2017, de 15 de diciembre[18], y hasta su entrada en vigor las operaciones que se podían realizar se limitaban a zonas no pobladas y al espacio aéreo no controlado. La normativa permitía grabar en exteriores, pero ha de hacerse de día y con buenas condiciones meteorológicas. Siempre en zonas fuera de aglomeraciones, lugares habitados o de reuniones de personas al aire libre, dentro del alcance visual del piloto y a una altura máxima de 120 metros.

Desde el Real Decreto 1036/2017, de 15 de diciembre, por el que se regula la utilización civil de las aeronaves pilotadas por control remoto, se ha profesionalizado el sector y conviene tener en cuenta sus principales novedades, como exponemos seguidamente para comprender mejor las cuestiones relativas a responsabilidad civil y protección de datos.

El Real Decreto 1036/2017 es aplicable en territorio y espacio aéreo de soberanía española a las siguientes aeronaves:

a) Aeronaves civiles pilotadas por control remoto (RPA, por sus siglas en inglés "Remotely Piloted Aircraft") que efectúen operaciones aéreas especializadas o vuelos experimentales a las que no es de aplicación el Reglamento (CE) 216/2008 del Parlamento Europeo y del Consejo, de 20 de febrero de 2008 (el Reglamento Base sobre normas comunes en el ámbito de la aviación civil y por el que se crea EASA)[19].

---

18 Real Decreto 1036/2017, de 15 de diciembre, por el que se regula la utilización civil de las aeronaves pilotadas por control remoto, y se modifican el Real Decreto 552/2014, de 27 de junio, por el que se desarrolla el Reglamento del aire y disposiciones (2017). Boletín Oficial del Estado. Recuperado a partir de https://www.boe.es/buscar/doc.php?id=BOE-A-2017-15721

19 Reglamento (CE) 216/2008 del Parlamento Europeo y del Consejo, de 20 de febrero de 2008 (el Reglamento Base sobre normas comunes en el ámbito de la aviación civil y por el que se crea EASA), cuyo texto se puede encontrar en el siguiente enlace: https://www.fomento.gob.es/NR/

b) Elementos que configuran el sistema de aeronave pilotada por control remoto (RPAS, por sus siglas en inglés "Remotely Piloted Aircraft System").

c) Operadores de estos RPAS y operaciones que se realicen con ellos.

d) Pilotos de RPAS y personal que ayude al piloto a ejercer sus funciones.

e) Organizaciones de formación aprobadas.

f) Aeronavegabilidad de RPAS y organizaciones involucradas en ella.

g) Proveedores de servicios de navegación aérea y gestores de aeropuertos y aeródromos.

h) Actividades deportivas, recreativas, de competición y exhibición realizadas con RPAS así como actividades lúdicas propias de aeronaves de juguete, siendo de aplicación únicamente lo dispuesto en las Disposiciones Adicionales del Real Decreto.

En cambio, el Real Decreto no es aplicable a los RPAS militares, los RPA cuya masa máxima al despegue sea superior a 150 kg, salvo ciertas circunstancias (art. 2.2 RD 1036/2017), los globos libres no tripulados y los globos cautivos y los vuelos que se desarrollen en su integridad en espacios interiores completamente cerrados.

Es preciso tener en cuenta, por su significación profesional, que operaciones aéreas especializadas, también denominadas trabajos técnicos, científicos o trabajos aéreos, serán cualquier operación, ya sea comercial o no comercial, distinta de una operación de transporte aéreo, en la que se utiliza una aeronave pilotada por control remoto (RPA) para realizar actividades especializadas, tales como, actividades de investigación y desarrollo, actividades agroforestales, levantamientos aéreos, fotografía, vigilancia, observación y patrulla, incluyendo la filmación, publicidad aérea, emisiones de radio y televisión, lucha contra incendios, lucha contra la contaminación, prevención y control de emergencias, búsqueda y salvamento o entrenamiento y formación práctica de pilotos remotos (art. 5.l).

Por su parte, operación comercial es toda operación aérea especializada realizada por cuenta ajena en la que se da o promete una remuneración, compensación económica o contraprestación de valor con respecto del vuelo o del objeto del vuelo (art. 5.j).

A efectos operativos de vuelo, podemos resumir las nuevas operaciones que permite realizar este Real Decreto: operaciones dentro del alcance visual aumentado (EVLOS), operaciones más allá del alcance visual del piloto (BVLOS) con aeronaves de más de 2 kg de masa máxima al despegue (MTOM, por sus siglas en inglés *Maximum Take Off Mass*), operaciones en zonas donde haya aglome-

---

raciones de edificios en ciudades, pueblos o lugares habitados o reuniones de personas al aire libre, operaciones en espacio aéreo controlado y operaciones nocturnas. Algunas de estas nuevas operaciones requerirán de una autorización por parte de AESA basada en un estudio aeronáutico de seguridad específico y, según las diferentes actividades y zonas de vuelo, se exige el cumplimiento de una serie de requisitos adicionales (tales como autorización expresa de AESA, previa solicitud del operador, estudio de seguridad específico, incorporar al dron luces, pintura u otros dispositivos adecuados para garantizar su visibilidad, incluída comunicación previa, etc.).

Tanto desde la perspectiva de la responsabilidad civil como desde la protección de la privacidad es fundamental conocer que la regulación vigente en España, y en la mayoría de los países de Europa, no contempla los drones como medio de transporte, ya sea de pasajeros o mercancías. De igual manera, y por similares razones de seguridad, la norma no contempla el uso de vehículos aéreos autónomos, porque este tipo de vehículos no permite la intervención del piloto en el control del vuelo.

El uso y operación de los RPAS exige, en todo caso, que su diseño y características permitan al piloto intervenir en el control del vuelo en todo momento.

Siguiendo las pautas de la Agencia Española de Seguridad Aérea, los RPA cautivos siguen siendo aeronaves y deberán ceñirse a sus limitaciones operacionales, pero su condición de cautivos puede ser usada como medida de mitigación de riesgo en un estudio de seguridad específico en relación con vuelos en entornos con aglomeraciones de edificios, reuniones de personas al aire libre o en espacios aéreos controlados (ATZ, CTR, FIZ).

Los RPAS pueden transportarse en una compañía aérea como parte del equipaje, pero las baterías de los equipos se transportarán en función de su tamaño (en bodega o en cabina de pasaje), cumpliendo con los requisitos de cada compañía aérea.

En relación a los requisitos debe cumplir un fabricante de RPA de menos de 25 kg de MTOM, los fabricantes de RPA que no superen los 25 kg de masa máxima al despegue tienen que elaborar para cada aeronave la documentación relativa a su caracterización (artículo 26.a del RD 1036/2017) y una declaración de conformidad de la aeronave con dicha caracterización, que deberán entregar al operador.

Además, el fabricante de un RPAS deberá elaborar y desarrollar los manuales necesarios que describan su funcionamiento, las tareas mantenimiento e inspección. Estos manuales deberán incluir directrices para realizar las tareas necesarias de inspección, mantenimiento y reparación a los niveles adecuados y específicos de la aeronave y sus sistemas asociados (RPAS), y deberán proporcionarse al operador junto a la aeronave.

En materia de identificación de drones, todas las aeronaves pilotadas por control remoto (RPA) deberán llevar fijada a su estructura una placa de identificación ignífuga, en la que deberá constar la identificación de la aeronave, mediante su designación específica, incluyendo el nombre del fabricante, tipo, modelo y, en su caso, número de serie, así como el nombre del operador y los datos necesarios para ponerse en contacto con él. La información que debe figurar en la placa deberá ir marcada en ella por medio de grabado químico, troquelado, estampado u otro método homologado de marcado ignífugo, de forma legible a simple vista e indeleble.

Como indica la Agencia Española de Seguridad Aérea, serán los propietarios de aeronaves pilotadas por control remoto, antes de cualquier uso fuera del espacio acotado y autorizado para exhibiciones aéreas, vuelo recreativo o competiciones deportivas, los encargados de cumplir con los requisitos de identificación. Asimismo, las estaciones de pilotaje remoto deberán llevar fijada a su estructura una placa identificativa ignífuga en la que conste el nombre del propietario y los datos necesarios para ponerse en contacto con él.

De otra parte, la norma determina que el certificado de aeronavegabilidad es un documento emitido por una Autoridad competente a una aeronave para mostrar su conformidad con unos requisitos de diseño (usualmente recogidos en un certificado de tipo) y que permite su operación en vuelo. El certificado de aeronavegabilidad que corresponde a las aeronaves pilotadas por control remoto (RPA) es el certificado restringido de aeronavegabilidad y, en su caso, el certificado de tipo restringido; se emite a la aeronave y abarca todos los componentes del sistema (RPAS), incluyendo la propia aeronave, las estaciones de pilotaje remoto y los correspondientes enlaces de mando y control, así como cualquier otro elemento del sistema que pueda requerirse en cualquier momento durante la operación.

Para la realización de vuelos experimentales con aeronaves que no cuenten con certificado de aeronavegabilidad cuando éste sea exigible, se puede solicitar un "certificado especial para vuelos experimentales".

Según aclara la Agencia Española de Seguridad Aérea se exige certificado de aeronavegabilidad para operar un RPAS cuando el RPA tenga una Masa máxima al despegue (MTOM) superior a 25 Kg. En el caso de un RPA de 25Kg o menos de MTOM, se podrá solicitar a petición del interesado.

El Real Decreto 1036/2017 establece obligaciones en materia de mantenimiento de RPAS. El fabricante del RPAS (o el titular del certificado de tipo, si procede) deberá elaborar los manuales necesarios que describan su funcionamiento, mantenimiento e inspección. Estos manuales deberán incluir directrices para realizar las tareas necesarias de inspección, mantenimiento y reparación a los niveles adecuados y específicos del RPAS, y deberán proporcionarse al operador junto con la aeronave.

El operador es el responsable de asegurar que los RPAS con los que opera conservan las condiciones de aeronavegabilidad con las que fueron fabricados, de acuerdo con las directrices del fabricante; cumplir con cualquier requisito de aeronavegabilidad declarado obligatorio por AESA; establecer un sistema de registro de datos relativos a vuelos realizados, tiempo de cada vuelo, deficiencias ocurridas, eventos significativos respecto de la seguridad, acciones de mantenimiento, inspecciones y sustitución de piezas; y para RPA de hasta 150 kg de masa máxima al despegue, establecer un programa de mantenimiento adecuado para garantizar la aeronavegabilidad continuada del RPAS, sobre la base de las instrucciones del fabricante adaptadas al tipo de operaciones a realizar.

En principio, las tareas de mantenimiento solo las pueden llevar a cabo el fabricante, el titular del certificado de tipo, si procede, y organizaciones de mantenimiento que cumplan los requisitos establecidos por orden del Ministro de Fomento.

Como se establece en la norma, el operador podrá realizar las tareas de mantenimiento solamente si ha recibido formación adecuada por parte del fabricante, o del titular del certificado de tipo, si procede, excepto para aeronaves de menos de 2 kg de masa máxima al despegue en cuyo caso el operador podrá realizar las tareas de mantenimiento siguiendo únicamente las instrucciones del fabricante.

Finalmente, los usuarios de aeronaves pilotadas por control remoto (RPA) destinadas a uso recreativo deberán abstenerse de realizar actuaciones que puedan poner en riesgo la seguridad, regularidad y continuidad de las operaciones aeronáuticas y deberán operar tales aeronaves en las siguientes condiciones: 1) se día, en condiciones meteorológicas de vuelo visual y dando prioridad a las demás categorías de aeronaves, salvo que el RPA pese 2 kg o menos y se vuele hasta una altura máxima de 50 metros sobre el terreno; 2) dentro del alcance visual del piloto y a no más de 120 m de altura sobre el terreno o sobre el obstáculo más alto en un radio de 150 m desde la aeronave; 3) manteniendo una distancia adecuada a obstáculos y sin poner en riesgo la seguridad de personas y bienes en la superficie; 4) no deben sobrevolarse aglomeraciones de edificios en ciudades, pueblos o lugares habitados ni reuniones de personas al aire libre si el RPA pesa más de 250 g. Para RPA de peso inferior o igual a 250 g la altura de vuelo sobre el terreno no debe superar los 20 metros en dichas situaciones; 5) fuera de espacio aéreo controlado, zona de información de vuelo FIZ o zona de tránsito de aeródromo ATZ, excepto aquellas operaciones que se realicen desde infraestructuras destinadas a RPAS, en las condiciones establecidas en los procedimientos de coordinación acordados por el responsable de dichas infraestructuras con el proveedor de servicios de tránsito aéreo. En el entorno de un aeropuerto o aeródromo, a una distancia mínima de 8 km respecto del punto de referencia y 8 km respecto de los ejes de las pistas y su prolongación hasta 6 km a partir del umbral de las mismas, pudiendo reducirse dicha distancia si se establece un procedimiento de coordinación acordado con el gestor aeroportuario o responsable de la infraestructura y se vuela el RPA de acuerdo a lo establecido en dicho procedimiento.

Como disposición particular, la difusión de imágenes de personas o de espacios privados necesita de autorización de las mismas, y se debe cumplir la regulación sobre Protección de Datos, la Ley del Derecho al Honor, a la intimidad personal y familiar y a la propia imagen. Asimismo, se deben respetar las restricciones de toma de imágenes aéreas.

Para poder volar el RPAS en ciudad de forma recreativa, cualquiera que sea el peso, deben cumplirse las siguientes condiciones: fuera de espacio aéreo controlado, FIZ y ATZ, a más de 8 km del punto de referencia de cualquier aeropuerto o aeródromo y a más de 8 km de los ejes de sus pistas y su prolongación hasta 6 km desde su umbral, sin sobrevolar aglomeraciones de edificios ni reuniones de personas. Se debe mantener una distancia adecuada a obstáculos y sin poner en riesgo la seguridad de personas y bienes, con prioridad a las demás categorías de aeronaves, de día y en condiciones meteorológicas de vuelo visual dentro del alcance visual del piloto. Como máximo, hasta 120 metros de altura sobre el terreno o sobre el obstáculo más alto situado en un radio de 150 m desde el RPA. El piloto remoto es responsable de los daños que cause su RPA, por lo que es recomendable suscribir un seguro de responsabilidad civil.

5. Legislación española sobre responsabilidad civil

La responsabilidad por daños causados en la navegación aérea se encuentra regulada en el art. 115 de la Ley 48/1960, de 21 de julio, de Navegación Aérea (LNA) y se refiere al transporte dentro del territorio nacional. Esta Ley se completa con el Reglamento (CE) 2027/97 del Consejo, de 9 de octubre de 1997, sobre la responsabilidad de las compañías aéreas en caso de accidente; y el Real Decreto 37/2001, de 19 de enero, por el que se actualiza la cuantía de las indemnizaciones por daños previstas en LNA. Por otro lado, aunque no contienen una normativa específica en materia de responsabilidad civil, debe tenerse en cuenta las obligaciones en materia de circulación aérea. En este sentido, resultaría de aplicación el Real Decreto 1180/2018, de 21 de septiembre, por el que se desarrolla el Reglamento del aire y disposiciones operativas comunes para los servicios y procedimientos de navegación aérea; y el Real Decreto 57/2002, de 18 de enero, por el que se aprueba el Reglamento de Circulación Aérea. Y, asimismo, para las operaciones militares debemos acudir al Real Decreto 601/2016, de 2 de diciembre, por el que se aprueba el Reglamento de la Circulación Aérea Operativa, y el Real Decreto 866/2015, de 2 de octubre, que aprueba el Reglamento de Aeronavegabilidad de la Defensa.

No obstante, esto no significa que toda esta normativa resulte de aplicación en la operación de todos los drones ya que, como veremos, algunos usos quedan fuera de la LNA y de su normativa de desarrollo.

Por último, al constituir los drones un producto, también, en algunos casos, como veremos, podrá resultar de aplicación el Real Decreto Legislativo 1/2007, de 16 de noviembre, por el que se aprueba el texto refundido de la Ley General para la Defensa de los Consumidores y Usuarios y otras leyes complementarias.

6. *Legislación española sobre privacidad*

La normativa española actual en materia de protección de datos está constituida por la Ley Orgánica 3/2018, de 5 de diciembre, de Protección de Datos Personales y garantía de los derechos digitales.

Asimismo, será de aplicación según la utilización de los drones que se lleve a efecto, el reciente Real Decreto-ley 12/2018, de 7 de septiembre, de seguridad de las redes y sistemas de información, cuyo objeto, según establece su artículo 1.1 es "regular la seguridad de las redes y sistemas de información utilizados para la provisión de los servicios esenciales y de los servicios digitales, y establecer un sistema de notificación de incidentes".

III. INTEGRACIÓN DE DRONES EN EL ESPACIO AÉREO CIVIL

1. *Drones y sensores*

1.1. Qué son los "drones"

La definición, las características y las potencialidades de los drones han de estar presentes en la regulación de este sector industrial, especialmente para su mejor aplicación en procedimientos y actuaciones jurídicas o de componente legal u oficial.

En términos generales, y a los efectos que ahora interesa conocer, las aeronaves no tripuladas son vehículos aéreos que pueden pertenecer a diferentes categorías con una amplia variedad de especificaciones, características y capacidades. Los drones pueden ser diseñados para soportar una variedad de cargas útiles que varían en tamaño y capacidad técnica. El tipo más básico de las aeronaves no tripuladas, que consiste solamente en componentes vitales o meramente operacionales, no realiza ningún procesamiento de datos personales, aunque podría causar molestias y alteraciones sociales a las demás colectividades.

Sin embargo, la adición de otros sensores para fines diversos, como grabar datos de audio o vídeo, plantean preocupaciones obvias de protección de datos y de privacidad. Es importante recordar que los drones disponibles en el mercado no necesariamente están equipados con cámaras de a bordo u otros sensores de forma predeterminada y la elección del operador de aviones no tripulados puede no incluir tal capacidad en función del tipo de uso. No obstante, en la actualidad es inevitable que un RPAS pueda ser diseñado y construido por el propio operador y luego añadirle componentes de una amplia variedad de proveedores.

1.2. Ejemplos de equipos y sensores instalados

El Grupo de Trabajo del Artículo 29 de la Directiva Europea de Privacidad recoge algunos ejemplos de equipos y sensores que podrían tener un impacto directo en la privacidad y en la protección de datos, el cual además podría cuestionar el uso legal de los drones, especialmente si se pretende emplearlos con fines oficiales o jurídicos:

a) *equipo de grabación visual*: cámaras inteligentes con distancia focal fija o variable, capaz de almacenar y transmitir imágenes en vivo, con capacidades de reconocimiento facial en tierra, RPAS para identificar y rastrear personas, objetos o situaciones concretas, identificar los patrones de movimiento, leer las matrículas de vehículos, con garantía al mismo tiempo de una visión 360° o con posibilidad de detectar la energía térmica emitida por un blanco, lo que permite el vuelo y la grabación de imágenes en condiciones de poca visibilidad (debido a la niebla, humo, o residuos) o durante las horas de la noche;

b) *equipos de detección*: sensores óptico-electrónicos, escáneres infrarrojos, radares de apertura sintética para identificar objetos, vehículos y embarcaciones y obtener información sobre su posición, incluso detrás de paredes, humo u otros obstáculos;

c) *equipo de radio-frecuencia*: como antenas que capturan la ubicación de los puntos de acceso Wi-Fi o estaciones celulares, femtoceldas y IMSI receptor utilizado por las fuerzas del orden para controlar los teléfonos y las redes móviles o el proveedor de servicios de enlaces de comunicaciones entre las redes y los usuarios de terminales;

d) *sensores específicos* para la detección de trazas nucleares, rastros biológicos, material químico, artefactos explosivos, etc.

2. Ventajas, muchas. Algunos riesgos

2.1. Beneficios

Las autoridades de la Unión Europea reconocen los beneficios sociales y económicos del uso civil de drones y su potencial de crecimiento y la posibilidad de su empleo con fines multipropósito en todos los niveles económicos, industriales y productivos.

Los drones tienen un gran potencial en áreas muy diversas, ya que pueden desplazarse rápidamente sobre un terreno irregular o accidentado y superar cualquier tipo de obstáculo ofreciendo imágenes a vista de pájaro y otro tipo de información recogida por diferentes sensores.

Como explican algunos proveedores, un sistema con múltiples robots es más robusto aún, debido a la redundancia que esto ofrece. Permite la cooperación en paralelo entre los drones, ayudándose unos a otros para, por ejemplo, cubrir grandes áreas en exteriores o crear redes de sensores móviles. Estos *enjambres* de vehículos aéreos no tripulados pueden desplegarse para realizar tareas de búsqueda ante cualquier tipo de desastre natural, como terremotos o ataques terroristas, ayudando a localizar a personas que puedan necesitar ayuda.

A modo de ejemplo, cabría citar algunas de las aplicaciones donde los RPAS pueden ser muy útiles: búsqueda de personas desaparecidas, al permitir reducir considerablemente el tiempo de localización de personas desaparecidas en lugares abiertos o de difícil acceso como zonas montañosas o nevadas, especialmente por su reducido tamaño, por su menor coste y mayor capacidad de despliegue, con menor riesgo de vidas humanas y menor consumo de combustible, etc.; fotografía, vídeo y cartografía aérea, para captar imágenes desde el aire de forma sencilla y rápida (recuento de árboles en una finca afecta a subvenciones, realización de fotografías y vídeos de inmuebles, infraestructuras longitudinales, etc.); prevención y control de incendios, mediante la supervisión constante, en horas de alto riesgo, de un área boscosa, en busca de puntos activos o conatos de incendio, sin riesgo de vidas humanas y reduciendo los costes comparado con los activos humanos necesarios para desarrollar la misma tarea, etc.

Los beneficios del uso se drones se concretan en numerosas aplicaciones a desarrollar para tareas concretas. Por ejemplo: *Medio Ambiente* (parametrización del índice de contaminación lumínica para elaborar mapas de polución lumínica y monitorizar la eficiencia de medidas ecoenergéticas; control y seguimiento de accidentes industriales con vertidos tóxicos en medios acuáticos y terrestres; control de áreas de depósito y almacenaje de residuos industriales y de su tratamiento); *Agricultura* (control y monitorización del estado de los cultivos mediante imágenes multiespectrales, control de la eficiencia de regadíos, conteo y supervisión de producción agrícola subvencionada); *Geología* (realización de mapas geológicos sedimentológicos, mineralógicos y geofísicos, control y monitorización de explotaciones mineras y su impacto ambiental: movimientos de tierras, producción de áridos, residuos metálicos, balsas de decantación, etc.); *Determinación y control a escala centimétrica* de áreas con riesgos geológicos asociados o caracterización de zonas con riesgo de aludes utilizando imágenes multiespectrales para determinar la humedad de la nieve, cámaras térmicas para determinar su temperatura y técnicas estereoscópicas para determinar grosores; *Construcción e inspecciones* (Inspección de obras desde el aire; estimación de impacto visual de grandes obras); *Control y análisis de multitudes* (manifestaciones, conciertos, etc.), *investigación de una escena de un crimen desde el aire* (accidentes de tráfico); exploración de lugares de difícil acceso, como cuevas, precipicios, etc.; *Movilidad y Tráfico* (grabación y monitorización de la situación del tráfico).

Entre las ventajas operativas y concretas, muchos proveedores destacan la reducción general de precio, en especial frente a alternativas pilotadas, la mejora de las prestaciones (mayor estabilidad que permite mejores fotografías, mayor dinamismo y posibilidad de vuelo a bajas velocidades y cerca del suelo o de obstáculos), simplificación del proceso, automatización del proceso cuando es necesario fotografiar un área más grande, obtención de mapas 3D de un terreno, reducción del tiempo de trabajo, reducción de los efectivos humanos necesarios, etc.

2.2. Riesgos paras las personas y los bienes

El vertiginoso auge experimentado en el mercado y las múltiples utilidades que, como hemos visto, han demostrado tener estos objetos para numerosas industrias y sectores (por ejemplo, en aplicaciones hidrológicas, telecomunicaciones, sector inmobiliario, sector asegurador, agricultura, cartografía, urbanística, infraestructuras, ingeniería civil, evaluación de impactos de obras, minería, mediomambiente, extinción de incendios forestales, operaciones de rescate, seguridad, control de fronteras o medios de comunicación[20]), sumado al reconocimiento de su potencial y el desarrollo que pueden tener en el futuro; requiere analizar las consecuencias de los posibles fallos o errores que puedan suceder en su funcionamiento y el resarcimiento de tales daños. Como prueba de la magnitud de este desarrollo, se estima un crecimiento muy importante el número de drones en circulación a corto plazo, tanto en el ámbito profesional como recreativo, donde se prevé que la flota aumente del millón de aeronaves actual a unos 7 millones en el 2025[21].

A mayor número de drones en circulación mayores posibilidades existirán de que causen accidentes. Y, en este sentido, pueden causar cuantiosos daños en la

[20]   Véase el estudio efectuado sobre las aplicaciones de los drones por la Comunidad de Madrid y la Fundación de la Energía. ESTEBAN HERREROS, J.L. (coord).: *Los drones y su aplicación en la ingeniería civil*, Comunidad de Madrid, Madrid, 2015.

[21]   *Plan Estratégico para el desarrollo del sector civil de los drones en España 2018-2021*, Ministerio de Fomento, Madrid, 2018, p. 66 [En https://rc-innovations.es/image///data/Blog/Plan%20 Estrategico%20Drones%202018-2021.pdf]

seguridad aérea al colisionar con un avión comercial u otro tipo de aeronave que vuele a baja altura, pudiendo ocasionar no solo daños materiales, que afecten a las aeronaves o a objetos tras recibir el impacto, sino también lesiones personales. Las propias aspas son susceptibles de causar dichas lesiones.

Téngase en cuenta, además, que un dron, tras chocar con un objeto, puede perder el control y precipitarse sobre los viandantes, sobre sus propiedades (sea un vehículo o una casa) o colisionar contra un bien público (como pudiera ser una línea telefónica o de alta tensión). Incluso, un dron de gran tamaño podría poner en peligro la seguridad de los pasajeros de una aeronave que resultara impactada debido a que pueden llegar a doblar o romper un aspa e, incluso, desequilibrar el motor[22]. Son numerosos los accidentes ocasionados por drones de los que hemos tenido conocimiento por los medios de comunicación en los últimos años. Algunos han sido noticia por las lesiones sufridas por conocidos personajes, como el cantante Enrique Iglesias cuando, durante un concierto en México, un dron que le estaba filmando le causó graves lesiones en los dedos al tratar de agarrar el aparato en el escenario[23]. Otro caso es el de los daños ocasionados a una conocida *influencer* cuando, en una grabación de un vídeo, una ráfaga de viento descontroló el dron, impactando contra la misma[24]. En ocasiones, las víctimas han sido menores de muy corta edad[25]. Más alarmante han sido las imágenes de impactos de drones con aviones que han puesto en peligro la seguridad de los pasajeros, como sucedió en una colisión con un Boeing 737 en Argentina, con un avión de pasajeros en Canadá[26], con un aeroplano de la compañía LAM Aerolíneas en Mozambique o en el supuesto impacto de un dron contra un helicóptero de la armada estadounidense[27]. La seguridad aérea también se ha visto amenazada como ocurrió en el caos aéreo provocado por un dron en el aeropuerto de Gatwick, en

---

[22]   Investigadores de la Universidad de Cranfield y el laboratorio CRASH de Virginia Tech han demostrado lo peligro de que un dron sea succionado en un motor a reacción. Véase "What happens when a drone gets sucked into a jet engine?" (vídeo) [En: https://vimeo.com/144401420]

[23]   AYUSO, R.: "Enrique Iglesias sufre un accidente con un dron en un concierto", *El País*, 2015 [En https://elpais.com/elpais/2015/06/01/estilo/1433112524_100275.html]

[24]   "Paula Gonu desvela los detalles de su accidente en Las Bahamas", *La Vanguardia*, 2017 [En https://www.lavanguardia.com/muyfan/20171130/433313054820/paula-gonu-accidente-influencer-dron-alex-chiner.html].

[25]   "Un bebé perdió un ojo por la utilización imprudente de un drone", *Diario Veloz*, 2015 Èn http://www.diarioveloz.com/notas/153376-un-bebe-perdio-un-ojo-la-utilizacion-imprudente-un-drone]

[26]   PHAM S.:"Dron choca con un avión de pasajeros en Canadá", *CNN*, 2017 [En https://cnnespanol.cnn.com/2017/10/16/dron-choca-con-un-avion-de-pasajeros-en-canada/]

[27]   "Los drones también causaron accidentes en otras partes del mundo", *TN*, 2017 [En https://tn.com.ar/sociedad/los-drones-tambien-causaron-accidentes-en-otras-partes-del-mundo_833920].

el Reino Unido, que tuvo que detener sus operaciones[28]; o el aterrizaje forzoso de un helicóptero en Carolina del Sur provocado por un dron[29]. No olvidemos tampoco los cuantiosos daños que pueden sufrir también estos dispositivos tras un impacto, como ha sucedido en varios incidentes en los que se estrelló: un dron destinado al servicio postal ruso[30], un dron portugués de vigilancia costera[31], o el famoso dron espía americano, con un valor de 220 millones de dólares, que se precipitó al mar en aguas españolas[32].

Por otro lado, también la experiencia ha demostrado que los drones, además de acarrear riesgos para la vida y la propiedad, también pueden "soltar" componentes, ya sea intencionalmente o accidentalmente, así como realizar mucho ruido, perturbando la paz y la tranquilidad[33].

Por último, como veremos, a continuación, debido a que la mayoría de los drones están dotados de una cámara de filmación, uno de los riesgos que mayor atención ha acaparado son los peligros para la privacidad, lo que, por sus implicaciones, merece un análisis detallado en otro apartado. Del mismo modo, no olvidemos que también entrañan ciberriesgos ya que, por la tecnología de la que disponen, pueden ser susceptibles de ataques en los que se sustraiga la información almacenada durante su vuelo; e, incluso, podrían convertirse en un vehículo para la comisión de hechos delictivos, siendo utilizados en guerras y en ataques terroristas[34].

---

[28] "Drone causes Gatwick Airport disruption", *BBC News*, 2017, [https://www.bbc.com/news/uk-40476264]

[29] LEVIN, A.: "Drone suspected in helicopter crash landing in South Carolina", *Insurance Journal*, 2018 [En https://www.insurancejournal.com/news/southeast/2018/02/16/480807.html].

[30] "El dron del servicio postal ruso se estrella en su vuelo inaugural", *El Economista*, 2018 [En http://www.eleconomista.es/tecnologia/noticias/9043162/04/18/El-dron-del-servicio-postal-ruso-se-estrella-en-su-vuelo-inaugural.html].

[31] "Extraen del mar en Canarias un dron portugués de vigilancia costera", *ABC*, 2018 [https://www.abc.es/espana/canarias/abci-extraen-mar-canarias-dron-portugues-vigilancia-costera-201808311037_noticia.html]

[32] "Un avión no tripulado norteamericano se estrelló en junio frente a las costas de Rota (Cádiz)", *Europa Press*, 2018 [En http://www.europapress.es/nacional/noticia-avion-no-tripulado-norteamericano-estrello-junio-frente-costas-rota-cadiz-20180907104503.html]

[33] PERRITT, H.H. y SPRAGUE, E.O.: "Law Abiding Drones", en *The Columbia Science and Technology Law Review*, vol. 16, núm. 5, 2015, p. 395 [En: http://stlr.org/volumes/volume-xvi-2014-2015/law-abiding-drones/].

[34] Para un análisis en profundidad de la aparición de los drones y sus implicaciones destructivas, morales y éticas, en ese contexto, véase BENJAMIN, M.: *Las guerras de los drones. Matar por control remoto*, Anagrama, Barcelona, 2014.

2.3. Riesgos para la privacidad

El reconocimiento de los beneficios del uso de drones en múltiples entornos y aplicaciones técnicas y jurídicas conduce, al mismo tiempo, a ponderar las amenazas y riesgos que, entre otros derechos y libertades fundamentales, puede comportar para la protección de datos y la privacidad.

Compartimos con las principales autoridades europeas que la integración de las aeronaves no tripuladas en el mercado europeo de la aviación y sus diferentes usos civiles (incluido el uso para la aplicación de Ley) plantea desafíos específicos que deben superarse con el fin de *respetar los derechos y principios consagrados en la Carta de Derechos Fundamentales de la Unión Europea, y en particular el derecho a la vida privada y la vida familiar* (artículo 7) y *la protección de datos personales* (artículo 8).

El Grupo de Trabajo del Artículo 29 de la Directiva de Privacidad destaca también que el tratamiento de datos personales por parte de aeronaves no tripuladas tiene una naturaleza peculiar, especialmente debido a tres factores: en primer lugar, por el *punto de vista único* que aumenta la eficacia de los sensores de a bordo; en segundo término, por la considerable *reducción de la transparencia* que conlleva la utilización de drones, y, en tercer lugar, por la mayor *intrusión en la privacidad* en comparación con sensores fijos similares, a pesar de las similitudes percibidas al considerar, por ejemplo, la videovigilancia mediante RPAS respecto del uso de una cámara de circuito cerrado de televisión fija.

La utilización legal de drones precisa aplicar las indicaciones prácticas de los legisladores y reguladores, tanto a nivel europeo como nacional, incluidas las Autoridades de Aviación Civil, para proteger y desarrollar con garantías la industria, las funciones y procedimientos judiciales y extrajudiciales y al público en general.

De manera particular, ante los riesgos que puede comportar la utilización de RPAS, es necesario estudiar de forma concreta y a través de los especialistas en la materia su impacto sobre la privacidad y la protección de datos, así como las consecuencias del uso prolongado de las diferentes aplicaciones civiles de drones. En concreto, es pertinente valorar en cada caso las peculiaridades y las criticidades relacionadas con el cumplimiento de los requisitos específicos existentes en el marco jurídico de la protección de datos personales.

Este estudio previo habría de concluir con recomendaciones sobre la forma de evitar, mitigar o trasladar adecuadamente los riesgos que puedan surgir en relación con los RPAS y los efectos de su uso, especialmente con el fin de hacer que el procesamiento de los datos personales resulte lícito y compatible con el marco jurídico de protección de datos. En nuestra experiencia, también habría de tenerse en cuenta el cumplimiento de los estándares técnicos que aseguren la obtención fiable de la información, de manera que calidad y confiabilidad sean notas relevantes de los trabajos civiles realizados mediante drones.

2.4. Riesgos específicos para la protección de datos

A la luz de las numerosas aplicaciones existentes y de otras que previsiblemente pueden aparecer en el futuro, los riesgos que se ponen de manifiesto no se limitan a la seguridad o la responsabilidad civil, y también afectan directamente a la protección de datos.

La mayor incidencia en materia de privacidad resulta del hecho de que, en una serie de supuestos, es probable o incluso inevitable que los titulares de los datos, los ciudadanos afectados, no sean conscientes de la actividad de los drones ni del procesamiento de sus datos personales llevado a cabo, en especial si se tiene en cuenta que estos dispositivos pueden ser difíciles de ver desde el suelo.

En cualquier caso, incluso si las personas fueran conscientes de que drones sobrevuelan la zona, ciertamente será difícil o imposible conocer a priori los datos recabados, los equipos de procesamiento a bordo, los fines para los que se recogen los datos, el responsable de ese tratamiento y los cesionarios de la información.

Esta situación provoca, además, el aumento de la sensación ciudadana de estar bajo vigilancia así como una considerable y posterior reducción de las garantías de las personas frente al inmediato y posible procesamiento de su información personal, incluso con limitación o restricción en el ejercicio legítimo de las libertades y los derechos civiles, más conocido como *"efecto disuasorio"* (en inglés denominado *"chilling effect"*).

Según destacan las autoridades europeas, la destreza de los drones facilita aún más su capacidad de alcanzar puntos de vista únicos, por ejemplo, para evitar los obstáculos y para no verse limitado por barreras, muros o cercas. Por tanto, los drones pueden entrar más fácilmente en recintos o locales privados, por lo que sencillamente pueden habilitar la recolección de una amplia variedad de información de fuentes diversas con escasa capacidad de control, prevención o reacción por parte de los propietarios y titulares de derechos.

En función de las tecnologías instaladas a bordo, la incidencia en la privacidad podría ser mayor en la medida en que los datos pueden ser recogidos sin necesidad de una línea de visión directa, es decir, a través de los techos, los muros o las nubes, y conservados durante largos períodos de tiempo y respecto de grandes superficies sin interrupción (con un alto riesgo de recolección masiva de datos personales con posibles usos incompatibles o polivalentes ilegales).

La actividad de los drones puede afectar también a la privacidad por su alta capacidad de interconexión. En nuestra experiencia profesional, hemos tenido ocasión de comprobar la incidencia que podría representar la posibilidad de interconectar una serie de drones para el estudio de grandes áreas o infraestructuras. *Enjambres* de aeronaves no tripuladas, con canales de comunicación en tiempo real entre ellas y las partes externas, podrían desencadenar riesgos aún más elevados de protección de datos, ya que fácilmente podrían permitir la vigilancia coordinada, como por ejemplo para el análisis de los movimientos y seguimiento de personas o vehículos en grandes áreas.

Desde estas perspectivas, es claro apreciar la existencia de un alto riesgo de tratamientos de datos personales desde y mediante aeronaves no tripuladas, en especial si dicho procesamiento tuviera lugar de manera encubierta, lo cual podría causar interferencias importantes en la esfera más íntima de las personas.

Al mismo tiempo, en razón de la finalidad del procesamiento de datos personales, es innegable que existe un riesgo de desviación superior, es decir, riesgos de cambio o ampliación de los usos para fines incompatibles o polivalentes ilegales. La intensidad de este riesgo de desviación de la finalidad depende del equipo potencialmente sofisticado de a bordo y la facilidad con que los datos personales recogidos puedan vincularse con otras piezas de información, lo cual en el escenario del *Big Data*, del *Internet of Things* y de las *Smart Cities* puede agravarse sustancialmente, al requerirse necesariamente dicho procesamiento.

Además, las autoridades europeas subrayan que el impacto potencial de la intrusión en la privacidad se ve agravado por la amplia constelación de actores y entidades implicadas en el uso de los drones. Hasta los fabricantes de RPAS, por ejemplo, tienen un papel fundamental que desempeñar desde la fase de diseño, pues las características operacionales pueden, en mayor o menor medida, prestarse a aplicaciones de privacidad intrusiva (por ejemplo, en el caso de los drones pequeños o de micro-tamaño, capaces de volar y recabar información sensible dentro de edificios).

En este marco, la percepción de los drones por las personas está inextricablemente ligada a la propia sostenibilidad social. Desde nuestra experiencia profesional concreta, consideramos que la aplicación efectiva y con sentido común, además de jurídico, de la normativa de protección de datos puede contribuir a la aceptación del uso de los drones con carácter oficial y para aplicaciones jurídicas, además de reducir, mitigar o suprimir los riesgos inherentes en el uso civil de los drones.

IV. OBLIGACIONES EXIGIDAS PARA LA UTILIZACIÓN DE DRONES

Debido a los daños que son susceptibles de ocasionar los objetos voladores, sea éste un avión comercial o un avión de caza, un helicóptero, una avioneta, un globo aerostático o un cohete, se encuentran sometidos a la regulación de seguridad aeronaútica, y sus pilotos u operadores deben obtener certificados que demuestren su manejo y habilidades. La utilización de los drones no es ajena a dichas exigencias y precisan de una normativa propia, principalmente porque estos artefactos no pueden ser tripulados y, al no transportar personas, su diseño es diferente[35].

El Real Decreto 1036/2017 resulta de aplicación a las obligaciones y requisitos del operador de actividades profesionales y experimentales con drones, así como a los requisitos personales del piloto remoto, que expondremos a continuación. Por otro lado, también resulta de aplicación el Reglamento (UE) 2018/1139 del Parlamento europeo y del Consejo de 4 de julio de 2018, a todos los drones civiles que no estén sujetos a la normativa de los miembros. No obstante, aunque esta última norma, como hemos señalado antes, se encuentra pendiente de desarrollo, se determina ya que los operadores tendrán que registrarse cuando operen: (a) aeronaves no tripuladas que, en caso de impacto, puedan transmitir a un ser humano más de 80 julios de energía cinética; (b) aeronaves no tripuladas cuya operación presente riesgos para la privacidad, la protección de datos de carácter personal, la seguridad o el medio ambiente; (c) aeronaves no tripuladas cuyo diseño esté sujeto a la certificación conforme al artículo 56 del Reglamento.

1. Uso profesional y experimental de RPAS

Actualmente, España cuenta con casi tres mil operadores habilitados de RPAS con peso inferior a 25 kg, cuya principal actividad profesional se sitúa en su mayor parte en el sector de la fotografía y de la filmación (un 90% de esos operadores comerciales registrados)[36]. Además, se pronostica un incremento en el número de drones de uso profesional a medio plazo[37].

---

[35]   Como afirman PERRITT y SPRAGUE, los drones no tienen pilotos, sus operadores están en el suelo y vuelan los drones mediante un control remoto control y maniobras autónomas incorporadas en el ordenador abordo, lo que plantea dos riesgos, que no están presentes en un avión tripulado: primero, el operador puede perder la conexión inalámbrica; y, en segundo lugar, no tiene el mismo campo visual ni percepción auditiva y cinestésica que un piloto en la cabina para evitar colisiones ("Law Abiding Drones", *op. cit.*, p. 346).

[36]   *Plan Estratégico para el desarrollo del sector civil de los drones en España 2018-2021, op. cit.,* p. 45.

[37]   Se espera que la evolución en el número de drones de uso profesional se eleve hasta alcanzar 400.000 aeronaves hacia 2035 (*íd., ib.*, p. 65).

1.1. Obligaciones de los pilotos y operadores

Los pilotos deben poder controlar, en todo momento, el vuelo del dron. En este sentido, se exige que el diseño y las características de estas aeronaves así lo permitan, siendo el piloto remoto "el responsable de detectar y evitar posibles colisiones y otros peligros" (artículo 4 del Real Decreto 1036/2017).

Además, se establece una serie de obligaciones exigible a los operadores. Téngase en cuenta que en los casos en los que el operador sea una persona física puede ser el piloto remoto, pero el término "operador" comprende a "la persona física o jurídica que realiza las operaciones aéreas especializadas o vuelos experimentales regulados por este real decreto y que es responsable del cumplimiento de los requisitos establecidos por el mismo para una operación segura" (art. 5, letra i).

El operador debe cumplir con unos requisitos generales, establecidos en el artículo 26, y que se pueden resumir en los siguientes: disponer de la documentación relativa a la caracterización de las aeronaves que vaya a utilizar; haber realizado un estudio aeronáutico de seguridad de la operación u operaciones; disponer de una póliza de seguro u otra garantía financiera que cubra la responsabilidad civil frente a terceros; adoptar las medidas adecuadas para proteger a la aeronave de actos de interferencia ilícita durante las operaciones, incluyendo la interferencia deliberada del enlace de radio; asegurarse que la RPA y los equipos cumplen con la normativa reguladora de las telecomunicaciones; cumplir con la normativa en materia de protección de datos personales y protección de la intimidad; notificar los accidentes e incidentes graves a la Comisión de Investigación de Accidentes e Incidentes de Aviación Civil y al Sistema de Notificación de Sucesos de la Agencia Estatal de Seguridad Aérea, según corresponda; y asegurarse de que la operación y el personal que la realiza cumplen con los requisitos establecidos en este real decreto, así como adoptar cualquier otra medida adicional necesaria para garantizar la seguridad de la operación y para la protección de las personas y bienes.

Además, el artículo 27 establece unas obligaciones específicas al operador que realice operaciones aéreas especializadas: disponer de un manual de operaciones que establezca la información y los procedimientos para realizar sus operaciones, así como el entrenamiento práctico de los pilotos; efectuar los vuelos de prueba necesarios que demuestren que la operación pretendida puede realizarse con seguridad; y, además, realizar un estudio aeronáutico de seguridad específico para determinadas operaciones aéreas especializadas. Y, por último, el artículo 28 marca otros requisitos adicionales relativos a la organización del operador con aeronaves con una masa máxima al despegue superior a 25 kg.

Además, se establecen otros deberes para el operador, entre ellos: establecer un área de protección para el despegue y el aterrizaje (art. 30), y del mantenimiento y la conservación de la aeronavegabilidad (art. 16). A tal efecto, por un lado, debe guardar un radio mínimo de 30 metros en el que no se encuentren personas, salvo en el caso de despegue y aterrizaje vertical, que podrá ser de 10 metros; y establecer zonas de recuperación segura en el suelo para que, en caso de que se produzca un fallo, se evite causar daños. Por otro lado, debe ser capaz de demostrar que la RPA y sus sistemas asociados conservan las condiciones de aeronavegabilidad con las que fueron fabricados, así como cumplir con cualquier requisito de mantenimiento de la aeronavegabilidad declarado obligatorio por la Agencia Estatal de Seguridad Aérea. A estos efectos, el operador debe registrar los datos relativos a: (a) los vuelos realizados y el tiempo de vuelo, (b) las deficiencias ocurridas antes de y durante los vuelos, para su análisis y resolución, (c) los eventos significativos relacionados con la seguridad, (d) las inspecciones y acciones de mantenimiento y sustitución de piezas realizadas. Además, debe realizar este mantenimiento y las reparaciones que siguiendo las directrices del fabricante o, en su caso, del titular del certificado de tipo RPA (art. 16.2).

Igualmente, para habilitarse como operador de estas aeronaves debe presentarse ante la Agencia Estatal de Seguridad Aérea una comunicación previa (el artículo 39 regula dicho procedimiento). Y, por otro lado, los operadores interesados en operar en los escenarios que precisan de autorización deben solicitarla ante dicha Agencia (artículo 40).

1.2. Requisitos personales del piloto remoto

El Real Decreto 1036/2017 exige también una serie de requisitos personales, en su artículo 33, para poder ser piloto, y que no se exigen cuando se utilizan drones con fines recreativos. Estos requisitos, que se desarrollan en los siguientes preceptos del capítulo V, se pueden sintetizar en los siguientes: haber cumplido 18 años de edad; contar con un certificado médico emitido por un centro médico aeronáutico o un médico examinador aéreo autorizado (regulado en el artículo 35, que exige que sea, como mínimo Clase LAPL, para aeronaves de hasta 25 kg de MTOM, y Clase 2 o Clase 3 para aeronaves de MTOM superior a 25 kg); disponer de los conocimientos teóricos (en los términos establecidos en el art. 34) y de formación práctica necesarios sobre la aeronave que vayan a pilotar y sus sistemas, o bien sobre una aeronave de una categoría y tipo equivalente (además, el mantenimiento de la aptitud de piloto remoto se regula en el art. 36); y, en el caso de vuelos en espacio aéreo controlado, obtener la calificación de radiofonista y un conocimiento adecuado del idioma a utilizar entre el controlador y la aeronave.

Aunque el piloto es responsable de estos requisitos, el legislador establece la responsabilidad del operador en el cumplimiento de los mismos por parte de los pilotos de las aeronaves operadas por ellos (art. 33.2).

Como prueba de todo ello, los pilotos deben portar los documentos y certificados acreditativos de los requisitos exigidos, así como la acreditación de que el operador dispone de la habilitación para realizar la operación (art. 37).

Además, en el caso de que se auxilien de observadores[38], que apoyen a los pilotos en vuelos EVLOS, estos deben al menos, acreditar los conocimientos teóricos correspondientes a un piloto remoto (art. 38).

2. Uso deportivo y recreativo de drones

De conformidad con el artículo 2.2 del Real Decreto 1036/2017, de 15 de diciembre, su normativa y, por lo tanto, las exigencia analizadas anteriormente, tal y como dispone, no resultan de aplicación a los usuarios de drones, que se destinen exclusivamente a actividades deportivas, recreativas, de competición y exhibición, así como a las actividades lúdicas de las aeronaves de juguete.

No obstante, el legislador, ha establecido unas obligaciones específicas en relación con los riesgos a la seguridad, regularidad o continuidad de las operaciones aeronáuticas, las cuales se encuentran recogidas en la Disposición adicional segunda del Real Decreto 1936/2017, siempre que, además, no les resulte de aplicación lo dispuesto en el Reglamento del aire[39].

El objetivo es que estas aeronaves no realicen actuaciones que puedan poner en riesgo la seguridad, por lo que se establece una serie de obligaciones que deben cumplirse para operar con ellas, y que se pueden sintetizar en las siguientes: (a) respetar una distancia mínima de 8 km respecto de cualquier aeropuerto o aeródromo; (b) no transitar fuera del espacio aéreo controlado, las zonas de información de vuelo (FIZ) o de cualquier zona de tránsito de aeródromo (ATZ), salvo en operaciones desde infraestructuras destinadas a estas aeronaves; (c) operar a una altura máxima sobre el terreno no mayor de 120 metros o sobre el obstáculo

---

[38]   De conformidad con el artículo 5, g) del Real Decreto 1036/2017, un observador es una "persona designada por el operador que, mediante observación visual de la aeronave pilotada por control remoto (RPA), directa y sin ayudas que no sean lentes correctoras o gafas de sol, ayuda al piloto en la realización segura del vuelo".

[39]   Aunque el Real Decreto 1936/2017 se remita al capítulo VIII del Real Decreto 552/2014, de 27 de junio, por el que se desarrolla el Reglamento del aire y disposiciones operativas comunes para los servicios y procedimientos de navegación aérea y se modifica el Real Decreto 57/2002, de 18 de enero, por el que se aprueba el Reglamento de Circulación Aérea, esta referencia debe ser realizada conforme al Real Decreto 1189/2018, de 21 de septiembre, por el que se desarrolla por el que se desarrolla dicho Reglamento del aire y deroga el Real Decreto 552/2014.

más alto situado dentro de un radio de 150 metros desde la aeronave; (d) volar de día y bajo condiciones meteorológicas adecuadas; (e) dentro del alcance visual del piloto, y si se usan gafas FPV, la operación deberá realizarse dentro del alcance visual de un observador; y (f) dar prioridad las demás categorías de aeronaves. Si se trata de drones de menos de 2 kilos de MTOW y que vuelen a una altura máxima de 50 metros es suficiente con que respeten las restricciones de las letras a), b) y e).

Y, en la disposición adicional tercera, se indican unas reglas de policía de la circulación aérea en la operación de estas aeronaves con fines recreativos, deportivos o lúdicos, prohibiéndose a tal fin no operar: (a) sobre aglomeraciones de edificios en ciudades, pueblos o lugares habitados o de reuniones de personas al aire libre, salvo que se trate de aeronaves de hasta 250 g que operen a una altura máxima no superior a 20 m; y (b) en las zonas reservadas, prohibidas o restringidas a la navegación aérea.

Por último, por cuestiones de seguridad pública, los propietarios de aeronaves pilotadas por control remoto antes de cualesquier uso fuera del espacio acotado y autorizado para exhibiciones aéreas, vuelo recreativo o competiciones deportivas, deberán cumplir con los requisitos de identificación recogidos en el artículo 8 del Real Decreto 1037/2017, es decir, llevar una placa de identificación ignífuga, en la que conste la identificación de la aeronave, mediante su designación específica, incluyendo el nombre del fabricante, tipo, modelo y, en su caso, número de serie, así como el nombre del operador y los datos necesarios para contactar.

3. Uso de drones de juguetes

A los drones de juguete no se les exige tampoco los requisitos para pilotar las RPAS establecidos en el Real Decreto que, específicamente, establece su no aplicación a las aeronaves pilotadas por control remoto (RPA) utilizadas exclusivamente para exhibiciones aéreas, actividades deportivas, recreativas o de competición, incluidas las actividades lúdicas propias de las aeronaves de juguete (artículo 2.2). No obstante, como hemos visto, las Disposiciones adicionales segunda y tercera establecen unas obligaciones específicas relativas a la seguridad y unas reglas de policía de la circulación aérea que también deben cumplir los pilotos de estas aeronaves.

Resulta necesario advertir que la definición de estos drones de juguete la encontramos en el Reglamento (UE) 923/2012 de la Comisión, de 26 de septiembre de 2012, por el que se establecen el Reglamento del aire y disposiciones operativas comunes para los servicios y procedimientos de navegación aérea. Este Reglamento define las aeronaves de juguete como la aeronave no tripulada diseñada para el juego de niños menores de 14 años o cuyo uso esté previsto para dicho fin, ya sea o no con carácter exclusivo.

Adicionalmente, a tenor de lo previsto en el Real Decreto 1205/2011, de 26 de agosto, sobre la seguridad de los juguetes, estas aeronaves de juguete deben cumplir los requisitos previstos en dicha disposición. Como pone de manifiesto en su Exposición de Motivos, los agentes económicos que intervienen en la cadena de suministro y distribución de juguetes deben garantizar un nivel elevado de protección del interés público, así como la salud, seguridad y protección de los consumidores y del medio ambiente, y adoptar las medidas oportunas para asegurarse de que, en condiciones de utilización normal y razonablemente previsibles, los juguetes que comercializan no ponen en peligro la seguridad y la salud de los niños. Al tener esta consideración, conviene advertir que los juguetes que se introduzcan en el mercado deben respetar las normas contenidas en este real decreto, así como el resto de la normativa aplicable en materia de seguridad de los productos y, en especial, la prevista en el Real Decreto 1801/2003, de 26 de diciembre, sobre seguridad general de los productos, que se aplica de manera complementaria. De este modo, para que se puedan comercializar deberán cumplir unos requisitos esenciales de seguridad durante su período de uso previsible y norma. A tal efecto, los juguetes no podrán comprometer la seguridad ni la salud de los usuarios ni de otras personas cuando se utilicen para su destino normal o se utilicen conforme a su uso previsible, teniendo en cuenta el comportamiento de los niños (artículo 11.1). Por otro lado, las etiquetas y las instrucciones que acompañen a los juguetes, en este caso, a los drones, deben alertar a los usuarios o a sus supervisores de los peligros inherentes a los juguetes y los riesgos de daños que entrañe su uso e indicar cómo evitarlos (art. 11.2).

Todo ello, sin perjuicio de las posibles responsabilidades que puedan derivarse de su utilización, pudiendo resultar de aplicación al normativa que a continuación se detalla.

V. LA RESPONSABILIDAD CIVIL DERIVADA DE LA UTILIZACIÓN DE DRONES

1. *Régimen de responsabilidad objetiva de la Ley de Navegación Aérea*

En la actualidad, como hemos visto, los diversos usos de drones conllevan que los operadores deban prestar especial atención a los diferentes tipos de obligaciones que de su utilización puedan derivar. Como el régimen de responsabilidad civil por los daños ocasionados por la operación del dron no se ha armonizado a nivel de la Unión Europea, resulta preciso atender a la regulación nacional de cada país, donde habrá que analizar si existe un sistema de responsabilidad objetiva o subjetiva. En España existe un régimen de responsabilidad objetiva en la navegación aérea, pero no se especifica un régimen especial respecto a la operación con RPAS, sino que se incluye a los drones en la categoría de aeronaves. Como veremos, debemos interpretar si esa imputación de la responsabilidad se confiere para cualquier uso de los drones o únicamente para un uso profesional y experimental, aplicando el sistema de responsabilidad previsto en la Ley 48/1960, de 21 de julio, sobre Navegación Aérea (LNA).

La LNA estableció un sistema de responsabilidad objetiva derivado del riesgo por la circulación de aviones. Obviamente, cuando el legislador aprobó esta norma, en los años sesenta, no existían drones circulando en nuestro espacio aéreo y fueron omitidos. Posteriormente, con la regulación operada por el artículo 50 de la Ley 18/2014, de 15 de octubre, el legislador se limitó a recordar la responsabilidad del operador de la aeronave y de la operación, sin establecer un sistema de responsabilidad, ya que establece que el cumplimiento de esta normativa no le exime "de su responsabilidad por los daños causados por la operación o la aeronave". Por lo tanto, no se indicaba expresamente un régimen objetivo de responsabilidad ni se remitía a la LNA. Lo que sí realiza la Ley 18/2014 es una inclusión de los drones como categoría de aeronave, al considerarse como tal "cualquier máquina pilotada por control remoto que pueda sustentarse en la atmósfera por reacciones del aire que no sean las reacciones del mismo contra la superficie de la tierra" (quedando incoporado al artículo 11 de la LNA). Esta definición de la LNA es susceptible de ser aplicada a todos los drones. Ahora bien, resulta cuestionable que este régimen de responsabilidad objetiva se aplique a cualquier uso de los drones por varios motivos. En primer lugar, la Ley 18/2014 excluía de su ámbito de aplicación a las aeronaves civiles pilotadas por control remoto que son utilizadas exclusivamente con fines recreativos o deportivos y, por lo tanto, no quedaban sujetas a lo establecido en esta Ley ni a la LNA. De hecho, el artículo 150.2 de la LNA, tras la reforma operada por el artículo 51.2 de la Ley 18/2014, señala lo siguiente: "Las aeronaves civiles pilotadas por control remoto, cualesquiera que sean las finalidades a las que se destinen excepto las que sean utilizadas exclusivamente con fines recreativos o deportivos, quedarán sujetas asimismo a lo establecido en esta Ley y en sus normas de desarrollo, en cuanto les sean aplicables". Por lo tanto, la propia LNA excluye de su ámbito de aplicación a los drones utilizados solo con una finalidad recreativa o deportiva. Además, la Exposición de Motivos de la Ley 18/2014 señalaba que las condiciones de explotación de estas aeronaves civiles pilotadas por control remoto para la realización de trabajos técnicos o científicos y otra serie de operaciones especializadas tenían un carácter temporal, que se completan con el régimen general de la LNA, pero esa remisión no se efectuaba para cualquier uso de drones. En segundo lugar, el Real Decreto 1036/2017, que establece el marco jurídico definitivo aplicable a la utilización civil de las RPA no sujetas a la normativa de la Unión Europea no se remite en su regulación a la LNA, salvo en los límites de cobertura del seguro de responsabilidad civil (art. 26, en su requisito c) y respecto a los requisitos sobre la matriculación y el certificado de aeronavegabilidad, que no resultan de aplicación para los RPA con una masa máxima al despegue que no exceda de 25 kg (art. 9.1).

En virtud de lo expuesto, sería posible interpretar que para los RPAS de uso profesional y experimental sí resulta de aplicación la LNA y su desarrollo reglamentario. En concreto, el Capítulo XIII, relativo a "la responsabilidad en caso de accidente", artículos 115 a 125 de la LNA. En esta Ley se trata de manera conjunta la responsabilidad que deriva del contrato de transporte aéreo y la responsabilidad extracontractual[40]. Ahora bien, teniendo en cuenta que la mayoría de los preceptos contenidos en ese capítulo se refieren expresamente al transporte de viajeros[41], habrá que delimitar qué preceptos podrían resultar de aplicación a estos drones.

Si acudimos a la LNA, podemos observar que sus disposiciones se aplican, en caso de accidente, a los siguientes daños que se contemplan en la norma: los daños en el transporte de viajeros a bordo de las aeronaves y por la acción de las mismas, o como consecuencia de las acciones de embarque o desembarque (art. 115, apartado primero), daños en el transporte de mercancías y equipajes (art. 115, apartado tercero), y los daños que se causen a las personas o a las cosas

---

[40]   Respecto a los daños causados por aeronaves a terceros en la superficie, téngase en cuenta que si los daños se producen en territorio español por una aeronave española, se aplica la LNA; pero, si es extranjera, el marco normativo internacional se establece en el Convenio sobre daños a terceros en la superficie causados por aeronaves extranjeras, realizado en Roma el 7 de octubre de 1952, modificado en Montreal en 1978 (artículo 2). Además, no resultará de aplicación el Convenio de Montreal (ratificado por España en 2004), porque solo rige respecto al transporte internacional de personas, equipaje o carga efectuado en aeronaves, a cambio de una remuneración; o al transporte gratuito efectuado en aeronaves por una empresa de transporte aéreo. Por lo tanto, en el caso de los drones, al no resultar de aplicación dichos Convenios, debe acudirse a la legislación interna.

[41]   En este sentido, adviértase que la doctrina cuando analiza el régimen jurídico de la responsabilidad objetiva regulada en la Ley de Navegación Aérea lo hace generalmente bajo la premisa de la responsabilidad del transportista, véanse: RUEDA VALDIVIDA, R.: *La responsabilidad del transportista aéreo en la Unión Europea*, Comares, Granada, 2002; GUERRERO LEBRÓN, M.J.: *La responsabilidad contractual del porteador aéreo en el transporte de pasajeros*, Tirant lo Blanch, Valencia, 2005; ROJO ALVAREZ-MANZANEDA, R.: "La responsabilidad civil del transportista en el contrato de pasaje aéreo: especial consideración a la indemnización de los daños personales, en García Garnica, M.ª C. y Antonio Orti Vallejo, A. (dir.), *La responsabilidad civil por daños causados por servicios defectuosos: estudio de la responsabilidad civil por servicios susceptibles de provocar daños a la salud y seguridad de las personas*, Aranzadi, Navarra, 2015, pp. 601-684.

que se encuentren en la superficie terrestre por acción de la aeronave, en vuelo o en tierra, o por cuanto de ella se desprenda o arroje (art. 119). Por lo tanto, en principio, en el caso de los drones solo habría que atender a este último apartado, ya que los drones no transportan personas ni, de momento, mercancías, aunque se espera que, a corto plazo, la entrega de mercancías por drones de mensajería se convierta en una realidad.

Al no encontramos ante un transportista aéreo, no resultan de aplicación los artículos 116 a 118 LNA. Respecto al artículo 119, el problema estriba no ya en la aplicación de los límites de las indemnizaciones establecidas en este precepto, sino en que difícilmente un dron podría alcanzar los límites de peso en kilogramos marcados por la norma, salvo en relación al primer apartado, que establece la cuantía de 220.000 derechos especiales de giro (DEG) para aeronaves de hasta 500 kilogramos de peso bruto. Teniendo en cuenta que la LNA indemniza los daños conforme al peso de las aeronaves, difícilmente se ajusta a la masa de los drones, que no pueden equiparse a una avioneta o un ultraligero.

A continuación, los artículos 120 y 121 de la LNA señalan como sujetos responsables de los daños ocasionados en accidentes con aeronaves al transportista y al operador. Y lo son frente a viajeros y personas o cosas que se encuentran en la superficie terrestre por acción de la aeronave, en vuelo o en tierra, o por cuanto de ella se desprenda o arroje (art. 119.1 LNA). La cuestión más relevante, por lo tanto, es conocer si resulta de aplicación del criterio de imputación de la responsabilidad establecido en el artículo 120 de la LNA. Este precepto establece un régimen de responsabilidad objetiva y contractual, como ha señalado reiteradamente la doctrina y la jurisprudencia[42], al señalar que: "La razón de indemnizar tiene su base objetiva en el accidente o daño y procederá, hasta los límites de responsabilidad que en este capítulo se establecen, en cualquier supuesto, incluso en el de accidente fortuito y aun cuando el transportista, operador o sus empleados justifiquen que obraron con la debida diligencia". Este régimen de responsabilidad objetiva procede, por lo tanto, incluso, en los supuestos de caso fortuito y en caso de actuación diligente del operador o sus empleados.

---

[42]   Véanse las SSTS de 22 de septiembre de 2005 y 28 de mayo de 2007. Y, en la doctrina: BASO-ZABAL ARRUE, X.: *Responsabilidad extracontractual objetiva: parte general*. Editorial Agencia Estatal Boletín Oficial del Estado; Madrid, 2015, pp. 165-167; *BUSTOS MORENO, Y. B.: La responsabilidad civil en la navegación aérea. Los daños a terceros*, Dykinson, Madrid, 2003, p. 74; ÁLVAREZ LATA, N. Y BUSTOS MORENO, B.: "Responsabilidad civil en el ámbito del transporte y la navegación aérea", en Reglero, F. y Busto Lago, J.M., *Tratado de Responsabilidad Civil*, Tomo II, 5ª ed., Aranzadi, Navarra, 2014, p. 1032-1034; FAYOS GARDÓ, A.: *Derecho de Daños: las víctimas y la compensación*, Dykinson, Madrid, 2016, p. 45; o PARADA VÁZQUEZ, J.D.: *Derecho Aeronáutico*, Gomylex, Madrid, 2000, p. 552.

No cabe duda de la existencia de una responsabilidad objetiva en los accidentes de aviación, tanto por los daños que se causen a las personas como a las cosas que se encuentren en la superficie terrestre, aplicando la limitación cuantitativa de la indemnización conforme al artículo 129; y en el caso de dolo o culpa grave del piloto, una responsabilidad sin los límites cuantitativos marcados por el art. 120[43]. Por este motivo, existe la obligación de suscripción de una póliza de seguro que cubra la responsabilidad civil por daños causados a terceros (art. 127).

Para Bustos Moreno, el concepto de operador es más amplio que el de transportista, ya que comprende los vuelos deportivos o aeronaves que realizan trabajos aéreos y, en tales casos, la responsabilidad por los daños causados en la navegación aérea recae en los sujetos que tienen el control de la aeronave, en los términos previstos en la LNA o conforme a los artículo 1902 y 1903 del Código Civil[44]. Para la autora, la responsabilidad objetiva de la LNA resulta de aplicación siempre que la aeronave provoque daños a las personas o a bienes ubicados en la superficie "desde el momento que el art. 119 no discierne en función de la finalidad a la que se dedique la aeronave causante de los daños, ya sea de transporte público, dedicada a la práctica deportiva o a trabajos aéreos"[45]. Sin embargo, no se tiene en consideración la reforma operada por el artículo 150.2 de la LNA[46], en su Capítulo XVIII, bajo la rúbrica, "del transporte privado, de la navegación de turismo y de las Escuelas de Aviación", el cual ha sido redactado por el apartado dos del artículo 51 de la Ley 18/2014, de 15 de octubre.

Para Castells no resultaría de aplicación el régimen de responsabilidad objetiva de la LNA "cuando los drones se destinen exclusivamente a fines recreativos o deportivos, en la medida en que quedan fuera del ámbito de aplicación de la Ley 18/2014, de 15 de octubre y la LNA", debiéndose de acudir al artículo 1902 CC para imputar la responsabilidad al piloto por culpa[47].

---

[43] Véase la sentencia del Tribunal Supremo (Sala de lo Civil, Sección 1ª), de 4 julio de 2014 que distingue el límite de cobertura relativa a la responsabilidad objetiva fijado por la LNA, del supuesto de responsabilidad subjetiva.

[44] BUSTOS MORENO, Y. B.: *La responsabilidad civil en la navegación aérea. Los daños a terceros, op. cit.*, p. 128.

[45] *Íd., ib.*, p. 114. Y, en el mismo sentido, en ÁLVAREZ LATA, N. Y BUSTOS MORENO, B.: "Responsabilidad civil en el ámbito del transporte y la navegación aérea", *op. cit.*, p. 1068.

[46] Téngase en cuenta que, cuando la autora se pronunció al respecto, esta Ley no había entrado en vigor, al menos, en la primera de sus obras donde se analiza la cuestión, publicada en 2003, ya que la segunda es de 2014.

[47] CASTELLS I MARQUÉS, M.: "Drones civiles", en NAVAS NAVARRO, S: *Inteligencia Artificial. Tecnología. Derecho*, Tirant lo Blanch, Valencia, 2017, p. 88. Si bien, llama la atención que la autora sostenga que esta es la posición mantenida por BUSTOS MORENO en relación a las aeronaves con fines deportivos, ya que, como hemos visto, su tesis se inclina por la aplicación de la LNA.

Por su parte, la jurisprudencia solo aplica el plazo de prescripción del artículo 124 de la LNA al transporte de viajeros y de mercancías, y no cuando el daño deriva de actividades deportivas o recreativas ya que entiende (incluso antes de la Ley 18/2014) que, en ese caso, al igual que si se demuestra que existe culpa en la conducta del agente dañado, resultaría de aplicación el plazo de prescripción del artículo 1969 del Código Civil, es decir, un año desde el conocimiento del daño[48]. Y, por otro lado, interpreta de manera restrictiva lo que deben considerarse como cosas desprendidas o arrojadas de la aeronave, que se regirían por el artículo 1902 CC[49].

En definitiva, entendemos que solo resultaría de aplicación la responsabilidad objetiva establecida por la LNA al operador de actividades profesionales y experimentales con drones, motivo por el que el legislador le impone al operador la obligación de suscribir un seguro de responsabilidad civil u otra garantía financiera que cubra dicha responsabilidad frente a terceros por los daños que puedan ocasionarse durante y por causa de la ejecución de las operaciones aéreas especializadas o vuelos experimentales (artículo 26 del Real Decreto 1036/2017). No obstante, entendemos que hubiera sido deseable que el legislador hubiera recogido expresamente el criterio de imputación de la responsabilidad civil por el uso de drones.

2. Régimen de responsabilidad subjetiva del Código Civil y criterio de interpretación

En el caso de daños ocasionados por los usuarios de drones (sean o no de juguete), que se destinen exclusivamente a actividades deportivas, recreativas, de competición, exhibición o a actividades lúdicas, entendemos que la responsabilidad imputable deriva del artículo 1.902 CC, es por lo tanto, una responsabilidad aquiliana, siendo por lo tanto el piloto del dron el responsable de los daños causados si actúa con falta de pericia o con negligencia. De este modo, para imputar la responsabilidad en la operación de la aeronave es preciso conocer quién tiene en el control del dron que en este tipo de aeronaves será el piloto remoto, debido

---

[48]   La STS (Sala de lo Civil, Sección1ª) de 25 de septiembre de 2007 entiende, en este sentido, que "plazo de prescripción de la acción ejercitada en la demanda se le aplica el artículo 1968.2 del Código Civil, no el artículo 124 de la Ley 48/1960, no porque aquella no sea una de las previstas en dicha Ley, sino por interpretar dicho artículo en el sentido de que "las indemnizaciones a que se refiere este capítulo" son solo las específicamente establecidas en el artículo 119 para el caso de responsabilidad objetiva y limitada".

[49]   SSTS de 25 de marzo de 1995, 10 de julio de 1992 y otras citadas por ÁLVAREZ LATA, N. Y BUSTOS MORENO, B.: "Responsabilidad civil en el ámbito del transporte y la navegación aérea", *op. cit.*, p. 1071.

a que en nuestro espacio aéreo no se permite la operación de aeronaves que no sean tripuladas directamente o pilotadas por control remoto. En este sentido, no hay inconveniente en acudir al artículo 4 del Real Decreto 1036/2017 que señala que el piloto remoto es "el responsable de detectar y evitar posibles colisiones y otros peligros".

No obstante, es preciso señalar que entendemos que, aunque se aplique un régimen de responsabilidad subjetivo, al tratarse de una actividad generadora de riesgo, deberá incrementarse el nivel de diligencia exigible ya que, en determinadas circunstancias, la culpa se presume, lo que provoca que sea el autor del daño, en este caso, el piloto el que deba acreditar haber actuado con la diligencia que requieran las circunstancias de tiempo y lugar concurrentes, o los deberes de cuidado para evitar el daño. En este sentido, deberían utilizarse los mecanismos utilizados por la jurisprudencia para acometer la reinterpretación del artículo 1.902 del Código Civil en los supuestos de actividades generadores de riesgo, como ha sucedido anteriormente con otras legislaciones hasta que existiera una regulación especial, como es el caso de los accidentes de circulación en los que antes de la aprobación de la Ley sobre Uso y Circulación de Vehículos de Motor se establecía: (a) la presunción de culpabilidad del agente dañador, principio en virtud del cual el agente que originó un daño a un tercero debe demostrar haber actuado con la cautela y diligencia precisas para evitar el daño, si quiere liberarse de responsabilidad (STS de 10 de julio de 1943); (b) la inversión de la carga de la prueba, que, en consonancia con el principio de "presunción legal de culpa", presume la culpa de cualquier acción u omisión generadora de un daño indemnizable, a no ser que el agente demuestre "haber procedido con la diligencia debida a tenor de las circunstancias de lugar y tiempo" (STS de 7 de enero de 1960), o un "actuar cuidadoso y diligente exigido por las circunstancias del caso" (STS de 5 de abril de 1963)[50].

Además, esta interpretación resulta acorde con el Reglamento UE 2018/1139, que establece en el apartado 2.1.1 de su Anexo IX que "el operador de una aeronave no tripulada es responsable de la operación y deberá adoptar todas las medidas apropiadas para garantizar la seguridad de la misma"; debiendo, además, "garantizar la seguridad de terceros en tierra y de otros usuarios del espacio aéreo y minimizar los riesgos derivados de condiciones externas e internas adversas, incluidas las condiciones ambientales, manteniendo la distancia de separación adecuada durante todas las fases del vuelo", conforme determina el apartado 2.4.3.

En definitiva, entendemos que en estos casos en los que no resulta de aplicación una responsabilidad objetiva, al encontrarnos ante una actividad que com-

---

[50] MONTERROSO CASADO, E.: *Responsabilidad civil por accidentes de circulación*, Aranzadi, Navarra, 2009, pp. 47 y 48.

prende un riesgo, sería preciso incrementar el deber de diligencia exigible mediante la interpretación extensiva del artículo 1104 del Código Civil (que define la culpa o negligencia), a través de la exigencia de una diligencia más alta que la del mero cumplimiento de disposiciones reglamentarias o de las administrativamente reglada, exigiéndose una mayor prudencia para evitar el resultado dañoso, debiéndose extremar la diligencia.

No obstante, no debemos llegar al extremo de que se impida exigir para apreciar la responsabilidad alguna manifestación de culpa (aunque sea mínima) del agente dañador[51]. La doctrina jurisprudencial no se olvida del criterio subjetivo, recogido en el artículo 1902 del Código Civil, como principio inspirador de toda responsabilidad. De esta manera, ha corregido este criterio mediante la presunción de culpa y la responsabilidad por riesgo, pero "sin que esa evolución objetivadora haya revestido caracteres absolutos, ni permita la exclusión, sin más, aún con todo el rigor interpretativo que en beneficio del perjudicado impone la realidad social y técnica del básico principio de responsabilidad por culpa a que responde nuestro ordenamiento positivo" (SSTS de 12 de noviembre de 1993, 15 de julio de 1992, 23 de octubre de 1991, entre otras). Por lo tanto, se exige un componente culpabilístico.

De este modo, por ejemplo, la STS (Sala de lo Civil, Sección 1ª), de 23 octubre de 2012, aunque relativo a un accidente de avioneta que se estrella durante un examen para licencia de piloto con el examinador y dos aspirantes abordo, señala que no es posible establecer un régimen de responsabilidad objetiva con base en el art. 1902 CC, sin que se pueda erigir el riesgo en fuente única de responsabilidad[52].

---

[51]   En este sentido, el principio de la culpa "siempre late como poso permanente" en nuestro ordenamiento, siendo requisito ineludible que "el acto dañoso tenga que ser antijurídico por infracción de una norma, aun la más genérica (*alterum non laedere*)" (STS de 8 de julio de 1983).

[52]   La STS (Sala de lo Civil, Sección 1ª), de 23 octubre de 2012 establece la asunción de riesgos compartidos por todos los tripulantes de la aeronave y no permite imponer a su propietaria, titular a su vez del centro de enseñanza, un régimen de responsabilidad objetiva con base en el art. 1902 CC. La demanda la formula el aspirante superviviente, que sufrió lesiones graves, contra la sociedad estatal propietaria de la aeronave y el titular del centro de enseñanza, fundamentando la misma en el Código Civil (arts. 1902 y 1903) y no en la Ley sobre Navegación Aérea porque esta no incluyó en su ámbito de aplicación a los alumnos pilotos hasta el Real Decreto 37/2001. En primer lugar, la Audiencia Provincial de Madrid, consideró, conforme a la jurisprudencia, que en el ámbito del art. 1902 CC "ni la aplicación de la teoría del riesgo exime de la existencia del elemento subjetivo de la culpa, ni debe obviarse la conceptuación de la actividad en la que se ha producido el siniestro enjuiciado"; y, por otro lado, que había una "total desvinculación" a efectos del art. 1903 CC entre el piloto examinador y la sociedad estatal propietaria de la avioneta, así como una "falta de acreditación de cualquier conducta culposa", "al no acreditarse la existencia de defectos o avería en la aeronave", a lo que se unía "la exclu-

El problema en estos casos estriba en que en los supuestos de caso fortuito no sería imputable la responsabilidad al piloto del dron recreativo. Supongamos, entonces, que una fuerte ráfaga de viento le hace perder el control, provocando daños. En estos casos, aunque se podría señalar al viento como la causa del daño y, por lo tanto, enmarcarlo como un caso fortuito, no debemos olvidar las diligencias exigibles al piloto y la previsibilidad del daño, ya que constituye lo que se ha dado en denominar "riesgos típicos del tráfico aéreo", por lo que no podría liberarse de responsabilidad.

Aunque en la mayoría de los casos el piloto, en su uso profesional o de uso recreativo, pierde el control del dron por fuerzas de la naturaleza, no sería posible que se exonerara de responsabilidad por dos razones: en primer lugar, porque debería de tratarse de un fenómeno atmosférico que por la intensidad en que acaece fuera excepcional; y, en segundo lugar, porque para apreciar una exoneración de responsabilidad tendría que no ser posible reprochar al piloto del dron la adopción de medidas de precaución adecuadas para evitar el accidente. En este sentido, téngase en cuenta que no debería pilotar el dron ante los fenómenos naturales

---

sión del proceso" del piloto examinador. El Tribunal Supremo desestima el recurso planteado, indicando lo siguiente: "1°) "lo que pretende el demandante es aplicar a los hechos enjuiciados un régimen especial de responsabilidad civil, muy próximo al de la circulación de vehículos a motor, pero citando como infringida la norma básica o fundamental del régimen general de responsabilidad civil extracontractual del Código Civil. 2ª) Al propugnar la aplicación de ese régimen especial, el recurrente va más allá incluso que la propia ley sobre responsabilidad civil y seguro en la circulación de vehículos a motor, porque mientras esta centra la responsabilidad en el conductor, el motivo, en cambio, lo centra en la compañía propietaria de la aeronave al margen totalmente de la responsabilidad de sus tripulantes. 3ª) Con semejante planteamiento, que viene a exigir una evidencia o prueba plena del perfecto estado técnico de la aeronave antes del siniestro, imposible de lograr en casos como el presente debido a las propias consecuencias del impacto, el motivo terminaría por llegar a una responsabilidad objetiva equivalente a la que para el transportista establece el art. 120 de la Ley sobre Navegación Aérea que el propio recurrente considera no aplicable en el presente caso. 4ª) De lo anterior se sigue que son las propias alegaciones del motivo las que desvirtúan que la sentencia impugnada haya podido infringir el art. 1902 CC y la jurisprudencia sobre el mismo, pues la doctrina de esta Sala, como atinadamente razona el tribunal de apelación, nunca ha llegado al extremo, en la interpretación de dicha norma, de erigir el riesgo en fuente única de responsabilidad. Es más, en relación con el régimen de responsabilidad subjetiva del art. 121 de la Ley sobre Navegación Aérea, fundado en el dolo o culpa ajena, la sentencia de esta Sala de 28 de mayo de 2007 rechazó que el resultado dañoso acreditara por sí solo la falta del cuidado debido y, en materia de prueba, consideró especialmente relevante el informe de la Comisión de Investigación de Accidentes del Ministerio correspondiente". En este sentido, considera que los hechos que la sentencia recurrida declara probados y la falta de relación de dependencia entre el examinador y la sociedad demandada distinguen este caso del analizado por la sentencia de esta Sala de 19 de junio de 2000, siniestro de una aeronave con dos alumnos y un instructor a bordo, porque en este supuesto sí se probó la relación de dependencia entre el instructor y la compañía demandada y no había prueba de las causas por las que la aeronave se había precipitado a tierra.

de viento, lluvia y niebla, como vimos al analizar las obligaciones derivadas de los usos de drones. Por lo tanto, estos fenómenos no pueden considerarse como una causa de exoneración de la de responsabilidad porque existe un incumplimiento de la obligación de volar bajo condiciones meteorológicas adecuadas. La normativa es clara al respecto. Por un lado, al referirse a los drones de uso profesional o experimental, que deben operar de día y en condiciones meteorológicas de vuelo visual (VMC), conforme a lo previsto en el el Reglamento del aire (artículo 25 Real Decreto 1036/2017)[53]; y, respecto a los drones destinados exclusivamente a actividades deportivas, recreativas, de competición y exhibición y lúdicos, también se establece que deben operar las aeronaves "en vuelo diurno y bajo condiciones meteorológicas de vuelo visual" (Disposición adicional segunda del Real Decreto 1036/2017).

Tampoco debemos olvidar la aplicación de otro sistema de responsabilidad subjetiva que contempla el Código Civil, el de la responsabilidad por hecho ajeno del empresario que responde por los daños causados por sus dependientes o auxiliares, que será por culpa (al menos en teoría) si se aplica la responsabilidad derivada del artículo 1.903 CC (si bien, la jurisprudencia, como sabemos, tiende a objetivizar dicha responsabilidad)[54]. Y ello a diferencia de la responsabilidad objetiva en los casos en los que resulta de aplicación la LNA, al imputar la misma incluso si "el operador o sus empleados justifiquen que obraron con la debida diligencia" (art. 120 LNA), respondiendo incluso por los daños causado en virtud de dolo y culpa grave si los empleados actuaron en el ejercicio de sus funciones (art. 121).

Del mismo modo sucederá con la utilización de los drones de juguetes realizada por un menor de edad, pues en este caso resulta imputable la responsabilidad al progenitor bajo cuya guarda se encuentre el hijo[55].

Ahora bien, en el caso de la imputación de la responsabilidad al menor, téngase en cuenta que nuestro Código Civil no recoge un límite de edad que distinga entre inimputables e imputables, es decir, para considerar a un sujeto como capaz de culpa civil (salvo en el caso de víctimas derivadas en los accidentes de circu-

---

[53]   Las referencias que realiza el Real Decreto 1036/2017 al artículo 23 ter.2, letra a), del Real Decreto 552/2014 de 27 de junio, por el que se desarrolla el Reglamento del aire debe ser entendida al artículo 45.2, letra a), del Real Decreto 1180/2018, de 21 de septiembre, que sustituye al mismo.

[54]   Para un análisis más exhaustivo, véase MEDINA ALCOZ, M.; "La responsabilidad civil del empresario por el hecho dañoso de su dependiente: Derecho español y textos doctrinales europeos", en Monterroso Casado E. (dir.): *Responsabilidad empresarial,* Tirant lo Blanch, Valencia, 2015, pp. 73-106.

[55]   También, en este sentido, se pronuncia CASTELLS I MARQUÉS, M.: "Drones civiles", *op. cit.,* p. 88.

lación). En este supuesto, hay que tener en cuenta que el menor actuaría como un agente dañador, es decir, pilotando un dron, que es un dispositivo susceptible de causar un daño. Respecto a las operaciones que se rigen por el Real Decreto 1036/2017, hay que recordar que para poder pilotar remotamente estos drones se debe haber cumplido los 18 años de edad (artículo 33). Sin embargo, el legislador no establece un límite de edad para el uso en actividades deportivas, recreativas, de competición y o exhibición, o para volar con drones de juguetes. Hubiera sido deseable que el legislador estableciera ciertos límites de edad para aquellas que superen los 2 kg de MTOW y vuelen a una altura superior de 50 m, ya que la Disposición adicional segunda, en su epígrafe segundo, sí establece restricciones adicionales tomando en consideración estas circunstancias, por lo que hubiera resultado lógico establecer una edad mínima para esa operación, que podría haber sido, si no los 18 años de edad, al menos, los 16 años.

A falta de regulación legal al respecto, nada impide, al menos reglamentariamente, que los menores de edad puedan pilotar drones, siempre que no se trate de un uso regulado por el Real Decreto 1036/2017. No obstante, los padres tendrán que tener presente que, de conformidad con el artículo 1903 del Código Civil, serán responsables de los daños causados por los hijos que se encuentren bajo su guarda, al igual que lo serán los tutores por los menores o incapacitados que están bajo su autoridad y habitan en su compañía. Esta responsabilidad de padres o tutores "por hecho ajeno" es directa y, en la práctica, casi objetiva, ya que la jurisprudencia interpreta de manera muy restringida la posibilidad de exonerarse de responsabilidad a los padres que, en principio, de conformidad con el último párrafo del artículo 1903, procedería cuando probaron que emplearon toda la diligencia de un buen padre de familia para prevenir el daño, es decir, si acreditaran haber actuado diligentemente. El fundamento de la imputación de la responsabilidad de los padres reside en la culpa en el cuidado y la educación de los hijos que se encuentran bajo su guarda; y lo mismo sucede respecto a los tutores. Este es el motivo por el que los tribunales se muestran reacios a admitir que los padres puedan quedar exonerados de esta responsabilidad y, por lo tanto, que no logren demostrar haber empleado toda la diligencia precisa para prevenir el daño[56]. De este modo, responderían por la inadecuada vigilancia o educación de los hijos que no pilotaban el dron con diligencia, ocasionando un daño, al no haberles supervisado mientras pilotaban la aeronave o no haberles enseñado su correcto funcionamiento y las medidas que deben observar durante su control.

No obstante, téngase en cuenta que esta obligación de responder que tienen los padres queda limitada a los hijos que estén bajo su guarda, lo que es relevante

---

[56]   MONTERROSO CASADO, E. y ESCUDERO, C: *Presupuestos sustantivos y procesales de la responsabilidad civil*, 4ª ed., CEF, Madrid, 2018, pp. 133-136.

en los casos en los menores se encuentran emancipados (art. 154) o si los hijos mayores de 16 años viven independientemente con su consentimiento (art. 319), situación bastante improbable en la sociedad actual. Sin duda más frecuentes son los supuestos de separación, divorcio o nulidad matrimonial, o ruptura de la pareja, en el que sea uno de los progenitores el que tenga la custodia del hijo. En estos casos, habrá que atender a quién tenía al menor bajo su vigilancia y cuidado en el momento de la causación del daño, es decir, del pilotaje del dron. En este sentido, la imputación de esta responsabilidad no se establece por el hecho de ser padre o madre, sino por el hecho de que el menor se encuentra bajo su guarda[57].

3. Régimen de responsabilidad civil por vulneración de los derechos de la personalidad

Por último, también merece atención el régimen de responsabilidad en los casos en los que se produzcan daños a los derechos de la personalidad (honor, intimidad y propia imagen), por vulneración de los dispuesto en la Ley Orgánica 1/1982, de 5 de mayo, tras la reforma operada por la Ley Orgánica 5/2010. Esta Ley no constituye una ley especial relativa a la responsabilidad civil, sino que se limita a establecer la indemnización por daño moral y otras medidas (como puede ser la cesación de la acción o la prevención de intromisiones ulteriores) cuando se produce una intromisión ilegítima en estos derechos[58].

Precisamente, el uso de drones dotados con cámaras de filmación podría dar lugar a dicha intromisión en el supuesto de que se diera un "emplazamiento en cualquier lugar de aparatos de escucha, de filmación de dispositivos ópticos o de cualquier otro medio para grabar o reproducir la vida íntima de las personas" (art. 7.1). El legislador califica de intromisión ilegítima el mero emplazamiento, sin que exija su utilización, con dicha finalidad. También es posible dicha calificación por la captación de la imagen de una persona en lugares o momentos de su vida privada (art. 7.5). En virtud de ello, el artículo 9.3 de la Ley Orgánica 1/1982, se presume que existe un perjuicio siempre que se acredite la intromisión ilegítima, por lo que no será preciso demostrar la existencia de un daño como sucede en el artículo 1902 del Código Civil[59]. En este sentido, el perjuicio no solo

---

[57]   Íd., ib., p. 136.
[58]   YZQUIERDO TOLSADA, M.: "Daños a los derechos de la personalidad (honor, intimidad y propia imagen)", en Reglero, F. y Busto Lago, J.M., *Tratado de Responsabilidad Civil*, Tomo II, 5ª ed., Aranzadi, Navarra, 2014, pp. 1366 y 1367.
[59]   HERREROS LÓPEZ, J.M.: "La responsabilidad civil por lesión de los derechos al honor, intimidad y propia imagen", en VVAA *Responsabilidad en el ámbito del Derecho público y por la lesión de los derechos fundamentales*, CEF, Madrid, 2017, pp. 113-114.

puede ser material, sino moral, valorándose a la hora de fijar la indemnización las circunstancias del caso, la gravedad de la lesión y el beneficio obtenido por el causante.

Todo ello, sin perjuicio de la responsabilidad penal que podría derivar de los artículos 197 a 204 del Código Penal, que tipifica los delitos contra la intimidad, la propia imagen y la inviolabilidad del domicilio.

Además, en el caso de tratamiento de datos personales derivados de la utilización de aeronaves no tripuladas para operaciones civiles, que será analizado posteriormente, podrá resultar de aplicación la Ley Orgánica 15/1999, de 13 de diciembre, de Protección de Datos de Carácter Personal y el Reglamento (UE) 2016/679 del Parlamento Europeo y del Consejo, de 27 de abril de 2016, relativa a la protección de las personas físicas en lo que respecta al tratamiento de datos personales y a la libre circulación de estos datos y por el que se deroga la Directiva 95/46/CE (Reglamento general de protección de datos), y que resulta aplicable a partir del 25 de mayo de 2018.

De este modo, la tutela judicial frente a estas intromisiones ilegítimas puede recabarse por las vías procesales ordinarias (y que abarca la vía civil, la penal y la contencioso-administrativa), o por el procedimiento sumario y preferente previsto en el artículo 53.2 de la Constitución. Y, por último, cuando proceda, por vulnerarse derechos y libertades fundamentales, puede acudirse al recurso de amparo ante el Tribunal Constitucional.

4. Régimen de responsabilidad por productos defectuosos

El Real Decreto Legislativo 1/2007, de 16 de noviembre, por el que se aprueba el texto refundido de la Ley General para la Defensa de los Consumidores y Usuarios y otras leyes complementarias regula la responsabilidad civil por los bienes y servicios defectuosos (Libro Tercero). El artículo 135 establece la responsabilidad de los productores de los daños causados por los defectos de los productos que fabriquen o importen[60]. Aunque el artículo 140 establece las causas de exoneración de esta responsabilidad[61], al no ser absoluta, se trata de un régimen

---

[60]   El concepto legal de producto queda definido en el artículo 136, el de defecto en el artículo 137 y el de productor en el artículo 138 del TRLGDCU.

[61]   El artículo 140 del TRLGDCU recoge las causas de exoneración de la responsabilidad del productor, entre las que se encuentra la prueba de que "dadas las circunstancias del caso, es posible presumir que el defecto no existía en el momento en que se puso en circulación el producto"; y que "el estado de los conocimientos científicos y técnicos existentes en el momento de la puesta en circulación no permitía apreciar la existencia del defecto". Por otro lado, el apartado segundo exime de responsabilidad al productor de una parte integrante de un producto terminado

de responsabilidad que prescinde de la idea de culpa[62], debiendo el perjudicado probar la existencia del defecto, el daño y la relación de causalidad entre ambos (art. 139).

En este sentido, téngase en cuenta que, por un lado, un dron tiene la consideración de producto (art. 6) y, por otro, que el sujeto que adquiere un dron es un consumidor, pero siempre "que actúe con un propósito ajeno a su actividad comercial, empresarial, oficio o profesión" (art. 3), por lo que únicamente sería de aplicación cuando se trate de un uso recreativo o deportivo de los drones y no cuando sea profesional, puesto que este operador utiliza el dron en un ámbito propio a su actividad comercial y, por lo tanto, con ánimo de lucro.

Para que se considere un producto como defectuoso deberá atenderse al artículo 137 del TRLGDCU y, en concreto, a la falta de seguridad que cabría legítimamente esperar[63], en la que cabe incluir los defectos de fabricación, de diseño y de información. Aunque se impute la responsabilidad al productor (léase al fabricante del bien, al prestador del servicio o su intermediario, o al importador, como recoge el art. 5), en el supuesto concreto de los drones, lo lógico es que la responsabilidad por el aparato defectuoso sea del fabricante. Y, precisamente, las obligaciones del fabricante de drones han sido recogidas por el Capítulo II, bajo la rúbrica "Requisitos de los RPAS", Sección 2ª Organizaciones de diseño y producción (arts. 14 y 15), del Real Decreto 1036/2017, de 15 de diciembre, por el que se regula la utilización civil de las aeronaves pilotadas por control remoto. En concreto el artículo 15 establece la responsabilidad de los fabricantes de RPA de las aeronaves que fabriquen; y una serie de obligaciones en función de si su masa máxima al despegue excede o no de los 25 kg[64]. Además, la Agencia Estatal

---

[62]   "si prueba que el defecto es imputable a la concepción del producto al que ha sido incorporado o a las instrucciones dadas por el fabricante de ese producto".
       PARRA LUCÁN, M.ª Á.: "Responsabilidad civil por productos defectuosos", en Reglero, F. y Busto Lago, J.M., *Tratado de Responsabilidad Civil*, Tomo II, 5ª ed., Aranzadi, Navarra, 2014, p. 204.

[63]   Véanse MARTÍN-CASALS, M. Y SOLÉ FELIU, J.: "La responsabilidad civil por productos defectuosos", en Reyes López, Mª. J. (coord.), *Derecho privado de consumo*, Tirant lo Blanch, Valencia 2004, pp. 157-196; o el Comentario al artículo 137 de PARRA LUCÁN, M. A.: "Libro III. Título II. Disposiciones específicas en materia de responsabilidad. Capítulo I. Daños causados por productos", en Bercovitz (coord.), *Comentario del Texto Refundido de la Ley General para la Defensa de Consumidores y Usuarios y otras Leyes Complementarias,* Thomson Aranzadi, 2ª ed., Navarra, 2015, pp. 1931-2066.

[64]   Señala el artículo 15.2, como requisitos a los fabricantes de RPA cuya masa máxima al despegue no exceda de los 25 kg: "elaborar para cada aeronave la documentación relativa a su caracterización, con el contenido previsto en el artículo 26, letra a), y una declaración de conformidad de la aeronave con dicha caracterización, que se entregarán al operador". Y cuando exceda de esa masa o se trate de una aeronave que disponga de un certificado de tipo RPA: "ser aprobadas por la Agencia Estatal de Seguridad Aérea previa acreditación del cumplimiento de

de Seguridad Aérea será la encargada de emitir un documento de aceptación de la utilización por el fabricante de este procedimiento. Por otro lado, es preciso tener en consideración el Reglamento (UE) 2018/1139 del Parlamento Europeo y del Consejo de 4 de julio de 2018, que establece las condiciones, normas y procedimientos para aquellos casos en que el diseño, la producción, el mantenimiento y la explotación de aeronaves no tripuladas estén sujetos a certificación, teniendo en cuenta la naturaleza y el riesgo del tipo de operación de que se trate (Considerando 32)[65]. Téngase, en cuenta que el Reglamento 2018/1139, amplía su ámbito de aplicación a la aeronaves no tripuladas de masa inferior a los 150 kilos.

Además, resulta preciso realizar una salvedad, diferenciando el que nos encontremos ante un producto no seguro o un producto cuya utilización entraña unos riesgos como sucede con los drones, resultando de especial importancia, en este caso, las instrucciones del fabricante, que como señala el Real Decreto 1036/2017, de 15 de diciembre deben ser incorporadas a la aeronave[66].

Por lo tanto, no resultara de aplicación la normativa propia de consumidores y usuarios cuando el daño causado por el dron se produzca por el uso indebido de quien lo adquiere y pilota sin observar esas instrucciones ni efectuar su mantenimiento conforme a las indicaciones del fabricante.

Respecto a los daños materiales causados por el dron, por ejemplo, si este se precipita al vacío por la acción del piloto debido a la existencia de un defecto

---

los requisitos establecidos en la Parte 21 para las organizaciones de producción" (art. 15.3), con la excepciones dispuestas en el apartado siguiente, siendo suficiente "con que dispongan de un sistema de inspección de la producción y cumplan con las condiciones, requisitos y obligaciones que se establecen para las organizaciones de producción en la Subparte F de la Parte 21, acreditándolo mediante la documentación e investigaciones previstas en la misma, las organizaciones que sean microempresas y pequeñas empresas conforme a la Recomendación 2003/361/CE de la Comisión, de 6 de mayo de 2003, sobre la definición de microempresas, pequeñas y medianas empresas y fabriquen, exclusivamente, aeronaves pilotadas por control remoto (RPA) de diseño y tecnología simple y no tengan establecido un flujo continuo de producción, siendo ésta infrecuente o por lotes reducidos".

[65]   El Reglamento (UE) 2018/1139 establece en el Anexo IX los "Requisitos esenciales para aeronaves no tripuladas": 1. Requisitos esenciales para el diseño, la producción, el mantenimiento y la operación de las aeronaves no tripuladas. 2. Requisitos esenciales adicionales para el diseño, la producción, el mantenimiento y la operación de las aeronaves no tripulada.

[66]   Por ejemplo, tal y como dispone el artículo 15 del Real Decreto 1036/2017, de 15 de diciembre, los fabricantes de RPA cuya masa máxima al despegue no excede de los 25 kg deben elaborar para cada aeronave la documentación relativa a su caracterización y una declaración de conformidad, que deben entregar al operador. Por su parte, el artículo 18 señala que, para el operador de RPA de hasta 150 kg de masa máxima al despegue se debe establecer, sobre la base de las instrucciones del fabricante adaptadas, un programa de mantenimiento adecuado para garantizar la aeronavegabilidad continuada; y para las aeronaves de menos de 2 kg de masa máxima al despegue, el operador puede realizar el mantenimiento siguiendo únicamente las instrucciones del fabricante.

del producto, hay que tener en cuenta que el usuario podrá accionar contra el fabricante del dron. Cierto es que tras un impacto de un dron difícilmente podrá demostrarse que la causa del accidente fue debida a dicho defecto (ya que estos aparatos pueden quedar siniestrados), pudiendo resultar difícil y costoso acreditar un defecto de seguridad. No obstante, aunque resulte preciso acreditar la existencia del defecto y la relación de causalidad con el daño, se admite la prueba de presunciones[67]. A la hora de indemnizar el daño, el legislador establece unos límites cuantitavos en la responsabilidad civil global del productor. Si el daño es material, existe una franquicia de indemnizacion de 500 euros, existiendo, además, un límite global por muerte y lesiones personales causadas por productos idénticos que tengan el mismo defecto, en una cifra ligeramente superior a los 63 millones de euros (art. 141 del TRLGDCU)[68].

Y, por último, si el daño material consiste únicamente en la pérdida del dron, al tratarse de daños en el propio producto, no resulta indemnizable conforme a las reglas de responsabilidad establecidas en dicha legislación de consumidores y usuarios. Esto no quiere decir que no sea reparado el daño, sino que "tales daños darán derecho al perjudicado a ser indemnizado conforme a la legislación civil y mercantil" (art. 142 del TRLGDCU), lo que se podrá realizar conforme a la responsabilidad contractual del vendedor del producto.

A la hora de entablar una acción contra el productor o fabricante, en el caso de que exista un tercero víctima o perjudicado, que sufra daños en su persona por el impacto del dron o por daños en su propiedad, hay que tener en cuenta que le resultará más fácil accionará contra el piloto remoto, fuera del ámbito de esta Ley. No obstante, aunque no se trate de un consumidor ni un usuario, también podrá entablar una demanda contra el fabricante[69].

---

[67]   PARRA LUCÁN, M.ª Á.: "Responsabilidad civil por productos defectuosos", *op. cit.*, p. 206 en relación la p. 208.

[68]   Para daños inferiores a esa franquicia o superiores a ese límite global el perjudicado o la víctima podrá reclamar esas cantidades conforme a las reglas generales de la responsabilidad civil. En este sentido, el artículo 128 establece que: "Las acciones reconocidas en este libro no afectan a otros derechos que el perjudicado pueda tener a ser indemnizado por daños y perjuicios, incluidos los morales, como consecuencia de la responsabilidad contractual, fundada en la falta de conformidad de los bienes o servicios o en cualquier otra causa de incumplimiento o cumplimiento defectuoso del contrato, o de la responsabilidad extracontractual a que hubiere lugar". No obstante, téngase en el cuenta que el plazo de prescripción varía, siendo de un año en la responsabilidad civil extracontractual (art. 1968 CC) y de tres años en la acción derivada de la responsabilidad por productos defectuosos (art. 143 TRLGDCU).

[69]   A favor de esta postura se manifiesta PARRA LUCÁN, al considerar que: la definición de consumidor o usuario del artículo 3 del TRLGDCU lo es sin perjuicio de lo dispuesto en el Libro III, relativo a la responsabilidad civil por bienes o servicios defectuosos. Y, en este sentido, debería rechazarse la interpretación de que "para los perjudicados, que no sean consumidores y usuarios en el sentido del art. 3 del TRLGDCU, no sería aplicable el régimen de responsabilidad

5. El aseguramiento de los drones

El artículo 50.3°, letra d), apartado 7°, de la Ley 18/2014 establecía la exigencia a los operadores de las aeronaves civiles pilotadas por control remoto de una póliza de seguro u otra garantía financiera que cubra la responsabilidad civil frente a terceros por daños que puedan surgir durante y por causa de la ejecución del vuelo. Del mismo modo, el artículo 26, en su letra c), del Real Decreto 1036/2017, de 15 de diciembre, dispone como obligaciones del operador contar con una póliza de seguro u otra garantía financiera que cubra la responsabilidad civil frente a terceros por los daños que puedan ocasionarse durante y por causa de la ejecución de las operaciones aéreas especializadas o vuelos experimentales. Por otro lado, para obtener la habilitación para el ejercicio de operaciones aéreas especializadas o para la realización de vuelos experimentales resulta preciso que el operador disponga y conserve, a disposición de la Agencia Estatal de Seguridad Aérea, entre otros, el documento relativo a la suscripción de esa póliza de seguro o garantía financiera que cubra la responsabilidad civil frente a terceros (art. 39.3).

Por lo tanto, se trata de un seguro de la responsabilidad civil por los daños que pueda ocasionar la aeronave y no un seguro de responsabilidad civil profesional del operador o piloto del dron.

Además, el legislador establece unos límites de cobertura en función de la masa de la nave. Para las aeronaves de menos de 20 kg de masa máxima al despegue, debe observarse el Real Decreto 37/2001, de 19 de enero, por el que se actualiza la cuantía de las indemnizaciones por daños previstas en la Ley 48/1960, de 21 de julio, de Navegación Aérea. A tal efecto, la cuantía establecida de 200.000 Derechos Especiales de Giro (DEG) equivale al cambio actual a unos 265.513 euros. Y para aquellas aeronaves de masa máxima al despegue igual o superior a 20 kg, debe observarse el Reglamento (CE) 785/2004 del Parlamento Europeo y del Consejo, de 21 de abril de 2004, sobre los requisitos de seguro de las compañías aéreas y operadores aéreos[70]. En estos casos, para las aeronaves con un MTOM inferior a los 500 kg se establece una cuantía de 750.000 DEG, equivalente al cambio a unos 905.158 euros.

---

del Libro tercero" ("Responsabilidad civil por bienes y productos defectuosos", en Reglero, F. y Busto Lago, J.M., *Tratado de Responsabilidad Civil*, Tomo II, 5ª ed., Aranzadi, Navarra, 2014, pp. 69 y 70).

[70]   El artículo 7 del Reglamento (CE) 785/2004 del Parlamento Europeo y del Consejo, de 21 de abril de 2004, sobre los requisitos de seguro de las compañías aéreas y operadores aéreos establece, respecto a la responsabilidad frente a terceros, la cobertura mínima del seguro por accidente para cada aeronave de 0,75 (millones de DEG) para aeronaves de menos de 500 kilos de peso [En https://eur-lex.europa.eu/legal-content/ES/TXT/?uri=celex%3A32004R0785]

En el caso del uso del resto de drones, en los que no resulta de aplicación los requisitos señalados por el Real Decreto 1036/2017, no se exige la obligatoriedad en la suscripción de un seguro de responsabilidad civil, aunque debe tenerse en cuenta que su suscripción resulta recomendable si no se dispone de un seguro general que pueda cubrir dicha responsabilidad civil[71].

Dentro de la cobertura que podrían comprender un seguro de drones se encontraría, en primer lugar, la responsabilidad civil por los daños materiales y personales causados a un tercero. En estos casos, debería evaluarse en su cobertura los requisitos técnicos de la aeronave, es decir, el tamaño del dron (la masa máxima de despegue de la aeronave), la altura máxima del vuelo, su identificación o matrícula, así como el uso al que se destina, las aptitudes del piloto (adquiridas a través de su nivel de formación) y si el operador dispone de habilitación o autorización. Por otro lado, se podría incluir en la cobertura al propio dron y su carga, especialmente si su coste de adquisición ha sido elevado y si incluyen elementos externos como, por ejemplo, cámaras de filmación; así como el robo del aparato o los ciberriesgos, sin perjuicio de que lógicamente estas coberturas ofrecidas por las aseguradoras se vayan ampliando a medida que evolucione esta tecnología y la inteligencia artificial[72].

Por último, respecto a las exclusiones de la cobertura, se encuentran el no contar con la habilitación o autorización por la AESA; el incumplimiento de la normativa relativa a las condiciones de vuelo (mantenimiento de la distancia preceptiva con las poblaciones, proximidad a zonas aeroportuarias) o a los requisitos legales para pilotar los drones; el uso no autorizado de la estación de control o un uso ilegal o distinto a los acordados; y, además, una mayoría de aseguradoras excluyen también de la cobertura la falta de medidas que garanticen la seguridad, la vulneración de derechos personales (derecho al honor, a la intimidad y a la propia imagen) o el pilotaje de dos drones al mismo tiempo[73].

---

[71]   Resulta muy interesante a este respecto el estudio desarrollado por INESE respecto a si las compañías aseguradoras entienden que estaría cubierto en la póliza del seguro multirriesgo de hogar los daños causados en el uso lúdico de un dron por un menor. Solo un 10% de las aseguradoras entendía que estaba cubierto, un 20% consideraba que no lo estaría si la póliza excluía los riesgos relacionados con la aviación y un 70% recomendaba la suscripción de un seguro específico para drones (*Drones: uso en las aseguradoras y su aseguramiento*, INESE, 2018, p. 42 [En https://www.mapfreglobalrisks.com/gerencia-riesgos-seguros/wp-content/uploads/2018/05/4-Drones-uso-en-las-aseguradoras-y-su-aseguramiento.pdf]).

[72]   *Íd., ib.*, p. 13.

[73]   *Íd., ib.*, p. 72.

VI. LA PROTECCIÓN DE DATOS EN LOS DRONES

1. Marco jurídico aplicable en Europa

1.1. Aplicación de la Directiva de protección de datos

La Comisión Europea ha centrado su atención en el uso de aeronaves mediante control remoto y en materia de protección de datos no se ha diferenciado la autonomía o no de las aeronaves no tripuladas, pues se considera que este aspecto no es relevante de cara a la evaluación del impacto en la privacidad derivada de la utilización de este tipo de tecnología. Es más, desde la Unión Europea se considera que la aplicación de las Directrices dadas para el cumplimiento de la Directiva de Protección de Datos comprende el uso de cualquier clase de aeronave no tripulada para operaciones civiles.

Sin embargo, consideramos relevante indicar que algunos casos de tratamiento de datos personales derivados de la utilización de aeronaves no tripuladas para operaciones civiles podrían encontrarse fuera del ámbito de aplicación de las Directrices dada a la luz de las exenciones o excepciones que, de acuerdo con la Directiva[74], pueden establecer los Estados miembros. Por tanto, convendrá estar a lo que determinen en cada caso las normas nacionales.

---

[74] Cfr. artículo 3 de la Directiva 95/46/CE del Parlamento Europeo y del Consejo, de 24 de octubre de 1995, relativa a la protección de las personas físicas en lo que respecta al tratamiento de datos personales y a la libre circulación de estos datos, sobre Ámbito de aplicación:
a) Las disposiciones de la presente Directiva se aplicarán al tratamiento total o parcialmente automatizado de datos personales, así como al tratamiento no automatizado de datos personales contenidos o destinados a ser incluidos en un fichero.
b) Las disposiciones de la presente Directiva no se aplicarán al tratamiento de datos personales:
1. efectuado en el ejercicio de actividades no comprendidas en el ámbito de aplicación del Derecho comunitario, como las previstas por las disposiciones de los títulos V y VI del Tratado de la Unión Europea y, en cualquier caso, al tratamiento de datos que tenga por objeto la seguridad pública, la defensa, la seguridad del Estado (incluido el bienestar económico del Estado cuando dicho tratamiento esté relacionado con la seguridad del Estado) y las actividades del Estado en materia penal;
2. efectuado por una persona física en el ejercicio de actividades exclusivamente personales o domésticas.
El artículo 9 de la Directiva 95/46/CE regula el tratamiento de datos personales y libertad de expresión y determina: En lo referente al tratamiento de datos personales con fines exclusivamente periodísticos o de expresión artística o literaria, los Estados miembros establecerán, respecto de las disposiciones del presente capítulo, del capítulo IV y del capítulo VI, exenciones y excepciones solo en la medida en que resulten necesarias para conciliar el derecho a la intimidad con las normas que rigen la libertad de expresión.
El artículo 13 de la Directiva 95/46/CE recoge las diversas excepciones y limitaciones, como por ejemplo las relativas a la seguridad del Estado, la defensa, la seguridad pública o la preven-

Desde el Grupo de Trabajo del artículo 29 se da la máxima importancia a la introducción de un marco adecuado a nivel nacional que asegure que el uso de aeronaves no tripuladas con fines estrictamente personales y recreativas y para fines periodísticos no afecte a los derechos fundamentales, a la intimidad o confidencialidad de las comunicaciones y que asegure el respeto de una expectativa razonable de protección de la vida privada, también en el caso de la recogida de los datos personales que se realizan en lugares públicos. Por consiguiente, esta premisa ha de inspirar el uso legal de drones en los diversos ámbitos en los que podría plantearse una colisión de derechos.

1.2. Tratamiento de datos personales con fines policiales

Los drones pueden comportar una transformación de hondo calado en el modo de aplicar la Ley, en concreto, el ámbito de la utilización de los datos obtenidos con fines policiales, que pueden incluir desde el seguimiento de un individuo hasta la monitorización de la vida y actividades de poblaciones determinadas basada en una vigilancia continuada, como señala el Grupo de Trabajo del artículo 29.

Por tanto, la utilización directa de aeronaves no tripuladas por la policía y otros cuerpos y fuerzas de seguridad, o incluso el acceso o la recogida de información obtenida desde drones mediante entidades privadas, crea un elevado riesgo para los derechos y libertades fundamentales de los ciudadanos, con la posible interferencia directa en su derecho a la vida privada y a la protección de datos, reconocidos ambos en los artículos 7 y 8 de la Carta Europea de Derechos Fundamentales.

En consecuencia, la policía y otras autoridades operadoras de drones deben asegurarse de disponer de una base jurídica válida para el procesamiento de datos personales. Más en particular, de conformidad con las normas y directrices de reciente aprobación en Europa, es preciso determinar la necesidad e idoneidad de la utilización de las aeronaves no tripuladas para los fines específicos de carácter policial que se persiguen.

Las autoridades policiales deberán justificar asimismo las razones por las cuales los instrumentos existentes a su disposición no alcanzan los fines de vigilancia que se pretenden con los drones y, en su caso, la motivación de que estas aeronaves constituyen la alternativa menos intrusiva. Las autoridades europeas sugieren que una evaluación previa de las autoridades de protección de datos puede ser aplicable y podría ser considerada una buena práctica en las normas nacionales.

---

ción, la investigación, la detección y la represión de infracciones penales o de las infracciones de la deontología en las profesiones reglamentadas.

En todo caso, las autoridades policiales y las entidades privadas que intervengan en su colaboración deben cumplir con los requisitos establecidos por la Directiva en caso de procesar datos recogidos por aeronaves no tripuladas para la detección, persecución, prevención y castigo de delitos. En particular, tales usos deben limitarse a los supuestos en que el tratamiento resulte necesario con el fin de proteger los intereses vitales del interesado o para el cumplimiento de una misión de interés público o inherente al ejercicio del poder público conferido al responsable del tratamiento o a un tercero a quien se comuniquen los datos.

El Grupo de Trabajo del artículo 29 recuerda que el procesamiento de datos por drones por los servicios gubernamentales debe llevarse a cabo para los fines establecidos en la legislación sectorial vigente y no debe ser utilizado para la vigilancia indiscriminada, procesamiento masivo de datos ni para la puesta en común de datos y perfiles.

Con carácter general, las autoridades europeas recomiendan límites que deben imponerse en el uso de drones para actividades de vigilancia. El objetivo principal es evitar que su uso se generalice o que se utilice para la identificación de objetivos basados en el análisis de datos.

Por tanto, los drones solo deben utilizarse para los fines estrictamente enumerados y justificados previamente tipificados y, en todo caso, su uso debe ser geográficamente restringido y limitado en el tiempo. Desde la perspectiva del impacto que el uso de aeronaves no tripuladas puede tener sobre los derechos a la libertad de expresión y a la libertad de reunión, se debe prestar especial atención a la necesidad de proteger, en la medida de lo posible, las manifestaciones públicas y reuniones similares de cualquier clase de vigilancia no autorizada o excesiva.

1.3. Legalidad del procesamiento y limitación de la finalidad

Para que sea lícito el tratamiento de datos personales que conlleva la utilización de la tecnología civil de drones, su uso debe fundamentarse en las normas establecidas en la Directiva europea de Protección de Datos y en las normas nacionales de trasposición, para así garantizar el procesamiento legítimo y proporcionado de los datos personales, teniendo en cuenta las peculiaridades de que el tratamiento de datos se efectúe por medio de equipos de a bordo.

Entre otras bases jurídicas o títulos habilitantes para llevar a cabo dicho procesamiento de datos, habrían de considerarse como relevantes el consentimiento libre, específico e informado, la necesidad del procesamiento para el cumplimiento de un contrato en el que el interesado sea parte o que resulte necesario para el cumplimiento de una obligación legal o necesario para el desempeño de una función de interés público o inherente al ejercicio del poder público conferido al responsable del tratamiento o a un tercero a quien se comuniquen los datos, además de que tenga como fin proteger el interés vital del interesado.

Por tanto, cualquier tratamiento posterior de los datos personales para un fin distinto de aquel para el cual hayan sido recogidos debe hacerse de conformidad con las disposiciones de la Directiva y, por consiguiente, debe tener una base jurídica autónoma y evaluarse caso a caso su compatibilidad con el propósito original.

De conformidad con el principio de legalidad (artículo 6.1.a de la Directiva), cualquier operación de drones que implique el tratamiento de datos personales debe cumplir con la legislación aplicable en general, incluyendo las regulaciones nacionales sobre videovigilancia y normas sectoriales similares.

1.4. Proporcionalidad, calidad y minimización de los datos: privacidad por diseño y por defecto

Solo pueden tratarse los datos personales obtenidos de drones si éstos resultan adecuados, pertinentes y no excesivos en relación con los fines para los que se recaben. Por tanto, es pertinente una evaluación rigurosa de la necesidad y proporcionalidad de los datos a procesar. Asimismo, la regulación europea concreta que los datos personales sólo podrán tratarse si, y siempre y cuando, los fines no pueden cumplirse mediante el procesamiento de información que no implique datos personales.

Por otra parte, el principio de minimización de los datos puede ser cumplido mediante la elección de una tecnología de abordo proporcionada y mediante la adopción de medidas de protección de datos y de *privacidad por defecto*, es decir, a través de una configuración de privacidad en los servicios y productos que de forma predeterminada evite la innecesaria recogida o tratamiento ulterior de datos personales.

En relación con las diversas tecnologías capaces de leer electrónicamente y procesar datos biométricos (reconocimiento facial, de identificación del comportamiento, etc.), las autoridades europeas recomiendan un análisis actualizado según las aclaraciones y recomendaciones ofrecidas en el dictamen sobre la evolución de tecnologías biométricas.

La aplicación de la protección de datos a través de medidas predeterminadas implica que, a priori y como propone el grupo consultivo europeo, el principio de protección de datos por diseño se respeta por los fabricantes y operadores. Compartimos igualmente que la protección de datos no es un lastre, sino un claro valor añadido de los productos y servicios que debe estar integrado dentro de todo el ciclo de vida de la tecnología, desde la etapa temprana del diseño y hasta su despliegue, uso y disposición final. En la actualidad es claro que dicha tecnología debe ser diseñada de manera que se evite el tratamiento de datos personales innecesarios (por ejemplo, en el caso de las infraestructuras estratégicas o críticas, ingeniería y programación de drones con el fin de inhibir la recogida de datos previamente definidos dentro de zonas de exclusión aérea, etc.).

Dada la variedad de aplicaciones de drones y las posibles tecnologías de abordo, con el fin de evaluar su impacto en los derechos y libertades de las personas y, en particular, sobre el derecho a la privacidad y protección de datos, es muy recomendable realizar una evaluación de impacto de la protección de datos. Ayuda a los operadores a descubrir los riesgos de privacidad (si los hubiera) asociados al uso de nuevas aplicaciones y a evaluar si el tratamiento de datos personales a través de aeronaves no tripuladas es legítimo, necesario y proporcionado a la finalidad, al tiempo que asegura, entre otras, las cuestiones de transparencia y seguridad, documentación y medidas de seguridad a adoptar para hacer frente a los riesgos inherentes a la operación civil de drones.

2. Recomendaciones prácticas aplicadas a España

La reciente entrada en vigor de la regulación en España y la falta de normas armonizadas en la Unión Europea nos llevan a suscribir las recomendaciones y orientaciones que ha publicado el Grupo de Trabajo del Artículo 29, sin perjuicio de las interesantes experiencias que se van conociendo y que, sin duda, contribuirán a la mejora y legalidad en el uso civil de drones.

Seguidamente sintetizamos las principales directrices para su mejor puesta en práctica por parte de los fabricantes de drones y equipos así como por los operadores y usuarios europeos y nacionales. Obviaremos las recomendaciones directamente dirigidas a los legisladores y reguladores, por exceder del ámbito de interés de fabricantes y operadores.

2.1. Medidas previas al uso de drones

Confirmar si la legislación nacional autoriza el uso de drones y verificar, en cada caso, la necesidad de autorización de las autoridades administrativas.

1. Clarificar las funciones de actores diferentes: en tanto que el procesamiento de datos personales y de información no la realiza directa ni únicamente un solo responsable, conviene asegurar que el procesamiento se rige por un contrato o acto jurídico que vincule jurídicamente al *responsable* y al *encargado de tratamiento,* con garantía de que éste actúa solo por instrucciones del *responsable.*

En la regulación española, el operador es, y en todo caso, el responsable de la aeronave y de la operación, del cumplimiento del resto de la normativa aplicable, en particular en relación con el uso del espectro radioeléctrico, la protección de datos —que se menciona expresa y específicamente— y la toma de imágenes aéreas, además de tener una responsabilidad directa por los daños causados por la operación o la aeronave.

2. Evaluar el impacto de protección de datos teniendo en cuenta la finalidad de las operaciones y el tipo de aviones no tripulados (dimensión, visibilidad, etc.) y las combinaciones específicas de la tecnología de detección de a bordo; identificar el fundamento jurídico más adecuado (consentimiento de los titulares de los datos, cumplimiento de un contrato, la obligación legal, legítimo interés, etc.) y la posible necesidad de notificar o consultar las Autoridades Nacionales de Protección de Datos competentes conforme a la ley nacional de protección de datos.

La Agencia Española de Protección de Datos ha publicado en 2014 la Guía para una Evaluación de Impacto en la Protección de Datos Personales (EIPD)[75], y esta Autoridad Nacional de Control en su última Memoria de 2014[76] ha destacado que: "En particular, la Guía indica situaciones en las que sería recomendable llevar a cabo este análisis. Entre ellas se pueden resaltar aquellos proyectos en los que se vayan a utilizar tecnologías que se consideran especialmente invasivas de la privacidad, como la videovigilancia a gran escala, el uso de drones, la minería de datos, el tratamiento de datos biométricos o genéticos, o la geolocalización".

3. Seleccionar la tecnología a bordo más proporcionada a las finalidades y adoptar todas las medidas adecuadas de privacidad por defecto: establecer servicios y productos de manera que se evite la recogida y el tratamiento posterior de datos personales innecesarios.

Estas medidas de minimización del tratamiento de datos personales serán recogidas en el nuevo Reglamento General de Protección de Datos que puede llegar a ser aplicable en toda la Unión Europea. Su propia exposición de motivos lo expresa así: "El artículo 5 establece los principios relativos al tratamiento de los datos personales, que corresponden a los establecidos en el artículo 6 de la Directiva 95/46/CE. Se introducen nuevos elementos adicionales como el principio de transparencia, la aclaración del principio de minimización de datos y el establecimiento de una responsabilidad general del responsable del tratamiento de datos".

4. Encontrar la manera más adecuada para dar aviso previo a posibles afectados por el procesamiento de datos: informar a través de señales u hojas de información en caso de funcionamiento visual en zonas determinadas; en caso

[75]   Guía publicada en formato electrónico, publicada en http://www.agpd.es/portalwebAGPD/canaldocumentacion/publicaciones/common/Guias/Guia_EIPD.pdf.
[76]   [19] Cfr. Memoria AEPD 2014, accesible en http://www.agpd.es/portalwebAGPD/LaAgencia/informacion_institucional/common/memorias/2014/Memoria_AEPD_2014.pdf.

de un evento público, informar al público a través de medios sociales, periódicos, folletos o carteles; dar información clara siempre en el sitio web correspondiente: el anuncio de información debe contener una indicación clara del responsable de fichero a efectos de la regulación de protección de datos y los fines del tratamiento, y debe ofrecer a los ciudadanos afectados, sujetos de los datos indicaciones claras y específicas para el ejercicio de los derechos de acceso, rectificación, cancelación y oposición, en particular respecto de los registros visuales y no visuales que les conciernen.

En nuestra experiencia profesional, la complejidad de la cuestión puede simplificarse a través de la debida aplicación de los Principios de Protección de Datos:

a) El principio de calidad de los datos.

b) El principio de información en la recogida de datos.

c) El principio de consentimiento (o título jurídico habilitante: ley aplicable, interés legítimo, etc.).

d) El principio de datos especialmente protegidos.

e) El principio de seguridad de los datos.

f) Deber de secreto.

g) El principio de comunicación de datos.

h) El principio de acceso a datos por cuenta de terceros.

5. Tomar las medidas técnicas y organizativas adecuadas para garantizar un nivel de seguridad adecuado a los riesgos que presente el tratamiento y a la naturaleza de los datos que deben protegerse, en particular, para evitar cualquier tratamiento no autorizado también durante la fase de "transmisión".

En particular, es recomendable incorporar la privacidad desde el diseño y por defecto. En igual sentido se pronuncia el Considerando 61 de la Propuesta de Reglamento General de Protección de Datos: "(61) La protección de los derechos y libertades de los interesados con respecto al tratamiento de datos personales exige la adopción de las oportunas medidas de carácter técnico y organizativo, tanto en el momento del diseño del tratamiento como del tratamiento propiamente dicho, con el fin de garantizar que se cumpla lo dispuesto en el presente Reglamento. Con objeto de garantizar y demostrar el cumplimiento de lo dispuesto en el presente Reglamento, el responsable debe adoptar las políticas internas y aplicar las medidas adecuadas que cumplan especialmente los principios de protección de datos desde el diseño y por defecto".

6. Eliminar o anonimizar los datos personales innecesarios después de la recolección o tan pronto como sea posible.

Esta medida se enmarca en la identificabilidad de las personas físicas. La Propuesta de Reglamento General de Protección de Datos en su Considerando 23 determina que "Los principios de protección deben aplicarse a toda información relativa a una persona identificada o identificable. Para determinar si una persona es identificable deben tenerse en cuenta todos los medios que razonablemente pudiera utilizar el responsable del tratamiento o cualquier otro individuo para identificar a dicha persona. Los principios de protección de datos no deben aplicarse a los datos convertidos en anónimos de forma que el interesado a quien se refieren ya no resulte identificable".

2.2. Recomendaciones para el uso legal de datos procesados por drones

1. Insertar opciones de privacidad con diseño amigable y privacidad amigable por defecto como parte de un enfoque de privacidad desde el diseño.
2. Involucrar a un Delegado de Protección de Datos (cuando sea posible) en el diseño e implementación de políticas relacionadas con el uso de aviones no tripulados.
3. Promover y adoptar códigos de conducta que puedan ayudar a la industria y las diferentes categorías de operadores a prevenir las infracciones y mejorar la aceptabilidad social de aviones no tripulados; tales códigos deben contener las sanciones en caso de que los firmantes no cumplen con el código.
4. Hacer que el avión no tripulado sea visible e identificable en lo posible (mediante emisión de señal inalámbrica, luces intermitentes o zumbadores, colores brillantes, etc.).
5. Hacer que el operador sea claramente visible e identificable con señalización como persona responsable del dron cuando esté en la línea de visión.
6. Evitar en la medida de lo posible volar sobre o cerca de áreas privadas y edificios al planificar y operar un vuelo, incluso cuando esté permitido operar el dron sobre áreas pobladas.

VII. CONCLUSIONES

1. Conclusiones relativas a la responsabilidad civil

La reciente normativa en materia de drones, recogida en el derecho nacional fundamentalmente por el Real Decreto 1036/2017, revela una notable inseguridad jurídica consecuencia de la aprobación del Reglamento (UE) 2018/1139, que aunque cuenta con una disposición transitoria específica para estas aeronaves obliga a interpretar las normas conforme a la regulación europea y precisará de una nueva regulación una vez aprobados los actos delegados y de ejecución encomendados a la Comisión Europea en cooperación con la EASA.

El legislador no ha establecido un régimen de responsabilidad civil específico aplicable a los drones, por lo que la solución a los distintos supuestos precisa de una interpretación de las normas. De este modo, podemos afirmar que la utilización de drones se encuentra sometida a distintos regímenes de responsabilidad que es preciso delimitar, ya que varían los criterios de imputación de la misma y, por tanto, la carga de la prueba y las posibilidades de exoneración de la responsabilidad:

1. El régimen de responsabilidad de la Ley de Navegación Aérea se aplica a los RPAS para uso profesional y experimental. Se trata de un criterio de imputación de la responsabilidad objetiva al operador. A tal efecto, el artículo 26 del Real Decreto 1036/2017 le obliga a suscribir un seguro de responsabilidad civil u otra garantía financiera que cubra dicha responsabilidad frente a terceros por los daños que puedan ocasionarse durante y por causa de la ejecución de las operaciones aéreas especializadas o vuelos experimentales. Por contra, entendemos que este régimen no se aplica cuando los drones se destinen exclusivamente a fines recreativos o deportivos, en la medida en que quedan fuera del ámbito de aplicación de la LNA.

2. Respecto al régimen de responsabilidad subjetiva del Código civil, se imputa la responsabilidad por culpa al piloto remoto (o al operador) por los daños ocasionados cuando se trata de un usuario de un dron destinado exclusivamente a actividades deportivas, recreativas, de competición, exhibición o a actividades lúdicas. No obstante, al tratarse de una actividad generadora de riesgo, debería incrementarse el nivel de diligencia exigible. Por otro lado, respecto a la responsabilidad por hecho ajeno en esos casos resulta de aplicación el artículo 1903 del Código Civil, que será por culpa (al menos en teoría). Respecto a la del empresario, se diferencia de la responsabilidad objetiva derivada del artículo 120 de la LNA, que imputan la misma, incluso, cuando el operador o sus empleados justifican que obraron con la debida diligencia. Respecto a la de los progenitores, se imputará por los daños ocasionados por la utilización de un dron de juguete por parte de un menor de edad. El legislador no establece un límite de edad para su uso en actividades deportivas, recreativas, de competición y o exhibición, aunque hubiera sido deseable que hubiera fijado una edad mínima para las operaciones sujetas a restricciones adicionales en la Disposición adicional segunda, epígrafe segundo, es decir, para aquellos que superen los 2 kg de MTOW y vuelen a una altura superior de 50 m,

3. El régimen de responsabilidad civil por vulneración de los derechos de la personalidad puede aplicarse en el uso de drones dotados con cámaras de filmación o de escucha cuando se produzca dicha intromisión por vulneración de lo dispuesto en la Ley Orgánica 1/1982, de 5 de mayo. En estos casos, en función del supuesto, la tutela judicial frente a estas intromisiones ilegítimas puede re-

cabarse por las vías procesales ordinarias, y que abarca la vía civil, la penal y la contencioso-administrativa; por el procedimiento sumario y preferente previsto en el artículo 53.2 de la Constitución; o ante al recurso de amparo ante el Tribunal Constitucional.

4. El régimen de responsabilidad objetivo por productos defectuosos, aplicable en virtud del Real Decreto Legislativo 1/2007, de 16 de noviembre, por el que se aprueba el TRLFGDCU, puede resultar de aplicación cuando el dron fabricado es defectuoso. A tal efecto, las obligaciones del fabricante de drones ha sido recogida en los artículos 14 y 15 del Real Decreto 1036/2017, de 15 de diciembre, y en el Reglamento (UE) 2018/1139 del Parlamento Europeo y del Consejo de 4 de julio de 2018. Además, resulta preciso diferenciar si nos encontramos ante un producto no seguro o un producto cuya utilización entraña unos riesgos, resultando de especial importancia las instrucciones del fabricante que deben ser incorporados al dron.

5. Respecto al aseguramiento de los drones, hay que tener en cuenta que en la ejecución de las operaciones aéreas especializadas o vuelos experimentales, el operador debe contar con una póliza de seguro u otra garantía financiera que cubra la responsabilidad civil frente a terceros por los daños que puedan ocasionarse. Sin embargo, en el resto de los supuestos, no se exige la obligatoriedad en la suscripción de un seguro de responsabilidad civil, aunque resulta recomendable.

2. Conclusiones relativas a la protección de datos

1. La integración progresiva de los drones en el espacio aéreo civil europeo y su utilización en múltiples aplicaciones requiere tener en cuenta no solo los beneficios económicos y sociales, sino también los riesgos que para la protección de datos de las personas y la privacidad comporta su empleo a gran escala y el desarrollo de sensores de alta tecnología.

2. Los riesgos principales de los drones en materia de privacidad comprenden desde el incremento de procesamientos masivos de datos personales hasta la falta de transparencia de las finalidades y cesionarios de la información recogida, además de la amenaza al correcto ejercicio de derechos y libertades fundamentales.

3. La utilización legal de drones precisa verificar la necesidad de autorización específica de las Autoridades de Aviación Civil, la búsqueda de los criterios más adecuados para el tratamiento legítimo, con cumplimiento de los principios de limitación de finalidad, de minimización de los datos y de proporcionalidad (por la elección de la tecnología más proporcionada y las medidas más adecuadas para evitar la recogida de datos personales

innecesarios) y el cumplimiento, de la manera más apropiada para cada caso, del principio de transparencia al operar aeronaves no tripuladas, con información a los interesados de las operaciones realizadas y los datos recabados, con adopción de todas las medidas de seguridad adecuadas y con eliminación o anonimización de los datos personales no estrictamente necesarios.

VIII. BIBLIOGRAFÍA

ÁLVAREZ LATA, N. Y BUSTOS MORENO, B.: "Responsabilidad civil en el ámbito del transporte y la navegación aérea", en Reglero, F. y Busto Lago, J.M., *Tratado de Responsabilidad Civil*, Tomo II, 5ª ed., Aranzadi, Navarra, 2014, pp. 995-1098.

BASOZABAL ARRUE, X.: *Responsabilidad extracontractual objetiva: parte general*. Editorial Agencia Estatal Boletín Oficial del Estado; Madrid, 2015.

BENJAMIN, M.: *Las guerras de los drones. Matar por control remoto*, Anagrama, Barcelona, 2014.

BUSTOS MORENO, Y. B.: *La responsabilidad civil en la navegación aérea. Los daños a terceros*, Dykinson, Madrid, 2003.

CATELLS I MARQUÉS, M.: "Drones civiles", en Navas Navarro, S.: *Inteligencia Artificial. Tecnología. Derecho*, Tirant lo Blanch, Valencia, 2017, pp. 73-99.

COIAE: "Análisis de la normativa de drones", *Revista Mapping*, vol. 24, núm. 171 mayo-junio 2015, pp. 6-25.

COIGT: "Usos y aplicaciones de los drones", *Revista Mapping*, vol. 24, núm. 171 mayo-junio 2015, pp. 34 y ss.

COPAC: "La seguridad operacional de los RPAS", *Revista Mapping*, vol. 24, núm. 171 mayo-junio 2015, pp. 26 y ss.

DEURPAS: "Sobre el pilotaje y las aplicaciones de los drones", *Revista Mapping*, vol. 24, núm. 171 mayo-junio 2015. pp. 26-33.

DÍAZ DÍAZ, E.: "Utilización de drones para casos legales y administrativos". *Obras Urbanas* nº 65. Septiembre-Octubre 2017. Accesible en RPAS Drones (01.03.2018). [En: https://www.obrasurbanas.es/drones-casos-legales/]

DÍAZ DÍAZ, E.: *Nueva Ley Orgánica de Protección de Datos: adaptación legal a la realidad digital*. Aranzadi, Legal Today, 27.11.2017. [En http://www.legaltoday.com/practica-juridica/publico/proteccion_de_datos/nueva-ley-organica-de-proteccion-de-datos-adaptacion-legal-a-la-realidad-digital#]

DÍAZ DÍAZ, E.: *The new European Union General Regulation on Data Protection and the legal consequences for institutions*. Taylor & Francis [En http://www.tandfonline.com/eprint/4rCeh6DUNEPyYimTbBhS/full]. ISSN: 2375-3234 (Print) 2375-3242).

ESTEBAN HERREROS, J.L. (coord).: *Los drones y su aplicación en la ingeniería civil*, Comunidad de Madrid, Madrid, 2015.

FAYOS GARDÓ, A.: *Derecho de Daños: las víctimas y la compensación*, Dykinson, Madrid, 2016.

234 Esther Monterroso Casado y Efrén Díaz Díaz

GALILEO GEOSYSTEM: "Teledetección aerotransportada: caso de estudio de la agricultura de precisión", *Revista Mapping*, vol. 24, núm. 171 mayo-junio 2015.

GUERRERO LEBRÓN, M.J.: *La responsabilidad contractual del porteador aéreo en el transporte de pasajeros*, Tirant lo Blanch, Valencia, 2005.

HERREROS LÓPEZ, J.M.: "La responsabilidad civil por lesión de los derechos al honor, intimidad y propia imagen", en VVAA *Responsabilidad en el ámbito del Derecho público y por la lesión de los derechos fundamentales*, CEF, Madrid, 2017, pp. 87-120..

INESE: *Drones: uso en las aseguradoras y su aseguramiento*, 2018 [En https://www.mapfreglobalrisks.com/gerencia-riesgos-seguros/wp-content/uploads/2018/05/4-Drones-uso-en-las-aseguradoras-y-su-aseguramiento.pdf].

LEVIN, A.: "Drone suspected in helicopter crash landing in South Carolina", *Insurance Journal*, 2018 [En https://www.insurancejournal.com/news/southeast/2018/02/16/480807.htm].

MARTÍN-CASALS, M. Y SOLÉ FELIU, J.: "La responsabilidad civil por productos defectuosos", en Reyes López, Mª. J. (coord.), *Derecho privado de consumo*, Tirant lo Blanch, Valencia 2004, pp. 157-196.

MEDINA ALCOZ, M.; "La responsabilidad civil del empresario por el hecho dañoso de su dependiente: Derecho español y textos doctrinales europeos", en Monterroso Casado, E. (dir.): *Responsabilidad empresarial*, Tirant lo Blanch, Valencia, 2015, pp. 73-106.

MONTERROSO CASADO, E. (dir.): *Responsabilidad empresarial*, Tirant lo Blanch, Valencia, 2015.

MONTERROSO CASADO, E.: *Presupuestos sustantivos y procesales de la responsabilidad civil*, 4ª ed., CEF, Madrid, 2018.

MONTERROSO CASADO, E.: *Responsabilidad civil por accidentes de circulación*, Aranzadi, Navarra, 2009.

PARADA VÁZQUEZ, J.D.: *Derecho Aeronáutico*, Gomylex, Madrid, 2000.

PARRA LUCÁN, M. A.: "Libro III. Título II. Disposiciones específicas en materia de responsabilidad. Capítulo I. Daños causados por productos", en Bercovitz (coord.), *Comentario del Texto Refundido de la Ley General para la Defensa de Consumidores y Usuarios y otras Leyes Complementarias*, Thomson Aranzadi, 2ª ed., Navarra, 2015, pp. 1931-2066.

PARRA LUCÁN, M.ª Á.: "Responsabilidad civil por bienes y servicios defectuosos", en Reglero, F. y Busto Lago, J.M., *Tratado de Responsabilidad Civil*, Tomo II, 5ª ed., Aranzadi, Navarra, 2014, pp. 57-178.

PARRA LUCÁN, M.ª Á.: "Responsabilidad civil por productos defectuosos", en en Reglero, F. y Busto Lago, J.M., *Tratado de Responsabilidad Civil*, Tomo II, 5ª ed., Aranzadi, Navarra, 2014, pp. 179-329.

PERRITT, H.H. y SPRAGUE, E.O.: "Law Abiding Drones", en *The Columbia Science and Technology Law Review*, vol. 16, núm. 5, 2015, pp. 385-451 [En: http://stlr.org/volumes/volume-xvi-2014-2015/law-abiding-drones/].

Plan Estratégico para el desarrollo del sector civil de los drones en España 2018-2021, Ministerio de Fomento, Madrid, 2018 [En https://rc-innovations.es/image///data/Blog/Plan%20Estrategico%20Drones%202018-2021.pdf]

ROJO ALVAREZ-MANZANEDA, R.: "La responsabilidad civil del trasnportista en el contrato de pasaje aéreo: especial consideración a la indemnización de los daños personales, en García Garnica, M.ª C. y Antonio Orti Vallejo, A. (dir.), *La responsabilidad civil por daños causados por servicios defectuosos: estudio de la responsabilidad civil por servicios susceptibles de provocar daños a la salud y seguridad de las personas*, Aranzadi, Navarra, 2015, pp. 601-684.

RUEDA VALDIVIDA, R.: *La responsabilidad del transportista aéreo en la Unión Europea*, Comares, Granada, 2002.

TOPCON: "Fotogrametría con drones (aviones) sin puntos de apoyo", *Revista Mapping*, vol. 24, núm. 171 mayo-junio 2015.

YZQUIERDO TOLSADA, M.: "Daños a los derechos de la personalidad (honor, intimidad y propia imagen)", en Reglero, F. y Busto Lago, J.M., *Tratado de Responsabilidad Civil*, Tomo II, 5ª ed., Aranzadi, Navarra, 2014, pp. 1365-1498.

PARTE II
RESPONSABILIDAD DERIVADA DE LOS RIESGOS CIBERNÉTICOS

CAPÍTULO 6
RESPONSABILIDADES EN EL ÁMBITO CIBERNÉTICO

BERNARDO YBARRA MALO DE MOLINA
Socio de Muñoz Arribas S.L.P.
Máster Universitario en Protección de Datos,
Transparencia y Acceso a la Información (USP-CEU)

Sumario: I. INTRODUCCIÓN. II. TIPOLOGÍA DE LAS RESPONSABILIDADES DERIVADAS DE LOS RIESGOS CIBERNÉTICOS. 1. Responsabilidad civil: contractual o extracontractual. 2. Responsabilidad penal y la civil derivada del delito. 3. Responsabilidad en el ámbito laboral y la jurisdicción social. 4. Responsabilidad en el ámbito administrativo o regulatorio. III. RESPONSABILIDAD POR SEGURIDAD EN LAS REDES. 1. Supuestos de ataques a la seguridad en las redes y sistemas de información. 2. Escenarios de responsabilidad frente a terceros. 2.1. Actos intencionados por parte de un tercero (cracker). 2.2. Actos intencionados por parte de un "insider". 2.3. Actos intencionados o no intencionados por parte del titular de la red o sistema de información. 3. Elementos de la Responsabilidad Civil en el ámbito del ciber riesgo. 3.1. Actuación u omisión negligente. 3.2. Relación de causalidad. 3.3. Daño. 3.4. Inexistencia de prescripción. IV. RESPONSABILIDAD POR GESTIÓN. V. RESPONSABILIDAD DE LOS MEDIOS DE COMUNICACIÓN POR LA ALTERACIÓN DE SU CONTENIDO DERIVADO DE UN CIBERATAQUE. VI. RESPONSABILIDAD POR INFRACCIÓN DE PROPIEDAD INTELECTUAL E INDUSTRIAL[1]. 1. Introducción, 2. Las infracciones de los derechos de Propiedad Intelectual en el Ciberespacio. 3. Responsabilidad. 3.1 Responsabilidad civil. 3.2. Responsabilidad Penal. 4. Responsabilidad Administrativa. 5. Las infracciones de los derechos de Propiedad Industrial en el Ciberespacio. VII. CONCLUSIONES. VIII. BIBLIOGRAFÍA[2].

Palabras claves: Riesgos cibernéticos, Responsabilidad Civil, Protección de Datos, Brecha de Seguridad

Resumen: En este capítulo nos centraremos en analizar las distintas responsabilidades que se pueden derivar del ámbito cibernético, en concreto las responsabilidades civiles, penales y administrativas.

---

[1]   Este Epígrafe ha sido redactado por GALLEGO CORCHERO, V., Letrado de Muñoz Arribas Abogados, S.L.P.

[2]   Todas las consultas de internet estaban disponibles a 28 de septiembre de 2018.

I. INTRODUCCIÓN[3]

Puede afirmarse que cualquier actividad humana que tenga reflejo en el mundo conlleva la existencia de riesgos asociados y, por ende, la posibilidad de generar daños, ya sean propios o a terceros. En caso de que se causen daños a terceros nos encontraremos ante una eventual responsabilidad civil.

Lógicamente, la actividad relativa al uso de las tecnologías de la información responde a este esquema y, por tanto, tiene asociada la existencia de riesgos y eventuales responsabilidades.

Dada la complejidad de la casuística del objeto de estudio consideramos necesario comenzar por definir la terminología a emplear relacionada con el ciber riesgo y los eventos o incidentes cibernéticos.

La primera cuestión a considerar es qué es o qué se entiende por cibernética en el contexto de los riesgos cibernéticos. El término cibernética fue acuñado por el matemático y filósofo estadounidense WIENER[4]. El diccionario de la Real Academia de la Lengua Española, entre otras, nos ofrece las siguientes acepciones del término cibernético o cibernética: "*3. Adj. Creado y regulado mediante una computadora; perteneciente o relativo a la realidad virtual; 5. f. ciencia que estudia las analogías entre los sistemas de control y comunicación de los seres vivos y los de las máquinas*".

Quizá sea más importante intentar definir qué es un riesgo cibernético o ciber riesgo, y al respecto consideramos muy acertada la definición que da la Asociación Española de Riesgos y Seguros[5], según la cual consideramos riesgo cibernético "*aquél que puede producir un daño en los sistemas de información de una organización. El riesgo puede tener su origen en cualquier componente del sistema: equipos, aplicaciones, comunicaciones.... Se puede producir como consecuencia de ataques de piratas informáticos o crackers y por fallos o errores no intencionados. Los daños pueden ser la alteración, modificación, destrucción o pérdida de información, el acceso indebido a la información y la falta de disponibilidad de servicio*".

---

[3]   Procede como cuestión previa mostrar mi agradecimiento al Profesor Doctor Alberto Muñoz Villarreal por sus sugerencias que me han ayudado a mejorar el trabajo, si bien los posibles errores u omisiones del trabajo, como no podía ser de otra manera, sólo son imputables a mi persona.

[4]   WIENER, N., *Cibernética o el control y comunicación en animales y máquinas*, Barcelona, Tusquets, 1985.

[5]   ASOCIACIÓN ESPAÑOLA DE GERENCIA DE RIESGOS Y SEGUROS, *Guía terminología de ciberseguridad*, Madrid, AGERS, 2017, p. 14, https://www.ismsforum.es/ficheros/descargas/guiaciberseguridadismsagers1497276047.PDF

Por su parte la organización internacional *Information Systems Audit and Control Association* define el riesgo como la combinación de la probabilidad de un evento y sus consecuencias, y los riesgos de las Tecnologías de la Información como *"el riesgo de negocio asociado con el uso, la propiedad, operación, implicación, influencia y adopción de las Tecnologías de la Información en una empresa. Los riesgos de las Tecnologías de la Información consisten en incidentes relacionados con las Tecnologías de la Información que potencialmente pueden afectar al negocio. Los riesgos de las Tecnologías de la Información pueden ocurrir con una frecuencia e impacto inciertos y crear desafíos para cumplir con los objetivos estratégicos. El riesgo de las Tecnologías de la Información siempre existe, haya o no haya sido detectado o reconocido por una empresa"*[6].

La asociación internacional para el estudio del seguro, The Geneva Association[7] define y categoriza el ciber riesgo del siguiente modo: *"cualquier riesgo derivado del uso de la Tecnología de la Información y Comunicación (TIC) que comprometa la confidencialidad, disponibilidad o integridad de los datos o servicios. La alteración de la Tecnologías Operacionales (TO) eventualmente puede llevar a la disrupción del negocio, averías de infraestructuras, y daños físicos a las personas y propiedades. El ciber riesgo puede tener origen espontáneo o estar provocado por el hombre, en este último caso puede derivar de un error humano, del ciber crimen (p.ej.: extorsión, fraude), ciber guerra, y ciber terrorismo. El ciber riesgo está caracterizado por la existencia de interdependencias, eventos potencialmente extremos, alta incertidumbre en relación con los datos y el enfoque de modelos, así como el riesgo al cambio"*.

La Directiva (UE) 2016/1148 del Parlamento Europeo y del Consejo, de 6 de julio de 2016, relativa a las medidas destinadas a garantizar un elevado nivel común de seguridad de las redes y sistemas de información en la Unión, establece las siguientes definiciones que son de interés:

- "Redes y sistemas de información":
  - (a) una red de comunicaciones electrónicas en el sentido del artículo 2, letra a), de la Directiva 2002/21/CE.
  - (b) todo dispositivo o grupo de dispositivos interconectados o relacionados entre sí en el que uno o varios de ellos realizan, mediante un programa, el tratamiento automático de datos digitales, o

---

6   INFORMATION SYSTEMS AUDIT AND CONTROL ASSOCIATION, *Cobit 5 for Risk*, Rolling Meadows, ISACA, 2013, p. 17.
https://www.isaca.org/COBIT/Documents/COBIT-5-for-Risk-Preview_res_eng_0913.pdf
7   THE GENEVA ASSOCIEATION, *Ten key questions on cyber risk and Cyber Risk Insurance*, Zurich, 2017, p. 12 https://www.genevaassociation.org/sites/default/files/research-topics-document-type/pdf_public//cyber-risk-10_key_questions.pdf

(c) los datos digitales almacenados, tratados, recuperados o transmitidos mediante elementos contemplados en las letras a) y b) para su funcionamiento, utilización, protección y mantenimiento.

- "Seguridad de las redes y sistemas de información": la capacidad de las redes y sistemas de información de resistir, con un nivel determinado de fiabilidad, toda acción que comprometa la disponibilidad, autenticidad, integridad o confidencialidad de los datos almacenados, transmitidos o tratados, o los servicios correspondientes ofrecidos por tales redes y sistemas de información o accesibles a través de ellos.
- "Incidente": todo hecho que tenga efectos adversos reales en la seguridad de las redes y sistemas de información.
- "Gestión de incidentes": todos los procedimientos seguidos para detectar, analizar y limitar un incidente y responder ante este.
- "Riesgo": toda circunstancia o hecho razonablemente identificable que tenga un posible efecto adverso en la seguridad de las redes y sistemas de información.

Por otra parte, tiene interés traer a colación la definición legal de redes y sistemas establecida en el Real Decreto-ley 12/2018, de 7 de septiembre, de seguridad de las redes y sistemas de información. Así a los efectos de este real decreto, artículo 3, se entiende por redes y sistemas de información cualquiera de los siguientes elementos:

- "*Las redes de comunicaciones electrónicas, definidas en el Anexo II de la Ley 9/2014 General de Telecomunicaciones.*
- *Todo dispositivo o grupo de dispositivos interconectados o relacionados entre sí, en el que uno o varios de ellos realicen, mediante un programa, el tratamiento automático de datos digitales.*
- *Los datos digitales almacenados, tratados, recuperados o transmitidos mediante los elementos contemplados en los números 1º y 2º anteriores, incluidos los necesarios para el funcionamiento, utilización, protección y mantenimiento de dichos elementos*".

Como vemos, cabría definir el ciber riesgo de forma sencilla y genérica como los riesgos asociados a las Tecnologías de la Información y Comunicación (en adelante TIC) que comprometen de algún modo (daños, confidencialidad, integridad, acceso, disponibilidad, etc.) redes, datos o servicios de información.

Los riesgos cibernéticos se pueden concretar en eventos o incidentes cibernéticos, con independencia de que dicho incidente se cause por un tercero o por el propio titular de la red o sistema de información, ya sea de manera voluntaria o accidental.

El Instituto Nacional de Ciberseguridad[8] considera al incidente de seguridad como *"cualquier suceso que afecte a la confidencialidad, integridad o disponibilidad de los activos de información de la empresa, por ejemplo: acceso o intento de acceso a los sistemas, uso, divulgación, modificación o destrucción no autorizada de información"*.

El riesgo cibernético puede tener diferentes consecuencias o aspectos: financieros, legales, patrimoniales, reputacional, personal, responsabilidad civil, daños propios, etc. Una de las cuestiones más relevantes del ciber riesgo es la potencial entidad de los eventuales daños que puede provocar un único incidente cibernético, tanto desde el punto de vista de los sujetos afectados como de los daños provocados. Un único incidente cibernético puede afectar a millones de usuarios a lo largo de todo el globo y provocar daños más cuantiosos que una catástrofe natural.

II. TIPOLOGÍA DE LAS RESPONSABILIDADES DERIVADAS DE LOS RIESGOS CIBERNÉTICOS

El sujeto causante de los daños podrá ser un tercero o el titular de la red o sistema de información. En ambos supuestos, el incidente cibernético podrá ser provocado de manera voluntaria o accidental. En el ámbito de las organizaciones con personalidad jurídica, el incidente cibernético siempre se generará por un administrador, directivo o empleado y los daños que se causen tendrán alcance interno y/o podrán afectar a terceras personas. A este respecto hemos de tener en consideración que, en virtud de la responsabilidad por hecho ajeno, las empresas u organizaciones responderán de sus dependientes, al igual que los padres respecto de sus hijos, los tutores respecto de sus tutelados y los centros docentes por los daños y perjuicios causado por sus alumnos menores durante el tiempo en que se encuentren bajo el control de la entidad (artículo 1903 del Código Civil).

Si analizamos esta cuestión desde el punto de vista del sujeto pasivo, los daños derivados del incidente cibernético los puede sufrir el propio titular de la red o sistema de información, o terceras personas. En el primer caso nos encontraremos ante daños propios, y en el supuesto de que los daños los sufran terceros nos encontraremos ante una eventual responsabilidad civil. Esta distinción tiene especial importancia desde el punto de vista de la responsabilidad en que se puede

---

8   INSTITUTO NACIONAL DE CIBERSEGURIDAD, *Glosario de términos de ciberseguridad*, INCIBE, Madrid, 2017, p. 24,
https://www.incibe.es/protege-tu-empresa/guias/glosario-terminos-ciberseguridad-guia-aproxi-macion-el-empresario

incurrir como consecuencia de un evento cibernético, así como de la conveniencia o necesidad de asegurar ese riesgo.

Como es de suponer la responsabilidad se puede generar en diferentes ámbitos:

1. La responsabilidad civil: contractual o extracontractual

En ocasiones puede presentar cierta dificultad la distinción entre la responsabilidad contractual y la extracontractual, asociándose la primera a la responsabilidad en que se incurre existiendo un contrato y la segunda cuando no existe relación contractual entre las partes. Esta aproximación es insuficiente.

La responsabilidad extracontractual se genera cuando una persona, por acción u omisión, causa daño a otra interviniendo culpa o negligencia, de tal modo que aquélla viene obligado a reparar el daño (artículo 1902 del Código Civil).

Cabe decir que la responsabilidad civil extracontractual nace del principio del derecho establecido por Ulpiano *"iuris praecepta hace sun: honeste vivere, alterum non laedere, suum ciuque"*, esto es, los mandatos del derecho son éstos: vivir honestamente, no hacer daño a otro, dar a cada cual lo suyo. De este modo, aquel que causa un daño a otro viene obligado a repararlo o indemnizarlo.

El artículo 1101 del Código Civil establece que *"quedan sujetos a la indemnización de los daños y perjuicios causados los que en el cumplimiento de sus obligaciones incurrieren en dolo, negligencia o morosidad, y los que de cualquier modo contravinieren al tenor de aquellas"*.

Para que concurra la responsabilidad contractual se requiere que exista un contrato previo entre las partes, pero ello no es suficiente dado que se puede incurrir en responsabilidad extracontractual existiendo relación contractual entre el causante del daño y el perjudicado. De manera que tendrá carácter contractual la responsabilidad civil cuando exista un contrato válido entre el responsable y la víctima o perjudicado y, además, el daño que surja sea consecuencia del incumplimiento de lo pactado[9].

El Tribunal Supremo [Sentencias del Tribunal Supremo de 10 de mayo de 1984 (RJ 1984\2405), de 9 de enero de 1985 (RJ 1985\167), 1 de febrero de 1994 (RJ 1994\854), 5 de julio de 1999 (RJ 1999\4982)] ha delimitado estos tipos de responsabilidad considerando que sólo cabrá aplicar el régimen de la responsabilidad contractual cuando el incumplimiento derive dentro de la "rigurosa órbita de lo pactado", estableciendo que: *"según reiteradamente ha declarado esta Sala —SS. de 3 octubre 1977 (RJ 1977\3712), 14 abril 1981 (RJ 1981\1540), 8*

---

[9]   Véase YZQUIERDO TOLSADA, M., *Responsabilidad Civil Extracontractual. Parte General: Delimitación y especies. Elementos. Efectos o consecuencias*, Madrid, Dykinson 2018.

noviembre 1982 (RJ 1982\6534) y 9 marzo 1983 (RJ 1983\1463), entre otras— *puesto que, como se declara en la última de las citadas, no es bastante que haya* *un contrato entre las partes para que la responsabilidad contractual opere nece-* *sariamente con exclusión de la aquiliana, sino que se requiere para ello que la* *realización del hecho acontezca dentro de la rigurosa órbita de lo pactado".*

Por tanto sólo existe Responsabilidad Contractual cuando exista contrato previo entre las partes y que el hecho causante del daño acontezca dentro de la rigurosa órbita de lo pactado. En otro caso la responsabilidad civil tendrá carácter extracontractual.

En este sentido conviene hacer una breve mención al principio de unidad de culpa y a este respecto citaremos la Sentencia del Tribunal Supremo de 31 de mayo de 2006 (RJ 2006\3497) *"cuando un hecho dañoso es violación de una* *obligación contractual y, al mismo tiempo, del deber general de no dañar a otro,* *hay una yuxtaposición de responsabilidades (contractual y extracontractual) y da* *lugar a acciones que pueden ejercitarse alternativa y subsidiariamente, u optando* *por una o por otra, o incluso proporcionando los hechos al Juzgador para que* *éste aplique las normas en concurso de ambas responsabilidades que más se aco-* *moden a aquellos, todo ello en favor de la víctima y para lograr un resarcimiento* *del daño lo más completo posible (STS de 19 de mayo de 1997 [RJ 1997, 3885],* *que asimismo cita las de 15 de junio de 1996 [RJ 1996, 4774], 5 de julio [RJ* *1994, 5602], 27 de septiembre [RJ 1994, 7307] y 29 de noviembre de 1994 [RJ* *1994, 9165], 15 de febrero de 1993 [RJ 1993, 771] y 6 de octubre de 1992 [RJ* *1992, 7529])".*

La distinción entre la responsabilidad contractual y extracontractual tiene importancia desde varios puntos de vista, especialmente teniendo en cuenta que en gran parte de las ocasiones en que se generan daños media una relación contractual entre las partes, pero como hemos sostenido el régimen legal de aplicación no tiene que ser necesariamente el contractual, sino que se ha podido incurrir en responsabilidad extracontractual.

La primera cuestión que hay que tener en cuenta es la prescripción, dado que en el ámbito de la responsabilidad extracontractual es un año (artículo 1968.2 del Código Civil), mientras que en el ámbito de la responsabilidad contractual era de 15 años y, desde la entrada en vigor de la Ley 42/2015, la prescripción es de 5 años (artículo 1964.2 del Código Civil)[10].

---

[10] *"De hecho, el legislador posterior, cuando reforma el plazo de prescripción para las acciones* *personales del art. 1964 CC, que pasa de 15 años a 5 años, en la Ley 42/2015, de 5 de octubre* *(RCL 2015, 1525), acude para regular la aplicación transitoria de esta norma al art. 1939 CC.* *La disposición transitoria quinta de la Ley 42/2015 pone lo siguiente:*

La segunda cuestión a analizar es el régimen de responsabilidad. En el ámbito de la responsabilidad civil extracontractual se exige una acción u omisión negligente o culpa o negligencia. Sin embargo, en la responsabilidad contractual quedarán sujetos a indemnizar daños y perjuicios los que en el cumplimiento de sus obligaciones incurran en dolo, negligencia o morosidad, y los que de cualquier modo contravinieren lo pactado (artículo 1101 del Código Civil). Como veremos en la contractual la morosidad, o retraso en el cumplimiento de la obligación, puede generar responsabilidad civil.

En tercer lugar, y desde el punto de vista del seguro, la distinción entre la responsabilidad contractual y extracontractual puede tener una relevancia esencial, dado que en las pólizas de responsabilidad civil suele cubrirse la responsabilidad profesional de carácter extracontractual, excluyéndose expresamente la responsabilidad contractual. Por tanto si la responsabilidad se califica como contractual, la póliza de seguro no cubrirá los daños y perjuicios causados. A modo de ejemplo cabe citar la Sentencia de la Audiencia Provincial de Cantabria de 15 de junio de 2014, nº 355/2014 que establece que *"el hecho de que el seguro cubra la responsabilidad civil extracontractual por los daños causados a terceros por los daños causados por productos o servicios por él suministrados no permite considerar cubierto un siniestro como el que nos ocupa, causado estrictamente en el ámbito del cumplimiento de obligaciones contractuales"*.

En el ámbito cibernético nos encontramos en infinidad de ocasiones con que se produce un incidente cibernético mediando una relación contractual entre las partes. Por las razones expuestas tendrá especial interés determinar si nos encontramos ante una responsabilidad civil contractual o extracontractual.

2. Responsabilidad penal y la civil derivada del delito

Por otra parte hemos de tener en cuenta que la responsabilidad civil puede nacer de los delitos, lo que tiene especial incidencia desde el punto de vista del ciber riesgo, dado que muchos eventos cibernéticos tienen origen en una actuación intencionada de un tercero. En este sentido el artículo 1089 del Código Civil establece que: *"Las obligaciones nacen de la ley, de los contratos y cuasicontratos, y de los actos y omisiones ilícitos en los que intervenga cualquier género de culpa o negligencia"*, y el artículo 1092 del Código Civil dispone que *"las obligaciones civiles que nazcan de los delitos o faltas se regirán por las disposiciones del Códi-*

"*El tiempo de prescripción de las acciones personales que no tengan señalado término especial de prescripción, nacidas antes de la fecha de entrada en vigor de esta Ley, se regirá por lo dispuesto en el artículo 1939 del Código Civil*", Sentencia del Tribunal Supremo 3140/2016, de 1 de julio de 2016, Fundamento Jurídico 2.

go Penal". A este respecto el artículo 109.1 del Código Penal señala que *"la ejecución de un hecho descrito por la ley como delito obliga a reparar, en los términos previstos en las leyes, los daños y perjuicios por él causados"*. El perjudicado podrá optar, en todo caso, por exigir la responsabilidad civil ante la jurisdicción civil (art. 109.2 del Código Penal).

De manera genérica cabe sostener que en aquellos casos en que una persona provoque intencionadamente un incidente cibernético (ataques llevados a cabo por un cracker, cracker, hackivista, etc. contra una red o sistema de información) tendrá la consideración de delito, y podrán encuadrarse en alguno de los tipos delictivos establecidos en los artículos 248.2, 264 a 264 quater, etc. del Código Penal.

La responsabilidad civil se podrá exigir dentro del proceso penal o ante la jurisdicción civil. Ahora bien, mientras el proceso criminal este pendiente, existirá una cuestión prejudicial penal que paralizará el eventual proceso civil.

3. *Responsabilidad en el ámbito laboral y la jurisdicción social*

El orden social es competente para conocer todas las conductas llevadas a cabo por un empresario que, actuando en tal condición, cause daños a un trabajador, y ello con independencia de que la responsabilidad se plantee como contractual o extracontractual (artículo 2 de la Ley 36/2011 de la Jurisdicción Social).

En el ámbito de la responsabilidad por riesgos cibernéticos se nos pueden plantear varios escenarios.

En primer lugar analizaremos la responsabilidad civil en materia de seguridad y salud en el trabajo. El artículo 42.1 de la Ley 31/1995 de Prevención de Riesgos Laborales estipula que *"el incumplimiento por los empresarios de sus obligaciones en materia de prevención de riesgos laborales dará lugar a responsabilidades administrativas, así como, en su caso, a responsabilidades penales y a las civiles por los daños y perjuicios que puedan derivarse de dicho incumplimiento"*.

Cabría plantearse el supuesto de que como consecuencia de un incidente cibernético se produzca un fallo en las redes y/o sistema de información del empresario, que afecte a los sistemas de seguridad de los trabajadores y ello cause un accidente de trabajo resultando con daños personales a uno o varios trabajadores.

Este posible escenario tendrá cada día mayor prevalencia en las empresas dado que la digitalización de todos los sistemas es cada vez mayor. Los sistemas de seguridad descansarán cada vez más en sistemas informáticos que son susceptibles de padecer fallos, tener vulnerabilidades y sufrir ataques, lo que potencialmente puede causar accidentes de trabajo. El Internet de las Cosas está cada vez más presente en nuestras vidas personales y profesionales[11]. Estos aparatos conectados a Internet y en muchas ocasiones no disponer de especiales medidas de seguridad por lo que son altamente vulnerables.

El empresario tiene una obligación genérica de establecer medidas de seguridad, y así el artículo 14.2 de la Ley 31/1995 de Prevención de Riesgos Laborales dispone que "*en cumplimiento del deber de protección, el empresario deberá garantizar la seguridad y la salud de los trabajadores a su servicio en todos los aspectos relacionados con el trabajo*".

Sin ánimo de profundizar en esta materia, dejamos apuntado que la introducción de las Tecnologías de la Información e Internet de las Cosas en el ámbito empresarial puede tener incidencia en la seguridad y salud de los trabajadores y, eventualmente, generar responsabilidades para el empresario.

Como segundo escenario de responsabilidad en el ámbito laboral podemos plantear la responsabilidad civil por vulneración de los derechos fundamentales. La Ley 36/2011 de la Jurisdicción Social regula la tutela de los derechos fundamentales y libertades públicas de los trabajadores. A este respecto el artículo 182 de la Ley de la Jurisdicción Social establece el amparo que puede otorgar un Tribunal a través de sus sentencias:

• Declarar la existencia o no de vulneración de derechos fundamentales y libertades públicas, así como el derecho o libertad infringidos, según su contenido constitucionalmente declarado.

• Declarar la nulidad radical de la actuación del empleador, asociación patronal, Administración pública o cualquier otra persona, entidad o corporación pública o privada.

• Ordenar el cese inmediato de la actuación contraria a derechos fundamentales o a libertades públicas, o en su caso, la prohibición de interrumpir una conducta o la obligación de realizar una actividad omitida, cuando una u otra resulten exigibles según la naturaleza del derecho o libertad vulnerados.

• Disponer el restablecimiento del demandante en la integridad de su derecho y la reposición de la situación al momento anterior a producirse la lesión del derecho fundamental, así como la reparación de las consecuencias derivadas de la acción u omisión del sujeto responsable, incluida la indemnización que procediera en los términos señalados en el artículo 183.

---

[11] Véase MUÑOZ VILLARREAL, A., "La responsabilidad derivada del IOT y de los sistemas de inteligencia artificial", en JIMENO MUÑOZ, J., (Coord.), *Insurtech y Responsabilidad Civil Tecnológica*, Madrid, Sepin, 2019, pp. 37-60.

El artículo 177 de la Ley 36/2011 de la Jurisdicción Social protege el derecho de libertad sindical, huelga u otros derechos fundamentales y libertades públicas, incluida la prohibición de tratamiento discriminatorio y del acoso laboral. En el ámbito de las Tecnologías de la Información nos podemos encontrar con algún supuesto en que se vulneren alguno de los derechos protegidos. Pensemos en un caso en el que una persona tiene acceso no autorizado a los datos personales de un empleado, lo que permite a aquél adquirir cierta posición de poder sobre el trabajador, de tal modo que este último es acosado laboralmente o sufre trato discriminatorio. Igualmente el derecho de libertad sindical o de huelga se podría ver afectado por una brecha de seguridad de los datos personales de los trabajadores.

El sindicato o trabajador perjudicado podrá dirigir su acción contra el empresario —quien respondería por hecho ajeno— y/o contra el responsable del daño.

Un tercer escenario de posible responsabilidad es la infracción de la privacidad de los trabajadores, como consecuencia de una brecha de seguridad que afecte a sus datos personales. El Reglamento General de Protección de Datos 679/2016 protege el tratamiento de los datos personales de las personas físicas. A este respecto debemos tener en consideración que en el ámbito laboral pueden ser objeto de tratamiento datos de categoría especial que son de especial protección (afiliación sindical, datos de salud, etc.), así como otros sensibles como pueden ser los datos bancarios, tarjetas de pago, etc.

4. Responsabilidad en el ámbito administrativo o regulatorio

Las tecnologías de la información tienen por objeto precisamente eso: la información, esto es, datos. Esta información podrá tener la consideración de dato personal o no.

En el caso de que nos encontremos ante datos personales, resultará de aplicación el Reglamento General de Protección de Datos 679/2016 (en adelante RGPD), así como por la reciente Ley Orgánica 3/2018, de 5 de diciembre, de Protección de Datos Personales y garantía de los derechos digitales.

Sin perjuicio de que esta cuestión se tratará en el apartado correspondiente a responsabilidad por privacidad, ahora dejamos apuntado que la infracción del Reglamento General de Protección de Datos puede generar una eventual responsabilidad frente a los interesados cuyos datos personales han quedado afectados (artículo 83 RGPD), el ejercicio del poder correctivo por parte de la Autoridad de Supervisión, que en España es la Agencia Española de Protección de Datos (artículo 58.2 RGPD) y la imposición de multas administrativas (artículo 83 RGPD).

Aunque se discute la calificación de este tipo de responsabilidad (contractual, extracontractual, etc.), desde mi punto de vista el ejercicio de los poderes correctivos y la imposición de multas por parte de la Agencia Española de Protección de Datos (en adelante AEPD) tiene la condición de responsabilidad legal, pues nace de la Ley. Otra cuestión es la responsabilidad que se pueda incurrir frente a un interesado que haya sufrido perjuicios como consecuencia de una infracción del reglamento en relación con sus datos personales. En tal caso, dependiendo de cada situación, la responsabilidad puede tener carácter contractual o extracontractual, para cuya delimitación habrá que acudir a los criterios establecidos por la jurisprudencia del Tribunal Supremo que antes hemos referido.

III. RESPONSABILIDAD POR SEGURIDAD EN LAS REDES

Como ya hemos visto, una persona afectada por un evento cibernético puede sufrir daños propios, provocar daños a terceros o una combinación de ambos.

En este apartado nos centramos en la responsabilidad que eventualmente puede llegar a incurrir una persona cuya *seguridad en la red* ha quedado afectada por un incidente cibernético, lo que a su vez provoca daños a terceras personas. El concepto seguridad en las redes ha de entenderse en un sentido amplio comprendiendo las redes, sistemas informáticos y sistemas de información, datos digitales, etc. Sin perjuicio de lo anterior, resulta de interés las definiciones legales y doctrinales que hemos ofrecido.

1. *Supuestos de ataques a la seguridad en las redes y sistemas de información*

Sin ánimo de ser exhaustivo seguidamente trataremos una serie de supuestos que se pueden dar cuando un incidente cibernético afecta a la seguridad en las redes.

Los sistemas de información de una empresa o persona pueden ser utilizados para transmitir programas maliciosos (en adelante *malware*) a los sistemas informáticos de terceras personas. El *malware* se suele transmitir a través del correo electrónico, mensajería instantánea (p.ej.: Facebook Messenger, Skype, Line, Hangouts, Telegram y Whatsapp), dispositivos externos tipo USB y otros, descargas inadvertidas de este tipo de programas y ataques directos de un *cracker* a la vulnerabilidad de seguridad en el software del afectado. El *malware*, como programa malicioso, puede adoptar múltiples formas: virus, troyanos, gusanos, *backdoors*, *spyware*, zombies, etc.

La transmisión del *malware* puede ser voluntaria o involuntaria. En el primer caso estamos hablando del prototípico cracker que, por cualquier medio, quiere introducir este tipo de programas en los sistemas de terceros. Ahora bien, se puede dar el caso de que una persona transmita involuntariamente malware a un tercero, lo que ocurrirá cuando una persona está infectada y, sin tener conciencia de ello, transmite dicho *malware* a los sistemas de un tercero. Otra posibilidad es que el cracker utilice los sistemas de información de una persona (p.ej.: el correo electrónico o un USB), quien ignora completamente tal actividad, para transmitir malware a terceras personas.

Obvia decir que desde el punto de vista de la responsabilidad, la situación es completamente diferente si la transmisión del *malware* es voluntaria (dolosa) o involuntaria. En caso de transmisión dolosa no hay duda de que existirá responsabilidad civil (siempre que se den los otros elementos necesarios para que concurra, por ejemplo, el daño). Sin embargo, en el supuesto de que la transmisión del *malware* sea involuntaria, procederá analizar los elementos constitutivos de la responsabilidad civil: si la acción u omisión es negligente, el nexo de causalidad, la imputabilidad, etc.

Pensemos que la transmisión de malware a terceras personas potencialmente puede causar daños de gran importancia (financieros, legales, patrimoniales, paralización de actividad, lucro cesante, daños reputacionales, personales, etc.), y a afectar a un gran número de sujetos.

Otro supuesto de responsabilidad en las redes se da cuando los sistemas informáticos de una persona o entidad se utilizan para llevar a cabo un ataque de denegación de servicio. Un ataque de denegación es un acto que, en origen, siempre es llevado a cabo por uno o varios crackers. La técnica utilizada consiste en dirigir múltiples peticiones de servicio al "servidor objetivo" hasta que éste no puede atender tal flujo de información, colapsa y queda inoperativo, de manera que los usuarios legítimos no pueden acceder a él. Este tipo de ataque se denomina de *denegación de servicio* por el efecto buscado: que los usuarios legítimos no puedan usar un servicio de red.

Una variante más sofisticada es el ataque de Denegación de Servicio Distribuido (en adelante DDos) en el que el ataque lo realizan varios equipos informáticos de forma coordinada. En muchas ocasiones el/los crackers utilizan subrepticiamente equipos de terceras personas sin el conocimiento de sus dueños (p.ej.: a través de una red de "bots" o "botnet"). Una "botnet" es una gran red de ordenadores infectados con un tipo de malware que permite al atacante controlarlos de forma remota. Estos ordenadores infectados y controlados remotamente se denominan "bots" o "zombies". Al utilizar una botnet la potencia dañina del ataque de denegación de servicio se multiplica, utilizándose cientos, miles o incluso millones de "bots" o "zombies" en un ataque.

Las motivaciones del cracker pueden ser diversas, desde pura diversión o satisfacción de su ego, la obtención de beneficios mediante la extorsión, como maniobra de distracción de otro ataque, acto de protesta por parte de hacktivistas, etc.

Como consecuencia del ataque de denegación de servicio el afectado puede sufrir daños reputacionales, patrimoniales y de otro tipo, llegando incluso a atacarse la soberanía de un país y el correcto funcionamiento de una democracia.

Como ejemplos de ataque de denegación de servicio cabe citar el ataque de denegación de servicio llevado a cabo por el grupo "Anonymus" contra la Iglesia de la Cienciología, cerrando momentáneamente su servidor. El 31 de diciembre de 2015 otro grupo denominado "New World Hacking" cerró temporalmente la página Web de la BBC, afectando también a la página de Donald Trump.

El 21 de octubre 2016 se produjo un ataque de denegación de servicio al proveedor Dyn que afectó, entre otros muchas, a las webs de Twitter y CNN, bloqueó el acceso a las plataformas de Spotify y Netflix, y dejó sin servicio a los usuarios de Playstation Network. Un caso notable desde un punto de vista político ocurrió en octubre de 2010 en Myanmar (antigua Birmania), país que sufrió un ataque de denegación de servicio antes de que tuviesen lugar sus primeras elecciones democráticas en 20 años. Este ataque provocó una grave alteración en las comunicaciones de Internet durante el plazo de una semana, lo que afectó el libre flujo de información durante ese periodo.

Desde el punto de vista de seguridad en las redes nos podemos encontrar con el caso de que una persona o entidad no pueda impedir que terceros no autorizados accedan a los datos, programas o aplicaciones que aquél tenga alojados en su servidor o en el de un proveedor de servicios de alojamiento (servidores de alojamiento tipo "web hosting" o alojamiento en nube tipo "cloud hosting").

En este caso pueden quedar implicada información, datos y programas del propio afectado o que pertenezcan a terceras personas, con la eventual responsabilidad que puede surgir frente a esas terceras personas.

En el caso de que el acceso no autorizado haya afectado a datos personales, de conformidad con lo establecido en el RGPD, el responsable o encargado se enfrenta ante la posible obligación de notificar la brecha de seguridad a la Autoridad Supervisora, que en España es la AEPD, y a los interesados. Además, la AEPD podrá incoar un expediente sancionador si considera que el responsable o encargado ha podido incurrir en una infracción del Reglamento General de Protección de Datos. Finalmente, los perjudicados están legitimados para reclamar al responsable o encargado una indemnización por los daños y perjuicios sufridos. Esta cuestión, que dejamos aquí apuntada, se desarrolla en el siguiente apartado.

El robo de identidad es un supuesto frecuente de responsabilidad en las redes.

El sujeto pasivo del robo de identidad puede ser el propio titular del sistema de información (ordenador o red), un alto directivo o empleado de una entidad o empresa, terceras personas —físicas o jurídicas— cuyos datos sean objeto de tratamiento por el afectado por el incidente cibernético.

Cuando se produce un robo de identidad nos encontramos, por definición, ante una violación o brecha de seguridad de datos personales. Además de los eventuales perjuicios que pueda sufrir el/los afectados por el robo de identidad, la brecha de seguridad tiene importantes implicaciones desde la perspectiva de la protección de datos y del Reglamento General de Protección de Datos 679/2016, lo que será objeto de estudio más detallado en el siguiente apartado.

El proceso para robar la identidad de una persona se compone de dos fases. En primer lugar, alguien roba determinada información personal del "sujeto objetivo". La segunda fase el ladrón utiliza la información sustraída para hacerse pasar por la persona a la que se suplanta la identidad.

La obtención no autorizada de información personal puede realizarse por muy diversos métodos:

- *Dumpster diving* (buceo de basurero). Un clásico en el que el ladrón husmea en la basura con la finalidad de obtener documentos con información personal o financiera de una persona.
- Engaño. Un supuesto representante de una empresa o entidad de confianza solicita determinados datos personales (de identificación, salud, financieros, etc.) al potencial suplantado.
- *Shoulder surfing* (espiar por encima del hombro). El ladrón te espía por encima del hombro en el momento en que el sujeto está introduciendo un Número de Identificación Personal (en adelante PIN) en un cajero automático o computadora. Este espionaje se puede llevar a cabo mediante *spyware*, de manera que el ladrón vigile remotamente la introducción de códigos PIN en nuestra computadora o dispositivo móvil a través del teclado.
- *Skimming*. El delincuente captura datos personales de las cintas magnéticas de las tarjetas de crédito o débito, dichos datos son copiados y transmitidos a otro lugar para replicar nuestra tarjeta de crédito o débito y hacer un uso fraudulento.
- Robo de datos. Un cracker accede y sustrae datos alojados en nuestro servidor que le permiten suplantar la identidad de una persona física y/o jurídica.
- Desde el punto de vista de los riesgos cibernéticos, el robo de identidad se puede producir de muchas maneras: acceso no autorizado a ordenadores o servidores propios o de terceros (pensemos la multitud de empresas y entidades que tienen nuestros datos personales), solicitud ilícita de datos a través de webs, correo electrónico, sms, WhatsApp, redes sociales,

etc. (p.ej. *phishing, smishing, etc.*), *Spyware* (*malware* que recopila ilícitamente información de un ordenador y la envía a otro), compra de datos previamente sustraídos en *Deep Web* o *Dark Web*, diferentes tipos de malware, etc.

Las consecuencias de un robo de identidad pueden ser especialmente graves para la persona afectada, tanto desde un punto de vista económico como reputacional.

Mediante un robo de identidad el suplantador puede celebrar contratos en nombre de la persona suplantada, con un beneficio económico para aquél y el correlativo perjuicio para el afectado. Pensemos el supuesto de que el suplantador solicita un préstamo o adquiere un coche bajo la identidad de la persona a la que ha suplantado. El suplantador obtendrá el dinero del préstamo o el coche, correlativamente el afectado tendrá la obligación legal de devolver el préstamo o pagar el vehículo.

Una persona que haya conseguido el número de nuestra tarjeta de débito o crédito, la fecha de caducidad y el número de seguridad, podrá realizar en internet todas las compras que desee hasta los límites autorizados por la tarjeta.

Mediante una suplantación de identidad se pueden abrir cuentas corrientes y utilizarse para fines ilícitos (p.ej.: blanqueo de dinero, utilización de esas cuentas para actividades criminales, etc.), lo que puede provocar al afectado serios problemas legales.

Si un defraudador posee tus datos financieros, claves bancarias, etc., podría realizar transacciones económicas a su favor, con el consiguiente perjuicio económico para el afectado.

Tampoco podemos pasar por alto el daño reputacional que puede sufrir una persona a quien se haya suplantado su personalidad. La suplantación se puede producir en el ámbito de las redes sociales, lo que perjudicará la imagen o marca de la persona física o jurídica suplantada. Si como consecuencia de un robo de identidad se nos imputa algún tipo de ilícito penal, esta circunstancia afectará a nuestra reputación comercial o laboral y personal.

2. Escenarios de responsabilidad frente a terceros

En el caso de que se produzcan daños como consecuencia de un incidente cibernético relativo a la seguridad en las redes, se plantean varios escenarios de responsabilidad frente a terceros.

2.1. Actos intencionados por parte de un tercero (cracker)

No hay duda que un ciber delincuente que transmite un malware, lleva a cabo un ataque de denegación de servicio, etc. será penalmente responsable y vendrá en la obligación de reparar o indemnizar los daños y perjuicios causados. No podemos perder la perspectiva que muchos ciber crímenes se ejecutan en un ámbito internacional, dirigiéndose desde un país (p.ej.: Rusia, Taiwán, Alemania, etc[12].) a otro, lo que dificulta enormemente su investigación y persecución.

Aún en el caso de que se pueda identificar y condenar al ciber atacante, la solvencia del delincuente puede resultar insuficiente para indemnizar los daños y perjuicios causados. En esta situación es bien posible que los perjudicados, a fin de ver resarcidos los daños sufridos, se planteen dirigir una reclamación frente a otras personas con mayor solvencia imputándoles algún tipo de responsabilidad.

En los supuestos descritos anteriormente puede darse el caso que un cracker o grupo de crackers utilice nuestra red o sistemas de información para llevar a cabo un ciber delito, no siendo conscientes de tal actuación.

En esta situación cabe preguntarse si la persona cuya red o sistema de información es utilizado para la comisión intencionada de un ciber incidente debe responder frente a terceros de los daños causados. Pongamos como ejemplo que nuestro ordenador, junto con el de otros afectados, es utilizado por un grupo de crackers para formar una red de bots y llevar a cabo el ataque de denegación de servicio tipo DDoS contra el servidor de una entidad bancaria, un proveedor de telefonía, el sistema informático del Sistema Nacional de Salud o de algún tipo de infraestructura crítica. ¿Deberían los propietarios de los ordenadores utilizados dentro de la red de bots responder de los daños causados? A priori no parece razonable que estas personas deban incurrir en responsabilidad, dado que su única conexión con los hechos es que un ciber criminal ha utilizado sus medios materiales (ordenadores) para perpetrar un delito.

2.2. Actos intencionados por parte de un "insider"

Debemos hacer mención a otro caso que se da con relativa habitualidad, consistente en que el ciber incidente o brecha de seguridad es causado voluntariamente por un empleado de nuestra organización. En el mundo físico sucede en ocasiones que alguien ha arrojado a los contenedores de basura las historias clínicas de un hospital, con información especialmente sensible como son los datos de salud de los pacientes, etc. Este tipo de sucesos conlleva habitualmente la dimisión del gerente del centro hospitalario donde ha ocurrido este incidente. Dudo mucho que el gerente haya tirado personalmente las historias clínicas o que alguien lo haya hecho por orden de aquél. Esto me lleva a pensar que algún

---

[12] BRITISH BROADCASTING CORPORATION, *El mapa global de ciberataques en tiempo real*, 2013, https://www.bbc.com/mundo/noticias/2013/03/130315_tecnologia_ciberataques_mapa_aa

dependiente del centro hospitalario ha arrojado todos estos datos personales a la basura, por venganza u otra motivación. Tal incidente constituye una brecha de seguridad desde el punto de vista de la protección de datos, lo que eventualmente puede conllevar la imposición de una sanción al centro hospitalario por parte de la AEPD, así como la eventual obligación de indemnizar los daños y perjuicios sufridos por los pacientes afectados.

En el ámbito de la sociedad de la información este tipo de brechas se puede producir con mayor frecuencia e intensidad. El responsable del tratamiento de los datos —en nuestro ejemplo el centro hospitalario—, responderá civil y administrativamente por sus actos propios como por hecho ajeno —en caso de que la brecha de seguridad la haya provocado un dependiente—, tanto desde un punto de vista civil (artículos 1101 y 1903 del Código Civil), como administrativo (RGPD 679/2016).

2.3. Actos intencionados o no intencionados por parte del titular de la red o sistema de información

Este el supuesto clásico de responsabilidad en el que una persona causa daños a otra. Como hemos visto la responsabilidad podrá tener carácter contractual o extracontractual. En el primer caso se estará sujeto a la obligación de indemnizar los daños y perjuicios causados a la otra parte contratante cuando incurra en dolo, negligencia, morosidad o en el cumplimiento de sus obligaciones (artículo 1101 del Código Civil). Incurrirá en responsabilidad civil extracontractual quien, por acción u omisión causa daño a otro interviniendo culpa o negligencia, de tal modo que aquél viene obligado a reparar el daño (artículo 1902 del Código Civil).

3. Elementos de la Responsabilidad Civil en el ámbito de los ciber riesgos

Seguidamente pasamos a analizar los elementos de la responsabilidad civil en el contexto de las tecnologías de la información y los ciber riesgos.

3.1. Actuación u omisión negligente

El primer elemento a tener en consideración es la existencia de una actuación u omisión negligente por parte de la persona cuya red o sistema de información es utilizado para la comisión intencionada de un ciber incidente.

Si bien parece claro que no podría hablarse de *acción negligente* en el supuesto de que, por ejemplo, la infección del malware o el ataque de denegación de servicio lo lleva a cabo un tercero, hay que plantearse si podría imputarse una *omisión negligente* por no disponer de las medidas de seguridad estándar para evitar este tipo de ataques.

Actualmente existen en el mercado herramientas informáticas que permiten paralizar o mitigar un ataque de denegación de servicio o evitar que nuestro ordenador sea utilizado como un "zombi" y forme parte de una red de "bots" en un ataque DDoS. ¿Cabe considerar que una persona o empresa que no ha implantado esas medidas de seguridad ha incurrido en una *omisión negligente* y, por tanto, ser eventualmente responsable de los daños? Si trasladamos este planteamiento al mundo físico ello equivaldría a exigir a determinadas personas o empresas que implanten determinadas medidas de seguridad. Efectivamente, esta obligación existe en determinados ámbitos o sectores como, por ejemplo, en el ámbito laboral (Ley 31/1995 de Prevención de Riesgos Laborales), en materia de protección de incendios (Código Técnico de la Edificación aprobado por Real Decreto 314/2006, de 17 de marzo y Reglamento de Protección de Incendios de la Comunidad de Madrid aprobado por Decreto 31/2003 de 13 de marzo) o en el ámbito penal (artículo 31 bis Código Penal, y al respecto la Sentencia del Tribunal Supremo 316/2018, de 28 de junio destaca la importancia del cumplimiento normativo en relación con el seguro).

Dependiendo del sector o industria en que se opere, el afectado puede tener obligación de adoptar determinadas medidas de seguridad para la prevención de ataques cibernéticos.

El RGPD 679/2016 establece en su artículo 32 la obligación del responsable y encargado de aplicar *medidas técnicas y organizativas apropiadas para garantizar un nivel de seguridad adecuado al riesgo*. El problema de esta normativa es que no concreta, en modo alguno, cuál es el *nivel de seguridad* que debe implantarse, sino que ello dependerá del *"estado de la técnica, los costes de aplicación, y la naturaleza, alcance, el contexto y los fines del tratamiento, así como riesgos de probabilidad y gravedad variables para los derechos y libertades de las personas físicas..."*. Aunque este reglamento tiene por objeto la protección de los datos personales, sin duda es una clara referencia porque puede establecer un "estándar" del nivel de seguridad que quepa exigir a un operador. Además, la mayoría de los ciber incidentes comprometerán datos personales de tal modo que, en tales casos, el RGPD 679/2016 resultará de directa aplicación.

La Directiva NIS (UE) 2016/1148 del Parlamento Europeo y del Consejo, de 6 de julio de 2016, relativa a las medidas destinadas a garantizar un elevado nivel común de seguridad de las redes y sistemas de información en la Unión, se limita a establecer (respecto de los operadores de servicios esenciales y proveedores de servicios digitales) que los Estados miembros velarán por que los *operadores de servicios esenciale*s y *proveedores de servicios digitales* adopten las medidas técnicas y de organización adecuadas y proporcionadas para gestionar los riesgos que se planteen o existan para la seguridad de las redes y sistemas de información que utilizan (artículos 14 y 16). Esta Directiva únicamente llega a concretar hasta determinado punto sobre qué tipos de medidas de seguridad resultarían adecuadas y proporcionadas respecto de los proveedores de servicios digitales, al establecer que se deberán tener en cuenta las siguientes circunstancias:

• La seguridad de los sistemas e instalaciones.
• La gestión de incidentes.
• La gestión de la continuidad de las actividades.
• La supervisión, auditorías y pruebas.
• El cumplimiento de las normas internacionales.

Como vemos la Directiva NIS únicamente es aplicable a dos concretos sectores (operadores de servicios esenciales y proveedores de servicios digitales) y solo indica unas pautas sobre cuáles son las medidas de seguridad que se deben implantar y qué cuestiones se han de tener en cuenta.

Otra norma que resulta de interés es el Real Decreto-ley 12/2018, de 7 de septiembre, de Seguridad de las Redes y Sistemas de Información: de acuerdo con su artículo 2 estarán sometidos a este Real Decreto-Ley:

"a) Los operadores de servicios esenciales dependientes de las redes y sistemas de información comprendidos en los sectores estratégicos definidos en la Ley 8/2011, de 28 de abril, sobre medidas para la protección de las infraestructuras críticas. Desde un punto de vista de la aplicación territorial se requiere que estos operadores de servicios esenciales estén establecidos en España o que ofrezcan sus servicios a través de un establecimiento permanente situado en España.

b) Los proveedores de servicios digitales que sean mercados en línea, motores de búsqueda en línea y servicios de computación en nube. Desde un punto de su aplicación territorial se requiere que estos proveedores de servicios digitales tengan sede social en España y tenga establecimiento principal en la Unión Europea o haya designado España como su representante en la Unión Europea".

Pues bien, el Real Decreto-ley 12/2018 de Seguridad de las Redes y Sistemas de Información establece en su artículo 16 la obligación de los operadores de servicios esenciales y proveedores digitales de adoptar medidas de seguridad y de organización que serán *"adecuadas y proporcionadas, para gestionar los riesgos que se planteen para la seguridad de las redes y sistemas de información utilizados en la prestación de los servicios sujetos a este real decreto-ley. Sin perjuicio de su deber de notificar incidentes conforme al título V, deberán tomar medidas adecuadas para prevenir y reducir al mínimo el impacto de los incidentes que les afecten".* Por tanto, nos encontramos con un sector específico —operadores de servicios esenciales y proveedores digitales— que tienen la obligación legal de implantar medidas de seguridad para prevenir y reducir al mínimo el impacto de los incidentes.

Desde el punto de vista de la seguridad no sólo se exige implantar medidas técnicas y organizativas dirigidas a impedir o minimizar un ciber incidente. Los operadores también deberán disponer de medidas de seguridad dirigidas a recuperarse de los efectos negativos de un ciber evento que haya tenido éxito, permitiendo la recuperación del servicio y/o de los datos con la mayor rapidez y menor impacto posible.

En nuestra consideración, dado que es difícil pensar que una persona que opera en el tráfico mercantil no trate datos personales, cabe afirmar que existe una genérica obligación de implantar *medidas técnicas y organizativas apropiadas para garantizar un nivel de seguridad adecuado al riesgo* (artículo 32 del RGPD 679/2016).

La cuestión radica en concretar qué *nivel de seguridad* es exigible a cada persona en particular, lo que determinará el grado de diligencia exigible. En el caso de que una persona no haya implantado medidas de seguridad adecuadas a su nivel de (ciber) riesgo, deberíamos concluir que ello constituye una negligencia omisiva, que es con-causa de los daños causados junto con la acción del cracker causante del ciber incidente.

La jurisprudencia considera que determinados sectores o actividades (p.ej.: entidades bancarias y sector de telecomunicaciones) tienen una obligación cualificada de implantar medidas de seguridad o comprobar que no se comete un fraude.

El *phishing* es un tipo de fraude en el que el defraudador o *phisher* suplanta por medios telemáticos (p.ej.: correo electrónico) a una persona o empresa de confianza para obtener información confidencial (contraseñas, datos bancarios, números de tarjeta de crédito, etc.). El usuario confía en la identidad de la persona o empresa de confianza y le facilita esos datos al *phisher*, quien los utiliza para defraudar dinero a aquél.

El Tribunal Supremo tiene sentado que las entidades bancarias, en el mundo analógico, tienen obligación de comprobar la identidad y veracidad de la firma del ordenante, siendo esto un elemento de la diligencia profesional exigible al banco. A este respecto la Sentencia del Tribunal Supremo de 12 de mayo de 2016, nº 311/2016, Fundamento Jurídico 6, tratando un supuesto en el que la entidad bancaria llevó a cabo una orden de transferencia remitida por fax, consideró que el banco había actuado con clara negligencia al no verificar diversos aspectos de la operación: *"en relación a la segunda cuestión objeto de examen también, con carácter general debe señalarse que, conforme a la naturaleza y función del contrato de cuenta corriente bancaria, el cercioramiento o comprobación de la veracidad de la firma del ordenante constituye un presupuesto de la diligencia pro-*

fesional exigible a la entidad bancaria con relación a sus obligaciones esenciales de gestión y custodia de los fondos depositados por el titular de la cuenta, cuyo incumplimiento da lugar a la indemnización de daños y perjuicios, conforme a lo dispuesto en los artículos 1101 y 1106 del Código Civil."

Concretamente en supuestos de fraude por *phishing* la jurisprudencia tiene sentado que *"en materia de phishing la responsabilidad de la titular de la banca online es de naturaleza cuasi-objetiva, derivada de la exigencia a la entidad titular del servicio online de adoptar medidas de seguridad necesarias y renovables ante los distintos modos de fraude informático, en modo tal que salvo que se acredite la negligencia grave por parte del usuario de la banca electrónica, la entidad financiera debe responder del reintegro de los importes obtenidos de forma fraudulenta"* (Sentencia de la Audiencia Provincial de Alicante de 12 de marzo de 2018, n° 107/2018).

En sentido parecido se pronuncia la Sentencia de la Audiencia Provincial de Barcelona de 7 de marzo de 2013, n° 151/2013 que dispone que: *"en definitiva, la entidad demandada no adoptó las medidas de seguridad pactadas en cuanto a límites de disposición, sin poder atender a explicaciones no recogidas en el contrato; tampoco ha aportado prueba de la adopción de medidas concretas de seguridad para dicho tipo de fraude conocido del pushing (phishing) siendo obligación de la entidad conforme la Condición General 3 del contrato [...]Por lo que, debe proceder la condena de la demandada por su responsabilidad contractual ante la actora, por no cumplir con las medidas de seguridad necesarias para garantizar la funcionalidad correcta de sus cuentas".*

El robo de tarjetas de pago (de débito o crédito) puede darse en el mundo físico o en un ámbito puramente digital. Un ciber delincuente que disponga del número de la tarjeta, la fecha de caducidad y el número de seguridad, salvo que la entidad bancaria haya establecido medidas de seguridad añadidas, puede realizar todas las compras que desee en Internet hasta el límite de disposición. Actualmente, cuando se va a realizar una compra a través de Internet, está muy extendido como medida de seguridad que las entidades bancarias remitan al móvil del titular de la tarjeta una clave para confirmar la operación.

La jurisprudencia tiene sentado que ante la sustracción de una tarjeta de pago la entidad bancaria emisora de la tarjeta deberá responder de las cantidades dispuestas, salvo que acredite que el cliente ha actuado con negligencia grave en la custodia de la tarjeta o del número PIN o en la comunicación de la sustracción, no pudiéndose presumir la negligencia por el mero hecho de que el ladrón ha dispuesto de dinero. Salvo que se acredite un negligencia grave por parte del titular de la tarjeta, este únicamente responderá de una cuantía de 150 Euros conforme a las recomendaciones de la Unión Europea (Audiencia Provincial de Madrid de 3 de octubre de 2006, n° 459/2006; Audiencia Provincial de Madrid de 30 de abril de 2009, nº 168/20009; Audiencia Provincial de Baleares de 11 de febrero de 2010, nº 69/2010; Audiencia Provincial de Madrid de 25 de noviembre de 2011, nº 494/2011). Esta doctrina se ha plasmado en la Ley 16/2009, de 13 de noviembre, de servicios de pago (artículos 25 a 34) y resulta plenamente aplicable al supuesto de utilización ilícita de tarjetas de pago a través de Internet.

Tiene interés la sentencia del Juzgado de Primera Instancia nº 48 de Madrid de 27 de mayo de 2016, nº 269/2016, que trata un supuesto de fraude bancario realizado a través de internet. El cliente de una entidad bancaria que opera a través de internet recibió una serie de comunicaciones, aparentemente remitidas por su banco, en las que se le solicitaba que instalase un programa de criptografía para mejorar la seguridad de las transacciones. Al parecer el programa de criptografía era un Troyano que permitió al cracker defraudar fondos del titular de la banca electrónica. Unos días después el cliente recibió una llamada de su banco quien le comunicó que había advertido una serie de movimientos sospechosos en su cuenta.

El cliente demandó a la entidad bancaria reclamando la cantidad de 55.275,09 Euros que le había sido defraudada. La sentencia de instancia condenó a la entidad bancaria basándose en la responsabilidad cuasi-objetiva establecida en la Ley 16/2009, de 13 de noviembre, de servicios de pago: *"que la Ley 16/2009 de Servicios de pago establece un sistema de responsabilidad cuasi objetiva de las entidades bancarias, que solo cabe (excluir) tal y como establece el art. 32 de la citada Ley, 'cuando se trata de operaciones de pago no autorizadas, que sean fruto de actuación fraudulenta o del incumplimiento detallado o por negligencia grave (del cliente) de una o varias de sus obligaciones con arreglo al art. 27' y aplicando lo anteriormente expuesto y no siendo objeto de controversia que efectivamente se produjeran las transferencias no autorizadas ha quedado acreditado tal y como se desprende del informe pericial, el ordenador del actor fue infectado el 6 de mayo de 2012 mediante un conocido troyano denominado cita del, que tal y como señalaron dichos peritos en el acto de la vista, es difícil percatarse de la existencia del virus y aun cuando señalaron que el ordenador del actor no estaba en perfectas condiciones, él no había podido detectar el citado virus y que era el banco quien tenía y disponía de los medios necesarios para detectar y evitarlo, por lo que en base a ello no puede estimarse que exista ninguna negligencia o responsabilidad en el actor, pues como además consta en los informes periciales, este había adoptado los medios razonables a fin de proteger los elementos de seguridad tal y como dispone el art. 27, pues tenía instalado antes de la fecha de infección de un sistema antivirus, por todo lo cual procede la estimación íntegra de la demanda"*.

Como vemos, en relación con la seguridad en las redes cabe sostener que la responsabilidad de las entidades bancarias y proveedores de servicios de pago está altamente objetivada y únicamente existirá responsabilidad del cliente (ordenante) en los casos establecidos en el artículo 32: (1) el cliente soportará un máximo de 150 Euros ante operaciones de pago no autorizadas; (2) el cliente soportará todas las pérdidas cuando *"...sean fruto de su actuación fraudulenta o del incumplimiento, deliberado o por negligencia grave, de una o varias de sus obligaciones con arreglo al artículo 27"*; (3) salvo el caso de actuación fraudulenta por parte del cliente, éste no soportará consecuencia económica alguna por la utilización de un instrumento de pago extraviado o sustraído con posterioridad a la notificación sin demora indebida. Si el proveedor de servicios de pago no tiene disponibles medios adecuados para que pueda notificarse en todo momento el extravío o la sustracción de un instrumento de pago, el cliente no será responsable de los perjuicios económicos que se deriven de la utilización fraudulenta del medio de pago. En otro orden de cosas es interesante la reflexión hecha por parte del Juzgado de instancia en el sentido que viene a considerar que la actuación del cliente ha sido razonablemente diligente al disponer de un sistema antivirus (que no funcionó).

También es de destacar la Sentencia de la Audiencia Provincial de Barcelona de 18 de octubre de 2010, n° 623/2010, que analiza un caso en el que un cracker piratea el Router de un Ayuntamiento y realiza multitud de llamadas internacionales de manera que la factura de la entidad local pasa de tener un coste mensual de unos dos mil Euros a 159.760,18 Euros para un periodo de dos meses. La empresa de telefonía reclamó el abono de estas facturas a la entidad local, quien rehusó parcialmente el pago. El Juzgado y la Audiencia Provincial consideraron que la empresa de telefonía debía responder del pirateo del Router y del sobrecosto de las llamadas, pues las vulnerabilidades del Router debían imputarse al proveedor de servicios de telecomunicaciones que era quien proveía el aparato, además de que se debía haber percatado de que el sobrecosto de las llamadas se apartaba completamente del uso habitual de su cliente:

"El informe del SATEC, que fue encargado por la actora, fue aportado por la demandada como documento número 9 (folios 221 y siguientes). En él se describen los problemas de seguridad y sus soluciones. Cabe destacar que se indica que el Router se debe "securizar" (folio 229). El perito Amador informó (folio 304) en el sentido que las vulnerabilidades en el Router existían desde su instalación. De lo anterior resulta que no puede prosperar el motivo relativo a que el equipo instalado era correcto y sin deficiencias. Un cracker podía acceder al Router y utilizarlo para efectuar las múltiples llamadas internacionales cuyo coste se reclama en la demanda y el recurso. El recurrente tampoco puede pretender que la responsabilidad sea de la apelada por ser la titular de dichos elementos y no haberle encomendado su mantenimiento. Por el contrario, y como con acierto declara la sentencia apelada, la responsabilidad recae en la propia recurrente que no informó ni del riesgo de dicho elemento ni de las posibles soluciones".

3.2. Relación de causalidad

La segunda cuestión a analizar es la relación de causalidad. Tal y como hemos indicado, no ofrece mayor duda que el/los cracker que generan intencionadamente un incidente cibernético serán responsables de los daños causados (penal y/o civilmente), y que esa acción es la causa raíz u originaria de los daños.

En este apartado nos ocuparemos específicamente de la relación de causalidad entre: (i) la acción u omisión de la persona cuya red o sistema de información es utilizado para la comisión intencionada de un ciber incidente; (ii) y los daños causados.

Dado que no es nuestro objetivo desarrollar las diferentes doctrinas sobre la causalidad[13], nos centraremos en la teoría de la "causalidad adecuada" que nos enseña que para establecer la relación de causalidad tenemos que identificar una acción u omisión que, según el curso normal de los acontecimientos, sea la causa directa e inmediata de los daños. No hay duda que la acción del cracker es causa directa e inmediata de los daños y, por tanto, que la responsabilidad y consecuente obligación de indemnizar debe imputarse al ciber delincuente.

Desde el punto de vista de la persona cuya red o sistema de información ha sido utilizado para la comisión intencionada de un ciber incidente, cabe argumentar que en este supuesto se rompe el nexo de causalidad dado que: (i) la causa de los daños es la acción ilícita del cracker; (ii) la persona cuyos medios han sido utilizados para provocar un ciber evento intencionado *no era consciente* del ataque del cracker por lo que no puede establecerse que su actuación (acción u omisión) tenga la condición de causa directa e inmediata de los daños.

Ahora bien, debemos plantearnos la posibilidad de que la persona cuyos medios han sido utilizados para provocar un ciber evento intencionado haya incurrido en algún tipo de *acción u omisión* que pueda tener la consideración de *con-causa* de los daños.

Se pueden dar diversos escenarios que nos haga plantearnos la existencia de esta posible co-responsabilidad de la persona cuyos medios han sido utilizados para la comisión intencionada de un ciber incidente, lo que podrá ocurrir cuando el titular de la red o sistema de información:

- No disponga de los medios de seguridad adecuado a su nivel de riesgo de acuerdo con el estado de la técnica, los costes de aplicación, y la naturaleza, el alcance, el contexto y los fines del tratamiento, así como los riesgos de probabilidad y gravedad variables para los derechos y libertades de las personas físicas.

---

[13] Para un análisis de las mismas véase MUÑOZ VILLARREAL, A., *La responsabilidad civil de los auditores de cuentas*, Madrid, Sepin, 2017, pp. 40-60.

- No lleva a cabo acciones apropiadas para minimizar el incidente cibernético una vez que aquél lo ha conocido, lo que puede retrasar temporalmente el restablecimiento de los servicios afectados o el acceso a los datos comprometidos, así como incrementar el importe de los daños causados.

- No notificar el incidente cibernético a la AEPD y autoridades competentes: fuerzas de seguridad, *Computer Security Incident Response Team* (en adelante CSIRT o equipo de respuesta a incidentes informáticos), Juzgado, etc. Esta omisión puede conllevar un incremento de los daños, así como la imposición de sanciones por parte del regulador.

- No notificar el incidente cibernético a los terceros cuyos datos hayan quedado comprometidos, ya se trate de datos personales o no. Esta omisión impide que los afectados puedan adoptar medidas para protegerse y evitar o minimizar los eventuales daños y perjuicios que pueda conllevar la brecha de seguridad.

En estos casos se deberá determinar qué parte o porcentaje de los daños es imputable a cada cual, al craker y al titular de la red o sistema de información que ha incurrido en una negligencia omisiva.

En el supuesto de que los daños hayan sido causados por el titular de la red o sistema de información —lo que en el ámbito de las organizaciones siempre se producirá por una acción u omisión de un administrador, directivo o empleado—, no se generará mayor problema a la hora de establecer la existencia de una relación de causalidad.

Recordemos que la relación de causalidad ha de basarse en una certeza probatoria y no en meras conjeturas, hipótesis o posibilidades [Sentencia del Tribunal Supremo 26 de julio de 2001 (RJ 2001/16177); Sentencia del Tribunal Supremo de 7 de junio de 2002 (RJ 2002\5216)].

Otra cuestión a valorar es la existencia de una acción u omisión del propio perjudicado que concurra en la causación de los daños. En este caso nos encontraríamos con una compensación de culpas, de manera que habría que establecer el porcentaje de los daños corresponde a cada uno, lo que resultará del análisis del grado de participación de cada cual en la causación de los daños. En un caso extremo podrá existir culpa exclusiva de la víctima en la causación del daño, lo que llevaría a una exención de responsabilidad del agente. A nivel teórico la jurisprudencia ha venido a justificar la reducción de la responsabilidad del causante en la facultad moderadora que otorga a los Tribunales el artículo 1103 del Código Civil: "*la responsabilidad que proceda de negligencia es igualmente exigible en el cumplimiento de toda clase de obligaciones, pero podrá moderarse por los Tribunales según los casos*". Sin embargo, siguiendo lo dicho por DE ANGEL[14], se puede considerar que la reducción en la responsabilidad debe basarse en la relación de causalidad.

También nos podemos encontrar con el supuesto de que varios agentes concurran en provocar un incidente cibernético. En primer lugar deberá determinarse qué agentes han contribuido en la producción del daño y en qué grado. El problema esencial que plantea este supuesto es establecer el grado de responsabilidad que corresponde a cada agente, pudiendo encontrarnos ante varios escenarios:

- Responsabilidad solidaria. Se establece una responsabilidad solidaria de todos los agentes cuando no resulta posible establecer el grado de responsabilidad de cada cual en la causación de los daños. Este criterio establecido por la jurisprudencia se ha plasmado a nivel positivo, por ejemplo, en el artículo 17.3 de la Ley 38/1999 de Ordenación de la Edificación. En caso de que se declare la responsabilidad solidaria de varios agentes, el perjudicado podrá reclamar el total de la indemnización a cualquier de ellos o a todos ellos simultáneamente (artículo 1144 del Código Civil).

- Responsabilidad mancomunada. En materia de obligaciones y contratos la responsabilidad solidaria se debe pactar expresamente, ya que en caso contrario se entenderá que tiene carácter mancomunado, lo que implica que la deuda se dividirá en tantas partes iguales como deudores, reputándose cada deuda como distinta e independiente de las demás (artículos 1137 y 1138 del Código Civil). Sin embargo, en el ámbito de la responsabilidad extracontractual, esto es la excepción y la jurisprudencia se inclina por establecer una responsabilidad solidaria a todos los agentes o, en otros casos, individualizar la responsabilidad.

- Responsabilidad individualizada. En el caso de que los agentes causantes del daño puedan individualizar su grado de responsabilidad, el Tribunal puede optar por determinar con precisión qué porcentaje de indemnización le corresponde a cada cual o las concretas partidas que debe subsanar. Como señalábamos antes, en el ámbito de la responsabilidad civil por defectos constructivos el artículo 17.2 de la Ley 38/1999 de Ordenación de la Edificación establece la posibilidad de individualizar responsabilidades.

Aún en el supuesto de que hayamos generado un incidente cibernético, pueden existir elementos ajenos, la actuación de un tercero, que sea la causa exclusiva, directa y eficiente del daño. A este respecto citamos a modo de ejemplo la sentencia de la Audiencia Provincial de Barcelona de 19 de septiembre de 2012,

---

[14] DE ANGEL YAGÜEZ, R., *La Responsabilidad Civil*, Bilbao, Universidad de Deusto, 1989.

n° 486/2012: "*consecuentemente, el recurso no puede prosperar pues no consta que los daños fueran causados (o no tuvieron su origen en) por la prestación defectuosa o deficiente del servicio, o por suspensión del mismo [...], sino exclusiva, directa y eficientemente por la actuación de un tercero ajeno a la misma*".

Es interesante traer a colación la posibilidad de argumentar la existencia de caso fortuito y fuerza mayor en supuestos de riesgos cibernéticos (artículos 1105, 1602, 1625 y 1575 del Código Civil). La doctrina distingue entre la fuerza mayor como la que es extraña al riesgo específico que se analiza y el caso fortuito como la fuerza mayor interna, es decir, ínsita en el riesgo. Otros autores consideran que el caso fortuito encierra siempre la posibilidad de una sospecha de culpa que no existe cuando el suceso consiste en una fuerza mayor extraña o ajena al riesgo desplegado (Sentencia del Tribunal Supremo de 4 de febrero de 2015, n° 32015).

El artículo 1105 del Código Civil dispone que "*fuera de los casos expresamente mencionados en la ley, y de los en que así lo declare la obligación, nadie responderá de aquellos sucesos que no hubieran podido preverse, o que, previstos, fueran inevitables.*" En mi consideración puede resultar de utilidad poner en conexión la última parte de este precepto con la previsibilidad de un incidente cibernético teniendo en cuenta el estado de la técnica, sus costes de aplicación, el sector en que operemos y riesgos que implica, la probabilidad y gravedad de los eventuales daños que podamos causar a terceros, etc. Teniendo en cuenta estas circunstancias, si acreditamos que no hubiésemos podido prever el incidente cibernético o, aun previéndolo, no lo hubiésemos podido evitar dada la intensidad del ataque o nuestras limitaciones técnicas o económicas, en tal caso cabría sostener que se nos debe eximir de responsabilidad.

3.3. Daño

Otro elemento configurador de la responsabilidad civil es la existencia de un daño. La existencia de un incumplimiento contractual, infracción, u acción u omisión negligente no genera de modo automático una indemnización, sino que corresponde al actor la carga de la prueba y debe acreditarse la existencia de un daño y su cuantificación (artículo 217 Ley 1/2000 de Enjuiciamiento Civil).

A modo de ejemplo citamos la Sentencia del Tribunal Supremo de 12 de julio de 2011, Recurso 2496/2007: "*por otra parte, no ha de olvidarse que corresponde al actor la carga de la prueba, [...] no estaban suficientemente justificados por su falta de especificación y detalle los daños ocasionados individualmente a cada uno de los perjudicados; es decir, por falta de los presupuestos para exigir la responsabilidad patrimonial de la Administración: daño real, efectivo e individualizado, no traducible en meras especulaciones o expectativas*".

Por su parte, REGLERO[15] sostiene que el daño para ser indemnizable no requiere ser actual, sino que puede ser futuro, aunque se exige que sea cierto. El Tribunal Supremo tiene establecido que no cabe indemnizar daños, perjuicios y gastos futuros hipotéticos, porque ello constituiría una condena de futuro (sentencia del Tribunal Supremo de 2 de noviembre de 2006, n° 844/2005; sentencia del Tribunal Supremo de 20 de julio de 2009).

De este modo, los terceros afectados por un incidente cibernético deberán acreditar su existencia y cuantía, no pudiendo basar su prueba en meras especulaciones e hipótesis. Debe tratarse de daños presentes o, en el caso de daños futuros, deberá acreditarse que existe la certeza de que efectivamente se producirán.

3.4. Inexistencia de prescripción

Aunque ya hemos tratado esta cuestión con anterioridad, queremos terminar este apartado señalando que la acción deberá ejercitarse dentro del plazo de prescripción, el cual vendrá determinado por el régimen legal aplicable al incidente cibernético.

En principio, en materia de responsabilidad civil, nos encontraremos con dos plazos de prescripción: (a) el plazo de un año establecido para la responsabilidad civil extracontractual ex artículo 1968.2 del Código Civil; (b) desde la reforma operada por la Ley 42/2015, el plazo de prescripción para la responsabilidad contractual es de 5 años.

Es importante determinar el momento inicial desde el que se inicia el plazo de prescripción. De acuerdo con la teoría de la *actio nata*, el plazo de prescripción comenzará desde que la acción pudo ejercitarse (artículo 1969 del Código Civil). En el plano de los daños personales, el plazo de prescripción se iniciará en el momento del fallecimiento o estabilización de las secuelas. En el ámbito de daños materiales o patrimoniales, desde el momento en que se conozca el alcance del daño, lo que es diferente a su cuantificación. Si acudiésemos al criterio de la cuantificación, el perjudicado podría alargar artificialmente el plazo de prescripción retrasando el momento en que encomienda a un perito la valoración de los daños.

La prescripción se interrumpe por su ejercicio ante los Tribunales, por reclamación extrajudicial del acreedor y por cualquier acto de reconocimiento de la deuda por el deudor (artículo 1973 del Código Civil). En el caso de obligaciones solidarias la interrupción de la prescripción perjudica a todos los deudores solidarios. En los supuestos de solidaridad impropia, el Tribunal Supremo tiene sentada

---

[15] REGLERO CAMPOS, F y BUSTOS LAGO, M. (Coords.) *Tratado De Responsabilidad Civil*, Cizur Menor, Aranzadi, 2014.

la doctrina que la reclamación dirigida contra uno no interrumpe la prescripción respecto de los demás, salvo que exista una relación de conexidad o dependencia que haga presumir el conocimiento de la prescripción (Sentencia del Tribunal Supremo de 14 de marzo de 2003, n° 223/2003; Sentencia del Tribunal Supremo de 16 de enero de 2015, recurso n° 1111/2012).

IV. RESPONSABILIDAD POR GESTIÓN

La denominada responsabilidad por gestión es la que puede llegar a imputarse a un Administrador o Alto Directivo como como consecuencia de un incidente cibernético, derivada, lógicamente, del incumplimiento de las obligaciones propias del cargo que ostente.

Un incidente cibernético puede generar daños de diversa índole a una empresa y a sus accionistas: daño reputacional y pérdida de confianza del mercado, daños materiales y personales, pérdidas económicas directas, daños futuros como lucro cesante, responsabilidad civil frente a terceros perjudicados, pérdida de valor de sus acciones o participaciones con el consiguiente perjuicio de accionistas, fondos de inversión, etc.

Una empresa que ha causado daños a terceros como consecuencia de un incidente cibernético responderá por sus dependientes (artículo 1903 del Código Civil), lo que incluye la actuación de sus administradores y directivos en el ejercicio de sus funciones.

Si los daños causados a la propia sociedad o a terceros se pueden imputar a una actuación u omisión negligente de los administradores, éstos pueden resultar eventualmente responsables (artículos 236 y siguientes de Real Decreto Legislativo 1/2010, de 2 de julio, por el que se aprueba el texto refundido de la Ley de Sociedades de Capital —en adelante LSC—).

En esta situación, la mercantil que ha sufrido los daños está legitimada para formular una reclamación contra sus administradores (artículo 238 LSC).

Igualmente los socios o terceros que hayan sufrido daños y perjuicios también podrían ejercer una acción directa contra los administradores (artículos 239, 240 y 241 LSC). Supuestos habituales de reclamaciones de terceros contra administradores tenemos la acción formulada por acreedores que han visto frustrado su crédito por una insolvencia de la mercantil deudora, reclamaciones de la Agencia Tributaria o de la Seguridad Social por impago de impuestos o cuotas, reclamaciones de accionistas o fondos de inversión que han sufrido una disminución en sus activos como consecuencia de la caída del valor de las acciones que poseen, empleados que ha visto perjudicado su puesto de trabajo o acciones que poseen en la compañía, etc.

Esta responsabilidad está íntimamente ligada con la responsabilidad de los Administradores y Directivos, que se cubre con el seguro de D&O o *Directors and Officers*.

Desde un punto de vista del seguro, hemos de tener en consideración que este riesgo —la responsabilidad de los Administradores y Directivos— puede ser objeto de cobertura tanto por el seguro de D&O como por el seguro de riesgo cibernéticos, encontrándonos en ese caso ante una *concurrencia impropia de seguros* regulada en el artículo 32 de la Ley 50/1980 de Contrato de Seguro que existe *"cuando en dos o más contratos estipulados por el mismo tomador con distintos aseguradores se cubran los efectos que un mismo riesgo puede producir sobre el mismo interés y durante idéntico período de tiempo el tomador del seguro"*.

En caso de existir concurrencia impropia de seguros procedería aplicar la regla de la proporcionalidad, de tal modo que cada aseguradora vendría obligada a pagar la indemnización correspondiente en proporción a los límites de cobertura contratados con cada seguro. Desde el punto de vista del tomador y del asegurado, a fin de evitar problemas de coordinación entre aseguradoras, puede ser interesante contratar el seguro de D&O y el seguro de ciber riesgo con la misma compañía.

Uno de los aspectos esenciales a tener en consideración son los costos legales asociados a este tipo de procesos, que suelen ser muy altos, y que normalmente están cubiertos en los precitados seguros.

Una vez establecido que *la responsabilidad por gestión* no es otra cosa que la responsabilidad de los Administradores y Altos Directivos *como consecuencia de un incidente cibernético*, nos hemos de remitir al capítulo de este mismo libro sobre "riesgos cibernéticos y responsabilidad civil de Administradores y Directivos", escrito por Alberto Muñoz Villarreal.

V. RESPONSABILIDAD DE LOS MEDIOS DE COMUNICACIÓN POR LA ALTERACIÓN DE SU CONTENIDO DERIVADO DE UN CIBERATAQUE

Los medios de comunicación, al igual que cualquier otro usuario de las redes y sistemas de información, pueden sufrir ciber ataques que provoquen efectos adversos en diferentes ámbitos.

De acuerdo con el diccionario de la Real Academia un medio de comunicación es un *"Instrumento de transmisión pública de información, como emisoras de radio o televisión, periódicos, internet, etc."*.

Uno de los posibles efectos adversos es la alteración de los contenidos o información de un medio de comunicación que afecte a terceras personas. El supuesto generador de una eventual responsabilidad es la actuación de un cracker quien, mediante un ciber ataque, accede a la red y sistemas de información de un medio de comunicación y altera de algún modo los contenidos relativos a terceras personas, ya sean personas físicas o jurídicas.

La alteración de estos contenidos puede consistir en la creación de nuevo material sobre una persona o modificar la información previamente existente. Esta alteración debe causar daño de algún modo a los terceros afectados, lo que puede incluir entre otros los siguientes supuestos:

- Difamación en el sentido de desacreditar a alguien, de palabra o por escrito, publicando algo contra su buena opinión y fama. Este concepto incluiría, entre otros, la calumnia o injuria cuando se trate de personas físicas.
- Los daños que una persona física pueda sufrir por una vulneración de su honor, una intromisión ilegítima a su intimidad o a su propia imagen.
- El daño reputacional que pueda sufrir cualquier persona o entidad.
- La difamación comercial y/o desprestigio de marca o productos al falsearse la realidad.

Para que se genere una eventual responsabilidad de un medio de comunicación, en principio, hemos de pensar que la información alterada o introducida no es exacta o veraz.

A este respecto hemos de tener en consideración que, ante la situación de conflicto entre derechos fundamentales, tanto la doctrina como la jurisprudencia ha otorgado prevalencia a la libertad de expresión y al derecho a la información (artículo 20.1 Constitución Española) sobre el derecho al honor, a la intimidad y a la propia imagen (artículo 18.1 Constitución Española), aunque aquel valor preferente no puede entenderse que tenga un carácter absoluto[16]. A este respecto cabe citar las Sentencias del Tribunal Supremo de 18 de marzo de 1999, n° 199/2009, y las del Tribunal Constitucional de 13 de febrero de 1995, n° 42/1995; de 27 de noviembre de 2000, n° 282/2000; de 2 de junio de 2003, n° 101/2003; y de 15 de enero de 2007, n° 9/2007.

De este modo, si la alteración del contenido mediático sigue trasladando información cierta, veraz y exacta —aunque haya sido alterada por un cracker—, no parece posible que un tercero esté legitimado para formular una reclamación contra el medio de comunicación.

La Ley 1/1982, de 5 de mayo, sobre protección civil del derecho al honor, a la intimidad personal y familiar y a la propia imagen (en adelante Ley 1/1982)

---

[16]   Véase NAVAS CASTILLO, F., "Libertad de expresión y derecho a la información", en TORRES DEL MORAL, A. (Dir.), *Libertades informativas*, Colex, Madrid 2009, pp. 89-110.

establece que la protección de estos derechos quedará delimitada por las leyes y por los usos sociales atendiendo al ámbito que, por sus propios actos, mantenga cada persona reservado para sí misma o su familia (artículo 2 Ley 1/1982)[17].

En relación con el supuesto que nos ocupa, el artículo 7 de la Ley 1/1982 dispone que tendrán la consideración de intromisiones ilegítimas en el ámbito de protección delimitado en el precitado artículo 2 de esta ley:

- o La divulgación de hechos relativos a la vida privada de una persona o familia que afecten a su reputación y buen nombre, así como la revelación o publicación del contenido de cartas, memorias u otros escritos personales de carácter íntimo.
- o La revelación de datos privados de una persona o familia conocidos a través de la actividad profesional u oficial de quien los revela.
- o La captación, reproducción o publicación por fotografía, filme o cualquier otro procedimiento, de la imagen de una persona en lugares o momentos de su vida privada o fuera de ellos, salvo los casos previstos en el artículo 8.2 que dispone que el derecho a la propia imagen no impedirá:
  - Su captación, reproducción o publicación por cualquier medio, cuando se trate de personas que ejerzan un cargo público o una profesión de notoriedad o proyección pública y la imagen se capte durante un acto público o en lugares abiertos al público.
  - La utilización de la caricatura de dichas personas, de acuerdo con el uso social.
  - La información gráfica sobre un suceso o acaecimiento público cuando la imagen de una persona determinada aparezca como meramente accesoria.
- o La utilización del nombre, de la voz o de la imagen de una persona para fines publicitarios, comerciales o de naturaleza análoga.
- o La imputación de hechos o la manifestación de juicios de valor a través de acciones o expresiones que de cualquier modo lesionen la dignidad de otra persona, menoscabando su fama o atentando contra su propia estimación.

Los menores son sujetos de especial protección a través de la Ley Orgánica 1/1996, de 15 de enero, de Protección Jurídica del Menor, que en su artículo 4 protege el derecho al honor, a la intimidad y a la propia imagen del menor.

Se considera intromisión ilegítima en el derecho al honor, a la intimidad personal y familiar y a la propia imagen del menor, cualquier utilización de su imagen o su nombre en los medios de comunicación que pueda implicar menoscabo

---

[17] Véase HERRERA DE LAS HERAS, R., *Responsabilidad civil por vulneración del derecho al honor en las redes sociales,* Madrid, Reus, 2017.

de su honra o reputación, o que sea contraria a sus intereses incluso si consta el consentimiento del menor o de sus representantes legales (artículo 4.3 L.O. 1/1996). Como vemos, el consentimiento del menor o sus representantes legales carece de relevancia, en el sentido de que, en ningún caso, se podrá utilizar la imagen o nombre del menor en los medios de comunicación que de algún modo pueda implicar menoscabo de su honra o reputación. La defensa del menor corresponderá a sus representantes legales y, en todo caso, al Ministerio Fiscal dado que el interés del menor debe prevalecer y estar protegido ante cualquier potencial conflicto de intereses.

Las personas jurídicas no pueden ver vulnerado su derecho al honor —derecho que sólo ostentan las personas físicas—, pero si pueden ver perjudicada su reputación lo que eventualmente afectará, cuando menos, a una pérdida de negocio.

La alteración intencionada de los contenidos, perdiendo la condición de información veraz y exacta, la puede llevar a cabo un dependiente de la empresa de quien responderá el medio de comunicación ex artículo 1903 del Código Civil.

El supuesto que nos ocupa en este capítulo es el siguiente: un cracker accede ilícitamente a la red o sistemas de información de un medio de comunicación, e introduce o altera información falsa o inexacta sobre una tercera persona física o jurídica. Mientras el medio de comunicación no es consciente de tal ataque.

Al igual que hemos hecho en el apartado relativo a las seguridad en las redes de información, debemos preguntarnos en qué supuestos existirá responsabilidad del medio de comunicación.

En tal caso habrá que analizar cada uno de los presupuestos de la responsabilidad para poder determinarlo, y dado que no es nuestro interés hacer este libro innecesariamente extenso, nos remitimos al análisis realizado en el apartado relativo a la "seguridad en las redes". Sin perjuicio de ello, haremos unos breves comentarios sobre los elementos de la responsabilidad civil aplicados a nuestro concreto supuesto:

(1) Acción u omisión negligente. Dado que la alteración del contenido la lleva a cabo un tercero —el cracker—, en principio no se podrá imputar una *acción negligente* al medio de comunicación, en tanto que la acción la ha cometido otro.

Dicho de lo anterior, la primera cuestión a plantearse es si el medio de comunicación ha incurrido en una *omisión negligente* en relación con las medidas de seguridad que podría haber implantado para evitar que ese ataque tuviese éxito. Remitiéndonos a lo dicho en el apartado "responsabilidad por seguridad en las redes", para analizar el grado de diligencia exigible al medio de comunicación, habrá que estar al nivel de seguridad exigido por la normativa a tal concreto sector, al estado de la técnica, los costes de aplicación, valorar el riesgo de probabilidad y gravedad de dañar los derechos y libertades de las personas, etc.

Desde un punto de vista legal hemos de traer a colación la siguiente normativa, alguna de ella ya tratada anteriormente.

La Ley 34/2002, de 11 de julio, de servicios de la sociedad de la información y de comercio electrónico. Esta norma recoge un concepto amplio de "servicios de la sociedad de la información, que engloba, entre otras cosas, el suministro de información por vía electrónica (como el que efectúan los periódicos o revistas que pueden encontrarse en la red). El régimen de responsabilidad establecido en esta Ley se regula en sus artículos 13 a 17. El artículo 13 establece de manera genérica que los prestadores de servicios de la sociedad de la información están sujetos a la responsabilidad civil, penal y administrativa establecida con carácter general en el ordenamiento jurídico, sin perjuicio de lo dispuesto en esta Ley.

Tiene más interés el artículo 17 relativo a la responsabilidad de los prestadores de servicios que faciliten enlaces a contenidos o instrumentos de búsqueda, y que establece que:

> "1. *Los prestadores de servicios de la sociedad de la información que faciliten enlaces a otros contenidos o incluyan en los suyos directorios o instrumentos de búsqueda de contenidos no serán responsables por la información a la que dirijan a los destinatarios de sus servicios, siempre que:*
>
> *a) No tengan conocimiento efectivo de que la actividad o la información a la que remiten o recomiendan es ilícita o de que lesiona bienes o derechos de un tercero susceptibles de indemnización, o*
>
> *b) Si lo tienen, actúen con diligencia para suprimir o inutilizar el enlace correspondiente.*
>
> *Se entenderá que el prestador de servicios tiene el conocimiento efectivo a que se refiere el párrafo a) cuando un órgano competente haya declarado la ilicitud de los datos, ordenado su retirada o que se imposibilite el acceso a los mismos, o se hubiera declarado la existencia de la lesión, y el prestador conociera la correspondiente resolución, sin perjuicio de los procedimientos de detección y retirada de contenidos que los prestadores apliquen en virtud de acuerdos voluntarios y de otros medios de conocimiento efectivo que pudieran establecerse.*
>
> *2. La exención de responsabilidad establecida en el apartado 1 no operará en el supuesto de que el proveedor de contenidos al que se enlace o cuya localización se facilite actúe bajo la dirección, autoridad o control del prestador que facilite la localización de esos contenidos".*

Aunque este precepto no resultará de aplicación a un medio de comunicación en su sentido tradicional, es interesante en tanto que el prestador de servicios de la sociedad de la información no será responsable de los enlaces a otros contenidos o por la información a que puedan llegar los usuarios a través de los directorios o instrumentos de búsqueda contenidos en su página web, salvo las excepciones establecidas en ese precepto. Los contenidos de esos terceros también han podido ser alterados por un cracker.

Seguidamente hacemos referencia a una serie de normas que son aplicables, o que podrían serlo, al sector de los medios de comunicación respecto de la cuestión que nos ocupa.

La Ley 7/2010, de 31 de marzo, General de la Comunicación Audiovisual se aplica a los medios de comunicación audiovisual establecidos en España. Esta Ley no regula ningún régimen específico de responsabilidad, salvo las infracciones y sanciones frente al regulador por incumplimiento de los preceptos de esta Ley (artículos 55 a 61).

La Directiva NIS (UE) 2016/1148 del Parlamento Europeo y del Consejo, de 6 de julio de 2016, relativa a las medidas destinadas a garantizar un elevado nivel de seguridad de las redes y sistemas de información de la Unión. Esta directiva es aplicable a los operadores de servicios esenciales y, en lo que nos afecta, a *proveedores de servicios digitales*. La Directiva NIS define en su artículo 4.1 un proveedor de servicios digitales como "toda persona jurídica que preste un servicio digital", lo que incluirá los medios de comunicación digitales. Como hemos visto más arriba, esta directiva no establece qué concretas medidas de seguridad deben implantarse.

El Real Decreto-ley 12/2018, de 7 de septiembre, de Seguridad de las Redes y Sistemas de Información. Este real decreto-ley es aplicable a proveedores de servicios digitales que sean mercados en línea, motores de búsqueda y servicios de computación en nube (artículo 2.b RDL 12/2018). El artículo 16 de esta norma establece la obligación de implantar medidas de seguridad adecuadas y proporcionadas, e impone la obligación de notificar las brechas de seguridad: "*adoptar medidas técnicas y de organización, adecuadas y proporcionadas, para gestionar los riesgos que se planteen para la seguridad de las redes y sistemas de información utilizados en la prestación de los servicios sujetos a este real decreto-ley. Sin perjuicio de su deber de notificar incidentes conforme al título V, deberán tomar medidas adecuadas para prevenir y reducir al mínimo el impacto de los incidentes que les afecten*".

El Reglamento General de Protección de Datos 679/2016. Los medios de comunicación tratan datos personales y, por tanto, estarán sometidos a dicho Reglamento, debiendo cumplir, entre otras cosas, las medidas de seguridad referidas en su artículo 32. Este precepto establece que se aplicarán las medidas técnicas y organizativas apropiadas para garantizar un nivel de seguridad adecuado al riesgo, teniendo en cuenta el estado de la técnica, los costes de aplicación, y la naturaleza, el alcance, el contexto y los fines del tratamiento, así como riesgo de probabilidad y gravedad variables para los derechos y las libertades de las personas físicas.

Uno de los principios que resulta de especial aplicación al supuesto que tratamos es el principio de exactitud de los datos. En el artículo 5.1.d RGPD 679/2016 se establece que los datos personales serán "*exactos y, si fuera necesario, actuali-*

zados; se adoptarán todas las medidas razonables para que se supriman o rectifiquen sin dilación los datos personales que sean inexactos con respecto a los fines para los que se tratan ('exactitud')".

Una vez que el medio de comunicación ha tenido noticia —o razonablemente debía haberla tenido— del ataque que ha alterado sus contenidos, la debida diligencia exige que tome medidas adecuadas y proporcionadas a fin de detener el ataque o minorar sus consecuencias.

(1) La diligencia debida pasa, entre otras cosas, por modificar y rectificar los contenidos alterados para conseguir que los datos sean exactos y notificar a los afectados la brecha de seguridad que ha tenido lugar. En caso de no llevar a cabo tales medidas, se podrá reputar que ha existido una *negligencia omisiva*.

(2) La relación de causalidad. Dado que la alteración de los contenidos del medio de comunicación la ha causado un cracker, no ofrece mayor duda que tal acción es la causa raíz u originaria de los daños.

En nuestra consideración existirá una eventual co-responsabilidad y/o concurrencia de causas en determinados supuestos, cuando resulte posible imputar, también, una *acción u omisión negligente* al medio de comunicación:

• No se han aplicado los medios de seguridad adecuados a su nivel de riesgo de acuerdo con el estado de la técnica, los costes de aplicación, y la naturaleza, el alcance, el contexto y los fines del tratamientos, así como los riesgos de probabilidad y gravedad variables para los derechos y libertades de las personas físicas.

• No se han llevado a cabo acciones apropiadas para minimizar el incidente cibernético.

• No se ha notificado la brecha de seguridad a la AEPD y autoridades competentes: fuerzas de seguridad, CSIRT (*Computer Security Incident Response Team* o equipo de respuesta a incidentes informáticos), Juzgado, etc.

• No se ha notificado la brecha de seguridad a los terceros cuyos datos han sido alterados.

En estos casos se deberá determinar qué parte o porcentaje de los daños es imputable al cracker y al medio de comunicación.

(3) El daño. En el supuesto que estamos tratando el daño es un elemento de especial relevancia porque puede resultar complicado de cuantificar. Se habrá de indemnizar cualquier daño que se acredite debidamente y que sea evaluable económicamente.

Como consecuencia de la alteración de contenido de un medio de comunicación, las personas puede sufrir perjuicios de diferente índole: daños morales, daños reputacionales, daños económicos como consecuencia derivados del ámbito laboral o mercantil (pérdidas de contratos, daños a la imagen pública por la que se obtienen beneficios, etc.), incluso daños personales en el aspecto psíquico o emocional y físico.

Como decimos, los daños patrimoniales, financieros, personales (físicos y psíquicos), etc. se deberán acreditar tanto en su existencia o cuantía.

Otra cuestión es la valoración económica del daño moral para las personas físicas o el daño reputacional para las personas jurídicas. En el caso del daño moral la casuística jurisprudencial es muy variada, y no existen criterios claros sobre el importe indemnizatorio que puede llegar a otorgar un Tribunal.

En el supuesto del daño reputacional para las personas jurídicas, es lugar común a equipararlo con el lucro cesante considerándolo como la pérdida de beneficios que se deriva de la pérdida de reputación de una empresa. Sin embargo, actualmente existe la tendencia a valorarlo de manera separada e independiente a lo que es el lucro cesante, pudiendo acudirse a otros criterios como es el costo de construir una marca, etc.

(4) Prescripción. En relación con la prescripción habrá que estar a la relación que existe entre el medio de comunicación y el tercero cuyos datos han sido alterados. En caso de que no exista relación contractual la prescripción será la de 1 año del artículo 1968.2 del Código Civil, y en el supuesto de que exista una relación contractual entre ambos el plazo prescriptivo será de 5 años artículo 1964.2 del Código Civil.

VI. RESPONSABILIDAD POR INFRACCIÓN DE PROPIEDAD INTELECTUAL E INDUSTRIAL

1. Introducción

En las últimas décadas en nuestra sociedad se ha producido un desarrollo espectacular de las tecnologías de la información y de las comunicaciones, cuya trascendencia económica, social y cultural es de tal magnitud que ha dado lugar al nacimiento de la denominada sociedad de la información y del conocimiento.

El fenómeno de la digitalización, por el que cualquier realidad tangible puede ser replicada de forma exacta, y el desarrollo vertiginoso de una red informática mundial capaz de conectar todos los rincones del planeta (internet), constituyen una combinación revolucionaria en muchos ámbitos, entre ellos, los de la propiedad intelectual e industrial donde estas nuevas tecnologías son, sin lugar a dudas, un arma de doble filo. Por una parte, permiten la "difusión instantánea" y simultánea de los contenidos en un mercado global y digital, y, por otro lado, constituyen una amenaza para los derechos de propiedad intelectual e industrial, debido a que facilitan la explotación, la copia idéntica y la utilización fraudulenta de creaciones protegidas.

La estructura de Internet permite que millones de personas puedan acceder, a veces de forma ilegal, a contenidos de propietarios legítimos, y que se puedan cometer infracciones por la facilidad de apropiación y divulgación de contenidos. Con el sistema de "cortar-pegar", apropiarse de un contenido como por ejemplo un texto, un nombre de dominio, o incluso un logotipo de una marca, no es tarea difícil, y, además, las redes sociales permiten divulgar rápidamente esos contenidos usurpados.

Internet permite también la divulgación de patentes, y cuando existen malas conductas por parte de terceros, Internet puede ser el peor enemigo de los secretos industriales, un claro ejemplo es la empresa Apple. Es frecuente encontrar en la Red informaciones diversas relacionadas con las invenciones de Apple, que divulgan las características de los productos futuros de la firma, como por ejemplo el caso del *"iPhone 4"*, en el que una persona encontró el aparato en un bar y lo vendió a un periódico de Internet. La divulgación de sus características fue rápida y global.

Estas nuevas formas de vulnerar la propiedad intelectual e industrial resultan, a veces, extraordinariamente difíciles de perseguir, tanto por las propias herramientas que proporciona la tecnología, como por las implicaciones que ésta tiene en cuestiones como la responsabilidad que ha de atribuirse a los intermediarios que prestan los servicios de la sociedad de la información, o aspectos relacionados con el derecho a la intimidad y la protección de los datos personales. En otras palabras, por la dificultad de encontrar un equilibrio adecuado entre la protección de los titulares de derechos y el desarrollo de la tecnología.

En este apartado vamos a referirnos a las infracciones de los derechos de propiedad intelectual e industrial a través de internet, y a la regulación de la responsabilidad derivada de esas infracciones en nuestro ordenamiento jurídico español.

2. Las infracciones de los derechos de Propiedad Intelectual en el Ciberespacio

Como ya hemos señalado, Internet puede, en determinadas ocasiones, tornarse un enemigo peligroso para los derechos que tutela la propiedad intelectual, esto se debe principalmente a los principales rasgos que caracterizan a la Red, a saber: la *aterritorialidad* y *virtualidad*[18], las cuales dificultan la protección de unos derechos que tienen una clara naturaleza exclusiva.

---

[18] BARRIO ANDRÉS, M., *Internet y derecho público: responsabilidad de los proveedores de internet*, 2016, Tesis doctoral inédita, https://e-archivo.uc3m.es/handle/10016/23606

En este sentido, ROBLES DE LA TORRE explica de manera clara la situación en la que nos encontramos al decir que *"al digitalizar los contenidos, es posible acceder a cualquiera a través de Internet. Cualquier persona tiene la posibilidad de subir y bajar archivos de la Red, por lo que potencialmente puede convertirse tanto en prestador como en receptor de archivos con cualquier otra persona que esté conectada a la Red, independientemente de que físicamente se encuentre sentada en las antípodas del mundo"*[19].

Los mayores riesgos de los derechos de propiedad intelectual en el ciberespacio están en las "descargas ilegales" y otros fenómenos que permiten la difusión de contenidos no han sido autorizados por los titulares de los derechos, como es el *streaming*.

A nadie va a sorprender esta afirmación, cuando es de sobra conocido que la piratería digital es una de las principales amenazas a los derechos de los autores. Si bien, en 2017, la piratería cayó un 6% respecto de 2016, las cifras siguen siendo do alarmantes[20].

Aunque existen numerosas formas ilegales para difundir contenidos, queremos seguir la clasificación que realiza MOISES BARRIO[21], pudiendo distinguir:

a) Centralización ilegal: Se refiere a la técnica utilizada en modelos comerciales como puede ser ITunes o Amazon (*streaming*), siendo la principal diferencia respecto de estos últimos la ilicitud por la inexistencia de una licencia o autorización. Uno de los ejemplos más conocidos a nivel mundial de este tipo de medios de difusión fue Megaupload. Como todos recordaremos , a través de Megaupload, cualquier usuario podía descargar contenidos o visualizarlos on line (Sentencia de la Audiencia Provincial de Barcelona, Sección 15ª, de 27 de junio de 2002).

b) Redes P2P (*Peer to Peer*). Este tipo de redes permiten a los usuarios descargar en sus dispositivos distintos programas o softwares mediante los cuales pueden compartir los archivos con el resto de los usuarios que se encuentran disponibles en su ordenador, obteniendo a la vez los archivos del resto de usuarios.

RAMÍREZ SILVA expone perfectamente el funcionamiento de este tipo de redes al explicar que lo que hacen es ofrecer a los usuarios *"de forma*

[19]   ROBLES DE LA TORRE. P. "La regulación legal de intercambio de ficheros en las legislaciones comunitaria, europea y española", en O'CALLAGHAN MUÑOZ, X., (Coord.) *Los derechos de propiedad intelectual en la obra audiovisual*, Dykinson, Madrid, 2011, p. 197.
[20]   COALICIÓN DE CREADORES E INDUSTRIAS DE CONTENIDOS, *Observatorio de la piratería y hábitos de consumo de contenidos digitales 2017*, 2016, p. 1, http://lacoalicion.es/wp-content/uploads/ndp-observatorio-2017-es.pdf
[21]   BARRIOS ANDRÉS, M., *Derecho Público y propiedad intelectual: su protección en Internet*, Editorial Reus, Madrid, 2017, p. 22.

ordenada y sistematizada, dos tipo de enlaces: por un lado, links a sitios web de terceros en los que se alojan y ponen a disposición del público ilícitamente obras y prestaciones protegidas —señaladamente, obras audiovisuales, musicales o literarias— para que los usuarios puedan descargar el contenido en sus equipos o visualizarlo por streaming, por el otro, los denominados enlaces P2P, que una vez pinchados por el usuario, posibilitan a éste activar un programa cliente mediante el cual los usuarios pueden compartir obras y prestaciones protegidas que se encuentran en origen en sus propios equipos"[22].

Probablemente, el ejemplo más conocido de este tipo de redes sea Napster, (una red P2P de primera generación), caracterizado por que, si bien los servidores centrales no alojan ningún contenido, sí que centralizan un sistema de indexación y búsqueda al que necesariamente deben acudir los usuarios para posteriormente descargar archivos.

Por otro lado, encontramos las P2P de segunda generación, tales como e-mule o Edonkey entre otros, que al contrario de lo que ocurría con Napster, permite a dos usuarios o más usuarios conectarse sin la intermediación de un servidor, realizando también labores de indexación y búsqueda descentralizadas entre nodos.

c) Agregación de enlaces. Se trata de un complemento necesario de los dos anteriores. Dado que la gran mayoría de los sistemas no proporciona directorio alguno a sus usuarios con el fin de eludir su calificación como cooperadores necesarios en las infracciones a los derechos de propiedad intelectual, el único modo de que estos encuentre en internet los contenidos disponibles es mediante indexación en terceros sitios. Estos terceros sitios, lejos de almacenar las obras, se limitan a incluir listados de enlaces vinculados a determinados contenidos de manera que el usuario sólo tendrá que elegir el enlace para terminar accediendo a la obra, o bien para su descarga, bien para su visionado directo mediante streaming (uno de los ejemplos más conocidos lo tenemos en *"Plusdede"*, la cual ha sido recientemente cerrada).

Desde un punto de vista eminentemente dogmático, estas conductas son actos ilícitos que suponen la vulneración de los derechos comprendidos en los artículos 17, 18 y 20 del Real Decreto Legislativo 1/1996, de 12 de abril, por el que se aprueba el Texto Refundido de la Ley de Propiedad Intelectual, regularizando,

---

[22]   RAMÍREZ SILVA, P., "Web de enlaces y propiedad intelectual", *Indret: Revista para el Análisis del Derecho*, N°. 2, 2012, p. 3.

aclarando y armonizando las disposiciones legales vigentes sobre la materia (en adelante TRLPI)[23], es decir, el contenido patrimonial de los derechos de autor.

Además de los usuarios que toman parte en este tipo de actuaciones *ilícitas*, el otro papel fundamental en este tipo de infracciones lo juegan los prestadores de servicios (en adelante ISP, *Internet Service Provider*), ya que prácticamente la mayoría —por no decir todos— de los servicios que tienen lugar en la red, tales como servicios de acceso, de almacenaje, motores de búsqueda, y *routers* son posibles gracias a su actividad.

Toda infracción (de cualquier tipo, ya sea civil, penal o administrativa) que tiene lugar en Internet, se materializa a través de sus servicios. Así pues, debido a su posición de intermediarios necesarios, los ISP "contribuyen" de alguna manera a la comisión de la infracción y, por lo tanto, con base en las reglas generales de atribución de responsabilidad, podrían ser declarados responsables. Los titulares de propiedad intelectual vieron en ello la oportunidad de perseguir (y, en última instancia, evitar) las infracciones de sus derechos: los ISP son de fácil localización y tienen —normalmente— mayor solvencia para reparar el daño cometido, que el infractor. Además, aseguraría que los ISP se preocuparan de hacer respetar la ley por parte de sus usuarios. Sin embargo, una atribución de responsabilidad objetiva sobre los mismos dificultaría y retrasaría el desarrollo de tales servicios, e incluso tendría un efecto negativo sobre la evolución tecnológica digital, en general[24].

3. *Responsabilidad*

La vulneración de derechos de propiedad intelectual, tanto en el ámbito físico como en Internet, constituyen un ilícito civil y permite la interposición de la correspondiente demanda con el fin de obtener una indemnización por el daño causado, y, en los supuestos más graves, esta vulneración está tipificada como delito en los artículos 270, 271 y 272 del Código Penal, castigándose con penas de prisión y multa.

Además, en los casos de vulneración de derechos de propiedad intelectual en Internet, existe también la posibilidad, para el titular de sus derechos o su representante, de instar la actuación de la Sección Segunda de la Comisión de Propie-

---

[23] ESCRIBANO TORTAJADA, P., "La responsabilidad civil por infracción de los derechos de autor en internet: estado de la cuestión", en FAYOS GARDO, A. y ANDRÉS SEGOVIA, B., (Coord.) *La propiedad intelectual en la era digital*, Madrid, Dykinson, 2016, p. 173.

[24] XALABARDER PLANTADA, R., "Infracciones de propiedad intelectual y responsabilidad de los servidores en Internet (ISP)", *Revista Aranzadi de Derecho de Deporte y Entretenimiento* N. 21, 2007, p. 437.

dad Intelectual, órgano adscrito al Ministerio de Educación, Cultura y Deporte con competencia para notificar al ISP y requerirle la retirada de los contenidos que infrinjan los derechos de propiedad intelectual del solicitante, y, en determinados casos, como veremos más adelante, imponer sanciones.

3.1. Responsabilidad civil

El contenido de la vía para exigir responsabilidad civil se regula en el Libro Tercero del TRLPI, titulado *"De la Protección de los derechos reconocidos en esta Ley"*; y más específicamente en su Título I, *"Acciones y procedimientos"* (artículos 138 a 143).

"El artículo 138 del TRLPI, titulado 'acciones y medidas cautelares urgentes'", establece que el titular de los derechos reconocidos en dicho texto legal podrá instar el cese de la actividad ilícita del presunto y exigir la indemnización de los daños materiales y morales causados en los términos previstos en los artículos 139 (cese de actividad) y 140 (indemnización). También podrá instar la publicación o difusión, total o parcial, de la resolución judicial o arbitral en medios de comunicación a costa del infractor.

Señala, asimismo, que también será responsable de la infracción quien induzca a sabiendas la conducta infractora; quien coopere con la misma, conociendo la conducta infractora o contando con indicios razonables para conocerla; y quien, teniendo un interés económico directo en los resultados de la conducta infractora, cuente con una capacidad de control sobre la conducta del infractor.

Y se recoge la posibilidad de solicitar con carácter previo la adopción de medidas cautelares para asegurar la efectividad de los derechos de propiedad intelectual, entre las que se encuentra, entre muchas otras, la suspensión de los servicios prestados por intermediarios a terceros que se valgan de ellos para infringir derechos de propiedad intelectual (artículo 141 TRLPI, medidas cautelares).

De acuerdo con el artículo 140 del TRLPI, el titular del derecho infringido tiene derecho a una indemnización por los daños patrimoniales y morales sufridos, y para su cálculo podrá elegir entre dos criterios diferentes:

- Las consecuencias económicas negativas, entre ellas la pérdida de beneficios que haya sufrido la parte perjudicada y los beneficios que el infractor haya obtenido por la utilización ilícita.
  En el caso de daño moral procederá su indemnización, aun no probada la existencia de perjuicio económico. Para su valoración se atenderá a las circunstancias de la infracción, gravedad de la lesión y grado de difusión ilícita de la obra.

– La cantidad que como remuneración hubiera percibido el perjudicado, si el infractor hubiera pedido autorización para utilizar el derecho de propiedad intelectual en cuestión.

Además de estos artículos principales, con la nueva modificación que introduce el Real Decreto-ley 2/2018, de 13 de abril, por el que se incorporan al ordenamiento jurídico español la Directiva 2014/26/UE del Parlamento Europeo y del Consejo, de 26 de febrero de 2014, y la Directiva (UE) 2017/1564 del Parlamento Europeo y del Consejo, de 13 de septiembre de 2017, se agrega una acción directa contra quienes eludan, a sabiendas o teniendo motivos razonables para saberlo, medidas de protección tecnológica establecidas por los titulares a fin de evitar la proliferación de conductas no autorizadas (por ejemplo, impedir la posibilidad de realizar copias de películas en DVD y/o Blue Rays).

El procedimiento se regula en la Ley 1/2000, de 7 enero, de Enjuiciamiento Civil (en adelante LEC) que establece especificidades en su artículo 256, apartados 7, 10 y 11[25], en relación con las diligencias preliminares respecto de las acciones relacionadas con la infracción de derechos de propiedad intelectual:

El apartado 7 del artículo 256 de la LEC señala:

"7.º Mediante la solicitud, formulada por quien pretenda ejercitar una acción por infracción de un derecho de propiedad industrial o de un derecho de propiedad intelectual cometida mediante actos que no puedan considerarse realizados por meros consumidores finales de buena fe y sin ánimo de obtención de beneficios económicos o comerciales, de diligencias de obtención de datos sobre el posible infractor, el origen y redes de distribución de las obras, mercancías o servicios que infringen un derecho de propiedad intelectual o de propiedad industrial y, en particular, los siguientes:

a) Los nombres y direcciones de los productores, fabricantes, distribuidores, suministradores y prestadores de las mercancías y servicios, así como de quienes, con fines comerciales, hubieran estado en posesión de las mercancías.

b) Los nombres y direcciones de los mayoristas y minoristas a quienes se hubieren distribuido las mercancías o servicios.

c) Las cantidades producidas, fabricadas, entregadas, recibidas o encargadas, y las cantidades satisfechas como precio por las mercancías o servicios de que se trate y los modelos y características técnicas de las mercancías".

El apartado 10 del mismo artículo recoge la posibilidad de solicitar que se identifique al prestador de un servicio de la sociedad de la información en los siguientes términos:

---

[25]   Artículos introducidos por la Ley 21/2014, de 4 de noviembre, por la que se modifica el texto refundido de la Ley de Propiedad Intelectual, aprobado por Real Decreto Legislativo 1/1996, de 12 de abril, y la Ley 1/2000, de 7 de enero, de Enjuiciamiento Civil.

"10.º Por petición, de quien pretenda ejercitar una acción por infracción de un derecho de propiedad industrial o de un derecho de propiedad intelectual, para que se identifique al prestador de un servicio de la sociedad de la información sobre el que concurran indicios razonables de que está poniendo a disposición o difundiendo de forma directa o indirecta, contenidos, obras o prestaciones objeto de tal derecho sin que se cumplan los requisitos establecidos por la legislación de propiedad industrial o de propiedad intelectual, considerando la existencia de un nivel apreciable de audiencia en España de dicho prestador o un volumen, asimismo apreciable, de obras y prestaciones protegidas no autorizadas puestas a disposición o difundidas.

La solicitud estará referida a la obtención de los datos necesarios para llevar a cabo la identificación y podrá dirigirse a los prestadores de servicios de la sociedad de la información, de pagos electrónicos y de publicidad que mantengan o hayan mantenido en los últimos doce meses relaciones de prestación de un servicio con el prestador de servicios de la sociedad de la información que se desee identificar. Los citados prestadores proporcionarán la información solicitada, siempre que ésta pueda extraerse de los datos de que dispongan o conserven como resultado de la relación de servicio que mantengan o hayan mantenido con el prestador de servicios objeto de identificación, salvo los datos que exclusivamente estuvieran siendo objeto de tratamiento por un proveedor de servicios de Internet en cumplimiento de lo dispuesto en la Ley 25/2007, de 18 de octubre, de conservación de datos relativos a las comunicaciones electrónicas y a las redes públicas de comunicaciones".

Y el apartado 11 que el titular del derecho pueda solicitar al prestador de servicios de la sociedad de la información los datos para identificar los usuarios de sus servicios:

"11.º Mediante la solicitud, formulada por el titular de un derecho de propiedad intelectual que pretenda ejercitar una acción por infracción del mismo, de que un prestador de servicios de la sociedad de la información aporte los datos necesarios para llevar a cabo la identificación de un usuario de sus servicios, con el que mantengan o hayan mantenido en los últimos doce meses relaciones de prestación de un servicio, sobre el que concurran indicios razonables de que está poniendo a disposición o difundiendo de forma directa o indirecta, contenidos, obras o prestaciones objeto de tal derecho sin que se cumplan los requisitos establecidos por la legislación de propiedad intelectual, y mediante actos que no puedan considerarse realizados por meros consumidores finales de buena fe y sin ánimo de obtención de beneficios económicos o comerciales, teniendo en cuenta el volumen apreciable de obras y prestaciones protegidas no autorizadas puestas a disposición o difundidas".

3.2. Responsabilidad Penal

La responsabilidad penal surge en los casos de infracción de los derechos de propiedad intelectual de mayor gravedad, tipificados en la Sección I "De los delitos relativos a la propiedad intelectual", del Capítulo XI del Título XXIII del Libro II del Código Penal artículos 270 a 272.

Estos artículos fueron modificados recientemente por la reforma de 2015 operada por medio de la Ley Orgánica 1/2015, de 30 de marzo, por la que se modifican los artículos 270 y 271 de nuestro Código Penal con el objetivo de resolver los obstáculos (que al no ser nuestro objeto de estudio no vamos a entrar a valorar) que planteaba la anterior redacción para conseguir una plena tutela penal de los derechos de propiedad intelectual[26].

El primer apartado del artículo 270 incluye el tipo básico: pena de prisión de seis meses a cuatro años y multa de doce a veinticuatro meses para el que, con ánimo de obtener un beneficio económico directo o indirecto y en perjuicio de tercero, reproduzca, plagie, distribuya, comunique públicamente o de cualquier otro modo explote económicamente, en todo o en parte, una obra o prestación literaria, artística o científica, o su transformación, interpretación o ejecución artística fijada en cualquier tipo de soporte o comunicada a través de cualquier medio, sin la autorización de los titulares de los correspondientes derechos de propiedad intelectual o de sus cesionarios.

Y en los apartados 2 y 3 del artículo 270 se refiere expresamente a los supuestos en que el delito se cometa por quien realiza la prestación de servicios de la sociedad de la información en los siguientes términos:

"2. La misma pena se impondrá a quien, en la prestación de servicios de la sociedad de la información, con ánimo de obtener un beneficio económico directo o indirecto, y en perjuicio de tercero, facilite de modo activo y no neutral y sin limitarse a un tratamiento meramente técnico, el acceso o la localización en internet de obras o prestaciones objeto de propiedad intelectual sin la autorización de los titulares de los correspondientes derechos o de sus cesionarios, en particular ofreciendo listados ordenados y clasificados de enlaces a las obras y contenidos referidos anteriormente, aunque dichos enlaces hubieran sido facilitados inicialmente por los destinatarios de sus servicios.

3. En estos casos, el juez o tribunal ordenará la retirada de las obras o prestaciones objeto de la infracción. Cuando a través de un portal de acceso a internet o servicio de la sociedad de la información, se difundan exclusiva o preponderantemente los contenidos objeto de la propiedad intelectual a que se refieren los apartados anteriores, se ordenará la interrupción de la prestación del mismo, y el juez podrá acordar cualquier medida cautelar que tenga por objeto la protección de los derechos de propiedad intelectual.

Excepcionalmente, cuando exista reiteración de las conductas y cuando resulte una medida proporcionada, eficiente y eficaz, se podrá ordenar el bloqueo del acceso correspondiente".

---

[26]　A tal respecto, a quien pudiera tener interés en conocer los obstáculos que presentaba la anterior redacción del código penal recomendamos la lectura de BARRIO ANDRÉS, M., *Derecho Público y propiedad intelectual: su protección en Internet*, Editorial Reus, Madrid, 2017, pp. 29 y ss.

Los apartados 2 y 3 tipifican la actuación de las webs de enlaces. Según MAR-TÍNEZ-BUJAN PÉREZ[27] el primer apartado 2º lo que está haciendo es incluir dos modalidades de acción: a) facilitar el acceso de obras protegidas a través de enlaces con un servidor externo de gran capacidad a través del cual pueden descargarse las obras o acceder a ellas mediante *streaming*; b) y facilitar la localización referida a la descarga de obras de redes P2P, desde el dispositivo de otro usuario.

El cuarto apartado del artículo 270 establece un tipo atenuado para los supuestos de distribución ambulante o meramente ocasional (pena de prisión de seis meses a dos años), que puede reducirse a pena de uno a seis meses o trabajos en beneficio de la comunidad de 30 a 60 días atendiendo a las características del culpable y la reducida cuantía del beneficio económico.

El apartado cinco del artículo 270 extiende las penas de los dos primeros apartados (pena de prisión de seis meses a cuatro años y multa de doce a veinticuatro meses) a diversos supuestos en los que se exporten, almacenen o importen copias no autorizadas de obras protegidas; o bien en los que se favorezca la vulneración eliminando o facilitando la elusión de las medidas tecnológicas incorporadas a la obra o prestación para evitarlo.

Y el apartado seis incluye otro tipo delictivo, castigado con una pena de prisión de seis meses a tres años, referido a la fabricación, importación, puesta en circulación o posesión con una finalidad comercial de medios destinados a facilitar la supresión o neutralización de dispositivos técnicos de protección de obras o prestaciones.

El artículo 271, enumera una serie de modalidades cualificadas del artículo anterior (penas de prisión de 2 a 6 años, multa de 18 a 30 meses e inhabilitación especial para el ejercicio de la profesión relacionada con el delito cometido por un periodo de 2 a 5 años), cuando concurran que se indican en el propio artículo:

a) Que el beneficio obtenido o que se hubiera podido obtener posea especial trascendencia económica.

b) Que los hechos revistan especial gravedad, atendiendo el valor de los objetos producidos ilícitamente, el número de obras, o de la transformación, ejecución o interpretación de las mismas, ilícitamente reproducidas, distribuidas, comunicadas al público o puestas a su disposición, o a la especial importancia de los perjuicios ocasionados.

---

[27] MARTÍNEZ-BUJÁN PÉREZ, C., "Delitos contra el patrimonio y el orden socioeconómico (IX): delitos relativos a la propiedad intelectual e industrial, al mercado y a los consumidores. Alteración de precios en concursos y subastas públicas", en VVAA, *Derecho Penal Parte Especial*, Valencia, Tirant lo Blanch, 2015, p. 417.

c) Que el culpable perteneciere a una organización o asociación, incluso de carácter transitorio, que tuviese como finalidad la realización de actividades infractoras de derechos de propiedad intelectual.

d) Que se utilice a menores de 18 años para cometer estos delitos.

Finalmente, el artículo 272 señala que la extensión de la responsabilidad civil derivada de los delitos tipificados en los dos artículos anteriores se regirá por el TRLPI.

4. Responsabilidad Administrativa

El procedimiento sancionador derivado de la responsabilidad administrativa se atribuye a la Sección de la Comisión de Propiedad Intelectual (en adelante CPI), órgano colegiado adscrito al Ministerio de Cultura, que nació en el año 2012 al cobijo de la llamada Ley Sinde-Wert (Ley 2/2011, de 4 de marzo, de Economía Sostenible) con la finalidad de salvaguardar las vulneraciones de derechos de autor.

El funcionamiento de la Comisión de Propiedad Intelectual se ha visto alterada en varias ocasiones, una con la última reforma por la Ley 21/2014, de 4 noviembre, por la que se modifica el texto refundido de la Ley de propiedad Intelectual, aprobado por Real Decreto Legislativo 1/1996, de 12 de abril, y la ley 1/2000, de 7 de enero, de Enjuiciamiento, y la más reciente con el Real Decreto-ley 2/2018, antes citado.

"Tras la mencionada reforma, la responsabilidad administrativa se regula en el artículo 195 del TRLPI titulado Función de salvaguarda de los derechos en el entorno digital".

El procedimiento se regula en el artículo 195 del TRLPI y en los arts. 15 a 24 del Real Decreto 1889/2011, de 30 de diciembre, por el que se regula el funcionamiento de la Comisión de Propiedad Intelectual.

En síntesis, este procedimiento (artículo 195 del TRLPI) que se tramita y resuelve ante la Sección Segunda de la Comisión de Propiedad Intelectual, está basado en los principios de celeridad y proporcionalidad, su finalidad es el restablecimiento de la legalidad en aquellos casos en los que se declare la existencia de una vulneración de derechos de propiedad intelectual mediante la prestación de servicios de la sociedad de la información.

Se encuentran legitimados para instar el inicio del procedimiento los titulares de derechos que se consideren lesionados o las personas naturales o jurídicas que tuvieran encomendado su ejercicio o la representación de tales titulares (art. 195.3 TRLPI y 15.2 del Real Decreto 1889/2011, de 30 de diciembre, por el que se regula el funcionamiento de la Comisión de Propiedad Intelectual). También están legitimadas para instar el procedimiento las entidades de gestión en los términos del art. 150 TRLPI.

El sujeto pasivo del procedimiento es el titular del servicio de la sociedad de la información a través del que se produce la información. La definición de "servicio de la sociedad" de la información se recoge en la Ley 34/2002, de 11 de julio, de servicios de la sociedad de la información, y requiere que el proveedor de servicios este desarrollando una "actividad económica" a través del servicio.

El procedimiento prevé que, en el caso de que se declare la existencia de un quebrantamiento de derechos de propiedad intelectual por el responsable del servicio de la sociedad de la información, se ordenará al responsable la retirada de los contenidos que vulneren tales derechos o la interrupción de la prestación del servicio de las páginas web que infrinjan los derechos objeto del procedimiento (art. 195.4 TRLPI). El incumplimiento de requerimientos de retirada de contenidos declarados infractores dará lugar a sanciones de entre 150.001 hasta 600.000 euros (artículo 195.6 TRLPI)

En el Balance Datos Tramitación Sección Segunda Comisión de Propiedad Intelectual (A 30/06/2018) publicado por el Ministerio de Cultura y Deporte se recoge literalmente:

> *"Por tanto, el número global de webs afectadas por las acciones de la CPI asciende a 379, y de esas 379 webs afectadas/requeridas, todas menos 27 han retirado tras la resolución definitiva todos los contenidos identificados por la CPI que ofrecían ilícitamente; lo que supone que el 93,80% de las webs requeridas han retirado los contenidos infractores. Cabe destacar que dentro de esas cifras se comprenden 99 casos de ceses completos de actividad:*
> *• 7 webs con extensión de dominio ".es" han sido canceladas, a instancia de la CPI, por la entidad pública Red.es.*
> *• 50 páginas webs han cerrado completamente a raíz de las actuaciones de la Sección Segunda de la CPI, ya sea como consecuencia de requerimientos de información o de su notificación como interesados tras la resolución de un acuerdo de inicio.*
> *• Asimismo, se han dictado 12 resoluciones judiciales en el ámbito de la Audiencia Nacional autorizando el bloqueo, en territorio español, de 42 nombres de dominio objeto de actuaciones de la Sección Segunda de la CPI y según lo resuelto por ésta, (los más recientes, los de las webs www.pordescargadirecta.com, www.pelis24.com, www. todocvcd.com,www.music-bazaar.com,www.seriesflv.net, www.genteflowmp3.com y www.freelibros.com)"*[28].

---

[28] MINISTERIO DE CULTURA Y DEPORTE, *Balance Datos Tramitación Sección Segunda Comisión de Propiedad Intelectual*, Madrid, Ministerio de Cultura y Deporte, 2018, p. 5 https://www.mecd.gob.es/dms/mecd/cultura-mecd/areas-cultura/propiedadintelectual/lucha-contra-la-pirateria/2018-2t-boletin-secc2-cpi.pdf

Queremos destacar que, con fecha de 20 de junio de 2018 se ha publicado, en el Boletín Oficial del Estado, la resolución del Sr. Ministro de Cultura y Deporte por la que se resuelve el procedimiento administrativo de carácter sancionador contra el titular de la página web www.xcaleta.com, ahora www.x-caleta2.com, por la comisión de una infracción administrativa calificada como muy grave, tipificada en el artículo 195.6 del texto refundido de la Ley de Propiedad Intelectual (TRLPI). La sanción administrativa consiste en una multa de 375.000 euros, resolviéndose asimismo el cese de la actividad declarada infractora de dicha web durante un año y la publicación de la resolución sancionadora, a costa del sancionado, en el Boletín Oficial del Estado.

Esta resolución es un importante precedente en la constante búsqueda por proteger a los creadores de contenidos, no solo por la cuantía de la sanción finalmente impuesta sino por el volumen de la infracción materializada por la plataforma sancionada que llegó a alcanzar los dos millones de visitas mensuales.

5. Las infracciones de los derechos de Propiedad Industrial en el Ciberespacio

Los derechos que constituyen la llamada propiedad industrial tienen como denominador común el hecho de que otorgan a su titular facultades de uso exclusivo, por lo que están dotados, con carácter general, de eficacia *erga omnes* a partir del momento de su adquisición (sin perjuicio de la protección provisional de la publicación de la solicitud y de la particularidad que representan las marcas notorias y renombradas). De esta circunstancia, y del hecho de que sean bienes de carácter inmaterial, proviene su denominación genérica de "bienes inmateriales o derechos de uso exclusivo"[29].

Al igual que ocurría con la propiedad intelectual —aún más si cabe— encajar el principio de territorialidad, característica esencial de la protección de los derechos de propiedad industrial, con la existencia de Internet tiene una gran complicación.

En este apartado nos vamos a detener, en lo que consideramos, que dentro del ámbito de la propiedad industrial e Internet, constituyen algunos de los derechos e infracciones más relevantes:

---

[29] YZQUIERDO TOLSADA, M., y ARIAS MÁIZ, V., "Responsabilidad civil por daños a la propiedad intelectual", en REGLERO CAMPOS, L.F. (Coord.), *Tratado de responsabilidad civil* Vol. 3, Cizur Menor, Aranzadi, 2008, p. 529.

- **Marcas**

La Ley 17/2001, de 7 de diciembre, de Marcas (en adelante LM) define la marca en el artículo 4 como:

"cualquier signo susceptible de representación gráfica que sirva para distinguir en el mercado los productos o servicios de una empresa de los de otras".

Según este concepto, La función de una marca es la de distinguir/diferenciar una serie de productos y servicios dentro del mercado y su origen empresarial. Esta función, aunque más que de una función podemos hablar de capacidad distintiva, también implica una cierta convicción por parte del consumidor o público en general de que lo contraseñado por esa marca tiene una serie de características concretas. Las marcas deben tener fuerza distintiva para que puedan ser registradas (prohibiciones absolutas: falta de carácter distintivo), si estamos ante una marca débil (que no es capaz de distinguir los productos o servicios en el mercado) se crea un riesgo de confusión en el mercado.

Ahora bien, para que pueda hablarse de un uso o aparición ilegítima de una marca en la Red, deben tener darse los siguientes elementos, tal y como indica TORRUBIA CHALMETA[30]:

a) Encaje del uso en alguno de los supuestos del artículo 34.2 LM y del 9.1 Real Decreto 687/2002, de 12 de julio, por el que se aprueba el Reglamento para la ejecución de la Ley 17/2001, de 7 de diciembre, de Marcas (doble identidad marca//productos o servicios con riesgo de confusión del público, o identidad o semejanza de la marca sin semejanza de los productos o servicios con marca notoria o renombrada).

b) Uso en el contexto de una actividad comercial con ánimo de lucro (mala fe).

c) Uso de la marca de un modo que menoscabe o suponga la posibilidad de que pueda menoscabar las funciones de la marca.

Finalmente, queremos señalar que el pasado viernes 20 de julio se aprobó el Anteproyecto de Ley que modifica la Ley de Marcas 17/2001 trasponiendo así la Directiva UE 2015/2436, del Parlamento Europeo y del Consejo, de 16 de diciembre de 2015, relativa a la aproximación de las legislaciones de los Estados miembros en materia de marcas.

La nueva norma pretende ser una nueva arma en la lucha contra la piratería.

Mediante este este anteproyecto, el Gobierno pretende dar el primer paso para adaptar la ley de marcas a la directiva europea 2015/2436, del Parlamento

---

[30]   TORRUBIA CHALMETA, B., "La infracción del derecho de marca en internet", 2009, Revista de internet, Derecho y política, N°. 9, 2009, p. 12.

Europeo y del Consejo, de 16 de diciembre de 2015, relativa a la aproximación de las legislaciones de los Estados miembros en materia de marcas, que además de que introducirá novedades en aspectos materiales y procedimentales y otorgará una mayor homogeneidad a los sistemas de marcas de los estados miembros.

- **Nombres de dominio**

Igualmente debemos resaltar la importancia de los nombres de dominio, ya que por su propia naturaleza están íntimamente relacionados con Internet.

Un nombre de dominio, tal y como lo define la Oficina Española de patentes y marcas, es "*la dirección de una empresa, organización, asociación o persona en Internet, y permite que su información, sus productos y/o servicios sean accesibles en todo el mundo a través de la red.*

Tiene una doble utilidad

• Es su identificador en Internet, que sirve para identificar a su empresa o a las marcas de sus productos y servicios en la red.

• Es su dirección en la red, siendo la forma más fácil, rápida e intuitiva para localizar un sitio en Internet."[31].

Debemos partir de la base de que las combinaciones de letras que constituyen los nombres de dominio suelen ser susceptibles de protección específica por nuestro ordenamiento. Una limitación fundamental impuesta por su configuración tecnológica es que no pueden existir dos nombres de dominio idénticos, al igual que ocurre con el documento nacional de identidad (no obstante, hay que tener en mente que una misma denominación puede estar registrada bajo distintos dominios de nivel superior —por ejemplo, ".com" y ".es"—, tratándose de nombres de dominio diferentes).

Este tiene una importancia capital, ya que implica la principal diferencia con las marcas, respecto de las que sí es posible que existan derechos de exclusiva distintos (con titulares diversos) sobre un mismo signo, en función de la categoría de productos y servicios, así como del territorio de protección (Sentencia de la Audiencia Provincial de Madrid (Secc. 11) de 21 de noviembre de 2005m Fundamento Jurídico 2). En estos casos el titular de una marca anterior puede oponerse a un nombre de dominio que contenga la denominación protegida.

Al contrario que ocurre con las marcas, debido a la propia naturaleza de los nombre de dominio, la obtención de su asignación supone que lo va a ser a nivel internacional y transfronterizo, sin importar la ubicación del ordenador en el que se almacena su información. No obstante, en caso de conflicto sí que podría determinarse la determinarse su territorialidad: con el .es, .com, .fr, etc. Además

---

[31] https://www.oepm.es/es/propiedad_industrial/preguntas_frecuentes/FaqSignos04.html.

habrá que tener en cuenta los idiomas de la web, a qué países se hacen envíos, métodos de pago (tipo de moneda), todas esas variables pueden ayudar a acotar la territorialidad.

En caso de los nombres de dominios, también nos vamos a encontrar numerosos riesgos y conflictos. Uno de los más claros, y redundantes es el uso de nombres de dominio diferentes pero que presentan gran similitud o incluso identidad fonética, como en el asunto Universal Tube & Rollform Equipment Corp. v. YouTube, Inc (véase la Sentencia del tribunal —equivalente a nuestra primera instancia— de Ohio, Estados Unidos de America)[32].

Otro de los grandes riesgos, son los casos de ciberocupación o cybersquatting. Se trata con frecuencia de casos de auténtica piratería de nombres de dominio (o de marcas)[33], muchos de los cuales han afectado a marcas de fama mundial. Con el paso del tiempo, las actividades de simple *cybersquatting* se han transformado con frecuencia en *typosquatting*, en la que el individuo que registra el nombre de dominio realiza alguna modificación en la denominación sobre el que un tercero tiene derechos legítimos que coinciden con errores que son habituales en los que pueden incurrir los usuarios cuando teclean directamente la dirección a la que pretenden acceder.

• Patentes

Desde el 1 de abril, está en vigor la Ley 24/2015, de 24 de julio, de Patentes, que deroga a la anterior Ley 11/1986. Esta nueva ley está inspirada en el Convenio de Patente Europea (CPE).

Internet ha facilitado que una patente pueda ser infringida mediante actividades que se originan en un país distinto de aquel al que va referida la patente. Un ejemplo muy claro lo tenemos en los casos en los que, a través de Internet, desde el extranjero existe un ofrecimiento de productos que infringen la patente y se dirigen al país de protección de esa patente.

Así como señala DE MIGUEL, el autor doctrinal anglosajón TRIMBLE considera que además del ofrecimiento de los productos objeto de la patente, la introducción en el comercio, la importación o la utilización de tales productos puede también producirse a través de Internet en circunstancias que infrinjan el derecho de patente, como es el caso de comercializar, a través de internet, un software que goza de protección mediante patentes en circunstancias que permiten su descarga

---

[32] http://files.grimmelmann.net/cases/UTube.pdf
[33] Véase SANZ DE ACEDO HECQUET, E, *Marcas renombradas y nombres de dominio en Internet (En torno a la ciberpiratería)*, Madrid, Civitas, 2001.

por el cliente a través de la Red[34]. También Internet facilita que las patentes de diversos países relativas a una misma invención puedan ser infringidas mediante actividades desarrolladas en múltiples países, como, por ejemplo, cuando el sitio de comercio electrónico infringe derechos de patente está configurado de tal manera que dirige su actividad comercial a través de Internet a una pluralidad de países y utiliza esos elementos en las transacciones con clientes situados en cada uno de esos países.

La expansión de las patentes relativas a invenciones implementadas en ordenador así como, especialmente en ciertas jurisdicciones, de las patentes relativas a modelos de negocio en el ámbito del comercio electrónico está asociada al creciente riesgo de que el empleo de programas de ordenador o el desarrollo de ciertas actividades por quienes operan a través de Internet puedan constituir actividades de infracción de patentes de terceros.

En este contexto, cobra especial importancia la eventual tutela frente a actividades que infringen derechos de patente en una pluralidad de países, que plantea importantes cuestiones en los ámbitos de la competencia judicial internacional y de la ley aplicable. Así, la incertidumbre acerca de los límites de las invenciones implementadas en ordenador, en particular las relativas a métodos comerciales, determina que la impugnación de la validez de este tipo de patentes resulte especialmente frecuente por parte de aquel a quien se imputa la infracción de la patente, lo que puede condicionar decisivamente la posibilidad de que un tribunal sea competente para conocer de litigios relativos a una pluralidad de países[35]

Las anteriores infracciones pueden dar lugar a responsabilidades tanto de tipo penal, como civil:

a) Responsabilidad Civil

Regulada, entre otros, en los artículos 40 y siguientes de la Ley 17/2001, de 7 de diciembre, de Marcas; en los artículos 71 y siguientes de la Ley 24/2015, de 24 de julio, de Patentes, en los artículos 52 y siguientes de Ley 20/2003, de 7 de julio, de Protección Jurídica del Diseño Industrial, y en los artículos 721 y siguientes de la Ley 1/2000, de 7 de enero, de Enjuiciamiento Civil.

---

[34]   DE MIGUEL ASENSIO, P.A., *Derecho privado de Internet*, Cizur Menor, Aranzadi, 2002, p. 19.

[35]   DE MIGUEL ASENSIO, P.A., Derecho privado de Internet, Cizur Menor, Aranzadi, 2002, p. 19.

b) Responsabilidad Penal

El Código Penal trata los delitos contra la Propiedad Industrial en la Sección Segunda del Capítulo XI, Título XIII, en su Libro III, artículos 273 y ss., igualmente son aplicables las normas contenidas en la Sección Cuarta del mismo capítulo, que regula disposiciones comunes a todos los delitos contenidos en el citado Capítulo XI.

VII. CONCLUSIONES

1. Por ciber riesgo hemos de entender los riesgos asociados a las Tecnologías de la Información y Comunicación que comprometen de algún modo (daños, confidencialidad, integridad, acceso, disponibilidad, etc.) redes, datos o servicios de información.
2. Existe una genérica obligación de implantar medidas técnicas y organizativas apropiadas para garantizar un nivel de seguridad adecuado al riesgo (artículo 32 del RGPD 679/2016).
   La cuestión radica en concretar qué nivel de seguridad es exigible a cada persona en particular, lo que determinará el grado de diligencia exigible. En el caso de que una persona no haya implantado medidas de seguridad adecuadas a su nivel de (ciber) riesgo, deberíamos concluir que tal posición constituye una negligencia omisiva y es con-causa de los daños junto con la acción del cracker causante del ciber incidente.
3. La jurisprudencia tiene sentado que ante la sustracción de una tarjeta de pago la entidad bancaria emisora de la tarjeta deberá responder de las cantidades dispuestas, salvo que acredite que el cliente ha actuado con negligencia grave en la custodia de la tarjeta o del número PIN o en la comunicación de la sustracción, no pudiéndose presumir la negligencia por el mero hecho de que el ladrón ha dispuesto de dinero.
   Salvo que se acredite una negligencia grave por parte del titular de la tarjeta, este únicamente responderá de una cuantía de 150 Euros conforme a las recomendaciones de la Unión Europea y resulta plenamente aplicable al supuesto de utilización ilícita de tarjetas de pago a través de Internet.
4. El artículo 1105 del Código Civil dispone que "*fuera de los casos expresamente mencionados en la ley, y de los en que así lo declare la obligación, nadie responderá de aquellos sucesos que no hubieran podido preverse, o que, previstos, fueran inevitables*".
   En mi consideración puede resultar de utilidad poner en conexión la última parte de este precepto con la previsibilidad de un incidente cibernético teniendo en cuenta el estado de la técnica, sus costes de aplicación, el

sector en que operemos y riesgos que implica, la probabilidad y gravedad de los eventuales daños que podamos causar a terceros, etc. Teniendo en cuenta estas circunstancias, si acreditamos que no hubiésemos podido prever el incidente cibernético o, aun previéndolo, no lo hubiésemos podido evitar dada la intensidad del ataque o nuestras limitaciones técnicas o económicas, en tal caso cabría sostener que se nos debe eximir de responsabilidad.

5. La responsabilidad de los Administradores y Directivos - puede ser objeto de cobertura tanto por el seguro de D&O como el seguro de riesgo cibernéticos, encontrándonos en ese caso ante una concurrencia impropia de seguros regulada en el artículo 32 de la Ley 50/1980 de Contrato de Seguro y en caso de existir concurrencia impropia de seguros procedería aplicar la regla de la proporcionalidad, de tal modo que cada aseguradora vendría obligada a pagar la indemnización correspondiente en proporción a los límites de cobertura contratados con cada seguro.

6. La sociedad de la información ha traído consigo numerosas ventajas en el desarrollo de los derechos, tanto de propiedad intelectual e industrial, sin embargo, la sociedad de la información también conlleva serios desafíos, que en la mayoría de los casos se traducen en infracciones de los derechos tutelados por los derechos de autos y los derechos de propiedad industrial. Es fundamental, que el legislador avance y se adecue al nuevo contexto tecnológico en el que nos encontramos, para conseguir de manera efectiva la protección de los derechos.

VIII. BIBLIOGRAFÍA

ASOCIACIÓN ESPAÑOLA DE GERENCIA DE RIESGOS Y SEGUROS, *Guía terminología de ciberseguridad*, Madrid, AGERS, 2017, p. 14, https://www.ismsforum.es/ficheros/descargas/guiaciberseguridadismsagers1497276047.PDF

BARRIO ANDRÉS, M., *Derecho Público y propiedad intelectual: su protección en Internet*, Editorial Reus, Madrid, 2017.

Internet y derecho público: responsabilidad de los proveedores de internet, 2016, Tesis doctoral inédita, https://e-archivo.uc3m.es/handle/10016/23606

BRITISH BROADCASTING CORPORATION, *El mapa global de ciberataques en tiempo real*, 2013, https://www.bbc.com/mundo/noticias/2013/03/130315_tecnologia_ciberataques_mapa_aa

COALICIÓN DE CREADORES E INDUSTRIAS DE CONTENIDOS, *Observatorio de la piratería y hábitos de consumo de contenidos digitales 2017*, 2016, http://lacoalicion.es/wp-content/uploads/ndp-observatorio-2017-es.pdf

DE ANGEL YAGÜEZ, R., *La Responsabilidad Civil*, Bilbao, Universidad de Deusto, 1989.

DE MIGUEL ASENSIO, P.A., *Derecho privado de Internet*, Cizur Menor, Aranzadi, 2002.

EL ECONOMISTA, "Cuanto facturan las pymes en España", *El economista*, 2016, http:// www.eleconomista.es/emprendedores-pymes/noticias/7265610/01/16/Cuanto-facturan-las-pymes-en-Espana.html

ESCRIBANO TORTAJADA, P., "La responsabilidad civil por infracción de los derechos de autor en internet: estado de la cuestión", en FAYOS GARDO, A. y ANDRÉS SEGOVIA, B., (Coord.) *La propiedad intelectual en la era digital*, Madrid, Dykinson, 2016, pp. 169-190.

HERRERA DE LAS HERAS, R., *Responsabilidad civil por vulneración del derecho al honor en las redes sociales*, Madrid, Reus, 2017.

INSTITUTO NACIONAL DE CIBERSEGURIDAD, *Glosario de términos de ciberseguridad*, INCIBE, Madrid, 2017, p. 24, https://www.incibe.es/protege-tu-empresa/guias/glosario-terminos-ciberseguridad-guia-aproximacion-el-empresario

INFORMATION SYSTEMS AUDIT AND CONTROL ASSOCIATION, *Cobit 5 for Risk*, Rolling Meadows, ISACA, 2013, https://www.isaca.org/COBIT/Documents/COBIT-5-for-RiskPreview_res_eng_0913.pdf

JIMENO MUÑOZ, J. *La responsabilidad civil en el ámbito de los ciber riesgos*, Madrid, Fundación Mapfre, 2017.

MARTÍNEZ-BUJÁN PÉREZ, C., "Delitos contra el patrimonio y el orden socioeconómico (IX): delitos relativos a la propiedad intelectual e industrial, al mercado y a los consumidores. Alteración de precios en concursos y subastas públicas", en VVAA, *Derecho Penal Parte Especial*, Valencia, Tirant lo Blanch, 2015.

MINISTERIO DE CULTURA Y DEPORTE, *Balance Datos Tramitación Sección Segunda Comisión de Propiedad Intelectual*, Madrid, Ministerio de Cultura y Deporte, 2018, https://www.mecd.gob.es/dms/mecd/cultura-mecd/areas-cultura/propiedadintelectual/lucha-contra-la-pirateria/2018-2t-boletin-secc2-cpi.pdf

MUÑOZ VILLARREAL, A., "La responsabilidad derivada del IOT y de los sistemas de inteligencia artificial", en JIMENO MUÑOZ, J., (Coord.), *Insurtech y Responsabilidad Civil Tecnológica*, Madrid, Sepin, 2019, pp. 37-60.

La responsabilidad civil de los auditores de cuentas, Madrid, Sepin, 2019, pp. 37-60.

NAVAS CASTILLO, F., "Libertad de expresión y derecho a la información", en TORRES DEL MORAL, A. (Dir.), *Libertades informativas*, Madrid, Colex, 2009, pp. 89-110.

RAMÍREZ SILVA, P., "Web de enlaces y propiedad intelectual", *Indret: Revista para el Análisis del Derecho*, Nº. 2, 2012.

REGLERO CAMPOS, F y BUSTOS LAGO, M. (Coords.) *Tratado De Responsabilidad Civil*, Cizur Menor, Aranzadi, 2014.

ROBLES DE LA TORRE. P. "La regulación legal de intercambio de ficheros en las legislaciones comunitaria, europea y española", en O'CALLAGHAN MUÑOZ, X., (Coord.) *Los derechos de propiedad intelectual en la obra audiovisual*, Dykinson, Madrid, 2011, pp. 197-203.

SANZ DE ACEDO HECQUET, E, *Marcas renombradas y nombres de dominio en Internet (En torno a la ciberpiratería)*, Madrid, Civitas, 2001.

THE GENEVA ASSOCIEATION, *Ten key questions on cyber risk and Cyber Risk Insurance*, Zurich, 2017, p. 12 https://www.genevaassociation.org/sites/default/files/research-topics-document-type/pdf_public//cyber-risk-10_key_questions.pdf

TORRUBIA CHALMETA, B., "La infracción del derecho de marca en internet", 2009, *Revista de internet, Derecho y política*, N°. 9, 2009.

XALABARDER PLANTADA, R., "Infracciones de propiedad intelectual y responsabilidad de los servidores en Internet (ISP)", *Revista Aranzadi de Derecho de Deporte y Entretenimiento* N. 21, 2007, pp. 437-460.

YZQUIERDO TOLSADA, M., Responsabilidad Civil Extracontractual. Parte General: Delimitación y especies. Elementos. Efectos o consecuencias, Madrid, Dykinson 2018.

YZQUIERDO TOLSADA, M., y ARIAS MÁIZ, V., "Responsabilidad civil por daños a la propiedad intelectual", en REGLERO CAMPOS, L.F. (Coord.), *Tratado de responsabilidad civil* Vol. 3, Cizur Menor, Aranzadi, 2008, pp. 529-651.

WIENER, N., *Cibernética o el control y comunicación en animales y máquinas*, Barcelona, Tusquets, 1985.

CAPÍTULO 7
RIESGOS CIBERNÉTICOS Y RESPONSABILIDAD CIVIL DE ADMINISTRADORES Y DIRECTIVOS

ALBERTO MUÑOZ VILLARREAL
Socio de Muñoz Arribas Abogados, S.L.P.
Profesor Contratado Doctor (Acr.)
Universidad Autónoma de Madrid

Sumario: I. INTRODUCCIÓN. II. LA RESPONSABILIDAD CIVIL DE ADMINISTRADORES Y DIRECTIVOS. 1. El seguro de D&O: evolución histórica 2. Principales características del Seguro de D&O: *claim made*, dolo, fianzas. 3. Responsabilidad civil de Administradores y Directivos. II. RIESGOS CIBERNÉTICOS. III. LA RESPONSABILIDAD CIVIL DE ADMINISTRADORES Y DIRECTIVOS DERIVADA DE LOS RIESGOS CIBERNÉTICOS. IV. CONCLUSIONES. V. BIBLIOGRAFÍA[1]

Palabras claves: D&O, Responsabilidad Civil, Riesgos Cibernéticos, Brecha de seguridad, Pérdida de Confianza, Páginas Web corporativas.

Resumen: En el ámbito de la Responsabilidad Civil de Administradores y Directivos, a la tormenta generada por las novedades legislativas y jurisprudenciales, le hemos de sumar las novedades tecnológicas (Inteligencia Artificial, Internet de las Cosas) y los riesgos cibernéticos.
Uno de los grandes riesgos a los que se enfrentan los Directivos es el de sufrir, a raíz de un ataque cibernético, una pérdida de confianza o un daño en la reputación empresarial, así como el de incurrir en Responsabilidad Civil.
Si a ello sumamos la reciente normativa relativa a Protección de Datos, y la inquietud que ha generado y que incide especialmente en la responsabilidad, la elección del presente tema de estudio está justificada.

I. INTRODUCCIÓN

De todos es conocido la importancia geoestratégica a nivel mundial de la seguridad cibernética[2], y en España para la seguridad nacional[3], y como median-

---

[1]   Todas las consultas de internet estaban disponibles a 28 de septiembre de 2018.

[2]   SINGER, P.W., y FRIEDMAN, A., *Cybersecurity and cyberwar, what everyone needs to know,* Oxford, Oxford University Press, 2014.

[3]   CASINO RUBIO, M., "La Ley 36/2015, de 28 de septiembre, de seguridad nacional. La Ley ¿de qué?", *Revista española de Derecho Administrativo,* N. 177, Madrid, 2016, pp. 27-34.

te el uso de internet, en especial del Internet de las cosas[4], se está influyendo en acontecimientos políticas de extrema importancia[5], pero no es tan conocido para el público general la transcendencia que para una empresa y sus directivos puede tener, por ejemplo, una brecha de seguridad por un ataque cibernético.

Tema de actualidad mediática[6], objeto de gran interés, y de preocupación[7], tanto por parte del sector asegurador[8] como por el legislador[9], los riegos ciber-

---

[4]   *"Pero, en verdad, el Internet de las Cosas carece de una regulación jurídica propia y autónoma. Sin embargo, plantea un buen ramillete de nuevos desafíos legales, fundamentalmente en la protección de la intimidad-privacidad en relación con el tratamiento de datos y la ciberseguridad de los sistemas"*, BARRIO ANDRÉS, M., *Internet de las cosas*, Barcelona, Editorial Reus, 2018, pp. 14-15.

[5]   Solo por citar uno de los más conocidos pensemos en las últimas elecciones presidenciales en los Estados Unidos de America.

[6]   Solo por citar un ejemplo, RALPH, O., "Ciberpólizas: el reto del sector de los seguros", *Expansión Economía Digital*, Martes 27 de marzo de 2018, p. 2.

[7]   *"El próximo 11S será un ciberataque y en el peor de los escenarios, el sector asegurador volverá a sostener el mundo"*, HERAS, D., "El próximo 11S será un ciberataque", *Cinco Días*, 12 de septiembre de 2018.

[8]   Como lo demuestra el hecho de que sea un tema recurrente en los congresos académicos y profesionales, entre otras podemos citar la ponencia de Jose Antonio Muñoz Villarreal, Socio Director de Muñoz Arribas Abogados, S.L.P. y Alan Abreu González, Suscriptor Lider de Cyber de Hiscox España, "La responsabilidad civil en el ámbito de los ciber riesgos", impartida el lunes 25 de junio de 2018 en el XX Congreso de Responsabilidad Civil y Seguros, organizado por Inese y el Ilustre Colegio de Abogados de Madrid y celebrado en Madrid.

[9]   *"Las redes y sistemas de información desempeñan un papel crucial en la sociedad. Su fiabilidad y seguridad son esenciales para las actividades económicas y sociales, y en particular para el funcionamiento del mercado interior. Debido al carácter transnacional de las operaciones, una perturbación grave de esas redes y sistemas, ya sea o no deliberada, y con independencia del lugar en que se produzca, puede afectar a diferentes Estados miembros y a la Unión en su conjunto. Este tipo de incidentes pueden interrumpir las actividades económicas, generar considerables pérdidas financieras, menoscabar la confianza del usuario y causar grandes daños a la economía de la Unión.*
La Unión Europea ha ido dando pasos para garantizar una mayor seguridad en las redes y sistemas de información. En este sentido, en febrero de 2013 se publicó la Estrategia de Ciberseguridad de la Unión Europea (Cybersecurity Strategy of the of the European Union: an Open, Safe and Secure Cyberspace). Este documento comprende los aspectos del mercado interior, justicia y política exterior relacionados con el ciberespacio. La estrategia de ciberseguridad y la propuesta de Directiva sirven de apoyo a la Agenda Digital para Europa, cuyo objetivo es ayudar a los ciudadanos y empresas europeos a aprovechar al máximo las tecnologías digitales. Esta Estrategia se complementa con la Directiva aprobada y publicada ayer 19 de julio en el Diario Oficial de la Unión Europea, llamada "Directiva del Parlamento Europeo y del Consejo relativa a las medidas destinadas a garantizar un elevado nivel común de seguridad de las redes y sistemas de información de la Unión" (conocida como directiva NIS) y que entrará en vigor el próximo 9 de agosto.
Según se indica en la Directiva, las capacidades existentes no bastan para garantizar un elevado nivel de seguridad de las redes y sistemas de información en la Unión. Los niveles de prepa-

néticos pueden (y deben) ser analizados desde distintos prismas[10], pero dada la transcendencia que tienen en la Responsabilidad Civil de Administradores y Directivos (en adelante D&O), consideramos oportunos centrarnos en dicho tema.

---

ración de los Estados miembros son muy distintos, lo que ha dado lugar a planteamientos fragmentados. Esta situación genera niveles desiguales de protección de los consumidores y las empresas, comprometiendo el nivel general de seguridad de las redes y sistemas de información de la Unión.

La Directiva NIS busca mejorar esta situación, estableciendo requisitos mínimos comunes en materia de desarrollo de capacidades y planificación, intercambio de información, cooperación y requisitos comunes de seguridad para los operadores de servicios esenciales y los proveedores de servicios digitales, a los que insta a adoptar las medidas oportunas para gestionar los riesgos en seguridad y notificar los incidentes que tendrían un efecto perturbador significativo a las Autoridades Nacionales Competentes, proponiendo la creación de una red de cooperación entre todos los diferentes Estados Miembros", http://www.dsn.gob.es/es/actualidad/sala-prensa/publicacion-directiva-nis

[10] El código de derecho de la ciberseguridad recopilado por el Boletín Oficial del Estado, https://www.boe.es/legislacion/codigos/codigo.php?id=173&modo=1&nota=0, contiene las siguientes normas, lo que nos da una idea de la complejidad del tema: Constitución Española. Ley de Seguridad Nacional. Consejo Nacional de Ciberseguridad. Mecanismos para garantizar funcionamiento integrado Sistema de Seguridad Nacional. Estrategia de Seguridad Nacional. Esquema Nacional de Seguridad en el ámbito de la Administración Electrónica. Reglamento de Evaluación y Certificación de la Seguridad de las Tecnologías. Comité de Seguridad de los Sistemas de Información de la Seguridad Social. Comité de Seguridad de las Tecnologías de la Información. Esquema Nacional de Interoperabilidad. Seguridad de las redes y sistemas de información. Ley reguladora del Centro Nacional de Inteligencia. Control judicial previo del Centro Nacional de Inteligencia. Ley sobre secretos oficiales. Desarrollo de la Ley sobre Secretos Oficiales. Ley Orgánica de los estados de alarma, excepción y sitio. Medidas para la protección de las infraestructuras críticas. Reglamento de protección de las infraestructuras críticas. Planes de Seguridad del Operador y Planes de Protección Específicos. Servicios Centrales y Periféricos de la Dirección General de la Policía. Ley Orgánica de protección de la seguridad ciudadana. Ley de Seguridad Privada. Reglamento de Seguridad Privada. Ley de servicios de la sociedad de la información y comercio electrónico. Centro Criptológico Nacional. Organización básica de las Fuerzas Armadas. Desarrollo de la organización básica de las Fuerzas Armadas. Desarrollo de la organización básica del Estado Mayor de la Defensa. Ley de servicios de la sociedad de la información y de comercio electrónico. Medidas contra el tráfico no permitido y el tráfico irregular con fines fraudulentos. Distintivo público de confianza en los servicios de la sociedad de la información. Ley de acceso electrónico de los ciudadanos a los Servicios Públicos. Desarrolla parcialmente la Ley de acceso electrónico de los ciudadanos a los servicios públicos. Ley de firma electrónica. Expedición del documento nacional de identidad y sus certificados de firma electrónica. Ley General de Telecomunicaciones. Reglamento sobre el uso del dominio público radioeléctrico. Protección del dominio público radioeléctrico. Conservación de datos relativos a las comunicaciones electrónicas. Formato de entrega datos conservados por los operadores. Código Penal. Ley Orgánica reguladora de la responsabilidad penal de los menores. Ley de Enjuiciamiento Criminal. Ley Orgánica de Protección de Datos de Carácter Personal. Reglamento de desarrollo de la Ley Orgánica de protección de datos de carácter personal. Reglamento Europeo de Protección de Datos. Adaptación del Derecho español a la normativa de la Unión

II. LA RESPONSABILIDAD CIVIL DE ADMINISTRADORES Y DIRECTIVOS

1. El seguro de D&O: evolución histórica

Antes de analizar la Responsabilidad Civil de Administradores y Directivos conviene abordar su aseguramiento y al respecto hemos de indicar que cuando hablamos del Seguro D&O[11], estamos con terminología castellana ante el Aseguramiento de la Responsabilidad de los Administradores y Altos Ejecutivos.

Nos encontramos ante un Seguro de Responsabilidad Civil, con un tipo especializado de Póliza, resultado del proceso histórico de su nacimiento y desarrollo.

Su finalidad, y esto es lo fundamental, es cubrir el riesgo a cargo del asegurado, de la obligación de indemnizar a un tercero, los daños y perjuicios derivados de un hecho del que resulta civilmente responsable.

Las especiales características de la Póliza es, en nuestra opinión la ampliación del concepto de Seguro, que acorde con el desarrollo del concepto de "Alto Cargo", se amplía más allá del término "Consejero" o "Administrador".

Es una realidad perfectamente contrastable que, cada vez más, se producen reclamaciones frente a Consejeros, Administrativos y Directivos, que proceden de los Accionistas, Acreedores, Empleados, Clientes, etc. etc.

Es a su vez también, cada día, más frecuente, que Consejeros y Directivos, exijan en su contratación, la existencia de un Seguro de D&O, que ponga a cubierto su patrimonio personal, ante los avatares de reclamaciones y en su caso condena, resultado de una actuación negligente.

La crisis bursátil de 1929 (el viernes negro de Wall Street) con el Crak del 24 de octubre, significa una fecha determinante que da lugar a intensificar la exigencia de responsabilidad de Consejeros, Administradores y Altos Cargos Ejecutivos, en la medida en que fueron considerados como culpables de esa gran catástrofe económica que produjo más de un suicidio y miles de personas arruinadas.

En el 2007, asistimos a la crisis del sector de Hipotecas de alto riesgo, que dio lugar a múltiples reclamaciones contra los gestores de entidades bancarias,

---

Europea. Ley del Procedimiento Administrativo Común de las Administraciones Públicas. Ley de Régimen Jurídico del Sector Público.

[11] Si bien hemos de tener en cuenta que "*actualmente el término D&O en España incluye un espectro de personas aseguradas más amplio que el de los directivos y altos cargos, ya que aun no teniendo un cargo directivo, el asegurado ostenta el ejercicio de ciertas facultades de actuación o representación. Incluso cualquier empleado es asegurado en la garantía de prácticas de empleo*", ELGUERO MERINO, J.M., *Diccionario de D&O, Glosario de términos del seguro de responsabilidad civil de administradores, consejeros y directivos*, Madrid, Servicios de Estudios de Marsh España, 2014, p. 49.

fundamentalmente en los Estados Unidos de América (en adelante EE.UU.), y en nuestro países son conocidos los casos mediáticos tales como el de Bankia en que se ha activado, o se ha pretendido activar, la correspondiente póliza de D&O, en cuanto a las fianzas solicitadas en el proceso penal[12].

Durante un período importante en la historia del mercantilismo, en aplicación del velo de la personalidad jurídica, los administradores actuaban con una cierta impunidad, dando lugar inicialmente en EE.UU, y a lo largo del Siglo XX, a que paulatinamente se alcance mayor exigencia a lo hora de exigir responsabilidades a los Administradores. Hemos de hacer notar que en España, la doctrina del levantamiento del velo, se pone de manifiesto a partir de 1949.

Tras la recuperación económica que siguió a la segunda crisis del petróleo, entre los años 1978 a 1985, se produjo un boom de grandes operaciones bursátiles y de desarrollo empresarial. En EE.UU, entre 1979 y 1983, las demandas contra administradores sociales, conocieron un incremento del 270 por 100. En 1984, según estudios realizados, un 18,6 por 100 de los administradores de sociedades estadounidenses, habría sido objeto de algún tipo de reclamación en los nueve años anteriores.

Siguiendo a PÉREZ CARRILLO[13], podemos señalar las siguientes etapas en la evolución del Seguro de D&O:

La primera etapa se inicia en torno al año 1880, en los Seguros Marítimos, en concreto, por la Responsabilidad del Empresario frente a reclamaciones de sus trabajadores, piénsese actualmente en las llamadas "Malas Prácticas Laborales" y el desarrollo de reclamaciones frente a Empresas y Directivos por el conocido "Mobbing" o "Acoso Moral"[14]. Destaca por la aprobación por parte del Legis-

---

[12] *"Así, la conferencia 'Las fianzas y los gastos de defensa jurídica en el seguro de D&O', impartida por Alberto Tapia, catedrático (acr.) de Derecho Mercantil de la Universidad Complutense de Madrid, que habló sobre la "criminalización" de las pólizas de Responsabilidad Civil de Administradores y Directivos (D&O) y la importancia práctica creciente de las coberturas accesorias de las fianzas y los gastos de defensa jurídica. Señaló que "en el último año ha habido multitud de imputaciones de delitos societarios, siendo el efecto inmediato de las mismas la extensión —vía art. 117 del Código Penal— de los procedimientos penales a las aseguradoras de la RC de los administradores o directivos imputados para exigirles la responsabilidad civil directa",* Boletín Diario del Seguro, Madrid, Inese, 29 de junio de 2016.

[13] PÉREZ CARILLO, E.F., *Aseguramiento de la responsabilidad de los administradores y altos ejecutivos sociales. El seguro D&O en EE.UU.,* Madrid, Marcial Pons, 2005.

[14] Véase MUÑOZ ARRIBAS, J., "Responsabilidades derivadas del accidente de trabajo", *El Graduado: Boletín Informativo del Ilustre Colegio Oficial de Graduados Sociales de Madrid,* N. 41, 2003, pp. 75-79, y "Consideraciones en torno al acoso moral en el trabajo", *El Graduado: Boletín Informativo del Ilustre Colegio Oficial de Graduados Sociales de Madrid,* N. 40, Madrid, 2003, pp. 65-70.
MUÑOZ VILLARREAL, J.A, "Riesgos Psicosociales y RC: un nuevo problema para las aseguradoras de RC", *Boletín de RC y Seguros,* N. 43, Madrid, 2017.

lador federal del "Securities Act" de 1933 y el "Securities and Exchange Act" de 1934 y la incorporación, a partir de los años treinta, de varios sindicatos de Lloyds, ofreciendo asegurar los riesgos derivados de la administración de sociedades. La siguiente etapa se desarrolla en la segunda mitad del Siglo XX y es resultado del incremento de las reclamaciones frente a los Administradores Sociales. El ámbito de los riesgos cubiertos se amplía, dado que si, en las primeras Pólizas, lo que se aseguraba era la protección del deber fiduciario de diligencia, se pasa a asegurar todo tipo de riesgo patrimonial derivado de infracciones de los deberes propios de los Consejeros, Administradores y Altos Cargos.

Hay que destacar durante este período que la exportación del producto D&O permitió abaratar las primas y conseguir en consecuencia un mayor volumen de contratación y la modificación de las Leyes Estatales y en 1980 la promulgación de la Ley Modelo (Model Business Corporación Act), nueva legislación que permitió el pago de las primas por parte de las Mercantiles, legalizando una práctica habitual.

La tercera etapa puede señalarse a mediados de la década de los ochenta del siglo pasado, teniendo lugar en EE.UU. importantes cambios en el sector, (incrementos de primas y limitaciones de garantías).

En 1984, se constata que todas las grandes compañías o la mayoría de las mismas tienen contrato D&O y en la década de los noventa se da un gran crecimiento en la contratación de D&O, que hasta la fecha ha seguido en crecimiento no solo en EE.UU., si no como, consecuencia de la globalización, en todos los países.

Las Pólizas D&O que, en principio, se dirigían a las grandes compañías, paulatinamente se incorporan a otros segmentos de mercado como son los Administradores de pequeñas y medianas empresas (en adelante PYMES), entidades y asociaciones sin ánimo de lucro, club de carácter deportivo, etc. etc.

En nuestra opinión, a partir del año 2000, podemos hablar de una Póliza aceptada a nivel internacional, que en el caso de Empresa responde a los mecanismos de control y reforma del derecho de sociedades, así como la elaboración y desarrollo de los Códigos de Conducta o repercusiones de la jurisprudencia[15].

Y nos atrevemos a pronosticar que con la irrupción de las nuevas tecnologías, Internet de las Cosas, Inteligencia Artificial, y en especial, a raíz de los riesgos cibernéticos, y teniendo en cuenta la nueva normativa relativa a la Protección de Datos[16], vamos a vivir un resurgir en la suscripción de pólizas de D&O.

---

[15]   Véase por ejemplo PAVELEK ZAMORA, E., "El caso Banesto", *Gerencia de riesgos y seguros,* Año 17, N°. 70, Madrid, 2000, pp. 39-46.
[16]   Así por ejemplo GARCÍA-OLLAURÍ ANTOLÍN, S., "El "Datagate" y el Reglamento General de Protección de Datos. La privacidad y seguridad de los datos: potencial fuente de reclama-

El objetivo de "no desincentivar" a las personas más capacitadas para la administración social, fuerza el desarrollo de las Pólizas de D&O, e inclusive se supera la doctrina de "ultra vives" y se establecen los mecanismos de protección de Consejeros, Administradores y Altos Cargos a través de:
- Indemnización.
- Exoneración de ciertas responsabilidades.
- Gestión Preventiva.

En resumen de lo anterior, el D&O, se sitúa en el ramo de los seguros de Responsabilidad Civil, dentro de los que presenta alguna especialidad, y sus características fundamentales son:

1º. Cubrir la Responsabilidad de Consejeros, Administradores y Altos Ejecutivos.

2º. Reembolso de la indemnización corporativa o adelanto de gastos de defensa e indemnizaciones que haya podido realizar la sociedad administrada.

3º. El Seguro de Defensa Jurídica.

2. Principales características del Seguro de D&O: claim made, dolo, fianzas

Uno de los aspectos más controvertidos en su momento en el Derecho de Seguros en España, hasta la reforma del artículo (en adelante art.) 73 de la Ley 50/1980, de 8 de octubre, de Contrato de Seguro (en adelante LCS), fue sin duda alguna el relativo a la "Delimitación Temporal", sobre el que existe abundante doctrina y jurisprudencia.

Las llamadas cláusulas "claims made", responde a la controversia que en su momento se produce entre los poderes institucionales y los agentes sociales, así como con los aseguradores, en base a extender o a limitar las consecuencias de la responsabilidad civil, precisamente en cuanto al ámbito temporal.

De todos es sabido el criterio de la ocurrencia del daño, como límite temporal, criterio que se venía aplicando en la mayor parte de las Pólizas y que venía refren-

---

ciones de D&O", *Revista de responsabilidad civil, circulación y seguro*, N. 7, Madrid, 2018, p. 36, indica como *"las cuestiones relacionadas con la privacidad pueden representar una nueva fuente potencial de responsabilidad corporativa y la aplicación del Reglamento Europeo de Protección de Datos podría aumentar significativamente esta posibilidad*

(...)

sino que también pueden ocasionar una reclamación de D&O en tanto en cuanto se alegue que los administradores y directivos no adoptaron las medidas adecuadas de protección de los datos de los usuarios".

dado por la Jurisprudencia. Se trataba de cubrir "los daños ocurridos durante la vigencia de la Póliza".

Las dificultades que en múltiples casos planteaban determinar cuando ocurre el siniestro, o en qué fase o momento se ha producido el daño, dio lugar a que la jurisprudencia norteamericana estableciera una especie de solidaridad continuada en el tiempo.

Los conflictos respecto al asegurador, el asegurado y al perjudicado, darán lugar al cambio de criterio, del clásico de la ocurrencia del daño (*loss ocurrence basis*), se pasará al de la reclamación (*claims made basis*), una modificación sustancial que habría de dar más seguridad jurídica a todas las partes implicadas en un siniestro. Se trata en resumen de poner en marcha un medio de seguridad frente a los siniestros cronológicamente diferidos o de consecuencias prolongadas (*long tail risk*).

Los presupuestos de las cláusulas "Claims Made Basis", pueden resumirse en:

a) El reclamación como siniestro.

b) El elemento de referencia como presupuesto básico de la reclamación.

c) La notificación, o parte previo, del asegurado.

d) El plazo de cobertura subsiguiente, o *post-contractum,* a la cancelación de la póliza.

e) El plazo de cobertura retroactiva.

En resumen, los plazos tanto de la cobertura retroactiva como de la subsiguiente, encuentran adecuado acomodo en la reforma del art. 73 de la LCS[17], haciendo posible el necesario equilibrio en las contraprestaciones de las partes.

La modificación del art. 73 de la LCS, añadiendo un segundo párrafo al mismo, reforma introducida por la Ley 30/1995, de Ordenación y Supervisión de los Seguros Privados, en el apartado 5 de su Disposición Adicional 6ª, vino a centrar y precisar legalmente la cuestión de la cobertura temporal de las pólizas de Responsabilidad Civil, dado que la jurisprudencia del Tribunal Supremo se había mostrado hasta el momento oscilante, lo cual contribuía a crear inseguridad

---

[17] Se incorpora un segundo párrafo al art. 73 de la LCS, "*serán admisibles, como límites establecidos en el contrato, aquellas cláusulas limitativas de los derechos de los asegurados ajustadas al artículo 3 de la presente Ley que circunscriban la cobertura de la aseguradora a los supuestos en que la reclamación del perjudicado haya tenido lugar dentro de un período de tiempo, no inferior a un año, desde la terminación de la última de las prórrogas del contrato o, en su defecto, de su período de duración. Asimismo, y con el mismo carácter de cláusulas limitativas conforme a dicho artículo 3, serán admisibles, como límites establecidos en el contrato, aquellas cláusulas que circunscriban la cobertura del asegurador a los supuestos en que la reclamación del perjudicado tenga lugar durante el período de vigencia de la póliza siempre que, en tal caso, tal cobertura se extienda a los supuestos en los que el nacimiento de la obligación de indemnizar a cargo del asegurado haya podido tener lugar con anterioridad, al menos, de un año, desde el comienzo de efectos del contrato y ello aunque dicho contrato sea prorrogado*".

jurídica en el ámbito asegurador —con lo que esto suponía en cuanto a gastos imprevistos por siniestros aparentemente no cubiertos por las pólizas de Responsabilidad Civil— e, indirectamente, en el campo del reaseguro.

Fundamentalmente, esta modificación sienta dos principios, hasta entonces inexistentes en la realidad legal aseguradora, aunque no en la práctica ni, por lo tanto, en la jurisprudencia.

Por un lado, se consagra la reclamación como siniestro, de forma complementaria o alternativa al hecho causante o a la producción del daño, que si venían siendo tradicionalmente aceptados por la práctica, doctrina y jurisprudencia.

La razón de esta ampliación hay que buscarla principalmente en los daños continuados, en los diferidos y en los sobrevenidos, que producían importantes quebrantos en la economía de las aseguradoras, pues en muchos casos no era fácil hacer un cálculo aproximado del riesgo, en consecuencia de la prima de suceder tales daños, con lo cual se causaban importantes desviaciones pecuniarias imprevisibles. Además, por otra parte, no siempre se da una equivalencia entre daño y reclamación, en cuanto que hay daños que después no son reclamados, y reclamaciones efectuadas sin existir daño efectivo o, al menos, una relación de causalidad suficiente.

Al ser considerada la reclamación como siniestro (la llamada *claims made basis*), dada la no coincidencia temporal en numerosas ocasiones entre hecho, daño, manifestación de este y la reclamación, le resultará al asegurador más fácil fijar la cobertura de la póliza y las reservas para cada siniestro.

Asegurado y perjudicado pueden verse asimismo beneficiados con este criterio, por cuanto las cantidades a percibir estarán actualizadas al momento de dicha reclamación.

Como segundo principio consagrado, debemos mencionar la admisión de cláusulas limitativas de la cobertura temporal de la póliza como no perjudiciales para el asegurado, como fruto del *rebus sic stantibus*, es decir, de la autonomía de la voluntad de las partes, de su derecho dispositivo sólo limitado por "*las leyes, la moral y el orden público*" (art. 1255 del Código Civil —en adelante CC—).

En este caso, tales cláusulas deben observar lo dispuesto en el art. 3, LCS, es decir, deberán ser aceptadas específicamente por el asegurado, por ser limitativas de sus derechos.

Además se ha producido progresivamente un cambio de mentalidad y de concepto del seguro de Responsabilidad Civil. De ser originariamente una protección para el asegurado para cubrirle de posibles deudas que por reclamaciones de RC pudieran nacer en su patrimonio, ha pasado a suponer un instrumento socializador, cuyo fin principal es cada vez más la compensación de un daño inferido a un perjudicado.

En concreto, lo que dispone el nuevo art. 73 LCS, en su segundo apartado es la admisibilidad o conformidad con el Derecho de dos tipos de Cláusulas en las pólizas de Responsabilidad Civil.

En primer lugar, y tomando como referencia una definición de siniestro comprensiva del hecho generador o del momento de la producción efectiva del daño, podrá pactarse que la compañía aseguradora atienda a las reclamaciones contra el asegurado efectuadas tras la terminación del contrato o la última de sus prórrogas durante un año como mínimo.

Es decir, que si las partes nada más disponen, se entendería que la póliza de Responsabilidad Civil habría de amparar todas las reclamaciones que tuvieran lugar tras su vigencia o la última de sus prórrogas ilimitadamente. No olvidemos el principio de responsabilidad universal del art. 1911 CC, en virtud del cual *"del cumplimiento de sus obligaciones responde el deudor con todos sus bienes presentes y futuros"*. Así, de no limitarse, podría llegar a responder la aseguradora de todas las deudas de su asegurado amparadas por la póliza sin límite de tiempo.

Hay que tener en cuenta, sin embargo, como límites legales extrínsecos a la relación de seguro, siempre moduladores del principio del mencionado art. 1911 CC, los plazos de prescripción de las acciones de responsabilidad: de 1 año (tres en Cataluña) si la misma es extracontractual (art. 1968 CC), de 5 años si deriva de contrato (art. 1964 CC), y se da su cómputo desde el momento en que el agraviado tuvo conocimiento del daño y pudo ejercitar la acción, art. 1968 CC, pudiendo interrumpirse por las causas señaladas por la ley.

Ahora bien, cabe destacar la reforma normativa de la Ley 1/2000, de 7 de enero, de Enjuiciamiento Civil, vigente desde el 7 de Octubre de 2015, que supuso reducir el plazo de prescripción de la acción ejercitada en virtud de la Responsabilidad Civil Contractual de 15 a 5 años, plazo que debe de computarse desde la fecha en que pueda exigirse el cumplimiento de la obligación, tal y como precisa la reforma. El régimen transitorio prevé que las acciones derivadas de situaciones anteriores a la fecha de entrada en vigor de la reforma se sometan al plazo de 15 años, ahora bien sin que su vencimiento pueda superar los cinco años a contar desde la entrada en vigor de la ley (Disposición Adicional Transitoria Quinta que remite al art. 1939 del CC), con lo que la fecha límite para el cómputo del plazo de prescripción de estas acciones, será en todo caso el 7 de octubre de 2020.

Además, se deduce del citado artículo que las partes, en el libre ejercicio de su autonomía y voluntad, pueden hacer uso de este derecho dispositivo y acotar el tiempo en que la aseguradora atenderá tales reclamaciones postcontractuales, si se observan las prescripciones legales y si las contraprestaciones son equivalentes.

Sin embargo, esta limitación nunca podrá ser inferior a un año. Este límite es de derecho necesario o *ius cogens* y ha de ser, por lo tanto, siempre observado.

En segundo lugar, y en cuanto al supuesto de siniestro como reclamación efectiva contra el asegurado, podrá pactarse que la compañía aseguradora atienda a las reclamaciones de siniestros cuyo hecho causante o cuyos daños se manifiesten en un período anterior, de un año como mínimo, a la entrada en vigor de la póliza de Responsabilidad Civil, y ello aunque esta se hubiese prorrogado.

Como en el primer caso, si no se hubiese pactado nada, estaría cubierto cualquier daño anterior al comienzo de los efectos del contrato, siempre que no hubiese prescrito la acción de su reclamación.

Las partes, empero, pueden optar por acotar tal período de cobertura retroactiva, a condición de que no se rebase el límite legal necesario de un año anterior a la cobertura contractual de la póliza.

Por supuesto que, en este tipo de siniestro, de haberse efectuado la reclamación previamente a la entrada en vigor de la póliza, tal siniestro no podría en ningún caso estar amparado por el seguro, por cuanto que, en primer lugar, ya ha ocurrido el suceso previsto como siniestro y, en segundo lugar, porque se habría eliminado el aleas, el elemento azaroso e imprevisible, que es esencial en el contrato de seguro, sin el cual el mismo se vería desnaturalizado.

Lo mismo ocurriría si el asegurado hubiese tenido conocimiento anterior de un hecho del que pudiese razonablemente derivar responsabilidad hacia sí. Aparte del principio de la buena fe, que debe presidir toda relación contractual, en la relación de seguro en particular se habría prescindido de la imprevisibilidad del siniestro, sin la cual, al menos respecto de este siniestro en concreto, dicha relación no sería válida.

Es decir, que tal precepto introduce dos tipos de cobertura: una contractual, la que las partes libremente dispongan, y otra legal, que puede ser ampliada por la voluntad de las partes, de un año anterior o posterior a la vigencia contractual pactada en el contrato (más, en su caso, sus sucesivas prórrogas), según se haya pactado que el siniestro asegurable sea la reclamación efectiva u otro momento anterior, respectivamente.

Nada obsta para que las partes acuerden un concepto de siniestro complejo, que abarque ambos tipos y, en consecuencia, pueda suponer una cobertura añadida retroactiva y precontractual.

Lo que implícitamente prohíbe la Ley es que, sea cual sea la definición de siniestro adoptada, pueda pactarse que únicamente se limite la cobertura de la póliza al tiempo de vigencia contractual de la misma.

La reforma del artículo 73 LCS no entraría en juego, por atenderse todas las reclamaciones acaecidas por hechos (daños) contemporáneos a la póliza o anteriores que no hayan prescrito, sin otro límite de tiempo. La delimitación temporal de la cobertura aclara este aspecto en el sentido descrito (incluso (…) antes de la fecha de efecto del seguro).

Téngase en cuenta la reciente Sentencia del Tribunal Supremo (STS), en adelante Sala de lo Civil (Pleno) de fecha 26 de abril de 2018, ponente D. Francisco Marín Castán, que resume el Área civil del Gabinete Técnico del Tribunal Supremo de la siguiente manera:

> *"La Sala de lo Civil del Tribunal Supremo, reunida en pleno, ha estimado el recurso de casación interpuesto por MUSAAT contra la sentencia dictada por la Audiencia Provincial de Valencia. El demandante, arquitecto técnico de profesión, aseguró su responsabilidad civil profesional con MUSAAT desde su colegiación, suscribiendo en el año 2010 la última póliza de duración anual que estuvo vigente hasta su expiración a finales de ese año, ya que la aseguradora le comunicó por anticipado su voluntad de no renovarla.*
>
> *Esta última póliza contenía unas 'condiciones especiales' de las que se deduce que el seguro cubría las reclamaciones efectuadas durante la vigencia de la póliza por obras realizadas con anterioridad o durante la vigencia del contrato. No se discute que tal cláusula limitativa se ajustaba a los requisitos del artículo 3 LCS.*

La sala explica que se declaran legalmente admisibles los dos tipos de limitación temporal, cada una de ellas con sus propios requisitos de validez: las cláusulas retrospectivas o de pasado (nacimiento de la obligación antes de la vigencia del seguro), y las cláusulas prospectivas o de futuro (reclamación posterior a la vigencia del seguro), cada una de ellas reguladas en diferentes incisos del párrafo segundo del artículo 73 LCS, no siendo exigible que los requisitos de uno y otro inciso sean cumulativos.

> *Se fija, en consecuencia, la siguiente doctrina jurisprudencial: 'El párrafo segundo del art. 73 de la Ley de Contrato de Seguro regula dos cláusulas limitativas diferentes, cada una con sus propios requisitos de cobertura temporal, de modo que para la validez de las de futuro (inciso segundo) no es exigible, además, la cobertura retrospectiva, ni para la validez de las retrospectivas o de pasado es exigible, además, que cubran reclamaciones posteriores a la vigencia del seguro'".*

Otro aspecto controvertido es el relativo al dolo y al respecto TAPIA HERMIDA[18] acertadamente señala como *"a la vista de la jurisprudencia reciente y, en particular, extrapolando al seguro de D&O el criterio sentado en el seguro del automóvil por el Acuerdo No Jurisdiccional del Pleno de la Sala Segunda del Tribunal Supremo de 24 de abril de 2007, podríamos decir que la aseguradora no responderá de los daños ocasionados por la conducta dolosa del administrador o directivo asegurado cuando el cargo de administrador o directivo sea un instrumento buscado para causar el daño derivado, en su caso, del delito; pero si responderá por los daños diferentes a los propuestos directamente por el autor (...)*

---

[18]   TAPIA HERMIDA, A.J., "El seguro de responsabilidad civil de administradores y directivos de sociedades (D&O) ante las novedades legislativas y jurisprudenciales", *Revista de la Asociación Española de Abogados Especializados en Responsabilidad Civil y Seguro*, N. 54, Madrid, 2015, pp. 37 y 39.

La práctica totalidad de las pólizas de seguros de D&O al uso excluyen de cobertura los actos dolosos. Esta exclusión operará —tanto en el orden jurisdiccional civil como en el penal— respecto del asegurado, pero no del tercer perjudicado porque las Salas de lo Civil y de lo Penal del Tribunal Supremo resuelven la aparente antinomia entre el principio general de inasegurabilidad del dolo del art. 19 de la LCS y la cobertura frente a los terceros perjudicados de la responsabilidad civil derivada de los delitos dolosos "ex" art. 76 de la LCS y art. 117 del CP con dos argumentos esenciales: Un primer argumento técnico-jurídico, cual es la preferencia de la norma especial, que es el art. 76 de la LCS —que, además, se aplica a todo tipo de seguros de responsabilidad civil, tanto obligatorios como voluntarios— sobre la norma general, que es el art. 19 de la LCS. Un segundo criterio social de interpretación de las normas implicadas conforme a la "realidad social del tiempo en que han de ser aplicadas" (art. 3.1 Código Civil). Finalidad social que, en este concreto caso, conduce a dar primacía a la protección de los intereses de los terceros perjudicados que, en esta jurisdicción penal, aparecen, además, como víctimas de los delitos o faltas".

En cuanto a las fianzas, TAPIA HERMIDA[19] indica que la "criminalización" de los Seguros de D&O en relación con las fianzas (Sentencia de la Audiencia Provincial de Madrid 511/2017 de 11 diciembre, JUR\2018\40526) y gastos de defensa jurídica (Sentencia de la Audiencia Provincial de Girona 83/2016, de 13 de abril, JUR 2016/132964), que a efectos prácticos supone que en el plazo de 10 días, en ocasiones, ocasiona que la aseguradora tenga que hacer frente a fianzas millonarias, y que en determinados siniestros esas coberturas consuma el límite de la póliza.

Por último si bien no vamos a analizar las pólizas de riesgos cibernéticos, al ser motivo de un brillante análisis en otro de los capítulos de esta obra, si debemos indicar que entre las exclusiones de las pólizas de riesgos cibernéticos se suele incluir los actos intencionados o deshonestos de altos directivos ejecutivos e incluso algunas excluyen los simples errores u omisiones.

Sin lugar a dudas son dos pólizas, D&O y riesgos cibernéticos, que tienen puntos comunes[20] y de fricción.

---

[19]   TAPIA HERMIDA, A.J., "Las fianzas y los gastos de defensa jurídica en los seguros de responsabilidad civil profesional de los administradores y directivos de sociedades (seguros de D&O)", Ponencia impartida en el XVIII Congreso de Responsabilidad Civil y Seguro, organizado por INESE en Madrid, el 28 de junio de 2016, inédito.

[20]   "¿Quizá una exclusión en la póliza de D&O por reclamaciones derivadas o basadas en la no suscripción/mantenimiento de una póliza cyber", (GARCÍA-OLLAURÍ ANTOLÍN, S., ""El "Datagate" y el Reglamento General de Protección de Datos. La privacidad y seguridad de los datos: potencial fuente de reclamaciones de D&O", Revista de responsabilidad civil, circulación y seguro, N. 7, Madrid, 2018, p. 39).

3. Responsabilidad civil de Administradores y Directivos

Téngase en cuenta que dentro del concepto administrador se incluyen tanto personas físicas, como jurídicas, y que cuando hablamos de cargo directivo estamos haciendo referencia a un *"cargo jerárquico, orgánico, operativo o funcional ejercido por una persona física que forma parte, como empleado, de la compañía tomadora de la póliza, para desempeñar las funciones encomendadas. Este cargo puede ser ejercido en la sociedad matriz y/o en las filiales o participadas de la matriz. Los cargos directivos, tanto en general como aquellos que referidos a una función o actividad concreta, están cubiertos como asegurados en la póliza al considerárseles altos cargos"*[21].

Con carácter general el clausulado de las pólizas define a administradores y altos directivos como cualquier persona física que sea miembro del Órgano de Administración, o que ostente el cargo de consejero desempeñe o no funciones ejecutivas de alta dirección, alto directivo, alto cargo, administrador, administrador de hecho, gerente u otro cargo equivalente de la sociedad, o cualquier empleado mientras trabaje con funciones de supervisión o capacidad gerencial en la sociedad, así como el Director de Cumplimento o Compliance Officer, Director de Control Financiero o Financial Controller, el Secretario y/o Vicesecretario y la persona/s físicas que represente/n a cualquiera de los socios y adopte/n o contribuya/n a adoptar decisión que afecten a la administración y/o gestión de la sociedad. Así como la persona física designada por una persona jurídica cuando sea ésta quien desempeñe el cargo de consejero o asimilado en la sociedad.

El régimen de responsabilidad de los administradores de sociedades se establece en el Real Decreto Legislativo 1/2010, de 2 de julio, por el que se aprueba el texto refundido de la Ley de Sociedades de Capital (en adelante LSC), en concreto en sus artículos 225 a 232.

Tal y como sintetiza ELGUERO MERINO[22], *"la responsabilidad de los administradores y consejeros sociales es personal, solidaria, ilimitada, de naturaleza subjetiva, extracontractual y orgánica, tanto por acción como por omisión, como consecuencia de los perjuicios financieros causados a terceros"*, señalando la jurisprudencia (de manera pacífica y reiterada) para estemos ante un supuesto de Responsabilidad Civil se deben dar los siguientes presupuestos, STS n° 131/2016 de 3 de Marzo, Número de Recurso: 2320/2013, FJ 2:

---

[21]   ELGUERO MERINO, J.M., *Diccionario de D&O, Glosario de términos del seguro de responsabilidad civil de administradores, consejeros y directivos*, Madrid, Servicios de Estudios de Marsh España, 2014, p. 38.

[22]   ELGUERO MERINO, J.M., *Diccionario de D&O, Glosario de términos del seguro de responsabilidad civil de administradores, consejeros y directivos*, Madrid, Servicios de Estudios de Marsh España, 2014, p. 93.

"Sobre tales bases, en el caso ahora sometido a nuestro enjuiciamiento, concurren todos los presupuestos para que deba prosperar la acción individual de responsabilidad, de acuerdo con la doctrina sentada por esta Sala en la sentencia antes indicada y las que en ella se citan (SSTS 396/2013, de 20 de junio; 15 de octubre de 2013; 395/2012, de 18 de junio; 312/2010, de 1 de junio; y 667/2009, de 23 de octubre, entre otras); que son: (i) incumplimiento de una norma, en concreto, la Ley 57/1968, debido al comportamiento omisivo de los administradores; (ii) imputabilidad de tal conducta omisiva a los administradores, como órgano social; (iii) que la conducta antijurídica, culposa o negligente, sea susceptible de producir un daño; (iv) el daño que se infiere debe ser directo al tercero que contrata, en este caso, al acreedor, sin necesidad de lesionar los intereses de la sociedad; y (v) relación de causalidad entre la conducta contraria a la ley y el daño directo ocasionado al tercero, pues, sin duda, el incumplimiento de la obligación de garantizar la devolución de las cantidades ha producido un daño a la compradora, que, al optar, de acuerdo con el art. 3 de la Ley 57/1968, entre la prórroga del contrato o su resolución con devolución de las cantidades anticipadas, no puede obtener la satisfacción de ésta última pretensión, al no hallarse garantizadas las sumas entregadas. El incumplimiento de una norma legal sectorial, de ius cogens, cuyo cumplimiento se impone como deber de diligencia del administrador, se conecta con el ámbito de sus funciones (arts. 225, 226, 236 y 241 LSC), por lo que le es directamente imputable.

6. No obstante, como hicimos en la sentencia 242/2014, de 23 de mayo, debemos advertir que no puede recurrirse indiscriminadamente a la vía de la responsabilidad individual de los administradores por cualquier incumplimiento contractual. Porque, como habíamos afirmado en la sentencia de 30 de mayo de 2008, ello supondría contrariar los principios fundamentales de las sociedades de capital, como son la personalidad jurídica de las mismas, su autonomía patrimonial y su exclusiva responsabilidad por las deudas sociales, u olvidar el principio de que los contratos sólo producen efecto entre las partes que los otorgan, como proclama el art. 1257 CC. Por eso, dijimos en la meritada sentencia 242/2014:

La responsabilidad de los administradores en ningún caso se puede conectar al hecho objetivo del incumplimiento o defectuoso cumplimiento de las relaciones contractuales, convirtiéndolos en garantes de las deudas sociales o en supuestos de fracasos de empresa que han derivado en desarreglos económicos que, en caso de insolvencia, pueden desencadenar otro tipo de responsabilidades en el marco de otra u otras normas. Pero en el presente caso, la responsabilidad directa de los administradores proviene del carácter imperativo de la norma que han incumplido y de la importancia de los intereses jurídicos protegidos por dicha norma. Ello supone que incumbe a los administradores asegurarse del cumplimiento de esta exigencia legal, y que su incumplimiento les sea directamente imputable.

A tal efecto, ha de tenerse presente y resaltarse que la conducta imputable a los administradores sociales demandados no es el incumplimiento de una obligación contractual de la sociedad que administran, sino la infracción de un deber legal de carácter imperativo".

Por su parte la norma, art. 236 de la LSC, estipula como presupuestos y extensión subjetiva de la responsabilidad, lo siguiente:

"1. Los administradores responderán frente a la sociedad, frente a los socios y frente a los acreedores sociales, del daño que causen por actos u omisiones contrarios a la ley o a los estatutos o por los realizados incumpliendo los deberes inherentes al desempeño del cargo, siempre y cuando haya intervenido dolo o culpa.

La culpabilidad se presumirá, salvo prueba en contrario, cuando el acto sea contrario a la ley o a los estatutos sociales.

2. En ningún caso exonerará de responsabilidad la circunstancia de que el acto o acuerdo lesivo haya sido adoptado, autorizado o ratificado por la junta general.

3. La responsabilidad de los administradores se extiende igualmente a los administradores de hecho. A tal fin, tendrá la consideración de administrador de hecho tanto la persona que en la realidad del tráfico desempeñe sin título, con un título nulo o extinguido, o con otro título, las funciones propias de administrador, como, en su caso, aquella bajo cuyas instrucciones actúen los administradores de la sociedad.

4. Cuando no exista delegación permanente de facultades del consejo en uno o varios consejeros delegados, todas las disposiciones sobre deberes y responsabilidad de los administradores serán aplicables a la persona, cualquiera que sea su denominación, que tenga atribuidas facultades de más alta dirección de la sociedad, sin perjuicio de las acciones de la sociedad basadas en su relación jurídica con ella.

5. La persona física designada para el ejercicio permanente de las funciones propias del cargo de administrador persona jurídica deberá reunir los requisitos legales establecidos para los administradores, estará sometida a los mismos deberes y responderá solidariamente con la persona jurídica administrador".

Es decir, tras la última modificación legislativa que acogió la corriente jurisprudencial más extendida, expresamente se indica que el administrador sólo será responsable de sus actos si hubiese actuado con dolo o culpa, tal como los Tribunales venían exigiendo, y se incluye una presunción de culpabilidad en aquellos casos en que resulte probada la conducta ilícita del administrador.

Además de regular que la persona física representante de un administrador persona jurídica estará sometida a los mismos deberes y obligaciones que ésta, de manera que la persona física responderá solidariamente con la persona jurídica a la que representa.

En nuestro objeto de estudio la Responsabilidad Civil de los Administradores y Directivos derivada de eventos cibernéticos, los supuestos serían los relativos al incumplimiento del deber de diligencia, y no al de lealtad, pudiendo darse casos tanto en los que los perjudicados son un tercero como en los que lo es la propia sociedad[23].

---

[23]　Véase un análisis de la responsabilidad interna que es la exigible por la sociedad siempre que el administrador haya causado un daño al patrimonio social actuando contra la ley, los estatutos, o incumpliendo su deber de lealtad frente a la sociedad, en CAMPINS VARGAS, A., "Seguro de responsabilidad civil de administradores y altos cargos: especial referencia al

En el análisis del deber de lealtad hemos de tener en cuenta que con la última reforma legislativa ha de valorarse la discrecionalidad empresarial[24] y que se trata de un deber fiduciario derivado del interés social[25], y como afirma GARCÍA-VILLANUEVA BERNABÉ[26] *"la característica principal del deber de diligencia es que es una obligación general de vocación expansiva, cuyo cumplimiento no exige una concreta conducta, sino el desempeño del cargo con arreglo al modelo de comportamiento que lo define. Sería imposible establecer de antemano todas las actuaciones que serían exigibles a los administradores ante el sinfín de situaciones que se pueden dar en la administración de una compañía mercantil. Este deber de diligencia constituye, pues, una suerte de cláusula residual que establece el modelo general de conducta al que éstos han de ajustar el desempeño de su cargo y con arreglo al cual se examinará su actuación a los efectos de determinar su posible responsabilidad"*.

Deber de diligencia que la jurisprudencia considera *"que en nuestro ordenamiento jurídico el canon de diligencia que se exige a los administradores de las sociedades mercantiles es el de más alto rango"* (Sentencia de la Audiencia Provincial de Valencia de 15 de mayo de 2009, siempre teniendo en cuenta

---

ámbito de cobertura del seguro", *Revista de derecho mercantil*, N. 249, Madrid, 2003, pp. 11-13.

[24] *"Con todo, la gran modificación operada por la Ley 31/2014 en el ámbito de los deberes de los administradores, y específicamente el de diligencia, es sin duda ninguna la inclusión de la regla de discrecionalidad empresarial —importada del ámbito anglosajón, concretamente del derecho norteamericano, donde se conoce como la "business judgement rule"— que establece que en el ámbito de las decisiones estratégicas y de negocio, el estándar de diligencia de un ordenado empresario se entenderá cumplido si el administrador en cuestión ha actuado:*
(i) de buena fe;
(ii) sin intereses personales en el asunto objeto de decisión;
(iii) con información suficiente; y
(iv) con arreglo a un procedimiento de decisión adecuado.
Quedan fuera de esta protección de la regla de discrecionalidad empresarial las decisiones que afecten personalmente a otros administradores y personas vinculadas y, en particular, aquellas que tengan por objeto autorizar las operaciones previstas en el artículo 230 LSC", DÍEZ ESTELLA, F., y GARCÍA MARTÍNEZ, L.M., "La responsabilidad de los administradores a la luz de las recientes reformas en el gobierno corporativo de la Ley de Sociedades de Capital", en MONTERROSO CASADO, E., *Responsabilidad Empresarial*, Valencia, Tirant lo Blanch, 2016, p. 185.

[25] ORIOL LLEBOT, J., "Los deberes y la responsabilidad de los administradores", en ROJO FÉRNANDEZ, BELTÁN HEREDIA, E. y CAMPUZANO LAGUILLO, A.B., (Dir.), *La responsabilidad de los administradores en las sociedades mercantiles*, Valencia, Tirant lo Blach, 2011, p. 30.

[26] GARCÍA-VILLANUEVA BERNABÉ, M., "Responsabilidad de administradores de sociedades", en SOLER PRESAS, A., y DEL OLMO GARCÍA, P., *Practicum Daños*, Cizur Menor, Aranzadi, 2014, pp. 529-564.

la discrecionalidad empresarial, como bien indica la STS de 22 de marzo de 2006.

III. RIESGOS CIBERNÉTICOS

A efectos apriorísticos hemos de acotar la terminología de los conceptos fundamentales aquí estudiados, teniendo en cuenta además la falta de acuerdo en la doctrina académica sobre los mismos en relación a los riesgos cibernéticos[27].

El término ciberespacio hace referencia al *"espacio global en el entorno de la Sociedad de la Información que consiste en el conjunto interdependiente de infraestructuras de TIC, y que incluye a Internet, las redes de telecomunicaciones, los sistemas informáticos y los procesadores y controladores integrados propios de Internet de las Cosas"*[28], lo cual hace que estemos más expuestos[29].

Los fallos más frecuentes de seguridad son los accesos no autorizados a la red informática, o acciones (u omisiones) bien de un empleado bien de un proveedor de servicios externos actuando por cuenta o bajo el control de la empresa del D&O que ocasione alteración, pérdida o destrucción de datos[30].

Los riesgos cibernéticos (o ciberriesgos) son *"aquellas amenazas que se desarrollan en el ámbito del ciberespacio y que pueden llegar a afectar a cualquier bien o derecho que forme parte del mismo, con independencia de que se encuentre conectado a este, o que dependa directa o indirectamente de él"*[31] y si bien cuando pensamos en riesgos cibernéticos puede venir a nuestra mente la idea

---

[27]   La Federación Global de Asociaciones de Seguros (GFIA, por sus siglas en inglés) ha expresado su apoyo a los esfuerzos del Consejo de Estabilidad Financiera (FSB, por sus siglas en inglés) para mejorar la cooperación transfronteriza al abordar el riesgo cibernético y, como parte de ese esfuerzo, el trabajo del citado organismo sobre un léxico cibernético.

[28]   BARRIO ANDRÉS, M., *Ciberderecho. Bases estructurales, modelos de regulación e instituciones de gobernanza de internet*, Valencia, Tirant lo Blanch, 2018, p. 25.

[29]   *"The development of personal lines in Europe is also seen positively, as individuals are more and more exposed to cyber risks through, for instance, the Internet of Things (IoT), payment card theft and identity theft (...)*
Coverage is mainly focused on commercial business so far, but interest in providing cyber insurance for individuals is increasing as technology such as the Internet of Things (IoT) develops and consumers are increasingly exposed to infringement of digital services", (EIOPEA, Understanding Cyber insurance. A Structured Dialogue with Insurance Companies, Luxemburgo, Publications Office of the European Union, 2018., pp. 10-11).

[30]   Véase MORET MILLÁS, V., "El marco jurídico de la ciberseguridad en España", en PÉREZ BES, F. (Coord.), *El derecho de internet*, Barcelona, Atelier, 2016, pp. 253-300.

[31]   JIMENO MUÑOZ, J, *La responsabilidad civil en el ámbito de los ciberriesgos*, Madrid, Fundación Mapfre, 2017, p. 121.

de una gran empresa, lo cierto es que estos riesgos impactan directamente en las PYMES[32] y en sus directivos[33].

Por vulneración de privacidad podemos entender una divulgación no autorizada de información, real o supuesta, que se derive de un ataque electrónico, divulgación accidental, o acciones deliberadas de un empleado, incluyendo información personalmente identificable, información médica protegida e información sobre tarjetas de pago.

Evento cibernético puede ser definido como cualquier acceso no autorizado a los sistemas, real o supuesto, ataque electrónico, o vulneración de privacidad, incluyendo un ataque de denegación de servicio, ciberterrorismo, ataque de hacker, troyano, ataque de phishing, ataques de man-in-the-middle, atques de application-layer, ataques de claves comprometidas, infección por software malicioso (incluyendo software espía o ransomware) o virus informático, o por errores y fallos de sistemas no diseñados a priori para causar un perjuicio (un fallo de alimentación eléctrica en un servidor).

Muy extendido es el denominado fraude del Chief Excutive Officier (en adelante CEO)[34] y según datos de febrero de 2017 del Centro de Denuncias de Delitos en Internet del *Bureau of Federal Investigation*, se ha producido un aumento del 1.300% desde 2015 en las pérdidas identificadas por este procedimiento delictivo que suma fraudes valorados en tres mil millones de dólares.

El *Whaling Attack* (Caza de ballenas) o *BEC Attack* (Business Email Compromise) consiste en simular órdenes por parte de los máximos responsables de las compañías a personal con responsabilidad sensible, especialmente en el área económica o financiera, para tener acceso a cuentas, transferencias, pagos etc... fraudulentos.

Etna Industrie, empresa francesa de maquinaria industrial, sufrió un ataque de este tipo que le hizo perder 100.000 euros. Simulando mensajes email, wats-

---

[32]   "*Constituye un error frecuente el afirmar que los ataques informáticos sólo los sufren las grandes empresas, cuando la realidad demuestra que al margen del tamaño que tengan ninguna está a salvo*" (MAPFRE, Guía para proteger tu negocio frente a los ciberriesgos, Madrid, Fundación Mapfre, 2017, p. 3, https://www.fundacionmapfre.org/documentacion/publico/i18n/catalogo_imagenes/grupo.cmd?path=1094803

[33]   Hemos de tener en cuenta que en el tejido empresarial español es habitual que el empresario además sea el administrador de su empresa y "*en ocasiones el empresario se centra en el primer bloque de responsabilidades, olvidándose que en la toma de decisiones empresariales se puede incurrir en actos de gestión social negligente generadores de un daño que no quedan enmarcadas en la responsabilidad civil empresarial, ni como veremos, en el seguro de responsabilidad civil general o profesional*", ELGUERO MERINO, J.M., *La responsabilidad civil del empresario y sus seguros*, Santiago de Compostela, Fundación Inade, 2017, p. 73.

[34]   Véase para todos estos riesgos, AGERS, *Top 10 Cyber Risk*, Madrid, Asociación Española de Gerencia de Riesgos y Seguros, 2018.

apps y llamadas telefónicas de la dirección general de la compañía, una responsable de la compañía realizó, inducida por los atacantes, transferencias varias sin detectar el engaño.

Con un claro objetivo económico y de extorsión el DDOS (Destributted Denial of Service) se basa en provocar el colapso de la atención y funcionamiento online de una compañía causando una saturación del servicio hasta impedirlo. Los atacantes utilizan sofisticados engranajes de redes informáticas que asaltan a una compañía que ve cómo su capacidad de prestar servicio a sus clientes se bloquea. No siempre las víctimas son empresas grandes. Compañías o comercios de pequeño tamaño, especialmente dependientes de sus canales online, son objetivos de estos ciberataques. Portales de compra/venta o distribución de productos o servicios, webs de apuestas o de juego online etc... pueden ser "bloqueadas" con una sobredemanda y sobresaturación provocada artificialmente para reclamar un "rescate" que frene el tráfico desproporcionado que provocó el colapso.

Alterar una página web de empresas o compañías conocidas (medios de comunicación, por ejemplo) para ubicar contenidos o reivindicaciones o simular ser la web correcta de una compañía de prestigio para obtener información o acceso a datos suelen ser los principales motivos de este tipo de ataque. Aprovechando algunas vulnerabilidades no detectadas o protegidas de los sistemas informáticos, los ciberatacantes acceden y modifican las webs a su antojo a través de inyecciones SQL. Junto con entidades oficiales, los sectores más vulnerables a este tipo de ataque son aquellos que tienen en su web una fuente básica de acceso a sus clientes: venta, transporte, medios de comunicación, banca electrónica, organizaciones sociales...).

O como recientemente ha ocurrido con una de las más reputadas escuelas de negocios de este país, estamos ante ataques cibernéticos que suponen que los atacantes hayan tenido acceso a miles de datos personales de clientes de esa prestigiosa institución[35].

En síntesis, uno de los grandes riesgos a los que se enfrentan los D&O es el de sufrir, a raíz de un ataque cibernético, una pérdida de confianza[36] o un daño

---

[35] "La escuela de negocios IESE sufre un ciberataque que afecta a miles de datos de clientes", *Diario El Mundo de 17 de septiembre de 2018*, http://www.elmundo.es/economia/empresas/20 18/09/17/5b9f88cf468aebfc508b4593.html

[36] "*Tras sufrir un ciberataque, la preocupación de los clientes, socios y accionistas puede afectar a la credibilidad y confianza de la empresa, cuestionado la capacidad de la misma para protegerse de este tipo de incidentes, pudiendo repercutir tanto en la reputación externa hacia los clientes como en la confianza de los socios y accionistas.*
Por un lado, los empleados se sentirán inseguros y, lo más importante, los clientes podrían dejar de serlo, ya que se ha violado, aunque sea por medio de personas ajenas a la empresa, su privacidad al acceder a sus datos*", MAPFRE, *Guía para proteger tu negocio frente a los*

reputacional[37] y hay quien considera que los D&O no están preparados para lidiar con los riesgos cibernéticos[38], más aún con el desarrollo que está teniendo el Internet de las Cosas[39].

---

[37] *ciberriesgos*, Madrid, Fundación Mapfre, 2017, p. 21, https://segurosypensionesparatodos.fundacionmapfre.org/syp/es/guias/guia-proteccion-negocio-ciberriesgos/.
En un entorno altamente competitivo, las empresas se distinguen con algo más que eficiencia y productos o servicios de calidad. Contar con la confianza de los consumidores y *partners* puede suponer grandes beneficios y tener una reputación intachable desempeña un papel clave en la construcción de esa relación. Por eso hoy en día la reputación constituye el activo (intangible) principal de las empresas, y si bien se construye a lo largo de años de buen y duro trabajo, puede dañarse en tan solo pocos segundos.
Los productos defectuosos, las prácticas comerciales engañosas o la corrupción han sido los motivos más habituales de destrucción de reputación, que se han visto agravados por la globalización, cuando el uso masivo de la tecnología ha ampliado enormemente su impacto negativo haciendo a las empresas aún más vulnerables (por ejemplo un comentario inadecuado de un ejecutivo de la compañía en twitter, la queja de un cliente mal gestionada, etc., puede conducir a una grave y real situación de crisis).

[38] *"Desde todos los foros coinciden: los altos directivos no están listos para responder a estas ciberamenazas.*
KPMG entrevistó a 1.200 consejeros delegados de todo el mundo, 50 de ellos españoles, para su "Global CEO Outlook". Y la gran conclusión fue que la principal preocupación de cuatro de cada diez de estos máximos directivos es la ciberseguridad de sus empresas.
Una afirmación que contrasta con el reconocimiento por parte del 80% de que su organización no está preparada para luchar contra un ciberataque.
Uno de los problemas es la confusión que existe sobre el origen de la ciberdelincuencia. De acuerdo con el estudio de IBM "Seguridad para la alta dirección. Perspectivas de ciberseguridad", el 70% de los directivos cree que la principal amenaza procede de posibles empleados corruptos. Sin embargo, según un informe de Naciones Unidas, el 80% de los ciberataques procede de organizaciones de crimen organizado.
Otra asignatura pendiente es la falta de coordinación entre los directivos de las áreas de negocio y los directores de seguridad. Caleb Barlow, vicepresidente de IBM Seguridad, subraya que "se debería involucrar de forma más proactiva a los directores de marketing, recursos humanos y finanzas —algunos de los departamentos que custodian los datos más importantes de una empresa— en la toma de decisiones de los directores de seguridad".
Pero, sin duda, lo que marca la diferencia entre las empresas ciberguras y las que no lo son es la implicación del comité de dirección.
"Las organizaciones ciberseguras se caracterizan por tener como prioridad la colaboración a nivel 'C-Level', así como por incluir la ciberseguridad en la agenda del Consejo de Administración de forma regular y por disponer de consejeros que, sin necesidad de ser expertos en IT, saben lo suficiente en cuanto a riesgos a los que se enfrenta la compañía para entender y monitorizar los controles impuestos", explicaba José Ignacio del Barrio, Socio Director General de la consultora de RRHH Ackermann Executive, durante el citado Encuentro Internacional de la Seguridad de la Información del INCIBE. Parece que la respuesta está en convertir la seguridad es una cuestión verdaderamente estratégica", AA.VV. ¿Están los CEOs preparados para combatir la ciberdelincuencia?, Willis Towers Watson News, N. 22, Madrid, 2017, p. 9.

IV. LA RESPONSABILIDAD CIVIL DE ADMINISTRADORES Y DIRECTIVOS DERIVADA DE LOS RIESGOS CIBERNÉTICOS

En este estudio vamos a circunscribir el objeto de análisis a la figura del CEO y no a los Directivos responsables de las Tecnologías de la Información[40], ya que la LSC, como hemos visto previamente, fija la responsabilidad de este con independencia de las posibles acciones de repetición[41].

---

[39] *"Existe una clara preocupación de las empresas por perder la confianza de los clientes en caso de un ciberataque relacionado con Internet de las cosas (IoT). Sin embargo, las mismas organizaciones reconocen no estar preparadas para esta situación, según una encuesta mundial de Trend Micro Incorporated.*
Casi la mitad (43%) de los responsables de seguridad de la información (CISO) de las empresas reconoce que la seguridad es una cuestión primordial a la hora de implementar proyectos de IoT. Además, casi el 63% coincide en que las ciberamenazas relacionadas con IoT han aumentado en los últimos 12 meses (llegando al 71% en Reino Unido y Estados Unidos). Pero solo la mitad (53%) opina que los dispositivos conectados son una amenaza para su propia organización.
El resultado de la encuesta también revela la necesidad de unas pruebas mínimas antes de la implementación del IoT, que garanticen que los nuevos dispositivos añadidos a entornos corporativos son seguros. Las empresas afirman haber experimentado un promedio de tres ataques a dispositivos conectados en los últimos 12 meses.
El 52 % de las empresas consultadas asegura que la principal consecuencia del resultado de sufrir una brecha de seguridad sería una pérdida de la confianza del cliente, seguida de una pérdida económica (49%), pérdida de información de identificación personal (32%), sanción económica de los reguladores (31%) y una violación de las normas de seguridad de datos (28%)", INESE "Las empresas no están preparadas para un ciberataque en IoT", *Futüre*, 13 de septiembre de 2018.

[40] *"El Chief Technology Officer (CTO) es el individuo que supervisa el estado de las IT y las políticas tecnológicas que han sido implementadas en una determinada compañía o institución. (…)*
El Chief Information Security Officer (CISO) es aquel directivo responsable de planificar, desarrollar, controlar y gestionar las políticas, procedimientos y acciones encaminadas a mejorar la seguridad de las IT, y en ciertos casos su función se ejercita junto con la del CIO", JIMENO MUÑOZ, J, *La responsabilidad civil en el ámbito de los ciberriesgos*, Madrid, Fundación Mapfre, 2017, pp. 184 y 186.

[41] *"En todo caso, el Chief Executive Officer o administrador es el principal responsable de la gestión y actividad que desempeña una sociedad, de tal forma nuestro ordenamiento jurídico regula en diversas normas el régimen de la responsabilidad —civil, penal, concursal y administrativa— que se atribuye a este sujeto. Actualmente, parece que a los tradicionales riesgos financieros y de gestión cuya responsabilidad era asumida por el administrador se pueden añadir los daños y amenazas procedentes de los cibereventos a los que hemos ido haciendo referencia. Y en torno a tal responsabilidad se han ido desarrollando las obligaciones de los CIO y CISO, cuya función principal es ofrecer al administrador la información necesaria para poder tomar decisiones relacionadas con las IT. Así, el CIO y CISO facilitan la gestión de los sistemas tecnológicos de una compañía durante todo el ciclo del negocio: desde su implemen-*

Como ya vimos que la Responsabilidad Civil de D&O deriva de la vulneración de la ley o los estatutos sociales, pero también por ejemplo del convenio de encargo de tratamiento de datos entre una empresa que provee servicios y la

---

tación y desarrollo, hasta la respuesta y gestión de las situaciones de crisis producidas por los cibereventos.

En todo caso, el régimen de responsabilidad derivado de la actividad de gestión empresarial que se sanciona en la LSC (entre otras normas) se circunscribe exclusivamente al cargo de administrador.

(...)

De tal manera, la gestión de la sociedad entendida desde la perspectiva orgánica de la LSC solo se puede atribuir al administrador "y por lo tanto el que asume la responsabilidad por los actos sociales" (STS, 30 de julio de 2001), "sin perjuicio de la posible repetición que pudiera tener lugar en el seno del ente social" (SAP Barcelona, 24 de enero de 2005). Así, aunque los CIO y CISO desempeñen verdaderas funciones de gestión, solo participarán del régimen de responsabilidad del CEO en aquellos casos en los que pueda atribuirse a estos parte de la responsabilidad de forma individual (como en los casos en los que el administrador incumpla su deber de estar informado de aquello a lo que el CIO o CISO estaban obligados a informar). Sin perjuicio de la responsabilidad que pueda surgir de la regulación especial, como en el caso de los responsables del tratamiento de datos, y de aquellos daños que surjan de una acción u omisión atribuible a estos.

(...)

No obstante, en atención al contenido de aquellos cometidos, parece que la responsabilidad que procede de un ciberevento y que sea relativa al ámbito de administración y gestión empresarial seguirá recayendo de forma exclusiva sobre los miembros del consejo de administración, CEO o administradores.

(...)

En el ámbito de la dirección y gestión empresarial, la responsabilidad se proyecta frente a la sociedad y sus socios, y cualquier tercero que pueda sufrir un daño derivado de tales acciones que se circunscriben a:

• La gestión de los sistemas de control de ciberseguridad.
• Las políticas de inversión y renovación de los sistemas de IT de la compañía.
• La promoción y control de la implantación de sistemas y políticas de prevención.
• El desarrollo y control de políticas de actuación frente a un ciberevento.
• La gestión eficaz de los cibereventos.

En todo caso, parece que los órganos de administración serán los últimos responsables de velar por el efectivo cumplimiento de estas acciones. Así, igual que vienen realizando en otros ámbitos, deberán emplear cuantos medios sean necesarios para garantizar la integridad cibernética de la sociedad. Y ello, dentro de los límites de su actividad de gestión y coordinación de los medios empresariales, y superditado al estado de la ciencia y sistemas de los que se puede disponer en cada momento.

Sin perjuicio de la responsabilidad del órgano de administración de una sociedad que ha sido ampliamente desarrollada por el ordenamiento jurídico español, pueden concurrir diversos niveles de responsabilidad que dependerán de la estructura de cada compañía y de las funciones atribuidas a cada

directivo", JIMENO MUÑOZ, J, *La responsabilidad civil en el ámbito de los ciberriesgos,* Madrid, Fundación Mapfre, 2017, pp. 187, 188, 190, 192 y 193.

empresa a la que se los provee (con aceptación de la política de seguridad para terceros de dicha empresa).

Hay que tener en cuenta que en dichos convenios se suele fijar una cláusula indemnizatoria en virtud de la cual el proveedor indemnizará y eximirá de responsabilidad a su cliente frente a los daños y perjuicios, pérdidas, multas y sanciones que se deriven de cualquier reclamación por parte de un tercero o Autoridad de Control por cualquier incumplimiento de dicho Convenio[42].

Como ejemplos que pueden afectar a nuestro objeto de estudio pueden citarse los siguientes:

- Modificaciones de nuestro contenido web que no solo pueden dañar la reputación de nuestra empresa, sino también la de nuestros clientes y visitantes web.
- Robos de identidad de personas físicas para su uso posterior por delincuentes en diferentes tramas de delitos. Pérdidas de información sensible almacenada en portátiles, ordenadores o dispositivos de almacenamiento portable (como USB).
- Robo de propiedad intelectual o comercial para su posterior uso, así como supuestos de venta a la competencia o extorsión a la empresa afectada. Ataques de denegación de servicio que impidan el correcto funcionamiento de los sistemas que prestan un servicio a los clientes (individuos o empresas), paralizando una o varias actividades de la empresa.

Ahora bien, más interesante parece el ejemplo de las páginas web corporativas[43], al respecto la LSC estipula la obligación, para las sociedades cotizadas, de tener una página web corporativa y en su artículo 11 ter. 3 regula que "*los administradores tienen el deber de mantener lo insertado en la página web durante el término exigido por la ley, y responderán solidariamente entre sí y con la sociedad frente a los socios, acreedores, trabajadores y terceros de los perjuicios causados*

---

[42]   Y al respecto JIMENO MUÑOZ, J, *La responsabilidad civil en el ámbito de los ciberriesgos*, Madrid, Fundación Mapfre, 2017, p. 146, es partidario de no limitar la RC a aquellos supuestos en que se conculca una norma, pues "*en el ámbito de los ciberriesgos, la realidad material que se encuentra en continuo proceso evolutivo excede de los límites de la regulación que es escasa, y está sometida a la situación del momento en el que se dictó. Por ello, no será útil limitar el ámbito de la responsabilidad civil a aquellos supuestos en los que se produzca el incumplimiento de un precepto legalmente establecido, ya que exigiría un aumento desproporcionado de la regulación en el que quedarían desatendidas todas aquellas situaciones que no estén expresamente amparadas por la ley. Y en todo caso, será conveniente que sigamos la doctrina del Tribunal Supremo entendiendo la ilicitud desde un punto de vista amplio. De esta forma, los intereses jurídicamente protegidos se deberán considerar conforme a los bienes y derechos que subyacen en los mismos cuando aún no hayan sido objeto de una regulación específica*".

[43]   MUÑOZ VILLARREAL, A., "D&O, Riesgos Cibernéticos y Páginas Web Corporativas", *Boletín RC y Seguros* N. 48, Madrid, 1 2018.

por la interrupción temporal de acceso a esa página, salvo que la interrupción se deba a caso fortuito o de fuerza mayor. Para acreditar el mantenimiento de lo insertado durante el término exigido por la ley será suficiente la declaración de los administradores, que podrá ser desvirtuada por cualquier interesado mediante cualquier prueba admisible en Derecho".

A eso se añade que, *ex lege,* si dicha interrupción de acceso a la página web fuera superior a dos días consecutivos, o cuatro alternos, no podrá celebrarse la junta general que hubiera sido convocada para acordar sobre el asunto a que se refiera el documento inserto en esa página (salvo que el total de días de publicación efectiva fuera igual o superior al término exigido por la ley); pudiendo estar previsto en dicha junta la aprobación de una Oferta Pública de Adquisición, etc., cuyo retraso puede causar graves perjuicios o justificar una reclamación alegando los mismos.

Lo primero que debemos tener en cuenta es que la norma alude a páginas corporativas, de manera que no se va a aplicar la responsabilidad antes descrita a todas las páginas web de una sociedad (en las que vendan o publiciten productos, etc.), sino solo en aquellas que hayan sido creadas, inscritas y publicadas en los términos previstos en el artículo 11 bis, es decir aquellas en las que se inserta el anuncio de la convocatoria de la junta general, etc.

Lo segundo a tener en cuenta es que la norma alude a responsabilidad por los perjuicios causados por la interrupción temporal de acceso a esa página, de manera que tendrán que existir (y probarse) dichos perjuicios.

En todo caso, dado el volumen de ataques informáticos que se producen a las páginas web corporativas de sociedades (por diversos motivos: ideológicos, políticos, búsqueda de notoriedad del hacker, etc.) y la falta de jurisprudencia que delimite claramente la cuestión, hemos de acudir a los principios básicos de la Responsabilidad Civil de los directivos, ya analizados en los epígrafes previos.

Téngase en cuenta que en virtud del art. 529.1.1 ter de la LSC, es facultad indelegable del consejo de administración de las sociedades cotizadas la determinación de la política de control y gestión de riesgos, incluidos los fiscales, y la supervisión de los sistemas internos de información y control.

V. CONCLUSIONES

Si bien tras el análisis del objeto de estudio surgen más dudas e interrogantes que certezas o propuestas de *lege ferenda,* si podemos extraer las siguientes conclusiones:

1. Es fundamental para los administradores y directivos contar con pólizas, tanto de riesgos cibernéticos como de D&O, y que ambas estén coordinadas.

2. La Responsabilidad Civil de los D&O se caracteriza por ser personal, solidaria, ilimitada, de naturaleza subjetiva, extracontractual y orgánica, tanto por acción como por omisión, como consecuencia de los perjuicios financieros causados a terceros, o a la propia sociedad.

3. Para que se incurra en Responsabilidad Civil se deben dar los siguientes presupuestos:

(i) incumplimiento de una norma (Ley, Estatutos Sociales, etc.)

(ii) imputabilidad de tal conducta omisiva a los administradores, como órgano social

(iii) la conducta antijurídica, culposa o negligente, debe ser susceptible de producir un daño

(iv) el daño que se infiere debe ser directo al tercero que contrata, en este caso, al acreedor, sin necesidad de lesionar los intereses de la sociedad; y

(v) relación de causalidad entre la conducta contraria a la norma y el daño directo ocasionado al tercero.

4. No basta, para imputar responsabilidad, cualquier incumplimiento contractual.

La responsabilidad de los administradores en ningún caso se puede conectar al hecho objetivo del incumplimiento o defectuoso cumplimiento de las relaciones contractuales, convirtiéndolos en garantes de las deudas sociales o en supuestos de fracasos de empresa que han derivado en desarreglos económicos que, en caso de insolvencia, pueden desencadenar otro tipo de responsabilidades en el marco de otra u otras normas.

VI. BIBLIOGRAFÍA

AA.VV. ¿Están los CEOs preparados para combatir la ciberdelincuencia?, *Willis Towers Watson News*, N. 22, Madrid, 2017, pp. 8-9.

AA.VV., "Las aseguradoras apoyan un léxico cibernético común, pero sin llegar a forzar una terminología estandarizada", *Future*, Madrid, 24 de agosto de 2018.

AGERS, *Top 10 Cyber Risk*, Madrid, Asociación Española de Gerencia de Riesgos y Seguros, 2018.

BARRIO ANDRÉS, M., *Internet de las cosas*, Barcelona, Editorial Reus, 2018.

– *Ciberderecho. Bases estructurales, modelos de regulación e instituciones de gobernanza de internet*, Valencia, Tirant lo Blanch, 2018.

CAMPINS VARGAS, A., "Seguro de responsabilidad civil de administradores y altos cargos: especial referencia al ámbito de cobertura del seguro", *Revista de derecho mercantil*, N. 249, Madrid, 2003, pp. 981-1014.

CASINO RUBIO, M., "La Ley 36/2015, de 28 de septiembre, de seguridad nacional. La Ley ¿de qué?", *Revista española de Derecho Administrativo*, N. 177, Madrid, 2016, pp. 27-36.

DÍAZ ALABART, S., "Robótica y Responsabilidad Civil", Ponencia impartida en la Real Académica de Jurisprudencia y legislación el 31 de mayo de 2018, Inédito.

DÍEZ ESTELLA, F., y GARCÍA MARTÍNEZ. L.M., "La responsabilidad de los administradores a la luz de las recientes reformas en el gobierno corporativo de la Ley de Sociedades de Capital", en MONTERROSO CASADO, E., *Responsabilidad Empresarial*, Valencia, Tirant lo Blanch, 2018, pp. 170-226.

EBERS, M., "La utilización de agentes electrónicos inteligentes en el tráfico jurídico: ¿Necesitamos reglas especiales en el Derecho de la responsabilidad civil?", *Indret: Revista para el Análisis del Derecho*, N. 3, 2016, pp. 1-22.

EIOPEA, *Understanding Cyber insurance. A Structured Dialogue with Insurance Companies*, Luxemburgo, Publications Office of the European Union, 2018.

ELGUERO MERINO, J.M., *La responsabilidad civil del empresario y sus seguros*, Santiago de Compostela, Fundación Inade, 2017.

– *Diccionario de D&O, Glosario de términos del seguro de responsabilidad civil de administradores, consejeros y directivos*, Madrid, Servicios de Estudios de Marsh España, 2014.

GARCÍA-OLLAURÍ ANTOLÍN, S., "El "Datagate" y el Reglamento General de Protección de Datos. La privacidad y seguridad de los datos: potencial fuente de reclamaciones de D&O", Revista de responsabilidad civil, circulación y seguro, N. 7, 2018, pp. 32-39.

GARCÍA-VILLANUEVA BERNABÉ, M., "Responsabilidad de administradores de sociedades", En SOLER PRESAS, A., y DEL OLMO GARCÍA, P., *Practicum Daños*, Cizur Menor, Aranzadi, 2014, pp. 529-564.

HERAS, D., "El próximo 11S será un ciberataque", *Cinco Días*, 12 de septiembre de 2018.

IGLESIAS CABERO, M., *Robótica y responsabilidad. Aspectos legales en las diferentes áreas del Derecho*, Barcelona, Colex, 2017.

INESE "Las empresas no están preparadas para un ciberataque en IoT", *Futüre*, Madrid, 13 de septiembre de 2018.

JIMENO MUÑOZ, J, *La responsabilidad civil en el ámbito de los ciberriesgos*, Madrid, Fundación Mapfre, 2017.

LANZADERA ARENCIBIA, E., "El derecho a la intimidad del trabajador frente al control y vigilancia empresarial a través de las TICs", en MONTERROSO CASADO, E., *Responsabilidad Empresarial*, Valencia, Tirant lo Blanch, 2018, pp. 473-531.

LOWELL FELD y NATE WILCOX, *Netroots rising. How a citizen army of bloggers and online activists its changing american politics*, Westport, Praeger, 2008.

MAPFRE, *Guía para proteger tu negocio frente a los ciberriesgos*, Madrid, Fundación Mapfre, 2017, https://www.fundacionmapfre.org/documentacion/publico/i18n/catalogo_imagenes/grupo.cmd?path=1094803

MORET MILLÁS, V., "El marco jurídico de la ciberseguridad en España", En PÉREZ BES, F. (Coord.), *El derecho de internet*, Barcelona, Atelier, 2016, pp. 253-300.

MUÑOZ ARRIBAS, J., "Responsabilidades derivadas del accidente de trabajo", *El Graduado: Boletín Informativo del Ilustre Colegio Oficial de Graduados Sociales de Madrid*, N. 41, Madrid, 2003, pp. 75-79.

– "Consideraciones en torno al acoso moral en el trabajo", *El Graduado: Boletín Informativo del Ilustre Colegio Oficial de Graduados Sociales de Madrid*, N. 40, Madrid, 2003, pp. 65-70.

MUÑOZ VILLARREAL, J.A, "Riesgos Psicosociales y RC: un nuevo problema para las aseguradoras de RC", *Boletín de RC y Seguros* N. 43, Madrid, 2017.

MUÑOZ VILLARREAL, J.A, y ABREU GONZÁLEZ, A., "La responsabilidad civil en el ámbito de los ciber riesgos", Ponencia en el XX Congreso de Responsabilidad Civil y Seguros, organizado por Inese y el ICAM y celebrado en Madrid impartida el lunes 25 de junio de 2018 (Inédito).

MUÑOZ VILLARREAL, A., "D&O, Riesgos Cibernéticos y Páginas Web Corporativas", *Boletín RC y Seguros* N. 48, Madrid, 1 de febrero de 2018.

ORIOL LLEBOT, J., "Los deberes y la responsabilidad de los administradores", En ROJO FÉRNANDEZ, BELTÁN HEREDIA, E. y CAMPUZANO LAGUILLO, A.B., (Dir.), *La responsabilidad de los administradores en las sociedades mercantiles*, Valencia, Tirant lo Blach, 2011, pp. 27-58.

PAVELEK ZAMORA, E., "El caso Banesto", *Gerencia de riesgos y seguros*, Año 17, Nº. 70, Madrid, 2000, pp. 39-46.

PÉREZ CARILLO, E.F., *Aseguramiento de la responsabilidad de los administradores y altos ejecutivos sociales. El seguro D & O en EE.UU.*, Madrid, Marcial Pons, 2005.

RALPH, O., "Ciberpólizas: el reto del sector de los seguros", Expansión Economía Digital, Martes 27 de marzo de 2018, p. 2.

SÁNCHEZ DEL CAMPO REDONET, A., *Reflexiones de un replicante legal. Los retos jurídicos de la robótica y las tecnologías disruptivas*, Cizur Menor, Aranzadi, 2016.

SINGER, P.W. y FRIEDMAN, A. *Cybersecurity and cyberwar, what everyone needs to know*, Oxford, Oxford University Press, 2014.

TAPIA HERMIDA, A.J., "Las fianzas y los gastos de defensa jurídica en los seguros de responsabilidad civil profesional de los administradores y directivos de sociedades (seguros de D&O)", Ponencia impartida en el XVIII Congreso de Responsabilidad Civil y Seguro, organizado por INESE en Madrid, el 28 de junio de 2016, inédito.

–   "El seguro de responsabilidad civil de administradores y directivos de sociedades (D&O) ante las novedades legislativas y jurisprudenciales", *Revista de la Asociación Española de Abogados Especializados en Responsabilidad Civil y Seguro*, Nº. 54, Madrid, 2015, pp. 29-44

CAPÍTULO 8

ALGUNAS CUESTIONES JURÍDICO PENALES SOBRE LA CIBERDELINCUENCIA

DANIEL FERNÁNDEZ BERMEJO

Profesor Contratado Doctor de la UDIMA

Sumario: I. Introducción. II. Ciberdelincuencia. 1. Aspectos generales. 2. La protección constitucional de algunos derechos fundamentales intrínsecamente relacionados con las TICS. Algunas notas jurisprudenciales. 2.1. Derecho a la intimidad. 2.2. Derecho a la inviolabilidad del domicilio. 2.3. Derecho al secreto de las comunicaciones. 2.3.1 Secreto de las comunicaciones. 2.3.2. Intervención de las comunicaciones. 2.4. Derecho a la libertad de expresión e información. 2.4.1. Libertades de expresión e información. Límites a estos derechos. 2.4.2. Medios de comunicación social. 2.4.3. Límites. 2.4.4. La protección de la infancia y juventud. 2.4.5. Secuestro. III. Convenio sobre la ciberdelincuencia. IV. Tratamiento de la ciberdelincuencia, cibercriminalidad o delitos informáticos en el derecho penal. 1. Aspectos generales. 2. Clasificación de los delitos informáticos en el Código penal y Circulares de la Fiscalía General del Estado. 2.1. Clasificación en el Código Penal. 2.2. Instrucción 2/2011 de la Fiscalía General del Estado. 2.3. Circular 3/2017 de la Fiscalía General del Estado. 2.4. Extensión de la protección penal a otros delitos. V. Bibliografía.

Palabras clave: Ciberdelincuencia; delincuencia informática; delitos informáticos; cibercriminalidad; tecnologías de la información y la comunicación; sistema informático.

Resumen: Los avances tecnológicos en la información y comunicación han supuesto la entrada de nuevos valores y bienes susceptibles de protección jurídica, que determinan la necesidad de cambios legales y de mayor cooperación internacional. Los ciberdelitos, cibercrímenes o delitos informáticos avanzan al mismo tiempo que las Tecnologías de la Información y la Comunicación, ya que las mismas facilitan la actividad criminal. Con el uso de dichas tecnologías se está facilitando un desarrollo sin precedentes en el intercambio de información y comunicaciones, lo cual lleva implícita la creación de serios riesgos y amenazas en un mundo globalizado. Finalmente, la ciberdelincuencia y los delitos relacionados con ella suponen un tipo de criminalidad característica y especial, cuestión esta que resulta objeto de análisis en el presente trabajo, desde un prisma de la garantía de los derechos fundamentales y de su clasificación y catalogación penal.

I. INTRODUCCIÓN

El extraordinario desarrollo experimentado por las Tecnologías de la Información y la Comunicación (en adelante TICS) ha favorecido el surgimiento de nuevas formas de relación, que incluyen las ciberamenazas o ciberataques.

En este sentido, puede afirmarse que el proceso de integración cultural, económica y social a nivel mundial, conocido como globalización, alcanza su máximo esplendor en la actualidad[1], fundamentalmente tras la aparición de las TICS. De hecho, internet es causa y al mismo tiempo consecuencia de dicha globalización. Los avances tecnológicos en la información y comunicación han supuesto la entrada de nuevos valores y bienes susceptibles de protección jurídica que determinan la necesidad de una mayor cooperación internacional; y de una regulación normativa específica nacional, comunitaria e internacional.

Internet se amplía de manera vertical y horizontal, ya que el desarrollo tecnológico aumenta y se perfecciona de forma incandescente, y cada vez alcanza a más usuarios. La velocidad de su crecimiento es vertiginosa. Ese aumento, como es obvio, avanza más rápido que el conocimiento del legislador español, que tan sólo se rige por las regulaciones homólogas de los países de nuestro entorno y por las Decisiones y Directrices del contexto europeo.

Debe tenerse en cuenta que con base en la Ley 36/2015, de 28 de septiembre, se entiende por Seguridad Nacional la acción del Estado dirigida a proteger la libertad, los derechos y bienestar de los ciudadanos, a garantizar la defensa de España y sus principios y valores constitucionales, así como a contribuir junto a nuestros socios y aliados a la seguridad internacional en el cumplimiento de los compromisos asumidos. Y por el Real Decreto 1008/2017, de 1 de diciembre, se configura la Estrategia de Seguridad Nacional como el marco político estratégico de referencia de la Política de Seguridad Nacional (la Estrategia de Ciberseguridad Nacional es el documento estratégico que sirve de fundamento al Gobierno de España para desarrollar las previsiones de la Estrategia de Seguridad Nacional en materia de protección del ciberespacio con el fin de implantar de forma coherente y estructurada acciones de prevención, defensa, detección y respuesta frente a las ciberamenazas o ciberataques).

En este sentido, cabe señalar que la Estrategia Europea de Seguridad se articula en torno a las prioridades estratégicas siguientes: lograr la ciberresiliencia o capacidad de respuesta o recuperación ante incidentes de seguridad, reducir la ciberdelincuencia, desarrollar estrategias y capacidades de ciberdefensa vinculadas a la Política Común de Seguridad y Defensa, desarrollar recursos industriales y tecnológicos de ciberseguridad y establecer una política internacional coherente del ciberespacio para la Unión Europea[2]. La Estrategia de Ciberseguridad de la

---

[1]   Vid. DÍAZ GÓMEZ, A.: "El delito informático, su problemática y la cooperación internacional como paradigma de su solución: el Convenio de Budapest", en *Revista Electrónica del Departamento de Derecho de la Universidad de La Rioja*, nº 8, 2010, p. 170. Señala el autor que "el surgimiento de la Red o Redes sólo era posible en una sociedad como la actual, de pensamiento global y tendente a la uniformidad e igualmente su aparición acelera sin duda el proceso de homogeneización mundial". Cfr. DÍAZ GÓMEZ, A.: *Últ. op. cit.*, p. 171.

[2]   Acerca de la normativa en el marco de la Comunidad Europea para la lucha contra la delincuencia informática, vid., por todos, MATA Y MARTÍN, R.: *Estafa convencional, estafa infor-*

Unión Europea señala que para que el ciberespacio siga siendo abierto y libre, deben aplicarse en línea los mismos principios, valores y normas que la Unión Europea promueve fuera de línea. En este sentido, la Directiva 2016/1148 del Parlamento Europeo y del Consejo, de 6 de julio de 2016[3], relativa a las medidas destinadas a garantizar un elevado nivel común de seguridad de las redes y sistemas de información en la Unión Europea, conocida como Directiva NIS (Network and Information Security), logrará que se intensifique en el ámbito de la ciberseguridad la cooperación entre los Estados miembros.

Los avances tecnológicos en la información y comunicación han supuesto la entrada de nuevos valores y bienes susceptibles de protección jurídica, que determinan la necesidad de cambios legales y de mayor cooperación internacional. Los ciberdelitos, cibercrímenes o delitos informáticos avanzan al mismo tiempo que las TICS, pues las mismas ayudan a la actividad criminal. A nivel nacional, es de destacar que la Ley Orgánica 5/2010, de 22 de junio, establece en relación con

---

mática y robo en el ámbito de los medios electrónicos de pago. Navarra, Aranzadi Thomson Reuters, 2007, pp. 173-195.

[3]   Téngase en cuenta que la anterior publicación de la relevante Directiva 2013/40/UE, relativa a los ataques contra los sistemas de información, sustituyó a la Decisión también relativa a los ataques contra los servicios de información, Decisión 2005/222/JAI, de 24 de febrero de 2005 (la cual fue muy relevante por cuanto que tuvo el propósito de afrontar ciertas formas de criminalidad informática y de ciberdelincuencia a través de figuras delictivas de largo recorrido, imponiendo la obligación a los Estados miembros la incriminación de determinadas conductas). Vid., acerca de esta normativa europea, ANARTE BORRALLO, E./DOVAL PAIS, A.: "Límites de la ley penal a propósito del nuevo delito de intrusión informática", en *Revista General de Derecho Penal*, nº 18, 2012, formato electrónico, pp. 3 y ss.
    Con la reforma penal de 2010, y partiendo de las iniciativas internacionales, el legislador español declara haber asumido la tarea de ampliar el ámbito de intervención penal establecido por el Código de 1995 mediante la incorporación del delito de intrusión informática. Vid., al respecto, el Preámbulo de la LO 5/2010, de 22 de junio, apartado XIV, haciendo referencia a la Decisión Marco 2005/222/JAI, de 24 de febrero de 2005; si bien es cierto, también abarca otros tipos penales como la estafa informática, los daños informáticos, la piratería de señal telemática, entre otros —aquellos que pueden cometerse por medios informáticos o telemáticos aunque no aparezcan expresamente en los tipos penales—.
    La Directiva de 2013 vino a establecer penas efectivas, proporcionadas y disuasorias, contemplando agravaciones en atención a circunstancias tales como los daños causados, la afectación de sistemas de infraestructuras críticas o la utilización de datos de carácter personal de otra persona. Así mismo, tomó como punto de partida para definir los tipos penales, los arts. 2 a 6 de la Convención sobre la Ciberdelincuencia, firmada en Budapest. El objetivo último era lograr un uso seguro del ciberespacio en el que se garanticen los derechos de todos los ciudadanos y también la protección de organismos e instituciones públicos y privados y de los propios Estados. Al respecto, vid., también, SÁNCHEZ DOMINGO, Mª B.: "Delincuencia informática y el delito de intrusismo informático: aspectos de su regulación en instrumentos normativos europeos y su transposición al Código penal español acorde a la LO 5/2010 de reforma del Código penal español", en *Revista General de Derecho Penal*, nº 18, 2012, formato electrónico.

Daniel Fernández Bermejo

algunos delitos informáticos la responsabilidad penal de las personas jurídicas, y, la Ley Orgánica 1/2015, de 30 de marzo, establece una mayor precisión de los mismos; y en el ámbito internacional, el Convenio sobre ciberdelincuencia de 8 de noviembre de 2001, constituye un referente internacional a la hora de hablar de la delincuencia informática, que tiene como principal objetivo aplicar una política penal común encaminada a la protección de la sociedad contra el cibercrimen, especialmente mediante la adopción de una legislación adecuada y el fomento de la cooperación internacional.

Ahora bien, pareciera que el Derecho penal entra nuevamente en su vertiente expansiva[4], que se muestra como la única —a ojos del legislador español— alternativa para proteger los bienes jurídicos que resultan protegidos ante los ataques producidos por los delitos informáticos. ¿Es necesaria la intervención en estos casos del Derecho penal?, ¿está causando resultados positivos en cuanto a la prevención de su comisión se refiere? Téngase en cuenta que algunos de los delitos en los que aparece alguna referencia a su comisión mediante un sistema informático no responden a los principios penales tradicionales, los cuales deben de regir en esta rama del derecho. Es más, ¿cambia algo el hecho de que se cometa una modalidad delictiva concreta cuando se emplea un sistema informático respecto de cuando se comete de manera tradicional? Si no se modifica la esencia del delito que se comete, ¿sería realmente el delito base cometido el que debe de ser reprochado penalmente o, por el contrario, debe de ser castigado conforme a los nuevos tipos penales que obedecen a la categoría de delitos informáticos —pese a que no existen como tal en la ordenación sistemática del Código Penal—?

II. CIBERDELINCUENCIA

1. Aspectos generales

Hoy en día es habitual que en multitud de empresas, todos o gran parte de sus trabajadores realicen sus funciones empleando o utilizando sistemas informáticos y las TICS[5], habiéndose convertido internet en una herramienta básica de trabajo

---

[4]   Se ha afirmado incluso la tendencia de que se está corriendo el riesgo de avanzar hacia un Derecho penal del enemigo en materia de delincuencia informática. Vid. MORILLAS CUEVA, L.: "Nuevas tendencias del Derecho Penal: Una reflexión dirigida a la cibercriminalidad", en Cuadernos de política criminal, nº 94, 2008, pp. 26 y ss.

[5]   Acerca de la evolución de la implantación de las TICS y su vinculación con la aparición de nuevas conductas ilícitas, vid. HERNÁNDEZ DÍAZ, L.: "El delito informático", en Eguzkilore, nº 23, 2009, pp. 228 y ss.

y en algo habitual, ya no sólo en la vida profesional sino también en la personal, concibiéndose como una forma de comunicarse y relacionarse entre las personas. En la actualidad nos encontramos ante un nuevo escenario estratégico, criminológico y político-criminal, en el que se aprecia no sólo un salto cuantitativo sino cualitativo[6], pues los escenarios de los ataques son muy variados, con diferentes niveles de riesgo y de muy diversa escala de impacto potencial, lo que complica extraordinariamente su prevención y la respuesta estatal (el nuevo terrorismo y la nueva criminalidad transnacional, se muestran con una mayor agresividad y representan un auténtico desafío para los Estados).

La mayoría de las sociedades mundiales se enfrentan actualmente a una segunda revolución industrial, la "revolución informática". Los avances tecnológicos en la información y comunicación han supuesto la entrada de nuevos valores y bienes susceptibles de protección jurídica, que determinan la necesidad de cambios legales y de mayor cooperación internacional.

Es una realidad que la informática e internet han generado la posibilidad de cometer delitos a través de sus herramientas[7], mientras que con anterioridad no podían cometerse por estos cauces, atentando contra distintos bienes jurídicos protegidos que poco o nada tienen que ver realmente con la informática, configurándose esta como un medio para cometer delitos de muy diversa índole. Seguramente este es uno de los motivos por el que el legislador no ha tenido a bien configurar en el texto penal un título específico que acoja a esta clase concreta de delitos informáticos.

Cabe afirmar que son tres los instrumentos que se encargan de ofrecer una respuesta punitiva ante las distintas infracciones que merecen cierto reproche sancionador a través de las distintas técnicas jurídicas, a saber, leyes especiales,

---

[6]　Sobre los mecanismos de lucha contra la criminalidad informática y las respuestas ofrecidas por los distintos agentes jurídicos y preventivos, así como un análisis relativo a los delitos relacionados con las nuevas tecnologías, con aporte de datos estadísticos y resoluciones jurisprudenciales de interés, vid., entre otros, MENDO ESTRELLA, A.: "Delitos y redes sociales: mecanismos formalizados de lucha y delitos más habituales. El caso de la suplantación de identidad", en *Revista General de Derecho Penal*, n° 22, 2014, formato electrónico. Así mismo, de interés, aún con anterioridad, vid. ANARTE BORRALLO, E.: "Incidencia de las nuevas tecnologías en el sistema penal. Aproximación al Derecho penal en la sociedad de la información", en *Derecho y conocimiento: anuario jurídico sobre la sociedad de la información y del conocimiento*, n° 1, 2002.

[7]　Los ciberdelincuentes y los delitos informáticos aumentan anualmente en mayor proporción al de los nuevos usuarios de internet. Vid. Estudio sobre la Cibercriminalidad en España. Ministerio del Interior, Secretaría de Estado de Seguridad, 2017, pp. 16 y ss.; 37 y ss., y ello porque, en esencia, resulta más sencillo de lo que pudiera parecer cometer delitos informáticos ya que, entre otras circunstancias, pueden cometerse desde cualquier parte del planeta y por cualquier persona, sin una elevada cualificación, pudiendo ser actor de los mismos aún sin tener conciencia de ello o sin tener la voluntad de hacer daño en sistemas ajenos.

el Código Penal y la normativa internacional. En este sentido, resulta un tanto curioso[8] que Francia, Gran Bretaña, USA, Holanda, Chile o Venezuela sí hayan contemplado leyes especiales para regular este fenómeno. Otros países, como Argentina, México, Portugal, Austria, Italia y España se han centrado en introducir su sanción penal en sus respectivos textos punitivos. Alemania, por su parte, ha combinado ambas modalidades.

Finalmente, en el ámbito internacional se ha elaborado un Manual de las Naciones Unidas para la Prevención y Control de Delitos Informáticos, que data de 1977, siendo el precedente del Convenio sobre el Cibercrimen aprobado en Budapest en 2011; y en el ámbito europeo han tenido lugar diversas Decisiones Marco y Directivas en materia de delincuencia informática, con mayor protagonismo desde la firma del Tratado de Lisboa, el 13-12-2007.

2. La protección constitucional de algunos derechos fundamentales intrínsecamente relacionados con las TICS. Algunas notas jurisprudenciales

En el ámbito del Derecho constitucional, las TICS obligan a una profunda consideración de los derechos fundamentales a la intimidad (art. 18.1 CE), a la inviolabilidad del domicilio (art. 18.2 CE), al secreto de las comunicaciones (art. 18.3 CE), limitación del uso de la informática (art. 18.4 CE) y a la libertad de expresión e información (art. 20 CE). Veamos el tratamiento jurídico que se ha puesto de manifiesto para estos derechos constitucionales.

2.1. Derecho a la intimidad

La LO 1/1982, de 5 de mayo, sobre protección civil del derecho al honor, a la intimidad personal y familiar y a la propia imagen, desarrolla normativamente esta garantía constitucional.

El reconocimiento del derecho a la intimidad personal y familiar tiene por objeto garantizar al individuo un ámbito reservado de su vida, vinculado con el respeto de su dignidad como persona, frente a la acción y el conocimiento de los demás, sean estos poderes públicos o simples particulares, de suerte que atribuye a su titular el poder de resguardar ese ámbito reservado, no solo personal sino también familiar, frente a la divulgación del mismo por terceros y a la publicidad no querida, evitando así las intromisiones arbitrarias en la vida privada,

---

[8] Vid., al respecto, DE URBANO CASTRILLO, E.: "Los delitos informáticos tras la reforma del CP de 2010", en *Revista Aranzadi Doctrinal*, n° 9, 2011, formato electrónico, p. 1.

censuradas por el art. 2 DUDH, según las SSTC 231/1988, de 2 de diciembre, y, 115/2000, de 10 de mayo.

El derecho a la intimidad personal se configura como el derecho a la privacidad de un conjunto de actividades que vienen a configurar o delimitar un ámbito estrictamente personal, y que debe quedar vedado a la publicidad y divulgación al carecer de interés respecto de terceros, según la STS, Sala 1ª, de 10 de octubre de 2011.

El TC ha reconocido este derecho como autónomo a pesar de su estrecha relación con el derecho al honor y a la propia imagen, dirigidos todos ellos a la protección del patrimonio moral de las personas.

Puede afirmarse que resulta vulnerado el derecho a la intimidad cuando se desvelan datos pertenecientes a la esfera privada y de exclusión del conocimiento de los demás. Ciertamente, declaran las SSTC 99/2002 de 6 de mayo, y, 196/2004, de 15 de noviembre, que el derecho a la intimidad tiene por objeto garantizar al individuo un ámbito reservado de su vida frente a la acción y el conocimiento de los demás, sean estos poderes públicos o simples particulares. Este derecho se extiende no sólo a aspectos de la vida propia y personal, sino también a determinados aspectos de la vida de otras personas con las que se guarde una especial y estrecha vinculación, como es la familiar; aspectos que, por la relación o vínculo existente con ellas, inciden en la propia esfera de la personalidad del individuo que los derechos del art. 18 CE protegen.

El derecho a la intimidad personal, consagrado en el art. 18.1 CE, se configura como un derecho fundamental estrictamente vinculado a la propia personalidad y que deriva, sin ningún género de dudas, de la dignidad de la persona que el art. 10.1 CE reconoce[9].

Debe tenerse en cuenta que el fundamento del derecho a la intimidad y del derecho a la propia imagen ha de encontrarse en la intimidad, si bien uno y otro difieren en su ámbito de actuación; refiriéndose esencialmente el derecho a la intimidad personal y familiar a la privacidad, que habrá de ser respetada tanto por los ciudadanos como por los poderes públicos, y, el derecho a la propia imagen a la captación material o física de la imagen.

---

[9]   Vid., entre otras, las SSTC 170/1997, de 14 de octubre, FJ 4; 231/1988, de 1 de diciembre, FJ 3; 197/1991, de 17 de octubre, FJ 3; 57/1994, de 28 de febrero, FJ 5; 143/1994, de 9 de mayo, FJ 6; 207/1996, de 16 de diciembre, FJ 3; 202/1999, de 8 de noviembre, FJ 2; y 186/2000, de 10 de julio, FJ 5.

2.2. Derecho a la inviolabilidad del domicilio

Se trata de un derecho fundamental establecido para garantizar el ámbito de privacidad de la persona dentro del espacio limitado elegido por la misma, que debe caracterizarse por quedar exento o inmune a las invasiones o agresiones exteriores de otras personas o de la autoridad pública (espacio en el que se ejerce la libertad más íntima).

La inviolabilidad del domicilio es, como todo derecho fundamental, relativo y limitado[10], según la STC 199/1987, de, 16 de diciembre; y tiene como finalidad principal el respeto de un ámbito de vida privada personal y familiar. La protección constitucional del domicilio es una protección instrumental, que defiende los ámbitos donde se desarrolla la vida privada; por eso existe un nexo de unión indisoluble entre la norma que prohíbe la entrada y el registro en el domicilio y la que impone la defensa y garantía de un ámbito de privacidad.

La protección jurídico-penal del derecho a la inviolabilidad del domicilio se lleva a efecto con la tipificación de los delitos de allanamiento de morada, domicilio de personas jurídicas y establecimientos abiertos al público en los arts. 202 a 204 CP: entrada o mantenimiento en morada ajena contra la voluntad de su morador (art. 202), allanamiento de domicilio de personas jurídicas y de establecimientos abiertos al público (art. 203) y allanamiento de morada o domicilio cometido por autoridad o funcionario público (art. 204).

El doble condicionamiento a la entrada y registro domiciliario se concreta al consentimiento del titular o a la resolución judicial motivada correspondientes, salvo en el supuesto de que el delito se estuviese cometiendo o se acabare de cometer; y el delincuente fuere detenido en el momento de estar cometiendo el mismo, perseguido inmediatamente después de cometerlo cuando la persecución no se suspendiere mientras el delincuente no se ponga fuera del inmediato alcance de los perseguidores, o sorprendido inmediatamente después de cometido el delito con efectos, instrumentos o vestigios que permitan presumir su participación en el mismo.

El derecho a la inviolabilidad del domicilio tiene como excepciones el consentimiento[11] del titular, la autorización judicial[12], la flagrancia del de-

---

[10] Debe tenerse en cuenta, en este sentido, que el concepto constitucional de domicilio es de mayor amplitud que el concepto jurídico-privado o jurídico-administrativo, según la STS 222/1984, de 17 de febrero.

[11] El consentimiento eficaz del titular permite la inmisión en su derecho a la intimidad, que si bien no precisa ser expreso, se admite un consentimiento tácito y, salvo los casos excepcionales, la mera falta de oposición a la intromisión domiciliaria no se puede entender como un consentimiento tácito.

[12] La intervención judicial lo es en garantía del derecho a la inviolabilidad del domicilio, y, tiene como fin la evitación de entradas domiciliarias arbitrarias garantizando que las limitaciones a

lito[13], y la protección jurídico-penal de este derecho se lleva a efecto con la tipificación de los delitos cometidos por los funcionarios públicos contra la inviolabilidad domiciliaria y demás garantías de la intimidad en los arts. 534 a 536 CP: entrada o registro domiciliario ilegal y vejación o daños ilícitos con motivo de un registro lícito (art. 534), interceptación ilegal de la correspondencia y divulgación de la información obtenida (art. 535) e interceptación ilegal de las telecomunicaciones y divulgación de la información obtenida (art. 536).

2.3. Derecho al secreto de las comunicaciones

2.3.1. Secreto de las comunicaciones

Su protección constitucional, como derecho autónomo y con significado propio separado del derecho a la intimidad, tiene un contenido puramente formal en el sentido de que el concepto de secreto se predica de lo comunicado, sea cual sea su contenido y pertenezca o no el objeto de la comunicación misma al ámbito de lo personal, lo íntimo o lo reservado[14]. Y aunque el art. 18.3 CE únicamente hace alusión al término "secreto", la doctrina jurisprudencial entiende que si bien explícitamente se garantiza el secreto de las comunicaciones, implícitamente se protege también la libertad de las mismas, según la STC 114/1984, de 29 de diciembre. Por "comunicación" entiende la doctrina mayoritaria que deben comprenderse todos los medios de comunicación, por lo que no existe un *"numerus clausus"* respecto de los medios de comunicación que pueden ser objeto de vigilancia; y para que haya comunicación se exige una distancia real entre los comunicantes y que esta se realice por canal cerrado.

---

los derechos fundamentales sean las estrictamente necesarias.

[13] El TC ha establecido que el legislador puede, en general, delimitar la noción de flagrante delito en relación con la inviolabilidad del domicilio; y para el TC el concepto de flagrante delito ayuda a delimitar constitucionalmente el objeto protegido por el derecho a la inviolabilidad del domicilio, toda vez que cuando concurre esta circunstancia, tal protección cede; habiendo sido desarrollado legalmente su contenido, y, determinado lo que debe entenderse por el mismo a los efectos de la entrada en domicilio sin autorización judicial en los términos que se recogen legalmente.

[14] Al respecto, vid., STC 70/2002, de 3 de abril. Téngase en cuenta, además, que el secreto de las comunicaciones no cubre sólo el contenido de la comunicación sino también la identidad subjetiva de los interlocutores, según la STC 56/2003, de 24 de marzo.

La protección de las comunicaciones[15] postales, telegráficas o telefónicas, supone que no podrán interferirse o intervenirse las mismas, salvo resolución judicial y con las garantías previstas legalmente. No hay que excluir otro tipo de comunicaciones, dado el carácter abierto en el que se ha formulado constitucionalmente la garantía del secreto de las comunicaciones.

Es doctrina jurisprudencial pacífica, unánime y reiterada, que del derecho al secreto de las comunicaciones son titulares las personas físicas y las jurídicas, tanto nacionales como extranjeras, mayores y menores de edad, según la STS, Sala 2ª, de 20 de febrero de 1995.

2.3.2. Intervención de las comunicaciones

Se precisa en la STC 70/2002, de 3 de abril, que el art. 18.3 CE contiene una especial protección de las comunicaciones, cualquiera que sea el sistema empleado para realizarlas.

En relación con el concepto de intervención[16] telefónica, declara la STS, Sala 2ª, de 31 de octubre de 1994, que implica una actividad de control de las comunicaciones entre particulares a través de dicho medio y pueden conceptuarse como unas medidas instrumentales que suponen una restricción del derecho fundamental del secreto de las comunicaciones y que aparecen por el Juez de Instrucción en la fase instructora o sumarial del procedimiento penal, bien frente al imputado, bien frente a otros con los cuales éste se comunique, con la finalidad de captar el

---

[15]   La Ley 9/2014, de 9 de mayo, General de Telecomunicaciones, establece en su art. 5.3 en relación con los principios aplicables que, las medidas que se adopten en relación al acceso o al uso por parte de los usuarios de los servicios y las aplicaciones a través de redes de comunicaciones electrónicas respetarán los derechos y libertades fundamentales, como queda garantizado en el Convenio Europeo para la Protección de los Derechos Humanos y de las Libertades Fundamentales, en la Carta de Derechos Fundamentales de la Unión Europea, en los principios generales del Derecho comunitario y en la Constitución Española. En relación con el secreto de las comunicaciones, dispone en el art. 39.1 que los operadores que exploten redes públicas de comunicaciones electrónicas o que presten servicios de comunicaciones electrónicas disponibles al público deberán garantizar el secreto de las comunicaciones de conformidad con los artículos 18.3 y 55.2 CE, debiendo adoptar las medidas técnicas necesarias. Por su parte, la Ley 43/2010, de 30 de diciembre, del servicio postal universal, de los derechos de los usuarios y del mercado postal, establece en su art. 5 en relación con el secreto de las comunicaciones postales que, los operadores postales deberán realizar la prestación de los servicios con plena garantía del secreto de las comunicaciones postales, de conformidad con lo dispuesto en los artículos 18.3 y 55.2 CE y en el artículo 579 LECr.

[16]   La posibilidad de acordar medidas de intervención telefónica está prevista en la LO 2/2002, de 6 de mayo, reguladora del control judicial previo del Centro Nacional de Inteligencia, y, en la LO 22/2003, de 9 de julio, Concursal.

contenido de las conversaciones para la investigación de concretos delitos y para la aportación, en su caso, de determinados elementos probatorios.

El valor constitucional que se invoca frente al secreto de las comunicaciones es el interés público propio de la investigación de un delito grave, y, más concretamente, la determinación de hechos relevantes para la investigación penal del mismo, según la STC 49/1999, de 5 de abril.

El régimen jurídico de la interceptación de las comunicaciones telefónicas y telemáticas, se establece en los arts. 588 ter a) y siguientes LECr[17], estableciéndose como principio rector de la misma que la autorización judicial de esta diligencia de investigación está sujeta a los principios de especialidad, idoneidad, excepcionalidad, necesidad y proporcionalidad. El control judicial de la intervención telefónica autorizada es un requisito de validez constitucional y no de mera legalidad ordinaria, conforme pacífica y consolidada jurisprudencia del Tribunal Constitucional.

Finalmente, cabe destacar que el concepto de correspondencia se ha entendido en nuestro sistema de forma sumamente amplia, de manera que, con frecuencia, se ha equiparado el tratamiento de los paquetes postales con el de las cartas, al considerar que los primeros también podían contener mensajes de carácter privado[18].

---

[17]   Ahora bien, debe tenerse en cuenta que conforme a lo dispuesto en el art. 579 LECr, el Juez podrá acordar en resolución motivada la detención de la correspondencia privada, postal y telegráfica, incluidos fax, burofax y giros, que el investigado remita o reciba, así como su apertura o examen, si hubiera indicios de obtener por estos medios el descubrimiento o la comprobación de algún hecho o circunstancia relevante para la causa, siempre que la investigación tenga por objeto alguno de los delitos determinados legalmente. En el caso de urgencia, cuando las investigaciones se realicen para la averiguación de delitos relacionados con las organizaciones y grupos terroristas y delitos de terrorismo y existan fundadas razones que hagan imprescindible, la medida prevista en el art. 579 LECr podrá ordenarla el Ministro del Interior o, en su defecto, el Secretario de Estado de Seguridad, que podrá ser revocada o confirmada por el Juez competente en resolución motivada en un plazo máximo de 72 horas desde que fue ordenada la misma. Y no se requerirá autorización judicial en los casos determinados legalmente. En este sentido, relevante ha resultado, entre otras tantas resoluciones, la STEDH de 18 de febrero de 2003 (caso Prado Bugallo vs. España), cuando declaraba que se había producido una violación del art. 8 CEPDHLF tras examinar el contenido del art. 579 LECr, concluyendo que dicho precepto era insuficiente para cumplir con los estándares exigidos por el art. 8 CEPDHLF e instaba al legislador español a que revisase dicho texto legal, a fin de adaptarlo de una vez por todas a los requisitos establecidos por la jurisprudencia del TEDH (reformado por la LO 13/2015, de 5 de octubre).

[18]   Según la STS, Sala 2ª, de 23 de marzo de 2001. Por su parte, en relación con la correspondencia, declara la STEDH de 6 de septiembre de 1978 (caso Klass contra la República Federal de Alemania) que a pesar de que el párrafo 1º del art. 8 CEPDHLF no mencione expresamente las conversaciones telefónicas, puede considerarse que las mismas también están comprendidas en las nociones de "vida privada y correspondencia".

2.4. Derecho a la libertad de expresión e información

2.4.1. Libertades de expresión e información. Límites a estos derechos

El art. 20.1 CE establece que se reconocen y protegen los derechos a expresar y difundir libremente los pensamientos, ideas y opiniones mediante la palabra, el escrito o cualquier otro medio de reproducción; la producción y creación literaria, artística, científica y técnica; a la libertad de cátedra; y a comunicar o recibir libremente información veraz por cualquier medio de difusión (la ley regulará el derecho a la cláusula de conciencia y al secreto profesional en el ejercicio de estas libertades). Las libertades ex art. 20.1 CE no sólo son derechos fundamentales, sino también condición de existencia de la opinión pública libre, indisolublemente unida al pluralismo político y, por ello, fundamento de un Estado Democrático, según las SSTC 105/1990, de 6 de junio, y, 85/1992, de 8 de junio. Los derechos contemplados en el art. 20 CE han sido reconocidos por la jurisprudencia como de especial interés, en cuanto conciernen a la formación y existencia de una opinión pública libre, garantía que reviste una especial trascendencia, ya que al ser una condición previa y necesaria para el ejercicio de otros derechos inherentes al funcionamiento de un sistema democrático, se convierte, a su vez, en uno de los pilares de una sociedad libre democrática, según la STS, Sala 2ª, de 26 de noviembre de 1993.

Las libertades de expresión e información se presentan en la Constitución como dos derechos autónomos con contenido propio e identificable, lo que no obsta el reconocimiento de la íntima conexión que ambas libertades se profesan.

La libertad de expresión que establece el art. 20.1 a) CE tiene por objeto pensamientos, ideas y opiniones; es un concepto amplio dentro del que deben incluirse también las creencias y juicios de valor. Este derecho supone tanto el derecho a comunicar como el derecho a recibir informaciones o ideas de toda índole por cualquier procedimiento, según la STC 153/1985, de 7 de noviembre.

La comunicación que la CE protege en el art. 20.1 d) CE es la que transmite información veraz relativa a asuntos de interés general o relevancia pública, según la STC 154/1999, de 14 de septiembre. El deber de comprobación razonable de la veracidad de la información debe ser proporcionado a la trascendencia de la información que se comunica, pero en todo caso es exigible una actuación razonable, para no defraudar el derecho de todos a recibir una información veraz, tal y como reconoce la STC 219/1992, de 3 de diciembre.

La información garantizada constitucionalmente es aquella que, de un lado, parte de hechos contrastados y fuentes fiables —ya que, en realidad, si el emisor se desentiende del contenido de lo transmitido y de su relación con algún dato objetivo, difícilmente puede hablarse de un acto de información, sino de la expresión de una opinión (STC 110/2000)— y de otro lado, tiene relevancia pública[19] —frente a eventuales derechos de terceros como el derecho a la propia imagen, al honor o a la intimidad— (STC 19/2014, de 10 de febrero, FJ 6). Se priva, así, de la garantía constitucional "a quien, defraudando el derecho de todos a la información, actúe con menosprecio de la veracidad o falsedad de lo comunicado" pues "el ordenamiento no presta su tutela a tal conducta negligente, ni menos a la de quien comunique como hechos simples rumores o, peor aún, meras invenciones o insinuaciones insidiosas, pero sí ampara, en su conjunto, la información rectamente obtenida y difundida, aun cuando su total exactitud sea controvertible (STC 6/1988, de 21 de enero, FJ 5). De lo anterior se deduce, en definitiva, que se exige una cierta investigación al informador, una diligente forma de proceder, sin que ello signifique, obviamente, ni la imposición de *la verdad* como condición para el reconocimiento del derecho, ni la falta de protección constitucional de las afirmaciones erróneas, inevitables en un debate libre (STC 6/1988).

En este sentido, declara la STC 86/2017, de 4 de julio de 2017, que: "…resulta preciso recordar que, como ya señalamos en la STC 206/1990, de 17 de diciembre, "el artículo 20 CE, además de los derechos subjetivos de expresión e información garantiza el derecho de todos a recibir información, y tiene una dimensión de garantía de una institución fundamental cual es la opinión pública libre, que transciende a lo que es común y propio de otros derechos fundamentales (STC 104/1986, fundamento jurídico 5)" (FJ 6). La protección de ese contenido primario directamente garantizado por el artículo 20 CE —que es el de difundir opiniones e ideas y conformar la opinión pública libre— no tiene la misma intensidad que la protección de otros derechos que, aun intrínsecamente relacionados con el derecho a la información, son meramente instrumentales de aquéllos: así, el derecho de creación de los medios de comunicación, ámbito en el que el legislador dispone, en efecto, de mucha mayor capacidad de configuración. Como recordamos en la STC 73/2014, de 8 de mayo, el llamado "derecho de antena" puede verse sometido a limitaciones o modulaciones establecidas por el legislador y justificadas por la necesidad de proteger valores constitucionales como el pluralismo (externo o interno) como un valor fundamental del Estado, la formación de una opinión pública libre o los principios de libertad e igualdad (SSTC 6/1981, de 16 de marzo, FJ 4; 12/1982, de 31 de marzo, FJ 6; y 206/1990, de 17 de diciembre, FJ 6), siempre que tales limitaciones no cercenen el contenido primario o material que garantizan las libertades reconocidas en el artículo 20.1 a) y d) CE; esto es, el derecho a una comunicación libre sin la que "serían formas hueras las instituciones representativas, se falsearía

---

[19]   El requisito sobre la relevancia pública de la información deriva tanto del contenido como de la finalidad misma del derecho reconocido en el art. 20.1 d) CE, según la STC 219/1992, de 3 de diciembre.

el principio de legitimidad democrática y no habría una sociedad libre ni soberanía popular", exigiendo, por ello su preservación "una especial consideración a los medios que aseguran la comunicación social" (STC 6/1981, de 16 de marzo, FJ 3)".

Así pues, puede afirmarse que el derecho a la información encuentra su protección jurídico-penal con la tipificación del delito de censura previa o recogida de ediciones de libros o periódicos o suspensión de su publicación o de cualquier emisión radiotelevisiva ilegales (art. 538 CP).

2.4.2. Medios de comunicación social

El derecho de difundir las ideas y opiniones comprende en principio el derecho a crear los medios materiales a través de los cuales la difusión se hace posible, tal y como tiene reconocido la STC 12/1982, de 31 de marzo.

La protección constitucional de la libertad de información alcanza su máximo nivel cuando la libertad es ejercida por los profesionales de la información a través del vehículo institucionalizado de formación de la opinión pública, que es la prensa, entendida en su más amplia acepción, según la STC 165/1987, de 27 de octubre. La reserva legal establecida constitucionalmente se limita a la regulación de la organización y control parlamentario de los medios de comunicación social dependientes del Estado o de cualquier ente público, imponiendo al legislador el mandato concretado a la garantía de acceso a dichos medios de los grupos sociales y políticos significativos, con respeto al pluralismo social y lingüístico.

Ciertamente, la Ley 9/2014, de 9 de mayo, General de Telecomunicaciones, establece en su art. 1 que, "el ámbito de aplicación de esta Ley es la regulación de las telecomunicaciones, que comprenden la explotación de las redes y la prestación de los servicios de comunicaciones electrónicas y los recursos asociados, de conformidad con el art. 149.1.21ª CE". En relación con la protección de datos, dispone en su art. 41 que "los operadores que exploten redes públicas de comunicaciones electrónicas o que presten servicios de comunicaciones electrónicas disponibles al público, incluidas las redes públicas de comunicaciones que den soporte a dispositivos de identificación y recopilación de datos, deberán adoptar las medidas técnicas y de gestión adecuadas para preservar la seguridad en la explotación de su red o en la prestación de sus servicios, con el fin de garantizar la protección de los datos de carácter personal".

2.4.3. Límites

El art. 20.4 CE establece que estas libertades tienen su límite en el respeto a los derechos reconocidos en este Título, en los preceptos de las leyes que lo desarrollen y, especialmente, en el derecho al honor, a la intimidad, a la propia imagen y a la protección de la juventud y de la infancia.

Las libertades ex art. 20 CE tienen un valor prevalente sobre los derechos de la personalidad garantizados por el art. 18.1 CE, pero esta prevalencia no es absoluta, sino sólo en la medida en que la información que implique una intromisión en otros derechos fundamentales guarde congruencia con la expresada finalidad de contribuir a la formación de la opinión pública sobre asuntos de interés general y la intromisión no vaya más allá de lo estrictamente necesario para alcanzar aquella finalidad.

En el conflicto que pudiera existir entre las libertades reconocidas en el art. 20 CE y otros bienes constitucionalmente protegidos, los órganos judiciales deben ponderar razonada y proporcionadamente si la información se ha llevado a cabo dentro del ámbito de la protección constitucional, o por el contrario si ha trasgredido ese ámbito, siguiendo la doctrina de las SSTC 171/1990, de 12 de noviembre, y, 85/1992, de 8 de junio.

En este sentido, tiene reconocido el alto tribunal en materia constitucional, en virtud de STC 56/2008, de 14 de abril, que: "...el ejercicio del derecho reconocido en el art. 20.1 a) CE se encuentra sometido a los límites que el apartado 4 del mismo precepto establece (SSTC 126/1990, de 5 de julio; 106/1996, de 12 de junio; o 186/1996, de 25 de noviembre, entre otras) y, en particular, que cuando nos situamos en el ámbito de una relación laboral las manifestaciones de una parte respecto de la otra deben enmarcarse en las pautas de comportamiento que se derivan de la existencia de tal relación, pues el contrato entre trabajador y empresario genera un complejo de derechos y obligaciones recíprocas que condiciona, junto a otros, también el ejercicio del derecho a la libertad de expresión, de modo que manifestaciones del mismo que en otro contexto pudieran ser legítimas no tienen por qué serlo necesariamente en el marco de dicha relación (SSTC 120/1983, de 15 de diciembre; 6/1998, de 21 de enero; 4/1996, de 16 de enero; 106/1996, de 12 de junio; 1/1998, de 12 de enero; 20/2002, de 28 de enero; o 126/2003, de 30 de junio). De este modo, surge un 'condicionamiento' o 'límite adicional' en el ejercicio del derecho constitucional, impuesto por la relación laboral, que se deriva del principio de buena fe entre las partes en el contrato de trabajo y al que éstas han de ajustar su comportamiento mutuo (SSTC 106/1996, de 12 de junio; 1/1998, de 12 de enero; 90/1999, de 26 de mayo; 241/1999, de 20 de diciembre; o 20/2002, de 28 de enero), aunque se trate de un límite débil frente al que caracteriza la intersección del derecho fundamental con otros principios y derechos subjetivos consagrados por la Constitución (STC 241/1999, de 20 de diciembre)".

2.4.4. La protección de la infancia y juventud

En España la protección de la juventud y de la infancia, de manera genérica, se encuentra contemplada en el art. 39.4 CE, que dispone: "Los niños gozarán de la protección prevista en los acuerdos internacionales que velan por sus derechos", así como en el art. 48 CE que establece: "Los poderes públicos promoverán las condiciones para la participación libre y eficaz de la juventud en su desarrollo político, social, económico y cultural".

Este precepto está íntimamente vinculado a lo proclamado en el art. 10.1 CE, a tenor del cual "la dignidad de la persona, los derechos inviolables que le son inherentes, el desarrollo de la personalidad, el respeto a la ley y a los derechos de los demás son fundamento del orden político y la paz social".

En consideración a la protección jurídica del menor como límite externo de las libertades informativas, es obligatorio considerar como punto de partida el art. 20.4 CE, en virtud del cual las libertades informativas tienen su límite en el respeto a los derechos reconocidos en el Título I de la Constitución, en los preceptos de las leyes que lo desarrollen y, especialmente, en el derecho al honor, a la intimidad personal y familiar, a la propia imagen y a la protección de la juventud y de la infancia (libertad de expresar y difundir libremente los pensamientos, ideas y opiniones mediante la palabra, el escrito o cualquier otro medio de reproducción, y de comunicar o recibir libremente información veraz por cualquier medio de difusión).

El art. 20.4 CE regula la libertad de información activa, esto es, de emitir información por cualquier medio; la libertad de información pasiva, es decir de recibir información por cualquier medio; y la libertad de expresión, que en su formulación general comprende la libertad de expresión del pensamiento y la libertad de difusión del mismo, y, la libertad de producción y creación literaria y artística.

Los límites de las libertades del art. 20 CE son la exigencia de veracidad en la información; el respeto a todos los derechos reconocidos en el Título I CE y en los preceptos de las leyes que los desarrollen, especialmente los derechos personales al honor, a la intimidad personal y familiar y a la propia imagen; la protección de la juventud y de la infancia; los límites del uso de la informática para garantizar a los ciudadanos el pleno ejercicio de sus derechos; y los límites del acceso de los ciudadanos a los archivos y registros administrativos. La cláusula protectora del art. 20.4 CE está llamada a desarrollar toda su potencialidad en la salvaguarda de los intereses y derechos de los menores en el ámbito comunicativo; y debe reconocerse el bien constitucionalmente protegido de la moral dentro de la cual se comprende muy señaladamente la protección de la juventud y la infancia, que no configura en sí un derecho de la personalidad como los demás derechos humanos, sino un bien constitucionalmente protegible.

La protección de la juventud y la infancia en el proceso de libre comunicación pública es una preocupación ciertamente novedosa en nuestro ordenamiento *ius*informativo. A medida que los medios de comunicación de masas han ido incrementando su influencia en la sociedad —especialmente con la universalización de la televisión—, se han evidenciado los peligros que un uso indebido de estos medios puede conllevar. El límite a las libertades informativas encuentra su causa final, además de en un interés en la formación de la conciencia de la juventud y la infancia, en un contexto plural y participativo, en la defensa de la dignidad y el libre desarrollo de la personalidad del menor, que constituyen el fundamento del orden político y de la paz social según el art. 10.1 CE como se ha puesto de manifiesto anteriormente. La especial protección que se dispensa a este período de edad está justificada para salvaguardar la gradualidad en la enseñanza, a fin de dosificar el nivel y calidad de las informaciones, e impedir que unos desmesurados contenidos por su carácter violento, pornográfico o manipulador perturben esa necesaria gradualidad en la educación.

Los menores gozarán de los derechos que les reconoce la Constitución y los Tratados Internacionales de los que España sea parte, especialmente la Convención de los Derechos del Niño de 20 de noviembre de 1989 y la Convención sobre los Derechos de las Personas con Discapacidad y su Protocolo Facultativo de 13 de diciembre de 2006, y de los demás derechos garantizados en el ordenamiento jurídico, sin discriminación alguna por razón de nacimiento, nacionalidad, raza, sexo, discapacidad o enfermedad, religión, lengua, cultura, opinión o cualquier otra circunstancia personal, familiar o social.

Los menores tienen derecho al honor, a la intimidad personal y familiar y a la propia imagen; a buscar, recibir y utilizar la información adecuada a su desarrollo; a la libertad de ideología, conciencia y religión; a participar plenamente en la vida social, cultural, artística y recreativa de su entorno, así como a una incorporación progresiva a la ciudadanía activa, además de a formar parte de asociaciones y participar en reuniones públicas y manifestaciones pacíficas; a la libertad de expresión, que tiene su límite en la protección de la intimidad y la imagen del propio menor; y, a ser oído y escuchado sin discriminación alguna por edad, discapacidad o cualquier otra circunstancia.

2.4.5. Secuestro

El art. 20.5 CE establece que sólo podrá acordarse el secuestro de publicaciones, grabaciones y otros medios de información en virtud de resolución judicial. Este precepto constitucional prohíbe que esta medida de urgencia pueda ser adoptada por un poder público distinto del judicial, y, constituye una garantía de la libertad de expresión.

Sobre esta cuestión, declara la STC 31/1994, de 31 de enero, que "no cabe calificar de secuestro una actuación que no se dirige contra publicaciones o grabaciones o cualquier otro soporte de una comunicación determinada, esto es, de un mensaje concreto, sino contra el instrumento capaz de difundir, directamente o incorporándolos a un soporte susceptible a su vez de difusión, cualquier contenido comunicativo".

III. CONVENIO SOBRE LA CIBERDELINCUENCIA

El Convenio sobre ciberdelincuencia o también conocido como Convenio Budapest[20], de 8 de noviembre de 2001[21], entró en vigor el pasado día 1 de julio

---

[20] Como antecedentes, el germen del Convenio de Budapest se sitúa en 1983, año en el que un grupo de expertos se reúne y recomienda a la OCDE la necesidad de armonización de los delitos informáticos, lo que finalmente se materializa en un informe tres años después. A partir de entonces el Consejo de Europa toma la iniciativa publicando en 1989 la Recomendación nº 89(9), mostrando la tendencia que desembocará en Budapest, y la Recomendación nº 95(13), sobre problemas de Derecho procesal penal ligados a la tecnología de la información. Después, en 1997, comienzan las negociaciones para la elaboración del Tratado propiamente dicho. El Plan de Acción adoptado por los Jefes de Estado y de Gobierno del Consejo de Europa, con ocasión de su Segunda Cumbre —Estrasburgo, 10 y 11 de octubre de 1997—, para buscar respuestas comunes ante el desarrollo de las nuevas tecnologías de la información, influirá decisivamente en el contenido de éste. Llegaron a existir hasta treinta versiones del proyecto para que pudiera finalmente ver luz. En el año 2000 tuvo lugar una reunión en Marsella formada por los Ministros de Justicia e Interior de la Unión Europea, decidiendo volcarse en la labor del Consejo de Europa, dejando a éste la elaboración final del Tratado. Finalmente, el Comité del Consejo encargado de redactar el proyecto alcanza un consenso y se publica el "Proyecto de Convención sobre el Delito Cibernético", el 27 de abril de 2000, debiendo quedar finalizado antes de diciembre del mismo año. Vid., al respecto, entre otros, DÍAZ GÓMEZ, A.: El delito informático... op. cit., pp. 195 y 196; SÁNCHEZ DOMINGO, MªB.: Delincuencia informática... op. cit., pp. 9 y ss.

[21] En el mismo, el Preámbulo manifiesta que los Estados miembros del Consejo de Europa y los demás Estados signatarios del presente Convenio se encontraron "convencidos de la necesidad de aplicar, con carácter prioritario, una política penal común encaminada a proteger a la sociedad frente a la ciberdelincuencia, entre otras formas, mediante la adopción de la legislación adecuada y el fomento de la cooperación internacional; conscientes de los profundos cambios provocados por la digitalización, la convergencia y la globalización continua de las redes informáticas; preocupados por el riesgo de que las redes informáticas y la información electrónica sean utilizadas igualmente para cometer delitos y de que las pruebas relativas a dichos delitos sean almacenadas y transmitidas por medio de dichas redes; reconociendo la necesidad de una cooperación entre los Estados y el sector privado en la lucha contra la ciberdelincuencia, así como la necesidad de proteger los legítimos intereses en la utilización y el desarrollo de las tecnologías de la información; en la creencia de que la lucha efectiva contra la ciberdelincuencia requiere una cooperación internacional en materia penal reforzada, rápida y operativa; convencidos de que el presente Convenio resulta necesario para prevenir los actos dirigidos contra

de 2004 (España firmó el Convenio el 23 de noviembre de 2001 y lo ratificó el 1 de octubre de 2010, aunque las reformas necesarias tras su ratificación no se convirtieron en una realidad en nuestro ordenamiento jurídico penal hasta la entrada en vigor de la Ley Orgánica 5/2010, de 22 de junio, que se produjo el 24 de diciembre de 2010), constituye un referente internacional a la hora de hablar de la delincuencia informática; y su principal objetivo, que figura en el Preámbulo, es aplicar una política penal común encaminada a la protección de la sociedad contra el cibercrimen, especialmente mediante la adopción de una legislación adecuada y el fomento de la cooperación internacional. Se trata del primer Tratado Internacional[22] que busca hacer frente a los delitos informáticos mediante la armonización de leyes nacionales, la mejora de las técnicas de investigación y el aumento de la cooperación entre las naciones (los artículos 2 a 13 conforman el Derecho penal internacional —delitos contra la confidencialidad, la integridad y la disponibilidad de los datos[23] y sistemas informáticos[24]; delitos informáticos; delitos relacionados con la pornografía infantil; y delitos relacionados con infracciones de la propiedad intelectual y derechos afines-, y, los artículos 14 a

---

la confidencialidad, la integridad y la disponibilidad de los sistemas informáticos, redes y datos informáticos, así como el abuso de dichos sistemas, redes y datos, mediante la tipificación de esos actos, tal y como se definen en el presente Convenio, y la asunción de poderes suficientes para luchar de forma efectiva contra dichos delitos, facilitando su detección, investigación y sanción, tanto a nivel nacional como internacional, y estableciendo disposiciones que permitan una cooperación internacional rápida y fiable; conscientes de la necesidad de garantizar el debido equilibrio entre los intereses de la acción penal y el respeto de los derechos humanos fundamentales consagrados en el Convenio de Consejo de Europa para la Protección de los Derechos Humanos y de las Libertades Fundamentales (1950), el Pacto Internacional de Derechos Civiles y Políticos de las Naciones Unidas (1966) y otros tratados internacionales aplicables en materia de derechos humanos, que reafirman el derecho de todos a defender sus opiniones sin interferencia alguna, así como la libertad de expresión, que comprende la libertad de buscar, obtener y comunicar información e ideas de todo tipo, sin consideración de fronteras, así como el respeto de la intimidad"; entre otras circunstancias.

[22]   Algunos estudios destacados en relación a este Convenio son, entre otros, GALÁN MUÑOZ, A.: "La internacionalización de la represión y la persecución de la criminalidad informática: un nuevo campo de batalla en la eterna guerra entre prevención y garantías penales", en *Revista Penal*, n° 24, 2009, pp. 90-107; DÍAZ GÓMEZ, A.: "El delito informático... *op. cit.*, pp. 27-86; ASENCIO GALLEGO, J.Mª.: "Los delitos informáticos y las medidas de investigación y obtención de pruebas en el convenio de Budapest sobre la ciberdelincuencia", en ASENCIO MELLADO, J.Mª. (Dir.): *Justicia penal y nuevas formas de delincuencia*. Valencia, Tirant lo Blanch, 2017, pp. 44-67.

[23]   El presente Convenio define por datos informáticos "toda representación de hechos, información o conceptos expresados de cualquier forma que se preste también a tratamiento informático, incluidos los programas diseñados para que un sistema informático ejecute una función".

[24]   El Convenio define sistema informático como "todo dispositivo aislado o conjunto de dispositivos interconectados o relacionados entre sí, siempre que uno o varios de ellos permitan el tratamiento automatizado de datos en ejecución de un programa".

35 conforman el Derecho Procesal Penal Internacional-). El día 1 de marzo de 2006, el Protocolo Adicional a la Convención sobre el delito cibernético entró en vigor; y los Estados que han ratificado el Protocolo Adicional a la Convención ya penalizan la difusión de propaganda racista y xenófoba a través de los sistemas informáticos, así como de las amenazas racistas y xenófobas e insultos

El Convenio de Ciberseguridad persigue armonizar el Derecho penal material, establecer medidas procesales o cautelares adaptadas al medio digital y poner en funcionamiento un régimen rápido y eficaz de cooperación internacional[25]. Así mismo, trata de hacer frente a los delitos informáticos y los delitos en Internet mediante la armonización de leyes nacionales, la mejora de las técnicas de investigación y el aumento de la cooperación entre las naciones. Incluye aspectos legales como la jurisdicción y la extradición; también establece medidas de coordinación como la asistencia mutua para establecer un contacto permanente entre todas las autoridades competentes de los Estados firmantes.

En cuanto a los comportamientos que necesariamente han de ser configurados como ilícitos penales en las correspondientes legislaciones internas, se concretan en los siguientes:

1. Infracciones contra la confidencialidad, la integridad y la disponibilidad de los datos informáticos: se deben describir como infracciones penales las siguientes conductas: el acceso ilícito doloso y sin autorización a sistemas informáticos[26] (art. 2); la interceptación dolosa e ilícita, sin autorización, a través de medios técnicos, de datos informáticos, en el destino, origen o en el interior de un sistema informático[27] (art. 3); los atentados contra la integridad de los datos, consistente en dañar, borrar, deteriorar, alterar o suprimir dolosamente y sin autorización los

---

[25]   Sobre el alcance del Convenio de Budapest y su enlace internacional, vid., por todos, RINCÓN RÍOS, J.: *El delito en la cibersociedad y la justicia penal internacional*. Universidad Complutense de Madrid. 2015. Tesis doctoral, 2015, pp. 305 y ss.

[26]   Concretamente, el art. 2 dispone que "cada Parte adoptará las medidas legislativas y de otro tipo que resulten necesarias para tipificar como delito en su derecho interno el acceso deliberado e ilegítimo a la totalidad o a una parte de un sistema informático. Cualquier Parte podrá exigir que el delito se cometa infringiendo medidas de seguridad, con la intención de obtener datos informáticos o con otra intención delictiva, o en relación con un sistema informático que esté conectado a otro sistema informático".

[27]   Concretamente, el art. 3 dispone que "cada Parte adoptará las medidas legislativas y de otro tipo que resulten necesarias para tipificar como delito en su derecho interno la interceptación deliberada e ilegítima, por medios técnicos, de datos informáticos comunicados en transmisiones no públicas efectuadas a un sistema informático, desde un sistema informático o dentro del mismo, incluidas las emisiones electromagnéticas procedentes de un sistema informático que contenga dichos datos informáticos. Cualquier Parte podrá exigir que el delito se haya cometido con intención delictiva o en relación con un sistema informático conectado a otro sistema informático".

datos informáticos[28] (art. 4); los atentados contra la integridad del sistema, esto es, la obstaculización grave, dolosa y sin autorización, del funcionamiento de un sistema informático, mediante la introducción, transmisión, daño, borrado, deterioro, alteración o supresión de datos informáticos[29] (art. 5); el abuso de equipos e instrumentos técnicos, que comporta la producción, venta, obtención para su utilización, importación, difusión u otras formas de puesta a disposición de dispositivos principalmente concebidos o adaptados para cometer las infracciones antes referidas; la de una palabra de paso (contraseña), de un código de acceso o de datos similares que permitan acceder a un sistema informático; y la posesión de alguno de los elementos antes descritos[30] (art. 6).

2. Infracciones informáticas: se deben sancionar penalmente los siguientes comportamientos: las falsedades informáticas, que contienen la introducción, alteración, borrado o supresión dolosa y sin autorización, de datos informáticos, generando datos no auténticos[31] (art. 7); y la estafa informática, que precisa la producción de un perjuicio patrimonial a otro, de forma dolosa y sin autorización, a través de la introducción, alteración, borrado o supresión de datos infor-

---

28 Establece el art. 4.1 que "cada Parte adoptará las medidas legislativas y de otro tipo que resulten necesarias para tipificar como delito en su derecho interno la comisión deliberada e ilegítima de actos que dañen, borren, deterioren, alteren o supriman datos informáticos".

29 El art. 5 prescribe que "cada Parte adoptará las medidas legislativas y de otro tipo que resulten necesarias para tipificar como delito en su derecho interno la obstaculización grave, deliberada e ilegítima del funcionamiento de un sistema informático mediante la introducción, transmisión, provocación de daños, borrado, deterioro, alteración o supresión de datos informáticos".

30 El art. 6.1 dispone que "cada Parte adoptará las medidas legislativas y de otro tipo que resulten necesarias para tipificar como delito en su derecho interno la comisión deliberada e ilegítima de los siguientes actos: a) La producción, venta, obtención para su utilización, importación, difusión u otra forma de puesta a disposición de: i) Un dispositivo, incluido un programa informático, diseñado o adaptado principalmente para la comisión de cualquiera de los delitos previstos de conformidad con los anteriores artículos 2 a 5; ii) Una contraseña, un código de acceso o datos informáticos similares que permitan tener acceso a la totalidad o a una parte de un sistema informático, con el fin de que sean utilizados para la comisión de cualquiera de los delitos contemplados en los artículos 2 a 5; y b) la posesión de alguno de los elementos contemplados en los anteriores apartados a.i) o ii) con el fin de que sean utilizados para cometer cualquiera de los delitos previstos en los artículos 2 a 5. Cualquier Parte podrá exigir en su derecho interno que se posea un número determinado de dichos elementos para que se considere que existe responsabilidad penal".

31 El art. 7 dispone que "cada Parte adoptará las medidas legislativas y de otro tipo que resulten necesarias para tipificar como delito en su derecho interno, cuando se cometa de forma deliberada e ilegítima, la introducción, alteración, borrado o supresión de datos informáticos que dé lugar a datos no auténticos, con la intención de que sean tenidos en cuenta o utilizados a efectos legales como si se tratara de datos auténticos, con independencia de que los datos sean o no directamente legibles e inteligibles. Cualquier Parte podrá exigir que exista una intención fraudulenta o una intención delictiva similar para que se considere que existe responsabilidad penal".

máticos, o de cualquier otra forma de atentado al funcionamiento de un sistema informático, siempre con la intención fraudulenta de obtener un beneficio económico[32] (art. 8).

3. Infracciones relativas al contenido: se describen conductas relativas a pornografía infantil (art. 9).

4. Infracciones vinculadas a los atentados a la propiedad intelectual y a los derechos afines (art. 10).

5. Disposiciones técnicas: en relación con la sanción de la complicidad, la tentativa (art. 11), la responsabilidad de las personas jurídicas (art. 12) y las sanciones y medidas a imponer (art. 13).

Desde una perspectiva penal sustantiva, se trata del primer instrumento normativo en el ámbito europeo, lo que de por sí supone un paso decisivo hacia la armonización de las legislaciones en esta materia. Ahora bien, no debe confundirse armonización con unificación, pero en cualquier caso constituye el presupuesto necesario para la cooperación internacional y para avanzar hacia una mayor integración legal. En este sentido, como toda norma internacional, establece los mínimos estándares comunes que los Estados miembros están obligados a incorporar a sus ordenamientos, pero desde luego no fija los máximos de intervención punitiva. En otro orden de consideraciones, aunque el texto se refiere a comportamientos cometidos en el ciberespacio, algunos de ellos no dejan de ser estructuras típicas tradicionales, que bien por el medio comisivo empleado (nuevas tecnologías) o bien por la mayor gravedad de su uso, se incluyen dentro de esta categoría.

Por lo que respecta al ámbito de aplicación, se faculta a los Estados para que instauren procedimientos o procesos específicos para la investigación de los ilícitos penales antes descritos; o de cualquier otro delito cometido a través de un sistema informático, o para la recogida de pruebas electrónicas (art. 14). Igualmente advierte que los Estados velarán para que se respeten las garantías y derechos individuales proclamados en la normativa interna de cada Estado y especialmente en la normativa internacional (art. 15).

Relevante resulta también la obligación de los Estados de disciplinar la conservación inmediata de datos (art. 16), así como la de conservación y divulgación inmediata de los datos de tráfico (art. 17). De igual modo deben adoptar medidas tendentes a la identificación o mandato de comunicación (art. 18), al registro y

---

[32]   El art. 8 prescribe que "cada Parte adoptará las medidas legislativas y de otro tipo que resulten necesarias para tipificar como delito en su derecho interno los actos deliberados e ilegítimos que causen un perjuicio patrimonial a otra persona mediante: a) Cualquier introducción, alteración, borrado o supresión de datos informáticos; b) cualquier interferencia en el funcionamiento de un sistema informático, con la intención fraudulenta o delictiva de obtener ilegítimamente un beneficio económico para uno mismo o para otra persona".

decomiso de datos informáticos almacenados (art. 19), a la recogida en tiempo real de datos informáticos (art. 20) y a la interceptación de datos relativos al contenido (art. 21). De gran interés nos parece la regulación de la competencia, que insta a los Estados para que se atribuyan jurisdicción respecto a cualquier infracción penal contenida entre los arts. 2 a 11 del presente Convenio, cuando la misma se haya cometido en su territorio, a bordo de una nave que ondeé pabellón del Estado; a bordo de una aeronave inmatriculada en ese Estado, o por uno de sus súbditos (art. 22). En este sentido, advertir que el Convenio mantiene el principio de la territorialidad como criterio de atribución de competencia, y no introduce reglas de ampliación o extensión de la jurisdicción. En lo relativo a la cooperación internacional, junto a los principios generales (art. 23), se estipulan las reglas de extradición (art. 24), y un conjunto de medidas de colaboración y asistencia (arts. 25 a 35). Todo ello supone un significativo avance para la persecución e investigación de estos ilícitos. Recordar asimismo el Protocolo Adicional sobre incriminación de actos de naturaleza racista y xenófoba, cometidos a través de sistemas informáticos, aprobado por el Consejo de Europa el 30 de enero de 2003. Con este Protocolo, anclado en la protección de los derechos fundamentales, se corrige una importante laguna del Convenio, persiguiéndose la armonización en este sensible ámbito.

IV. TRATAMIENTO DE LA CIBERDELINCUENCIA, CIBERCRIMINALIDAD O DELITOS INFORMÁTICOS EN EL DERECHO PENAL

1. Aspectos generales

La sociedad de la información[33], la ausencia de fronteras y la inmaterialidad de la comunicación a través de las TICS, conducen en el ámbito del Derecho penal a la escasa relevancia de los límites temporales y espaciales que han constituido, tradicionalmente, su límite. Y es que actualmente las sociedades modernas son sociedades en riesgo[34], y no obstante los incuestionables beneficios que han generado las dimensiones del desarrollo de la tecnología y las redes de transmisión de datos, existen riesgos indudables que corresponde salvaguardar[35], los

---

[33] Vid., al respecto, ampliamente, RINCÓN RÍOS, J.: El delito en la cibersociedad... *op. cit.*, pp. 42 y ss.

[34] Vid. SÁNCHEZ DOMINGO, Mª B.: Delincuencia informática... *op. cit.*, p. 5.

[35] Vid., al respecto, MORÓN LERMA, E.: "Derecho penal y nuevas tecnologías: panorama actual y perspectivas futuras", en VV.AA.: *Internet y Pluralismo jurídico: formas emergentes de regulación*. Granada, Comares, 2003, pp. 93-120.

cuales entrañan peligros potenciales que deben·de ser neutralizados y erradicados por el ordenamiento jurídico.

La delincuencia informática y los delitos relacionados con ella, suponen un tipo de criminalidad característica y especial (se diferencian de la criminalidad informática, consistente en la realización de determinados delitos que sólo pueden materializarse a través de mecanismos informáticos o sobre los mismos programas y sistemas informáticos; y la criminalidad clásica relacionada con la informática, relativa a las figuras delictivas tradicionalmente contenidas en los textos punitivos en los que la presencia de estas tecnologías no es sustancial a las mismas, sino instrumental). Tal especialidad es aportada por los medios a través de los cuales se materializan estas conductas delictivas, como son los medios informáticos y telemáticos.

El ciberdelito, cibercrimen o delito informático es un concepto que manejamos socialmente para referirnos a un conjunto de conductas que vulneran los derechos de terceros y se producen en un escenario o medio tecnológico, provocando un rechazo social y sobre las que media el Derecho penal.

Como punto de partida, debe distinguirse entre hardware y software como elementos básicos del ordenador, y la respuesta penal frente a un ataque ante uno u otro componente informático podrá ser diferente, ya que un ataque puede afectar indistintamente a uno u otro componente. El hardware comprende todos aquellos componentes físicos del sistema informático. El software obedece a los componentes lógicos, esto es, aplicaciones, datos y programas que permiten el funcionamiento y ejecución del sistema informático[36]. Por tanto, habida cuenta que las funciones principales de los sistemas informáticos son el almacenamiento, procesamiento o transmisión de información, podrían calificarse como daños informáticos aquellas conductas que afecten a elementos lógicos del sistema, bien mediante la destrucción de todo el sistema informático a través de alguno de sus componentes, programas, datos o documentos, bien mediante la alteración de la funcionalidad del sistema por afectar a alguno de los componentes físicos o lógicos que impiden el rendimiento y uso eficiente y satisfactorio. En puridad, lo realmente relevante será la consecuencia o resultado alcanzado con la conducta practicada, y no tanto la forma en que esta ha tenido lugar.

---

[36] Acerca de los distintos ataques que pueden tener lugar, en este sentido, desde un enfoque del Derecho penal, abordando definiciones técnicas de software malicioso o malware, crash programs, worms, backdoor, blended threats, bombas lógicas, DoS Attack o denial of service, cyberpunking, cracking, hacking, etc., vid., por todos, DE LA MATA BARRANCO, N.J./HERNÁNDEZ DÍAZ, L.: "El delito de daños informáticos: una tipificación defectuosa", en *Estudios Penales y Criminólogos*, XXIX, 2009, pp. 313 y ss.

Con la expresión delito informático, cibercrimen[37] o ciberdelito se define a todo ilícito penal llevado a cabo a través de medios informáticos y que está íntimamente ligado a los bienes jurídicos relacionados con las TICS o que tiene como fin estos bienes (se caracteriza por ser un delito permanente al precisar de la repetición y el automatismo del hecho; su extensa y elevada lesividad; sus dificultades de averiguación y comprobación; su alto volumen de cifra negra; su mayor frecuencia, diversidad y peligrosidad; su distanciamiento espacio-temporal; y su transnacionalidad). Las TICS han obligado a que en el seno del Derecho penal sustantivo se haya procedido a una mayor precisión en la tipificación de los delitos informáticos, que avanzan a la misma velocidad que aquellas.

Después de la Ley Orgánica 5/2010, de 22 de junio, constituye una novedad importante en relación con algunos delitos informáticos la responsabilidad penal de las personas jurídicas, que deja de ser un tema de *lege ferenda* para convertirse en una problemática de *lege data*, que se encuentra prácticamente generalizada en el ámbito del Derecho penal europeo (Circular 1/2016, de 22 de enero, sobre la responsabilidad de las personas jurídicas conforme a la reforma del Código Penal efectuada por la Ley Orgánica 1/2015, de 30 de marzo). Esta reforma de 2010, y a la postre de 2015, quizá haya cubierto las expectativas de algunos autores cuando, destacando las palabras de alguno de ellos, concretaban que "muchos de los tipos penales resultan insatisfactorios y excluyen conductas que no debieran quedar fuera"[38].

El catálogo de delitos en los que el legislador ha previsto la responsabilidad de las personas jurídicas es taxativo. La incorporación del art. 31 bis CP supone la superación del principio "*societas delinquere non potest*" y la implantación del principio "*societas delinquere et puniri potest*", al establecer la responsabilidad penal de las personas jurídicas en los supuestos donde expresamente está prevista por el legislador.

El art. 33.7 CP introduce un específico catálogo de penas aplicables a las personas jurídicas, que tienen todas la consideración de graves, lo cual puede ser de interés en la aplicación de la institución de la prescripción que regulan los arts. 133 y 134 CP (la multa es la pena por excelencia elegida por el legislador para las personas jurídicas; y, dada la imposibilidad de utilizar penas privativas de libertad para las personas jurídicas, no cabe recurrir en caso de impago a la responsabilidad penal subsidiaria en los términos que establece el art. 53 CP); el art. 52.4 CP prevé una pena de multa proporcional para las personas jurídicas;

---

[37]   Sobre este fenómeno, vid., ampliamente, MIRÓ LINARES, F.: *El cibercrimen. Fenomenología y criminología de la delincuencia en el ciberespacio*. Madrid, Marcial Pons, 2012.

[38]   Cfr. ADÁN DEL RÍO, C.: "La persecución y sanción de los delitos informáticos", en *Eguzkilore*, nº 20, 2006, p. 152.

el art. 66 bis CP establece una serie de reglas penológicas para la imposición de penas a las personas jurídicas; y el legislador ha impedido toda posible extinción de la responsabilidad de las personas jurídicas, al disponer en el art. 130.2º CP que la transformación, fusión, absorción o escisión de una persona jurídica no extingue su responsabilidad penal, que se trasladará a la entidad o entidades en que se transforme, quede fusionada o absorbida, y se extenderá a la entidad o entidades que resulten de la escisión.

El art. 31 bis.1 CP establece los delitos en los que las personas jurídicas serán responsables cuando son cometidos por sus representantes legales o por aquellos que actuando individualmente o como integrantes de un órgano de la persona jurídica, están autorizados para tomar decisiones en nombre de esta u ostentan facultades de organización y control dentro de la misma; o por quienes estando sometidos a la autoridad de las personas físicas mencionadas anteriormente, han podido realizar los hechos por haberse incumplido gravemente por aquéllos los deberes de supervisión, vigilancia y control de su actividad atendidas las concretas circunstancias del caso. El art. 31 bis.2 y 3 CP establece que si el delito fuere cometido por las personas indicadas en el art. 31 bis.1 a) CP, la persona jurídica quedará exenta de responsabilidad si se cumplen las condiciones establecidas legalmente. El art. 31 bis.4 CP establece una exención de responsabilidad penal si el delito fuere cometido por las personas indicadas en el art. 31 bis.1 b) CP. El art. 31 bis.5 CP establece que los modelos de organización y gestión referidos en el art. 31 bis.2.1ª y 4 CP deberán cumplir los requisitos establecidos legalmente.

El art. 31 ter CP establece la responsabilidad penal de las personas jurídicas con independencia de la individualización de la persona física responsable; el art. 31 quater CP establece las circunstancias atenuantes de la responsabilidad penal de las personas jurídicas; y el art. 31 quinquies CP establece la aplicación de las disposiciones sobre la responsabilidad penal de las personas jurídicas (introducidos por la Ley Orgánica 1/2015, de 30 de marzo).

Son responsables las personas jurídicas de los delitos informáticos previstos y penados en los arts. 183 ter y 189 CP, con base en el art. 189 bis CP; arts. 197.1 y 2 y 197 bis CP, con base en el art. 197 ter CP; art. 248 CP, con base en el art. 251 bis; art. 264, 264 bis y 264 ter CP, con base en el art. 264 quater CP; art. 270 CP, con base en el art. 288 CP; y arts. 278 y 279 CP, con base en el art. 288 CP.

Otra especificidad la encontramos con las personas físicas menores de edad (14-18 años). Concretamente, en los ciberdelitos se tendrá en consideración la LO 5/2000, de 12 de enero —que por razones evidentes no podemos abordar en este análisis—, reguladora de la responsabilidad penal de los menores (los menores de 14 años no tienen responsabilidad penal, pero les resulta de aplicación la LO 1/1996, de 15 de enero, de Protección Jurídica del Menor). Las TICS han posibilitado la aparición de conductas entre los menores tales como el sexting[39] (envío de contenidos eróticos a través del móvil), el cyberbullying (acoso a menores por parte de otros menores), el grooming[40] (acoso sexual a menores por parte de adultos), el porn revenge (difusión por venganza u otro motivo de imágenes íntimas), el griefing (robo de propiedades virtuales en videojuegos), el hacking[41] (acceso sin autorización a datos o programas informáticos), el sextorsion (chantajear utilizando imágenes o vídeos íntimos de la víctima), el smishing (envío de mensajes con la finalidad de captar datos personales), el happy slapping (grabar y difundir un ataque premeditado), el cyberbaiting (provocar a un profesor y luego grabar y difundir su reacción), etc. Los menores[42] tienen derecho a buscar, recibir y utilizar la información adecuada a su desarrollo; y se prestará especial atención a la alfabetización digital y mediática, de forma adaptada a cada etapa evolutiva, que permita a los menores actuar en línea con seguridad y responsabilidad y, en particular, identificar situaciones de riesgo derivadas de la utilización de las nuevas TICS, así como las herramientas y estrategias para afrontar dichos riesgos y protegerse de ellos.

---

[39] Vid. MUÑOZ CUESTA, F.J.: "Los delitos sexuales contra menores de trece años: en especial los cometidos a través de internet u otra tecnología de la información o la comunicación", en VV.AA: *Delincuencia económica: tiempos de cautela y amparo*. Navarra, Aranzadi, 2012, pp. 129-140.

[40] Vid. GUDÍN RODRÍGUEZ-MAGARIÑOS, F.: "Algunas consideraciones sobre el nuevo delito de Grooming", en VV.AA: *Delincuencia económica: tiempos de cautela y amparo*. Navarra, Aranzadi, 2012, pp. 141-146.

[41] En relación a este fenómeno, cabe exponer que consiste en utilizar determinadas técnicas para acceder sin la debida autorización a un sistema informático o red de comunicación electrónica de datos, puede considerarse como un desafío por parte de un sujeto determinado, por entretenimiento o superación personal, de acceder a un sistema por encima de las barreras de seguridad que este pueda ofrecer. En este sentido, acerca de los fenómenos del hacking, cracking y estafa informática, vid. MORÓN LERMA, E.: *Internet y derecho penal: "hacking" y otras conductas ilícitas en la red*. Pamplona, Thomson Reuters Aranzadi, 1999; DE URBANO CASTRILLO, E.: Los delitos informáticos... *op. cit.*, pp. 3-5.

[42] Acerca de estas cuestiones mencionadas, vid., GARCÍA GUILABERT, N.: *Victimización de menores por actos de ciberacoso continuado y actividades cotidianas en el ciberespacio*. Murcia, Universidad de Murcia. Tesis doctoral, 2014; FERNÁNDEZ TERUELO, J.G.: *Derecho penal e internet: especial consideración de los delitos que afectan a jóvenes y adolescentes*. Madrid, Lex Nova, 2011.

2. Clasificación de los delitos informáticos en el Código Penal y circulares de la Fiscalía General del Estado

2.1. Clasificación en el Código Penal

Como se ha puesto de manifiesto, la red informática constituye una de las necesidades más imprescindibles de la sociedad del siglo XXI. El debate estriba en si el Derecho penal debería y, en su caso, en qué medida o profundidad, abordar aquellas conductas en las que la informática se configura como el medio para atentar contra distintos bienes jurídicos, como el patrimonio o la intimidad. Esta sería la base de la esencia de la delincuencia informática, puesta en práctica a través de sistemas informáticos y, fundamentalmente, contra sistemas informáticos.

Ciertamente, puede aceptarse la categoría criminológica "delincuencia informática" o "criminalidad informática", que englobaría las conductas penalmente relevantes vinculadas a la informática, sin que ello implique otra cosa que referirse a un *modus operandi* criminal en el que los actores se sirven de métodos de comisión delictiva distintas a las tradicionales. En definitiva, delincuencia informática o criminalidad informática puede albergar en su terminología gran parte de las conductas que se encuentran tipificadas en el texto punitivo, por el mero hecho de que tengan cierta vinculación con la informática, ya sea en su medio comisivo, ya lo sea en el objeto sobre el que recae la conducta. Utilizar la denominación de delincuencia informática o criminalidad informática como alternativa al delito informático, es una propuesta que se ha planteado[43] y resulta muy coherente considerar tales acepciones[44].

Uno de los tipos penales más novedosos y significativos de la reforma penal de 2015 ha sido el que se ha centrado en la protección —adicional— de los derechos fundamentales de la intimidad personal y familiar, que como sabemos se regula

---

[43]   Vid. PÉREZ LUÑO, A.E.: *Manual de informática y derecho*. Barcelona, Ariel, 1996, p. 75; ÁLVAREZ VIZCAYA, M.: "Consideraciones político criminales sobre la delincuencia informática: el papel del derecho penal en la red", en *Cuadernos de derecho judicial*, n° 10, 2001, pp. 255-280; BAÓN RAMÍREZ, R.: "Visión general de la informática en el nuevo Código Penal", en *Cuadernos de derecho judicial*, n° 11, 1996, pp. 77-100; CHOCLÁN MONTALVO, J.A.: "Infracciones patrimoniales en los procesos de transferencia de datos", en ROMEO CASABONA, C.M. (Coord.): *El cibercrimen: nuevos retos jurídico-penales, nuevas respuestas político-criminales*. Granada, Comares, 2006, p. 69; MONTERDE FERRER, F.: "Especial consideración de los atentados por medios informáticos contra la intimidad y privacidad", en *Cuadernos de derecho judicial*, n° 3, 2006, pp. 191-266; HERNÁNDEZ DÍAZ, L.: "El delito informático"... *op. cit.*, p. 235. Más recientemente, RINCÓN RÍOS, J.: El delito en la cibersociedad... *op. cit.*, pp. 148 y ss.

[44]   Sobre el concepto del delito informático, y el debate doctrinal generado sobre el mismo, vid. HERNÁNDEZ DÍAZ, L.: "El delito informático"... *op. cit.*, pp. 230-234.

en el art. 18 CE, y en cuyo apartado 4 se dispone que "la ley limitará el uso de la informática para garantizar el honor y la intimidad personal y familiar de los ciudadanos y el peno ejercicio de sus derechos". La utilización de los tipos penales clásicos para supuestos en los que la informática es la protagonista, tienen cobertura a tenor del art. 26 CP, en cuya virtud se dice que se considerará documento "todo soporte material que exprese o incorpore datos, hechos o narraciones con eficacia probatoria o cualquier otro tipo de relevancia jurídica". Aquí, con los registros informáticos podría tener cabida en múltiples casos cualquier movimiento con cierta relevancia jurídica.

En nuestro Código Penal, no encontramos un título específico que contenga los delitos que coloquialmente conocemos como tecnológicos o informáticos[45], si

---

[45] Además de los trabajos e investigaciones citadas, son de interés en relación a los delitos informáticos, delincuencia informática o criminalidad informática, a lo largo de las distintas reformas penales que han ido teniendo lugar, entre otros, los siguientes: ESTRADA POSADA, R./ SOMELLERA, R.: "Delitos informáticos", en *Informática y derecho*, n.º 27-29, 1998, pp. 423-442; TÉLLEZ VALDÉS, J.A.: "Delitos cibernéticos", en *Informática y derecho*, n.º 27, 1998, pp. 113-122; MATA Y MARTÍN, R.: *Delincuencia informática y derecho penal*. Madrid, Edisofer, 2001; ORTS BERENGUER, E./ROIG TORRES, M.: *Delitos informáticos y delitos comunes cometidos a través de la informática*. Valencia, Tiirant Lo Blanch, 2001; RUIZ MARCO, F.: *Los delitos contra la intimidad: especial referencia a los ataques cometidos a través de la informática*. Madrid, Colex, 2001; SOTO NIETO, F.: "Delito informático: acceso y obtención de datos personales", en *La Ley*, n.º 7, 2001, pp. 1631-1632; CONTRERAS CLUNES, A.: "Delitos informáticos: un importante precedente", en *Ius et Praxis*, n.º 1, 2003, pp. 515-521; GONZÁLEZ DE CHAVES CALAMITA, M.ª E.: "El llamado "delito informático"", en *Anales de la Facultad de Derecho*, n.º 21, 2004, pp. 45-66; MATALLANES RODRÍGUEZ, N.: "El intrusismo informático como delito autónomo", en *Revista General de Derecho Penal*, n.º 2, 2004, formato electrónico; RODRÍGUEZ DAMIÁN, A.: "Delitos informáticos", en *Anuario de la Facultad de Derecho de Ourense*, n.º 1, 2004, pp. 409-426; PRÍAS BERNAL, J.C.: "Aproximación al estudio de los delitos informáticos", en *Derecho Penal Contemporáneo*, n.º 17, 2006, pp. 5-78; ROMEO CASABONA, C.Mª.: "Capítulo 1: De los delitos informáticos al cibercrimen. Una aproximación conceptual y político criminal", en ROMEO CASABONA, C.Mª. (Coord.): *El cibercrimen... op. cit.*, pp. 1-43; MONTERDE FERRER, F.: Especial consideración... *op. cit.*, pp. 191-266; SALOM CLOTET, J.: "Delito informático y su investigación", *en Cuadernos de Derecho Judicial*, n.º 3, 2006, pp. 91-130; ZORRAQUINO RICO, A.: "Delitos informáticos", *en Cuadernos de Derecho Judicial*, n.º 5, 2006, pp. 147-168; GARCÍA GONZÁLEZ, J.: "Protección penal de la intimidad: el art. 197.1º del Código Penal", en GARCÍA GONZÁLEZ, J. (Coord.): *Ciberacoso: la tutela penal de la intimidad, la integridad y la libertad sexual en internet*. Valencia, Tirant lo Blanch, 2007, pp. 107-141; PUENTE ABA, L.Mª.: "Delitos contra la intimidad y nuevas tecnologías", en *Eguzkilore*, n.º 21, 2007, pp. 163-183; DOVAL PAIS, A.: "La intimidad y los secretos de empresa como objeto de ataque por medios informáticos", en *Eguzkilore*, n.º 22, 2008, pp. 89-115; FERNÁNDEZ FERNÁNDEZ, C.: "Delitos informáticos", en *Base Informática*, n.º 43, 2008, pp. 14-16; DE LA MATA BARRANCO, N.J./HERNÁNDEZ DÍAZ, L.: El delito de daños informáticos... *op. cit.*, pp. 311-362; de los mismos: "Los delitos vinculados a la informática en el Derecho penal español", en DE LA CUESTA ARZAMENDI, J.L. (Dir.): *Derecho penal informático*. Madrid, Civitas, 2010, pp. 159-200;

HERNÁNDEZ DÍAZ, L.: "El delito informático"... *op. cit.*, pp. 227-243; BERMÚDEZ GON-
ZÁLEZ, J.A.: "La reforma del Código penal: nuevas modalidades de delitos informáticos", en
Estudios jurídicos, n.º 2010, 2010; el mismo: "Los delitos informáticos en el Código penal: una
panorámica desde 1995, con especial atención a la última reforma de 2010", en *Estudios Jurídicos*, n.º 2011, 2011; CARRASCO ANDRINO, M.ª M.: "El delito de acceso ilícito a los sistemas informáticos (arts. 197 y 201)", en ÁLVAREZ GARCÍA, F.J. (Dir.): *Comentarios a la Reforma Penal de 2010*. Valencia, Tirant lo Blanch, 2010, pp. 249-256; DE LA MATA BARRAN-
CO, N.J.: "El delito de daños a datos, programas, documentos y sistemas informáticos", en
JUANES PECES, A. (Dir.): *Reforma del Código Penal: perspectiva económica tras la entrada en
vigor de la Ley Orgánica 5/2010 de 22 de junio: situación jurídico-penal del empresario*. Madrid, El Derecho, 2010, pp. 149-178; el mismo: "Los delitos contra la integridad y disponibilidad de datos y sistemas informáticos después de la LO 1/2015", en VV.AA: *Estudios de Derecho Penal: homenaje al profesor Miguel Bajo*. Madrid, Ramón Areces, 2016, pp. 1089-1108; el
mismo: "Delitos informáticos (contra sistemas y datos)", en DE LA CUESTA ARZAMENDI,
J.L./DE LA MATA BARRANCO, N.J./BLANCO CORDERO, I. (Coords.): *Adaptación del derecho penal español a la política criminal de la Unión Europea*. Navarra, Aranzadi, 2017, pp.
221-244; HUETE NOGUERAS, J.: "La reforma de los delitos informáticos", en *Diario La Ley*,
n.º 7534, 2010; MAGRO SERVET, V.: "Delitos y delincuentes informáticos", en AVILÉS GÓ-
MEZ, M. (Coord.): *Delitos y delincuentes: cómo son, cómo actúan*. Alicante, Club Universitario, 2010, pp. 109-136; MOYA FUENTES, M.ª M.: "El nuevo delito de acceso ilícito a sistemas
informáticos: art. 197.3 CP", en *Revista General de Derecho Penal*, n.º 14, 2010, formato
electrónico; VIEGA RODRÍGUEZ, M.ªJ.: "Respuestas a los delitos informáticos: su visión desde la privacidad y la seguridad de la información", en *Revista CADE*, n º 9, 2010, pp. 47-57;
BARRIO ANDRÉS, M.: "Los delitos cometidos en internet: marco comparado, internacional y
derecho español tras la reforma penal de 2010", en *La Ley Penal*, n.º 86, 2011; el mismo: "El
régimen jurídico de los delitos cometidos en internet en el derecho español tras la reforma penal
de 2010", en VV.AA: *Delincuencia económica: tiempos de cautela y amparo*. Navarra, Aranzadi, 2012, pp. 31-56; DÍAZ CAPPA, J.: "Confidencialidad, secreto de las comunicaciones e intimidad en el ámbito de los delitos informáticos", en *Diario La Ley*, n.º 7666, 2011; MORALES
PRATS, F.: "El delito de acceso ilícito a los sistemas informáticos (Art. 197.3) y la proyección
de la responsabilidad de las personas jurídicas a los delitos contra la intimidad: una primera
acotación a la reforma penal de 2010", en VV.AA.: *Un derecho penal comprometido: libro
homenaje al prof. Dr. Gerardo Landrove Díaz*. Valencia, Tirant lo Blanch, 2011, pp. 819-827;
SALVADORI, I.: "Los nuevos delitos informáticos introducidos en el Código penal español con
la Ley Orgánica 5/2010: perspectiva de derecho comparado", en *Anuario de Derecho Penal y
Ciencias Penales*, n.º 64, 2011, pp. 221-252; VELASCO NÚÑEZ, E.: "Delitos informáticos
realizados en actuación organizada", en *Diario La Ley*, n.º 7743, 2011; el mismo: "Los delitos
informáticos", en *Práctica penal: cuaderno jurídico*, n.º 81, 2015, pp. 14-28; ANARTE BO-
RRALLO, E.: "Límites de la ley penal... *op. cit.*; DE URBANO CASTRILLO, E.: "Los delitos
informáticos tras la reforma del CP de 2010", en VV.AA: *Delincuencia económica: tiempos de
cautela y amparo*. Navarra, Aranzadi, 2012, pp. 17-30; FLORES PRADA, I.: *Criminalidad informática (aspectos sustantivos y procesales)*. Valencia, Tirant lo Blanch, 2012; MORALES
GARCÍA, O.: "Comentario a los delitos informáticos de los arts. 197, 248, y 264 CP", en
VV.AA: *Delincuencia económica: tiempos de cautela y amparo*. Navarra, Aranzadi, 2012, pp.
151-166; RAGUÉS Y VALLÈS, R./ROBLES PLANAS, R.: "La reforma de los "delitos informáticos": Incriminación de los ataques a sistemas de información", en SILVA SÁNCHEZ, J.Mª.
(Dir.): *El nuevo Código Penal: comentarios a la reforma*. Madrid, La Ley, 2012, pp. 367-376;

bien, cabría clasificar como delitos informáticos todos aquellos delitos cometidos a través del medio telemático y cuya vía probatoria se sustenta en la prueba informática. La criminalidad informática es un fenómeno aceptado en nuestro ordenamiento jurídico, no siendo reconducible a una categoría única y homogénea de delitos. Una de las características de la cibercriminalidad es la existencia de múltiples formas ilícitas de comisión de delitos que pueden adoptar los ataques contra los sistemas de información.

Si analizamos el Código Penal, encontraremos multitud de tipos penales cuya comisión, en determinadas circunstancias, exige la metodología de la investigación informática. Actualmente, los tipos penales informáticos de nuestro Código Penal pueden esgrimirse de la siguiente manera[46]:

SÁNCHEZ DOMINGO, MªB.: Delincuencia informática... *op. cit.*; GONZÁLEZ HURTADO, J.A.: *Delincuencia informática: daños informáticos del artículo 264 del Código Penal y propuesta de reforma.* Universidad Complutense de Madrid. Tesis doctoral, 2013; RIQUERT, M./ GUTIÉRREZ, R./RADESCA, L.: "El delito de acceso ilegítimo a sistema o dato informático (intrusismo informático simple)", en *Revista de Derecho Penal y Criminología*, n.º 11, 2013, pp. 109-124; SEGADE BLANCO, M.ªC.: "Los delitos informáticos: protección de los derechos fundamentales", en *Ciencia policial*, n.º 120, 2013, pp. 73-80; VV.AA.: "El delito de acceso ilegítimo a sistema o dato informático (intrusismo informático simple)", en *Revista de Derecho Penal y Criminología*, n.º 11, 2013, pp. 109-124; GABRIELA MALLO, P.: *Descubrimiento y revelación de secretos.* Universidad de Sevilla. Tesis doctoral, 2014; MENDO ESTRELLA, A.: *Delitos y redes sociales... op. cit.,* formato electrónico; VILLAVICENCIO TERREROS, F.: "Delitos informáticos", en *Ius et Veritas*, n.º 49, 2014, pp. 284-304; GIL ANTÓN, A.Mª.: "De los delitos contra la intimidad personal y familiar y delito informático, de acuerdo con la reforma operada por la LO 1/2015, de 30 de marzo, de reforma del Código Penal", en *Revista Aranzadi de Derecho y Nuevas Tecnologías*, n.º 39, 2015, pp. 27-57; FARALDO CABANA, P.: "Estrategias legislativas en las reformas de los delitos informáticos contra el patrimonio", en *Revista Aranzadi de Derecho y Nuevas Tecnologías*, n.º 38, 2015, pp. 29-61; la misma: "Estrategias legislativas en las reformas de los delitos informáticos contra el patrimonio", en *Revista Aranzadi de Derecho y Nuevas Tecnologías*, n.º 42, 2016, pp. 25-57; CONTRERAS SOLER, B./ GARRÓS FONT, I.: "Los principales delitos cibernéticos cuyos sujetos pasivos pueden ser los particulares, las personas jurídicas o la Administración Pública", en *Revista de Derecho y Proceso Penal*, n.º 48, 2017, pp. 133-148; PONS GAMON, V.: "Internet, la nueva era del delito: ciberdelito, ciberterrorismo, legislación y ciberseguridad", en *URVIO: Revista Latinoamericana de Estudios de Seguridad*, n.º 20, 2017, pp. 80-93.

46   En el plano doctrinal, por su parte, no han faltado clasificaciones delictivas por parte de algunos autores. Así, destacamos la ofrecida por De Urbano Castrillo, en virtud de la cual, los delitos informáticos pueden ser de dos tipos, "a) stricto sensu, como la intrusión en equipos ajenos (hacking), la revelación de contenidos albergados en programas y archivos informáticos, los fraudes (phising y pharming", la falsificación informática, y los daños a los elementos lógicos del sistema (cracking) y b) delitos clásicos que encuentran en la red su medio comisivo, así, las amenazas, las vejaciones, el ciberterrorismo, los delitos contra la libertad sexual...". Cfr. DE URBANO CASTRILLO, E.: Los delitos informáticos... *op. cit.,* p. 3. Por su parte, Rincón Ríos ha expuesto una distinción entre delitos vinculados a las tecnologías de la información y de la comunicación; delitos cometidos a través de la informática contra sistemas informáticos

1. Contacto a través de las TICS con menor de 16 años para proponerle, con actos materiales de acercamiento, concertar un encuentro con el fin de cometer abusos o agresiones sexuales con fines pornográficos (art. 183 ter CP introducido por la Ley Orgánica 1/2015, de 30 de marzo).

Debe de tenerse en cuenta que el consentimiento libre del menor de dieciséis años excluirá la responsabilidad penal por este delito de contacto a través de las TICS con menor de 13 años, para la comisión de los delitos de agresiones o abusos sexuales y la utilización con fines pornográficos.

2. Utilización de menores o personas con discapacidad necesitadas de especial protección con fines pornográficos (art. 189 CP redactado por la Ley Orgánica 1/2015, de 30 de marzo).

Con base en la Circular 3/2017 de la Fiscalía General del Estado, sobre la reforma del Código Penal operada por la Ley Orgánica 1/2015, de 30 de marzo, cuando las imágenes obtenidas y posteriormente difundidas se refieran a un menor o a una persona con discapacidad y merezcan la consideración de material pornográfico, tal y como se define en el art. 189 del CP, se plantea una situación de concurso entre la figura prevista en el 197.7 CP y los preceptos correspondientes a los delitos de pornografía infantil. En estos supuestos se produciría un concurso ideal entre el delito que se examina, art. 197.7, párrafo 2° y el art. 189.1° b) ambos del CP, a penar de conformidad con el art. 77.2 del mismo texto legal, dado que la acción ilícita, no solamente lesiona la intimidad del afectado cuya imagen se difunde sin su autorización, sino que pone también en peligro la indemnidad sexual de los menores, genéricamente considerados, como bien jurídico protegido en los delitos de pornografía infantil.

3. Descubrimiento de secretos o vulneración de la intimidad por particular; acceso o facilitación a otro para acceder a un sistema de información sin estar debidamente autorizado[47]; facilitar a terceros la comisión de delitos; delitos cometidos en el seno de una organización o grupo criminal; responsabilidad penal de las personas jurídicas en los delitos de descubrimiento y revelación de secretos comprendidos en los arts. 197, 197 bis y 197 ter CP; revelación y divulgación de secretos ajenos; y descubrimiento, revelación o cesión de datos (arts. 197 CP redactado por la Ley Orgánica 1/2015, de 30 de marzo; 197 bis CP introducido por la Ley Orgánica 1/2015, de 30 de marzo; 197 ter CP introducido por la Ley

---

o informaciones digitalizadas; delitos cometidos a través de sistemas informáticos; y delitos contra la gestión de derechos digitales. Vid. RINCÓN RÍOS, J.: El delito en la cibersociedad... *op. cit.*, pp. 232 y ss.

[47] Acerca del delito de intrusismo informático, vid., entre otros, MATALLANES RODRÍGUEZ, N.: El intrusismo informático... *op. cit.*; ANARTE BORRALLO, E./DOVAL PAIS, A.: Límites de la ley penal... *op. cit.*, pp. 9 y ss.

Orgánica 1/2015, de 30 de marzo; 197 quater CP introducido por la Ley Orgánica 1/2015, de 30 de marzo; 197 quinquies CP introducido por la Ley Orgánica 1/2015, de 30 de marzo; 199 CP; y 200 CP).

4. Calumnias e injurias hechas con publicidad informática (art. 211 CP).

5. Estafas informáticas[48] (arts. 248 y 249 CP redactados por la Ley Orgánica 1/2015, de 30 de marzo).

6. Uso de cualquier equipo terminal de telecomunicación sin consentimiento de su titular (art. 256 CP redactado por la Ley Orgánica 1/2015, de 30 de marzo).

7. Daños informáticos[49]; obstaculización o interrupción graves del funcionamiento de un sistema informático ajeno sin autorización; facilitación de daños

---

[48] Acerca de la estafa informática, adentrándose con minuciosidad en las similitudes y diferencias que existen con respecto a otros delitos contra el patrimonio y orden socioeconómico, vid. FARALDO CABANA, P.: "Los conceptos de manipulación informática y artificio semejante en el delito de estafa informática", en *Eguzkilore*, nº 21, 2007, pp. 34 y ss. En la doctrina y cierto sector jurisprudencial, se ha defendido, a modo ejemplificativo, que la obtención de un servicio sin el abono de su importe, siempre que se utilice una manipulación informática o artificio semejante, supone la transferencia de un activo patrimonial que da lugar a la aplicación del delito de estafa informática. Vid., al respecto, CHOCLÁN MONTALVO, J.A.: Infracciones patrimoniales... *op. cit.*, pp. 255-256; RODRÍGUEZ MOURULLO, G./ALONSO GALLO, J./ LASCURAÍN SÁNCHEZ, J.A.: "Derecho penal e internet", en VV.AA.: *Régimen jurídico de internet*. Madrid, La Ley, 2001, pp. 290 y 291; ROVIRA DEL CANTO, E.: *Delincuencia informática y fraudes informáticos*. Granada, Comares, 2002, p. 579. Otros autores, en cambio, consideran que ello no responde con la esencia de la estafa informática, delito en el cual la transferencia de activos patrimoniales es el resultado intermedio que debe llevar a la causación de un perjuicio patrimonial a la víctima. Vid. FARALDO CABANA, P.: Los conceptos de manipulación informática... *op. cit.*, pp. 39 y 40. De hecho, según la última autora citada, "el hecho de que el tercero, por ej., el titular de la tarjeta o cuenta bancaria objeto del ataque, debido a las relaciones contractuales existentes con otros sujetos, consiga finalmente que su patrimonio no se vea afectado, no impide la aplicación del precepto, pues lo que ocurre simplemente es que el perjuicio se traslada a otro sujeto, sin desaparecer". Cfr. FARALDO CABANA, P.: *Últ. op. y loc. cit.* Otros estudios relativos a la estafa informática han sido realizados por, entre otros, REY HUIDOBRO, L.F.: "La estafa informática: relevancia penal del phising y el pharming", en *Diario La Ley*, n.º 7926, 2012; CORRECHER MIRA, J./OXMAN, N.: "La imputación del "mulero" en los delitos de estafa por manipulación informática: la jurisprudencia a examen", en *Revista General de Derecho Penal*, nº 21, 2014, formato electrónico; VANINETTI, H.A.: "Estafa en internet. Transferencia electrónica de fondos. Operatoria de home banking: la competencia en los delitos informáticos", en *Revista de Derecho Penal y Criminología*, n.º 1, 2017, pp. 114-117.

[49] Acerca de este delito, vid., entre otros, DE LA MATA BARRANCO, N.J./HERNÁNDEZ DÍAZ, L.: El delito de daños informáticos... *op. cit.*, pp. 324 y ss., quienes atisban que dada la ubicación sistemática, puede entenderse esta figura como una modalidad cualificada del tipo básico de daños.
Lo que se trata de proteger con este delito (daños informáticos) es la posible pluriofensividad llevada a cabo por el sujeto activo del mismo, que puede integrar el patrimonio del sujeto, así como la información y accesibilidad a la información de los sistemas informáticos, seguridad

informáticos y obstaculización o interrupción graves de un sistema informático ajeno sin autorización; y responsabilidad penal de las personas jurídicas en los delitos de daños (arts. 264 y 264 bis CP, introducido por la Ley Orgánica 1/2015, de 30 de marzo; 264 ter CP introducido por la Ley Orgánica 1/2015, de 30 de marzo; y 264 quater CP introducido por la Ley Orgánica 1/2015, de 30 de marzo).

8. Delitos informáticos contra la propiedad intelectual (art. 270 CP redactado por la Ley Orgánica 1/2015, de 30 de marzo).

9. Delitos informáticos contra la propiedad industrial (arts. 273 y 274 CP redactado por la Ley Orgánica 1/2015, de 30 de marzo).

10. Falsedades informáticas —espionaje empresarial y deslealtad profesional—(arts. 278 y 279 CP).

11. Falsedades documentales informáticas (arts. 390.1, 2 y 3; 392; 395; y 400 CP).

---

de los mismos, la comunicación pacífica a través de las redes telemáticas, la intimidad o la protección de datos de carácter personal e incluso la tecnología de internet. Vid. DE LA MATA BARRANCO, N.J./HERNÁNDEZ DÍAZ, L.: *Últ. op. cit.*, p. 327-329. En definitiva, como bien apunta Corcoy Bidasolo, el bien jurídico será aquel bien tutelado por el delito que se ha cometido. Vid. CORCOY BIDASOLO, M.: "Problemática de la persecución penal de los denominados delitos informáticos: particular referencia a la participación criminal y al ámbito espacio temporal de comisión de los hechos", en *Eguzkilore*, n.º 21, 2007, p. 10. Vemos, pues, que no sólo el patrimonio u orden socioeconómico es el especialmente protegido con este delito. Ahora bien, tras la última reforma penal de 2015 es necesario acudir a los preceptos concretos para observar la ordenación sistemática que por su ubicación el texto punitivo ofrece, aunque la técnica del legislador no colma la definición de los genuinos bienes jurídicos protegidos, sino más bien lagunas de penalidad que tratan de perfeccionarse a base de reformas. Vid., también, al respecto de la protección penal en relación con la delincuencia informática, entre otros, GONZÁLEZ RUS, J.J.: "Protección penal de sistemas, elementos, datos, documentos y programas informáticos", en *Revista Electrónica de Ciencia Penal y Criminología*, n.º 1, 1999, formato electrónico; HERNÁNDEZ DÍAZ, L.: El delito informático... *op. cit.*, pp. 236 y ss.; DE LA MATA BARRANCO, N.J./BARINAS UBIÑAS, D.: "La protección penal de la vida privada en nuestro tiempo social: ¿necesidad de redefinir el objeto de tutela?", en *Revista de Derecho Penal y Criminología*, n.º 11, 2014, pp. 13-92; RINCÓN RÍOS, J.: El delito en la cibersociedad... *op. cit.*, pp. 183 y ss.; MONTSERRAT SÁNCHEZ-ESCRIBANO, M.ª I.: "Libertad informática y protección de datos: desarrollo en la jurisprudencia del Tribunal Constitucional y tutela penal en el delito de descubrimiento y revelación de secretos", *en Anuario iberoamericano de justicia constitucional*, n.º 19, 2015, pp. 323-363; DE LA MATA BARRANCO, N.J.: "Reflexiones sobre el bien jurídico a proteger en el delito de acceso informático", en *Cuadernos de Política Criminal*, n.º 118, 2016, pp. 43-86.

En lo que concierne al sujeto activo del delito, no resulta necesario que el mismo conozca quién es el auténtico propietario de los elementos lógicos que daña, sino que será suficiente con que los mismos no sean simplemente de su propiedad.

12. Delitos terroristas informáticos (art. 573.2 CP delitos tipificados en los arts. 197 bis y 197 ter y 264 a 264 quater CP cuando los hechos se cometan con alguna de las finalidades a las que se refiere el art. 573.1 CP).

2.2. Instrucción 2/2011 de la Fiscalía General del Estado

La Instrucción 2/2011 de la Fiscalía General del Estado, sobre la criminalidad informática y las Secciones de criminalidad informática de las Fiscalías, establece la siguiente clasificación de los delitos informáticos (debe tenerse en consideración la Ley Orgánica 1/2015, de 30 de marzo, que es posterior):

1. Delitos en los que el objeto de la actividad delictiva son los sistemas informáticos o las TICS: son los delitos propiamente informáticos. Para la Fiscalía estos son los daños informáticos del artículo 264 CP; el acceso ilícito a sistemas informáticos del artículo 197.3 CP, así como los delitos del artículo 197.1 CP y 197.2 CP sólo cuando el descubrimiento y revelación bien se realice utilizando sistemas informáticos para realizar el descubrimiento o bien recaiga sobre datos que se hallen registrados en ficheros o soportes informáticos; el delito de descubrimiento y revelación de secretos de empresa previstos y penados en el artículo 278 CP cuando sean cometidos a través de sistemas informáticos, o cuando los datos objeto del delito se hallen igualmente en sistemas informáticos y los delitos contra los servicios de radiodifusión e interactivos previstos y penados en el artículo 286 CP.

2. Delitos en que la actividad criminal se sirve para su ejecución de las ventajas que ofrecen las TICS: delitos de estafa previstos y penados en el artículo 248.2 CP, siempre que, en los supuestos a) y c) se utilicen los sistemas informáticos para llevar a efecto la transferencia u operación en perjuicio de otro; delitos de acoso a menores de 13 años, previstos y penados en el art. 183 bis CP cuando se lleve a efecto a través de la sistemas informáticos; delitos de corrupción de menores o de personas discapacitadas o relativas a pornografía infantil o referida a personas discapacitadas del artículo 189 CP cuando para el desarrollo o ejecución de la actividad delictiva se utilicen las sistemas informáticos y delitos contra la propiedad intelectual de los artículos 270 y siguientes del CP cuando se cometan utilizando las sistemas informáticos.

3. Delitos en los que la actividad criminal, además de servirse para su ejecución de las ventajas que ofrecen las TICS, entraña tal complejidad en su investigación que demanda conocimientos específicos en la materia: además de cualesquiera de los anteriores, especialmente los delitos de falsificación documental (arts. 390 CP y siguientes) cuando para la ejecución del delito se hubieran empleado sistemas informáticos; delitos de injurias y calumnias contra funcionario público, autoridad o agente de la misma (arts. 211 CP y siguientes) cometidos a través

de las sistemas informáticos; delitos de amenazas y coacciones (arts. 169 CP y siguientes); delitos contra la integridad moral (art. 173.1 CP) cometidos a través de sistemas informáticos y delitos de apología o incitación a la discriminación, el odio y la violencia o de negación o justificación de los delitos de genocidio (arts. 510 CP y 607.2 CP antes de la Ley Orgánica 1/2015, de 30 de marzo). Todos ellos siempre que la utilización de sistemas informáticos fuera determinante en la actividad delictiva y generara especial complejidad en la investigación criminal. Además, cualquier otro tipo delictivo en cuya ejecución haya sido igualmente determinante la utilización de los sistemas informáticos se encuadraría en esta lista.

2.3. Circular 3/2017 de la Fiscalía General del Estado

La Circular 3/2017 de la Fiscalía General del Estado, sobre la reforma del Código Penal operada por la Ley Orgánica 1/2015, de 30 de marzo, en relación con los delitos de descubrimiento y revelación de secretos y los delitos de daños informáticos, establece nueva circunstancia agravatoria del art. 197.4 b) CP (hechos sancionados en los párrafos 1° y 2° del art. 197 CP se lleven a cabo mediante la utilización no autorizada de datos personales de la víctima —por datos personales habrían de entenderse no solo los datos de identidad oficial, en sentido estricto, sino cualesquiera otros, propios de una persona o utilizados por ella, que le identifiquen o hagan posible su identificación frente a terceros tanto en un entorno físico como virtual—; el art. 197.7 CP sanciona penalmente la divulgación a terceros de imágenes o grabaciones audiovisuales de una persona que, aun obtenidas con su consentimiento, se difunden, revelan o ceden sin su anuencia, lesionando gravemente su intimidad personal —habrá que entender por las mismas los contenidos perceptibles únicamente por la vista, como los que se perciben conjuntamente por el oído y la vista y también aquellos otros que, aun no mediando imágenes, pueden captarse por el sentido auditivo—; la reubicación sistemática del delito de acceso ilegal a sistemas informáticos del art. 197 bis 1 CP deja constancia de que el bien jurídico protegido en el mismo no es directamente la intimidad personal, sino más bien la seguridad de los sistemas de información en cuanto medida de protección del ámbito de privacidad reservado a la posibilidad de conocimiento público (en la práctica será frecuente la concurrencia de este tipo, es decir, el acceso ilegal a sistemas[50], con cualquiera de las

---

[50] Cabe poner de manifiesto que en relación con las acciones relativas al mantenimiento y acceso en un sistema informático, el primer caso exige por su naturaleza que tenga lugar por medios informáticos o telemáticos, y el acceso, en cambio, requiere la introducción en el sistema sorteando las claves de acceso, sin el consentimiento o autorización de quien tenga el legítimo derecho a excluirlo.

conductas previstas en el art. 197. 1 y 2 CP, siendo en estos casos de apreciar un concurso medial[51] del art. 77 CP, al igual que en los supuestos en que el acceso ilegal tuviera por objeto el descubrimiento de secretos de empresa del art. 278 CP o el descubrimiento de secretos oficiales de los arts. 598 y siguientes CP; o una progresión delictiva que llevaría a considerar el concurso de normas sancionable por la vía del art. 8.3 CP, en los que no sea posible el acceso a la información íntima o a los datos personales por medio distinto de la vulneración de medidas de seguridad del sistema); el delito de interceptación ilegal de datos informáticos del art. 197 bis 2 CP requiere que quien efectúa la interceptación no esté autorizado para ello y que la misma se realice utilizando como medio artificios o instrumentos técnicos, debiendo entenderse por tales cualesquiera herramientas[52] o mecanismos que hagan posible este objetivo aunque no estén específicamente destinados a ello (cuando concurren la interceptación ilegal del art. 197 bis 2 CP y los delitos del art. 197.1 CP, el criterio a aplicar será el del concurso de normas a resolver conforme al principio de absorción del art. 8.3 CP, siendo de aplicación el art. 197.1 CP; y en el supuesto de que la interceptación ilegal del art. 197 bis 2 CP concurra con alguna de las conductas ilícitas contempladas en el art. 197.2 CP habrá de apreciarse un concurso medial del art. 77 CP); en el delito de abuso de dispositivos del art. 197 ter CP los instrumentos y herramientas pueden ser: programas informáticos y/o contraseñas, códigos de acceso o datos similares que hagan posible el acceso a un sistema (la falta de autorización para la elaboración, importación, adquisición o facilitación a terceros de esos instrumentos o herramientas y la exigencia de que dichas acciones estén orientadas a facilitar la comisión de alguno de los delitos a que se refieren los arts. 197. 1 y 2 y 197 bis CP); el art. 197 quater establece la agravación derivada de la comisión del hecho en el seno de una organización o grupo criminal; y con base en el art. 201 CP para proceder por estos delitos será necesaria denuncia de la persona agraviada o de su representante legal, sin perjuicio de las facultades asignadas al Ministerio Fiscal cuando se trate de personas menores de edad o en situación de discapacidad.

En el delito de daños en datos, programas informáticos o documentos electrónicos[53] del art. 264 CP, para la aplicación de la agravación del art. 264.2.2ª CP, no

---

[51] Acerca de los delitos que utilizan la informática como medio de comisión de delitos, vid. GIMÉNEZ GARCÍA, J.: "Delito e informática: algunos aspectos de derecho penal material", en *Eguzkilore*, nº 20, 2006, pp. 197-215.

[52] Al respecto, vid. DUARDO SÁNCHEZ, A.: *Herramientas informáticas y de inteligencia artificial para el meta-análisis en la frontera entre la bioinformática y las ciencias jurídicas*. Universidad de La Coruña. Tesis Doctoral, 2014.

[53] En relación con las distintas modalidades delictivas asociadas con la incorporación de los documentos informáticos, vid. CORCOY BIDASOLO, M.: Problemática de la persecución... *op. cit.*, pp. 11 y ss.

es necesario que concurran conjuntamente ambas circunstancias —que aparecen descritas—; la circunstancia del art. 264.2.3ª CP será aplicable cuando el ataque informático a datos, programas o documentos electrónicos afecte gravemente a la prestación ordinaria de servicios esenciales o a la provisión de bienes de primera necesidad; y la agravación del art. 264.2.4ª CP operará con la simple afección al sistema informático de una infraestructura crítica.

En el delito de obstaculización o interrupción del funcionamiento de sistemas informáticos ajenos del art. 264 bis CP, la obstaculización o interrupción del funcionamiento ha de ser grave (aquella que afecte realmente y de forma significativa a la funcionalidad del sistema atacado) y los sistemas informáticos ajenos (han de integrarse e interpretarse conjuntamente con el requisito de la falta de autorización o, dicho de otra forma, con la falta de disponibilidad de los contenidos o del sistema sobre el que se actúa).

El delito de abuso de dispositivos del art. 264 ter CP presenta idéntico contenido al del art. 197 ter CP, analizado en el marco de los delitos de descubrimiento y revelación de secretos, si bien en este supuesto los programas informáticos producidos, adquiridos para su uso, importados o facilitados a terceros han de estar concebidos o adaptados principalmente para la comisión de algunos de los delitos sancionados en los arts. 264 y 264 bis CP, al igual que las conductas típicas han de ejecutarse con esa misma finalidad. No obstante, en estos supuestos, la persecución de estas conductas no está sujeta a condiciones especiales de procedibilidad.

Para concluir el presente apartado no debemos obviar, aunque nos pronunciemos sobre ello muy superficialmente por no ser el núcleo de esta investigación, que los delitos informáticos son eminentemente delitos de carácter doloso, y ello porque no se contempla la imprudencia expresamente[54], ex art. 12 del Código Penal, no siendo por tanto necesario ningún elemento subjetivo del injusto adicional al dolo[55]. Así mismo, los actos preparatorios punibles[56] no se sancionan penalmente en estos delitos, si bien, al considerarse como delitos de resultado[57], caben

---

[54]　De hecho, hay autores que consideran que de otro modo sería desproporcionado e inadecuado. Vid. MORÓN LERMA, E.: *Internet y Derecho Penal... op. cit.*, pp. 67 y 68.

[55]　Vid. FERNÁNDEZ TERUELO, J.: *Cibercrimen. Los delitos cometidos a través de Internet.* Oviedo, Constitutio Criminalis Carolina, 2007, pp. 109 y 110.

[56]　Vid., al respecto, GÓMEZ TOMILLO, M.: "Autoría y participación por difusión de contenidos ilícitos a través de sistemas informáticos: especial referencia a los delitos contra la propiedad intelectual, la publicidad engañosa y la distribución de pornografía infantil", en *Eguzkilore*, nº 20, 2006, pp. 163-177; CORCOY BIDASOLO, M.: Problemática de la persecución... *op. cit.*, pp. 23 y ss.

[57]　Téngase en cuenta, no obstante, la relevante figura penal del agente encubierto. Al respecto, vid. VALIÑO CES, A.: "El agente encubierto informático y la ciberdelincuencia: el intercambio de archivos ilícitos para la lucha contra los delitos de pornografía infantil", en BUENO DE

las formas imperfectas de ejecución cuando no tiene lugar la comisión delictiva por causas ajenas a la voluntad del individuo, lo que viene conociéndose como tentativa delictiva[58]. Habrán de tenerse en cuenta, por su parte, aquellas situaciones en las que ha transcurrido un lapso de tiempo desde el inicio de la conducta típica hasta el despliegue de los resultados lesivos[59]. En estos casos, ¿cuándo debe de considerarse consumada la acción? La respuesta la hallamos en la teoría general del delito[60], que requiere la consecución del resultado previsto, y no otra cosa. Es por ello que cuando existan daños —que ya no puedan detenerse o, aún deteniéndose, se hayan causado daños parciales— podrá reprocharse penalmente la conducta realizada. El diseño y programación de bombas lógicas *per sé* no se castiga, en tanto en cuanto no se activen y causen un resultado.

No obstante, se ha llegado a afirmar que "para muchas empresas resulta más sencillo absorber los costes del delito, aumentando los gastos en seguridad de sus redes, que buscar y procurar que haya una intervención penal. Hasta el punto de que, a veces, los accesos no autorizados se ocultan a la mayor parte de los usuarios o incluso directivos de la empresa, quedándose en los especialistas o encargados de seguridad, de forma que sólo en los casos de daños irreparables la conciencia se agudiza"[61].

2.4. Extensión de la protección penal a otros delitos

La protección penal de la seguridad de la información y la comunicación debe extenderse a todos los delitos contra la confidencialidad, la integridad y la disponibilidad de los datos informáticos, además de a las falsedades informáticas. Estas infracciones penales pueden concretarse cuando se cometen por medio de

---

MATA, F. (Coord.): *Estudios sobre nuevas tecnologías y justicia*. Granada, Comares, 2016, pp. 275-285; del mismo: "La actuación del agente encubierto en los delitos informáticos tras la Ley Orgánica 13/2015", en FUENTES SORIANO, O. (Coord.): *El proceso penal: cuestiones fundamentales*. Valencia, Tirant lo Blanch, 2016, pp. 377-387; CAROU GARCÍA, S.: "El agente encubierto como instrumento de lucha contra la pornografía infantil en internet", en *Cuadernos de la Guardia Civil*, nº 56, 2018, pp. 23-40.

[58] Como ejemplo práctico sobre este tenor puede mencionarse aquel en el que un virus es detectado por un usuario del sistema informático, por lo que no llega a causar daño alguno; e incluso cuando tal virus tiene una potencialidad dañina elevada para el sistema pero, sin embargo, resulta neutralizado por un antivirus, impidiendo conseguir el objetivo para que el que estaba destinado.

[59] Este sería el caso de las bombas lógicas, cuya activación suele estar prevista para un momento temporal posterior a su programación.

[60] Vid., al respecto, DE LA MATA BARRANCO, N.J./HERNÁNDEZ DÍAZ, L.: El delito de daños informáticos... *op. cit.*, p. 353.

[61] Cfr. ADÁN DEL RÍO, C.: La persecución y sanción... *op. cit.*, p. 157.

las TICS en las siguientes: delitos contra la Administración Pública (Título XIX, Libro II), delitos contra la Administración de Justicia (Título XX, Libro II), delitos contra la Constitución (Título XXI, Libro II), delitos contra el Orden Público (Título XXII, Libro II), delitos de Traición y contra la Paz o la Independencia del Estado y relativos a la Seguridad y Defensa Nacional (Libro XXIII, Libro II), y delitos contra la Comunidad Internacional (Título XXIV, Libro II). Ello determina la necesidad de un Derecho penal específico para la protección de la seguridad en el ámbito "ciber" (las nuevas TICS han generado documentos en formatos no tradicionales que serán los manejados en un futuro inminente).

1. Delitos contra la Administración Pública: en relación con la infidelidad en la custodia de documentos y la violación de secretos, son infracciones penales a tener en consideración a estos efectos: el delito de sustracción, destrucción, inutilización u ocultación de documentos por quien tiene su custodia tipificado en el art. 413 CP; el delito de destrucción o inutilización de los medios que impiden el acceso a documentos tipificado en el art. 414.1 CP; el delito de acceso a documentos secretos sin la debida autorización tipificado en el art. 415 CP; el delito de infidelidad en la custodia de documentos por particular tipificado en el art. 416 CP; el delito de revelación de secretos o informaciones por autoridad o funcionario público; y el delito de aprovechamiento por particular para sí o para un tercero de secreto o información privilegiada tipificado en el art. 418 CP.

En relación con la malversación, son infracciones penales a tener en consideración a estos efectos: el delito de falseamiento de contabilidad o facilitación a terceros de información mendaz para causar perjuicio económico a la entidad pública de la que se depende tipificado en el art. 433 bis CP.

En relación con las negociaciones y actividades prohibidas a los funcionarios públicos, son infracciones penales a tener en consideración a estos efectos: el delito de uso indebido de secreto o información privilegiada tipificado en el art. 442 CP; y el delito de solicitud sexual por autoridad o funcionario público de persona que tiene pretensiones pendientes de su actuación profesional tipificado en el art. 443 CP.

2. Delitos contra la Administración de Justicia: en relación con los delitos de la obstrucción a la justicia y la deslealtad profesional, son infracciones penales a tener en consideración a estos efectos: el delito de apropiación de documentos en un proceso tipificado en el art. 465 CP, y, el delito de revelación de secretos procesales tipificado en el art. 466 CP.

En relación con los delitos contra la administración de justicia de la Corte Penal Internacional, son infracciones a tener en consideración a estos efectos: el delito de presentación de pruebas falsas o falsificadas, destrucción o alteración de pruebas o interferencia en las diligencias de prueba tipificado en el art. 471 bis.2 y 3 CP.

3. Delitos contra la Constitución: en relación con los delitos contra la Corona, son infracciones penales a tener en consideración a estos efectos: los delitos de calumnias o injurias con publicidad informática al Rey o Reina o cualquiera de sus familiares tipificado en los arts. 490.3 y 491 CP.

En relación con los delitos contra las Instituciones del Estado y la división de poderes, son infracciones penales a tener en consideración a estos efectos: el delito de injurias graves con publicidad informática a las Cortes Generales o Asamblea Legislativa o a sus Comisiones tipificado en el art. 496 CP; el delito de calumnias o injurias graves con publicidad informática contra otras Instituciones tipificado en el art. 504 CP; y el delito de calumnias o injurias con publicidad informática contra miembros de las Corporaciones Locales tipificado en el art. 505.2 CP.

En relación con los delitos relativos al ejercicio de los derechos fundamentales y libertades públicas, son infracciones penales a tener en consideración a estos efectos entre los delitos cometidos con ocasión del ejercicio de los derechos fundamentales y de las libertades públicas garantizadas por la Constitución: el delito de provocación o incitación a la discriminación, al odio o a la violencia tipificado en el art. 510 CP. Entre los delitos contra la libertad de conciencia, los sentimientos religiosos y el respeto a los difuntos: el delito de escarnio y vejación con publicidad informática de los sentimientos religiosos tipificado en el art. 525 CP.

En relación con los delitos cometidos por los funcionarios públicos contra las garantías constitucionales, son infracciones penales a tener en consideración a estos efectos entre los delitos cometidos por los funcionarios públicos contra la garantía de la intimidad: el delito de interceptación ilegal de la correspondencia y de la divulgación de la información obtenida tipificado en el art. 535 CP. El delito de interceptación ilegal de las telecomunicaciones y divulgación de la información obtenida tipificado en el art. 536 CP.

4. Delitos contra el orden público: en relación con los delitos de desórdenes públicos, son infracciones penales a tener en consideración a estos efectos: el delito de distribución o difusión pública de mensajes o consignas que inciten a la alteración del orden público tipificado en el art. 559 CP.

En relación con los delitos de terrorismo, son infracciones penales a tener en consideración a estos efectos: el delito de enaltecimiento o la justificación públicos de los delitos terroristas comprendidos en los arts. 572 a 577 tipificado en el art. 578 CP; y el delito de difusión pública de mensajes o consignas idóneos para incitar a otros a la comisión de los delitos de terrorismo tipificado en el art. 579 CP.

5. Delitos de traición y contra la paz o la independencia del Estado: en relación con los delitos de traición, son infracciones penales a tener en consideración a estos efectos: el delito de favorecimiento del enemigo por español que toma

las armas contra la patria, suministra medios directos y eficaces para hostilizar a España y favorece el progreso de las armas enemigas e impide que las tropas nacionales reciban auxilios, datos o noticias tipificado en el art. 583 CP; el delito de espionaje tipificado en el art. 584 CP; y el delito de traición cometido por extranjero tipificado en el art. 586 CP.

En relación con los delitos que comprometen la paz o la independencia del Estado, son infracciones penales a tener en consideración a estos efectos: el delito de injerencia de soberanía del Estado tipificado en el art. 589 CP; el delito de mantenimiento de inteligencia o relación con el extranjero con el fin de perjudicar la autoridad del Estado o comprometer la dignidad o los intereses vitales de España o provocar una guerra o una rebelión tipificado en el art. 592 CP; el delito de derrotismo por español o extranjero tipificado en el art. 594 CP; y el delito de correspondencia con país enemigo tipificado en el art. 596 CP.

En relación con los delitos de descubrimiento y revelación de secretos e informaciones relativas a la defensa nacional, son infracciones penales a tener en consideración a estos efectos: el delito de procurar, revelar, falsear o inutilizar información militar reservada o secreta tipificado en el art. 598 CP; el delito de procurar, revelar, falsear o inutilizar información militar reservada o secreta por quien la conoce por su cargo o para darla publicidad tipificado en el art. 599 CP, que tiene su base en el art. 598 CP; el delito de reproducción sin autorización de documentos militares y tenencia ilegal de objetos o información militares tipificado en el art. 600 CP; el delito de conocimiento de información reservada o secreta o de interés militar por imprudencia grave tipificado en el art. 601 CP; el delito de descubrimiento, violación, revelación, sustracción o utilización de información reservada o secreta relacionada con la energía nuclear tipificado en el art. 602 CP: y el delito de violación de la correspondencia o documentación reservada o secreta tipificado en el art. 603 CP.

6. Delitos contra la Comunidad Internacional: en relación con los delitos contra las personas y bienes especialmente protegidos en caso de conflicto armado, son infracciones penales a tener en consideración a estos efectos: el delito de violación de Convenio y de la protección a personas, bienes, signos protectores, bandera, uniforme, insignia o emblema tipificado en el art. 612 CP; y el delito de violación de la protección a bienes culturales o lugares de culto, bienes de carácter civil, bienes indispensables para la supervivencia de la población civil, bienes muebles e inmuebles, obras o instalaciones, cosas, material, unidades, residencia privada y vehículos tipificado en el art. 613 CP.

Por otra parte, también es punible de forma excepcional la "provocación para delinquir por medios informáticos" en los delitos en los que el CP ha previsto su castigo. La provocación existe cuando directamente se incita por medio de la imprenta, la radiodifusión o cualquier otro medio de eficacia semejante, que facilite la publicidad, o ante una concurrencia de personas, a la perpetración de un delito (es apología, a los efectos del CP, la exposición, ante una concurrencia de personas o por cualquier medio de difusión, de ideas o doctrinas que ensalcen el crimen o enaltezcan a su autor; la apología se concreta a una difusión de ideas o doctrinas que supongan un ensalzamiento del delito o un enaltecimiento de sus autores, y, sólo será delictiva como forma de provocación y si por su naturaleza y circunstancias constituye una incitación directa a cometer un delito —el delito de apología en general prohíbe la aprobación de comportamientos delictivos, según lo declarado en las SSTS, Sala 2ª, de 4 de julio de 1994 y de 29 de noviembre de 1997—). La provocación requiere una incitación pública y directa a la perpetración de un delito a través de los medios de comunicación de masas, y, tanto el provocador como el inductor se desentienden de la ejecución, aunque en ambos casos la actuación es directa (si a la provocación hubiese seguido la perpetración del delito, se castigará como inducción); en la apología se exponen ideas o doctrinas que ensalcen el crimen o enaltezcan a su autor. La punición de la provocación en el CP aparece en los arts. 141 (delitos de homicidio), 151 (delitos de lesiones), 168 (delitos de detenciones ilegales o secuestros), 177 bis.8 (delito de trata de seres humanos), 269 (delitos de robo, extorsión, estafa o apropiación indebida), 304 (delitos de blanqueo de capitales), 373 (delitos de tráfico drogas), 445 (delitos contra la administración de justicia después de la Ley Orgánica 1/2015, de 30 de marzo), 477 (delitos de rebelión), 488 (delitos contra la Corona), 519 (delito de asociación ilícita), 548 (delitos de sedición), 553 (delitos de atentado, resistencia y desobediencia), 579 (delitos de terrorismo), 585 (delitos de traición) y 615 CP (delitos contra la comunidad internacional).

En definitiva, es una realidad que no resulta sencillo que un país pueda controlar todo lo que sus ciudadanos transmitan dentro de su territorio —más allá de las dificultades jurídicas y procesales[62]—, pero es evidente que a

---

[62]   Sobre esta cuestión, vid. ADÁN DEL RÍO, C.: La persecución y sanción... op. cit., pp. 151-161; CORCOY BIDASOLO, M.: Problemática de la persecución... op. cit., pp. 7-32; GALÁN MUÑOZ, A.: La internacionalización de la represión... op. cit., pp. 90-107; VELASCO NÚÑEZ, E.: La investigación de los delitos cometidos a través de internet y otras nuevas tecnologías: cuestiones procesales. Universidad de La Coruña. Tesis doctoral, 2010; el mismo: "La investigación de delitos informáticos con garantías judiciales: nuevos formatos para la delincuencia", en Telos, n.º 85, 2010, pp. 113-115; DE LA MATA BARRANCO, N.J./HERNÁNDEZ DÍAZ, L.: "Problemas de tipificación de los delitos informáticos", en SALAZAR SÁNCHEZ, N. (Coord.): Dogmática penal de derecho penal económico y política criminal: homenaje a Klaus Tiedeman. Universidad de San Martín de Porres, Vol. 1, 2011, pp. 373-412; PÉREZ MACHÍO, A.I.: "Dos problemas particulares de cara a la persecución de los delitos informáticos (parte I)", en VV.AA: Delincuencia económica: tiempos de cautela y amparo. Navarra, Aranzadi, 2012, pp. 273-278; el mismo: "Dos problemas particulares de cara a la persecución de los delitos infor-

través de algunas redes de comunicación modernas, ciertas informaciones que se transmiten sí tienen efectos notables dentro de sus fronteras[63]. Si bien es cierto, tras las últimas reformas penales, pareciera que el legislador, en virtud de lo dispuesto en las exposiciones de motivos de las mismas, que aluden al origen internacional de cualquier nuevo tipo delictivo, es impulsado a manifestar su legitimidad incriminatoria. Y es que, para el legislador penal español, si son varios los países democráticos de nuestro entorno los que se han puesto de acuerdo en penalizar o criminalizar una determinada conducta, estaríamos equivocados si no incorporamos tal reproche penal en nuestro ordenamiento jurídico, debiéndonos de ajustar a lo dispuesto en la generalidad de textos penales europeos. Esto se deduce de la literalidad de las distintas motivaciones que justifican a cada reforma penal. Sin embargo, algunas de las conductas que se persiguen penalmente están muy alejadas del bien o bienes jurídicos protegidos que se tratan de tutelar.

En puridad, resulta probable que el propio legislador penal español lo que pretende es que la intimidación y retribución como principios clásicos del Derecho penal le ganen terreno a otros principios como el de mínima intervención, subsidiariedad, o *ultima ratio*, y ello en aras de que resulten contemplados el mayor número de tipos penales en la norma, con independencia de que su regulación no sea coherente[64] con nuestro Derecho penal. En definitiva, acudir al instrumento punitivo para neutralizar las conductas desviadas de los actores e individuos no es la solución, en todos los casos, por ello no debe de ser la *ultima ratio* la vía de erradicar los problemas sociales que bien pudieran inocuizarse a través de otra rama jurídica.

---

máticos (parte II)", en VV.AA: *Delincuencia económica: tiempos de cautela y amparo*. Navarra, Aranzadi, 2012, pp. 279-302; ROSENDES, E.E.: "Ejercicio de la acción y la competencia en los delitos informáticos"", en *Revista de Derecho Penal y Criminología*, n.º 9, 2012, pp. 165-175; ORTIZ PRADILLO, J.C.: *Problemas procesales de la ciberdelincuencia*. Madrid, Colex, 2013.

[63] Vid. GALÁN MUÑOZ, A.: La internacionalización de la represión... *op. cit.*, p. 91.

[64] Así, por ejemplo, tal y como atisba Galán Muñoz, "¿cómo se puede justificar que quien se limita a tener un instrumento destinado a desproteger programas informáticos pueda ser sancionado con la misma pena que a aquel que lo usa y con ello ocasiona una efectiva lesión patrimonial al titular de los derechos de explotación que recaen sobre el mismo? ¿No se encuentra dicha conducta tan alejada de la efectiva lesión patrimonial que debería ser considerada como un mero acto preparatorio de los delitos que castigan esta última afección?". Cfr. GALÁN MUÑOZ, A.: La internacionalización de la represión... *op. cit.*, p. 92.

V. BIBLIOGRAFÍA

ADÁN DEL RÍO, C.: "La persecución y sanción de los delitos informáticos", en *Eguzkilore*, nº 20, 2006.

ÁLVAREZ VIZCAYA, M.: "Consideraciones político criminales sobre la delincuencia informática: el papel del derecho penal en la red", en *Cuadernos de derecho judicial*, nº 10, 2001.

ANARTE BORRALLO, E.: "Incidencia de las nuevas tecnologías en el sistema penal. Aproximación al Derecho penal en la sociedad de la información", en *Derecho y conocimiento: anuario jurídico sobre la sociedad de la información y del conocimiento*, nº 1, 2002.

ANARTE BORRALLO, E./DOVAL PAIS, A.: "Límites de la ley penal a propósito del nuevo delito de intrusión informática", en *Revista General de Derecho Penal*, nº 18, 2012.

ASENCIO GALLEGO, J.Mª.: "Los delitos informáticos y las medidas de investigación y obtención de pruebas en el convenio de Budapest sobre la ciberdelincuencia", en ASENCIO MELLADO, J.Mª. (Dir.): *Justicia penal y nuevas formas de delincuencia*. Valencia, Tirant lo Blanch, 2017.

BAÓN RAMÍREZ, R.: "Visión general de la informática en el nuevo Código Penal", en *Cuadernos de derecho judicial*, nº 11, 1996.

BARRIO ANDRÉS, M.: "Los delitos cometidos en internet: marco comparado, internacional y derecho español tras la reforma penal de 2010", en *La Ley Penal*, n.º 86, 2011.

BARRIO ANDRÉS, M.: "El régimen jurídico de los delitos cometidos en internet en el derecho español tras la reforma penal de 2010", en VV.AA: *Delincuencia económica: tiempos de cautela y amparo*. Navarra, Aranzadi, 2012.

BERMÚDEZ GONZÁLEZ, J.A.: "La reforma del Código penal: nuevas modalidades de delitos informáticos", en *Estudios jurídicos*, n.º 2010, 2010.

BERMÚDEZ GONZÁLEZ, J.A.: "Los delitos informáticos en el Código penal: una panorámica desde 1995, con especial atención a la última reforma de 2010", en *Estudios Jurídicos*, n.º 2011, 2011.

CAROU GARCÍA, S.: "El agente encubierto como instrumento de lucha contra la pornografía infantil en internet", en *Cuadernos de la Guardia Civil*, nº 56, 2018.

CARRASCO ANDRINO, M.ª M.: "El delito de acceso ilícito a los sistemas informáticos (arts. 197 y 201)", en ÁLVAREZ GARCÍA, F.J. (Dir.): *Comentarios a la Reforma Penal de 2010*. Valencia, Tirant lo Blanch, 2010.

CHOCLÁN MONTALVO, J.A.: "Infracciones patrimoniales en los procesos de transferencia de datos", en ROMEO CASABONA, C.M. (Coord.): *El cibercrimen: nuevos retos jurídico-penales, nuevas respuestas político-criminales*. Granada, Comares, 2006.

CONTRERAS CLUNES, A.: "Delitos informáticos: un importante precedente", en *Ius et Praxis*, n.º 1, 2003.

CONTRERAS SOLER, B./GARRÓS FONT, I.: "Los principales delitos cibernéticos cuyos sujetos pasivos pueden ser los particulares, las personas jurídicas o la Administración Pública", en *Revista de Derecho y Proceso Penal*, n.º 48, 2017.

CORCOY BIDASOLO, M.: "Problemática de la persecución penal de los denominados delitos informáticos: particular referencia a la participación criminal y al ámbito espacio temporal de comisión de los hechos", en *Eguzkilore*, n.º 21, 2007.

CORRECHER MIRA, J./OXMAN, N.: "La imputación del "mulero" en los delitos de estafa por manipulación informática: la jurisprudencia a examen", en *Revista General de Derecho Penal*, n° 21, 2014.

DE LA MATA BARRANCO, N.J./BARINAS UBIÑAS, D.: "La protección penal de la vida privada en nuestro tiempo social: ¿necesidad de redefinir el objeto de tutela?", en *Revista de Derecho Penal y Criminología*, n.° 11, 2014.

DE LA MATA BARRANCO, N.J./HERNÁNDEZ DÍAZ, L.: "El delito de daños informáticos: una tipificación defectuosa", en *Estudios Penales y Criminólogos*, XXIX, 2009.

DE LA MATA BARRANCO, N.J./HERNÁNDEZ DÍAZ, L.: "Los delitos vinculados a la informática en el Derecho penal español", en DE LA CUESTA ARZAMENDI, J.L. (Dir.): *Derecho penal informático*. Madrid, Civitas, 2010.

DE LA MATA BARRANCO, N.J./HERNÁNDEZ DÍAZ, L.: "Problemas de tipificación de los delitos informáticos", en SALAZAR SÁNCHEZ, N. (Coord.): *Dogmática penal de derecho penal económico y política criminal: homenaje a Klaus Tiedeman*. Universidad de San Martín de Porres, Vol. 1, 2011.

DE LA MATA BARRANCO, N.J.: "El delito de daños a datos, programas, documentos y sistemas informáticos", en JUANES PECES, A. (Dir.): *Reforma del Código Penal: perspectiva económica tras la entrada en vigor de la Ley Orgánica 5/2010 de 22 de junio: situación jurídico-penal del empresario*. Madrid, El Derecho, 2010.

DE LA MATA BARRANCO, N.J.: "Los delitos contra la integridad y disponibilidad de datos y sistemas informáticos después de la LO 1/2015", en VV.AA: *Estudios de Derecho Penal: homenaje al profesor Miguel Bajo*. Madrid, Ramón Areces, 2016.

DE LA MATA BARRANCO, N.J.: "Reflexiones sobre el bien jurídico a proteger en el delito de acceso informático", en *Cuadernos de Política Criminal*, n.° 118, 2016.

DE LA MATA BARRANCO, N.J.: "Delitos informáticos (contra sistemas y datos)", en DE LA CUESTA ARZAMENDI, J.L./DE LA MATA BARRANCO, N.J./BLANCO CORDERO, I. (Coords.): *Adaptación del derecho penal español a la política criminal de la Unión Europea*. Navarra, Aranzadi, 2017.

DE URBANO CASTRILLO, E.: "Los delitos informáticos tras la reforma del CP de 2010", en *Revista Aranzadi Doctrinal*, n° 9, 2011.

DE URBANO CASTRILLO, E.: "Los delitos informáticos tras la reforma del CP de 2010", en VV.AA: *Delincuencia económica: tiempos de cautela y amparo*. Navarra, Aranzadi, 2012.

DÍAZ CAPPA, J.: "Confidencialidad, secreto de las comunicaciones e intimidad en el ámbito de los delitos informáticos", en *Diario La Ley*, n.° 7666, 2011.

DÍAZ GÓMEZ, A.: "El delito informático, su problemática y la cooperación internacional como paradigma de su solución: el Convenio de Budapest", en *Revista Electrónica del Departamento de Derecho de la Universidad de La Rioja*, n° 8, 2010.

DOVAL PAIS, A.: "La intimidad y los secretos de empresa como objeto de ataque por medios informáticos", en *Eguzkilore*, n.° 22, 2008.

DUARDO SÁNCHEZ, A.: *Herramientas informáticas y de inteligencia artificial para el meta-análisis en la frontera entre la bioinformática y las ciencias jurídicas*. Universidad de La Coruña. Tesis Doctoral, 2014.

ESTRADA POSADA, R./SOMELLERA, R.: "Delitos informáticos", en *Informática y derecho*, n.° 27-29, 1998.

FARALDO CABANA, P.: "Los conceptos de manipulación informática y artificio semejante en el delito de estafa informática", en *Eguzkilore*, n° 21, 2007.

FARALDO CABANA, P.: "Estrategias legislativas en las reformas de los delitos informáticos contra el patrimonio", en *Revista Aranzadi de Derecho y Nuevas Tecnologías*, n.° 38, 2015.

FARALDO CABANA, P.: "Estrategias legislativas en las reformas de los delitos informáticos contra el patrimonio", en *Revista Aranzadi de Derecho y Nuevas Tecnologías*, n.° 42, 2016.

FERNÁNDEZ FERNÁNDEZ, C.: "Delitos informáticos", en *Base Informática*, n.° 43, 2008.

FERNÁNDEZ TERUELO, J.: *Cibercrimen. Los delitos cometidos a través de Internet*. Oviedo, Constitutio Criminalis Carolina, 2007.

FERNÁNDEZ TERUELO, J.G.: *Derecho penal e internet: especial consideración de los delitos que afectan a jóvenes y adolescentes*. Madrid, Lex Nova, 2011.

FLORES PRADA, I.: *Criminalidad informática (aspectos sustantivos y procesales)*. Valencia, Tirant lo Blanch, 2012.

GABRIELA MALLO, P.: *Descubrimiento y revelación de secretos*. Universidad de Sevilla. Tesis doctoral, 2014.

GALÁN MUÑOZ, A.: "La internacionalización de la represión y la persecución de la criminalidad informática: un nuevo campo de batalla en la eterna guerra entre prevención y garantías penales", en *Revista Penal*, n° 24, 2009.

GARCÍA GONZÁLEZ, J.: "Protección penal de la intimidad: el art. 197.1° del Código Penal", en GARCÍA GONZÁLEZ, J. (Coord.): *Ciberacoso: la tutela penal de la intimidad, la integridad y la libertad sexual en internet*. Valencia, Tirant lo Blanch, 2007.

GARCÍA GUILABERT, N.: *Victimización de menores por actos de ciberacoso continuado y actividades cotidianas en el ciberespacio*. Murcia, Universidad de Murcia. Tesis doctoral, 2014.

GIL ANTÓN, A.Mª.: "De los delitos contra la intimidad personal y familiar y delito informático, de acuerdo con la reforma operada por la LO 1/2015, de 30 de marzo, de reforma del Código Penal", en *Revista Aranzadi de Derecho y Nuevas Tecnologías*, n.° 39, 2015.

GIMÉNEZ GARCÍA, J.: "Delito e informática: algunos aspectos de derecho penal material", en *Eguzkilore*, n° 20, 2006.

GÓMEZ TOMILLO, M.: "Autoría y participación por difusión de contenidos ilícitos a través de sistemas informáticos: especial referencia a los delitos contra la propiedad intelectual, la publicidad engañosa y la distribución de pornografía infantil", en *Eguzkilore*, n° 20, 2006.

GONZÁLEZ DE CHAVES CALAMITA, M.ª E.: "El llamado "delito informático"", en *Anales de la Facultad de Derecho*, n.° 21, 2004.

GONZÁLEZ HURTADO, J.A.: *Delincuencia informática: daños informáticos del artículo 264 del Código Penal y propuesta de reforma*. Universidad Complutense de Madrid. Tesis doctoral, 2013.

GONZÁLEZ RUS, J.J.: "Protección penal de sistemas, elementos, datos, documentos y programas informáticos", en *Revista Electrónica de Ciencia Penal y Criminología*, n.° 1, 1999.

GUDÍN RODRÍGUEZ-MAGARIÑOS, F.: "Algunas consideraciones sobre el nuevo delito de Grooming", en VV.AA: *Delincuencia económica: tiempos de cautela y amparo.* Navarra, Aranzadi, 2012.

HERNÁNDEZ DÍAZ, L.: "El delito informático", en *Eguzkilore*, n° 23, 2009.

HUETE NOGUERAS, J.: "La reforma de los delitos informáticos", en *Diario La Ley*, n.° 7534, 2010.

MAGRO SERVET, V.: "Delitos y delincuentes informáticos", en AVILÉS GÓMEZ, M. (Coord.): *Delitos y delincuentes: cómo son, cómo actúan.* Alicante, Club Universitario, 2010.

MATALLANES RODRÍGUEZ, N.: "El intrusismo informático como delito autónomo", en *Revista General de Derecho Penal*, n.° 2, 2004.

MATA Y MARTÍN, R.: *Delincuencia informática y derecho penal.* Madrid, Edisofer, 2001.

MATA Y MARTÍN, R.: *Estafa convencional, estafa informática y robo en el ámbito de los medios electrónicos de pago.* Navarra, Aranzadi Thomson Reuters, 2007.

MENDO ESTRELLA, A.: "Delitos y redes sociales: mecanismos formalizados de lucha y delitos más habituales. El caso de la suplantación de identidad", en *Revista General de Derecho Penal*, n° 22, 2014.

MIRÓ LINARES, F.: *El cibercrimen. Fenomenología y criminología de la delincuencia en el ciberespacio.* Madrid, Marcial Pons, 2012.

MONTERDE FERRER, F.: "Especial consideración de los atentados por medios informáticos contra la intimidad y privacidad", en *Cuadernos de derecho judicial*, n° 3, 2006.

MONTSERRAT SÁNCHEZ-ESCRIBANO, M.ª I.: "Libertad informática y protección de datos: desarrollo en la jurisprudencia del Tribunal Constitucional y tutela penal en el delito de descubrimiento y revelación de secretos", *en Anuario iberoamericano de justicia constitucional*, n.° 19, 2015.

MORALES GARCÍA, O.: "Comentario a los delitos informáticos de los arts. 197, 248, y 264 CP", en VV.AA: *Delincuencia económica: tiempos de cautela y amparo.* Navarra, Aranzadi, 2012.

MORALES PRATS, F.: "El delito de acceso ilícito a los sistemas informáticos (Art. 197.3) y la proyección de la responsabilidad de las personas jurídicas a los delitos contra la intimidad: una primera acotación a la reforma penal de 2010", en VV.AA.: *Un derecho penal comprometido: libro homenaje al prof. Dr. Gerardo Landrove Díaz.* Valencia, Tirant lo Blanch, 2011.

MORILLAS CUEVA, L.: "Nuevas tendencias del Derecho Penal: Una reflexión dirigida a la cibercriminalidad", en *Cuadernos de política criminal*, n° 94, 2008.

MORÓN LERMA, E.: *Internet y derecho penal: "hacking" y otras conductas ilícitas en la red.* Pamplona, Thomson Reuters Aranzadi, 1999.

MORÓN LERMA, E.: "Derecho penal y nuevas tecnologías: panorama actual y perspectivas futuras", en VV.AA.: *Internet y Pluralismo jurídico: formas emergentes de regulación.* Granada, Comares, 2003.

MOYA FUENTES, M.ª M.: "El nuevo delito de acceso ilícito a sistemas informáticos: art. 197.3 CP", en *Revista General de Derecho Penal*, n.° 14, 2010.

MUÑOZ CUESTA, F.J.: "Los delitos sexuales contra menores de trece años: en especial los cometidos a través de internet u otra tecnología de la información o la comunicación", en VV.AA: *Delincuencia económica: tiempos de cautela y amparo*. Navarra, Aranzadi, 2012.

ORTIZ PRADILLO, J.C.: *Problemas procesales de la ciberdelincuencia*. Madrid, Colex, 2013.

ORTS BERENGUER, E./ROIG TORRES, M.: *Delitos informáticos y delitos comunes cometidos a través de la informática*. Valencia, Tiirant Lo Blanch, 2001.

PÉREZ LUÑO, A.E.: *Manual de informática y derecho*. Barcelona, Ariel, 1996.

PÉREZ MACHÍO, A.I.: "Dos problemas particulares de cara a la persecución de los delitos informáticos (parte I)", en VV.AA: *Delincuencia económica: tiempos de cautela y amparo*. Navarra, Aranzadi, 2012.

PÉREZ MACHÍO, A.I.: "Dos problemas particulares de cara a la persecución de los delitos informáticos (parte II)", en VV.AA: *Delincuencia económica: tiempos de cautela y amparo*. Navarra, Aranzadi, 2012.

PONS GAMON, V.: "Internet, la nueva era del delito: ciberdelito, ciberterrorismo, legislación y ciberseguridad", en *URVIO: Revista Latinoamericana de Estudios de Seguridad*, n.º 20, 2017.

PRÍAS BERNAL, J.C.: "Aproximación al estudio de los delitos informáticos", en *Derecho Penal Contemporáneo*, n.º 17, 2006.

PUENTE ABA, L.Mª.: "Delitos contra la intimidad y nuevas tecnologías", en *Eguzkilore*, n.º 21, 2007.

RAGUÉS Y VALLÈS, R./ROBLES PLANAS, R.: "La reforma de los "delitos informáticos": Incriminación de los ataques a sistemas de información", en SILVA SÁNCHEZ, J.Mª. (Dir.): *El nuevo Código Penal: comentarios a la reforma*. Madrid, La Ley, 2012.

REY HUIDOBRO, L.F.: "La estafa informática: relevancia penal del phising y el pharming", en *Diario La Ley*, n.º 7926, 2012.

RINCÓN RÍOS, J.: *El delito en la cibersociedad y la justicia penal internacional*. Universidad Complutense de Madrid. Tesis doctoral, 2015.

RIQUERT, M./GUTIÉRREZ, R./RADESCA, L.: "El delito de acceso ilegítimo a sistema o dato informático (intrusismo informático simple)", en *Revista de Derecho Penal y Criminología*, n.º 11, 2013.

RODRÍGUEZ DAMIÁN, A.: "Delitos informáticos", en *Anuario de la Facultad de Derecho de Ourense*, n.º 1, 2004.

RODRÍGUEZ MOURULLO, G./ALONSO GALLO, J./LASCURAÍN SÁNCHEZ, J.A.: "Derecho penal e internet", en VV.AA.: *Régimen jurídico de internet*. Madrid, La Ley, 2001.

ROMEO CASABONA, C.Mª.: "Capítulo 1: De los delitos informáticos al cibercimen. Una aproximación conceptual y político criminal", en ROMEO CASABONA, C.Mª. (Coord.): *El cibercrimen: nuevos retos jurídico-penales, nuevas respuestas político-criminales*. Granada, Comares, 2006.

ROSENDES, E.E.: "Ejercicio de la acción y la competencia en los delitos informáticos"", en *Revista de Derecho Penal y Criminología*, n.º 9, 2012.

ROVIRA DEL CANTO, E.: *Delincuencia informática y fraudes informáticos*. Granada, Comares, 2002.

RUIZ MARCO, F.: *Los delitos contra la intimidad: especial referencia a los ataques cometidos a través de la informática*. Madrid, Colex, 2001.

SALOM CLOTET, J.: "Delito informático y su investigación", en *Cuadernos de Derecho Judicial*, n.º 3, 2006.

SALVADORI, I.: "Los nuevos delitos informáticos introducidos en el Código penal español con la Ley Orgánica 5/2010: perspectiva de derecho comparado", en *Anuario de Derecho Penal y Ciencias Penales*, n.º 64, 2011.

SÁNCHEZ DOMINGO, MªB.: "Delincuencia informática y el delito de intrusismo informático: aspectos de su regulación en instrumentos normativos europeos y su transposición al Código penal español acorde a la LO 5/2010 de reforma del Código penal español", en *Revista General de Derecho Penal*, nº 18, 2012.

SEGADE BLANCO, M.ªC.: "Los delitos informáticos: protección de los derechos fundamentales", en *Ciencia policial*, n.º 120, 2013.

SOTO NIETO, F.: "Delito informático: acceso y obtención de datos personales", en *La Ley*, n.º 7, 2001.

TÉLLEZ VALDÉS, J.A.: "Delitos cibernéticos", en *Informática y derecho*, n.º 27, 1998.

VALIÑO CES, A.: "El agente encubierto informático y la ciberdelincuencia: el intercambio de archivos ilícitos para la lucha contra los delitos de pornografía infantil", en BUENO DE MATA, F. (Coord.): *Estudios sobre nuevas tecnologías y justicia*. Granada, Comares, 2016.

VALIÑO CES, A.: "La actuación del agente encubierto en los delitos informáticos tras la Ley Orgánica 13/2015", en FUENTES SORIANO, O. (Coord.): *El proceso penal: cuestiones fundamentales*. Valencia, Tirant lo Blanch, 2016.

VANINETTI, H.A.: "Estafa en internet. Transferencia electrónica de fondos. Operatoria de home banking: la competencia en los delitos informáticos", en *Revista de Derecho Penal y Criminología*, n.º 1, 2017.

VELASCO NÚÑEZ, E.: *La investigación de los delitos cometidos a través de internet y otras nuevas tecnologías: cuestiones procesales*. Universidad de La Coruña. Tesis doctoral, 2010.

VELASCO NÚÑEZ, E.: "La investigación de delitos informáticos con garantías judiciales: nuevos formatos para la delincuencia", en *Telos*, n.º 85, 2010.

VELASCO NÚÑEZ, E.: "Delitos informáticos realizados en actuación organizada", en *Diario La Ley*, n.º 7743, 2011.

VELASCO NÚÑEZ, E.: Los delitos informáticos", en *Práctica penal: cuaderno jurídico*, n.º 81, 2015.

VIEGA RODRÍGUEZ, MªJ.: "Respuestas a los delitos informáticos: su visión desde la privacidad y la seguridad de la información", en *Revista CADE*, n º 9, 2010.

VILLAVICENCIO TERREROS, F.: "Delitos informáticos", en *Ius et Veritas*, n.º 49, 2014.

VV.AA.: "El delito de acceso ilegítimo a sistema o dato informático (intrusismo informático simple)", en *Revista de Derecho Penal y Criminología*, n.º 11, 2013.

ZORRAQUINO RICO, A.: "Delitos informáticos", en *Cuadernos de Derecho Judicial*, n.º 5, 2006.

CAPÍTULO 9
EL SEGURO DE RIESGOS CIBERNÉTICOS[1]

JOSÉ MARÍA ELGUERO
Profesor de Derecho Civil de la Universidad Pontificia Comillas (ICAI-ICADE)
Doctor en Derecho. Doctor en Ciencias Políticas
Académico Correspondiente de la Real Academia
de Jurisprudencia y Legislación de España

Sumario: I. INTRODUCCIÓN. II. EL MERCADO DE CIBERSEGUROS. III. SEGURO DE RIESGOS CIBERNÉTICOS. 1. Denominación. 2. Naturaleza jurídica y riesgo cubierto. IV. ESTRUCTURA DE LA PÓLIZA. DEFINICIONES. REDACCIÓN. 1. Cobertura. 1.1 Coberturas generales. 1.2 Extensiones. 1.3. Coberturas opcionales. 2. Exclusiones. 2.1. Exclusiones generales. 2.2. Exclusiones específicas. 3. Aspectos técnicos del seguro. 3.1 Delimitación temporal de la cobertura. 3.2 Asignación. 3.3. Límite por periodo. 3.4. Franquicia. 3.5. Ámbito territorial. 3.6. Efecto y duración del contrato. 3.7. Concurrencia de seguros. V. SUSCRIPCIÓN Y COTIZACIÓN. VI. DECLARACIÓN DEL RIESGO. VII. BIBLIOGRAFÍA.

Palabras clave: Ciberriesgo; Ciberseguros; Ciberseguridad; Responsabilidad civil, Seguro.

Resumen: El seguro de riesgos cibernéticos ofrece cobertura para los daños que se causen como consecuencia de incidentes de ciberseguridad producidos en los sistemas de información de una empresa, que afectan tanto a terceros como a la propia empresa.
El desarrollo de esta modalidad aseguradora corre paralelo al auge de la tecnología y al aumento de los ciberataques, que se producen en todos los sectores, en todo el planeta, hasta el punto de hablarse de la existencia de una guerra cibernética recurrente entre Estados. Aunque las perspectivas de desarrollo son muy positivas, existe todavía una importante falta de conciencia del riesgo y un desconocimiento de las soluciones aseguradoras existentes.
Las pólizas de seguro que se comercializan en el mercado español son muy homogéneas en su estructura y contenido ya que han sido importadas de mercados anglosajones más avanzados y apenas se han modificado.
En el presente trabajo se aborda el estudio de los ciberseguros como respuesta a los riesgos cibernéticos, analizando su importancia en el mercado asegurador español y el alcance de la póliza en términos de coberturas, exclusiones y principales características.

---

[1]   Al no tener una regulación propia en la Ley de Contrato de Seguro y ser de reciente introducción en el mercado español, el seguro de riesgos cibernéticos recibe diversas denominaciones en función de la entidad aseguradora que lo comercialice. Hemos optado por la denominación de *Seguro de Riesgos Cibernéticos* por ser la más utilizada y comprensible en castellano.

I. INTRODUCCIÓN

Si puede afirmarse que un seguro está hoy de actualidad ese es el de ciber-seguros o seguro de riesgos cibernéticos[2], como en su día lo estuvo el de D&O, entendiendo por estar de actualidad ser el seguro más reciente y novedoso y el de mayor potencial de crecimiento en los próximos años. A ello se une la reciente trasposición al derecho español[3] de la Directiva europea NIS sobre Ciberseguri-dad, cuyo objetivo es impulsar el desarrollo de servicios digitales en un marco de elevado nivel de seguridad[4]. Es la modalidad aseguradora que se incluye como prioridad en todas las estrategias comerciales de aseguradores y brokers hasta, al menos, el año 2020. Sin embargo, este potencial comparte protagonismo con el desconocimiento del seguro —y de los nuevos riesgos tecnológicos— y con la falta de conciencia de su importancia por parte de la mayoría de las empresas, fuera del ámbito tecnológico.

El riesgo cibernético es el derivado del uso de las tecnologías informáticas y los sistemas de información cuando se relacionan entre sí. Es definido también como el riesgo de pérdida financiera, de interrupción del negocio u otros daños de una organización que se deriva del uso de sistemas informáticos, de la infor-mación almacenada y de la presencia de la empresa en medios digitales[5]. El auge y desarrollo de las tecnologías y de la conectividad ha contribuido al aumento de los riesgos que las afectan[6]. Esta creciente conectividad, la interdependencia entre sistemas y la multiplicidad de dispositivos conectados a internet (IoT[7]) ha incrementado el riesgo derivado de las tecnologías informáticas hasta situarlo entre los cinco principales riesgos globales en términos de probabilidad, según se desprende de los datos del 14 Informe de Riesgos Globales del Foro Económico Mundial de Davos 2019.

---

[2]   El presente trabajo se centra en el estudio del seguro de riesgos cibernéticos o ciberseguros, su naturaleza, estructura y contenido, por lo que se da por sentado el conocimiento de los ciberriesgos por el lector. Para la elaboración de este trabajo se han utilizado las pólizas de ciberriesgo de las aseguradoras AIG, AXA Corporate, ALLIANZ, BEAZLEY, CHUBB, CFC Underwriting, DUAL, HISCOX, LIBERTY y ZURICH, como muestra representativa del mer-cado aunque no son los únicos.

[3]   La trasposición se realiza mediante el Real Decreto-ley 12/2018, de 7 de septiembre, de seguri-dad de las redes y sistemas de información (BOE de 8 de septiembre 2018).

[4]   El Real Decreto no hace referencia alguna al aseguramiento de los ciberriesgos.

[5]   THIBER, Ciberseguros, la transferencia del ciberriesgo en España, p. 20, Madrid 2016.

[6]   Para JIMENO, La responsabilidad civil en el ámbito de los ciberriesgos, p. 21, Fundación Ma-pfre, 2017, los ciberriesgos se pueden definir como riesgos informáticos. De forma más precisa, el ISA-CA IT Risk Framework los define como riesgos asociados al uso, propiedad, operación, participación, influencia y adopción de las IT dentro de una empresa.

[7]   Sobre la responsabilidad en el ámbito del Internet of Things, vid. JIMENO, La responsabilidad civil en el ámbito de los ciberriesgos, p. 129.

Si los cinco riesgos más probables para 2018 eran —por orden de posibilidad— los eventos climáticos extremos, los desastres naturales, los ciberataques, el uso fraudulento o el robo de datos y los fallos en la gobernanza para mitigar y adaptarse al cambio climático, en 2019 se mantienen los dos riesgos tecnológicos entre los cinco primeros en términos de probabilidad —los ciberataques y el robo de datos—. Ambos riesgos están relacionados con la dependencia cibernética de la sociedad y afecta al robo de datos personales y la suplantación de identidades, a los fallos en los sistemas de información crítica, los propios ciberataques y las consecuencias adversas de la tecnología y la inteligencia artificial. Esto supone que dos de los riesgos globales que van a afectar en los próximos años a los Estados, gobiernos, empresas y ciudadanos, estarán relacionados con las tecnologías. La delincuencia será ahora virtual y procederá de los sistemas de información que utilizamos todos los días para el ejercicio de nuestra actividad social, empresarial y profesional. La dependencia de la conectividad acentuará el riesgo de impacto y probabilidad

II. EL MERCADO DE CIBERSEGUROS

Aunque los primeros ciberseguros que se suscriben en el mundo datan de 1990, éstos no comienzan a desarrollarse comercialmente hasta el inicio del año 2000, tras las no-consecuencias del Y2K o efecto del año 2000, difundiéndose a partir de 2012 a causa del aumento de la frecuencia e intensidad de los ataques cibernéticos[8]. Esto supone que los ciberseguros tienen una trayectoria de unos ocho años, probablemente tiempo insuficiente para conocer con detalle el volumen de primas a nivel mundial; a ello se une cierta reserva informativa de las entidades aseguradoras, poco proclives a facilitar datos sobre la composición de su cartera, y de las empresas aseguradas a reconocer que muchas de ellas habían suscrito seguros tecnológicos tras haber sido víctimas de un ataque.

No obstante, algunos actores del mercado han intentado facilitar cifras mundiales y nacionales sobre el volumen de primas anuales que moverían los ciberseguros, arrojando cantidades muy genéricas y dispares.

A nivel mundial, la reaseguradora Munich Re ha estimado que en 2017 este seguro movió entre 3.500 y 4.000 millones de dólares y en 2020 el mercado podría situarse entre 8.000 y 9.000 millones[9]. Por su parte, Europe Economics[10]

---

[8]   No es hasta el año 2012 cuando el Informe de Riesgos Globales del World Economic Forum sitúa, por primera vez, un riesgo tecnológico (ciberataques) entre los cinco más probables de producirse.

[9]   Munich Re, BDS, Boletín Diario de Seguros de 10 septiembre 2018.

[10]   Cyber Risk Pool, febrero 2017.

señala que en 2015 la dimensión del mercado era de 2.000 millones de dólares y que en 2025 alcanzaría los 20.000 millones, mientras que FITCH[11] estima que dicho volumen de primas será de 12.700 millones en 2022. El diario Expansión[12] calculaba 10.000 millones para 2020 mientras que Morgan Stanley[13] facilitaba las cifras de 2.000 millones en 2018 y 3.000 millones en 2020, frente a las estimaciones de PWC[14] de 7.500 millones en 2020.

En España, uno de los problemas recurrentes del sector asegurador es la falta de información desglosada por modalidades más allá de la clasificación por ramos que establece la Ley 20/2015, de 14 de julio, de Ordenación, Supervisión y Solvencia de las Entidades Aseguradoras y Reaseguradoras. Esta carencia se observa en modalidades del seguro de responsabilidad civil, como los seguros de D&O, donde se adolece de información específica[15] y más acusadamente en riesgos como los tecnológicos, encuadrables en más de un ramo de seguro, lo que dificulta conocer su dimensión, siquiera sea de forma estimada. El Informe *El Mercado Español de Seguros* en 2017 de MAPFRE[16], por ejemplo, no hace referencia alguna a esta clase de seguros, posiblemente por su todavía escaso desarrollo más allá de los grandes clientes tecnológicos[17]. Ello no significa, sin embargo, que MAPFRE no suscriba seguros de ciberriesgos para PYMES y autónomos en los que se cubren los riesgos de responsabilidad civil (violación de la privacidad, multimedia y publicidad, defensa y fianzas) y daños propios (daños a los sistemas informáticos, interrupción del negocio, extorsión cibernética y protección de datos). Tampoco el Anuario del Sector Asegurador 2017 de ICEA hace referencia alguna a los ciberseguros como ramo o modalidad aseguradora.

El *think tank* THIBER[18] ha estimado que el volumen de negocio de ciberseguros en España es de 500 millones de euros, con un crecimiento anual del 12%, pero no facilita la metodología del sistema de cálculo utilizado. El seguro español recaudó en 2017 un volumen de primas de 63.410 millones de euros, de los cuales 34.000 millones corresponden a los seguros de no-vida. Entre estos seguros de no-vida, el de responsabilidad civil movió 1.497 millones de euros en 2017. Si

---

11   La Información, 17 mayo 2017.
12   Economía Digital, 27 marzo 2018.
13   Expansión 27 marzo 2018.
14   PWC News Room, 16 septiembre 2015.
15   Vid. Estudio Marsh sobre el Seguro de Responsabilidad Civil de Consejeros y Directivos (D&O).
16   El Mercado Español de Seguros en 2017, Servicio de Estudios de Mapfre, Madrid 2018.
17   Es recurrente la idea de que el mercado asegurador español de ciberriesgos se había dirigido hasta ahora a cubrir a grandes corporaciones multinacionales. En este sentido vid. THIBER, Ciberseguros, la transferencia del ciberriesgo en España, p. 29.
18   Ciberseguros, la transferencia del ciberriesgo en España, p. 10.

analizamos la evolución de las primas de responsabilidad civil en España desde 2009 podemos ver que en su evolución estas no han crecido en los teóricos millones que se indican, por lo que la cifra de 500 millones de euros que se estiman para el mercado español equivaldría al 33% del ramo de responsabilidad civil, lo cual parece algo elevado atendiendo al desglose general de primas por ramos y modalidades. En nuestra opinión y según nuestras estimaciones, contrastadas con los principales mercados aseguradores que operan esta modalidad, el volumen de primas de ciberseguros para 2019 en España se situaría en torno a los 160 millones de euros, con una estimación de 400 millones para 2025.

III. EL SEGURO DE RIESGOS CIBERNÉTICOS

1. Denominación del seguro

El seguro de riesgos cibernéticos recibe distintas denominaciones para referirse a la misma modalidad aseguradora y a los mismos riesgos cubiertos, según la aseguradora que lo suscribe. En ocasiones es frecuente que la póliza tenga un nombre comercial como producto[19], además de la denominación —simultánea o alternativa— del seguro en referencia al riesgo asegurado[20]. En este segundo caso, las denominaciones también varían: Seguridad en las Redes y Privacidad en los Datos[21], Seguro de Riesgos Cibernéticos, Security and Privacy[22], Protección de Riesgos Digitales[23], Beazley Breach Response[24], Chubb Cyber Enterprise Risk Management[25], Hiscox Cyberclear[26], Seguro de Cyber Riesgos[27], Riesgos Cibernéticos, Multimedia y de Privacidad de Datos[28], Cyber Suite Insurance[29] o Cyber

---

[19]   *CyberEdge 2.0* en el caso de la aseguradora AIG, *Cyber ERM* en la póliza de Chubb, o Cyber Data Protect en la de Allianz.

[20]   La citada póliza de AIG, además del nombre comercial del producto, incluye el nombre del seguro atendiendo al riesgo asegurado: *Seguridad en las Redes y Privacidad en los Datos*. La de ALLIANZ la define como *Protección de Riesgos Digitales*.

[21]   AIG, enero 2013.

[22]   ZURICH, julio 2013.

[23]   ALLIANZ.

[24]   BEAZLEY.

[25]   CHUBB, 2016.

[26]   HISCOX, 2017.

[27]   AXA CORPORATE.

[28]   CFC UNDERWRITING.

[29]   LIBERTY.

Plus Protection[30], entre otras. Para THIBER[31], la heterogeneidad de las denominaciones del seguro es consecuencia de la falta de consenso en la definición del producto.

2. Naturaleza jurídica y riesgo cubierto

El seguro de riesgos cibernéticos es una modalidad aseguradora que tiene su marco legal genérico en la Ley de Contrato de Seguro[32], la cual no contiene preceptos específicos para este riesgo no solo por su novedad como producto, sino también por la falta de espíritu casuístico de la LCS en términos de enumeración de todas las modalidades y submodalidades existentes en el mercado[33].

El seguro de riesgos cibernéticos no constituye una modalidad propia e independiente, como lo son otros ramos de raíz matricial (automóviles, responsabilidad civil, robo, incendio, vida…) sino una forma de contratación multirriesgo (responsabilidad civil, daños propios, asistencia) que se encuadra en una o dos modalidades principales: de un lado la responsabilidad civil por los daños causados a terceros como consecuencia del uso de sistemas informáticos y tecnológicos causantes de daños y de otro un seguro de daños que ampara los daños propios sufridos a causa de la afectación de equipos y sistemas por ataques externos, incluyendo los gastos necesarios para hacer frente a la gestión del incidente de seguridad producido. La mayoría del mercado lo considera, a efectos de clasificación y encaje de primas, como un seguro de responsabilidad civil en la modalidad de riesgo financiero, aunque esto solo responde al criterio interno que cada aseguradora quiera utilizar.

En todo caso estamos ante un seguro privado[34] de daños —en la terminología de la Ley de Contrato de Seguro—, por lo que le son de aplicación las disposiciones generales del contrato de seguro contenidas en el Título Primero, las del

---

[30] DUAL.

[31] THIBER, cit., p. 21, apunta otros nombres que recibe este seguro: Network Risk, Privacy Protection, Network Liability, Professional Liability Privacy, etc.

[32] Así lo declara, entre otras, la póliza de DUAL en su Preámbulo o la de Allianz en su apartado 9.2 sobre ley y jurisdicción aplicable.. Sin embargo, la de AXA expresamente apunta *que el contrato se regirá por la autonomía de la voluntad de las partes del artículo 1255 CC sin sometimiento a la Ley de Contrato de Seguro por tener el tomador la consideración legal de gran riesgo.*

[33] Así sucede con el seguro de D&O, que como submodalidad del ramo de responsabilidad civil no tiene reflejo ni en la Ley de Contrato de Seguro, ni en las estadísticas de primas del mercado.

[34] Aunque THIBER, cit., p. 52, admite el carácter privado del ciberseguro, sugiere que se incentive su contratación con diversas ayudas públicas, desde la reducción del coste de la prima hasta un papel activo del Consorcio de Compensación de Seguros.

Título Segundo para los seguros de daños y de forma expresa las disposiciones relativas al seguro de responsabilidad civil contenidas en el artículo 73 y ss.

Al amparo del artículo 1 LCS podemos definir el seguro de riesgos cibernéticos como aquel contrato de seguro por el cual el asegurador se obliga a indemnizar al asegurado los daños sufridos o causados a terceros como consecuencia de un incidente de ciberseguridad derivado del uso de sistemas tecnológicos de información.

El objeto del seguro es, en general, proteger la información y los datos que pueden producir incidentes en la seguridad de la información, si bien puede definirse, con mayor precisión, conforme al artículo 1 del Real Decreto-ley 12/2018 de Seguridad en las Redes y Sistemas de Información, como la cobertura de la seguridad de las redes y sistemas de información utilizados para la provisión de los servicios esenciales y de los servicios digitales, incluyendo un sistema de aviso de incidentes. También se ha dicho que los seguros de ciberriesgos tienen como objetivo proveer protección ante una amplia gama de incidentes derivados de los riesgos en el ciberespacio y el uso de infraestructuras tecnológicas[35]. Entre ellos pueden destacarse la fuga de información, el ransomware, el phishing, la suplantación de identidad, las amenazas persistentes, el fraude del CEO, el ataque de DDOS, la suplantación de web, el IoT y los ataques a infraestructuras críticas[36].

El ciberseguro no es un seguro que cubra un único riesgo, como sucede con la responsabilidad civil, los daños, el robo o los accidentes. Es una cobertura estructurada según el modelo de póliza del mercado que se utilice. Así, por ejemplo, la póliza de AIG se diseña sobre la base de coberturas cronológicas, es decir, la primera cobertura que otorga la póliza es la primera que el asegurado va a demandar tras un incidente de seguridad: los honorarios y gastos necesarios para responder al incidente de seguridad y abonar los servicios legales y de informática forense necesarios. Cronológicamente, al sufrir un incidente de seguridad de la información, la primera necesidad del asegurado es reaccionar de manera inmediata para gestionar dicho incidente.

Otras pólizas no estructuran la cobertura sobre esta base temporal o cronológica sino sobre los grandes riesgos cubiertos: la responsabilidad civil frente a terceros, la pérdida de beneficios o los daños propios[37]. Como señala THIBER[38], "cada asegurador ha desarrollado el producto de seguro bajo la premisa de su

---

[35]   TRIDIB BANDYOPADHYAY. "Organizational Adoption of Cyber Insurance Instruments in IT Security Risk Management", pp. 23-29.

[36]   Puede verse una descripción de cada uno de estos incidentes en TOP 10 CYBER RISKS, AGERS 2018.

[37]   Póliza Cyber Data Protect de ALLIANZ, póliza Cyber Suite de LIBERTY SPECIALTY MARKETS, póliza de DUAL y póliza de AXA.

[38]   Ciberseguros..., cit., p. 21.

comprensión de qué es lo que necesitan las empresas para mitigar los ciberriesgos (...); se pueden hallar seguros enfocados a responsabilidad frente a terceros por vulneración de datos personales o violaciones de seguridad, riesgo regulatorios y gastos diversos y otros que incorporan coberturas de daños propios".

La mayor incidencia de riesgo procede de la responsabilidad civil, por cuanto el daño causado puede ser ilimitado en su cuantía conforme al artículo 1911 CC y por el hecho de que el tercero perjudicado demanda el resarcimiento del daño con carácter inmediato. Ello explica que en muchas ocasiones el estudio del ciberriesgo y de los ciberseguros se centre y limite a la parte correspondiente a la responsabilidad civil[39] y que, como hemos dicho, las aseguradoras lo clasifiquen como una modalidad del seguro de responsabilidad civil.

Con relación a los daños que se producen como consecuencia de un incidente de ciberseguridad, que puede manifestarse de diferentes maneras (interrupción de negocio, integridad de procesos, fuga de datos, confidencialidad, etc.) pueden confluir en la tramitación del siniestro las pólizas de seguro de todo riesgo de daño material y pérdida de beneficios, de D&O, de secuestro y extorsión, de errores y omisiones, la de responsabilidad civil general y la de infidelidad, junto con la propia de ciberriesgos, pero de todas ellas algunas no siempre ofrecen solución al incidente ni a los gastos derivados del mismo y otras solo lo hacen parcialmente.

La póliza de errores y omisiones limita la cobertura a las reclamaciones por negligencia en el ejercicio de las actividades aseguradas, excluyendo la cobertura de actos criminales o intencionados de los asegurados o sus empleados y los gastos previos asociados con una violación de la privacidad.

Las pólizas de responsabilidad civil general tampoco cubren estos gastos previos ni los daños a datos electrónicos o actos criminales o intencionados del asegurado o sus empleados.

El seguro de daños materiales limita su cobertura a los daños o pérdida de uso de activos materiales como resultado de un peligro físico, incluso en algunos supuestos excluyen expresamente cualquier cobertura por daños a los datos; las pólizas de infidelidad o *crime* reducen la cobertura a las pérdidas directas por robo de dinero, valores y otros bienes materiales.

Aunque puede reclamarse a los D&O's por la negligencia que supone no evitar o minimizar el riesgo cibernético, quedando cubiertos por el seguro los gastos de defensa y otros conceptos, no es una cobertura directa para los ciberriesgos, esto es, no hay cobertura material o económica para daños cibernéticos, pero sí pueden ampararse las reclamaciones por daños patrimoniales causados a consecuencia de la falta de prevención y control del incidente de ciberseguridad. Es

---

[39] Como ejemplo, el trabajo de JIMENO, *La responsabilidad civil en el ámbito de los ciberriesgos,*

obligación de los consejeros y directivos poner las medidas necesarias para evitar o reducir el riesgo tecnológico en el seno de sus empresas.

Solo la póliza de ciberriesgos es capaz de dar solución a la mayoría de los escenarios de riesgo que se plantean en un evento adverso de ciberseguridad, en el que pueden concurrir varias pólizas de seguro, normalmente la propia de ciberseguros, la de consejeros y directivos (D&O) y la de daños materiales y pérdida de beneficios. La póliza de ciberseguro ofrece protección para la interrupción de negocio y el daño material, así como para la pérdida o fuga de datos y la integridad de procesos. El resto de pólizas solo pueden ofrecer, en ciertos supuestos, cobertura parcial para algunos de estos daños, pero no para todos.

IV. ESTRUCTURA DE LA PÓLIZA. DEFINICIONES. REDACCIÓN

La mayoría de las pólizas de ciberriesgos que se comercializan en España responden a la traducción del modelo de condicionado americano, por lo que tanto su estructura como su redacción obedecen a un esquema diferente a nuestro estilo jurídico, aunque no es totalmente desconocido ya que este esquema de póliza se introdujo en España con los seguros de D&O en la década de 1990.

La estructura de la póliza se configura sobre la base de apartados o secciones muy definidas: descripción, condiciones particulares, coberturas, exclusiones, definiciones, reclamaciones, información al tomador y otras cláusulas. En otras ocasiones la estructura de la póliza difiere algo al ordenar de manera diferente las partes de la misma, especialmente en lo relativo a la introducción y a las disposiciones finales. Otras pólizas, con afán didáctico, incluyen apartados específicos para las obligaciones del tomador y el procedimiento de actuación en caso de siniestro.

La terminología que se utiliza en las pólizas de ciberriesgos es compleja y técnica por cuanto el riesgo asegurado es especialmente intrincado. Ello explica que en el 100% de las pólizas analizadas para la realización de este trabajo[40] se incluya un apartado específico de conceptos a modo de glosario para definir términos, como *acto mal intencionado informático, ciberataque, bomba lógica, troyano, virus informático, extorsión, fraude informático, fallo de seguridad y sistemas, robo de identidad o servicio en cloud*, entre otras.

Con relación a la redacción, ésta pretende abarcar y cerrar todos los supuestos y escenarios posibles dentro de la materia que se aborda; así sucede en las exclusiones, en las definiciones y en las coberturas en las que se utilizan expresiones omnicomprensivas de todos los escenarios posibles —lenguaje extensivo-:

---

[40]   Ver nota 2.

por ejemplo, la póliza de HISCOX, al abordar las exclusiones, señala que *la aseguradora no hará ningún pago que se base, se derive o sea atribuible a*[41]...; la de ZURICH excluye las *reclamaciones derivadas de, basadas en, relacionadas con o como consecuencia de...* y la de AIG *no responderá ante ninguna pérdida que alegue, se derive de, se base en...*

¿Hay diferencia conceptual entre excluir lo que se deriva de algo o las que se basan en algo o están relacionadas con algo? O ¿por qué no añadir también las reclamaciones *conectadas con, dependientes de, interrelacionadas con, condicionadas a...*? Esta extensión del lenguaje responde a la necesidad de transmitir la mayor seguridad jurídica a la cobertura y al hecho de traducir los condicionados americanos sin realizar una adaptación literaria, a riesgo de dificultar la lectura y comprensión del texto.

Sin embargo, algunas pólizas parecen utilizar expresiones mucho más concisas y simples de entender, en línea con la búsqueda de claridad que actualmente constituye tendencia en el sector asegurador[42]: así, la póliza de BEAZLEY dice que *la cobertura no aplicará respecto de reclamaciones...*, y la de ALLIANZ señala que *el asegurador no estará obligado...* Como sinónimos de *excluirá o no cubrirá*, el condicionado de HISCOX utiliza un lenguaje claramente entendible por el asegurado: *la aseguradora no hará ningún pago*. La póliza de esta última aseguradora ya anuncia en la introducción de sus Condiciones Especiales que *durante todo el contrato hemos empleado un estilo y un lenguaje claro para que pueda entender el alcance de la cobertura proporcionada por su póliza, así como las obligaciones que le incumben*.

1. Coberturas[43]

Las coberturas de una póliza de seguro son las garantías que el asegurador otorga al asegurado para protegerle del riesgo cubierto. En este sentido, los términos *cobertura* y *garantía* son sinónimos y se refieren al alcance de la póliza. Las coberturas son el objeto del seguro y pueden variar de unas aseguradoras a otras dentro de la misma clase de seguro[44].

---

[41]   Similar redacción en la póliza de Allianz y en la de AIG.

[42]   ELGUERO, J.M.: "Claridad en el lenguaje financiero: aviso para el seguro" en *Actualidad Aseguradora*, 10 de septiembre 2018, p. 109.

[43]   En este apartado se contienen las coberturas y extensiones características de una póliza de riesgos cibernéticos, enumerando las principales en uno y otro caso. Esta enumeración no tiene carácter de exhaustividad ni responde a un modelo concreto de póliza del mercado. Idéntico criterio se sigue en las exclusiones del apartado 2.

[44]   *Diccionario de Responsabilidad Civil*, Servicio de Estudios Marsh España, Madrid, 2015, p. 51.

El mercado español de ciberriesgos utiliza, para referirse a las coberturas de la póliza, denominaciones que incitan a cierta confusión, como los términos *cobertura y extensiones* y, en algunos casos, *coberturas opcionales*. Estos términos están nuevamente influenciados por la estructura y terminología norteamericana de las pólizas de D&O, que todavía se mantiene en España.

Si el término *cobertura* es comprensible gramaticalmente, no lo es tanto la voz *extensiones*. Aunque una extensión es una adición, ampliación o prolongación de algo, al relacionarlo con el termino *cobertura* puede entenderse que es una ampliación de los riesgos o supuestos cubiertos por el seguro: y así es, pero no cabe interpretar que las extensiones son opcionales para el asegurado y con prima o coste adicional, ya que éstas son ampliaciones de la misma incluidas de forma estándar en la póliza. Sin perder su significado de ampliación, la extensión debe entenderse como una enumeración aclaratoria de casos o riesgos cubiertos por la póliza, siendo optativas las *coberturas opcionales*[45].

1.1. Coberturas generales

Como ya hemos señalado en el apartado III. 2, cada póliza utiliza una estructura diferente para desgranar los riesgos asegurados; en unos casos exponen las coberturas atendiendo al orden temporal en las que el asegurado las va a utilizar y en otros desarrollan los bloques de riesgos cubiertos, con independencia de qué garantía de cada uno se utilice en cada momento.

a) Gestión de incidentes

Se entiende por *incidente* —según el Diccionario de la Real Academia— aquello que *sobreviene en el curso de un asunto o negocio y tiene con este alguna relación.*

En el ámbito de los ciberriesgos y su aseguramiento, el incidente es un hecho o circunstancia que aunque no haya dado lugar todavía a un daño o reclamación, supone una brecha en los sistemas de información del asegurado capaz de generar ese daño. Los incidentes se producen en la esfera de la privacidad y seguridad necesaria para la tenencia y conservación de datos personales, la información o los ciberataques.

Es un incidente de seguridad todo hecho que permita la producción de un ciberataque, entendiendo por tal cualquier conducta dirigida a violentar el sistema informático del asegurado.

---

[45]   Con tal denominación de coberturas opcionales puede verse la póliza CyberEdge 2.0 de AIG.

José María Elguero

Cuando se produce un incidente de seguridad, en términos temporales, la primera necesidad del asegurado es hacer frente a los gastos derivados de dar una respuesta al regulador y a los afectados. Dentro de esta cobertura genérica de gestión de incidentes se cubren gastos relacionados con dicha gestión (primera respuesta, asesoramiento legal, informática forense, recuperación de datos, restitución de la imagen de la empresa asegurada, notificación al cliente del incidente y control de identidad y datos personales).

b) Responsabilidad por uso y tratamiento de la información

Esta cobertura tiene por finalidad indemnizar los perjuicios y gastos derivados del uso ilegitimo de datos personales, de información corporativa del asegurado, de fallos de seguridad y de negligencias en la notificación en los incidentes de seguridad.

c) Obligaciones en materia de protección de datos

Con esta garantía se hace frente a los gastos derivados de una inspección en materia de protección de datos, incluyendo las sanciones impuestas por la comisión de una infracción a la normativa de protección de datos.

d) Responsabilidad civil frente a terceros

La cobertura de responsabilidad civil cubre las reclamaciones por daños patrimoniales puros[46] causados por el asegurado como consecuencia de incidentes de seguridad, que afecten a los datos personales de terceros o informaciones de éstos o la transmisión de virus informáticos, incluyendo los gastos de defensa. Existen clasificaciones según la causa por la que se produce el incidente de seguridad: responsabilidad cibernética, responsabilidad multimedia, etc.

e) Daños propios

Por contraposición a la cobertura de responsabilidad civil por daños a terceros, la garantía de daños propios tiene por finalidad indemnizar al asegurado los perjuicios y gastos sufridos como consecuencia de un incidente de ciberseguridad, que le afecta directamente. En este capítulo se incluyen las perdidas por interrupción de negocio, los daños a los equipos informáticos del asegurado, a los activos digitales, la extorsión cibernética, el daño reputacional, y en algunos casos, también las sanciones administrativas.

---

[46] Los daños patrimoniales son aquellos de naturaleza económica que no provienen de un previo daño personal o material.

f) Defensa y sanciones

Esta cobertura aborda el pago de los gastos de defensa y las sanciones impuestas al asegurado. Puede ser una cobertura independiente o incluirse como garantía dentro de una cobertura principal.

1.2. Extensiones

Las extensiones de cobertura son garantías o coberturas de las pólizas, adicionales a las básicas o principales. Incluir una cobertura bajo este término u otro similar es irrelevante más allá de la mera catalogación. Una extensión es una ampliación de la cobertura del seguro[47].

La principal característica de las extensiones es que constituyen ampliaciones a las coberturas otorgadas por la póliza —de ahí que el nombre sea *extensiones de cobertura*-. No son en sí mismas coberturas unitarias; La segunda característica es que las extensiones no son cobertura opcionales u optativas en términos de libre elección y contratación por el asegurado, sino que se incluyen en la cobertura general de la póliza. La póliza de AIG, por ejemplo, al enumerar las extensiones, incluye a las "nuevas filiales" para describir a renglón seguido que "queda ampliada la definición de filial a toda nueva entidad...", ratificando la idea de que no se trata de una cobertura principal o básica sino una ampliación al contenido de una cobertura.

Las extensiones tienen por finalidad aclarar el alcance de la cobertura —"el tomador tendrá derecho en caso de cancelación de la póliza por el asegurador a..."—, finalidad que puede conseguirse mediante la adecuada redacción del clausulado de las coberturas. De hecho, de las seis principales pólizas de ciberseguros del mercado español, solo tres utilizan el sistema de coberturas y extensiones, de manera que lo que para unas aseguradoras es una extensión (por ejemplo la pérdida de beneficios) para otras es una cobertura pura. El criterio de considerar una garantía como cobertura o como extensión queda al criterio de cada aseguradora (para AIG son extensiones las fianzas, las nuevas filiales y el periodo informativo, mientras que para ALLIANZ son el periodo informativo y ciertas partidas de gastos).

a) Nuevas filiales

Se entiende por *nuevas filiales* aquellas entidades que el tomador de la póliza adquiere con posterioridad a la fecha de contratación del seguro y que pasan a

---

[47]   *Diccionario de D&O*, Servicio de Estudios Marsh España, Madrid, 2014, p. 54.

integrarse en el grupo societario asegurado. Algunas pólizas (AIG y CHUBB) lo consideran una extensión de cobertura conforme a la cual se amplía la definición general de *filial*.

Esta extensión procede de los seguros de D&O, motivo por el cual en las pólizas de ciberriesgos se condiciona la cobertura de la nuevas filiales a cuatro requisitos:

i. Que no se incrementen los activos de la sociedad en más de un 20% tras la incorporación de la nueva filial.

ii. Que no esté domiciliada en EEUU o sus territorios.

iii. Que no esté registrada como asesor de inversiones en la Comisión de Mercado de Valores norteamericano.

iv. Que la actividad de la filial no sea significativamente diferente a la desempeñada por la sociedad.

b) Fianzas

En el procedimiento civil, la fianza es una garantía judicial cuya finalidad es asegurar el cumplimiento de una obligación (indemnizar un daño) por parte del demandado. En el procedimiento penal es la cantidad que se deposita en el juzgado penal para evitar la medida cautelar personal de prisión provisional.

Las pólizas de seguros cibernéticos otorgan cobertura de fianzas a las personas físicas con el fin de garantizar la comparecencia del asegurado en el procedimiento correspondiente, si bien algunas establecen la distinción entre la fianzas civiles y las fianzas penales, cubriendo para las primeras su constitución para garantizar responsabilidades civiles cubiertas por la póliza y dentro del límite general de indemnización de la misma, limitando la cobertura en las penales impuestas judicialmente para garantizar la libertad provisional a los gastos de constitución.

c) Periodo informativo

Se entiende por periodo informativo el espacio de tiempo adicional, posterior al vencimiento del periodo de seguro en curso en los seguros suscritos en *claims made*, durante el cual pueden presentarse al asegurador reclamaciones recibidas por primera vez en este plazo, por actos realizados antes del vencimiento. En este periodo se pueden presentar nuevas reclamaciones por hechos anteriores, pero no se cubren hechos que se realicen en el mismo. Su concesión es discrecional por el asegurador, con o sin coste adicional, y de duración variable[48], aunque admite negociación convencional.

---

[48] *Diccionario de Responsabilidad Civil*, Servicio de Estudios Marsh España, Madrid, 2015 p. 102.

Se denomina *informativo* porque durante dicho periodo el asegurado puede comunicar al asegurador nuevas reclamaciones recibidas en ese plazo, por hechos realizados con anterioridad al mismo. También se le denomina periodo de descubrimiento, periodo adicional de notificación o reclamación, aunque los términos generan confusión.

El periodo informativo se otorga en los supuestos de cancelación o no renovación de la póliza a iniciativa del asegurador. Para estos supuestos algunas pólizas otorgan un periodo gratuito de entre 30[49] y 45[50] días durante los cuales el asegurado puede informar o notificar al asegurador la recepción de una reclamación.

d) Gastos

Se entiende por gastos los que reintegra la póliza del asegurado cuando éste ha incurrido en ellos para evitar o reducir ciertos daños.

De forma genérica[51], es la garantía que abona el pago de gastos originados por distintos conceptos. El término *gastos* incluye, de forma general en todas las pólizas del mercado, honorarios profesionales, costes y gastos. Las pólizas de ALLIANZ y CHUBB consideran que los gastos son extensiones de cobertura.

Aunque los gastos más conocidos son los que derivan de la defensa jurídica de los asegurados, existen otros muchos tipos de gastos que se configuran en la póliza como coberturas. Estos gastos reciben distintos nombres según la póliza que se consulta, para referirse al mismo o similar concepto.

Es uniforme la exigencia del mercado de que todos los gastos, como condición para su pago, sean razonables, estén previamente aprobados por el asegurador y no superen el límite de indemnización establecido.

El hecho de que algunas pólizas lo consideren extensiones no significa que el resto no los cubra dentro de las coberturas puras; es solo cuestión de estructura de la póliza.

Los gastos que se cubren vía extensión son los de emergencia, mitigación de daños, mitigación de la pérdida de beneficios, costes de restauración, gastos de notificación[52] o constitución de fianzas penales[53].

---

[49]   AIG, apartado 2.3, p. 11.
[50]   CHUBB, apartado 2.4, p. 12.
[51]   *Diccionario de D&O*, Servicio de Estudios Marsh España, Madrid, 2014, p. 59.
[52]   ALLIANZ, apartado 2, pp. 11 y 12.
[53]   CHUBB, apartado 2.2, p. 12.

1.3. Coberturas opcionales

A diferencia de la extensiones, que no son garantías optativas sobre las que el asegurado pueda libremente decidir su contratación o rechazo, las coberturas opcionales sí son realmente garantías que pueden incluirse o no en la cobertura de la póliza según el criterio o las necesidades del asegurado, pagando por ellas una prima adicional. En algunas pólizas del mercado reciben el nombre de *coberturas opcionales*[54] y en otras son secciones independientes que se contratan por el asegurado *única y exclusivamente si en las Condiciones Particulares consta expresamente un límite agregado de indemnización para esa cobertura*[55].

En algunas pólizas dichas opciones se incluyen como garantías de otras coberturas, sin utilizar la denominación de *opcionales*, mientras que en condicionados como el de AIG (apartado 3) las coberturas opcionales se identifican expresamente como tales: actividades en medios digitales, extorsión cibernética, interrupción en las redes, proveedor externo de servicios e incidente de datos electrónicos.

En todo caso es importante señalar que entre las coberturas básicas, las extensiones y las coberturas opcionales, el seguro de ciberriesgos debe amparar unas garantías mínimas:

a) Gastos de expertos, legales, forenses y de relaciones públicas.

b) Protección contra reclamaciones derivadas de un fallo en la seguridad o privacidad de un ataque informático.

c) Cobertura contra reclamaciones derivadas del mal uso o revelación de información confidencial.

d) Protección para acciones intencionadas de infidelidad por parte de los empleados.

e) Extensión a eventuales responsabilidades tras un ataque a un proveedor de servicios externo.

f) Gastos asociados con el cumplimiento de la normativa vigente en cuanto a las notificaciones de violaciones de privacidad, incluyendo gastos legales y forenses.

g) Defensa ante acciones regulatorias incluyendo ciertas sanciones administrativas.

h) Gastos de expertos profesionales que asesorarán ante un evento de ciber extorsión.

i) Gastos incurridos para crear, restaurar o recrear la información personal o corporativa que haya sido dañada por un ataque informático.

---

[54] Póliza CyberEdge de AIG.
[55] Póliza Cyber Suite de LIBERTY, Sección IV, Sección V, etc.

j) Pérdida de beneficios y extra costes a consecuencia de un incidente de seguridad que provoque una caída de los sistemas.

2. Exclusiones

Son exclusiones las delimitaciones secundarias de la póliza, esto es, lo que no cubre el seguro en caso de siniestro[56]. Como restricciones que son de la cobertura, tienen que cumplir con las prescripciones del artículo 3 LCS, por lo que deben estar destacadas de forma especial en el texto de la póliza y ser expresamente aceptadas por escrito por el tomador.

Hay exclusiones generales del seguro, entendiendo por generales las que son comunes o están presentes en todas las pólizas con idéntica o similar redacción, y hay exclusiones específicas que se contienen solo en algunas pólizas y que afectan a determinadas coberturas. Para entender el alcance de las exclusiones de una determinada póliza hay que estar no solo al capítulo general de exclusiones sino también a las que puedan excluir de manera específica ciertas garantías en una cobertura[57].

2.1. Exclusiones generales

Se recogen en este apartado las exclusiones que figuran en la mayoría de las pólizas de ciberseguros analizadas, sin ánimo de exhaustividad y agrupadas bajo títulos omnicomprensivos. Para facilitar su lectura y comprensión el texto de las exclusiones, sin apartarse del tenor de las mismas, se ha redactado de manera simplificada.

Algunas de las exclusiones de la póliza de riesgos cibernéticos están importadas o se han inspirado en exclusiones del seguro de D&O, como la de cambio de control o filiales[58], cuya aplicación no está pensada para riesgos cibernéticos sino para riesgos de responsabilidad civil de directivos.

[56] *Diccionario de Responsabilidad Civil*, Servicio de Estudios Marsh España, Madrid, 2015, p. 74.
[57] La póliza de AIG, por ejemplo contiene un apartado 5 (p. 32) en el que se recogen todas las exclusiones generales aplicable a cualquier cobertura, pero también contiene exclusiones específicas adicionales que afectan solo a ciertas garantías, como la de interrupción de datos electrónicos dentro de la cobertura de incidentes de datos electrónicos, p. 23.
[58] Exclusión 8.3, p. 33, de la póliza de Allianz.

a) Antimonopolio

Esta exclusión tiene por objeto dejar sin cobertura la reclamación que proviene de una violación de las leyes antimonopolio, restricción al comercio, práctica desleal o engañosa en los negocios o competencia desleal.

b) Daños personales y materiales

La finalidad de esta exclusión es no amparar los daños personales que se manifiesten en forma de lesión física, enfermedad, dolencia, fallecimiento o cualquier otro menoscabo de la integridad física, estrés o angustia emocional, o enfermedad mental.

Se suele exceptuar del concepto de daño corporal el daño moral o la angustia emocional resultantes de la vulneración por el asegurado de la normativa de protección de datos.

La exclusión de daños materiales deja fuera de la póliza las pérdidas, la destrucción o pérdida de uso de propiedades tangibles.

c) Responsabilidad contractual

Dentro de las coberturas de responsabilidad civil de la póliza de ciberriesgos se excluye la responsabilidad civil contractual cuando la reclamación deriva del incumplimiento de las obligaciones asumidas en un contrato, acuerdo o garantía.

Si el daño se produce con independencia de la existencia del contrato, el asegurador sin embargo sí ampara esas reclamaciones.

d) Conducta deliberada

Cualquier acto deliberado, intencional, malicioso, delictivo, ilegal, fraudulento o deshonesto que sea cometido por el asegurado con el conocimiento o connivencia del consejero delegado, director del departamento de informática, director del departamento de tecnologías de la información, director de seguridad o de privacidad, gerente de riesgos, director de asesoría jurídica o sus equivalentes, queda excluido de la póliza.

e) Propiedad industrial/ intelectual

El seguro excluye también la violación de patentes o apropiación o uso indebido de secretos comerciales, o los actos que lleven a la pérdida del derecho de un tercero para asegurar el registro previo de las patentes y/o su concesión como consecuencia de una revelación no autorizada, dolosa, negligente o accidental.

f) Reclamaciones, hechos y circunstancias anteriores

Aunque el seguro otorga cobertura sobre base *claims made* (reclamaciones recibidas durante el periodo de vigencia de la póliza), las reclamaciones, hechos y circunstancias anteriores a la fecha de contratación de la póliza quedan fuera de la garantía cuando éstas eran conocidas por el asegurado en el momento de la celebración del seguro (pasado conocido vs. pasado desconocido).

La referencia al momento anterior a la contratación de la póliza abarca cualquier procedimiento civil, mercantil, penal, laboral, administrativo, regulatorio, de arbitraje o procedimiento alternativo de resolución de conflictos conocido por el asegurado en dicha fecha, incluyendo reclamaciones que deriven de los mismos hechos alegados anteriormente.

g) Reclamaciones por operaciones de valores

Excluye las reclamaciones procedentes de casos en los que se ha vulnerado una norma legal en relación a la propiedad, compra, venta u oferta de acciones.

h) Guerra/terrorismo

También quedan excluidos los daños ocasionados como consecuencia de una guerra, invasión, actos de enemigos extranjeros, hostilidades, guerra civil, rebelión, revolución, insurrección, poder militar o usurpado, confiscación, nacionalización, destrucción de bienes por orden de autoridad gubernamental, pública o local.

Evidentemente no queda incluido bajo el concepto de terrorismo el ciberterrorismo.

i) Valor monetario

El seguro no cubre la pérdida de valor monetario sufrida por el asegurado como consecuencia de transferencias o transacciones realizadas en operaciones bursátiles.

j) Asbestosis, polución y contaminación

Como consecuencia de la naturaleza del riesgo asegurado en el ciberseguro, se excluyen las reclamaciones basadas en estos supuestos y en otros como el amianto, hongos, moho y micotoxinas, campos electromagnéticos y sustancias contaminantes (agente irritante o contaminante sólido, líquido, gaseoso o térmico, incluyendo gas, ácidos, álcalis, químicos, calor, humo, vapor, hollín, gas o residuo).

k) Obtención ilícita de datos

Si el asegurado obtiene de forma ilícita datos personales o información corporativa de terceros, causando por ello daños, la póliza de ciberriesgos no otorga cobertura.

l) Prácticas de empleo

Tampoco se cubren las prácticas indebidas de empleo, despido improcedente, discriminación, acoso, represalia, etc, por no ser el riesgo asegurado[59].

m) Mantenimiento tecnológico

Esta exclusión, utilizada en algunas pólizas[60], debería haberse redactado en sentido negativo como "falta de mantenimiento tecnológico" ya que su objeto es dejar sin cobertura los daños producidos o causados como consecuencia de la falta de mantenimiento de los datos y procedimientos de seguridad de la información por parte del asegurado por debajo de los estándares declarados en el cuestionario.

n) Sanciones político-económicas

Cualquier acción, restricción o requerimiento impuesto por una autoridad gubernamental queda sin cubrir, excepto que se encuentre específicamente indicado en la póliza.

Los daños punitivos o ejemplarizantes (a menos que éstos sean asegurables en la jurisdicción aplicable), las multas penales o las sanciones penales, quedan también excluidos.

o) Riesgos de la naturaleza

Incendio, humo, explosión, rayo, viento, agua, inundación, terremoto, erupción volcánica, maremoto, corrimiento de tierras, granizo, o cualquier otro fenómeno meteorológico o movimiento sísmico, son riesgos que no se amparan en los ciberseguros.

---

[59] La exclusión de la cobertura de prácticas de empleo en la póliza de ciberriesgo obedece más a una cuestión de delimitación del riesgo asegurado que a una exclusión en sentido estricto y al hecho de que esta garantía encuentra su cobertura en pólizas como la de D&O.

[60] AIG, exclusión 5.20, p. 35.

p) Reclamaciones fuera de la jurisdicción aplicable

Se entiende por jurisdicción, a efectos de la póliza, el territorio en el que se aplica una norma jurídica. Esta exclusión no ampara las reclamaciones o los incidentes que se produzcan fuera de la jurisdicción que se ha definido en la propia póliza.

q) Responsabilidad de administradores y altos cargos

Una exclusión característica de todos los seguros que cubren riesgos de responsabilidad —como el ciberseguro— es la exclusión de las responsabilidades derivadas de conductas que nada tienen que ver con el riesgo asegurado. Este es el caso de la responsabilidad civil de consejeros y altos cargos que se excluye de forma general en todos los seguros de responsabilidad civil que no son de D&O.

En realidad el mercado lo configura como una exclusión de cobertura cuando lo cierto es que no es el riesgo asegurado en la póliza: nada tiene que ver la responsabilidad de un directivo[61] con la responsabilidad de la empresa que tras sufrir un incidente de ciberseguridad causa daños a terceros; tienen en común el hecho de que en ambos supuestos se trata de responsabilidades, pero la causa-riesgo de cada una es diferente. No significa esto que un incidente de seguridad, que genera un daño a terceros y con él la consecuente reclamación y posterior responsabilidad, no incida, en paralelo, en una responsabilidad de los directivos que no adoptaron —en cumplimiento del deber de diligencia— las medidas necesarias para evitar o reducir el riesgo de incidente de seguridad.

r) Infracciones de competencia, publicidad y defensa de consumidores

Es exclusión general en las pólizas del mercado de ciberriesgos la que deja fuera de cobertura las infracciones de las normas de competencia, prácticas restrictivas del mercado, competencia desleal, publicidad engañosa, agresiva o ilícita.

También se excluye la falsedad, el engaño o la deslealtad en las prácticas comerciales falsas que realice el asegurado, salvo las excepciones que la propia póliza prevea en supuestos de robo de datos.

---

[61] Acto u omisión cometido por un asegurado en el ejercicio de su cargo y actuando en su condición de tal, contrario a la ley o a los estatutos sociales, así como cualquier incumplimiento de un deber u obligación en el desempeño de su cargo, incluyendo declaraciones erróneas o inexactas y prácticas de empleo indebidas, cometido antes o durante la vigencia del seguro.

s) Crimen organizado y blanqueo de capitales

No se amparan los actos u omisiones que constituyan delitos asociados al crimen organizado o a las asociaciones ilícitas que se encuadren en la Ley 10/2010, de 28 de abril, de Prevención del Blanqueo de Capitales y de la Financiación del Terrorismo.

t) Legislación de valores

Tampoco la violación de la normativa de valores (principalmente la Ley 24/1988, de 28 de julio, del Mercado de Valores, o cualquier otra legislación aplicable) ni los errores cometidos con relación a planes de pensiones, de asistencia sanitaria, de prestaciones sociales, de participación en beneficios, de fondos o de inversión de la empresa, incluyendo la Ley General de la Seguridad Social, el Estatuto de los Trabajadores y cualquier caso de discriminación quedan cubiertos por la póliza, siendo una exclusión común en el mercado.

u) Entidades del grupo

Esta exclusión tiene por objeto dejar sin cobertura aquellas reclamaciones que por riesgos cibernéticos procedan de cualquier sociedad respecto de la cual el asegurado, en el momento en que se presente la reclamación, sea propietario o controle un 15% del capital con derecho a voto de la compañía.

2.2. Exclusiones específicas

Existen otras exclusiones que figuran solo en algunas pólizas para excluir aspectos específicos de las coberturas de dicha póliza. Son concretas de cada póliza y se complementan con las generales.

En algunos casos las pólizas introducen exclusiones específicas para coberturas concretas, como la actividad en medios digitales, extorsión cibernética, interrupción en las redes, proveedor externo de servicios e incidentes de datos electrónicos (AIG). Estas exclusiones especificas se contienen dentro de la cobertura a la que afectan, pero en otras pólizas la exclusión no se introduce de manera diferenciada, sino que se redacta de forma negativa: "el asegurador pagará todas las multas (...) siempre que no sean de naturaleza penal" (Allianz, 1, 1.4, p. 7). Esto supone, obviamente, que se excluyen las multas de naturaleza penal, lo que constituye una exclusión específica. En sentido similar, la cláusula para la cobertura de la responsabilidad civil contractual admite el alcance de la cobertura pero somete la misma al cumplimiento de ciertas condiciones (obligación condicional) que, en caso de no cumplirse, queda excluida (Allianz, 4, 4.3. p. 25).

En un tercer grupo (Chubb, 5.1, p. 27) se declara un determinado ámbito territorial de cobertura ("en cualquier parte del mundo") para a renglón, seguido añadir, que "sin embargo (...) no será aplicable en EEUU o Canadá".

3. Aspectos técnicos del seguro

En la estructura de la póliza de ciberriesgos, junto a los riesgos cubiertos y las exclusiones, suele figurar un capítulo final en el que se contienen aspectos técnicos del seguro o de aplicación general que pretenden aclarar el alcance de la póliza en su dimensión temporal o resolver los problemas derivados de la concurrencia en un incidente de circunstancias cubiertas y excluidas de la póliza. En este apartado se abordan cuestiones como la delimitación temporal de la cobertura, la asignación, el limite por periodo o la franquicia, entre otras.

3.1. Delimitación temporal de la cobertura

Es el marco temporal de cobertura de la póliza dentro del cual el asegurador asume sus obligaciones contractuales. Existen dos sistemas principales para delimitar temporalmente dicha cobertura: *Ocurrence basis* o sistema del hecho generador y *claims made* o sistema de reclamación. La delimitación bajo el sistema de *ocurrence* consiste en que el asegurador indemniza los hechos o daños de responsabilidad civil que hayan ocurrido o se hayan realizado durante la vigencia del seguro, con independencia de cuando se reclamen por el perjudicado, aunque es habitual establecer un plazo de hasta 24 meses tras el vencimiento para la reclamación. Este es el sistema general que se contiene en el artículo 73 LCS, si bien admite el cambio al sistema de *claims made* bajo los requisitos del artículo 3 LCS.

El sistema *claims made* identifica el siniestro con la reclamación del tercero perjudicado, operando temporalmente la cobertura del asegurador si durante el periodo de seguro se produce dicha reclamación. Las reclamaciones deben recibirse durante el periodo de vigencia del seguro, con independencia de cuando se produjo el hecho generador de la reclamación, siempre que el mismo no fuera conocido por el tomador al suscribirse el seguro.

Este sistema de delimitación temporal de la cobertura se complementa con los periodos temporales de retroactividad y post-cobertura o periodo informativo. La interpretación del marco temporal de cobertura cuando el sistema establecido es el de *claims made* no ha estado exento de litigiosidad, como prueba la STS de 26 de abril 2018 (sentencia 252/2018).

En el mercado asegurador, el ámbito temporal de cobertura de los ciberriesgos es, de forma unánime, el sistema de reclamación o *claims made*. Puede recogerse de forma expresa en una cláusula especial (ZURICH, apartado 22.2) o bien puede contemplarse de manera general al definir las coberturas (ALLIANZ, apartado 1, A, 1.1).

3.2. Asignación

Cuando se produce un siniestro, no siempre todas las causas, daños o personas implicadas están cubiertas por las pólizas de seguro. Concurren así daños asegurados y daños no asegurados, reclamaciones cubiertas y reclamaciones no cubiertas que no siempre pueden aislarse e independizarse en su tratamiento, defensa y liquidación. Para solventar esta dualidad de eventos cubiertos y no cubiertos se utiliza el sistema denominado *asignación de cobertura* que es el procedimiento de reparto de gastos y pagos que establece el asegurador en la póliza para cuando se produce esta situación. Se trata de determinar qué parte, causa o persona involucrada en el siniestro tiene cobertura, para pagar la indemnización correspondiente.

En las pólizas de ciberriesgos se incluye, como regla general, el criterio de asignación de cobertura —también denominado alocación— basado en asignar de forma justa y apropiada la suma asegurada al daño producido.

3.3. Límite por periodo

Las pólizas establecen un límite para la indemnización a pagar por el asegurador equivalente al periodo de duración del seguro, entendiéndose como límite por periodo la suma asegurada máxima que pagará el asegurador durante el periodo de duración del contrato de seguro, con independencia del número de siniestros que se produzcan durante dicha duración. La duración puede coincidir o no con un periodo anual.

La limitación de la suma asegurada por duración o periodo de seguro es la regla general de las pólizas de ciberriesgos del mercado español.

3.4. Franquicia

La franquicia es la parte del siniestro que el asegurador no indemniza y que corresponde al asegurado, en cada siniestro. Esto supone que el asegurado corre por su cuenta con la cantidad que constituye la franquicia en cada daño o reclamación. En las pólizas de ciberriesgos existe siempre franquicia, excepto en algunos casos como en los gastos de primera respuesta de la póliza de AIG.

Hay franquicias generales y franquicias especiales para determinadas coberturas cuyas cuantías difieren de una póliza a otra.

3.5. Ámbito territorial

Las pólizas de ciberseguros delimitan geográficamente el espacio en el cual opera la cobertura de seguro en términos de reclamaciones y leyes aplicables. Como regla general, el ámbito territorial es mundial, con excepción de EEUU y Canadá, incluyendo por tanto a Europa, si bien en algunos casos se otorga en libre prestación de servicios (AXA). Aunque no siempre se indica expresamente, la cobertura mundial limita la jurisdicción a las leyes españolas. En otras ocasiones el ámbito territorial se circunscribe al territorio y jurisdicción de la Unión Europea (DUAL), al del domicilio del asegurado (CFC Underwriting) o a la ley y jurisdicción española.

3.6. Efecto y duración del contrato

Este epígrafe hace referencia al periodo de duración del seguro entendido como el intervalo de tiempo durante el cual el seguro está en vigor y surte efectos. El inicio del periodo coincide con la fecha de efecto y su extinción con la fecha de vencimiento.

Lo relevante en los ciberseguros es determinar qué ocurre cuando llega la fecha de vencimiento de la póliza y su posterior renovación. El mercado da un doble tratamiento a dicha renovación: de un lado aquellas pólizas que expresamente declaran que el periodo de cobertura es fijo, sin renovación automática (AXA, CFC, ZURICH y BEAZLEY), y de otro aquellas que admiten la posibilidad de renovar mediante pacto expreso (DUAL). En el primer caso debe entenderse que también es posible la renovación si las partes así lo acuerdan.

3.7. Concurrencia de seguros

En caso de que en un mismo siniestro de ciberriesgos concurrieran dos o más pólizas —coexistencia de varios seguros cubriendo el mismo riesgo— algunas pólizas establecen que en caso de que la concurrencia se produjera con el mismo asegurador, la indemnización máxima a pagar para el conjunto de pólizas concurrentes sería la de aquella que tuviera el mayor límite de indemnización[62]. Naturalmente esta cláusula solo aplica cuando la concurrencia se produce en la misma aseguradora y el asegurado lo ha aceptado, pero no en siniestros de responsabilidad civil en los que la concurrencia se produce entre pólizas de distintas aseguradoras. Esta limitación de sumas en caso de concurrencia podría plantear algún debate sobre su validez cuando el riesgo asegurado es el de responsabilidad civil.

---

[62]   Póliza CyberEdge de AIG, apartado 8.4.

La no acumulación de límites con pólizas suscritas con el mismo asegurador se recoge también en otros condicionados (ZURICH, apartado 29) al considerar que los límites no son una adición, sino excluyentes, pero aplicando el límite más alto del conjunto de pólizas concurrentes.

V. SUSCRIPCIÓN Y COTIZACIÓN

El término *cotización* hace referencia a la prima que finalmente establece el asegurador para la cobertura del riesgo, tras el proceso de análisis del mismo y de sus variables. La cotización depende del sector de actividad, de la facturación de la empresa, del volumen y tipo de información que almacenan, de las medidas de seguridad de que disponen, del límite que se quiere contratar, de la siniestralidad y de la capacidad del mercado.

Con estas variables el asegurador suscribe el riesgo y establece las condiciones de franquicia, límites y sublímites aplicables, junto con el catálogo general y específico de coberturas y exclusiones. En la actualidad, los riesgos de suscripción más frecuente son aquellos más expuestos a riesgos cibernéticos: entidades financieras, empresas de tecnología, sanidad, consultoría y profesionales de todo tipo, sin que puedan excluir por ello otras actividades como comercio y distribución, que son, a su vez, las más expuestas y las que más reclamaciones generan.

VI. DECLARACIÓN DEL RIESGO

La suscripción del seguro de ciberriesgos se realiza, como en cualquier otra modalidad aseguradora, sobre la base del cuestionario que al amparo del artículo 10 LCS el asegurador somete al asegurado para que este declare todas las circunstancias que puedan influir en la valoración del riesgo[63].

Dado que el aseguramiento de los ciberriesgos responde a una suscripción compleja, el cuestionario que debe cumplimentar el tomador suele ser amplio y completo. A título de ejemplo se incluye un modelo.

---

[63]   Sobre el deber de declaración del riesgo, vid. El deber precontractual de declaración del riesgo en el contrato de seguro (Rubio Vicente).

Cuestionario
Seguro de Ciberriesgos

Tomador

Nombre:

Dirección:

Página Web:

Actividad:

Ingresos Brutos

	Ejercicio Anterior	Ejercicio Actual (estimado)
España		
Unión Europea (Excluyendo España)		
USA / Canadá		
Resto del Mundo		
Total		

Requisitos del seguro
Especifique cuáles de las siguientes coberturas desea que se incluyan en la cotización:

Extensiones de cobertura	Sí	No
Responsabilidad derivada de privacidad y seguridad en los sistemas	☐	☐
Gestión de crisis	☐	☐
Paralización de actividad	☐	☐
Reposición de datos	☐	☐
Cyber extorsión	☐	☐

Indique todas las opciones de límite de indemnización para las que desea recibir cotización:

€ 1.000.000	☐
€ 2.000.000	☐
€ 5.000.000	☐
€ 10.000.000	☐
€ 20.000.000	☐

€ 50.000.000	☐
Otros:	☐

Datos personales

1. Facilite un desglose aproximado de la cantidad de registros procesados, transmitidos y almacenados de acuerdo a las siguientes categorías:

Tipo de datos	EEUU		UE		Resto del mundo	
Externo	Procesado	Almacenado	Procesado	Almacenado	Procesado	Almacenado
Salud						
Tarjeta de crédito/débito						
Información cuenta bancaria						
DNI o similar, como n° de pasaporte, n° de la seguridad social, carné de conducir, etc.						
Información sensible como origen étnico, afiliación sindical, creencias religiosas, opinión política, orientación sexual, datos genéticos o condenas penales						
Perfil personal básico, dirección, email, teléfono, nombre de usuario y contraseña						

Tipo de datos	EEUU		UE		Resto del mundo	
Externo	Procesado	Almacenado	Procesado	Almacenado	Procesado	**Almacenado**
Interno	Procesado	Almacenado	Procesado	Almacenado	Procesado	Almacenado

Registros de
empleados,
incluyendo
los datos de
empleados
anteriores, si
se tiene dicha
información

Indique el nº total de registros de datos personales almacenados, procesados o transmitidos:

Procesado	Almacenado

¿Los datos personales están almacenados en más de una base de datos? SÍ ☐ NO ☐
En caso afirmativo, por favor especificar:

¿Tiene una política global de privacidad? SÍ ☐ NO ☐ Por favor, proporcionar una copia.

¿Tiene un plan de respuesta definido que actúe ante una divulgación no autorizada de datos personales? SÍ ☐ NO ☐ Por favor, proporcionar una copia.

¿Ha compartido alguna vez datos personales con terceros? SÍ ☐ NO ☐

En caso afirmativo, ¿esta posibilidad aparece claramente reflejada en la política de privacidad aplicable a los titulares de los datos? SÍ ☐ NO ☐

Por favor, detalle todos los terceros a quienes haya vendido o con los que se haya acordado compartir información personal.

Naturaleza de los datos personales	Nombre del proveedor

¿Están todos los terceros con los que comparte datos personales obligados a indemnizarle bajo contrato por la posible divulgación no autorizada de dichos datos personales? SÍ ☐ NO ☐
En caso negativo especificar las soluciones contractuales existentes:

Dependencia de terceros

1. Por favor, proporcione detalle de las funciones de IT que han sido subcontratadas a terceros:

Función	Nombre del proveedor

Proporcione detalles sobre las funciones de procesos de negocio que han sido subcontratadas a terceros:

Función	Nombre del proveedor

¿Verifica que los proveedores con los que comparte información personal son capaces de cumplir unos niveles satisfactorios de seguridad? SÍ☐ NO ☐

Por favor exponga el método de verificación:

Continuidad y copia de seguridad

1. ¿Cuenta su organización con...?

- Un plan de restablecimiento del servicio ante una situación de crisis? SÍ ☐ NO ☐
- Un plan de Continuidad de Negocio? SÍ ☐ NO ☐

Por favor incluya una copia.

¿Estos planes han sido comprobados en los últimos 12 meses? SÍ ☐ NO ☐

¿Realizan una copia de seguridad diaria de todos los datos críticos o sensibles? SÍ ☐ NO ☐

Indique dónde se guardan los "back up" y las excepciones que se aplican a la actualización diaria.

¿Realiza un cifrado de las copias de seguridad con información sensible como procedimiento estándar? SÍ ☐ NO ☐

En caso de no externalizar el servicio ¿almacena esas copias de seguridad en un lugar físicamente seguro? SÍ ☐ NO ☐

¿Tiene un procedimiento formalizado para la destrucción de aquellos datos y documentos innecesarios para la organización? SÍ ☐ NO ☐

Paralización de actividad

1. Describa la tendencia de ingresos de su organización en un periodo habitual de 24 horas

2. Describa la tendencia de ingresos de su organización en un periodo habitual de 12 meses

Describa el impacto financiero que produciría en sus ingresos un fallo de acceso a su red:

a. Por un máximo de 4 horas de paralización

b. Por un máximo de 12 horas de paralización

c. Por un máximo de 24 horas de paralización

¿Qué porcentaje de sus ingresos se derivan de las ventas online?

Reglamentos y aspectos legales

1. ¿Cumple con los estándares legales o reglamentos en materia de almacenamiento/procesamiento de datos? SI ☐ NO ☐

2. En su caso, por favor confirmar su cumplimiento con:

	Sí	No	No aplicable	Fecha de la última evaluación
Payment Card Industry Data Security Standards (PCI) Indicar el nivel aplicable: 1 2 3 4	☐	☐	☐	
Leyes que velan por la privacidad de los datos médicos y establecen sanciones en caso de violaciones normativas	☒	☐	☐	
Leyes que protegen la privacidad de datos personales en instituciones financieras, y la necesidad de informar a los clientes de los protocolos internos correspondientes	☐	☐	☐	

José María Elguero

Especifique las áreas de negocio a las que el PCI no aplica, así como aquellas que siendo de aplicación no cumplen con los estándares requeridos por el PCI. En este último caso, describa también la situación y fecha estimada de finalización de cualquier plan de cumplimiento de PCI para las áreas de negocio pendientes.

¿Tiene implementado un programa de prevención de robo de identidad ej. Federal Trade Commission (FTC)/ Programas "Red Flags"? SÍ ☐ NO ☐

1.   ¿Se ha realizado una auditoría externa de sus políticas/prácticas de privacidad en los últimos dos años? SÍ ☐ NO ☐

Seguridad

1.   La entidad solicitante, ¿tiene designado un Responsable de Seguridad Informática? SÍ ☐ NO ☐

¿Realiza el seguimiento y control de acceso a la información confidencial de su red? SÍ ☐ NO ☐

¿Utiliza un software antivirus que se actualiza de acuerdo a las recomendaciones del proveedor?

| Automático ☐ | Semanal ☐ | Mensual ☐ | Otros |

¿Tiene instalado y mantiene firewalls para proteger los datos? SÍ ☐ NO ☐

¿Ha instalado y mantiene un sistema de detección de intrusiones? SÍ ☐ NO ☐

¿Tiene un proceso definido e implementado para actualizar regularmente sus sistemas y aplicaciones? SÍ ☐ NO ☐

Se cifra toda la información sensible y confidencial cuando:

Situación	SÍ	No	Parcial (por favor explicar)
Se almacena en sus bases de datos y servidores	☐	☐	
Se almacena en medios portátiles	☐	☐	
Se encuentra en tránsito en las redes	☐	☐	
Se encuentra en las redes inalámbricas	☐	☐	
Se realizan transmisiones de correo electrónico interno o externo	☐	☐	
Se realizan transferencias de archivos	☐	☐	
Se realizan copias de seguridad en cintas/casetes/discos	☐	☐	

Situación	SÍ	No	Parcial (por favor explicar)
Se encuentra almacenada en los dispositivos móviles personales	☐	☐	

Identifique todos los controles de seguridad utilizados como complemento o como alternativa al cifrado para la transmisión o el almacenamiento de información sensible y confidencial.

Empleados

1. ¿Su organización comunica las políticas de seguridad de información a sus empleados? SÍ ☐ NO ☐

2. ¿Proporciona formación a sus empleados sobre privacidad de datos y seguridad, así como sobre responsabilidad legal y cuestiones de ingeniería social? SÍ ☐ NO ☐

¿Cuál es la frecuencia de la formación?

¿Tienen los empleados acceso restringido al almacenamiento a través de USB? SÍ ☐ NO ☐

¿Tiene un procedimiento para la revocación de una cuenta de usuario y para la recuperación de la relación de activos de información tras la salida de un empleado? SÍ ☐ NO ☐

Media

¿Tiene procedimientos escritos en relación al uso de licencias y contenido de terceros en su página web o en sus materiales promocionales? SÍ ☐ NO ☐

¿Su página web presenta opciones "opt in / opt out" en la recogida de información de los usuarios individuales? SÍ ☐ NO ☐

¿Utiliza o ha utilizado "flash cookies" en su página web para controlar los visitantes? SÍ ☐ NO ☐

¿Tiene un manual de social media para uso interno de sus empleados? SÍ ☐ NO ☐

¿Ha comprobado el departamento legal que su dominio y sus propiedades no infringen el copyright o marca de terceros? SÍ ☐ NO ☐

¿Promociona su negocio por medio del envío masivo de emails? SÍ ☐ NO ☐

¿Aloja contenido de terceros o redes sociales? SÍ ☐ NO ☐

¿Tiene un procedimiento de detección y retirada de comentarios o contenidos de terceros en sus páginas web? SÍ ☐ NO ☐

Por favor proporcione detalles sobre cualquier tipo de publicación en medios de comunicación no destinada a realizar publicidad directa de su negocio.

Siniestralidad

¿Ha sufrido alguno de los siguientes eventos?

Divulgación no autorizada de información personal SÍ ☐ NO ☐

- En caso afirmativo, proporcionar detalle

```



```

No disponibilidad de un sistema IT o datos, que haya causado un impacto negativo en los ingresos, dando como resultado un incremento del coste del servicio/trabajo SÍ ☐ NO ☐
En caso afirmativo, proporcionar detalle

```



```

Recepción de alguna demanda de extorsión basada en una amenaza en los sistemas de IT o datos SÍ ☐ NO ☐
En caso afirmativo, proporcionar detalle

```



```

Daño, destrucción, corrupción, eliminación o pérdida de datos o software; SÍ ☐ NO ☐
En caso afirmativo, proporcionar detalle

```



```

Recepción de alguna reclamación basada en una indemnización a terceros como consecuencia del incumplimiento de la seguridad de su red SÍ ☐ NO ☐
En caso afirmativo, proporcionar detalle

```



```

Recepción de alguna reclamación basada en el contenido de su página web, intranet u otros contenidos corporativos o cualquier otra forma de comunicación electrónica. SÍ ☐ NO ☐
En caso afirmativo, proporcionar detalle

```



```

¿Ha sido objeto de algún procedimiento regulatorio relacionado con un incumplimiento normativo de cualquier ley relacionada con los datos personales? SÍ ☐ NO ☐
En caso afirmativo, proporcionar detalle:

```



```

VII. BIBLIOGRAFÍA

AGERS: *TOP 10 CYBER RISKS*, Madrid 2018, 58 pp.

DICCIONARIO DE D&O. Glosario de términos del seguro de responsabilidad civil de administradores, consejeros y directivos. Servicio de Estudios de Marsh España, 2014, 125 pp.

DICCIONARIO DE RESPONSABILIDAD CIVIL. Responsabilidad civil y seguros de responsabilidad civil. Servicio de Estudios de Marsh España, 2015, 157 pp.

FINANCIER: Cyber Security & Risk Management, Annual Review 2018, 51 pp.

JIMENO MUÑOZ, J.: *La Responsabilidad Civil en el ámbito de los ciberriesgos*. Asociación Española de Gerencia de Riesgos y Seguros y Fundación Mapfre, 2017, 243 pp.

MARSH & McLENNAN COMPANIES: *CYBER, The Stakes Have Changed for the C-Suite*, Report January 2018, 15 pp.

MARSH & McLENNAN COMPANIES: *MMC Cyber Handbook 2018, Perspective on the next wave of cyber*, 65 pp.

MARSH: *By the Numbers, Global Cyber Risk Perception Survey*. February 2018, 17 pp.

RUBIO VICENTE, P.J.: *El deber precontractual de declaración del riesgo en el contrato de seguro*. Mapfre, 2003.

THIBER: *Ciberseguros, la transferencia del ciberriesgo en España*. Madrid, Abril 2016, 60 pp.

TRIDIB BANDYOPADHYAY. "Organizational Adoption of Cyber Insurance Instruments in IT Security Risk Management - A Modelling Approach", *Proceedings of the Southern Association for Information Systems Conference*, Atlanta, 2012.

PARTE III
RESPONSABILIDAD POR SEGURIDAD EN LAS REDES Y PROTECCIÓN DE DATOS

CAPÍTULO 10

RESPONSABILIDAD POR SEGURIDAD EN LAS REDES Y PROTECCIÓN DE DATOS

BERNARDO YBARRA MALO DE MOLINA
Socio de Muñoz Arribas S.L.P.
Máster Universitario en Protección de Datos,
Transparencia y Acceso a la Información (USP-CEU)

Sumario: I. INTRODUCCIÓN. II. INFRACCIONES DEL REGLAMENTO GENERAL DE PROTECCIÓN DE DATOS. 1. Poderes Correctivos de la Autoridad de Supervisión, 2. Multas económicas, III. INDEMNIZACIÓN FRENTE A LOS TERCEROS IV. LA OBLIGACIÓN DE NOTIFICAR LAS BRECHAS DE SEGURIDAD. V. PRESCRIPCIÓN. VI. CONCLUSIONES VII. BIBLIOGRAFÍA[1].

Palabras clave: Riesgos cibernéticos, Protección de Datos, Brecha de Seguridad.

Resumen: Un incidente cibernético puede comprometer la información, incluidos datos personales, contenida en las redes y sistemas de información del afectado, dando lugar a que la Autoridad de Supervisión ejercite su poderes correctivos, o sancione, al afectado por el citado evento cibernético.

I. INTRODUCCIÓN

Antes de comenzar, hemos de señalar que en el momento en que redactamos este capítulo, abril de 2019, en España nos encontramos con la siguiente normativa básica en materia de protección de datos:

- Real Decreto 1720/2007, de 21 de diciembre, por el que se aprueba el Reglamento de la Ley Orgánica 15/1999, de Protección de Datos Personales. Este reglamento está "desplazado" por el RGPD.
- El RGPD que es de aplicación desde el 25 de mayo de 2018.
- La Ley Orgánica 3/2018, de 5 de diciembre, de Protección de Datos Personales y garantía de los derechos digitales (BOE 6 de diciembre 2018), que entró en vigor el pasado 7 de diciembre de 2018.

De este modo, la referencia normativa fundamental actualmente es el RGPD y la Ley Orgánica 3/2018 de Protección de Datos Personales y garantías digitales.

---

[1]   Todas las consultas de internet estaban disponibles a 28 de septiembre de 2018.

Un incidente cibernético podrá eventualmente comprometer la información contenida en las redes y sistemas de información del afectado. La información, esto es los datos afectados, pueden tener el carácter de datos personales o mera información de carácter no personal.

Desde este punto de vista y para saber si queda afectada o no la privacidad de las personas, deberemos determinar si la información afectada tiene el carácter de dato personal conforme establece el RGPD.

La privacidad (*"privacy"*) es un término legal utilizado en Estados Unidos. Sin embargo en los textos legales en la Unión Europea se habla de datos personales, por lo que usualmente utilizaré este último término.

El artículo 4.1 del RGPD define el concepto dato personal como *"toda información sobre una persona física identificada o identificable ("el interesado"); se considerará persona física identificable toda persona cuya identidad pueda determinarse, directa o indirectamente, en particular mediante un identificador, como por ejemplo un nombre, un número de identificación, datos de localización, un identificador en línea o uno o varios elementos propios de la identidad física, fisiológica, genética, psíquica, económica, cultural o social de dicha persona"*.

Sin ánimo de profundizar en este concepto —lo que debería ser objeto de una monografía específica sobre protección de datos—, uno de los elementos relevantes del concepto "dato personal" es que se trata de cualquier información sobre una persona física *identificada o identificable*. La información *identificará* de modo directo a una persona física (p.ej.: nombre y apellidos) o permitirá que tal persona sea *identificable*. Este precepto detalla expresamente determinada información que, desde el punto de vista legal, tiene la consideración de dato personal y, por tanto, está sujeto a la protección del RGPD. El artículo 4.1 RGPD nos cita los siguientes: nombre, un número de identificación, datos de localización, un identificador en línea o uno o varios elementos propios de la identidad física, fisiológica, genética, psíquica, económica, cultural o social de dicha persona.

A modo de ejemplo la AEPD ha considerado de manera consistente que el correo electrónico, aunque no contenga el nombre o apellidos de su titular y sea una denominación abstracta tiene la consideración de dato personal (Resoluciones AEPD de 11 de noviembre de 1999, de 15 de noviembre de 2005 y 23 de junio de 2006). También es objeto de debate si la dirección IP de un ordenador (número que identifica de manera lógica y jerárquica una computadora), tiene o no la consideración de dato personal. En este sentido, tanto la AEPD como los Tribunales han establecido que la dirección IP tiene la condición de dato personal, aunque habrá otros supuestos en que no la tenga (p.ej.: cuando se trata de ordenadores de uso público o por grupo de varias personas).

El interesado será toda persona física, identificada o identificable, cuyos datos personales sean objeto de tratamiento.

Por otra parte, tiene utilidad saber en qué consiste un tratamiento de datos desde una perspectiva legal, para lo que acudimos al artículo 4.2 RGPD que define el concepto tratamiento del siguiente modo: *"cualquier operación o conjunto de operaciones realizadas sobre datos personales o conjuntos de datos personales, ya sea por procedimientos automatizados o no, como la recogida, registro, organización, estructuración, conservación, adaptación o modificación, extracción, consulta, utilización, comunicación por transmisión, difusión o cualquier otra forma de habilitación de acceso, cotejo o interconexión, limitación, supresión o destrucción"*. Como vemos, la definición que establece el RGPD del concepto tratamiento de datos es realmente amplia pues trata sobre *cualquier operación sobre datos personales*, lo que incluye desde su recogida, conservación, acceso, etc. A modo de ejemplo, más o menos banal, sobre el alcance de lo que constituye un tratamiento de datos citaremos la Sentencia del Tribunal de Justicia de la Unión Europea de 10 de julio de 2018, Asunto C-25/17, relativa a los Testigos de Jehová, en la que establece que la actividad proselitista que realiza durante sus visitas, en las que toma los nombres y direcciones de potenciales fieles, supone un tratamiento de datos personales, por lo que esta comunidad religiosa tiene la condición de responsable, y tal tratamiento está sujeto a la normativa europea sobre protección de datos.

De acuerdo con el artículo 4.7 RGPD tiene la condición de responsable del tratamiento o responsable *"la persona física o jurídica, autoridad pública, servicio u otro organismo que, solo o junto con otros, determine los fines y medios del tratamiento"*. Lo que caracteriza al responsable es que es la persona que determina la finalidad del tratamiento de los datos personales y los medios del tratamiento.

El artículo 4.8 RGPD define el encargado del tratamiento o encargado como *"la persona física o jurídica, autoridad pública, servicio u otro organismo que trate datos personales por cuenta del responsable del tratamiento"*. Como ejemplos sencillos sobre quien tendría la condición de encargado tenemos el del abogado que trata datos personales tratados por una organización para la llevanza de los asuntos legales, o la empresa que realiza las nóminas y debe tratar los datos personales de los empleados, etc. Estas personas, o encargados, realizan un tratamiento de datos por cuenta del responsable quien externaliza determinados servicios.

Finalmente definiremos el concepto de brecha de seguridad o violación de la seguridad de los datos personales: *"toda violación de la seguridad que ocasione la destrucción, pérdida o alteración accidental o ilícita de datos personales transmitidos, conservados o tratados de otra forma, o la comunicación o acceso no autorizados a dichos datos"* (art. 4.12 RGPD). Desde un punto de vista legal, el concepto de brecha de seguridad de datos personales es muy amplio, lo que incluye la *comunicación no autorizada* (p.ej.: pensemos en un correo electrónico dirigido a una persona que no era su destinatario y a quien no se podía facilitar el acceso de dichos datos), el *acceso no autorizado* (lo que ocurrirá cuando un tercero tenga mero acceso a datos personales que obren en nuestra red o sistema de información), y por supuesto la *destrucción, pérdida o alteración de los datos, ya sea accidental o ilícita* (estos supuestos no sólo incluyen el caso de ataques por parte de hackers, sino, también, el caso de que un empleado de nuestra organización pierda un USB o un portátil con datos personales y dichos datos no estén protegidos adecuadamente a fin de evitar que terceros pueda acceder a ellos).

El RGPD establece muchas obligaciones para los responsables y encargados de los datos personales. A fin de que nos hagamos una somera idea de las obligaciones que impone el RGPD citaré algunas de ellas:

- El tratamiento de datos respetará los principios del artículo 5 RGPD: que sean tratados de manera lícita, leal y transparente, que se recojan y traten para determinada finalidad, que sean adecuados, pertinentes y limitados a los fines para los que son tratados, que sean exactos, etc.
- El tratamiento tendrá un título de licitud, que será diferente si tienen, o no, la condición de datos sensibles de categoría especial. Entre los títulos de licitud de tratamiento cabría citar, entre otros: el consentimiento expreso, la existencia de un contrato, el derecho de defensa, el cumplimiento de una obligación legal, etc. (artículos 6 y 9 RGPD).
- El consentimiento de las personas mayores de edad y del menor deberán respetar determinadas condiciones (artículos 7 y 8 RGPD).
- Obligación de transparencia (artículo 12 RGPD).
- Los derechos de información y acceso a los datos personales (artículos 13 a 22 RGPD).
- Las obligaciones del responsable y del encargado del tratamiento (artículo 24 a 31 RGPD).
- Seguridad de los datos personales (artículos 32 RGPD).
- Obligación de notificar a la AEPD y a los interesados las brechas de seguridad (artículos 33 y 34 RGPD).
- Evaluación de impacto (artículo 35 RGPD).
- Designación de Delegado de Protección de Datos (artículos 37 a 39 RGPD).
- Incumplimientos en relación con las certificaciones (artículos 42y 42 RGPD).
- Requisitos para realizar transferencias internacionales (artículos 44 a 49 RGPD).
- Etc.

Llegados a este punto es importante destacar que la infracción del RGPD 679/2016 conlleva una eventual responsabilidad para, valga la redundancia, el responsable y/o encargado del tratamiento.

Debemos tener en consideración que —al igual que en cualquier otro ciber incidente— la infracción podrá tener diferentes causas: (i) actuación intencionada o no de un tercero; (ii) actuación intencionada o no del responsable o encargado (o de sus administradores, directivos o empleados).

La infracción del RGPD 679/2016 podrá generar una eventual responsabilidad en los siguientes ámbitos:

- Imposición de poderes correctivos por parte de la AEPD.
- Imposición de multas por parte de la AEPD.
- Indemnización a terceros interesados afectados por una brecha de seguridad.

II. INFRACCIONES DEL REGLAMENTO GENERAL DE PROTECCIÓN DE DATOS

1. Poderes Correctivos de la Autoridad de Supervisión

La infracción del RGPD conlleva la posibilidad de que la AEPD incoe una actuación inspectora y ejerza los *poderes correctivos* detallados en el artículo 58 RGPD o imponga las *multas* establecidas en el artículo 83 RGPD. Expresado en otros términos, no toda infracción del RGPD tiene que terminar necesariamente en una multa, sino que es posible que la AEPD se limite a ejercer sus *poderes correctivos.*

Efectivamente, el artículo 83.2 RGPD establece que las *multas administrativas* se impondrán, en función de las circunstancias de cada caso individual, a título adicional o sustitutivo de las *medidas contempladas* en el artículo 58.2 a) a h) y j), que constituyen lo que este precepto denomina como *poderes correctivos* de la AEPD.

De este modo, en el supuesto que se haya incurrido en infracción del RGPD, la AEPD puede limitarse a ejercer los poderes correctivos del artículo 58.2 RGPD. Esta posibilidad no es novedad del reglamento, sino que el artículo 45.6 de la Ley Orgánica 15/1999 ya recogía con un teórico carácter excepcional la imposición de medidas correctora y de apercibimiento, aunque para ello se requería que: (i) los hechos fuesen constitutivos de infracción leve o grave; (ii) que el infractor no hubiese sido sancionado o apercibido con anterioridad.

Como ejemplo podemos citar el Expediente nº E/02525/2017 en el que la AEPD impuso una advertencia al responsable del tratamiento en un supuesto en el que se había producido una brecha de seguridad e infracción de la normativa de protección de datos. La realidad estadística es que la imposición de medidas correctoras y apercibimientos no ha tenido "carácter excepcional", sino que la AEPD ha acudido a esta potestad con relativa frecuencia, especialmente si comparamos las declaraciones de infracción con apercibimiento y aquellas que terminan con sanción económica.

Así en la memoria de la AEPD de 2017[2] se refleja la siguiente estadística según el sentido de la resolución:

Año	2015	2016	2017
Archivo actuaciones previas iniciadas	1.731	1.832	2.066
Archivo de procedimiento con archivo	216	311	289
Archivo de procedimiento de infracción de las AAPP	99	100	119
Total resoluciones de archivo	2.059	2.256	2.489
Declarativa de infracción con apercibimiento	181	181	200
Declarativa de infracción con sanción económica	594	473	610
Declarativa de infracción de las AAPP	52	43	45
Total resoluciones declarativas de infracción	827	697	855
Total resoluciones potestad sancionatoria	2.886	2.953	3.344

Como se ve, aproximadamente un 25% de los procedimientos con resoluciones declarativas de infracción son apercibimientos, por lo que, decíamos, esta medida correctiva no tienen carácter excepcional en su aplicación real.

El artículo 58.2 RGPD establece los siguientes poderes correctivos que podrán ser ejercitados por la AEPD:

a) Sancionar con una *advertencia* cuando el tratamiento previsto pueda infringir el RGPD.

b) Sancionar con un *apercibimiento* cuando el tratamiento haya infringido el RGPD.

c) *Ordenar* que se atienda la solicitud del ejercicio de los derechos del interesado conforme el RGPD.

d) *Ordenar* que el tratamiento se ajuste al RGPD.

e) *Ordenar* al responsable que comunique al interesado la existencia de una brecha o violación de seguridad de datos.

---

2   AGENCIA ESTATAL DE PROTECCIÓN DE DATOS, *Memoria 2017*, Madrid, AEPD, 2018, pp. 104-106, https://www.aepd.es/media/memorias/memoria-AEPD-2017.pdf

f) Imponer una limitación temporal o definitiva del tratamiento, incluida su prohibición.

g) *Ordenar* la rectificación o supresión de datos personales o la limitación de su tratamiento, y la notificación de las medidas adoptadas a los interesados.

h) *Retirar* una certificación u ordenar al organismo certificador que retire una certificación.

j) *Ordenar* la suspensión del flujo de datos internacionales.

En el apartado i) del artículo 58.2 RGPD se recoge la facultad de la AEPD de imponer multas, cuestión que he preferido tratar separadamente. En este punto he querido tratar los poderes correctivos que no tengan carácter sancionatorio-económico, dado que se trata de un posible recurso de defensa muy interesante ante un procedimiento de investigación por parte de la AEPD, especialmente teniendo en cuenta el importe de las eventuales multas económicas.

2. Multas económicas

Las multas que establece el Reglamento son la primera fuente de eventual responsabilidad por infracción de la normativa de protección de datos, conductas que pueden surgir como consecuencia de un ciber incidente.

El RGPD 679/2016 establece dos tipos de infracciones y sus correlativas sanciones que, aunque el reglamento no las denomina así, podrían calificarse como graves y muy graves.

El RGPD dispone que la imposición de multas administrativas sean, en cada caso individual, "efectivas, proporcionadas y disuasorias" (artículo 83.1 RGPD). Sin duda tales principios son muy razonables. El problema viene dado, como veremos seguidamente, por el hecho de que el importe máximo de las multas puede alcanzar la cifra de 10.000.000 Euros o el 2% de la facturación global (la mayor de las dos) o la de 20.000.000 Euros o el 4% de la facturación global (la mayor de las dos). En este contexto las ideas de *proporcionado y disuasorio* cobran especial importancia, porque a la hora de imponer una multa, y en aplicación de aquellos principios, parecería razonable atender al volumen de negocio de la empresa que sea objeto de actuación inspectora.

La idea de *proporción* puede ponerse en contexto con: (i) el beneficio obtenido por la infracción del RGPD, por ejemplo, por un tratamiento masivo de datos personales sin respetar los principios del artículo 5 RGPD. En mi consideración, no debería tener el mismo tratamiento una empresa cuyo negocio sea el tratamiento masivo de datos que otra que necesariamente ha de tratar datos personales, pero no forma parte de su núcleo de negocio; (ii) otra posibilidad es considerar que la idea de *proporción* tiene relación con el volumen de negocio o beneficios del sujeto sancionado, lo que nos lleva al siguiente principio: multas *di-*

suasorias; (iii) una tercera posibilidad es considerar que la proporción ha de tener conexión con la naturaleza, gravedad y duración de la intención, intencionalidad o negligencia, etc.

Es razonable que una multa administrativa tenga carácter *disuasorio* en el sentido de que no compense económicamente al infractor incurrir en los supuestos tipificados como infracción, siendo esto un principio básico del derecho sancionador. Ahora bien, dada la cuantía de las multas establecidas en el RGPD, la potestad sancionatoria de la Autoridad de Supervisión más que *disuasoria* es potencialmente *aniquiladora*. Pensemos que las multas por infracciones Tipo I o graves (las del artículo 83.4 RGPD) pueden alcanzar un máximo de 10.000.000 Euros o el 2% de la facturación global, y las tipo II o muy graves (las del artículo 83.5 RGPD) la sanción máxima es de 20.000.000 Euros o el 4% de la facturación global.

España es un país de Pequeñas y Medianas Empresas (en adelante Pymes). De acuerdo con El Economista[3], en 2015 las pymes representan el 99,8% del tejido empresarial español. El 97,6% tiene ingresos menores a 2 millones de euros anuales, el 1,9% facturan entre 2 y 10 millones, el 0,5% ingresa entre 10 y 50 millones y únicamente el 0,1% tienen una facturación superior a los 50 millones de euros. Debemos distinguir la facturación de los beneficios de una empresa, pues una empresa puede tener una facturación de varias decenas de millones de Euros y, sin embargo, estar en pérdidas.

En este contexto económico, ¿cuántas empresas españolas podrían soportar una multa de 5.000.000 ó 10.000.000 Euros sin entrar en una situación de inmediata insolvencia?, ¿y de 20.000.000 Euros que es el máximo previsto para las multas más graves? Debemos tener en cuenta que una sanción no es un gasto empresarial, sino que va directamente a la cuenta de resultados. Una multa de esta entidad provocaría que la gran mayoría de las empresas españolas entrasen automáticamente en pérdidas, agotasen sus reservas y en estado de insolvencia, con la consecuente obligación de sus Administradores de solicitar de manera inmediata el Concurso y probablemente de liquidar la sociedad (artículo 5 Ley 22/2003 Concursal).

Confiamos en el buen criterio de la Autoridad de Supervisión y que los principios de proporcionalidad y disuasión tengan mero carácter disuasorio y no aniquilatorio.

Por otra parte, las pólizas de seguro no llegan a cubrir importes de semejante entidad, por lo que, en caso de que una empresa tuviese asegurada la imposición

---

[3]   EL ECONOMISTA, "Cuanto facturan las pymes en España", *El economista*, 8 d enero de 2016, http://www.eleconomista.es/emprendedores-pymes/noticias/7265610/01/16/Cuanto-facturan-las-pymes-en-Espana.html

de multas derivadas de infracciones en materia de protección de datos, la póliza únicamente cubriría una pequeña parte de una multa millonaria.

El artículo 83.2 RGPD establece determinados criterios que la Autoridad de Supervisión debe tener en consideración a la hora de imponer sanciones, y que son los siguientes:

a) la naturaleza, gravedad y duración de la infracción, teniendo en cuenta la naturaleza, alcance o propósito de la operación de tratamiento de que se trate así como el número de interesados afectados y el nivel de los daños y perjuicios que hayan sufrido;

b) la intencionalidad o negligencia en la infracción;

c) cualquier medida tomada por el responsable o encargado del tratamiento para paliar los daños y perjuicios sufridos por los interesados;

d) el grado de responsabilidad del responsable o del encargado del tratamiento, habida cuenta de las medidas técnicas u organizativas que hayan aplicado en virtud de los artículos 25 y 32;

e) toda infracción anterior cometida por el responsable o el encargado del tratamiento;

f) el grado de cooperación con la autoridad de control con el fin de poner remedio a la infracción y mitigar los posibles efectos adversos de la infracción;

g) las categorías de los datos de carácter personal afectados por la infracción;

h) la forma en que la autoridad de control tuvo conocimiento de la infracción, en particular si el responsable o el encargado notificó la infracción y, en tal caso, en qué medida;

i) cuando las medidas indicadas en el artículo 58, apartado 2, hayan sido ordenadas previamente contra el responsable o el encargado de que se trate en relación con el mismo asunto, el cumplimiento de dichas medidas;

j) la adhesión a códigos de conducta en virtud del artículo 40 o a mecanismos de certificación aprobados con arreglo al artículo 42, y

k) cualquier otro factor agravante o atenuante aplicable a las circunstancias del caso, como los beneficios financieros obtenidos o las pérdidas evitadas, directa o indirectamente, a través de la infracción.

Dado que este capítulo no tiene por objeto analizar en profundidad el régimen sancionatorio del RGPD —lo que excede el objeto de este capítulo y sería más propio de una monografía sobre protección de datos—, seguidamente nos limitaremos a señalar cuáles son las infracciones y sanciones previstas en el Reglamento.

Las infracciones establecidas por el RGPD son las siguientes:

(a) Infracciones tipo I (o graves), que se establece en el artículo 83.4 RGPD:

- Las obligaciones del responsable y del encargado a tenor de los artículos 8, 11, 25 a 39, 42 y 43;

- Las obligaciones de los organismos de certificación a tenor de los artículos 42 y 43;
- Las obligaciones de la autoridad de control a tenor del artículo 41, apartado 4.

(b) Infracciones tipo II (o muy graves), que se detallan en el artículo 83.5 y 83.6 RGPD:

- Los principios básicos para el tratamiento, incluidas las condiciones para el consentimiento a tenor de los artículos 5, 6, 7 y 9;
- Los derechos de los interesados a tenor de los artículos 12 a 22;
- Las transferencias de datos personales a un destinatario en un tercer país o una organización internacional a tenor de los artículos 44 a 49;
- Toda obligación en virtud del Derecho de los Estados miembros que se adopte con arreglo al capítulo IX;
- El incumplimiento de una resolución o de una limitación temporal o definitiva del tratamiento o la suspensión de los flujos de datos por parte de la autoridad de control con arreglo al artículo 58, apartado 2, o el no facilitar acceso en incumplimiento del artículo 58, apartado 1.
- El incumplimiento de las resoluciones de la autoridad de control a tenor del artículo 58, apartado 2.

Partiendo del anterior régimen, las multas que puede llegar a imponer el RGPD 679/2016 son las siguientes:

Las multas que puede llegar a imponer la Autoridad de Control (la AEPD en España) son las siguientes:"

- Para las infracciones tipo I o graves del artículo 83.4 RGPD: multas administrativas de 10.000.000 Euros como máximo o, tratándose de una empresa, de una cuantía equivalente al 2 % como máximo del volumen de negocio total anual global del ejercicio financiero anterior, optándose por la de mayor cuantía.
- Para las infracciones tipo II o muy graves de los artículos 83.5 y 83.6 RGPD: multas administrativas de 20.000.000 Euros como máximo o, tratándose de una empresa, de una cuantía equivalente al 4 % como máximo del volumen de negocio total anual global del ejercicio financiero anterior, optándose por la de mayor cuantía.

Uno de los problemas que se plantea es el de la graduación de las sanciones. Si nos fijamos en el sistema habitual en el que se gradúan las sanciones, los tramos de multas son progresivos. Citaremos por ejemplo las sanciones establecidas en los artículos 44 y 45 de la Ley Orgánica 15/1999 de Protección de Datos de Carácter Personal: (i) las infracciones leves se sancionan de 900 a 40.000 Euros; (ii) las infracciones graves de 40.001 a 300.000 Euros; (iii) las infracciones muy graves de 300.001 a 600.000 Euros. La sanción mínima de cada siguiente grado de infracción es superior en un Euro al anterior.

La pregunta que surge es: ¿la sanción mínima de las infracciones tipo II o muy graves de los artículos 83.5 y 83.6 RGPD es de 10.000.001 Euros?

Lo cierto es que la Ley Orgánica 3/2018, de Protección de Datos Personales y garantías digitales no ofrece mucha seguridad jurídica, pues parece que un hecho que podría constituir una infracción muy grave, también podría calificarse como grave o leve.

En la exposición de motivos de la Ley Orgánica 3/2018, de Protección de Datos Personales se explica que la categorización de las infracciones (leve, grave y muy grave) se hace a los únicos efectos de determinar los plazos de prescripción. Hemos de notar que el RGPD 679/2016 no categoriza las sanciones como graves o muy graves. Los artículos 83.4, 83.5 y 83.6 del Reglamento, sin calificarlas, se limita a establecer las sanciones que corresponden respecto de cada conducta típica. Por otra parte la Ley Orgánica 3/2018 de Protección de Datos Personales de 2017 señala que las conductas típicas relacionadas en los artículos 72 a 74 son meramente ejemplificativas, remitiéndose a las infracciones establecidas en los artículos 83.4 y 83.5 del Reglamento.

Es interesante destacar que la Ley Orgánica 3/2018 de Protección de Datos Personales establece en sus artículos 72 y 73 que para considerar una conducta como infracción grave o muy grave se requiere, respectivamente, una vulneración *sustancial* de los artículos 83.5 o 83.4 RGPD. Destacamos que no basta que se incurra en la conducta típica, sino que la infracción del RGPD tiene que tener el carácter de *sustancial*. Por otra parte, tendrán la consideración de infracción leve las restantes infracciones *de carácter meramente formal* de los artículos 83.4 y 83.5 RGPD.

De este modo, la infracción de un principio básico relativo a la licitud del tratamiento de datos de categoría especial (p.ej.: salud) no tendrá la consideración de infracción muy grave del artículo 83.5 RGPD si la vulneración de ese principio no es *sustancial*.

Finalmente el artículo 76.3 de la Ley Orgánica 3/2018 de Protección de Datos Personales recoge la posibilidad de que, de manera complementaria o alternativa, la Autoridad de Supervisión adopte los poderes correctivos del artículo 58.2 RGPD a que nos hemos referido con anterioridad.

Por su parte, no podemos olvidar que los principios de la potestad sancionadora están regulados en la Ley 40/2015, de 1 de octubre, de Régimen Jurídico del Sector Público, de tal modo que hemos de acudir a ella. En relación con el principio de proporcionalidad, el artículo 29.5 establece la posibilidad de *imponer la sanción en grado inferior* cuando se justifique la adecuación de la sanción a la gravedad del hecho y circunstancias concurrentes.

Como vemos el grado de *discrecionalidad* de que dispone la Autoridad Supervisora (AEPD), en determinadas ocasiones podría llegar a constituir *arbitrariedad*, lo que está proscrito por el artículo 9.3 de la Constitución Española que garantiza la interdicción de la arbitrariedad de los poderes públicos.

III. INDEMNIZACIÓN FRENTE A LOS TERCEROS

Las eventuales indemnizaciones que haya que satisfacer al interesado cuyos datos personales hayan quedado comprometidos es la segunda fuente de responsabilidad por privacidad.

El artículo 82.1 RGPD establece que toda persona que haya sufrido daños y perjuicios materiales o inmateriales como consecuencia de una infracción del Reglamento tendrá derecho a recibir del responsable o del encargado del tratamiento una indemnización por los daños y perjuicios sufridos.

La responsabilidad podrá imputarse a cualquier "responsable del tratamiento" cuando el tratamiento no cumpla lo dispuesto por el Reglamento. El encargado únicamente responderá cuando no haya cumplido con las obligaciones que el Reglamento le impone específicamente o cuando no haya seguido las instrucciones del responsable del tratamiento (artículo 82.2 RGPD).

El responsable o encargado del tratamiento estará exento de responsabilidad si demuestra que no es en modo alguno responsable del hecho que haya causado los daños y perjuicios (artículo 82.3 RGPD).

En relación con el análisis de los criterios de responsabilidad nos remitimos a lo expuesto previamente, en el capítulo sobre responsabilidad por seguridad en las redes.

El apartado 4 del artículo 83 RGPD viene a establecer una responsabilidad solidaria de los responsables y/o encargados que hayan participado en la operación de tratamiento causante de los daños en aras a garantizar la indemnidad de los perjudicados, de manera que "*cada responsable o encargado será considerado responsable de todos los daños y perjuicios, a fin de garantizar la indemnización efectiva del interesado*".

Finalmente, el Reglamento establece la posibilidad de que el responsable o encargado que haya pagado una indemnización total reclame a los demás responsables o encargados la cuota de responsabilidad que les corresponda (artículo 83.5 RGPD). Este precepto viene a redundar lo establecido en el artículo 1145 del Código Civil que regula las relaciones internas entre los obligados solidarios y a este concreto respecto dispone que "*el que hizo el pago sólo puede reclamar de sus codeudores la parte que a cada uno corresponda, con los intereses de anticipo*".

Los interesados cuyos datos hayan quedado comprometidos pueden ser los administradores o directivos de la empresa u organización, sus empleados o terceras personas. Todos estos son eventuales perjudicados y potenciales reclamantes contra el responsable del tratamiento y/o el encargado.

Tal y como hemos señalado anteriormente, no bastará con que se haya producido una infracción del RGPD para generar un derecho indemnizatorio a favor de un tercero, sino que debe deberá acreditar el nexo causal, la existencia del daño y su cuantía.

IV. LA OBLIGACIÓN DE NOTIFICAR LAS BRECHAS DE SEGURIDAD

A este respecto hay que tener en cuenta que el artículo 33 RGPD establece la obligación de notificar las brechas de seguridad a la AEPD en un plazo máximo de 72 horas, salvo que sea improbable que la brecha de seguridad constituya un *riesgo* para los derechos y las libertades de las personas físicas.

Por su parte, el artículo 34 RGD establece la obligación de notificar las brechas de seguridad a los interesados, sin dilación indebida, cuando la brecha de seguridad de datos personales entrañe un *alto riesgo* para los derechos y libertades de las personas físicas.

En el primer caso, se requerirá la notificación a la AEPD cuando la brecha de seguridad constituya un *riesgo*. En el segundo caso, la notificación a los interesados será obligatoria cuando la brecha constituya un *alto riesgo*.

La clave está en determinar cuándo existe un *riesgo* o *alto riesgo* para los derechos y libertades de las personas. El considerando 75 RGPD establece que los riesgos para los derechos y libertades de las personas físicas pueden producirse cuando la brecha de seguridad pueda provocar *daños físicos, materiales o no materiales*, y en particular cuando la brecha de seguridad pueda provocar o afectar a:

- Discriminación.
- Robo de identidad o fraude.
- Pérdidas financieras.
- Daños a la reputación.
- Pérdida de confidencialidad de datos personales protegidos por secreto profesional.
- El interesado ha perdido control sobre sus propios datos personales.
- Datos sensibles o de categoría especial: origen racial o étnico, opiniones políticas, creencias religiosas o filosóficas, militancia en sindicatos, datos genéticos, datos de salud, datos relativos a la vida sexual.
- Revelan condenas o infracciones penales o de medidas de seguridad conexas.

- Perfilado de datos: rendimiento en el trabajo, situación económica, preferencias o intereses personales, fiabilidad o comportamiento, situación o movimientos, etc.
- Datos de personas vulnerables (p.ej.: niños).
- El tratamiento implica una gran cantidad de datos.
- El tratamiento afecta a un gran número de personas.

Sin ánimo exhaustivo, el considerando 75 RGPD nos ofrece una muestra del tipo de daños que puede llegar a provocar una brecha de seguridad sobre datos personales.

Por su parte, el considerando 76 RGPD dispone que la probabilidad y gravedad del riesgo a los derechos y libertades de las personas debe ponderarse sobre la base de *una evaluación objetiva* mediante la cual se determinará si las operaciones de tratamiento de datos suponen la existencia de riesgo o de riesgo alto.

Ahora bien, ¿cómo establecemos una evaluación objetiva para determinar si nos encontramos ante un *riesgo* o *alto riesgo*?

A este respecto resulta de interés los siguientes criterios: (i) los establecidos en el RGPD a que hemos hecho referencia; (ii) los del Grupo de Trabajo del artículo 29 "Guía sobre la notificación de brechas de seguridad de datos personales conforme al RGPD 679/2016", WP 250, 3 Octubre 2017[4]; (iii) la "Guía sobre la notificación de brechas de seguridad de datos personales conforme al RGPD 679/2016", WP 250, 3 Octubre 2017, de European Union Agency for Network and Information Security[5]; (iv) y, especialmente, la "Guía para la gestión y notificación de brechas de seguridad" de la AEPD[6].

La "Guía para la gestión y notificación de brechas de seguridad" de la AEPD establece una posible política de notificación de brechas de seguridad mediante un sistema de puntos y circunstancias cualitativas, lo que nos permite acudir a una fórmula y determinar objetivamente el proceso de decisión de notificaciones. Esto es, si la fórmula ofrece determinada puntuación no procederá notificar a la AEPD y/o a los interesados y si la puntuación obtenida supera determinados parámetros procederá realizar las notificaciones.

---

[4]   GRUPO DE TRABAJO SOBRE PROTECCIÓN DE DATOS DEL ARTÍCULO 29, Bruselas, Unión Europea, 2017, https://www.aepd.es/media/criterios/wp243rev01-es.pdf

[5]   EUROPEAN UNION AGENCY FOR NETWORK AND INFORMATION SECURITY, *Guía sobre la notificación de brechas de seguridad de datos personales conforme al RGPD 679/2016*, Bruselas, European Union Agency for Network and Information Security, 2017, https://www.enisa.europa.eu/topics/data-protection?tab=publications

[6]   AGENCIA ESPAÑOLA DE PROTECCIÓN DE DATOS, *Guía para la gestión y notificación de brechas de seguridad*, Madrid, 2018, https://www.aepd.es/media/guias/guia-brechas-seguridad.pdf

La finalidad de la notificación a los interesados es que éstos puedan tomar las precauciones necesarias para evitar o minimizar los eventuales daños que pueda generar la brecha de seguridad (p.ej.: daños económicos cuando se han filtrado datos bancarios, de tarjetas de pago, daños reputacionales por filtrarse determinada información, etc.).

Se ha traído a colación la obligación de notificar las brechas de seguridad por dos razones: (a) porque el incumplimiento de este deber por sí misma constituye una infracción; (b) además, porque la falta o demora en la notificación puede incrementar sensiblemente los daños y perjuicios que causemos a terceros, al impedir o limitar que los afectados puedan tomar medidas al respecto.

Finalmente, y como fuente de eventual responsabilidad, queremos mencionar la posibilidad de que un incidente cibernético provoque el incumplimiento de confidencialidad plasmado en cualquier pacto o contrato, lo que podrá afectar a datos personales o a información de carácter comercial, propiedad intelectual o industrial, etc.

V. PRESCRIPCIÓN

Para terminar haremos una breve referencia a la prescripción de las infracciones y sanciones, así como de las eventuales acciones de terceros por daños y perjuicios derivados de una infracción de la privacidad o confidencialidad.

Conforme al artículo 75 de la Ley Orgánica 3/2018 de Protección de Datos Personales interrumpirá la prescripción la iniciación, con conocimiento del interesado, del procedimiento sancionador, reiniciándose el plazo de prescripción si el expediente sancionador estuviere paralizado durante más de 6 meses por causas no imputables al presunto infractor. El plazo de 6 meses es el plazo general de caducidad de los procedimientos sancionadores.

Los plazos de prescripción de las sanciones tienen esencialmente el mismo régimen que en la derogada LOPD, y así conforme al artículo 78 de la Ley 3/2018 de Protección de Datos Personales se establecen los siguientes plazos de prescripción:

- Prescriben en 1 año las sanciones de importe igual o inferior a 40.000 Euros.
- Prescriben a los 2 años las sanciones de 40.001 a 300.000 Euros.
- Prescriben a los 3 años las sanciones de más de 300.000 Euros.

Para determinar la prescripción de las acciones de daños y perjuicios, hay que analizar en cada caso el fundamento de la acción ejercitada, lo que nos permitirá determinar el régimen legal y la prescripción aplicable. Como esquema general podemos sostener que las acciones que tengan carácter extracontractual tendrán un plazo de prescripción de 1 año (artículo 1968.2 Código Civil) y en las de carácter contractual el plazo de prescripción será de 5 años desde la reforma operada por la Ley 42/2015 (artículo 1964.2 Código Civil).

VI. CONCLUSIONES

El ejercicio de los poderes correctivos y la imposición de multas por parte de la AEPD tiene la condición de responsabilidad legal, al ser una responsabilidad *ex lege*. Distinta es la responsabilidad que se pueda incurrir frente a un interesado que haya sufrido perjuicios como consecuencia de una infracción del reglamento en relación con sus datos personales. En tal caso, dependiendo de cada situación, la responsabilidad puede tener carácter contractual o extracontractual, para cuya delimitación habrá que acudir a los criterios establecidos por la jurisprudencia del Tribunal Supremo que antes hemos referido.

Una infracción del RGPD puede conllevar no solo una multa sino también medidas correctivas.

Multas que pueden alcanzar la cifra de 10.000.000€ o el 2% de la facturación global (la mayor de las dos) o la de 20.000.000€ o el 4% de la facturación global (la mayor de las dos), por lo que cobra especial interés el carácter proporcionado y disuasorio que deben tener dichas multas de manera que, por ejemplo, no debería tener el mismo tratamiento una empresa cuyo negocio sea el tratamiento masivo de datos personales que otra que necesariamente ha de tratar datos personales, pero no forma parte de su núcleo de negocio; el volumen de negocio o beneficios del sujeto sancionado, y tomar en consideración la naturaleza, gravedad y duración de la intención, intencionalidad o negligencia, etc.

VII. BIBLIOGRAFÍA

AGENCIA ESTATAL DE PROTECCIÓN DE DATOS, *Memoria 2017*, Madrid, AEPD, 2018, https://www.aepd.es/media/memorias/memoria-AEPD-2017.pdf
Guía para la gestión y notificación de brechas de seguridad, Madrid, 2018, https://www.aepd.es/media/guias/guia-brechas-seguridad.pdf
EL ECONOMISTA, "Cuanto facturan las pymes en España", El economista, 8 de enero de 2016, http://www.eleconomista.es/emprendedores-pymes/noticias/7265610/01/16/Cuanto-facturan-las-pymes-en-Espana.html
EUROPEAN UNION AGENCY FOR NETWORK AND INFORMATION SECURITY, *Guía sobre la notificación de brechas de seguridad de datos personales conforme al RGPD 679/2016*, Bruselas, European Union Agency for Network and Information Security, 2017, https://www.enisa.europa.eu/topics/data-protection?tab=publications
GRUPO DE TRABAJO SOBRE PROTECCIÓN DE DATOS DEL ARTÍCULO 29, Bruselas, Unión Europea, 2017, https://www.aepd.es/media/criterios/wp243rev01-es.pdf

CAPÍTULO 11

CIBERSEGURIDAD Y PROTECCIÓN DE DATOS PERSONALES: LAS EVALUACIONES DE RIESGOS*

LUIS FELIPE LÓPEZ ÁLVAREZ
Profesor de Derecho Administrativo y de Internet
Universidad a Distancia de Madrid.

Sumario: I. INTRODUCCIÓN. II. AMENAZAS: ¿A QUÉ NOS ENFRENTAMOS? 1. Situación General. 2. Amenazas para la protección de datos de carácter personal. III. EVALUANDO LOS RIESGOS. 1. ¿Qué dispone el RGPD? 2. ¿Cómo se deben evaluar los riesgos? IV. LA SELECCIÓN DE CONTROLES PARA TRATAR LOS RIESGOS. 1. Medidas previstas en el RGPD o aconsejadas por las autoridades de control. 2. Otras medidas previstas en normativas de seguridad y que pueden resultar aplicables a la protección de datos personales. V. CONCLUSIONES. VI. BIBLIOGRAFÍA.

Palabras clave: Datos personales, RGPD, ENS, Directiva NIS, riesgos, sistemas de gestión de seguridad de la información, normas ISO, evaluación de riesgos, controles de seguridad, confidencialidad, integridad y disponibilidad, AEPD, CNIL.

Resumen: Conscientes del riesgo progresivo de la amenaza ciber, se fomenta la creación de CERTS y CERTSIS interconectados, para dotar de mayor seguridad a las infraestructuras críticas y otros servicios de telecomunicaciones y de la sociedad de la información. La protección pasa ineludiblemente por la evaluación de riesgos, proceso complejo integrado por varios pasos. El RGPD posee una valoración interna de las amenazas, en función de los tipos de datos personales y la manera en que son tratados, que son criterios orientativos para efectuar la evaluación de riesgos. Tanto el RGPD, como el ENS, se basan en esquemas diseñados por normativas técnicas o estándares internacionales con el objetivo de dotar de seguridad a los sistemas empleados para la gestión de la información, pero mientras que en este se concretan las medidas oportunas, en aquel se abandona en manos del responsable, lo que puede que no sea lo más indicado para la seguridad de los sistemas.

---

* Este capítulo se enmarca en el Proyecto de Investigación DER2016-76986-P, "Unión Europea en el contexto de los Tratados de nueva generación: entre la reforma institucional y la protección social". Con cargo a ese proyecto, se realizó una estancia investigadora en el INCIBE, durante los meses de marzo a junio de 2018. Agradezco la excelente acogida que me dispensaron en dicha institución, y que mi universidad me permitiera efectuar la estancia.

I. INTRODUCCIÓN

Una de las circunstancias que los analistas y sociólogos emplean para identificar el paso de una era a otra, provocado por la existencia de nuevas circunstancias sociales, es el desarrollo y empleo habitual de sistemas de inteligencia artificial. Sobre la base de muchos de estos sistemas se encuentra la capacidad de tratar datos personales con soportes informáticos. Las técnicas basadas en el *Big Data* (entendido éste de manera exponencial al igual que el aumento de la capacidad de computación), o la IoT (en donde la IA se emplea en gran medida), son instrumentos que tratan datos de carácter personal. Éstos son la base para el funcionamiento de la IA en multitud de sectores y no solo de actividades lícitas, sino desgraciadamente, también para las ilícitas, como los datos de la tarjeta de crédito, sin ir más lejos.

El tratamiento de datos personales tiene unas peculiariedades que justifican su regulación separada de otros sectores. No obstante, una vez más, podemos constatar la interdependencia de las diversas realidades, reguladas por diferentes normas jurídicas, pero relacionadas entre sí. Las normas que regulan la seguridad con la que deben ser tratados los datos personales no poseen un límite claramente definido, sino zonas de grises solapadas con los límites de otras normas, en ocasiones de carácter técnico, que sirven para desarrollar en la práctica los mandatos impuestos por el legislador.

Un dato de carácter personal, parece muy evidente, es una información, como también lo es la fórmula química de una bebida, o los planos de construcción de un vehículo, o las estrategias de negocio de una determinada empresa. Estas informaciones tienen algo importante en común: su carácter "reservado", que debe ser "preservado". Pero también comparten otras necesidades, como la disponibilidad, para que la información pueda ser usada cuando se necesita, o la integridad, es decir, que la información esté completa, pues de lo contrario no podrá servir al fin para el cual se necesita la información. Asegurar estos tres aspectos básicos es algo común a cualquier tipo de información de carácter reservado.

El Reglamento (UE) 2016/679 del Parlamento Europeo y del Consejo, de 27 de abril de 2016, relativo a la protección de las personas físicas en lo que respecta al tratamiento de datos personales y a la libre circulación de estos datos y por el que se deroga la Directiva 95/46/CE (Reglamento General de Protección de Datos), en adelante RGPD, desde el inicio de su regulación, establece la obligación de proteger los datos personales garantizando una seguridad adecuada que incluya la protección contra el tratamiento no autorizado o ilícito y contra su pérdida por destrucción o daño accidental, mediante la aplicación de medidas técnicas u organizativas apropiadas que aseguren la integridad y confidencialidad, ta y como dispone el art. 5.1.f). Dentro de la integridad se encontraría la disponibilidad, pues el RGPD no es muy sistemático a la hora de tratar estas características de la seguridad.

En el considerando 49, se dice que constituye un interés legítimo del responsable del tratamiento el objetivo de garantizar la seguridad de la red y de la información, entendiendo por tal seguridad, la capacidad *"de resistir, en un nivel determinado de confianza, a acontecimientos accidentales o acciones ilícitas o malintencionadas que comprometan la disponibilidad, autenticidad, integridad y confidencialidad de los datos personales conservados o transmitidos"*. En este supuesto, dentro de la integridad, podría estar incluida la autenticidad. En el art. 32, dedicado específicamente a la seguridad de los tratamientos, se mencionan la *"confidencialidad, integridad, disponibilidad y resiliencia permanentes de los sistemas y servicios de tratamiento"* [apartado 1. b)] y, como la resiliencia, entre otras cosas, supone la capacidad de resistir ante los ataques, resulta que contiene a la confidencialidad, integridad y disponibilidad. Éstas son la tres reglas esenciales que marcan los objetivos de la seguridad de los tratamientos de datos personales, y que, en España, es fácil recordar por su acrónimo CID, que recuerda el sobrenombre de un famoso e histórico personaje.

Como hemos indicado, las características CID se predican de cualquier sistema de información que deba ser preservada, ya contenga o no datos de carácter personal. Entonces, ¿qué aporta a las necesidades de seguridad que el dato sea de una persona física[1]? Pues la protección de la intimidad de esa persona. Un ataque la información, además de al responsable del tratamiento que necesita usar la información, puede afectar a las personas titulares de los datos. En consecuencia, hay dos tipos de afectados, el responsable del tratamiento y los titulares de los datos. La normativa sobre Protección de Datos se preocupa de la protección de los titulares, siendo esta protección la causa que legitima la imposición de deberes al responsable del tratamiento, entre las que se incluyen la adopción de medidas de seguridad, pero, a diferencia de la normativa anterior (RD 1720/2007 [RLOPD] que, al igual que la LOPD 15/1999 a la que desarrolla, aún permanece en vigor) poco aporta sobre la seguridad en sí y sobre el tipo de medidas que deben ser adoptadas para que una información sea CID, sino que lo deja en manos del responsable del tratamiento y también, en su caso, del encargado.

Insistentemente, ha recordado la Agencia Española de Protección de Datos (en adelante AEPD), que las medidas de seguridad establecidas en los arts. 89 y ss. del RLOPD ya no sirven, y que es responsabilidad de quien realiza el tratamiento la adopción de las medidas necesarias para garantizar la seguridad. Ahora bien, las medidas no se pueden adoptar alegre o arbitrariamente, sino que deben ser

---

[1]   Como es sabido, y así se dispone en el art. 1.1 y 1.2 RGPD, la normativa sobre protección de datos personales solo protege a las personas físicas, y no resulta de aplicación para las jurídicas.

tenidos en cuenta "el estado de la técnica, los costes de aplicación, y la naturaleza, el alcance, el contexto y los fines del tratamiento, así como riesgos de probabilidad y gravedad variables para los derechos y libertades de las personas físicas", tal y como dispone el art. 32.1 RGPD.

Lamentablemente, el tema objeto de estudio y el carácter introductorio de este apartado, nos impiden analizar con detalle el texto que acabamos de entrecomillar, pero baste con resaltar que el "estado de la técnica" tiene que ver con el empleo de las "mejores técnicas disponibles"[2], que deberán ser seleccionadas en función de los "costes de aplicación"[3], a la vista de un amplio escenario compuesto por la "naturaleza" o tipo de tratamiento[4], el alcance, contexto[5] y los fines[6] del tratamiento, valorando los "riesgos"[7], según su "probabilidad"[8] y "gravedad"[9], para los derechos y libertades de los interesados.

---

[2] Este concepto es común a normativas que protegen y regulan otros ámbitos, como el Derecho Ambiental, o la seguridad, ya sea pública o privada, o la protección de infraestructuras críticas, o las telecomunicaciones, etc.

[3] La introducción de este criterio, por otra parte, habitual en las diversas normativas técnicas y estándares internacionales, puede resultar peligroso, traicionero y, en consecuencia, perturbador si se le interpreta como criterio posibilitador del tratamiento. No es aceptable que el abaratamiento de costes suponga, o pueda suponer, un riesgo de los derechos de los interesados. A la vez, hoy en día, es imprescindible tratar datos personales para la realización de casi cualquier tipo de actividad, sobre todo económica. Como veremos, unos de los criterios que deben ser usados para evaluar el riesgo del tratamiento es el tipo de datos de carácter personal que se están tratando. Parece lógico que el criterio del coste sirva para no emplear medidas desproporcionadas, y por tanto más caras económicamente, en tratamientos que usen datos habituales (nombre, apellidos, domicilio) en donde el riesgo que se asume es bajo. En cambio, para tratamientos de datos especiales, como los del art. 9 RGPD, el criterio económico no puede ser determinante, sino que se debe asegurar fehacientemente que la información cuenta con las características CID. En general, cualquier tipo de tratamiento, solo será posible si logramos las notas CID con las mejores técnicas disponibles, el criterio del coste es secundario, se aplica siempre y cuando las CID queden aseguradas.

[4] Aquí pueden considerarse factores como si el tratamiento es físico o manual o automatizado o informático, la forma de realizar el proceso, tipos de datos recogidos, etc.

[5] El alcance y el contexto se definen en normas técnicas como la ISO 27000 y las de su desarrollo, 27001 y 27002.

[6] Estos son los motivos por los cuales se procede al tratamiento de los datos y que se encuentran categorizados, de manera no exclusiva, en el art. 6 RGPD.

[7] Otro concepto técnico, definido en las ISO anteriores, que varía en función de las amenazas que comprometen la información.

[8] Posibilidad de que ocurra la amenaza.

[9] Tiene que ver con el "impacto" o consecuencias que provoca la materialización de la amenaza sobre los derechos y libertades de los titulares de los datos. Cuando en el tratamiento se emplean datos especialmente protegidos del art. 9 RGPD es obligatorio efectuar, además de una valoración de los riesgos, una evaluación del impacto en caso de que produzca una violación de la seguridad.

Puesto que la normativa actual ya no indica las concretas medidas que deben ser implementadas, a la vista del contexto y demás circunstancias, es necesario efectuar una evaluación de los riesgos[10] del tratamiento. La evaluación se compone de varias fases (identificación, medición y comparación, y adopción de las medidas) que deben ser desarrolladas antes de seleccionar las medidas a implantar, previamente a efectuar el tratamiento, pues tratar datos sin incorporar medidas de seguridad es ilegal e inasumible. El responsable del tratamiento se juega mucho eligiendo las medidas, pues debe demostrar que ha sido diligente a la hora de asegurar el tratamiento lo que, entre otras muchas cosas, implica una adecuada selección de medidas de seguridad efectuada con base en una acertada valoración de los riesgos.

II. AMENAZAS: ¿A QUÉ NOS ENFRENTAMOS?

1. Situación General

Junto a las tradicionales amenazas de carácter físico, ya de orden natural, como inundación o fuego, como las referidas a la actividad delictiva tradicional (robo, extorsiones, etc.), cobran cada vez más auge las derivadas del actual entorno tecnológico, los soportes y medios informáticos e internet[11]. Es bien sabido que los delitos[12] cometidos por medios informáticos van aumentando junto con el desarrollo tecnológico, hasta el punto de que hoy es más prioritario, y se dedica mucha más atención, a la protección de los sistemas informáticos, máxime cuan-

---

[10] Según RECIO GAYO, Miguel, "Aproximación basada en el riesgo, evaluación de impacto relativa a la protección de datos personales y consulta previa a la autoridad de control", en PIÑAR MAÑAS, José Luis, *Reglamento General de Protección de Datos. Hacia un nuevo modelo europeo de privacidad*, Reus, Madrid, 2016, p. 354, hay que considerarlo en un sentido amplio pues, a pesar de la importancia de este concepto, ni la derogada Directiva 95/46/CE, ni el RGPD lo han definido. Según indica el propio autor, se basa también en la recomendación de la OCDE, *Guidelines on the Protection of Privacy and Transborder Flows of Personal Data*, 2013, disponible en http://www.oecd.org/sti/ieconomy/oecdguidelinesontheprotectionofprivacyandtransborderflowsofpersonaldata.htm (24/09/18).

[11] Una guía muy clara y útil para ponerse en antecedentes y protegerse de las amenazas de internet es la elaborada por el INCIBE, *Decálogo Ciberseguridad Empresas. Una guía de aproximación para el empresario*, 2017.

[12] Que afecten la protección de datos personales encontramos los de los arts. 264 y ss. del Código Penal (daños informáticos, denegación de servicio y virus), la falsedad de tarjetas del 399 bis, y el hacking, arts. 197 y ss., sobre quebrantamiento y revelación de secretos. Un estudio adaptado a la realidad actual y eminentemente práctico se contiene en VELASCO NÚÑEZ, Eloy, *Delitos tecnológicos:definición, investigación y prueba en el proceso penal*, Consejo General de la Abogacía Española y Sepín, Madrid, 2016. Agradezco al autor el detalle de regalarme un ejemplar por haber presentado su conferencia, y moderado el debate posterior, en el CGAE.

do, como es lo habitual, están conectados a internet. El uso de páginas web como manera de realizar actividades económicas también supone un factor de riesgo añadido a los dos anteriores[13].

Hay dos lugares comunes en materia de ciberdelincuencia, su carácter trans-fronterizo[14], y el paulatino aumento de los incidentes "ciber", a pesar de ello, debemos ofrecer los datos de los tres últimos años (2015 a 2017) que se reflejan en los informes anuales de seguridad nacional, elaborados por el departamento del mismo nombre de Presidencia del Gobierno. El CCN-CERT[15] atendió 18.232 incidentes en 2015, 20.807 en 2016 y 26.472 en 2017. Por su parte, el CERTSI se ocupó de 50.000, 115.257 y 123.064, en esos mismos años. La ciberseguridad es uno de los ámbitos de la seguridad nacional de los que se trata anualmente en los informes. Junto con otros ámbitos que se consideran de se consideran de especial interés, se recoge en el art. 10 de la Ley 36/2015, de 28 de septiembre, de Seguridad Nacional. En el Informe de 2015 se proponían como retos a afrontar

---

[13] En este sentido, puede consultarse la guía del INCIBE, *Protege tu web*, disponible en https://www.incibe.es/protege-tu-empresa/que-te-interesa/protege-tu-web (24/09/18).

[14] Los problemas derivados de la jurisdicción y de la ley penal aplicable son certeramente tratados en VELASCO SAN MARTÍN, Cristos, *Jurisdicción y competencia penal en relación al acceso transfronterizo en materia de ciberdelitos*, Tirant, Valencia, 2016, pp. 169 y ss.

[15] Un CERT (*Computer Emergency Response Team*) es un equipo de respuesta a incidentes informáticos de seguridad. En España disponemos de dos que se ocupen de la prestación de ayuda a los atacados en casos de emergencia, el del Centro Criptológico Nacional, dependiente del Centro Nacional de Inteligencia, que se ocupa de la protección de las administraciones y entidades públicas, y el CERTSI, CERT de Seguridad e Industria, dependiente del Instituto Nacional de Ciberseguridad (INCIBE) que se ocupa del sector privado. Según se refleja en https://www.ccn-cert.cni.es/seguridad-al-dia/comunicados-ccn-cert/5779-las-principales-entidades-expertas-en-ciberseguridad-se-unen-para-proteger-el-ciberespacio-espanol-2.html (17/09/18) la necesidad de dar respuesta a *WannaCry* impulsó la necesidad de creación mejora de equipos CERT, para lo que se impulsó el CSIRT.es, compuesto por organismos, tanto públicos como del Estado (Centro Criptológico Nacional, CNPIC, INCIBE, Mando Conjunto de Ciberdefensa, Guardia Civil y Policía Nacional) de las CCAA (Andalucía, Cataluña, Comunidad Valenciana), y de las universidades (Carlos III, CSUC, UPC y RedIris), como del sector privado (Caixabank, InnoTec, Ingenia, Eulen Seguridad, Everis, Nestlé, MAPFRE, S2 Grupo, S21 sec y Telefónica). Recuérdese que la Disposición Adicional Novena de la Ley 34/2002 (LSSI), introducida por la Ley 9/2014 (LGT), establece la obligación de colaborar con el CERT competente, en la resolución de incidentes de ciberseguridad que afecten a la red de Internet, a los prestadores de servicios de la Sociedad de la Información, los registros de nombres de dominio y los agentes registradores que estén establecidos en España y, lo que desde el punto de visto jurídico resulta más relevante aún, a actuar bajo las recomendaciones de seguridad indicadas o que sean establecidas en los códigos de conducta que de la LSSI se deriven. En concreto, se les impone el deber de suministrar la información necesaria al CERT y a las autoridades competentes, para la adecuada gestión de los incidentes de ciberseguridad, incluyendo las direcciones IP que puedan hallarse comprometidas o implicadas en los mismos, si bien se establece también la obligación de respetar el secreto de las comunicaciones.

la detección temprana, la atribución de la autoría y la persecución del agresor, y se señalaban como desafíos a los que hacer frente el incremento de los ciberdelitos por medio del crimen organizado, el terrorismo y el espionaje, mencionando como ejemplos a la *deep web* y a los ataques con herramientas APT (*advanced persistent threats*) que permiten realizar ataques globales de alto impacto contra activos de todo tipo de organizaciones, lo que efectivamente sucedió en 2017 con *WannaCry*, tal y como se dice en el informe de ese año. El de 2015 también refleja la preocupación por los posibles ciberataques al Estado mediante la manipulación de información para influir en la opinión pública, obteniendo información estratégica o realizando ataques a servicios esenciales[16].

En el Informe de 2016, a los retos de 2015, se añaden el refuerzo de la capacidad de prevención y protección del Estado, los ciudadanos y las empresas; la necesidad de aumentar la cooperación y el intercambio de información entre las entidades públicas y privadas; y la necesidad de alcanzar un equilibrio entre privacidad y seguridad. Respecto de este último, el Informe lo adjetiva como difícil, y nosotros, como preocupante y que refleja lo que se puede ver en la normativa de la UE de ese año si se compara el RGPD, de 27 de abril, con la Directiva (UE) 2016/680, del mismo día, que no definen un mismo nivel de derechos de los interesados[17]. Entre otras cosas, se hace eco de la Directiva (UE) 2016/1148, de 6 de julio de 2016, relativa a las medidas destinadas a garantizar un elevado nivel común de seguridad de las redes y sistemas de información en la Unión (o Directiva NIS de *network information security*) que es la primera en materia de ciberseguridad y que se acaba de transponer mediante el Real Decreto Ley 12/2018, de 7 de septiembre, de seguridad de las redes y sistemas de información[18].

El Informe de 2017 comienza concretando un objetivo al hilo de lo que indicó la Directiva NIS:

> "Garantizar un uso seguro de las redes y los sistemas de información y comunicaciones a través del fortalecimiento de las capacidades de prevención, detección y respuesta a los ciberataques potenciando y adoptando medidas específicas para contribuir a la promoción de un ciberespacio seguro y fiable".

---

[16] Consejo Nacional de Seguridad, Informe Anual de Seguridad Nacional 2015, p. 54.

[17] Bien es cierto que la Directiva se refiere a tratamientos de datos personales para fines de prevención, investigación, detección o enjuiciamiento de infracciones penales o de ejecución de las mismas, que suponen un régimen específico de protección de datos, pero también el RGPD excepciona determinados deberes y derechos de los particulares cuando quienes tratan los datos son las administraciones públicas, incidiendo de una manera más invasiva en la intimidad de sus ciudadanos.

[18] Consejo Nacional de Seguridad, Informe Anual de Seguridad Nacional 2016, pp. 56 y 57.

La palabra garantizar, a pesar de significar el lógico empeño de la autoridades y mostrar su determinada implicación en la materia, para cualquier conocedor del ciberespacio, sonaba pretenciosa a la vista del ataque de *WannaCry*, de ese mismo año, que también menciona el informe. Junto con la Estrategia de Seguridad Nacional[19], que ve la luz al mismo tiempo, el informe de 2017 concreta más las amenazas hablando del ciberespionaje proveniente de otros Estados que afecta tanto a objetivos del Estado, como de las empresas, al que denomina como espionaje industrial y tecnológico "ejecutado mediante acciones ofensivas muy difíciles de detectar y cada vez más complejas de atribuir"[20]. Se habla de grupos que actúan como intermediarios para otros países, en especial los activistas cibernéticos, y de "grupos terroristas o criminales e individuos suponen una amenaza en el ciberespacio, cada vez más alarmante por el acceso a potentes herramientas tecnológicas de ataque, disponibles en el mercado ilícito"[21], y de tácticas utilizadas en acciones híbridas como sabotajes en servicios esenciales e infraestructuras críticas[22]. Señalan a las intrusiones y el código dañino como los principales vectores de ataque, destaca la lentitud con que se reparan las vulnerabilidades de las diferentes tecnologías en contraste con la rapidez de aprovechamiento de esas vulnerabilidades por parte de los ciberdelincuentes (*Apache Struts* o *WannaCry* solo tardaron dos meses en aparecer desde que se conoció la vulnerabilidad), y registra un incremento de los ataques de denegación de servicio y del número de variedades de código dañino, tanto para equipos fijos como para los *smartphones*[23].

Respecto del periodo anterior entre 2011 y 2014, muy brevemente, como indica Villalba Fernández[24], quien se basa en datos de Microsoft, el malware más detectado en España durante el tercer semestre de 2014 fueron los troyanos (3,2 %), seguidos de los descargadores y *droppers* (que copian o descargan archivos en los ordenadores infectados, 3,1%) y los gusanos (2,8%). Y en cuanto a los orígenes y objetivos de las amenzaas, al igual que en los años que siguieron, apuntan a "Estados, organizaciones terroristas, profesionales del ciberdelito, cibervándalos, *script kiddies*, hacktivistas, actores internos en las organizaciones, investigadores

---

19 Disponible en http://www.dsn.gob.es/es/estrategias-publicaciones/estrategias/estrategia-seguridad-nacional-2017 (15/09/18).
20 Departamento de Seguridad Nacional, Informe Anual de Seguridad Nacional 2017, p. 48.
21 *Ibid.*
22 Recordemos que los ciberdelincuentes tienen famosos casos a imitar provenientes de Estados, aunque estos nunca lo reconozcan, como Stuxnet, el malware que afectó significativamente el programa nuclear iraní.
23 Departamento de Seguridad Nacional, Informe Anual de Seguridad Nacional 2017, p. 49.
24 VILLALBA FERNÁNDEZ, Anibal, *La ciberseguridad en España 2011-2015: una propuesta de modelo de organización*. UNED-Universidad Nacional de Educación a Distancia, Madrid, 2015, p. 60.

u organizaciones privadas" que tienen por objetivos al "sector público, el sector privado y los ciudadanos en general, en diferentes niveles, mediante el espionaje difigital; el desarrollo de capacidades ofensivas; la interrupción y toma de control de los sistemas; la sustracción, publicación o venta de información, la manipulación de información; las desfiguraciones en páginas web; y la publicación de información sensible"[25]. Como señala GALÁN PASCUAL, en este periodo se enmarca la adopción de la Estrategia de Ciberseguridad Nacional, cuyo origen data de marzo de 2012, mediante el encargo del Gobierno al CNI de la redacción de un borrador con las bases de lo que debía ser la Estrategia. Después de su proceso de elaboración, durante el cual también se iba creando la necesaria organización (primero se ocupó el CCN, luego el Consejo Nacional de Ciberseguridad, y se creó también un grupo de trabajo interministerial) la estrategia vio la luz el 5 de diciembre de 2013[26].

2. Amenazas para la protección de datos de carácter personal

En este aparatado debemos concretar las amenazas que, a la vista del anterior estado global de la cuestión, pueden manifestarse a la hora de proteger la información de carácter personal, pero ya adelantamos que no son distintas de las que afectan a cualquier sistema de información y que depende de cómo se use y se almacene la información. También dependerá del sujeto o responsable del tratamiento que posea la información, pues no es lo mismo una administración pública que una empresa privada y, entre estas, no da igual una gran empresa que una pyme. En consecuencia, resultan de aplicación, y así lo reconoce la AEPD[27], las guías elaboradas por el INCIBE y el CCN, y las normas técnicas internacionales de la clase 27.000, sobre seguridad de los sistemas de información, y otras de gestión y evaluación de riesgos.

Por comenzar por lo más básico, aplicable no ya a un sistema de gestión de información, sino a los activos[28] de cualquier empresa, y fundamentalmente enfo-

---

[25] VILLALBA FERNÁNDEZ, cit., p. 78.

[26] GALÁN PASCUAL, Carlos, "Ciberseguridad Pública: el marco integrador de la Estrategia de Ciberseguridad Nacional", en *Los retos del Estado y la Administración en el siglo XXI*, PAREJO ALFONSO, Luciano y VIDA FERNÁNDEZ, José (coords.), Tirant lo Blanch, Valencia, 2017, p. 2171.

[27] Así se indica, por ejemplo, en la *Guía Práctica de Análisis de Riesgos en los Tratamientos de Datos Personales Sujetos al RGPD*, en la que, en las referencias de la p. 40, menciona las ISO 27005 Gestión de Riesgos de Seguridad de la Información, 31010 Gestión y Evaluación de Riesgos y 29134 sobre las Evaluaciones de impacto en Protección de Datos.

[28] Por tal se entiende cualquier recurso "necesario para desempeñar las actividades diarias y cuya no disponibilidad o deterioro supone un agravio o un coste", según se indica en *Gestión de Riesgos. Una Guía de Aproximación para el Empresario*, del INCIBE, 2015, p. 4.

cado a pymes, en su *Decálogo de Ciberseguridad Empresas. Una Guía de Aproximación para el Empresario*, el INCIBE considera como amenazas habituales el acceso indebido a la información, la intrusión en las redes de trabajo, y la pérdida de la información, provocados por el malware, el aprovechamiento de las vulnerabilidades de los sistemas, o por la incorrecta asunción de riesgos como el BYOD (*Bring Your Own Device*) o permitir la incorporación de dispositivos personales a la red corporativa, el uso de las comunicaciones inalámbricas, que permiten la existencia de información en tránsito, el uso de internet y el de soportes externos, sin una concreta política de uso, ente otras[29].

Además de las anteriores, para otro tipo de organizaciones, hay que considerar en general los fraudes informáticos, espionaje, sabotaje, vandalismo, los incendios e inundaciones, la piratería informática y los ataques de denegación de servicio[30]. Actualmente, en vez de amenaza se emplea el término suceso para referirse a una circunstancia desfavorable que puede ocurrir y que tiene consecuencias negativas sobre los activos provocando su indisponibilidad, funcionamiento incorrecto o pérdida de valor[31]. Para la AEPD, en el caso de la protección de datos de carácter personal, las amenazas se pueden categorizar en tres tipos[32]:

- Acceso no autorizado a los datos, lo que supone una brecha de la confidencialidad.
- La modificación no autorizada de los datos, que afectaría a la integridad.
- La eliminación de los datos, que iría en contra de la disponibilidad, si bien, no es necesario que se borren, también pueden ser secuestrados o cifrados consiguiendo el mismo efecto que el borrado y dando la opción al delincuente de pedir un rescate por la información.

En ocasiones, y en el lenguaje coloquial, puede existir confusión a la hora de denominar una determinada circunstancia como riesgo o amenaza. Que infecten nuestro sistema informático con un *malware* puede considerarse, *a priori* y según se mire, como amenaza y como riesgo. Por ejemplo, la amenaza de pérdida de información puede ser provocada por un malware y, desde esta perspectiva, sobre todo cuando se procede a la identificación de riesgos, más que éstos, son amenazas las que se se buscan, en este caso, el riesgo de sufrir un ataque mediante malware[33]. De ahí que, ya desde ahora, sea conveniente saber qué dicen las nor-

---

[29] En la Guía no se mencionan las amenazas como tal, pero se infieren de los riegos y de las medidas de seguridad y buenas prácticas de las que se habla a lo largo de todo el documento.
[30] Entre otras que se mencionan en la ISO 27000.
[31] INCIBE, *Gestión de Riesgos*, cit., p. 4.
[32] AEPD, *Guía Práctica de Análisis de Riesgos*, cit., p. 4.
[33] Sin ir más lejos, en la ISO 27005 sobre gestión de riesgos de la seguridad de la información se habla de identificar amenazas en su apartado 8.2.3 que se encuentra dentro del apartado 8 sobre evaluación de riesgos.

mas técnicas sobre estos conceptos. Activo y amenaza ya están definidos y, por riesgo, técnicamente, se entiende la incertidumbre en los objetivos, entendiendo por tales, los resultados que se persiguen. Para el caso de los sistemas de información, supone la posibilidad de que se materialice una amenaza y sus consiguientes consecuencias negativas[34]. El riesgo se deriva de la exposición a las amenazas[35], que a estas alturas, las conocidas, están perfectamente identificadas, y las desconocidas, por definición, no pueden identificarse. En general, conocemos los eventos de los que dan cuenta los CERTS y los medios de comunicación, conocemos que estamos expuestos a riesgos de eventos que ya han sucedido, pero es difícil *a priori* proceder a una identificación de amenazas que luego nos sea útil para adoptar las medidas de seguridad apropiadas, a lo más, podemos identificar sus fuentes, que dependen del tipo de activos y de organización que se emplee para el tratamiento de la información.

Así las cosas, teniendo en cuenta que la seguridad al 100% no es posible, que siempre se manejan estimaciones, algunas basadas en datos recopilados anteriormente sobre eventos acaecidos, y que la referencia es asegurar las características CID, hay que distinguir tres fuentes de amenazas: las de origen natural, el error humano, y los fallos de los sistemas informáticos y de comunicaciones[36].

Los riesgos derivados de las amenazas de índole natural o física deberán ser controlados mediante medidas de seguridad del mismo carácter. Se refieren a la protección de los archivos en donde se contiene la información, ya sean en soporte papel, prácticamente inexistente como soporte de almacenamiento, y utilizado como soporte transitorio de información[37] —más habitual y de más difícil protección—, ya sean por sistemas que utilizan *hardware*, como es lo corriente. Habrá que adoptar medidas contra posibles inundaciones, incendios, movimientos sísmicos, derrumbamientos, rayos, y suspensión del suministro eléctrico. Como es lógico, la adopción de controles o medidas de seguridad para paliar estas amenazas dependerá del contexto en el que se mueva la organización. Afortunadamente, en España no parece que sea muy necesario preocuparse por estos males porque no suelen producirse, de hecho, la AEPD no los menciona en sus guías, y solo se refiere a la necesidad de guardar bajo llave los ficheros con los datos, o el servidor en donde se alojan, no mantener datos en soportes que no son los

---

[34] AEPD, *Guía Práctica de Análisis de Riesgos*, cit., p. 4.

[35] AEPD, *Guía Práctica de Análisis de Riesgos*, cit., p. 3.

[36] Un completo elenco de amenazas se contiene en el Anexo C de la ISO 27005 que distingue entre daños físicos, eventos de la naturaleza, pérdida de servicios esenciales, perturbaciones debidas a radiaciones, confidencialidad, fallos técnicos, acciones no autorizadas y fallos funcionales, identificando también las fuentes de las que pueden surgir las amenazas.

[37] Nos referimos a contratos, listas de empleados que acuden a un evento, ejercicios calificados de alumnos, notas en soporte papel tomadas durante la realización del trabajo habitual, etc.

habituales y ser cuidadoso a la hora de la destrucción y borrado de esos soportes, por ejemplo, para evitar que aparezcan historiales clínicos en soporte papel en cubos de basura, como de hecho ha ocurrido. Al hilo de este razonamiento, nos permitimos una aparente obviedad, en el caso de que se produjera una catástrofe natural que diera al traste con los datos personales, en principio, no sería sancionable esta pérdida ya que, dejando aparte la fuerza mayor, a la vista del escaso nivel de riesgo, no resultaría obligatorio la adopción de medidas contra este tipo de eventos. La cosa es evidente, pero lo indicamos para resaltar la importancia de la evaluación de riesgos, pues es ésta la que determina la forma de cumplimiento de los dispuesto en el art. 32 del RGPD, ya que, ni siquiera las medidas contempladas en el precepto, devienen obligatorias por sí mismas.

Por el contrario, sí que sería sancionable asumir riesgos sin control, provenientes de las amenazas humanas y de fallos de los sistemas de información y comunicaciones, a los que ya nos hemos referido, y que pueden provenir del uso de *software* no autorizado, del robo de derechos de acceso, robo de equipos o destrucción por acciones de sabotaje, bien de personas de fuera o por parte de personal interno descontento, o por fallos en el propio *software* autorizado o *hardware* usado para el tratamiento de los datos. La utilización de una página web también supone exponerse a amenazas de piratería informática y es un campo propio a la hora de evaluar riesgos y determinar los correspondientes controles, así como los servicios prestados en Cloud, afectados por la Directiva NIS, y recientemente regulados por el Real Decreto Ley 12/2018 que la transpone. Pero el problema de las amenazas es su carácter general, variopinto e, incluso, etéreo, de ahí, que antes de proceder a una evaluación de riesgos, hay que definir lo que hay que proteger. En materia de sistemas de gestión de seguridad de la información, a esto se le llama definir el contexto de la organización.

Para establecer el contexto a partir del cual deben evaluarse los riesgos, incluyendo la identificación de posibles sucesos o amenazas, es necesario atender a condicionantes culturales, políticos, legales, y económicos del entorno; a las tendencias que puedan repercutir en las actividades de la organización y consultar con las partes interesadas que conforman lo que se conoce como contexto externo. Para determinar el interno hay que atender a los flujos del proceso de tratamiento de datos, los recursos y el conocimiento que posee la organización, consultar a las partes interesadas internas, y las estructuras de gobierno de la organización, entre muchas otras facetas que se señalan en la ISO 31010, que se ocupa de las técnicas de apreciación del riesgo y a la que se remite la AEPD.

Además del contexto externo e interno, hay que definir también el contexto del proceso de gestión y los criterios de riesgo, es decir, saber quienes intervienen en el tratamiento de los datos y cómo los tratan, tal y como indica la AEPD en sus diversas guías, pero también las relaciones con otros procesos de trabajo que, aunque no traten datos, usen los sistemas utilizados para el tratamiento de datos personales, pues por medio de una vulnerabilidad de alguno de los *sotfwares* es posible incidir de manera negativa en el tratamiento de datos. Además, para definir el criterio de riesgo hay que determinar los efectos y consecuencias de la materialización del riesgo, la probabilidad de que suceda y la manera de medirlo, cómo se determina el nivel de riesgo, o los criterios para definir cuando es aceptable o no, etc. Téngase presente que este último requisito es condición habilitante para el tratamiento de datos y que la evaluación puede basarse en apreciaciones subjetivas de manera que, según el criterio de un responsable, en función el criterio de aceptación de riesgos adoptado, puede suponer un *nihil obstat* al tratamiento, mientras que otro puede decidir que es necesario proceder a una consulta ante la AEPD antes de iniciarlo.

La inseguridad jurídica en algo tan importante como saber si se pueden tratar esos datos o hay que consultar y el riesgo de exponerse a una sanción por tratamiento indebido, es una de las consecuencias de adoptar un sistema de gestión de riesgos por parte del responsable como forma de cumplir el RGPD. Hubiera sido más deseable, tal y como se realizaba en la normativa española anterior, imponer la adopción de determinadas medidas de seguridad que, en última instancia y como veremos, es lo que hace la AEPD para la mayoría de los tratamientos de datos y dejar las evaluaciones de riesgo e impactos para determinados tratamientos que, por tratar datos especialmente protegidos del art. 9 RGPD, sí puede resultar oportuno que se les exija la realización de este tipo de evaluaciones, y no por parte del responsable que es juez y parte, sino mediante el sistema de entidades acreditadas que se diseña en el RGPD. Esta posibilidad está prevista en el considerando 77 RGPD al disponer que el Comité Europeo de Protección de Datos "puede emitir directrices sobre operaciones de tratamiento que se considere improbable supongan un alto riesgo para los derechos y libertades de las personas físicas, e indicar qué medidas pueden ser suficientes en dichos casos para afrontar el riesgo en cuestión". Establecidas las medidas, solo sería necesario, tal y como se hace con la herramienta FACILITA diseñada por la AEPD, identificar el tipo de dato personal a tratar y adoptar los consiguientes controles.

Finalmente, los criterios adoptados se pueden basar en criterios generalmente adoptados en otras organizaciones, datos anteriores sobre sucesos ocurridos, los contenidos en normas técnicas y el nivel de riesgo que desee asumir el responsable. Todos estos requisitos, circunstancias, etapas, proceso, etc., de los que se compone una evaluación de riesgos, se encuentran definidos en normas técnicas que el responsable del tratamiento hará bien en consultar, previo pago y adquisición, pero debe tener presente que el ajuste a esta normativa, excepción sea hecha de aquélla que pueda ser certificada y dicha certificación sea admitida por la AEPD, no asegura el cumplimiento normativo del RGPD, ni siquiera en el supuesto de que la evaluación sea realizada por un agente externo. Éste es el problema de adoptar unas normativas técnicas, que habitualmente son de uso voluntario, como medio para el cumplimiento de lo dispuesto por una norma jurídica. Al final, la delegación del legislador va a suponer un mayor trabajo a la hora de controlar el cumplimiento normativo, y eso a pesar de la famosa *accountability*[38], y una tremenda inseguridad jurídica. Se quiera o no, no hay más remedio que fijar unos controles o medidas de seguridad obligatorias y con carácter de mínimos para poder enjuiciar si las medidas adoptadas por el responsable eran adecuadas y convenientes para proteger el tratamiento.

III. EVALUANDO LOS RIESGOS

Como veremos, en las normas técnicas no se tienen en cuenta como tales los datos de carácter personal, sino que se habla en general de información y de la forma en que ésta debe ser asegurada. En cambio, para la AEPD, el tipo de dato personal que se esté tratando indica un mayor o menor tipo de riesgo. Es más, según la *Guía Práctica de Análisis de Riesgos* de la AEPD, éste parece ser el principal criterio definidor del nivel de riesgo.

1. ¿Qué dispone el RGPD?

A lo largo de su articulado, el RGPD se refiere al riesgo en diversos momentos. Así, en el art. 24, sobre la responsabilidad del responsable del tratamiento, se dispone el marco del proceso de evaluación de riesgos al indicar que se deben adoptar medidas de seguridad a la vista de **"la naturaleza, el ámbito, el contexto y los fines del tratamiento así como los riesgos de diversa probabilidad y gravedad para los derechos y libertades de las personas físicas"**. En las definiciones del art. 4 RGPD no se incluye ninguno de estos conceptos pero, por naturaleza, podemos entender si se realiza en soporte físico o informático y el concreto proceso en que

---

[38] BAJO la define como "la medida de prudencia, actividad o asiduidad que cabe razonablemente esperar, y con la que normalmente actúa una organización prudente y razonablemente en unas circunstancias determinadas de manera que no se mide por una norma absoluta sino dependiendo de los hecho relativos al caso en cuestión" y por eso comprende el proceso de mejora continua mediante el monitoreo, o supervisión contrastable, y prevención de los efectos negativos de las actividades. Para el autor se compone de cuatro elementos: identificar, prevenir, mitigar y rendir cuentas que se identifican con el proceso de evaluación de riesgos. BAJO ALBARRACÍN, Juan Carlos, "Consideraciones sobre el principio de responsabilidad proactiva y diligencia (accountability). Experiencias desde el compliance", en LÓPEZ CALVO, José, *El nuevo marco regulatorio derivado del Reglamento Europeo de Protección de Datos*, Wolters Kluwer, Madrid, 2018, p. 281.

consiste el tratamiento, por ámbito, el tipo de datos utilizados y el números de interesados, el contexto ya ha sido definido con base en la ISO 31010, y los fines se contemplan en otras partes del RGPD y tienen que ver con el motivo por el cual se realiza el tratamiento (facturación, pago de nóminas, control laboral, etc.). Aparte de estas circunstancias, se mencionan otros riesgos que dependen de dos factores, la probabilidad de que se materialicen y el impacto sobre los derechos y libertades de los interesados. Pero quedarse solo en la probabilidad e impacto para evaluar riesgos sería un error y, como hemos visto, para efectuar una adecuada evaluación hay que contemplar las circunstancias anteriores. Los riesgos no son un factor más de los mencionados anteriormente, sino que se derivan de la naturaleza, ámbito, etc. que, junto con otras circunstancias que ya hemos visto, suponen el contexto en sentido técnico del que emanan los riesgos a valorar utilizando los parámetros de probabilidad y gravedad. Por el contrario, si en vez de atender a este precepto consultamos el considerando 76, sí encontramos una adecuada definición del contexto en el que debe procederse a la evaluación de los riesgos, hasta el punto que hubiera sido más correcto incorporar en el articulado el siguiente párrafo, y el anterior dejarlo para los considerandos:

> *"La probabilidad y la gravedad del riesgo para los derechos y libertades del interesado debe determinarse con referencia a la naturaleza, el alcance, el contexto y los fines del tratamiento de datos. El riesgo debe ponderarse sobre la base de una evaluación objetiva mediante la cual se determine si las operaciones de tratamiento de datos suponen un riesgo o si el riesgo es alto".*

Ahora sí que es claro el contexto a partir del cual debe procederse a la evaluación.

Sigue disponiendo el art. 24 que, tras la anterior evaluación, "**el responsable del tratamiento aplicará medidas técnicas y organizativas apropiadas a fin de garantizar y poder demostrar que el tratamiento es conforme con el presente Reglamento**". Ha asustado mucho, y con razón, la obligación de demostrar que el tratamiento es conforme al Reglamento o *accountability*[39], de dudosa constitucionalidad en el ámbito sancionador, máxime, cuando tratar datos personales es una necesidad para las empresas, pero se ha pasado por alto la obligación de garantizar la seguridad del tratamiento. Que se haya empleado esa palabra es preocupante pues lo que exige puede llegar a ser de imposible cumplimiento[40], ¿o

---

[39] Según DAVARA FERNÁNDEZ DE MARCOS, Elena y Laura, *Delitos Informáticos*, Thomson Reuters Aranzadi, Pamplona, 2017, p. 268, no se trata solamente de adoptar medidas que garanticen el cumplimiento del RGPD, sino que, además, debe estar documentado de forma que se pueda acreditar que se han tomado estas medidas y que son eficaces.

[40] Según el Informe Anual de Seguridad Nacional de 2017, p. 47, dicho *ransomware* provocaba un efecto de denegación del servicio y, por tanto de pérdida de disponibilidad, que llegó a infec-

es que todos los equipos infectados por *wannacry* no habían adoptado las correspondientes medidas de seguridad que garantizaban la seguridad de la información? Nadie puede creer que empresas, como Telefónica, de alto nivel tecnológico no hubieran adoptado medidas apropiadas de seguridad. Desde esta perspectiva, la palabra garantizar no se puede entender en sentido propio. Por el contrario, y para consuelo y tranquilidad de muchos, debe entenderse en el sentido de haber adoptado la debida diligencia (la diligencia de un *buen padre de familia* se dice en el Código Civil desde hace más de 100 años de vigencia de esa norma) en la adopción de esas medidas. Pero ¿cómo se muestra que se ha sido diligente? ¿Disponiendo sin más de una documentación que refleje la evaluación efectuada con un criterio, la mayor parte de las veces, subjetivo? El órgano competente para sancionar ¿va a entrar a "valorar la valoración"? ¿Va a efectuar una auditoría previa a la posible sanción para enjuiciar si la diligencia, amén de formal, también fue acertada y efectiva?

Por garantizar puede entenderse también la obligación de responder frente a los interesados cuyos datos personales se han tratado[41] y, en este caso, la responsabilidad sería de orden civil en el que es necesario la existencia de dolo o culpa y si, al menos formalmente, se ha cumplido con la *accountability*, se complica la exigencia de este resarcimiento de daños, y eso sin contar con que el 1902 del Código Civil establece la obligación indemnizatoria para el que causa el daño, no para quien lo recibe, que son tanto el responsable como los titulares de los datos que son atacados.

Como ya hemos indicado, si de verdad se quiere cumplir con el RGPD, la gestión del riesgo identificado resulta el *quid* de la cuestión. Identificado el riesgo, o bien constatada su ausencia, si se quiere evitar el "riesgo" de incumplimiento del Reglamento y la posterior imposición de sanción (de cuantía nada desdeñable) es fundamental acertar en la adopción de las medidas que, a modo de ejemplo, se señalan en el considerando 78. De ellas se habla más adelante, por lo que solo destacaremos la importancia de su debida concreción, que servirá para evidenciar

---

tar a 360.000 equipos de más de 180 países y actualmente, aunque se sospecha que pudo tener origen coreano por haberse encontrado palabras en ese idioma en su código fuente, no se sabe con certeza cúal fue el origen.

[41] Como indica JIMENO MUÑOZ, Jesús, *La Responsabilidad Civil en el Ámbito de los Ciberriesgos*, Fundación Mapfre, Madrid, 2017, p. 121, la responsabilidad derivada del desarrollo de una actividad o actuación concreta en el ciberespacio es muy amplia y despliega sus efectos en los ámbitos civil, penal, administrativo y laboral de nuestro ordenamiento jurídico. Respecto de la responsabilidad civil "a su vez se puede distinguir la responsabilidad contractual (como en los casos en los que una paralización de la actividad impide prestar el servicio debido) y extracontractual (cuando los afectados por el ciberincidente sean terceros con los que no existe una relación obligacional previa)".

una actitud diligente de cara a demostrar el cumplimiento normativo. Por disposición del art. 24, deberán ser recogidas en el documento en el que se contenga la política interna de protección de datos.

Es posible realizar la valoración y tomar la decisión de las medidas de seguridad convenientes por el propio responsable, pero esto no asegura que las adoptadas sean convenientes. Por este motivo, se revelan especialmente interesantes las opciones de adherirse a códigos de conducta del art. 40 y mecanismos de certificación del art. 42. La adhesión no es obligatoria, pero asegura el cumplimiento normativo pues, en la medida en que el código tipo o la certificación han resultado aprobadas previamente por las autoridades de control, su observancia sirve para demostrar el cumplimiento del Reglamento y evitar la sanción que pudiera recaer por el incumplimiento. La adopción de una política interna de protección de datos, que podría identificarse con el anterior documento de seguridad, será también condición necesaria, pero no suficiente, para demostrar el cumplimiento normativo. Por eso, resultará casi obligado que la política interna consista en la adhesión a los códigos tipo y certificaciones que sean aplicables al tratamiento. Diferir a un momento posterior a la existencia de una fuga de información la demostración de que las medidas que se adoptaron eran adecuadas no es nada conveniente y, mucho menos, diligente, pues si se produce una quiebra en la protección de los datos, hay que atender a la resolución de varios problemas: el deber de notificar la violación a los afectados y a la autoridad de control, defender el sistema informático de la violación o intrusión indebida, gestionar la comunicación de la violación sufrida y así, un largo *et cétera*, y lo último que interesaría en esas circunstancias es tener que demostrar la inocencia (pues en el fondo se trata de eso), que bien podría estar previamente demostrada mediante la adhesión a un código tipo o una certificación.

Además de todo lo que hemos dicho, la diligencia debe ser continuada, pues así lo dispone el art. 24.1 RGPD al indicar que dichas medidas se revisarán y actualizarán cuando sea necesario. Con carácter general, en las normas sobre sistemas de gestión de seguridad de la información, como en las de gestión ambiental, de calidad, y de otro tipo, se establece que es necesario adoptar un procedimiento de revisión y mejora continua. En nuestro caso, se debe implantar sobre el proceso de tratamiento de los riesgos que lleva consigo, entre otros requisitos, mantener puesta la atención a posibles nueva amenazas[42].

El art. 25 RGPD se refiere a la protección de los datos desde el diseño y por defecto, y habla también de los riesgos casi repitiendo el inicio del art. 24, pero centrándose en la necesidad de adoptar medias técnicas y organizativas apropia-

---

[42] Por eso se aconseja participar o, al menos seguir la web y consultar, a las entidades y grupos que se ocupen de temas de seguridad, como el INCIBE o los diversos CERTS.

das, introduciendo algo que, en nuestra opinión, supone mezclar conceptos y que ya había sido regulado en los primeros preceptos del RGPD en los principios de legitimidad y tratamiento mínimo. Éstos no son medidas o controles de seguridad para tratar riesgos, sino condiciones previas para efectuar el tratamiento de los datos.

Por muchas medidas de seguridad que se adopten, incluyendo el cifrado mediante algoritmos de 256 byts, no es conforme al RGPD que, para facturar una compra o un servicio, además de nuestros datos de identificación y domicilio, nos soliciten y almacenen nuestras aficiones, gustos o el lugar de veraneo, esto no tiene que ver con la adopción de medidas de seguridad, sino con la legitimidad y finalidad del tratamiento. Es evidente que, cuantos menos datos se traten, menores riesgos se asumen, pero esto no justifica la mezcolanza de conceptos que realiza el RGPD. Otra cosa es lo que se dice en el considerando 28 sobre la seudonimización de los datos por parte del responsable que, una vez más, se expresa mejor que el articulado, pues indica que

> *"la aplicación de la seudonimización a los datos personales puede reducir los riesgos para los interesados afectados y ayudar a los responsables y a los encargados del tratamiento a cumplir sus obligaciones de protección de los datos".*

Se cuida el considerando, además, de no excluir ninguna otra "medida" relativa a la protección de los datos, aprovechando para otorgar a la seudonimización su carácter propio de control o medida de seguridad.

En el art. 33.1 RGPD se muestra el aspecto del riesgo que se refiere al impacto sobre los derechos de los interesados, imponiendo una cautela lógica, como es el deber de informar a la autoridad de control (AEPD) y a los titulares de los datos de la existencia de una fuga de información que puede poner en peligro a estos. Establece el precepto el deber de notificar la violación de seguridad a la AEPD **"a menos que sea improbable que dicha violación de la seguridad constituya un riesgo para los derechos y las libertades de las personas físicas"**. Y en el art. 34.1, se dispone que **"cuando sea probable que la violación de la seguridad de los datos personales entrañe un alto riesgo para los derechos y libertades de las personas físicas, el responsable del tratamiento la comunicará al interesado sin dilación indebida"**. Lo primero que destaca es la discriminación para los interesados, pues el riesgo que obliga a notificar a la AEPD es de cualquier intensidad, ya que el precepto solo menciona la existencia de riesgo, mientras que para notificar a los interesados el riesgo debe ser alto. Se podría haber aprovechado lo que se indica en el art. 33.4, que otorga a la autoridad de control el poder de obligar al responsable a notificar a los interesados la violación de seguridad, pero no ha sido así, pues el precepto solo lo permite si la autoridad considera **"la probabilidad de que tal violación entrañe un alto riesgo"**.

Siempre supondrá un alto riesgo el tratamiento de datos del art. 9. Además, también es claro el supuesto de tratamientos que, por el seguimiento realizado a las personas, por tomar datos de la vía pública, por el número elevado de personas a las que se sigue, por haber elaborado perfiles y tratar datos sobre su capacidad financiera, puede ser obligatorio la realización de una evaluación de impacto como paso previo para poder comenzar el tratamiento, lo que supone que el tratamiento es de alto riesgo[43]. Pero también existen casos en que la valoración del responsable puede no otorgar un riesgo elevado y eximir al responsable de la evaluación de impacto, mientras que la AEPD puede sostener el criterio contrario[44]. Es decir, existe un margen de maniobra en la evaluación de riesgos, casi siempre subjetiva, de la que se excluye a los interesados, lo que podría vulnerar los arts. 8 y 53.1.a) y b), en relación con el 4.1.b) y c), de la Ley 39/2015 y que va en contra de los principios de lealtad con los interesados y transparencia del propio RGPD.

Como vemos, en lo que respecta a los datos especialmente protegidos del art. 9 RGPD y en otras situaciones que pueden ser consideradas de alto riesgo, se vuelven a unir, que no confundir, los dos planos de riesgo del art. 25: los derivados de la protección de la información y los del uso indebido de los datos que se puede hacer por parte de quien acceda indebidamente o impacto sobre los derechos de los interesados. El art. 34 ofrece una solución muy a tener en cuenta para los responsables de este tipo de tratamientos y es que la notificación a los interesados no será necesaria si se cumple alguna de las condiciones siguientes:

---

[43] En el considerando 75 se concretan estos riesgos: daños y perjuicios físicos, materiales o inmateriales; problemas de discriminación; usurpación de identidad o fraude; pérdidas financieras; daño para la reputación; pérdida de confidencialidad de datos sujetos al secreto profesional; reversión no autorizada de la seudonimización; y en general cualquier perjuicio económico o social significativo.

También se prevén supuestos asociados, no tanto con el riesgo de que se produzca un perjuicio patrimonial o físico, sino con la naturaleza del tratamiento y su carácter invasivo para la privacidad de los interesados, como los casos en los que se prive a los interesados de sus derechos y libertades o se les impida ejercer el control sobre sus datos personales; los supuestos de datos del art. 9; tratamientos ligados a la toma de decisiones automatizadas, como el análisis o la predicción de aspectos referidos al rendimiento en el trabajo, situación económica, salud, preferencias o intereses personales, fiabilidad o comportamiento, situación o movimientos; tratamientos de datos personales de personas vulnerables, como los niños; o tratamientos que impliquen una gran cantidad de datos personales y afecten a un gran número de interesados.

El considerando 83 engloba todas estas situaciones en "daños y perjuicios físicos, materiales o inmateriales".

[44] Es significativo, a este respecto, lo que indica el considerando 76, que a la hora de determinar la probabilidad y la gravedad del riesgo para los derechos y libertades del interesado, lo divide en dos clases: la existencia o no de riesgo, o si éste es alto. Dónde se fije el límite entre uno u otro riesgo supondrá la necesidad de asegurar más o menos el tratamiento, con el consiguiente mayor o menor coste económico.

– Que el responsable del tratamiento haya adoptado medidas de protección que hagan ininteligibles los datos personales para cualquier persona que no esté autorizada a acceder a ellos, como el cifrado.

– Que el responsable del tratamiento haya tomado medidas ulteriores que garanticen que ya no exista la probabilidad de que se concretice el alto riesgo para los derechos y libertades del interesado.

La segunda necesita de una evaluación *a posteriori* y técnicamente es muy difícil de realizar[45], pero para la primera, la evaluación ya ha sido efectuada por el RGPD que, de un plumazo, hace innecesaria la evaluación de impacto, sobre todo si se emplean sistemas seguros de cifrado. Otra cosa será la dificultad técnica de implantación de estas medidas, pero merece la pena realizar un sobre esfuerzo en computación para evitar posibles sanciones, sobre todo, a la vista del alto grado de subjetividad que se encuentra presente en las valoraciones de riesgos. Entiéndasenos bien, no queremos decir que si se incorpora el cifrado ya no se debe cumplir con la obligación formal de realizar la evaluación de impacto, ésta sigue existiendo y hay que realizarla, pero se tratará de un cumplimiento formal del que huye el RGPD, que se preocupa de que el responsable adopte una actitud proactiva, pues si el dato se encuentra cifrado de manera que aunque se robe no se puede acceder a la información, el impacto sobre los interesados es nulo. Lógicamente, también se deberán cumplir las condiciones de legitimidad, propor-cionalidad, etc., que permiten el tratamiento, así como asegurar la disponibilidad e integridad.

Además de lo dicho, debemos resaltar que, si en situaciones de alto riesgo, el RGPD se conforma con la adopción de una concreta medida que anula el impac-to de una posible brecha de seguridad, quizá también se hubieran podido estable-cer otras concretas medidas para determinados tipos de tratamientos, evitando la subjetividad de las evaluaciones.

El art. 35 se refiere también al riesgo en lo que concierne al impacto sobre los derechos de los interesados, indicando determinados supuestos en los que, entre otros, será obligatorio realizar la evaluación de impacto: la elaboración de perfi-les, siempre y cuando se realice mediante una evaluación sistemática y exhaustiva de las personas, se base en un tratamiento automatizado y se tomen decisiones que produzcan efectos jurídicos para las personas o les afecten significativamente

---

[45]   En este caso, PÉREZ BES incluye supuestos en los que los datos hayan sido tratados mediante seudónimo y considera que este apartado constituye "un cajón de sastre en el que el legislador ha querido dejar abierta la posibilidad de que el responsable del tratamiento dispusiera de otro tipo de medidas que reduzcan de manera eficaz y demostrable que la producción de ese incidente de seguridad evita el riesgo de daños a los derechos y libertades de las personas físicas titulares de los datos". PÉREZ BES, Francisco, "La obligación de notificar una violación de seguridad de datos personales (Arts. 33 y 34)", en LÓPEZ CALVO, cit., p. 467.

de modo similar; cuando se traten a gran escala datos del artículo 9.1; o relativos a condenas e infracciones penales (lo que solo pueden hacer entes públicos) del artículo 10; y la observación sistemática a gran escala de una zona de acceso público, que suele ser función de las empresas de seguridad privadas.

En estos supuestos, el tipo, naturaleza y finalidad de los tratamientos está definido pues, como decimos, el riesgo que se tiene en cuenta es el del impacto sobre los derechos, y no tanto el riesgo de que el sistema de información se vea atacado, que se da por supuesto y, como hemos visto al hablar de la encriptación, incluso se presupone su materialización. La finalidad del precepto es la de establecer qué tratamientos tienen un fuerte impacto sobre los derechos, previendo la posibilidad de que las diversas autoridades de control indiquen otros tratamientos de este estilo y lo sometan al mecanismo de coherencia para lograr así un mismo nivel de protección en toda la UE, pero este criterio de impacto, una vez establecido el alto riesgo, sirve para la adopción de un criterio general de selección de medidas de seguridad, las más altas y técnicamente posibles, pero no para efectuar una concreta selección entre ellas a la vista de los posibles ataques que se pueden sufrir. En estos casos, también sería válido y protegería más los derechos de los interesados, que la norma hubiera impuesto el tipo de medidas a adoptar.

Por otra parte, en cuanto a la evaluación de impacto, poco se diferencia con los requisitos previos a cumplir antes de la realización de cualquier tratamiento de datos, pues según establece el art. 35.7, la evaluación deberá incluir como mínimo:

- una descripción sistemática de las operaciones y de los fines del tratamiento, inclusive, cuando proceda, el interés legítimo del responsable;
- una evaluación de la necesidad y la proporcionalidad de las operaciones de tratamiento con respecto a su finalidad;
- una evaluación de los riesgos para los derechos y libertades de los interesados;
- una evaluación de las medidas previstas para afrontar los riesgos, incluidas garantías, medidas de seguridad y mecanismos que garanticen la protección de datos personales, y a demostrar la conformidad con el RGPD.

Estos cuatro pasos o requisitos se predican de cualquier tratamiento, si bien en algunos, por su carácter habitual, son de muy sencillo cumplimiento y estos requisitos poco menos que se obvian, siempre que se adopten una serie de controles mínimos que se consideran aceptables. También, a la vista de la prohibición que establece el art. 9 de tratar datos especialmente protegidos y de las excepciones que se contemplan, aunque formalmente haya que cumplir con los anteriores requisitos, la evaluación del riesgo es clara y evidente por el tipo de datos que se tratan y la medida de seguridad que se aconseja también es muy clara.

Por el contrario, la evaluación resultará útil tanto formal como materialmente, en lo que se refiere a la medición del impacto sobre los interesados, en los supuestos de elaboración de perfiles sobre los que se adopten decisiones (bancos, compañías de seguros, determinados procesos de selección de personal, entre otros supuestos[46]) y en los de observación sistemática a gran escala de lugares públicos (vigilancia por seguridad privada de centros comerciales, museos, etc.). Habida cuenta de que se da por sentado el alto riesgo de esos tratamientos, la evaluación del impacto realizada por el responsable, irá dirigida, bien a demostrar que en realidad no existe el alto riesgo, con las consecuencias exoneradoras de deberes que lleva consigo, o bien a justificar que, a pesar del riesgo, es posible llevar a cabo el tratamiento y que, en caso de consulta, el tratamiento debería ser autorizado por la autoridad de control[47].

---

[46] En el considerando 71 se establece que el interesado debe tener derecho a no ser objeto de una decisión, como la denegación automática de una solicitud de crédito en línea o los servicios de contratación en red, en los que no medie intervención humana alguna. También incluye en ese derecho a la elaboración de perfiles para analizar o predecir aspectos relacionados con el rendimiento en el trabajo, la situación económica, la salud, las preferencias o intereses personales, la fiabilidad o el comportamiento, la situación o los movimientos del interesado, cuando se produzcan efectos jurídicos en él o le afecte significativamente de modo similar. Pero, desgraciadamente, se permiten si lo autoriza expresamente el Derecho de la Unión o de los Estados miembros, con fines de control y prevención del fraude y la evasión fiscal, para garantizar la seguridad y la fiabilidad de un servicio prestado por el responsable del tratamiento (de tipo médico o de seguros), cuando resulte necesario para la conclusión o ejecución de un contrato entre el interesado y el responsable (incluyendo los laborales), o en los casos en los que el interesado haya dado su consentimiento explícito. A pesar de que el consentimiento debe ser libre, existen casos de "estado de necesidad" (como la solicitud de un préstamo para la adquisición de vivienda o el de un puesto de trabajo) que puede producir efectos discriminatorios para determinados sectores de población. Como se ve, la protección inicial se ve muy mermada, hasta extremos peligrosos, cuando de la decisión depende la posibilidad de que los interesados accedan a contratos necesarios.
El considerando también indica que se deben adoptar garantías consistentes en "la información específica al interesado y el derecho a obtener intervención humana, a expresar su punto de vista, a recibir una explicación de la decisión tomada después de tal evaluación y a impugnar la decisión". Además de éstas, se incluyen otras tendentes a asegurar el acierto de la medición, como el uso de procedimientos matemáticos o estadísticos adecuados para la elaboración de perfiles, de manera que se corrijan los factores que introducen inexactitudes en los datos personales y se reduzca al máximo el riesgo de error y que no se produzcan "efectos discriminatorios en las personas físicas por motivos de raza u origen étnico, opiniones políticas, religión o creencias, afiliación sindical, condición genética o estado de salud u orientación sexual, o que den lugar a medidas que produzcan tal efecto".
El considerando termina con la cautela de que este tipo de tratamientos, no debe ser empleado con menores.

[47] Tal y como establece el art. 36 RGPD, cuando una evaluación de impacto realizada en cumplimiento del art. 35 muestre que el tratamiento entrañaría un alto riesgo si el responsable no toma medidas para para mitigarlo se consultará a la autoridad de control antes de proceder al

Finalmente, al riesgo también se refiere el art. 39.2 RGPD, al regular las funciones mínimas del Delegado de Protección de Datos, que deberá desempeñar "prestando la debida atención a los riesgos asociados a las operaciones de tratamiento, teniendo en cuenta la naturaleza, el alcance, el contexto y fines del tratamiento". El enfoque de riesgos en este caso sí supone tener en cuenta el derivado, tanto de los riesgos para evitar violaciones de seguridad, como del posible impacto de éstas en los derechos de los titulares.

2. ¿Cómo se deben evaluar los riesgos?

Por disposición de diversos preceptos del RGPD[48], los riesgos deben evaluarse en función de su probabilidad y gravedad. Respecto de la primera, es evaluable la dimensión de que se produzca el suceso o manifieste la amenaza, y la de que ocurrida ésta, llegue a cumplir su objetivo[49]. En cuanto a la gravedad, se da por sentado que la amenaza ha cumplido su objetivo, y se valora las consecuencias a las que puede dar lugar la falta de confidencialidad, disponibilidad e integridad, lo que en gran medida depende, de ahí el interés del RGPD, del tipo de información de que se trate, amén de otras circunstancias que deberán valorar a posteriori

---

tratamiento. Esta, si considera que el tratamiento podría infringir el Reglamento porque el responsable no haya identificado o mitigado suficientemente el riesgo, puede asesorar por escrito al responsable utilizando cualquiera de los poderes mencionados del artículo 58.

Si se tiene en cuenta que el deber de consulta es previo al tratamiento, y que el plazo del asesoramiento es de ocho semanas, prorrogables durante otras seis, de la que se deberá informar en el plazo de un mes (otras cuatro) y que es posible que el plazo se suspenda por requerimientos efectuados por la autoridad de control, la consulta, con la posibilidad de recurso en vía jurisdiccional, puede durar cuatro o cinco meses, y eso puede suponer la inviabilidad del tratamiento por motivos económicos o de gestión de negocio.

La dicción del art. 36 sobre el deber de consulta cuando el tratamiento entrañe un alto riesgo "si el responsable no toma medidas para para mitigarlo", debe lógicamente entenderse en el sentido del considerando 84, que no las adopte porque, bien no pueda por no existir tecnología o por sus costes de aplicación, o aún adoptándolas, el riesgo persista. Ahora bien, ¿qué sucedería si, consultada la AEPD, resuelve positivamente sobre el tratamiento y se produce una violación de seguridad con consecuencias perjudiciales sobre el patrimonio material o inmaterial o la integridad de los interesados? ¿Podría considerarse un supuesto de responsabilidad patrimonial de la Administración por el funcionamiento normal, o anormal, de un servicio o función pública?

[48]   Considerandos 75, 76, 77, 85 y 88 en lo que se refiere al impacto sobre los derechos de los interesados, 90, 94 en el que también se contempla la frecuencia del tratamiento como un factor de riesgo, y artículos 24.1, 25.1, 32.1 y 34, apartados 3.b) y 4, en lo que se refiere al impacto sobre los derechos, del RGPD.

[49]   Este segundo aspecto de la probabilidad también puede realizarse en el momento de identificar las amenazas clasificándolas según su impacto sobre la información.

(número de afectados, posibilidad de divulgación de la información, etc.) durante el proceso de decisión de notificación de la violación a la autoridad de control. Por probabilidad se entiende "la posibilidad de ocurrencia de un hecho, suceso o acontecimiento", y "la frecuencia de ocurrencia implícita se corresponde con la amenaza"[50]. Evaluar es medir, y antes hay que diseñar el sistema de medida, lo que nos introduce de lleno en planteamientos técnicos que hasta ahora resultaban ajenos al estudioso del Derecho. Para medir la frecuencia nos basaremos, si existen, en datos objetivos del histórico de la empresa o que consten en informes de autoridades y organizaciones que nos merezcan confianza, lo que supondría un criterio empírico difícil de desmontar, o en opiniones de expertos, entre el que se incluye de manera obligatoria, en caso de que exista, el delegado de protección de datos, o del responsable, que constituiría un criterio subjetivo, más fácilmente desmontable por una opinión contraria.

El responsable debe configurar un proceso de apreciación que establezca los criterios de aceptación de riesgos[51], siempre que esta aceptación no suponga un incumplimiento del RGPD y su normativa de desarrollo, y las orientaciones y directrices para llevar a cabo la evaluación. El sistema diseñado debe servir para poder comparar las evaluaciones de riesgo que se vayan realizando a lo largo del tiempo en que se desarrolle el tratamiento, de forma que se puedan obtener resultados consistentes y válidos.

Además de identificar los riesgos asociados a las notas CID, se debe describir el proceso utilizado para el tratamiento y determinar los niveles de riesgo. Propiamente hablando, el análisis de riesgos consiste en la valoración de la probabilidad de que se manifiesten los riesgos que hayan sido previamente identificados, y del impacto de sus consecuencias en el caso de se produzcan, lo que nos permite proceder a la determinación de los niveles de riesgo. En la apreciación de estos niveles, hay que tener el cuenta el tipo de datos empleado y la naturaleza del tratamiento tal y como ya han sido apreciados por el RGPD y lo que puedan dis-

---

[50] INCIBE, *Gestión de Riesgos*, cit., p. 5. Como indica la ISO 27005, la probabilidad se puede determinar usando términos generales (muy probable, poco, nada, u otros de este estilo) o matemáticamente (cuando se dispone de datos objetivos y es posible determinar frecuencias).

[51] Cuando se trata de la seguridad de los sistemas de información, dependiendo de las políticas y objetivos de la organización, se parte de la base de que hay un nivel de riesgo que puede ser aceptado. Existen varios tipos de criterios a tener en cuenta para determinar el nivel de riesgo que puede ser aceptado, como el criterio de riesgo/beneficio, o la posibilidad de aceptar los riesgos que no superen un determinado umbral con la posibilidad de superarlo en determinadas circunstancias, o si existe un compromiso de que el riesgo solo sea inicial por haberse asumido el compromiso de tratamiento posterior para eliminarlo. Pero cuando se trata del cumplimiento normativo, se indica que se puede no aceptar ningún tipo de riesgo, como entendemos que es lo lógico, con lo que el proceso de evaluación de evaluación de riesgos, permítasenos el juego de palabras, queda bastante devaluado.

poner la autoridad de control y el Comité Europeo de Protección de Datos. Esto es fundamental para establecer si el riesgo es alto, o de otro tipo.

A partir de las operaciones anteriores, la evaluación consiste en comparar el resultado del análisis de riesgos con los criterios de aceptación para priorizar el tratamiento de los riesgos analizados. Los estándares internacionales que aconseja la AEPD indican que se debe conservar información documentada sobre todos estos procesos, lo que en el correlato del RGPD se expresa como estar en disposición de demostrar la debida diligencia. La apreciación de riesgos debe repetirse a intervalos planificados y cuando se propongan o produzcan modificaciones importantes en los procesos de tratamientos de datos.

La AEPD ha diseñado FACILITA, una herramienta *on line* que sirve para evaluar si el nivel de riesgo es bajo. El usuario debe ir seleccionando el tipo de datos y la clase de tratamiento con sus determinadas finalidades que van apareciendo y, al final, en función de las opciones elegidas, si la herramienta considera que el tratamiento es de escaso riesgo, ofrece una serie de controles que deben ser incorporados. La herramienta no sirve para tratamientos que se aparten de los habituales, como gestión de facturas, clientes y proveedores, nóminas y personal, pero sí resulta extremadamente útil para que las pymes y microempresas, la inmensa mayoría de las que existen en España, se adapten al RGPD de una manera ágil y sencilla, pues la herramienta se ocupa de los encargados del tratamiento y la adaptación de sus contratos, los tratamientos concretos que se realizan y ofrece al final un soporte documental que es el inicio del cumplimiento de lo previsto en el RGPD.

Para señalar el nivel de riesgo se requiere información sobre el tipo de actividad de la empresa. Se considera que no son de bajo riesgo, y en consecuencia la herramienta no sirve para efectuar la evaluación de riesgos, las siguientes actividades:

- Sanidad.
- Solvencia patrimonial y crédito.
- Generación y uso de perfiles.
- Actividades políticas, sindicales o religiosas.
- Servicios de telecomunicaciones.
- Seguros.
- Entidades bancarias y financieras.
- Actividades de servicios sociales.
- Publicidad.
- Videovigilancia de grandes infraestructuras como estaciones de ferrocarril o centros comerciales.

Como se puede apreciar, se trata del uso de datos del art. 9, de tratamientos en donde emplean un elevado número de datos personales, se realizan perfiles personales, y de actividades de sectores regulados (banca, telecomunicaciones, ficheros de morosos, seguros). Para estos supuestos, quizá se puede emplear FACILITA para el cumplimiento de otros requisitos, pero no para efectuar la evaluación de riesgos. No obstante, ya se contiene una orientación de la AEPD acerca de qué tratamientos necesitan una mayor evaluación, lo que es de agradecer.

Si la empresa no realiza las actividades anteriores, la herramienta pregunta por el tipo de datos personales utilizados en el tratamiento:

- – Datos que revelen origen étnico o racial.
- – Datos de opiniones políticas o religión.
- – Datos de afiliación sindical (excepto cuotas sindicales).
- – Datos genéticos.
- – Datos biométricos dirigidos a identificar de manera unívoca a una persona.
- – Datos de salud física o mental.
- – Datos relativos a la vida sexual o a la orientación sexual.
- – Datos relativos a condenas o infracciones penales.
- – Geolocalización.

En el caso de que se empleen alguno de esos datos, debe procederse a una evaluación de riesgos, pues la herramienta tampoco sirve. Se contiene un tercer nivel de "no selección" de actividades para que se pueda emplear la herramienta y que, en nuestra opinión resulta repetitivo pues se pregunta si la empresa va a:

- – Hacer o analizar perfiles.
- – Hacer publicidad y prospección comercial masiva a potenciales clientes.
- – Prestación de servicios de explotación de redes públicas o servicios de comunicación electrónica (proveedor de servicios de internet [LGTelecomunicaciones]).
- – Gestionar los asociados o miembros de partidos políticos, sindicatos, iglesias, confesiones o comunidades religiosas, fundaciones y otras entidades sin ánimo de lucro, cuya finalidad sea política, filosófica, religiosa o sindical.
- – Gestión, control sanitario o venta de medicamentos.
- – Historial clínico o sanitario.

Como puede verse se trata de supuestos incluidos en opciones anteriores, bien por usar datos del art. 9 RGPD, o por tratar datos a gran escala.

Por parte de la CNIL (Comisión Nacional de la Información y de las Libertades), autoridad de control francesa, se ha desarrollado una herramienta[52] algo

---

[52]   Se trata de un pequeño *sotfware* de descarga gratuita en la web de la CNIL, https://www.cnil.fr/fr/outil-pia-telechargez-et-installez-le-logiciel-de-la-cnil (23/09/18), mientras que FACILITA solo puede utilizarse *on line*.

más compleja que sirve para obtener un concreto resultado de la evaluación de riesgos para cualquier tipo de tratamiento. Se parten de tres tipos de riesgos: acceso ilegítimo, modificación no deseada y borrado de los datos, otorgando la posibilidad de seleccionar una serie de controles, ofrecidos por la propia herramienta, para cada tipo de riesgo.

La AEPD también ha establecido ejemplos y señalado criterios y tipos de controles para mitigar los riesgos en su *Guía Practica para las Evaluaciones de Impacto en la Protección de los Datos Sujetas al RGPD*[53], dividiendo los tipos de amenazas en las mismas que la CNIL y empleando controles, preguntas y riesgos casi iguales, como es lógico, pero mientras que la CNIL[54] separa las que hemos denominado como condiciones que legitiman el tratamiento (proporcionalidad, necesidad y derechos de los interesados), la AEPD no los distingue de las medidas de seguridad que protegen contra las amenazas propiamente dichas (notas CID). En este documento resulta más interesante la distinción efectuada entre el riesgo inherente y el residual. El primero es el riesgo intrínseco de cada actividad sin tener en cuenta las medidas de control que lo reducen y se calcula multiplicando la probabilidad por el impacto sobre los datos[55]. Siguiendo a la ISO 29134 se valora la probabilidad como despreciable, limitada, significativa y máxima y los mismos niveles se usan para medir el impacto (constituido, como hemos indicado, por daños físicos, materiales y morales).

En ninguno de los dos documentos se realiza un tratamiento sistemático de las vulnerabilidades (precisamente el factor de mayor riesgo, al menos en 2017 con *Wannacry*), quizá porque se considere excesiva su exigencia. Esta previsión se indica en la guía del INCIBE, reconociendo que la gestión de vulnerabilidades supone un coste elevado y de difícil erradicación y que las organizaciones no

---

[53]   Disponible en https://www.aepd.es/media/guias/guia-evaluaciones-de-impacto-rgpd.pdf (23/09/18).
[54]   CNIL, *Analyse d'impact relative à la protectiondes données. Privacy Impact Assessment (PIA). La méthode*, febrero de 2018. En la página 3 se explica que el proceso de cumplimiento implementado mediante la realización de una evaluación de impacto se basa en dos pilares: los principios y derechos fundamentales "no negociables", que están establecidos por ley y deben respetarse, independientemente de la naturaleza, gravedad y probabilidad de los riesgos en que se incurra, y la gestión del riesgo en la privacidad, que determina las medidas habilidades técnicas y organizativas apropiadas para proteger los datos. Entre los primeros se encuentran la existencia de una finalidad determinada, explícita y legítima; datos adecuados, relevantes y no excesivos; información clara y completa para los interesados; vida útil limitada; derecho de oposición, acceso, rectificación y cancelación, etc. Respecto al segundo pilar, se vincula a la seguridad de los datos personales con un impacto en la privacidad de las personas, de manera que se deben tomar todas las precauciones necesarias, en vista de la naturaleza de los datos y los riesgos del tratamiento, a fin de preservar la seguridad de los datos y, en particular, evitar que se distorsionen, o se dañen por terceros no autorizados que tengan acceso a ellos.
[55]   AEPD, *Guía Practica para las Evaluaciones de Impacto*, cit., p. 26.

tienen más remedio que convivir con ellas[56]. La ISO 27005[57] sí dedica un extenso apartado a la evaluación de vulnerabilidades proporcionando ejemplos de vulnerabilidades con sus consiguientes amenazas, como un mantenimiento deficiente, o la posibilidad incontrolada de efectuar copias o una interfaz de usuario complicada entre muchísimas otras.

Por riesgo residual se entiende el que permanece una vez que se hayan aplicado las medidas de control para tratar y reducir o eliminar el riesgo inherente. El riesgo residual se mide de la misma manera que el inherente (probabilidad x impacto) y, salvo que existan datos objetivos o prescripciones normativas, como el inherente, es bastante subjetivo. En el ejemplo que se muestra en la Guía, partiendo de la base que como tal, se adopta una situación muy evidente, da la sensación de que se emplean demasiados números y colores para adoptar decisiones de protección de la información almacenada en dispositivos móviles[58].

Finalmente, la ISO 31010 ofrece varias técnicas de apreciación de riesgos ofreciendo criterios para seleccionar cual puede ser la mas indicada a la vista de características tales como que resulten apropiadas a la organización, que proporcionen resultados comprensibles y mensurables, y que se asegure su trazabilidad, posibilidad de repetición de la técnica y verificación[59].

IV. LA SELECCIÓN DE CONTROLES PARA TRATAR LOS RIESGOS

Efectuada la identificación de riesgos mediante el empleo de las técnicas señaladas por la AEPD o por las previstas en la ISO 31010, habiéndose establecido

---

[56]   INCIBE, *Gestión de Riesgos,* cit., p. 15, en donde brevemente se contienen algunos ejemplos de vulnerabilidades.

[57]   *Vid.* su Anexo D, en donde se proponen, como métodos de evaluación de vulnerabilidades, el uso de herramientas automatizadas de escaneo de vulnerabilidades, las pruebas de seguridad y evaluación, las pruebas de penetración y la revisión del código fuente. En el Anexo F se establece qué previsiones normativas como el Código Penal o la Protección de Datos personales puede afectar la selección de controles al exigir ciertos tipos de control. El RGPD, al no determinar ninguno como obligatorio, parece que va en contra de las normas técnicas.

[58]   AEPD, *Guía Practica para las Evaluaciones de Impacto,* cit., p. 32 y ss. No parece necesario efectuar cálculos matemáticos (sencillos eso sí) y ponderaciones para saber que si, desde un portátil o *smartphone,* se almacena información personal, debe protegerse, cuando menos, igual que los datos ubicados en el servidor de la empresa, mediante acceso con contraseña, limitada la posibilidad a tres intentos, y mediante el cifrado, reiteradamente aconsejado por la AEPD.

[59]   Entre muchas otras se habla de la tormenta de ideas, entrevistas con el personal de la empresa, la técnica Delphi que persigue lograr un consenso entre expertos, listas de verificación, etc., por mencionar algunas señaladas en los documentos de la AEPD. En el Anexo B de la ISO 31010 se describen estas técnicas, así como sus fortalezas y debilidades y otros requisitos para su empleo.

un sistema de medición para aplicarlo a los riesgos identificados que nos permite apreciar el nivel de riesgo al que nos enfrentamos, llega el momento de seleccionar los controles adecuados para tratar los riesgos anteriores, lo que, en el RD 1720/2007, se conoce como adopción de las medidas de seguridad.

1. *Medidas previstas en el RGPD o aconsejadas por las autoridades de control*

En el RGPD solo se mencionan la seudonimización y el cifrado de los datos, y aunque es evidente la preferencia de la norma por el uso ordinario de la primera, y el empleo de la segunda para datos del art. 9 RGPD, no se imponen, al menos, de manera taxativa.

Para tratamientos de escaso riesgo, por ejemplo, para tratamientos de datos de facturación a clientes y pagos a proveedores, gestión de nóminas de empleados y de *curricula* de demandantes de empleo, sobre los que se puede usar FACILITA, se señala que se con carácter de mínimos se deben aplicar las siguientes medidas:

Organizativas

Para asegurar la confidencialidad:
- Evitar dejar los datos personales expuestos a terceros (pantallas electrónicas desatendidas, documentos en papel en zonas de acceso público, soportes con datos personales, etc.), procediendo al bloqueo de la pantalla o al cierre de la sesión en las ausencias del puesto de trabajo.
- Almacenar los documentos en papel y soportes electrónicos en lugar seguro (armarios o estancias de acceso restringido) durante las 24 horas del día.
- No desechar documentos o soportes electrónicos con datos personales sin garantizar su destrucción.
- No comunicar datos personales a terceros, principalmente durante las consultas telefónicas, correos electrónicos, etc.
- Se recuerda que el deber de secreto y confidencialidad persiste incluso cuando finalice la relación laboral del trabajador con la empresa.

Para asegurar los derechos de los titulares de los datos:
- Informar a todos los trabajadores acerca del procedimiento para atender los derechos de los interesados.
- Definir claramente los mecanismos por los que pueden ejercerse los derechos.

Violaciones de Seguridad:
- Notificarla a la Agencia Española de Protección de Datos en el plazo de 72 horas.

Técnicas

Identificación:
- Mantener separados los usos profesional y personal del ordenador.
- Disponer de perfiles con derechos de administración para la instalación y configuración del sistema y usuarios sin privilegios o derechos de administración para el acceso a los datos personales.
- Uso de contraseñas (al menos 8 caracteres, mezcla de números y letras) para el acceso a los datos personales almacenados en sistemas electrónicos.
- Uso de sistemas de identificación inequívoca (usuario y contraseña específicos).
- Prohibición de compartir contraseñas y garantizar su confidencialidad (no dejarlas anotadas en lugares comunes y evitar el acceso de personas distintas del usuario, por ejemplo, manteniendolas cifradas[60]).

Deber de salvaguarda (medidas técnicas de protección de las notas CID):
- Actualización del *software* de ordenadores y dispositivos.
- Instalación de un sistema antivirus actualizado de forma periódica.
- Instalación de un *firewall* activado en aquellos ordenadores y dispositivos en los que se realice el almacenamiento y/o tratamiento de datos personales.
- Cifrado de los datos cuando se utilicen fuera del lugar en el que se les procesa[61].
- Valorar la posibilidad de uso de un método de encriptación para garantizar la confidencialidad de los datos personales en caso de acceso indebido a la información.
- Copias de seguridad periódicas (al menos semanalmente) en un segundo soporte distinto del que se utiliza para el trabajo diario.
- Almacenamiento de las copias de seguridad en lugares seguros, distintos de aquél en que esté ubicado el ordenador con los ficheros originales.
- Revisión de las medidas de forma periódica.

Por su parte, la herramienta de la CNIL ofrece múltiples medidas que deben ser seleccionadas por el usuario, pero sin llegar a establecer ninguna.

En la ISO 27002, complemento de las ISO 27000 y 27001, se contiene un extenso elenco de controles aplicables a los sistemas de gestión de seguridad de la

---

[60] Este cifrado no se menciona en los resultados de FACILITA.
[61] El RGPD solo lo aconseja cuando se tratan datos especialmente protegidos, en cambio FACILITA lo establece para tratamientos de datos de facturación a clientes y proveedores y gestión de nóminas, lo que puede resultar excesivo.

información con una explicación detallada de cómo implementarlos. Por ejemplo, respecto de una muy concreta medida como el uso de contraseñas para asegurar el acceso y la autenticación de los usuarios, se prevén cautelas consistentes en la firma de compromisos de confidencialidad de las contraseñas en los contratos de trabajo, contraseñas provisionales que obligatoriamente debe cambiar el usuario antes de acceder a la información, el deber de identificar convenientemente al usuario antes de proporcionar, modificar o sustituir la contraseña, proporcionar la información sobre la contraseña de manera segura, que la contraseña temporal sea única para cada usuario y no se pueda adivinar, que se confirme la recepción de la contraseña por parte del usuario o el cambio de la contraseña que por defecto existe en los *hardware* y *software* que son suministrados. Como se ve, la ISO pretende agotar las posibilidades de riesgo contemplado el máximo nivel de detalle en cada control empleado, por lo que, si realmente se precisa minimizar el riesgo, es más que aconsejable el uso de este tipo de normas técnicas. Se observa claramente que, tanto el RGPD, como las guías de las autoridades de control elaborados para facilitar su cumplimiento, se basan en estos estándares internacionales y se citan como referencia para su posible uso, pero la normativa sobre protección de datos, no es la única que las aplica, como veremos seguidamente.

2. Otras medidas previstas en normativas de seguridad y que pueden resultar aplicables a la protección de datos personales

A lo largo de este trabajo, hemos indicado en repetidas ocasiones, que poco se diferencia la manera de proteger la información en general de la que consiste específicamente en datos personales, salvo lo que se refiere a las condiciones previas para uso (legitimidad, proporcionalidad, derechos de los interesados, etc.). De hecho, durante la estancia investigadora que el autor de estas paginas realizó al INCIBE, pudo conversar sobre la manera en que se había implantado el RD 3/2010, de 8 de enero, por el que se regula el Esquema Nacional de Seguridad en el ámbito de la Administración Electrónica (en adelante ENS), al hilo del tema candente entonces en los pocos días antes del 25 de mayo de 2018 (como es sabido fecha en que resultó de plena aplicación el RGPD después de un periodo de dos años de expectación)[62].

---

[62]   Como dice GONZÁLEZ UBIERNA, Ignacio, "Seguridad del tratamiento (Art. 32)", en LÓ-PEZ CALVO, cit., p. 458: "Cuando un profesional de la seguridad de la información ve los esquemas anteriormente descritos, puede identificar rápidamente que ese proceso representa un Sistema de Gestión de Seguridad de la Información o SGSI. Da la impresión de que el legislador podría haber optado directamente por decirnos que implantáramos un SGSI certificable que tuviera en cuenta las actividades A1 a A5 anteriormente descritas, pero que por alguna razón en

Basta un somero vistazo general del ENS para ver que la estructura es bastante similar. Así su art. 5 se refiere a la seguridad como un proceso integral, el 6 regula la gestión de la seguridad basada en los riesgos, el 9 dispone la reevaluación periódica, etc. Lo que, desde esta perspectiva, diferencia al ENS de la normativa sobre protección de datos, como también hemos mencionado, es que contiene las concretas medidas de seguridad a incorporar a los sistemas de gestión de la información. Así, el art. 11 del ENS se refiere a los requisitos mínimos de seguridad y dispone que los órganos superiores de las Administraciones públicas deben disponer de su política de seguridad que articule su gestión continuada. La política de seguridad debe aplicar una serie de requisitos mínimos en una serie de campos de actuación[63] sobre los que se deben implementar los controles que se señalan en el Anexo II de la norma. La concreción de este anexo es bastante detallada. Por ejemplo, en cuanto a los controles a incorporar respecto del correo electrónico, en el apartado 5.8.1 se establece algo que llama la atención: "**el correo electrónico se protegerá frente a las amenazas que le son propias, actuando del siguiente modo**". Parece que al ENS no le preocupa identificar las amenazas, seguramente ya las habrá tenido en cuenta el legislador, sino que sean incorporados las siguientes medidas: que la información que se distribuya vaya protegida tanto en el cuerpo de los mensajes como en los anexos, así como la de encaminamiento de los mensajes y establecimiento de conexiones, protección contra *spam* y programas dañinos (virus, gusanos, troyanos, etc.), código móvil de tipo *applet*, establecimiento de normas de uso del correo, y un largo *et cétera* en el que no procede que nos detengamos. Para la selección de los controles y su implementación, el apartado 7 del Anexo II, se remite a las instrucciones técnicas del CCN-STIC que requieren de altos conocimientos técnicos para su comprensión[64].

El ENS, en su Anexo I, establece tres niveles (bajo, medio, alto) para evaluar el impacto que tendría sobre la organización un incidente que afectara a

---

lugar de llamarlo por su nombre ha preferido describirlo y dejarnos a nosotros que lleguemos a la conclusión adecuada".

[63]   Los campos recuerdan las disposiciones de las normas de la serie 27000 y son los siguientes: organización e implantación del proceso de seguridad; análisis y gestión de los riesgos; gestión de personal; profesionalidad; autorización y control de los accesos; protección de las instalaciones; adquisición de productos; seguridad por defecto; integridad y actualización del sistema; protección de la información almacenada y en tránsito; prevención ante otros sistemas de información interconectados; registro de actividad; incidentes de seguridad, continuidad de la actividad, mejora continua del proceso de seguridad.

[64]   Pueden consultarse en https://www.ccn-cert.cni.es/guias.html (20/09/18). Solo por poner un ejemplo, respecto del uso de antivirus existe una norma de la serie 140, *Taxonomía de referencia para productos de seguridad TIC*, cuyo Anexo B.1 se refiere a las *Herramientas anti-virus/ EPP* y que, solo este anexo, posee 12 páginas. En total, esa norma tiene 35 anexos.

la seguridad de la información o de los sistemas[65]. A su vez, en cada sistema de información se evalúan las notas CID y dos más, la autenticidad y la trazabilidad, y sobre cada una de estas cinco dimensiones de cada sistema, en función del nivel de impacto, se señalan los controles a incorporar. De esta forma, la categoría de un sistema de información se establece, como indica el apartado 4.1 del Anexo I, de la siguiente manera:

ALTA: si alguna de sus dimensiones de seguridad alcanza el nivel ALTO.

MEDIA: si alguna de sus dimensiones de seguridad alcanza el nivel MEDIO, y ninguna alcanza un nivel superior.

BAJA: si alguna de sus dimensiones de seguridad alcanza el nivel BAJO, y ninguna alcanza un nivel superior.

En función del nivel de las dimensiones y de la categoría del sistema, el Anexo II impone las correspondientes medidas de seguridad a incorporar en los sistemas de gestión de la información. Este Anexo es muy técnico y complejo para el lego en la materia.

Recientemente, y acuciado por la prisa al cumplirse el plazo de transposición en una materia tan importante, se ha aprobado el Real Decreto Ley 12/2018, de 7 de septiembre, de seguridad de las redes y sistemas de información, por el que se transpone la Directiva (UE) 2016/1148, de 6 de julio de 2016, relativa a las medidas destinadas a garantizar un elevado nivel común de seguridad de las redes y sistemas de información en la Unión, más vulgarmente conocida como Directiva NIS. El desarrollo de ambas normas se deja en manos del reglamento, lo cual es lógico por la complejidad de la materia. En concreto, su art. 16.2 establece que mediante reglamento se "preverá las medidas necesarias para el cumplimiento de lo preceptuado" y para la elaboración de las normas reglamentarias, instrucciones y guías, se "tendrán en cuenta las obligaciones sectoriales, las directrices relevantes que se adopten en el grupo de cooperación y los requisitos en materia de seguridad de la información, a las que estuviera sometido el operador en virtud de otras normas, como la Ley 8/2011, de 28 de abril, y el Esquema Nacional de Seguridad".

La Directiva NIS está pensada para la protección de infraestructuras críticas, en España contempladas en la Ley 8/2011, pertenecientes a los sectores de la electricidad, gas, agua, transporte, hospitales, banca y otros; y a determinados

---

[65] Para determinar el nivel de impacto se señalan los efectos de los incidentes de seguridad. Así, entre otros, en el nivel bajo los perjuicios pueden ser "la reducción de forma apreciable de la capacidad de la organización para atender eficazmente con sus obligaciones corrientes, aunque estas sigan desempeñándose", en el medio "el incumplimiento material de alguna ley o regulación", y en el alto, "la anulación de la capacidad de la organización para atender a alguna de sus obligaciones fundamentales".

agentes del sector digital (si bien los anteriores también operan en ese sector y de ahí su necesidad de protección) que se configuran como prestadores de servicios digitales de mercados en línea, motores de búsqueda en linea y servicios de computación en nube. Para este último, la ISO 27018 establece un código de buenas prácticas para la protección de la información de carácter personal en nubes públicas. Se trata de servidores que prestan sus servicios en *cloud* a varios responsables de tratamiento y que van trasladando la información de unos servidores a otros ubicados en diferentes países para aprovechar las condiciones geográficas, o de menor coste energético, etc. La ISO 27018 desarrolla la 27002 en un muy concreto y especializado servicio, en el que ahora no nos es posible detenernos, y de cuyos problemas jurídicos nos hemos ocupado en otro lugar.

La Directiva NIS, el Real Decreto Ley 12/2018 y la normativa que lo desarrolle surgen para hacer frente a lo que, hasta hace poco tiempo, era "ciencia ficción" y desarrollarán controles para evitar accesos indebidos, secuestros de sistemas, etc., pensadas para proteger esos servicios esenciales y las catástrofes que pueden llevar aparejados sus incidentes de seguridad, pero algunas de esas medidas podrán ser utilizadas en la protección de datos de carácter personal.

V. CONCLUSIONES

Supone un lugar común hablar del incremento exponencial de los ciber delitos e incidentes de seguridad en sistemas de gestión de la información, tal y como reflejan los informes sobre seguridad nacional, hasta el punto de que utilizar un dispositivo conectado a internet supone asumir, en mayor o menor medida en función de diversos aspectos, el riesgo de verse comprometido en un incidente de seguridad. Últimamente, se fomenta la creación de CERTS y CERTSIS interconectados entre sí para hacer frente a amenazas contra la seguridad de la información y contra infraestructuras críticas y otros servicios de telecomunicaciones y de la sociedad de la información, sobre los que se proyecta la Directiva NIS y el Real Decreto Ley 12/2018.

La protección frente a las amenazas pasa ineludiblemente por su evaluación, es decir, un proceso complejo integrado por varios pasos, identificación de las amenazas, determinación del sistema de medición basado en la probabilidad de su manifestación y el impacto en caso de que la amenaza tenga éxito, medición de los incidentes y clasificación por riesgo de exposición a los mismos. Para la realización de este proceso, lo ideal sería contar con información de carácter empírico que no suele estar disponible en la mayoría de las empresas, por lo que se efectúa según unos criterios subjetivos. No obstante, el RGPD posee una valoración interna de las amenazas en función de los tipos de datos personales que se están tratando y de la forma en que se realiza. Más propiamente, la determinación de los riesgos se realiza en función del impacto que sobre los derechos de los titulares de los datos posea una concreta amenaza y para ello se atiende, principalmente, al tipo de dato personal, el número de personas cuyos datos se hayan recabado y a los daños y perjuicios de tipo físico, patrimonial y moral, que se les puede causar en el caso de que se quiebre la confidencialidad, integridad o disponibilidad, que debe poseer la información personal.

En ocasiones, junto con los riesgos del tratamiento debido al contexto de la organización, se confunden como tales el incumplimiento de las condiciones de legitimidad para el tratamiento de datos personales, como el uso de los datos sin el consentimiento del titular cuando éste es requerido, o el incumplimiento del deber de informar cuando se recaban los datos o el no reconocimiento de los derechos ARCO, junto con el de limitación y portabilidad, de los interesados. El tratamiento de estas circunstancias deben separarse de las amenazas sobre ciberseguridad. Autoridades de control, como la CNIL francesa, así lo hacen a la hora de diseñar herramientas informáticas que ayudan a cumplir con la *accountabilty* que impone el art. 24 del RGPD.

Tanto el RGPD, como el ENS, se basan en esquemas diseñados por normativas técnicas o estándares internacionales con el objetivo de dotar de seguridad a los sistemas empleados para la gestión de la información. No solo en protección de datos y en ciberseguridad se sigue el diseño de estas normas técnicas, ya anteriormente, en materia de protección ambiental, el Reglamento EMAS se inspiraba en gran medida en la ISO 14001, y los ciclos y esquema de organización del trabajo también se emplean en normativas técnicas sobre calidad. Como aconsejan las diversas autoridades de control en materia de protección de datos, las normas derivadas de la serie ISO 27000, así como la 29134 y la 31010, son susceptibles de aplicación, tanto en materia de sistemas de gestión de seguridad de la información, como en protección de datos personales, pues ésta es un subconjunto de aquélla.

Las normativas cuya principal preocupación es dotar de seguridad a infraestructuras y sistemas como el ENS, aun dejando margen de decisión a la hora de evaluar los riesgos, efectúan su propia valoración e imponen concretas medidas o controles de seguridad que deben ser incorporados de manera obligatoria, so pena de incumplimiento normativo. El RGPD, si bien contiene valoraciones sobre los tipos de riesgo, no impone la adopción de medida de seguridad alguna, abandonándolo en las manos del responsable del tratamiento, al contrario de la anterior normativa española sobre protección de datos que, si bien permanece vigente formalmente, no lo está por oponerse a lo dispuesto en el RGPD, como se ha ocupado de señalar la AEPD. Pero nada habría obstado a que se señalasen las concretas medidas a adoptar para proteger los tratamientos, dotando al sistema de una mayor seguridad, al menos, jurídica.

VI. BIBLIOGRAFÍA

AEPD, *Guía Práctica de Análisis de Riesgos en los Tratamientos de Datos Personales Sujetos al RGPD*, 2018.

- *Guía Practica para las Evaluaciones de Impacto en la Protección de los Datos Sujetas al RGPD*, 2018.

BAJO ALBARRACÍN, Juan Carlos, "Consideraciones sobre el principio de responsabilidad proactiva y diligencia (accountability). Experiencias desde el compliance", en LÓPEZ CALVO, José, *El nuevo marco regulatorio derivado del Reglamento Europeo de Protección de Datos*, Wolters Kluwer, Madrid, 2018.

CNIL, *Analyse d'impact relative à la protectiondes données. Privacy Impact Assessment (PIA). La méthode*, febrero de 2018.

CONSEJO NACIONAL DE SEGURIDAD, *Informe Anual de Seguridad Nacional*, años 2015, 2016 y 2017.

DAVARA FERNÁNDEZ DE MARCOS, Elena y Laura, *Delitos Informáticos*, Thomson Reuters Aranzadi, Pamplona, 2017.

GALÁN PASCUAL, Carlos, "Ciberseguridad Pública: el marco integrador de la Estrategia de Ciberseguridad Nacional", en *Los retos del Estado y la Administración en el siglo XXI*, PAREJO ALFONSO, Luciano y VIDA FERNÁNDEZ, José (coords.), Tirant lo Blanch, Valencia, 2017.

GONZÁLEZ UBIERNA, Ignacio, "Seguridad del tratamiento (Art. 32)", en LÓPEZ CALVO, José, *El nuevo marco regulatorio derivado del Reglamento Europeo de Protección de Datos*, Wolters Kluwer, Madrid, 2018.

INCIBE, *Decálogo Ciberseguridad Empresas. Una guía de aproximación para el empresario*, 2017.

- *Gestión de Riesgos. Una Guía de Aproximación para el Empresario*, 2015.
- *Protege tu web*, 2015.

JIMENO MUÑOZ, Jesús, *La Responsabilidad Civil en el Ámbito de los Ciberriesgos*, Fundación Mapfre, Madrid, 2017.

Normas ISO 27000, 27001, 27002, 27005, 27018, 29134 y 31010.

PÉREZ BES, Francisco, "La obligación de notificar una violación de seguridad de datos personales (Arts. 33 y 34", en LÓPEZ CALVO, José, *El nuevo marco regulatorio derivado del Reglamento Europeo de Protección de Datos*, Wolters Kluwer, Madrid, 2018.

RECIO GAYO, Miguel, "Aproximación basada en el riesgo, evaluación de impacto relativa a la protección de datos personales y consulta previa a la autoridad de control", en PIÑAR MAÑAS, José Luis, *Reglamento General de Protección de Datos. Hacia un nuevo modelo europeo de privacidad*, Reus, Madrid, 2016.

VELASCO NÚÑEZ, Eloy, *Delitos tecnológicos:definición, investigación y prueba en el proceso penal*, Consejo General de la Abogacía Española y Sepín, Madrid, 2016.

VELASCO SAN MARTÍN, Cristos, *Jurisdicción y competencia penal en relación al acceso transfronterizo en materia de ciberdelitos*, Tirant lo Blanch, Valencia, 2016.

VILLALBA FERNÁNDEZ, Anibal, *La ciberseguridad en España 2011-2015: una propuesta de modelo de organización*. UNED-Universidad Nacional de Educación a Distancia, Madrid, 2015.

CAPÍTULO 12
LOS DERECHOS DE LOS PARTICULARES EN EL NUEVO REGLAMENTO GENERAL DE PROTECCIÓN DE DATOS: ¿MÁS PROTECCIÓN FRENTE A LOS RIESGOS CIBERNÉTICOS?[*]

ESTHER LÓPEZ BARRERO
*Profesora Titular de Derecho Internacional Público y
Derecho de la Unión Europea en la UDIMA*

Sumario: I. INTRODUCCIÓN. II. CUESTIONES COMUNES A LOS DERECHOS DE LOS TITULARES DE LOS DATOS. 1. Características comunes de los derechos de los titulares de los datos. 2. Cuestiones relativas al ejercicio de los derechos. III. LOS DERECHOS DE LOS PARTICULARES EN EL RGPD: DE LOS DERECHOS ARCO A LOS DERECHOS "PARSOL". 1. El Derecho de Acceso. 2. El Derecho de Rectificación. 3. El Derecho de Cancelación, derecho a la Supresión o derecho al olvido. 4. El Derecho de Oposición. 5. El derecho de Limitación. 6. El derecho de Portabilidad. IV. OTROS DERECHOS: BUSCANDO RESPUESTAS A LOS RIESGOS CIBERNÉTICOS. 1. El derecho a conocer las brechas de seguridad en tus datos. 2. El derecho a que no se tomen decisiones basadas en tratamientos automatizados. V. DEBERES QUE REFUERZAN LOS DERECHOS DE LOS PARTICULARES. 1. El deber de informar. 2. El deber de transparencia. VI. CONCLUSIONES. VII. BIBLIOGRAFÍA.

Palabras clave: Derechos ARCO; Derecho de supresión o derecho al olvido; Derecho de limitación; Derecho a la portabilidad de los datos; Ejercicio de los derechos ARCO; principio de transparencia; deber de información; Reglamento General de Protección de Datos.

Resumen: El derecho a la protección de datos ha sufrido una transformación vertiginosa, forzada por el desarrollo de las TICs y su irrupción en la vida diaria. Un parte primordial de la protección de este derecho se encuentra en el control que sobre los datos puedan ejercer sus titulares. Por este motivo, la reforma de la normativa comunitaria sobre protección de datos se había marcado como uno de sus dos objetivos el aumentar el control que los particulares pudieran tener sobre sus datos, en un mercado cada vez más amplio y más globalizado. En este contexto, el presente capítulo analiza cómo han quedado los derechos de los titulares de los datos en el nuevo RGPD. Estudiando el

---

[*] Este capítulo se enmarca en el Proyecto de Investigación DER2016-76986-P, "Unión Europea en el contexto de los Tratados de nueva generación: entre la reforma institucional y la protección social". Todas las direcciones de internet consultadas estaban disponibles a fecha de 16/09/2018.

contenido de los mismos, las formas de ejercicio, así como algunos deberes complementarios que los refuerzan, se llega a la conclusión de que la nueva norma comunitaria logra establecer mecanismos que aumentan las posibilidades de control de los particulares sobre sus datos, en particular ante los riesgos cibernéticos.

I. INTRODUCCIÓN

La reforma de la antigua Directiva 95/46/CE[1] de Protección de Datos por el Reglamento (UE) 2016/679 del Parlamento Europeo y del Consejo, de 27 de abril de 2016, conocido como Reglamento General de Protección de Datos (en adelante RGPD)[2] ha sido uno de los cambio normativos de mayor calado de los últimos años. El Reglamento, no solo afecta a gran parte del tejido económico de la Unión, sino también a las Administraciones Públicas, internamente y en su relación con los ciudadanos, y a los derechos fundamentales de las personas.

El cambio normativo no puede sorprendernos. Desde la adopción de la Directiva 95/46 la sociedad ha evolucionado a ritmo vertiginoso, en especial por el desarrollo de las TICs, lo que ha provocado que la regulación de la Directiva se quedara obsoleta. Por otro lado, el derecho a la protección de datos, como derecho fundamental, tras la aprobación de la Carta de los Derechos Fundamentales de la UE, contó con un nuevo impulso, y con otra protección, que reclamaba ser encajada con la normativa que le era propia, en aras de evitar incoherencias, o vacíos legales, que hasta la fecha había ido solventando el Tribunal de Justicia de la Unión (en adelante TJUE)[3]. Estas necesidades justifican una reforma normati-

1   Directiva 95/46/CE del Parlamento Europeo y del Consejo, de 24 de octubre de 1995, relativa a la protección de las personas físicas en lo que respecta al tratamiento de datos personales y a la libre circulación de estos datos (DO L 281 de 23.11.1995, p. 31), disponible en: https://eur-lex. europa.eu/legal-content/ES/TXT/PDF/?uri=CELEX:31995L0046&from=ES

2   Reglamento (UE) 2016/679 del Parlamento Europeo y del Consejo, de 27 de abril de 2016, relativo a la protección de las personas físicas en lo que respecta al tratamiento de datos personales y a la libre circulación de estos datos y por el que se deroga la Directiva 95/46/CE (Reglamento general de protección de datos), disponible en: https://www.boe.es/doue/2016/119/ L00001-00088.pdf

3   Sobre la repercusión de las TICs en el ámbito de los derechos fundamentales y en especial en la protección de datos, resulta interesante consultar GARCÍA MEXIA, P., Derechos y Libertades, Internet y Tic's, Tirant lo Blanch, Valencia, 2014; CORDERO ÁLVAREZ, C.I., "La intimidad contextualizada: Protección del derecho fundamental a la privacidad en la Red", en LÓPEZ MARTÍN, A.G. (Dir), Nuevos retos y amenazas a la protección de los derechos humanos en la era de la globalización, Valencia, Tirant lo Blanch, 2016, pp. 65-94; en la misma monografía también se puede consultar LÓPEZ BARRERO, E., "La protección de datos en internet: ¿avances o retrocesos?", pp. 95-113.

va, que, iniciada por la Comisión, vió la luz en mayo de 2016 tras la aprobación del RGDP por el Parlamento y el Consejo[4].

La nueva norma, el RGPD, mantienen el doble objetivo de la Directiva anterior: la libre circulación de los datos dentro de la UE, con el respeto a los derechos fundamentales que puedan verse afectados, en especial la protección de datos[5]. En la línea del segundo objetivo, la Comisión fija como uno de los pilares de la nueva regulación sobre datos el que se refuerce la posición y el control de los titulares de los mismos. Realmente ésta se convierte en una de las motivaciones principales de la reforma. De hecho desde la propuesta de la Comisión, no sólo se incluye entre los objetivos a lograr, sino que se vertebran diferentes mecanismos para que sea una realidad. En este sentido, se articulan medios para que, dentro del mercado de datos que se ha impuesto y que hay que regular, el control de los particulares sobre los mismo se vea reforzado. Y es que la cuestión del control de los datos por el titular de los mismos está íntimamente unido al derecho a la protección de datos. Así ha sido reconocido en la jurisprudencia y en la doctrina, en especial por Lucas Murillo de la Cueva[6]. En el ámbito europeo, el contenido del derecho a la protección de datos reclama un control amplio del titular de los mismos, frente a posibles intromisiones que afecten, no solo a este derecho, sino a derechos íntimamente unidos a él, como el derecho a la intimidad, al honor o a la vida privada.

La reforma normativa, por tanto, ha aumentado las posibilidades de control de los titulares de los datos por diversas vías, entre ellas se pueden citar la de ampliar los derechos que asisten a los particulares sobre sus datos, los hasta ahora conocidos como Derechos ARCO (Acceso, Rectificación, Cancelación y Oposición), o la de reforzar los deberes de informar o el de transparencia que recaen sobre el responsable de los datos. En este capítulo, se va a exponer precisamente esta parte de la reforma del RGPD. Se comienza por revisar las notas comunes a los derechos de los particulares en el marco de la protección de datos en el apartado I. A continuación, se van a analizar (apartado II) los diferentes derechos con

---

[4]   La justificación de los cambios normativos se puede leer en COMISIÓN EUROPEA, *Comunicación de la Comisión al Parlamento Europeo y al Consejo. Mayor protección, nuevas oportunidades: Orientaciones de la Comisión sobre la aplicación directa del Reglamento General de Protección de Datos a partir del 25 de mayo de 2018*, COM(2018) 43 final, de 24/01/2018, disponible en: https://ec.europa.eu/transparency/regdoc/rep/1/2018/ES/COM-2018-43-F1-ES-MAIN-PART-1.PDF

[5]   En este mismo sentido, PIÑAR MAÑAS, J.L., "Objeto del Reglamento", en en PIÑAR MAÑAS, J.L. (Dir), *Reglamento General de Protección de Datos. Hacia un nuevo modelo europeo de privacidad*, Madrid, Editorial Reus, 2016, pp 51-62, p. 51.

[6]   *Vid* STC 292/2000, de 30/11/2000, FJ 6. LUCAS MURILLO DE LA CUEVA, P., "El derecho a la autodeterminación informativa y la protección de datos personales", *Azpilcueta: cuadernos de derecho*, n° 20, 2008, pp 43-58.

los que cuentan los particulares para proteger sus datos, que ya no son Derechos ARCO, sino más bien los Derechos PARSOL (Portabilidad, Acceso, Rectificación, Supresión, Oposición y Limitación). El apartado III se dedica al estudio de otros dos derechos de nueva creación en el RGPD, que complementan los derechos PARSOL: el derecho a conocer las brechas de seguridad y el derecho a que no se tomen decisiones basadas en tratamientos automatizados. Termina el capítulo con un pequeño estudio de dos deberes que refuerzan el control de los particulares sobre sus datos: el deber de informar y el de transparencia.

II. CUESTIONES COMUNES A LOS DERECHOS DE LOS TITULARES DE LOS DATOS

La normativa de protección de datos ha atribuido siempre a los particulares cierta capacidad de control sobre sus datos, como mecanismo de protección de los mismos. En este sentido, la legislación anterior al RGPD, la Directiva 95/46/CE reconocía a los titulares de los datos el poder de a proteger sus datos a través de los denominados derechos, denominados ARCO: derechos de Acceso, de Rectificación, de Cancelación y de Oposición. El actual RGPD amplía el control de los particulares y suma a los derechos citados otros dos nuevos derechos, el derecho de Limitación y el de Potabilidad de los datos, reformando además uno de los existente: el derecho de Supresión o derecho al olvido, que se fusionan con el de Cancelación. Este conjunto de derechos forman parte del contenido esencial del derecho fundamental a la protección de datos, dado que son indispensables para hacer efectivo este derecho y además forman parte del derecho a la privacidad de las personas[7]. Por ese motivo, su desarrollo y posibles limitaciones en España deben recogerse en una ley orgánica[8].

Cada uno de estos derechos presenta características y alcance propio, relacionado con los demás, pero independientes entre sí. A pesar de sus diferencias, estos derechos presentan unas características comunes y para su ejercicio, la normativa de protección de datos establece unos procedimientos o reglas también comunes, que permite distinguirlos de otros mecanismos o principios que también se orientan a la protección de datos.

---

[7]   En este sentido se reconoce por el Tribunal Europeo de Derechos Humanos en la sentencia *Gaskin c. Reino Unido*, 7/07/1989, n.º 10454/8.

[8]   *Vid* STC 292/2000, de 30/11/2000, sobre el recurso de inconstitucionalidad 1463-2000, promovido por el Defensor del Pueblo, respecto de los artículos 21.1 y 24.1 y 2 de la Ley Orgánica 15/1999, de 13 de diciembre, de Protección de Datos de Carácter Personal.

1. Características comunes de los derechos de los titulares de los datos

a) Son derechos de carácter personalísimos, es decir, su ejercicio depende del particular que es titular, aunque se permite que se ejercite por medio de un representante legal. En este sentido se expresa el art. 23 del Real Decreto 1720/2007, de 21 de diciembre, por el que se aprueba el Reglamento de desarrollo de la Ley Orgánica 15/1999, de 13 de diciembre, de protección de datos de carácter personal (en adelante RLOPD) y al art. 12.1 de la Ley Orgánica 3/2018, de 5 de diciembre, de Protección de datos Personales y Garantía de los Derechos Digitales (en adelante LOPDGDD)[9].

b) Son derechos que están relacionados entre sí e íntimamente con el deber de información y de transparencia, aunque se trata de derechos independientes[10]. Suele ser habitual ejercitar el derecho de acceso con carácter previo, al de rectificación o el de cancelación, por ejemplo. Pero no es requisito necesario que se ejercite aquél para después ejercitar éstos.

c) Todos ellos cuentan con limitaciones. El derecho a la protección de datos, como los demás derechos fundamentales, no es absoluto. En este sentido, siempre que no se vea afectado su contenido esencial, se podrá ponderar la amplitud en el ejercicio del derecho y, en todo caso, podrá sufrir limitaciones, excepciones, basadas en la defensa del Estado, la seguridad pública, el orden público, la protección de derechos de terceras personas, la persecución de infracciones penales o administrativas (Arts. 22 y Disp. Adic. decimoséptima LOPDGDD, por ejemplo).

La necesidad de ponderación de estos derechos en su relación con otros se hace especialmente patente en el caso de libertad de expresión (Considerando 153 RGPD), siendo los Estados miembros los responsables de desarrollar la normativa que mantenga el equilibro entre ambos. En concreto, el RGPD aconseja que las normas nacionales amparen los fines periodísticos, académicos, artísticos y literarios, bajo alguna de las excepciones o exenciones a determinadas disposiciones del propio Reglamento, de forma que se concilien los derechos a la protección de datos, a la libertad de expresión y de información, todos ellos recogidos en la CDFUE. En particular, debe aplicarse la ponderación en el ámbito audiovisual y en los archivos de noticias y hemerotecas, que también pueden estar cubiertos por la finalidad histórica e investigadora, debiendo interpretar en sentido amplio las nociones de libertad de expresión y libertad de prensa.

La delegación de la norma comunitaria en los Estados miembros no es un "cheque en blanco", sino que se encuentra lleno de limites. Por un lado, deberán

---

[9] Boletín Oficial del Estado de 6 de diciembre de 2018.
[10] Vid AEPD, Informe 0156/2010.

desarrollarse medidas legislativas, que en España deberán ser leyes orgánicas, necesarias y proporcionadas, y que protejan alguno de los interés que se señalan en el artículo 23.1 del RGPD. Así, deberán: salvaguardar intereses que afecten a la seguridad del Estado, a intereses públicos de la Unión o de un Estados miembro, salvaguardia del ejercicio de la autoridad pública, protección de la normas deontológicas en las profesiones reguladas, protección de la independencia judicial y del desarrollo de los procedimientos judiciales (Considerandos 73 RGPD). También hay que incluir los fines de archivo en interés público investigación científica e histórica o por motivos estadísticos como otras causas que avalan las limitaciones (Considerando 156 RGPD).

Por otro lado, las medidas legislativas que desarrollen los Estados deberán contener como mínimo los siguientes aspectos:

a) la finalidad del tratamiento o de las categorías de tratamiento que justifican las limitaciones de los derechos en esos concreto tratamientos;

b) las categorías de datos personales que se utilicen en esos tratamientos;

c) el alcance de las limitaciones establecidas;

d) las garantías que deban adoptarse para evitar accesos o transferencias ilícitos o abusivos;

e) quienes pueden realizar los tratamientos, determinando el responsable o categorías de responsables;

f) los plazos de conservación y las garantías aplicables a los tratamientos;

g) los riesgos para los derechos y libertades de los interesados; y

h) el derecho de los interesados a ser informados sobre la limitación de sus derechos, salvo que resulte perjudicial a los fines de esta.

De las obligaciones que establece el Reglamento para el desarrollo de las exenciones y excepciones se deduce que realmente la normativa estatal afectará a la relaciones entre particulares y administraciones públicas de los Estaos miembros, mientras que las relaciones entre particulares quedarán solo sometidas a las limitaciones que expresamente recoge el RGPD[11].

Conviene señalar que la nueva LOPDGDD no se recoge ninguna ampliación en cuanto a las limitaciones que se fijan en el RGPD[12]. Dada su necesidad, se puede pensar que serán las normas sectoriales, que protejan los intereses recogidos en el RGPD, las que desarrollen el mandato legislativo de la norma comunitaria.

---

[11]   Vid LÓPEZ ÁLVAREZ, L.F., *Protección de Datos Personales: adaptaciones necesarias al nuevo Reglamento Europeo*, Claves Prácticas, Madrid, Francis Lefebvre, 2016, p 82.

[12]   Vid BOE de 6 de diciembre de 2018.

2. *Cuestiones relativas al ejercicio de los derechos*

A la hora de ejercitar los derechos de los particulares relativos a la protección de datos, hay una serie de cuestiones, procedimentales en su mayoría, que son comunes al cualquiera de ellos. Así:

a) Los medios para el ejercicio de los derechos: la normativa no fija ningún medio concreto para el ejercicio de estos derechos, por lo que será el interesado en su solicitud de información el que establezca los medios a través de los que ejercitará dicho derecho[13].

En este sentido, el RGPD establece los medios telemáticos como preferentes, pero no elimina la posibilidad de otro tipo de medios. Así, el responsable del tratamiento debe proporcionar medios para que las solicitudes se presenten por medios electrónicos, en particular cuando los datos personales se tratan de esta forma (Considerando 59 RGPD). A pesar del contenido del Considerando, en el articulado lo que se indica es que la información sobre la solicitud puede realizarse por medios electrónicos, cuando sea posible, si éste ha sido el medio empleado por el interesado y no ha solicitado que se le facilite de otra forma (Art. 12.3 RGPD). La realidad es que es posible atender ambos requerimientos y ello porque, que el responsable ofrezca la posibilidad de realizar las solicitudes por medios telemáticos, no implica que el interesado se encuentre obligado a ello. Además, el Considerando 59 del RGPD establece que "*en particular*" deben facilitarse este tipo de medios al interesado, si el responsable los utiliza para el tratamiento, por lo que, al menos en teoría, pueden existir tratamientos no automatizados en los que los obligados a facilitar la presentación de solicitudes no tengan que hacerlo por medios telemáticos.

Por tanto, el RGPD deja libertad en cuanto a los medios para el ejercicio de los derechos, sin que se obligue al responsable a informar sobre qué canales ha elegido para este particular. Por su parte, la normativa española establecía, y parece que establecerá, que el responsable del tratamiento cuenta con libertad para fijar los medios por los que se podrían ejercer estos derechos. Sin embargo, aunque el particular hay utilizado otro medio distinto, pero que permita acreditar el envío y la recepción de la solicitud, se mantiene la obligación del responsable de contestar al titular de los derechos[14].

b) La gratuidad del ejercicio: el ejercicio de estos derechos será gratuito. Ahora bien, el responsable puede cobrar un canon razonable en función de los costes

---

[13]   *Vid* APARICIO SALOM, J. "Derechos del interesado (Art.s 12-19)", en LÓPEZ CALVO, J. (Coord.), *El nuevo marco regulatorio derivado del Reglamento Europeo de Protección de Datos*, Madrid, 2018, Wolters Kluwer, pp. 362-400, p. 371.

[14]   *Vid* artículo 12.2. y 12.3 del Proyecto de LOPD, *op cit supra*.

administrativos afrontados para facilitar la información, o la comunicación, o atender la solicitud, o negarse a actuar, cuando las solicitudes sean manifiestamente infundadas o excesivas, especialmente debido a su carácter repetitivo[15]. Sobre este aspecto, le incumbe al responsable la carga de demostrar el carácter manifiestamente infundado o excesivo de la solicitud.

c) El plazo para su ejercicio: el RGPD no establece límite para el ejercicio de los derechos. Sin embargo, para la contestación sí se establece que se se deberá responder "*sin dilación indebida*" (Considerando 59 RGPD). El plazo general para la respuesta se fija en un mes para contestación, sea positiva o negativa, prorrogable a dos en caso necesario, teniendo en cuenta la complejidad y el número de solicitudes. De decidirse la prórroga, se deberá informar al interesado, indicando el tiempo y los motivos de la dilación. (Art. 15 a 22 RGPD).

Los plazos señalados son distintos de los previstos para informar al interesado sobre sus actuaciones. En estos otros plazos, es posible plantearse si también se puede prorrogar el plazo de un mes. No parece que sea posible la prórroga pues el Considerando 59 indica que "*el responsable del tratamiento debe estar obligado a responder a las solicitudes del interesado sin dilación indebida y a más tardar en el plazo de un mes, y a explicar sus motivos en caso de que no fuera a atenderlas*". A la vista de esa indicación entendemos que se contienen unos plazos susceptibles de prórroga para informar al interesado sobre sus actuaciones (Art. 12.3 RGPD) y otros no susceptibles de prórroga cuando no existan esas actuaciones porque el responsable no de curso a la solicitud del interesado, debiendo informarle sin dilación (Art. 12.4 RGPD).

d) La identidad del solicitante: Ante el ejercicio de estos derechos, cuando el responsable del tratamiento tenga dudas razonables sobre la identidad de la persona física que cursa la solicitud, podrá solicitar que se facilite la información adicional necesaria para confirmar la identidad del interesado. En esta misma línea, el Considerando 64 establece que "*el responsable del tratamiento debe utilizar todas las medidas razonables para verificar la identidad de los interesados que soliciten acceso, en particular en el contexto de los servicios en línea y los identificadores en línea. El responsable no debe conservar datos personales con el único propósito de poder responder a posibles solicitudes*[16]".

---

[15]   Esta prescripción no es una novedad del RGPD, dado que en otras normas también se encuentran previsiones similares. Así, por ejemplo, encontramos una prescripción similar en la Ley 27/2006, de 18 de julio, por la que se regulan los derechos de acceso a la información, de participación pública y de acceso a la justicia en materia de medio ambiente, art. 15 y disposición adicional 3ª, disponible en: https://www.boe.es/buscar/act.php?id=BOE-A-2006-13010.

[16]   Sobre la cuestión de la conservación de los datos resulta interesante la STJUE en el asunto *Digital Ireland LTD*, en la que se declara nula parte de la Directiva 2006/24/CE, por obligar a los operadores a conservar un gran número de datos de los usuarios más allá de los estricta-

III. LOS DERECHOS DE LOS PARTICULARES EN EL RGPD: DE LOS DERECHOS ARCO A LOS DERECHOS "PARSOL"

Estudiadas en el apartado anterior las características comunes, vamos a analizar en este epígrafe cada uno de los derechos que el RGPD otorga a los titulares de los datos para protegerlos. Estos derechos se recogen en los artículo 15 a 22 del Reglamento. Para su interpretación importantes los Considerandos iniciales de la norma comunitaria, que ayudan a la interpretación del articulado y completan el contenido de los diferentes derechos.

1. *El Derecho de Acceso (art. 15 RGPD y art. 13 LOPDGDD)*

Este derecho se configura como el derecho básico de los particulares en el ámbito de la protección de datos[17]. Así, de acuerdo con el Considerando 63 RGPD: *"Los interesados deben tener derecho a acceder a los datos personales recogidos que le conciernan y a ejercer dicho derecho con facilidad y a intervalos razonables, con el fin de conocer y verificar la licitud del tratamiento"*. Sirve al interesado para ser informado de sus datos y, en muchas ocasiones, se constituye como el paso previo para el ejercicio de otros derechos, por lo que se puede considerar como derecho instrumental[18]. En todo caso, hay que aclarar que su ejercicio no es requisito previo para el ejercicio de otros derechos[19].

Se trata de un derecho que se puede ejercer en cualquier momento y que genera una obligación para el responsable del tratamiento, ampliamente reconocida por la jurisprudencia española[20]. El interesado tiene derecho a obtener del responsable confirmación de si se están tratando o no los datos personales que le conciernan (Art. 15 RGPD). De ser afirmativa la respuesta, podrá acceder a los siguientes datos personales, o se le podrá informar sobre los siguientes extremos:

---

mente necesario, lo que considera el Alto Tribunal que es una injerencia en los derechos de los titulares de los datos. *Vid* STJUE, 8/04/2014, asunto *Digital Ireland LTD*, C-293/12. También se recomienda consultar la STJUE, 21/12/2016, asunto *Tele2 Sverige AB*, C-23/15 y C-698/15, en la que el TJUE también se opone a la conservación generalizada de los datos, por ir contra los artículos 7 y 8 de la CDFUE.

[17] El artículo 8.2 de la Carta de Derechos Fundamentales de la UE expresamente lo recoge como una parte integrante del derecho a la protección de datos. *Vid* TRONCOSO REIGADA, A., *La protección de los datos personales. En busca del equilibrio*, Valencia, Tirant lo Blanch, 2010, p. 111. En la misma línea, STC 254/1993, de 20 de julio.

[18] *Vid* STJUE de 7/06/2009, asunto Rijkeboer, C-553/07, para. 51.

[19] *Vid* STJUE de 17/07/2014, asunto YS y otros, C-141/12 y C-372/12, para. 44; STJUE de7/5/2009, asunto Rijkeboer, C-553/07, para. 49 y 50.

[20] *Vid* SAN de 9/02/2006, Rec 590/04; SAN de 15/032012, Rec 893/10; SAN de 17/022015, Rec 121/12.

a) fines del tratamiento;

b) categorías de datos personales que se tratan;

c) destinatarios o categorías de destinatarios a los que se les han comunicado o se les comunicarán los datos, especialmente, si se trata de destinatarios situados en terceros países o de organizaciones internacionales;

d) plazo previsto de conservación de los datos personales o, de no ser posible, los criterios utilizados para determinar este plazo;

e) medios para el ejercicio de otros derecho (el de rectificación, supresión o limitación, así como el de oposición al tratamiento);

f) existencia del derecho a presentar una reclamación ante una autoridad de control;

g) el origen de los datos, en especial si los datos personales no se han obtenido del interesado;

h) si se realizan decisiones automatizadas, que produzcan efectos jurídicos en el interesado o le puedan afectar significativamente, se facilitará información significativa sobre la lógica aplicada, así como la importancia y las consecuencias previstas de dicho tratamiento para el interesado[21].

En realidad el derecho de acceso abarca la comunicación de todos los datos relativos al titular que posea el responsable, incluyendo entre ellos tanto el dato original, como los que haya podido extraer el responsable del tratamiento[22].

El ejercicio del derecho de acceso por parte de su titular se podrá llevarse a cabo por cualquier medio. El responsable puede facilitar la información al interesado mediante escrito, copia, telecopia o fotocopia, certificada o no, en forma legible e inteligible, sin utilizar claves o códigos que requieran el uso de dispositivos mecánicos específicos (Art. 28.1 RLOPD). Aunque existe libertad en este sentido, el RGPD establece que la información se facilitará en un formato electrónico de uso común, si el interesado presenta la solicitud por estos medios y no ha solicitado que se le facilite de otro modo. No obstante, se ofrece la posibilidad de que el responsable del tratamiento pueda facilitar el acceso remoto a un sistema seguro que ofrezca al interesado un acceso directo a sus datos personales, lo cual, debe hacerse sin perjuicio, o permitiendo, que junto al acceso, el interesado pueda descargar sus datos en formato electrónico de uso común (Considerando 63 RGPD). Por otra parte, en aquellos casos en que el procedimiento exigido por el afectado

---

[21]   Sobre este punto, parece lógico que, si es la primera vez que se solicita la información, el responsable también deba aclarar la base legítima sobre la que adoptó la decisión de tratamientos automatizados (Art. 14 RGPD).

[22]   En este sentido, ver el art. 29.3 RLOPD; Grupo de Trabajo del artículo 29, *Opinion 4/2007 on th concept of personal data*, 20/06/2007, disponible en http://ec.europa.eu/justice/article-29/documentation/opinion-recommendation/files/2007/wp136_en.pdf

implique un coste desproporcionado, éste deberá sufragar los gastos derivados de su elección mediante el cobro de un canon razonable, siempre que el responsable soporte la prueba de demostrar que lo solicitado es excesivo (Art. 28.3 RLOPD y Art. 12.5 RGPD). En esta situación, la normativa autoriza al responsable a denegar la solicitud (Art. 12.5.b RGPD).

El TJUE reconoce que las autoridades tienen obligación de facilitar la información de forma inteligible, sin que eso implique que el interesado tenga derecho a recibir una copia del documento o del fichero original en el que consten los datos; la forma concreta en que se realice la comunicación de todos los datos es indiferente, siempre que permita a los interesados conocer esos datos y comprobar que son exactos y son tratados de conformidad con la normativa que resulte de aplicación[23]. Por otra parte, hay que tener presente que la obtención de una copia no debe afectar negativamente a los derechos y libertades de otros. Igualmente hay que señalar que, si se solicita una segunda copia o más, el responsable puede percibir un canon razonable basado en los costes administrativos, como se señalaba en el párrafo anterior.

El cumplimiento de la obligación de acceso a la información por parte del responsable del tratamiento, hay que ponerla en relación con el derecho a la portabilidad de los datos. Este derecho implica que los datos sean suministrados por el responsable en un formato estructurado, de uso común y lectura mecánica. Por la estrecha interrelación de estos dos derechos, parece lógico que una misma comunicación pueda cumplirse con ambas obligaciones, simplificando y abaratando los costes del tratamiento. Ahora bien, el derecho de acceso es distinto al de portabilidad. Aquél implica que se facilita la información que el responsable tiene, mientras que este supone que se ofrece al particular una copia de la información que pueda ser procesada sin dificultad[24].

Este derecho es uno de los que resulta clave para que se haga efectivo el principio de transparencia y de tratamiento leal de los datos. Quizás por eso cuenta con pocas limitaciones, que realmente son las genéricas. De entre ellas, cabe destacar, la necesidad de que se mantenga un equilibrio entre el ejercicio de este derecho y otros que puedan verse afectados, por ejemplo, secretos comerciales, propiedad industrial, etc. (Art. 15.4 RGPD y Considerando 63 RGPD); también es importante señalar que la protección del interés público puede ser otro de los motivos por el que se limite el ejercicio de este derecho (Considerando 73 RGPD).

---

[23] *Vid* STJUE, de 17/07/2014, asunto YS y otros, C-141/12 y C-372/12, para. 57-59.

[24] *Vid* APARICIO SALOM, J. "Derechos del interesado (Art.s 12-19)", *op cit supra*, p. 386. Grupo de Trabajo del artículo 29, de 13/12/2016 y del 5/04/2017, "Directrices sobre el derecho a la portabilidad de los datos", WP242 rev.01, disponible en: https://www.aepd.es/media/criterios/wp242rev01-es.pdf; *infra* en este mismo apartado 6. El Derecho a al Portabilidad.

El derecho de acceso sólo le sirve al interesado para acceder a sus datos personales. Si se pretende proteger otro bien jurídico, estaríamos en un contexto distinto al ejercicio del derecho de acceso en sede de protección de datos. En este sentido, el contenido de este derecho es diferente del derecho previsto en la Ley 39/2015 art. 13.d), en relación con la Ley 19/2013, previstos para el acceso a documentos concretos, así como el recogido en el art. 53.1.a) para el acceso al expediente que se tramita en relación al interesado respectivamente[25].

2. El Derecho de Rectificación

El interesado tiene derecho a solicitar, y obtener del responsable sin dilación indebida, la rectificación de los datos personales inexactos que le conciernan. Igualmente, a la vista de cuales sean los fines del tratamiento, tiene derecho a que se completen los datos personales que sean incompletos, inclusive mediante una declaración adicional (Art. 16 RGPD y art. 14 LOPDGDD). Por tanto, este derecho permite al interesado garantizar la exactitud de la información (Art. 5.1.d) RGPD), y resulta especialmente importante en determinados casos, como los ficheros de morosos o en los tratamientos denominados listas negras[26].

Resulta interesante que el RGPD haya regulado en un artículo separado este derecho, que antes aparecía vinculado al derecho de cancelación y bloqueo, y también es de alabar que haya clarificado su contenido. En la redacción actual el derecho de rectificación comprende abiertamente dos tipos de acciones: la corrección de datos inexactos, así como el completar datos incompletos. En la redacción de este segundo tipo de actuación se trasluce la obligación que se genera al responsable de aceptar los nuevos datos que le comunique el titular para completar los que él tenga. En este sentido, el RGPD se acerca a la posición que se mantenía en la normativa española, y en la interpretación que la AEPD hacía de ella. Así, la antigua Ley Orgánica 15/1999, de 13 de diciembre, de Protección de Datos de carácter personal (LOPD) y el RLOPD articulaban este derecho como una obligación del responsable del tratamiento, llegándose a imponer sanciones

---

[25]   Vid LÓPEZ ÁLVAREZ, L.F., *Protección de Datos Personales: adaptaciones necesarias al nuevo Reglamento Europeo, op cit supra*, p. 86; HERNANDEZ CORCHETE, J.A., "Transparencia en el información al interesado del tratamiento de sus datos personales y en el ejercicio de sus derechos", en PIÑAR MAÑAS, J.L. (Dir), *Reglamento General de Protección de Datos. Hacia un nuevo modelo europeo de privacidad*, Madrid, Editorial Reus, 2016, pp 205-226, en p. 225.

[26]   La cuestión de los datos de las listas de morosos es uno de los temas en los que se está poniendo especial atención en el Proyecto de reforma de la LOPD y ha sido objeto expreso de mención en los debates que sobre la misma se han mantenido en las Cortes Generales. *Vid* Diario de Sesiones del Congreso de los Diputados, de 15/02/2018, XII Legislatura, Sesión Plenario n.º 99, pp. 28 y ss.

cuando la información era inexacta o estaba desactualizada[27]. Sin embargo, sí se intuye una diferencia y es que la nueva normativa europea parece centrarse más en el interés del titular y menos en la obligación pro activa del responsable, generándose la obligación de éste para contestar a aquél, o aceptar lo que le presente, pero sin realmente generar la obligación de su actuación previa.

La solicitud de rectificación debe indicar a qué datos se refiere y la corrección que haya de realizarse[28] y, además, deberá ir acompañada de la documentación justificativa de lo solicitado. Este requisito parece no tener mucho sentido, si el dato ha sido recabado del interesado, pues si se presume su exactitud cuando se recaba (Art. 8.5 RLOPD), igualmente debe presumirse cuando el interesado lo vuelve a indicar. Por el contrario, será conveniente cuando el dato se haya recabado de otras fuentes.

El plazo con el que cuenta el responsable del tratamiento para el ejercicio de la rectificación solicitada es el general de un mes, con posibilidad de prorrogarlo, a pesar de la indicación *"sin dilación indebida"* (RGPD Considerando 59). No obstante, hasta la fecha, la normativa española establecía que el responsable del tratamiento tiene la obligación de hacer efectivo el derecho de rectificación del interesado en el plazo de diez días (Art. 8.5 RLOPD). En el caso de que se hayan comunicado los datos a terceros, se les deberá notificar la solicitud, para que también procedan a la rectificación; Art. 19 RLOPD). Transcurrido el plazo de diez días sin que de forma expresa se responda a la petición, el interesado podrá interponer la reclamación ante la AEPD (art. 64 LOPDGDD). Este mismo plazo se concede al responsable para que comunique, en su caso, que no dispone de datos de carácter personal del afectado. En el Informe n.º 534/2003 de la AEPD se aclara que el cómputo del plazo es diferente si el interesado es una persona privada o pública. Así, si el responsable es una persona privada, los días son naturales (Art. 5 Cc), quedando excluido del cómputo el día a partir del cual deba comenzarse el cómputo. Si la solicitud se dirige a una Administración Pública es de aplicación el cómputo regulado en el art. 30 de la Ley 39/2015, de 1 de octubre, del Procedimiento Administrativo Común de las Administraciones Públicas (en adelante LPAC), excluyendo los días inhábiles (sábados, domingos y festivos),

---

[27]   *Vid* APARICIO SALOM, J. "Derechos del interesado (Art.s 12-19)", *op cit supra*, p 389.

[28]   En este sentido, el art. 14 del Proyecto de LOPD que se debate actualmente en las Cortes Generales establece que: *"al ejercer el derecho de rectificación reconocido en el artículo 16 del Reglamento (UE) 2016/679, el afectado deberá indicar en su solicitud a qué datos se refiere y la corrección que haya de realizarse. Deberá acompañar, cuando sea preciso, la documentación justificativa de la inexactitud o carácter incompleto de los datos objeto de tratamiento."* *Vid* Boletín Oficial de las Cortes Generales de 24 de noviembre de 2017, Congreso de los Diputados, Proyecto de Ley 121/000013, Proyecto de Ley Orgánica de Protección de Datos de Carácter Personal, p. 14.

contándose desde la fecha y hora de presentación en el registro electrónico de cada Administración u Organismo, que deberá ser comunicada a quien presentó la solicitud (Art. 31.2c LPAC).

En aquellos supuestos en que los datos rectificados hubieran sido datos cedidos previamente, el responsable debe comunicar la rectificación efectuada al cesionario. De acuerdo con la normativa española, la rectificación efectuada por el cesionario no requiere comunicación alguna al interesado (Art. 32.3 párrafo segundo RLOPD). Sin embargo, esta indicación puede resultar contraria al deber de información contenido en el RGPD artículo 12 a 14. Se puede pensar que esta obligación de informar puede surgir de los propios deberes mencionados del RGPD y derivados del ejercicio del derecho de rectificación y del deber de información, cuando el dato no se haya recabado del interesado, puesto que la rectificación supone recabar nueva información.

3. El Derecho de Oposición

El RGPD trata el derecho de oposición y la regulación de las decisiones individuales automatizadas bajo la misma sección cuarta del capítulo III, pues se trata de dos cuestiones interrelacionadas entre sí. En este epígrafe se va a analizar el derecho de oposición, situándose en otro epígrafe las decisiones basadas en tratamientos automatizados[29].

De acuerdo con el derecho de oposición, en cualquier momento el interesado tiene derecho a oponerse al tratamiento de sus datos, incluyéndose la elaboración de perfiles, que se basen en la necesidad para la ejecución de un contrato en el que el interesado es parte, o para la aplicación, a petición de éste, de medidas precontractuales, o cuando resulte necesario para la satisfacción de intereses legítimos perseguidos por el responsable del tratamiento o por un tercero (Art. 6.1,e) y f) RGPD), por motivos relacionados con su situación particular (Art. 21 RGPD).

El derecho de oposición contempla diferentes supuestos en los que el interesado podrá bloquear el tratamiento de sus datos. Ahora bien, sorprende que, en la ponderación que hay que realizar entre los intereses en liza, en el ejercicio de este derecho se va a comprobar que la balanza se inclina en favor del titular o del responsable dependiendo del contexto en el que se solicite la oposición. Así, por ejemplo, desde el origen la balanza se inclina a favor del responsable en el caso de mediar un interés público (Art. 6.1.e) RGPD), o para el cumplimiento de un contrato o precontrato, puesto que implica el consentimiento del interesado y la

---

[29]   *Vid infra* IV. Otros derechos. 2. El derecho a que no se tomen decisiones basadas en tratamientos automatizados.

necesidad por parte del responsable del tratamiento de los datos[30]. Por eso, será el interesado quien deba demostrar la concurrencia de circunstancias personales concretas que justifiquen su posición al tratamiento[31]. Por el contrario, en los supuestos del apartado f) del artículo 6.1 del RGPD, la carga de la prueba se invierte y el responsable deberá justificar que el tratamiento es legítimo y que se respetan los derechos de los interesados.

Por su parte, en los supuestos de tratamientos con fines de investigación científica o histórica o fines estadísticos, el interesado también tiene derecho, por motivos relacionados con su situación particular, a oponerse al tratamiento de datos personales que le conciernan, a excepción de que sea necesario para el cumplimiento de una misión realizada por razones de interés público (Art. 21.6 RGPD). En este caso, se deberá efectuar la ponderación estando la balanza inclinada a favor del tratamiento, salvo que se demuestre que las razones del interesado son ciertas y prevalentes sobre el mismo.

En los supuestos descritos se exime al responsable de obtener el consentimiento previo del titular de los datos y se le legitima para que los trate. Sin embargo, el interesado conserva el derecho a oponerse en cualquier momento al tratamiento de los datos, pudiendo interrumpir el mismo, cuando lo considere necesario[32]. De esta forma, el titular de los datos sigue conservando su derecho de control sobre los mismos.

Si la balanza se inclina hacia el ejercicio del derecho de oposición, el responsable del tratamiento dejará de tratar los datos personales, salvo que acredite motivos legítimos imperiosos para el tratamiento que prevalezcan sobre los intereses, los derechos y las libertades del interesado, o alegue que el tratamiento sea necesario para la formulación, el ejercicio o la defensa de reclamaciones, lo cual concreta aún más la situación, pues si el tratamiento trae causa de un contrato, cumplido éste, ya no existirá motivo alguno para continuar con él y lo procedente será el borrado de los datos, en su caso, bloqueándolos previamente. Se comprueba aquí que, ante una misma situación, cabe el ejercicio de dos derechos. En el caso del derecho de oposición, en muchas ocasiones el ejercicio del derecho de oposición arrastra al deber de suprimir el dato. En el supuesto de que el tra-

---

[30]   Se conectaría este derecho con el artículo 7.f) del RGPD, cumplimiento de interés legítimo.

[31]   En este contexto, también sería posible solicitar una limitación sobre la base del derecho de limitación. *Vid infra*, apartado 5. El Derecho a la limitación.

[32]   *Vid* APARICIO SALOM, J., "Derecho de oposición y decisiones individuales automatizadas. Limitaciones (Arts. 21-23)", en LÓPEZ CALVO, J. (Coord.), *El nuevo marco regulatorio derivado del Reglamento Europeo de Protección de Datos*, Madrid, 2018, Wolters Kluwer, pp. 409-417, en, p. 410-411.

tamiento se base en un interés legítimo del responsable, se deberá demostrar la prevalencia de éste sobre los derechos del interesado (Considerando 69 RGPD)[33]. En los supuestos de tratamientos de datos personales que tengan por objeto la mercadotecnia directa (Art. 21.2 RGPD), resulta innecesario efectuar ponderación alguna, dado que en este contexto se le reconoce al interesado el derecho a oponerse en todo momento al tratamiento de los datos personales que le conciernan, incluida la elaboración de perfiles en la medida en que esté relacionada con la citada mercadotecnia. En estos dos supuestos la norma es tan clara como imperativa, puesto que establece que, cuando se ejercite el derecho de oposición contra tratamientos con fines de mercadotecnia directa o elaboración de perfiles, los datos personales dejarán de ser tratados para dichos fines (Art. 21.3 RGPD). En estos casos, además se refuerza el deber de información sobre este derecho, redundando en los artículos 13 y 14 RGPD, y precisando que en el momento de la primera comunicación con el interesado, se le debe informar de su derecho de oposición de manera explícita y de forma clara, y al margen de cualquier otra información (Art. 21.4 RGPD).

Ante tratamientos que tengan finalidades de publicidad y prospección comercial, el derecho de oposición puede ejercerse en cualquier momento (Art. 51 RLOPD). La norma española contiene una definición muy clara del derecho de oposición para estos supuestos. Así, se establece que los interesados *"tienen derecho a oponerse, previa petición y sin gastos, al tratamiento de los datos que les conciernan, en cuyo caso serán dados de baja del tratamiento, cancelándose las informaciones que sobre ellos figuren en aquél, a su simple solicitud"*. Se comprueba que una vez más la oposición lleva consigo la cancelación del dato y, que basta la presentación de la solicitud, para que surja el deber de suprimirlo. Por otro lado, hay que señalar que en este contexto el derecho de oposición es independiente de la posibilidad de revocar el consentimiento que el interesado hubiera otorgado, en su caso, para el tratamiento de los datos[34].

---

[33] Vid LÓPEZ ÁLVAREZ, L.F., *Protección de Datos Personales: adaptaciones necesarias al nuevo Reglamento Europeo, op cit supra*, p. 97

[34] En los supuestos de tratamiento de datos con fines de publicidad y prospección comercial, la oposición es muy importante, porque es habitual el tratamiento de datos sin el consentimiento del interesado. En muchos casos la situación se deriva de contratos, que al amparo del artículo 21.2 de la Ley 34/2002, de 11 de julio, de servicios de la sociedad de la información y de comercio electrónico (en adelante LSSI), se usan luego para el envío de comunicaciones publicitarias o comerciales. Este precepto precisamente establece que, el prestador de servicios o responsable del tratamiento, deberá ofrecer al destinatario la posibilidad de oponerse mediante un procedimiento sencillo y gratuito, tanto en el momento de recogida de los datos como en cada una de las comunicaciones comerciales que le dirija. Esta circunstancia es fundamental, porque el RGPD guarda silencio al respecto, y, al no oponerse al RGPD, no puede entenderse derogada. El artículo 21.2 de la LSSI continúa estableciendo que, en el caso de que las comunicaciones

En cuanto a la forma en la que se ejerza el derecho de oposición, el RGPD señala que *"cuando se utilicen o contraten servicios de la sociedad de la información, y no obstante lo que disponga la Dir 2002/58/CE, el interesado puede ejercer su derecho de oposición por medios automatizados que apliquen especificaciones técnicas"* (Art. 21.5 RGPD). Por tanto, en las relaciones a través de Internet, el derecho de oposición se ejercitará por este mismo medio.

Por su parte, la normativa española dispone que se debe proporcionar al interesado un medio sencillo y gratuito para oponerse al tratamiento, como la llamada a un número telefónico gratuito o la remisión de un correo electrónico (Art. 51.2 RLOPD). En el caso de que el responsable cuente con un servicio de atención al cliente, éste puede ser utilizado como canal para ejercer del derecho de oposición, siempre que al interesado no se le exija el envío de cartas certificadas o envíos semejantes, la utilización de servicios de telecomunicaciones que impliquen una tarificación adicional al afectado o cualesquiera otros medios que impliquen un coste excesivo para el interesado. El ejercicio de derechos por los afectados no puede suponer un ingreso adicional para el responsable del tratamiento ante el que se ejercitan.

En el supuesto de campañas publicitarias encargadas a terceros, es posible que el interesado ejercite su derecho ante la entidad que se publicita. Es lo lógico, pues habitualmente en las comunicaciones comerciales publicitarias se conoce la entidad sobre la que se ofrece la publicidad, pero no la empresa que efectúa la campaña publicitaria y, en ocasiones, pudiera ser que tampoco se haya cumplido el deber de informar regulado en el artículo 11 de la LOPDGDD sin que se haya comunicado quién es el responsable del tratamiento. En estos supuestos, la empresa que se publicita que recibe la solicitud de oposición está obligada, en el plazo de diez días desde la recepción de la comunicación, a trasladarla al responsable del tratamiento, para que atienda el derecho del afectado en el plazo de diez días, contados también desde el momento en que reciba el traslado de la comunicación, y para que dé cuenta de ello al afectado. En todo caso, en cada comunicación que se dirija a los interesados, la entidad que se publicita debe informar del origen de los datos y de la identidad del responsable del tratamiento, así como de los derechos que le asisten (Art. 51.4, párrafo segundo RLOPD en relación el art. 11 LOPDGDD).

---

se remitan por correo electrónico, se deberá incluir una dirección de correo electrónico u otra dirección electrónica válida en la que pueda ejercitarse este derecho, prohibiendo el envío de comunicaciones que no incluyan dicha dirección.

4. El Derecho de Cancelación, Derecho a la Supresión o "derecho al olvido"[35]

De los derechos de los particulares, el más conocido es el llamado "derecho al olvido", que el RGPD se recoge en el artículo 17 como derecho a la supresión, y que no es otro que el anteriormente llamado derecho de cancelación[36]. De acuerdo con este derecho, los interesados pueden obtener, sin dilación indebida, la supresión de los datos personales que les conciernan —y que sean veraces—, cuando concurran alguna de las circunstancias siguientes:

1. Que los datos personales ya no sean necesarios en relación con los fines para los que fueron recogidos y tampoco hayan sido tratados de otro modo, por ejemplo con fines de investigación, históricos, etc.

---

[35]   Sobre el llamado "derecho al olvido" han corrido ríos de tinta, en parte por la incidencia del asunto *Google Spain* ante el TJUE, y en parte porque de los derechos con los que cuenta el titular de los datos para controlar sus datos quizás sea el que técnicamente resulte más complicado de ejercer. En este sentido, es difícil (un informático diría que imposible) borrar los datos de Internet; se puede evitar que se encuentren, pero el borrado completo es una cuestión prácticamente inalcanzable. Por otra parte, este derecho permite lograr lo que Internet por naturaleza no da, que es el "olvido", es decir, la posibilidad de que la información se quede en el pasado y no se traiga al presente de las personas, en especial cuando ya no es relevante y de ese recuerdo se puede derivar algún perjuicio para el titular. Dentro de la vasta bibliografía que existe sobre este derecho, se recomiendan las siguientes obras: ÁLVAREZ CARO, M., *Derecho al olvido en internet: el nuevo paradigma de la privacidad en la era digital*, Editorial Reus, Madrid, 2015; ARENAS RAMIRO, M., "Hacia un futuro derecho al olvido en el ámbito europeo", en VALERO TORRIJOS, J. (Coord.), *La protección de los datos personales en Internet ante la innovación tecnológica. Riesgos, amenazas y respuestas desde la perspectiva jurídica*, Thomson-Reuters Aranzadi, Navarra, 2013, pags 325-380; HERNÁNDEZ RAMOS, M., "El derecho al olvido digital en la Web 2.0", *Cuadernos Red de Cátedras Telefónica*, Universidad de Salamanca, n° 11, mayo 2013, pag 17; disponible en: http://catedraseguridad.usal.es/node/11; LÓPEZ ZAMORA, P., "¿Por qué Google? Análisis de la sentencia del Tribunal de Justicia de la Unión Europea en el asunto C-131/12, sobre el llamado "derecho al olvido", en LÓPEZ MARTÍN, A.G. López Martín (Dir) *Nuevos retos y amenazas a la protección de los derechos humanos en la Era de la Globalización, op cit supra*, pp. 117-144; MIERES MIERES L.J., "El derecho al olvido digital", documento 186/2014, *Fundación Alternativas*, disponible en   http://www.fundacionalternativas.org/laboratorio/documentos/documentos-de-trabajo/el-derecho-al-olvido-digital; RALLO LOMBARTE, A., "El debate europeo sobre el derecho al olvido en internet", en RALLO LOMBARTE, A. y GARCÍA MAHAMUT, R. (coord.), *Hacia un nuevo Derecho europeo de protección de datos*, Tirant lo blanch, Valencia, 2015, pags 703-737.

[36]   En el documento explicativo del Borrador que elaboró la Comisión del RGPD se presentaba este derecho como un desarrollo del derecho de cancelación recogido en el artículo 12.1.b) de la Directiva 95/46 y se justificaba sobre la base de las nuevas amenazas que el uso de Internet ha supuesto para la privacidad de los particulares. *Vid* LÓPEZ BARRERO, E., "La Universalidad en el nuevo Reglamento General de protección de Datos. El caso del Derecho al olvido", *Revista de Privacidad y Derecho Digital*, n.° 4, pp. 27-86, en p. 41.

2. Que se retire el consentimiento en que se basa el tratamiento de conformidad con los art. 6.1.a) o 9.2.a) y este no se base en otro fundamento jurídico.

3. Que los interesados se opongan al tratamiento con arreglo al artículo 21.1 y 2, y no prevalezcan otros intereses legítimos para el tratamiento.

4. Que los datos personales hayan sido tratados de forma ilícita.

5. Que deban suprimirse en cumplimiento de una obligación legal establecida en el Derecho de la Unión o de los Estados miembros que se aplique al responsable del tratamiento.

6. Que se hayan obtenido en relación con la oferta de servicios de la sociedad de la información (Art. 8.1 RGPD).

En el fondo, se trata de que el particular pueda eliminar sus datos cuando estos hayan dejado de ser útiles. En todo caso, aunque no es un derecho nuevo, si es de agradecer que el RGPD haga una exposición más detallada que la contenida, al menos en la normativa española, especificando los supuestos en los que procede la cancelación o supresión[37]. Los datos sobre los que se solicite la supresión pueden ser todos los datos del titular que tenga el responsable del tratamiento, o solo algunos, teniendo que especificarse en la solicitud los datos sobre los que recae el derecho.

La solicitud de "derecho al olvido" debe ir dirigida al responsable del tratamiento. En la Sentencia *Google Spain* se incluye entre los responsables de tratamiento de datos a los gestores de motores de búsqueda, que han pasado a convertirse en sujetos pasivos del ejercicio de este derecho[38]. Por otra parte, el interesado, además de indicar en la solicitud de cancelación a qué datos se refiere, deberá hacer una exposición de la causa en la que fundamenta la solicitud, pudiendo en su caso, aportar la documentación que lo justifique, dado que podría resultar necesario cuando el dato no se haya recabado del interesado, aunque este aspecto no se indica en el RGPD[39].

---

[37] En este sentido, la normativa española establecía de forma escueta que la cancelación es procedente cuando el tratamiento de los datos no se ajuste a lo dispuesto en ella y, en particular, cuando los datos resulten inexactos o incompletos (art. 16 LOPD). Añadía que los datos que resulten inadecuados y excesivos son susceptibles de cancelación (art. 31.2 LOPD).

[38] *Vid* STJUE de13/05/2014, asunto Google Spain, C-131/12, para. 85 y 88. En esta misma línea, a pesar de las divergencias iniciales entre la Sala Primera y Tercera del TS, las últimas sentencias del TS reconocen que el responsable del tratamiento, en caso de *Google Spain*, es Google Inc y, por tanto, es esta empresa la que debe cumplir las obligaciones derivadas del ejercicio del "derecho al olvido" (STS de 4/07/2016, n.º 3316/2016 y STS de 18/07/2016, n.º 3671/2016). Sobre los responsables obligados al derecho de cancelación. Hay que señalar que, en la versión de RGPD revisada por el Parlamento Europeo, se incluía como responsables a los terceros que dispusiesen de enlaces a los datos. Sin embargo, esta referencia se suprimió en la versión final del RGPD.

[39] Sin embargo, sí lo recoge el artículo 32.1 del RLOPD.

Respecto al plazo para resolver sobre la solicitud de cancelación, es idéntico y con los mismos problemas en cuanto a su compatibilidad con el RGPD, que los vistos en el derecho de rectificación, resultando posible no informar cuando se efectúe la cancelación. Al igual que sucede con la rectificación, si los datos no se poseen, se debe informar de esta circunstancia al solicitante. Por otra parte, en virtud del apartado 2 y del artículo 19 del RGPD, el responsable del tratamiento al que se le solicita la cancelación deberá adoptar las medidas razonables para informar a los responsables que traten los datos sobre los que el interesado les solicita la supresión, así como del hecho de que se ha procedido a la misma. En todo caso, tanto la supresión, como el deber de información de la solicitud y de comunicación sobre la misma a terceros, queda sometido a la capacidad del responsable del tratamiento de los datos al afirmarse que se cumplirá "*teniendo en cuenta la tecnología disponible y el coste de su aplicación*" (Art. 17.2 RGPD). Sin embargo, el derecho de información de los destinatarios del artículo 19 del RGPD, que solicite el titular de los datos, no queda sometido a ningún tipo de limitación técnica y, por tanto, deberá cumplirse siempre.

La regulación de las cesiones de datos del RGPD en el caso de este derecho es más amplia, y obedece a distintas circunstancias, que la que se contenía en la normativa española del RLOPD. Así, el RLOPD plantea cancelaciones en los tratamientos habituales y establece el deber del responsable de comunicar la cancelación al cesionario, en el plazo de diez días, para que éste, en idéntico plazo, contado desde la recepción de la comunicación, proceda a la cancelación (Art. 32.3 RLOPD). Por su parte, el RGPD, presupone una mayor complejidad y distintos tipos de tratamientos, como la de los motores de búsqueda (Considerando 66 RGPD). Por eso establece que, como se acaba de señalar, cuando se hayan hecho públicos los datos personales y se esté obligado a suprimirlos, el responsable del tratamiento, teniendo en cuenta la tecnología disponible y el coste de su aplicación, debe adoptar medidas razonables, incluso técnicas, de cara a informar de la solicitud del interesado a los otros responsables que estén tratando los datos, para que procedan a suprimir cualquier enlace a esos datos personales, o cualquier copia o réplica de los mismos (Art. 17.2 RGPD). En vez de suprimir cualquier enlace, se podría haber dicho que se abstuvieran de indexar los datos en sus motores de búsqueda, con lo que se conseguiría el mismo efecto[40]. La solución adoptada por el RGPD, tal y como señala Lucas Murillo de la Cueva, es una solución más respetuosa con el necesario equilibrio que debe mantenerse entre el derecho a la

---

[40]　　Sobre este aspecto resulta muy interesante el FJ 8° de la STC 58/2018, de 04/06/2018, que resuelve el Recurso de amparo n.° 2096/2016, en la que el Alto Tribunal español acepta la desindexación del nombre y apellido del recurrente en un motor de búsqueda interno de una hemeroteca digital.

supresión y otros derechos, como el de libertad de expresión e información, al no borrarse realmente el origen de la fuente de información, sino simplemente el enlace que da acceso al público en general[41].

El artículo 17 recoge en su apartado 3 limitaciones al ejercicio del derecho a la supresión, sin perjuicio de que se le apliquen también las generales del RGPD (Arts. 23, 85 y 89 RGPD). En este sentido y siguiendo el RGPD, el derecho a la cancelación no es procedente cuando los datos sean necesarios para:

a) ejercer el derecho a la libertad de expresión e información;

b) el cumplimiento de una obligación legal que requiera el tratamiento de datos impuesta por el Derecho de la Unión o de los Estados miembros;

c) el cumplimiento de una misión realizada en interés público o en el ejercicio de poderes públicos conferidos al responsable;

d) el ámbito de la salud pública, por razones de interés público según dispone el artículo 9.2, apartados e) e i) y 9.3;

f) archivar en interés público, investigación científica o histórica o fines estadísticos, de conformidad con el artículo 89.1, cuando la supresión haga imposible u obstaculice gravemente el logro de los objetivos de dichos tratamientos;

g) formular, ejercer o defender reclamaciones.

Como ocurre en el caso de las limitaciones generales, la aplicación de estas limitaciones específicas del derecho de supresión implica un análisis de ponderación de los derechos afectados. El primer filtro de esa ponderación se deja en manos del responsable del tratamiento. Aunque tanto en la jurisprudencia como en la doctrina existen criterios aplicables a esta labor de ponderación[42], es critica-

---

[41]   Resulta muy interesante la afirmación de P. Lucas al afirmar: *"Digo libertad de empresa y no libertades de expresión e información porque no son estas las que están directamente comprometidas. Obligar al proveedor de servicios de motor de búsqueda a retirar enlaces con páginas que ofrecen información desactualizada e incompleta, objetivamente lesiva, no supone censura ni limitación a las libres expresión o información. En el supuesto que está en el origen de la cuestión prejudicial, no se busca eliminar de la hemeroteca el diario La Vanguardia que anuncia la subasta de bienes del Sr. Costeja González. Se pretende únicamente que, a su requerimiento justificado, el motor de búsqueda deje de incluir el dato"*
       Vid LUCAS MURILLO DE LA CUEVA, P., "El derecho al olvido y la sujeción de Google al derecho europeo según el abogado general del Estado", *El Derecho.com*, 01/01/2014, disponible en http://www.elderecho.com/administrativo/derecho_al_olvido-sujecion_de_google-derecho-sujecion-europeo-abogado-general_11_640555005.html

[42]   En este sentido, resultan muy útiles las criterios elaborados por el Grupo de Trabajo del artículo 29 para implementar satisfactoriamente la doctrina de la STJUE de 13 de mayo de 2014, recogidos en el documento *"Guidelines on the implementation of the Court of Justice of the European Union judgment on "Google Spain and inc v. Agencia Española de Protección de Datos (AEPD) and Mario Costeja González" C-131/12"*, disponible en http://ec.europa.eu/justice/data-protection/article-29/documentation/opinion-recommendation/index_en.htm. También es destacable el esfuerzo realizado por Google con la creación de un Consejo Asesor

ble esta opción adoptada por la normativa comunitaria, dado que se delega en el particular funciones propias del poder público[43]. Esta forma de gestionar la responsabilidad de ponderar, si bien puede parecer que vaya a crear inseguridad jurídica, no debería sorprendernos, puesto que la tónica general de la nueva norma es implicar más a las empresas en la gestión y en la efectividad de la protección de datos. Por otro lado, conviene recordar que la ponderación de intereses deberá hacerse conforme a la jurisprudencia del TJUE, y a la doctrina administrativa comunitaria.

5. El Derecho de Limitación

Nos encontramos ante uno de los dos nuevos derechos introducidos por el RGPD, en este caso en el artículo 18. En la redacción inicial del borrador del RGPD, el artículo 17.4 incluía los supuestos en los que, sin concederse el derecho a la supresión porque no procedía por motivos fundados, sí se otorgaba una limitación en el tratamiento de los datos. Estas limitaciones implicaban en sí la no concesión del derecho al olvido. Sin embargo, acertadamente se separó la limitación del derecho al olvido y en posteriores borradores se fijaron como derechos independientes[44].

---

de diez expertos que les ayudaran a establecer criterios de aplicación del derecho al olvido; la información sobre este consejo se pueden consultar en https://www.google.com/intl/es/advisorycouncil/. Desde de punto de vista doctrinal, se puede consultar ARENAS RAMIRO, M., "Hacia un futuro derecho al olvido en el ámbito europeo", *op cit supra*, pp. 365-372; Center for Democracy and Technology, *On the "right to be forgotten": Challenges and suggested changes to data protection regulation*, disponible en https://cdt.org/insight/on-the-right-to-be-forgotten-challenges-and-suggested-changes-to-the-data-protection-regulation/, p 3.

[43] Piénsese que esta nueva carga para la grandes empresas, como Google, supone un trastorno asumible, pero pueden suponer un cuestión más costosa y difícil de afrontar para buscadores más pequeños. En este sentido, tanto el RGPD, como hasta el momento las sentencias dictadas por el TJUE, han dejado escapar la oportunidad de establecer un equilibrio razonable entre los intereses de los particulares y los de las empresas que resulten obligadas a cumplir con el derecho a la supresión. Véase en este sentido GARCÍA MEXÍA, P., *Derechos y Libertades, Internet y TIC's*, *op cit supra*, pag 49.

[44] *Vid* LÓPEZ BARRERO, E., "La Universalidad en el nuevo Reglamento General de protección de Datos. El caso del Derecho al olvido", *op cit supra*, p. 56. Resulta llamativa sobre este particular la STJUE, 9/03/2017, asunto *Camera di Commercio, Industria, Artigianato e Agricoltura di Lecce c. Salvatore Manni*, C-398/15. En esta sentencia el tribunal comunitario, si bien no reconoce el derecho al olvido, si señala que los Estados podrán limitar el acceso a determinada información transcurrido un tiempo, siempre que consideren que así se protege un interés legítimo del titular de los datos sin que se perjudiquen otros derechos. En este sentido, parece que la sentencia retoma la idea original del primer borrador de RGPD, en la que se vinculaba el derecho al olvido y el derecho de limitación.

El Derecho de Limitación supone la adopción de una medida cautelar, que reduce el tratamiento a la conservación de los datos para la formulación, el ejercicio o la defensa de reclamaciones, o con miras a la protección de los derechos de otra persona física, o jurídica, o por razones de interés público importante para la Unión o para un determinado Estado miembro. En este sentido, el artículo 4.3 del RGPD define la limitación del tratamiento como *"el marcado de los datos de carácter personal conservados con el fin de limitar su tratamiento en el futuro"*.

Se configura este derecho como un verdadero derecho del interesado y no como una obligación proactiva del responsable del tratamiento. Por eso, este derecho sí permite el tratamiento de los datos cuando medie el consentimiento del interesado (Art. 18.2 RGPD). Por otra parte, es un derecho que solo surge en cuatro supuestos, recogidos en la propia norma:

a) cuando el interesado impugne la exactitud de sus datos, durante el plazo que permita al responsable verificar la exactitud;

b) cuando el tratamiento sea ilícito y el interesado se oponga a la supresión de sus datos personales, solicitando en su lugar la limitación de su uso;

c) cuando los datos ya no resulten necesarios para el responsable del tratamiento, pero el interesado los necesite para la formulación, el ejercicio o la defensa de reclamaciones; y

d) cuando el interesado haya ejercitado el derecho de oposición, mientras se verifica si los motivos legítimos del responsable prevalecen sobre los del interesado.

Entre los métodos que pueden utilizarse para efectuar la limitación del tratamiento, se encuentran el traslado temporal de los datos limitados a otro sistema de tratamiento, o impedir el acceso de usuarios a los datos personales limitados, o retirar temporalmente los datos publicados de un sitio internet. Si se trata de un fichero automatizado, la limitación debe realizarse, en principio, por medios técnicos, de forma que los datos personales no puedan ser objeto de tratamientos ulteriores ni puedan modificarse. El sistema de tratamiento, o fichero, debe indicar claramente el hecho de encontrarse afectado por la limitación (Considerando 67 RGPD).

Antes de terminarse el ejercicio de este derecho, o dicho de otro modo, antes de levantar esta medida, el responsable debe informar a los interesados de su alzamiento, es decir, de que se termina la limitación en el tratamiento (Art. 18.3 RGPD).

6. El Derecho de Portabilidad

Este derecho, también de nuevo cuño en el RGPD, se adopta con la intención de reforzar aún más el control de los interesados sobre sus propios datos (Considerando 68 RGPD)[45]. El derecho de portabilidad consiste en el derecho con el que cuenta el titular de los datos "*a recibir los datos personales que le incumban, que haya facilitado a un responsable del tratamiento, en un formato estructurado, de uso común y lectura mecánica, y a transmitirlos a otro responsable del tratamiento sin que lo impida el responsable al que se los hubiera facilitado*" (Art. 20.1 RGPD). El titular puede ejercer este derecho en dos supuestos:

a) cuando el tratamiento esté basado en el consentimiento con arreglo al artículo 6.1.a), o el artículo 9.2.a), o en un contrato con arreglo al artículo 6.1.b);

b) el tratamiento se efectúe por medios automatizados.

Los datos que se pueden transmitir son los vinculados al titular. Ahora bien, el Grupo de Trabajo del artículo 29 en sus Directrices sobre este derecho recoge que los responsables del tratamiento no deben hacer una interpretación excesivamente restrictiva de esta cuestión. De manera que, como señala Millares López, podría darse el caso de entregarse datos de otra persona, que sean necesarios para la transmisión de los datos del interesado[46]. Por otra parte, las Directrices del Grupo de Trabajo del artículo 29 aclaran que este derecho alcanza a los datos personales, pero no a las informaciones que se deduzcan del tratamiento de estos datos y que haya generado el responsable del tratamiento[47].

Por otra parte, este derecho surge cuando el interesado haya facilitado los datos personales, bien por consentir el tratamiento, bien por ser necesario para la ejecución de un contrato. Sin embargo, no podemos hablar de la existencia de este derecho cuando el tratamiento tiene una base jurídica distinta del consentimiento o el contrato, como el ejercicio de funciones públicas, ni puede ejercerse en contra de responsables que traten datos personales en el ejercicio de esas funciones pú-

---

[45] *Vid* Comisión Europea, Comunicación de la Comisión al Parlamento Europeo y al Consejo. Mayor protección, nuevas oportunidades: Orientaciones de la Comisión sobre la aplicación directa del Reglamento general de protección de datos a partir del 25 de mayo de 2018, Documento COM(2018) 43 final, de 24/01/2018, p. 4, disponible en https://eur-lex.europa.eu/legal-content/ES/TXT/?uri=CELEX%3A52018DC0043. Para el estudio detallado de este derecho, resulta muy útil y esclarecedor consultar la labor del *Data Portability Projet*, grupo de trabajo creado a finales de 2007 en Estados Unidos, cuyo objetivo era establecer algún sistema para que los usuarios pudieran recuperar el control sobre los datos que habían facilitado, o que obraban en poder de, un determinado prestador de servicios. Su labor completa se puede consultar en: http://dataportability.org/. Un resumen sobre su actividad en relación con el derecho a la portabilidad se encuentra en FERNÁNDEZ-SAMANIEGO, J. Y FERNÁNDEZ-LONGOIRA, P., "El derecho a la Portabilidad de los datos", en PIÑAR MAÑAS, J.L. (Dir), *Reglamento General de Protección de Datos. Hacia un nuevo modelo europeo de privacidad, op cit supra*, p. 259.

[46] *Vid* MILLARES LÓPEZ, R., "Derecho de Portabilidad (art. 20)", en LÓPEZ CALVO, J. (Coord), *El nuevo marco regulatorio derivado del Reglamento Europeo de Protección de Datos, op cit supra*, pp. 401-408, p. 404.

[47] *Vid* Grupo de Trabajo del artículo 29, de 13/12/2016 y del 5/04/2017, "Directrices sobre el derecho a la portabilidad de los datos", *op cit supra*.

blicas. Tampoco surge frente a tratamientos necesarios para cumplir obligaciones legales aplicables al responsable, o misiones realizadas en interés público, o para el ejercicio de poderes públicos conferidos al responsable (Art. 20.3 y 4 RGPD). Para que el reconocimiento de este derecho sea efectivo, debe alentarse a los responsables a crear formatos interoperables que permitan la portabilidad de datos. En este sentido, el ejercicio de este derecho depende en mucho de la interoperabilidad. Sin embargo, su existencia no debe obligar al responsable a adoptar o mantener sistemas de tratamiento que sean técnicamente compatibles, con el fin de poder transmitir los datos directamente a otros responsables[48]. No obstante, cuando técnicamente sea posible, el titular de los datos sí se tendrá derecho a exigirlo. Por otra parte, cuando sea técnicamente posible, el interesado tendrá derecho a que los datos personales se transmitan directamente de responsable a responsable, sin que los responsables resulten obligados a comprobar la calidad de los datos antes de transmitirlos. Sobre este particular, la actual LOPDGDD al tratar el principio de exactitud de los datos en su art. 4 parece cambiar la situación, generando la obligación de verificar los datos al responsable receptor de los mismos en el ejercicio del derecho de portabilidad; situación anómala que ha sido puesta de manifiesto por el dictamen del Consejo de Estado sobre el Anteproyecto de LOPD[49].

Es importante señalar que el derecho a la portabilidad ayuda a frenar el problema de las nubes "cerradas", que ponen en riesgo el principio de neutralidad de la Red, y evita que el almacenamiento de los datos se convierta en silos estancos, de los que los titulares no puedan sacar sus datos[50].

Una de las cuestiones más debatidas en torno a este derecho es su compatibilidad con las normas sobre competencia, tanto europeas, como americanas. Es cierto que el reconocimiento de este derecho era necesario, si se quería ofrecer al titular de los derechos un control efectivo sobre todo con respecto a los datos electrónicos, y que aparentemente ayuda a la competencia. Sin embargo, las consecuencias prácticas de la necesaria interoperabilidad pueden favorecer el cre-

---

[48]   Hay que tener presente que la interoperabilidad es distinta a la compatibilidad. En el ejercicio del derecho a la portabilidad de datos, las directrices del Grupo del art. 29 recogen la necesidad de desarrollar sistemas que sean interoperables, de acuerdo con el art. 2 de la Decisión 922/2009/CE, relativas a las soluciones de interoperabilidad para las administraciones públicas europeas. Grupo de Trabajo del artículo 29, de 13/12/2016 y del 5/04/2017, "Directrices sobre el derecho a la portabilidad de los datos", *op cit supra*.

[49]   *Vid* Dictamen del Consejo de Estado sobre el Anteproyecto de Ley Orgánica de Protección de Datos de Carácter Personal, n.º 757/2017, de 26/10/2017, disponible en: https://www.boe.es/buscar/doc.php?id=CE-D-2017-757.

[50]   *Vid* GARCÍA MEXÍA, P., "Cloud Computing. Sus implicaciones legales", *Revista Aranzadi de Derecho y Nuevas Tecnologías*, n.º 23, julio 2010, pp 79-88.

cimiento de los proveedores dominantes en el mercado, limitando la expansión de proveedores más pequeños. Un ejemplo claro es el que recoge Millarez López sobre el funcionamiento de *"Google's Data Liberation Front"*[51]. Desde el Grupo de Trabajo del artículo 29 se insiste en la colaboración entre los implicados en este derecho para evitar que se violen las normas sobre competencia, pero habrá que esperar a ver cómo evoluciona la aplicación del mismo.

La portabilidad no debe implicar el menoscabo de los derechos y libertades de otros interesados, ni el derecho del propio interesado a obtener la supresión de sus datos personales. Por otra parte, tampoco puede oponerse a las limitaciones recogidas en el Reglamento, tanto las generales del artículo 23 del RGPD, como las contenidas en el artículo 20.3 de la misma norma[52], en particular, no debe implicar la supresión de los datos personales que el interesado haya facilitado para la ejecución de un contrato, en la medida y durante el tiempo en que los datos personales sean necesarios para su ejecución. En relación con el artículo 20.3 del RGPD inciso final, se puede entender que los datos recavados y tratados por las administraciones públicas quedarían exentos de la aplicación del derecho a la portabilidad.

IV. OTROS DERECHOS: BUSCANDO RESPUESTAS A LOS RIESGOS CIBERNÉTICOS

1. El derecho a conocer las brechas de seguridad en tus datos

Vinculada a la obligación de aplicar medidas de seguridad del artículo 32 del RGPD, se deriva el derecho a conocer las fugas de seguridad del artículo 33 del RGPD. Este derecho, que es probablemente uno de los derechos que más se desarrolle en la práctica[53], es otro de los nuevos derechos que refuerza el control de los

---

[51] Vid MILLARES LÓPEZ, R., "Derecho de Portabilidad (art. 20)", *op cit supra*, p. 403. También se hace un análisis de la repercusión del derecho a la portabilidad dentro del derecho a la competencia en FERNÁNDEZ-SAMANIEGO, J. Y FERNÁNDEZ-LONGOIRA, P., "El derecho a la Portabilidad de los datos", *op cit supra*, p. 272.

[52] El art. 20.3 del RGPD establece que: "El ejercicio del derecho mencionado en el apartado 1 del presente artículo se entenderá sin perjuicio del artículo 17. Tal derecho no se aplicará al tratamiento que sea necesario para el cumplimiento de una misión realizada en interés público o en el ejercicio de poderes públicos conferidos al responsable del tratamiento".

[53] Vid Grupo de Trabajo del art. 29, Guidelines on Personal Data Breach Notification under Regulation 2016/679, WP250, de 3/10/2017, y WP250rev01, de 6/02/2018. disponible en http://ec.europa.eu/newsroom/article29/news.cfm?item_type=1360.

particulares sobre sus datos[54]. El artículo 33 establece dos tipos de obligaciones: la de informar y la de documentar. Así, en caso de que se produzca una violación de seguridad que constituya un riesgo para los derechos de las personas físicas, se debe avisar a los interesados y a la AEPD, siendo necesario:

a) Realizar una notificación, cuando la información se dirige a la autoridad de control (Art. 33 RGPD);

b) Realizar una comunicación, cuando la información se notifica a los interesados (Art. 34 RGPD).

Las notificaciones deben realizarse en caso de violación de la seguridad de los datos personales. En este sentido, se entiende por tal *"toda violación de la seguridad que ocasione la destrucción, pérdida o alteración accidental o ilícita de datos personales transmitidos, conservados o tratados de otra forma, o la comunicación o acceso no autorizados a dichos datos"* (Art. 4.12 RGPD). El artículo 33.3 del RGPD recoge el contenido que deberá tener la notificación al establecer que, al menos, incluirá:

1. Descripción de la naturaleza de la violación, y cuando sea posible, categorías y número aproximado de interesados afectados, y de registros de datos personales afectados.

2. Nombre y datos de contacto del delegado de protección de datos o de otro contacto a efectos de obtención de mayor información.

3. Descripción de las posibles consecuencias de la violación.

4. Descripción de las medidas adoptadas o propuestas, incluyendo, si procede, las medidas adoptadas para mitigar los posibles efectos negativos.

Por su parte, las comunicaciones sólo hay obligación de llevarlas a cabo cuando constituyan un riesgo para los derechos de las personas físicas (Art. 34 RGPD). De esta forma, no sería necesario notificar un acceso indebido a datos encriptados o anonimizados, si se tiene la certeza de que no es posible revertir la encriptación o anonimización, pues, en tales condiciones, los datos no suponen un riesgo para los interesados. El RGPD obliga a comunicar la violación a los interesados sin dilación indebida, cuando sea probable que entrañe un alto riesgo para sus derechos y libertades. El contenido de la comunicación debe expresarse en un lenguaje claro y sencillo, indicando la naturaleza de la violación y el resto de lo indicado anteriormente para las notificaciones, excluyendo el número y categorías de afectados y datos. En el caso de que no se haya procedido a comunicar la brecha de seguridad, la autoridad de control puede exigir que se realice

---

[54] *Vid* Comisión Europea, Comunicación de la Comisión al Parlamento Europeo y al Consejo. Mayor protección, nuevas oportunidades: Orientaciones de la Comisión sobre la aplicación directa del Reglamento general de protección de datos a partir del 25 de mayo de 2018, *op cit supra*, p. 4.

la comunicación, si considera que la violación entrañe un alto riesgo, o incluso imponer el cumplimiento de determinadas condiciones, como pueden ser:

1. Adopción de medidas de protección técnicas y organizativas apropiadas que hagan ininteligibles los datos personales, como el cifrado.

2. Adopción de medidas ulteriores que garanticen que ya no exista la probabilidad de que se concretice el alto riesgo para los interesados.

3. En el caso de que suponga un esfuerzo desproporcionado, en vez de comunicar, se realizará una comunicación pública o una medida semejante por la que se informe de manera efectiva a los interesados.

En los tres casos que se acaban de describir, en principio la comunicación a los interesados no resulta necesaria. Por tanto, sólo en los casos en que no se adopten estas circunstancias, existirá la obligación de comunicar la situación al particular.

En todo caso, en este contexto se impone una segunda obligación al responsable del tratamiento, que deberá cumplir siempre. Se trata de la obligación de documentar cualquier violación de seguridad, tal y como dispone el RGPD artículo 33.5, anotando los hechos relacionados con ella, sus efectos y las medidas correctivas adoptadas.

Una cuestión interesante, sobre la que se detiene la Guía sobre Brechas de Seguridad en el RGPD del Grupo de Trabajo del artículo 29, es la del momento en el que nace la obligación de notificar. Esta obligación nace cuando el responsable tiene constancia de que existe una fuga de seguridad. Por tanto, el periodo previo en que se constatan los hechos, y en el que el responsable investiga lo que ha ocurrido y verifica si existe un grado de certidumbre razonable de que haya habido una fuga de seguridad que pueda afectar a los derechos de los interesados, no puede computarse a efectos de los plazos de la notificación[55].

En el contexto que se está analizando resulta fundamental que la reacción por parte del responsable sea rápida. Como se dice en el Considerando 85, si se toman a tiempo medidas adecuadas ante las violaciones de la seguridad de los datos personales, se pueden evitar pérdidas de control de los datos personales, vulneraciones de los derechos de los interesados, discriminaciones, usurpaciones de identidades, reversión no autorizada de la seudonimización, daño para la reputación, pérdida de confidencialidad de datos sujetos al secreto profesional, perjuicios económicos y sociales significativos, etc. Es cierto que ese Considerando anuda esa circunstancia al deber de notificar la brecha de seguridad, pero la reacción a tiempo ante una situación de ese estilo es fundamental, y el propio RGPD la refuerza en el Considerando 88. De nada sirve notificar, exponiéndose

55   Vid PÉREZ BES, F., "La obligación de notificar violaciones de seguridad de datos personales (art. 33 y 34)", en LÓPEZ CALVO, J. (Coord), El nuevo marco regulatorio derivado del Reglamento Europeo de Protección de Datos, op cit supra, pp. 461-468, en p. 463

el responsable a una posibilidad de sanción, si no se toman medidas adecuadas, de manera coordinada por parte del responsable y de su organización[56]. La detección temprana, la información interna, y la adopción coordinada con todos los miembros implicados de la organización es previa a cualquier notificación a la AEPD, para la que se dispone de un plazo de 72 horas, debiendo informar de los motivos de la dilación si la notificación se realiza transcurrido ese plazo. Incluso se permite notificar de forma gradual, sin dilación indebida, si no fuera posible facilitarla simultáneamente. Por otra parte, si el deber de notificar existe y no se cumple, la LOPDGDD califica esta falta como grave (ART. 73)

Este derecho, que es una modalidad de incidente de ciberseguridad, está íntimamente relacionado con la Directiva sobre la Seguridad de las Redes y Sistemas de Información de la UE, conocida como Directiva NIS[57] (Considerando 63 RGPD). Por razones de espacio y del objeto del capítulo, no se profundiza en esta cuestión. No obstante, en otro apartado de esta misma obra se desarrollan las cuestiones relativas a las medidas de seguridad y a los problemas de ciberseguridad que pueden plantearse en el marco de la protección de datos y en relación con la aplicación de la Directiva NIS[58].

2. El derecho a que no se tomen decisiones basadas en tratamientos automatizados

Este derecho se encuentra íntimamente unido al derecho de oposición, en especial al que se ejercita frente a la mercadotecnia directa. Tal y como reconoce Aparicio Salom *"este artículo [art. 22 RGPD] regula el derecho de oposición frente a lo que se denomina genéricamente el big data"*[59].

---

[56]   Sobre las medidas a adoptar y cómo reaccionar ante una brecha de seguridad, en la web de la AEPD se puede acceder a la publicación Cómo gestionar una fuga de información en un despacho de abogados, de la propia Agencia, INCIBE y el Consejo General de la Abogacía Española, allí se indica que una rápida actuación puede suponer una eficaz reducción del impacto del incidente y una minimización de sus efectos.

[57]   Vid Diario Oficial de la Unión Europea, de 13/07/2016, Directiva (UE) 2016/1148 del Parlamento Europeo y del Consejo, de 6 de julio de 2016, relativa a las medidas destinadas a garantizar un elevado nivel común de seguridad de las redes y sistemas de información en la Unión, disponible en https://eur-lex.europa.eu/legal-content/ES/TXT/?uri=CELEX%3A32016L1148.

[58]   Vid supra LÓPEZ ÁLVAREZ, L.F. "Ciberseguridad y protección de datos personales: las evaluaciones de riesgos" Capítulo XX.

[59]   Vid APARICIO SALOM, J., "Derecho de oposición y decisiones individuales automatizadas. Limitaciones (Arts. 21-23)", *op cit supra*, p. 413. Este mismo autor en este artículo explica la repercusión que tiene el big data sobre los derechos de los particulares en la protección de datos y recalca la importancia de que se informe a los titulares de los tratamientos a realizar, dado

De acuerdo con el artículo 22.1 del RGPD, cualquier interesado tiene derecho a no ser objeto de una decisión basada únicamente en un tratamiento automatizado, incluidos los utilizados para elaborar perfiles, que produzca efectos jurídicos sobre él o le afecte significativamente de manera similar. Según el tenor de Considerando 71, el RGDP se refiere a situaciones como la denegación automática de una solicitud de crédito en línea, o los servicios de contratación en red, en los que no medie intervención humana alguna. Incluye también tratamientos tendentes a evaluar aspectos personales para analizar o predecir aspectos relacionados con el rendimiento en el trabajo, situación económica, salud, preferencias o intereses personales, fiabilidad de la persona, comportamiento, su ubicación o los movimientos del interesado, en la medida en que produzcan efectos jurídicos en él o le afecte significativamente de modo similar.

Como ocurre con el resto de los derechos de los interesados, este derecho no es absoluto, por lo que la propia norma establece unos supuestos en los que sí es lícito efectuar el tratamiento y tomar una decisión automatizada. Así:

a) cuando haya sido autorizada por el Derecho de la Unión o de los Estados miembros que se aplique al responsable del tratamiento, estableciendo medidas adecuadas para salvaguardar los derechos y libertades y los intereses legítimos del interesado;

b) cuando sea necesario para la celebración o la ejecución de un contrato entre el interesado y un responsable del tratamiento;

c) cuando se base en el consentimiento explícito del interesado.

En estos dos últimos supuestos, también es obligación del responsable adoptar las medidas adecuadas para salvaguardar los derechos y libertades y los intereses legítimos de los interesados, entre ellas, el derecho a obtener intervención humana por parte del responsable, a expresar su punto de vista e impugnar la decisión.

Este tipo de tratamientos no puede afectar a las categorías especiales de datos (Art. 9.1 RGPD), salvo que el tratamiento se realice mediando el consentimiento del afectado, o se trate de un interés público esencial impuesto por el Derecho de la Unión o del Estado miembro (Art. 9.2.a) y g) RGPD). En ambos casos, se adoptarán las medidas convenientes para asegurar los derechos y libertades, así como la protección de los intereses de los interesados.

La dicción del precepto es mejorable, quizá por eso sean más largos los considerandos que el propio texto normativo. Podría entenderse que no se prohíben los tratamientos, sino la toma de decisiones automatizadas derivadas del tratamiento. Por eso, habría resultado más claro decir que se prohíben los trata-

---

que las consecuencias de los tratamientos que se efectúen implican un intensa incidencia en la esfera de la privacidad del interesado.

mientos dirigidos a esas decisiones concretas pues no tiene sentido permitir un tratamiento cuyo resultado no pueda utilizarse[60]. Cuando en las circunstancias señaladas se permiten este tipo de decisiones, se tiene derecho a exigir intervención humana, efectuar alegaciones y poder impugnar la decisión.

Como se dice en el Considerando 71, para garantizar un tratamiento leal y transparente, deben tenerse en cuenta las circunstancias y el contexto específicos en los que se tratan los datos personales, deben utilizarse procedimientos matemáticos o estadísticos adecuados para la elaboración de perfiles, y aplicar medidas técnicas y organizativas apropiadas para garantizar que se corrigen los factores que introducen inexactitudes en los datos personales y garantizar que se reduce al máximo el riesgo de error. Sobre estas circunstancias habrá de informarse cuando se recaben los datos tal (Art. 13 y 14 RGPD) e, igualmente, cuando se solicite la intervención personal.

Respecto a la posibilidad de efectuar este tipo de tratamientos cuando así se prevea en el Derecho de la Unión o de los Estados miembros, en el Considerando 71 se explica que se refiere, entre otros, a finalidades de control y prevención del fraude y la evasión fiscal, pero que hay que adoptar las oportunas medidas entre las que se deben incluir la información específica al interesado y el resto de condiciones ya señaladas. En todo caso, este mismo texto aclara que estas medidas no deben afectar a un menor.

Por su parte, nuestra normativa interna dispone que los interesados pueden ejercitar el derecho de oposición cuando el tratamiento tenga por finalidad la adopción de una decisión referida al afectado y basada únicamente en un tratamiento automatizado de sus datos de carácter personal (Art. 34.c) RLOPD). Se establece de igual modo que no pueden efectuarse decisiones automatizadas con efectos jurídicos sobre los interesados o que les afecte de manera significativa, destinadas a evaluar aspectos de su personalidad, tales como su rendimiento laboral, crédito, fiabilidad o conducta. Tan sólo resultará lícito adoptarlas en el marco de la celebración o ejecución de un contrato a petición del interesado, y siempre que se le otorgue la posibilidad de efectuar alegaciones parta defender su derecho o interés. El responsable, previamente al tratamiento, debe informar al afectado, de forma clara y precisa, de que se adoptarán este tipo de decisiones. En el caso de que no llegue a celebrarse el contrato tiene la obligación de cancelar los datos (Art. 36 RLOPD). Incluye también nuestra norma que estas decisiones podrán adoptarse cuando estén autorizadas por una norma con rango de Ley que establezca medidas que garanticen el interés legítimo del interesado[61].

---

[60] Vid LÓPEZ ÁLVAREZ, L.F., *Protección de Datos Personales: adaptaciones necesarias al nuevo Reglamento Europeo, op cit supra*, p. 101.

[61] *Ibidem.*

La AEPD considera que el derecho al conocimiento de la lógica utilizada en los tratamientos personales debe formar parte del derecho de acceso y que, en todo caso, la modalidad aplicada a la decisión automatizada debe reconocerse cuando se producen este tipo de decisiones. En este sentido, la AEPD establece que, habiendo constancia de la existencia de una decisión de este estilo, como la denegación de un crédito bancario, se debe informar al reclamante de los datos personales utilizados para dicho estudio, y de la modalidad utilizada en la decisión final[62]. En un hecho similar se le facilitan al reclamante todos sus datos como consecuencia del ejercicio de un derecho de acceso, pero no se le informa del porqué de la denegación de una tarjeta de crédito; en este supuesto, la AEPD entiende que la denegación evidencia un tratamiento de datos respecto del que no se ha informado y estima la tutela de derechos en relación con el tratamiento, obligando al responsable a informar sobre la lógica del tratamiento[63].

V. DEBERES QUE REFUERZAN LOS DERECHOS DE LOS PARTICULARES

Los deberes de información y transparencia, íntimamente vinculados entre sí y pilares de la normativa de protección de datos, refuerzan el control que se pretende que los particulares tengan sobre sus datos. En este apartado, no se pretende hacer un análisis exhaustivo de ambos principios, sino que se van a dar unas pinceladas de su funcionamiento y de la relación que mantienen con los derechos de los interesados.

1. El deber de informar

El deber de informar es un medio instrumental del principio de transparencia y se recoge como una de las piedras angulares de la nueva normativa de protección de datos, junto con otros principios como el de la finalidad, el de confidencialidad, o el del consentimiento, con el que guarda especial vinculación[64]. No se trata de una novedad, puesto que existía en la normativa anterior, pero sí se refuerza y se amplía su campo de actuación. En el RGPD se contienen multitud de circunstancias que originan para los responsables de los tratamientos el deber de informar, ya sea a los interesados, a las autoridades de control, o a otros entes

---

[62] Vid AEPD Resolución D/00489/2006; Ibidem, p. 102.
[63] Vid AEPD Resolución D/00282/2004; Ibidem, p. 102
[64] Vid HERNÁNDEZ CORCHETE, J.A., "Transparencia en la información del interesado del tratamiento de sus datos personales y en el ejercicio de sus derechos", op cit supra, p. 215.

encargados de verificar el cumplimiento de la normativa. También surgen deberes para los encargados del tratamiento con respecto al responsable, a las diversas autoridades de control entre sí y hacia el responsable o los interesados, y para el Comité Europeo de Protección de Datos[65]. El sujeto sobre el que recae este deber es el responsable del tratamiento, quedando al margen de esta obligación los terceros que accedan a los datos[66].

Este deber acompaña a la existencia del dato, dado que se debe cumplir tanto al inicio del tratamiento, como a lo largo de su vida. Así, todos los tratamientos que sufran los datos deberán ser comunicados a sus titulares[67]. En este sentido, el Considerando 61 del RGPD aclara que se deberán hacer las comunicaciones al titular de los datos, tanto si los datos se han obtenido directamente de él, como si el origen se encuentra en otra fuente de información.

En cuanto a la información que debe comunicarse, el RGPD reconoce este deber en sentido amplio, es decir, se deberá comunicar toda aquella información complementaria que pueda resultar necesaria para los datos del interesados (Considerando 60 RGPD). Por otra parte, el responsable debe informar a los interesados en forma concisa, transparente, inteligible y de fácil acceso, empleando un lenguaje claro y sencillo (Art. 12 RGPD). Estas afirmaciones imponen el deber de no utilizar tecnicismos que la información pueda ser fácilmente comprensible por cualquiera. Además, si la información va dirigida a los niños deben extremarse la claridad y sencillez. Para poder cumplir con las recomendaciones del RGPD se aconsejan los sistemas de "información por capas"[68].

En cuanto a los medios por los que podrá ejercitarse este deber, son libres, es decir, la normativa permite que se cumpla por cualquier medio, incluidos los electrónicos, que permitan dejar constancia por escrito del contenido de la información[69]. En este sentido, se permite incluso informar de manera verbal, pero sólo a solicitud del interesado y siempre que se pueda demostrar su identidad por

---

[65]   Cada uno de estos supuesto se desarrolla en la obra LÓPEZ ÁLVAREZ, L.F., *Protección de Datos Personales: adaptaciones necesarias al nuevo Reglamento Europeo, op cit supra*, pp 63-65.

[66]   *Vid* APARICIO SALOM, J. "Derechos del interesado (Art.s 12-19)", *op cit supra*, p. 378.

[67]   Sobre este particular, la STJUE en el asunto *Smaranda Bara y otros*, aclara que las administraciones públicas tienen obligación de comunicar a los interesados la transmisión de sus datos personales a otras administraciones públicas. Vid STJUE, 1/10/2015, asunto *Smaranda Bara y otros*, C-201/14.

[68]   También se incluye en este sistema en el Proyecto de LOPD. *Vid* GUDÍN RODRÍGUEZ-MAGARIÑOS, F., *Nuevo Reglamento Europeo de Protección de Datos Versus Big Data*, Valencia, Tirant lo Blanch, 2018, p 113.

[69]   En este sentido, resulta interesante la STS, sala de lo Contencioso, de 15/07/2010, FJ 9º, en la que se anula el art. 18 del RLOPD, que obligaba a que la prueba del cumplimiento de este deber constara documentalmente o por medios informáticos o telemáticos.

otros medios. Resulta curioso que también se permita la introducción en el texto de la información de iconos normalizados que proporcionen una adecuada visión del tratamiento en su conjunto. Tal y como señala López Álvarez, se trata de una técnica heredada de la normativa medioambiental o de la que regula la calidad de los productos y procesos, y que simplemente transmite que se han cumplido una serie de condiciones certificadas por un organismo objetivo[70].

La información deberá comunicarse en el momento en que se obtengan los datos, cuando los datos se recaven del interesado. Si la fuente no es el propio interesado, el plazo se determina en función de las comunicaciones que se produzcan. Así, si no se comunican a nadie, se informará al interesado dentro de un plazo razonable, y a más tardar dentro de un mes, habida cuenta de las circunstancias específicas en las que se traten dichos datos (Art. 13.a) RGPD). Sobre este aspecto, el RGPD deja margen de actuación al responsable. López Álvarez señala que es posible que el legislador europeo estuviera pensando en la posible adhesión del responsable a códigos de conducta o códigos tipo que establezcan plazos menores[71]. Por otra parte, el Considerando 61 establece un límite temporal para ejercer el deber de información: "*Si los datos personales pueden ser comunicados legítimamente a otro destinatario, se debe informar al interesado en el momento en que se comunican al destinatario por primera vez*".

El ejercicio del deber de información se ha tratado de forma especial en el caso de los tratamientos de *Big Data*, dado que, al encontrarnos ante procesos continuos en el tiempo, la comunicación inicial al interesado, no cumpliría realmente con el deber de información, tal y como se diseña en el RGPD. Por eso, para estos casos, se propone que se implante por el responsable un sistema que facilite información sobre el modo y el ejercicio de los derechos, que sea de fácil acceso y localización por los interesados[72].

Aunque el deber de información, como se ha señalado, es una pieza fundamental de la normativa de protección de datos, cuenta con excepciones en su ejercicio. Así, el responsable no estará obligado a informar, cuando el titular de los datos conozca la información, o cuando el registro o la comunicación de los datos esté expresamente establecido por ley (Considerando 62 RGPD). Los datos de carácter confidencial, o los que estén cubiertos por el secreto profesional se incluyen igualmente entre las excepciones de este deber. Tampoco podrá exigirse

---

[70]   Vid LÓPEZ ÁLVAREZ, L.F., *Protección de Datos Personales: adaptaciones necesarias al nuevo Reglamento Europeo, op cit supra*, p. 65.
[71]   *Ibidem*, p. 67.
[72]   Vid GARCÍA MEXÍA, P. y PERETE RAMÍREZ, C., "Internet y el Reglamento General de Protección de Datos", en LÓPEZ CALVO, J. (Coord.), *El nuevo marco regulatorio derivado del Reglamento Europeo de Protección de Datos, op cit supra*, pp. 173-193, p. 183.

cuando resulte imposible o exija un esfuerzo desproporcionado (Considerando 62 RGPD). Se contempla también que se deje en suspenso cuando pueda imposibilitar u obstaculizar gravemente el logro de los objetivos del tratamiento. Para estos casos, se deben adoptar medidas adecuadas de protección de los derechos e intereses de los interesados, entre ellas, sustituir el deber de notificar la información personalmente a cada interesado por el de una publicación con alcance general.

2. *El deber de transparencia*

Este deber es un condicionante esencial de la protección de datos, que sin embargo no aparecía expresamente recogido en la normativa comunitaria anterior al RGPD[73]. Por su parte, la normativa española sí lo contemplaba y vinculaba este deber con el deber de información (Art. 11 LOPDGDD), y esta ha sido la misma línea que ha seguido la AEPD en sus informes y resoluciones. En este sentido, el Informe AEPD 0325/2009 especifica que, antes de la recogida de los datos, se deberá dar cumplimiento a lo señalado en el citado artículo 11 respecto del cumplimiento del "*deber de información, también denominado principio de transparencia en el tratamiento de datos, que constituye uno de los pilares esenciales del sistema establecido en la Ley Orgánica 15/1999*"[74].

Esta línea es la que sigue el RGPD, al exigir que toda información y comunicación relativa al tratamiento de los datos sea fácilmente accesible y fácil de entender, utilizando un lenguaje sencillo y claro (Considerando 39 RGPD). Sin embargo, el RGPD no limita el deber de transparencia al deber de información. Por eso, para considerar cumplido el principio de transparencia hay que informar de la identidad del responsable del tratamiento y los fines del mismo y, además, de los riesgos, las normas, las salvaguardias y los derechos relativos al tratamiento de datos personales así como del modo de hacer valer sus derechos en relación con el tratamiento[75]. Hay que señalar (y lamentar), que el Proyecto de LOPD español mantiene la línea de la normativa nacional anterior y la vinculación de la transparencia con el deber de información, reduciendo el alcance del RGPD.

---

[73]   Vid APARICIO SALOM, J. "Derechos del interesado (Arts. 12-19)", *op cit supra*, p. 363 y 366. Señala también este autor que en la doctrina del Grupo de Trabajo del art. 29 y la doctrina científica, se había vinculado este principio al deber de información, ampliándose esta situación en la actual perspectiva que desarrolla el RGPD. Sobre

[74]   En el mismo sentido, se pueden consultar los Informes AEPD 0469/2011; 0059/2009; 0047/2009, 0247/2008 y 0391/2007; y las Resoluciones AEPD: R/00710/2014; R/01076/2014; R/00399/2014; R/01097/2014; R/00971/2014 y R/00900/2014.

[75]   Vid LÓPEZ ÁLVAREZ, L.F., *Protección de Datos Personales: adaptaciones necesarias al nuevo Reglamento Europeo, op cit supra*, p 32.

La transparencia no se recoge en el RGPD como un derecho de los interesados, sino como un principio del tratamiento (Art. 5 RGPD). De la redacción de este precepto se desprende que el responsable, no sólo cuenta con la obligación de que los datos traten de forma transparente, sino que debe además poder demostrar que se está obrando así. Se fija de nuevo la responsabilidad proactiva del responsable del tratamiento[76].

Este principio jurídico del tratamiento de datos personales no debe confundirse con el principio de transparencia en la actuación de las Administraciones Públicas, recogido en la Ley 19/2013 de Transparencia, Acceso a la Información Pública y Buen Gobierno y en otras leyes de las Comunidades Autónomas. En el artículo 15 de la Ley 19/2013 se regulan las relaciones entre ambos principios, basada en la necesidad de efectuar una ponderación suficientemente razonada entre el interés público en la divulgación de la información y los derechos de los afectados a la protección de datos de carácter personal.

VI. CONCLUSIONES

La nueva normativa sobre protección de datos del RGPD evidencia que los datos se han convertido en un *commodity* y, por tanto, es necesario reforzar la posición de los titulares de los mismos, para que no vean mermados sus intereses en beneficio del desarrollo económico que gira en torno a los datos. En este sentido, el RGPD tenía por objetivo reforzar el control de los particulares sobre sus datos, fin que se logra fundamentalmente por dos vías.

Por un lado, el Reglamento aumenta los derechos existente, ampliando la cobertura con la que cuentan los titulares de los datos. De los dos nuevos derechos, el de Limitación de los datos y el de Portabilidad, quizás sea éste último el que mayor repercusión económica y social pueda tener. Sobre su ejercicio aún quedan muchas dudas que no despeja el RGPD, y, por tanto, será la práctica la que ayude a ir definiendo su contenido y alcance. En cuanto al derecho de Limitación, se trata más de una medida cautelar, y por tanto temporal, que se activa para la protección de otros intereses. Por otro lado, el Reglamento adapta a la nueva realidad uno de los derechos existentes. En este sentido, el derecho de cancelación se convierte en el derecho a la supresión o derecho al

---

[76]   Sobre el tema de la responsabilidad del responsable, se puede consultar COSTA HERNAN-DIS, R., "Responsabilidad del responsable del tratamiento (art. 24)", en LÓPEZ CALVO, J. (Coord.), *El nuevo marco regulatorio derivado del Reglamento Europeo de Protección de Datos*, Madrid, 2018, Wolters Kluwer, pp. 419-426; LÓPEZ ÁLVAREZ, L.F., "La responsabilidad del responsable", en PIÑAR MAÑAS, J.L. (Dir), *Reglamento General de Protección de Datos. Hacia un nuevo modelo europeo de privacidad*, Madrid, Editorial Reus, 2016, pp 275-294.

olvido. El cambio no es solo nominal, si no que se aumentan los supuestos en los que se permite borrar datos, siempre y cuando se cumplan determinadas condiciones.

El reverso de este control de los titulares de los datos, es el aumento de las obligaciones por parte de los responsables del tratamiento de los datos. Se le pide una actitud proactiva, en especial con respecto al deber de informar y a mantener la transparencia en el tratamiento de los datos.

En todo caso, y a pesar de los problemas y dudas que se plantean en trono a los nuevos derechos, la reforma operada a través del RGPD logra aumentar el control de titulares sobre sus datos y adapta la protección a los nuevos riesgos cibernéticos, a los que la normativa anterior no daba respuesta. En este contexto en particular resultan básicos el derecho a conocer las brechas de seguridad y el derecho a que no se tomen decisiones basadas en tratamientos automáticos. Por tanto, la opinión inicial sobre la reforma debe ser positiva. Hay que esperar aún a que los Estados miembros dicten la normativa necesaria, para terminar de desarrollar aspectos claves en cuanto a los derechos de los particulares, tales como las excepciones a su aplicación, que permitan hacer un balance más profundo de la nueva norma.

VII. BIBLIOGRAFÍA

ÁLVAREZ CARO, M., *Derecho al Olvido en Internet: el Nuevo Paradigma de la Privacidad en la Era Digital*, CEU, Madrid, 2015.

GARCÍA MEXÍA, P., "Cloud Computing. Sus implicaciones legales", *Revista Aranzadi de Derecho y Nuevas Tecnologías*, n.º 23, julio 2010, pp 79-88.

GARCÍA MEXIA, P., *Derechos y Libertades, Internet y Tic's*, Tirant lo Blanch, Valencia, 2014.

GUDÍN RODRÍGUEZ-MAGARIÑOS, F., *Nuevo Reglamento Europeo de Protección de Datos Versus Big Data*, Valencia, Tirant lo Blanch, 2018.

LÓPEZ ÁLVAREZ, L.F., *Protección de Datos Personales: adaptaciones necesarias al nuevo Reglamento Europeo*, Claves Prácticas, Madrid, Francis Lefebvre, 2016.

LÓPEZ BARRERO, E., "La Universalidad en el nuevo Reglamento General de protección de Datos. El caso del Derecho al olvido", *Revista de Privacidad y Derecho Digital*, n.º 4, pp. 27-86.

LÓPEZ CALVO, J. (Coord.), *El nuevo marco regulatorio derivado del Reglamento Europeo de Protección de Datos*, Madrid, 2018, Wolters Kluwer.

ORDÓÑEZ SOLÍS, D., *La Protección Judicial de los Derechos en Internet en la Jurisprudencia Europea*, Reus, Madrid, 2014.

PIÑAR MAÑAS, J.L. (Dir), *Reglamento General de Protección de Datos. Hacia un nuevo modelo europeo de privacidad*, Madrid, Editorial Reus, 2016.

RALLO LOMBARTE, A. y GARCÍA MAHAMUT, R. (coord.), *Hacia un nuevo Derecho europeo de protección de datos*, Tirant lo blanch, Valencia, 2015.

TRONCOSO REIGADA, A., *La protección de datos personales. En busca del equilibrio*, Tirant lo blanch, 2010.

VALERO TORRIJOS, J. (Coord.), *La protección de los datos personales en Internet ante la innovación tecnológica. Riesgos, amenazas y respuestas desde la perspectiva jurídica*, Thomson-Reuters Aranzadi, Navarra, 2013.

PARTE IV
RESPONSABILIDAD LABORAL EN PLATAFORMAS DIGITALES

EL LEVANTAMIENTO DEL VELO DIGITAL FRENTE A LAS RESPONSABILIDADES LABORALES DERIVADAS DEL TRABAJO EN PLATAFORMAS DE INTERNET

EUGENIO LANZADERA ARENCIBIA
*Doctor en Derecho. Profesor de Derecho del Trabajo
de la UDIMA y del Centro de Estudios Financieros.*

> *"Antes de existir Internet era realmente difícil encontrar a personas y llevarlas a sentarse y trabajar diez minutos, y luego despedirlas cuando habían pasado los diez minutos. Hoy, en cambio, se puede encontrar a esas personas, pagarles un mínimo importe de dinero y luego liberarse de ellas cuando ya no se las necesita."*
> (Lukas Biewald, CEO de CrowdFlower[1])

Sumario: I. INTRODUCCIÓN Y PLANTEAMIENTO. II. LOS SERVICIOS PRESTADOS A TRAVÉS DE PLATAFORMAS TECNOLÓGICAS Y SU LABORALIDAD. 1. ¿ES LA PLATAFORMA UN EMPRESARIO DIGITAL? 2. TRABAJOS AMISTOSOS Y COLABORATIVOS VS. ACTIVIDAD LABORAL O PROFESIONAL. 3. TRABAJO POR CUENTA AJENA Y TRABAJO POR CUENTA PROPIA EN PLATAFORMAS DIGITALES. 4. EL LEVANTAMIENTO DEL VELO DIGITAL Y SUS CONSECUENCIAS. III. EL FACTOR GLOBALIZADOR DE INTERNET SIN FRONTERAS Y SUS REPERCUSIONES LABORALES. IV. A MODO DE CONCLUSIÓN. V. BIBLIOGRAFÍA

Palabras clave: Economía colaborativa, plataformas digitales, crowdworking, contrato de trabajo, responsabilidad, levantamiento del velo

Resumen: Las prestaciones de servicios mediante la denominada "economía colaborativa" a través de plataformas digitales plantea problemas de delimitación entre las fronteras del trabajo por cuenta ajena, sometido a la normativa sobre contratación laboral y del trabajo autónomo, así como de aquellas actividades que, por marginales, amistosas o benevolentes no entrarían en el

---

[1]   Testimonio recogido en MARVIT, M.C.: "How crowdworkers became the ghosts in the digital machine", *The Nation*, Nº 5, Estados Unidos, 2014. En línea: https://www.thenation.com/article/how-crowdworkers-became-ghosts-digital-machine/

ámbito de las prestaciones de servicios lucrativas. Internet permite y fomenta no solo las relaciones sociales y el comercio electrónico, sino también la existencia de empresas puramente digitales que gestionan y prestan servicios, a través de trabajadores cuyo sometimiento a un régimen de trabajo asalariado dista de la configuración tradicional del contrato de trabajo. Sin embargo, estas plataformas son en ocasiones verdaderas empresas pantalla que explotan un negocio utilizando a trabajadores bajo su organización y dirección para prestar servicios cuyo rendimiento revierte directamente en ellas.

La asunción de las responsabilidades laborales y de Seguridad Social exige levantar el velo digital para comprobar el cumplimiento normativo y determinar quién es el responsable, como verdadero empresario, de sus obligaciones, sorteando los problemas del encubrimiento de prestaciones de servicios con falsos autónomos, así como la dificultad añadida de la extrateriorialidad, ya que estas empresas se desenvuelven desde nuestro país o desde cualquier otro Estado en el espacio sin fronteras en el que se asienta Internet, posibilitando, además, que los prestadores de servicios lo hagan también desde otros Estados o en el mismo entorno digital.

I. INTRODUCCIÓN Y PLANTEAMIENTO

El crecimiento exponencial del numero de usuarios de Internet, el uso de ordenadores, *smartphones* y otros dispositivos avanzados como bienes básicos de consumo, la extensión de la banda ancha y la sustitución de los medios tradicionales de comunicación oral y escrita por el correo electrónico, la mensajería instantánea, las videollamadas, las redes sociales, las plataformas digitales, los servicios de *cloud computing,* el "internet de las cosas", el uso de *wereables* y muchos otros dispositivos que permiten la conectividad a través de Internet han generado importantes beneficios económicos y sociales, al punto de haberse incorporado no solo como parte fundamental de la vida diaria de los ciudadanos, sino como modernas herramientas de trabajo que, incluso, en alguna medida "inteligentes", son capaces de facilitar y optimizar el rendimiento del trabajo cuando no sustituir al propio trabajador en su concepción tradicional.

El ámbito laboral ha sufrido una fuerte influencia de la tecnología, consiguiendo que la línea divisoria entre la vida laboral y personal se diluya cada día más, llegando incluso al fenómeno del *e-trabajo,* que implica "*trasladar las mentes, no los cuerpos*"[2]. La innovación y el desarrollo tecnológico impulsan nuevos hábitos sociales que a su vez promueven nuevos modelos de negocio en el entorno digital.

El teletrabajo o trabajo a distancia, realizado a través de Internet, conlleva una nueva forma de articular la relación laboral, permitiendo la confluencia entre

2   ALFARO DE PRADO SAGRERA, A.: "Estrés tecnológico: medidas preventivas para potenciar la calidad de vida laboral", *Temas Laborales. Revista Andaluza de Trabajo y Bienestar Social,* N.º 102, 2009, p. 124. En línea: http://www.juntadeandalucia.es/empleo/anexos/ccarl/33_1146_3.pdf

la productividad y la flexibilidad horaria que facilita conciliar mejor la vida laboral y familiar, sin que resulte afectado el marco jurídico que regula el trabajo por cuenta ajena o el trabajo autónomo y su inclusión en el ámbito protector de la Seguridad Social. Sin embargo, la tecnología permite hoy día diversas prestaciones de servicios, incluso pequeños trabajos o microtareas que, generalmente, a través de plataformas digitales, se escudan en la denominada "economía colaborativa" para revestir de "personal" una actividad que realmente es "profesional", en la medida que supone el ejercicio de una actividad económica que, con frecuencia, conlleva un ánimo de lucro.

Si aceptamos el intercambio de información y comunicación que permite Intenet entre los usuarios, así como el ejercicio de actividades personales y profesionales, con o sin contenido económico, debemos también establecer unos límites al abuso de derecho, cuando una actividad aparentemente personal se transforma realmente en la prestación de un servicio, bien por cuenta ajena, bien por cuenta propia.

Las ventajas añadidas a la facilidad de acceso e intercambio, así como de interconexión a través de una plataforma digital a sujetos que tienen intereses comunes, llegando a ser "usuarios productores" y "usuarios consumidores" conviven con la restricción de los derechos laborales y la ausencia de protección social cuando estos prestadores de servicios son real y legalmente trabajadores.

Sin embargo, los riesgos de esta actividad económica, que no deja de ser la misma que la que se ejercita por los canales tradicionales, pero que se aprovecha de las enormes ventajas que supone este gran escenario donde se intercambian bienes y servicios, repercute también en el equilibrio económico y social de un Estado. El trabajo sumergido y la precariedad en el empleo, así como la infracotización que supone estar fuera del sistema de Seguridad Social, son factores que van a desequilibrar el bienestar social de todos los ciudadanos, agudizado por el problema económico del mantenimiento del sistema de pensiones, por un lado, así como la necesidad de protección de este colectivo en particular, por otro.

Resulta necesario conocer entonces quién se oculta detrás de una plataforma digital o una aplicación tecnológica que, si bien, es de carácter universal y se aprovecha del anonimato que supone prestar servicios para determinados particulares detrás de una pantalla o un programa informático, utiliza sin embargo a prestadores de servicios que, a modo de "porteadores", cargan la mercancía contratada y se responsabilizan de ella, a cambio de una participación en el precio del servicio que establece la propia plataforma.

Si bien es cierto que existen plataformas digitales que únicamente actúan de intermediarios, siendo su actividad económica únicamente esa, obteniendo ingresos por otras vías, como la publicidad, existen otras que diseñan todo un entramado de condiciones para la prestación de un servicio a través de terceros, obteniendo un lucro por esa intermediación, acompañada en muchas ocasiones de las condiciones previas, selección de los prestadores de servicios y de una clientela propia, demandante de estos de servicios previo reclamo de la plataforma.

Es precisamente la naturaleza de la relación entre la plataforma, los prestadores de servicios y el cliente, lo que configura una relación triangular en la que se difuminan las fronteras entre el trabajo por cuenta propia, el trabajo autónomo e incluso, en ocasiones, escapa a ambas relaciones, cuando un particular a título personal intercambia bienes y servicios dentro de la llamada economía colaborativa.

Por todo ello resulta importante clarificar en cada uno de los supuestos la verdadera relación que se esconde detrás de la plataforma digital, a efectos de determinar las distintas responsabilidades laborales y, sobre todo el sujeto que debe afrontarlas, bien por incumplir las obligaciones laborales y reclamarlas al supuesto empresario, bien por no contribuir al sostenimiento del sistema de la Seguridad Social. Existen, además, otras responsabilidades relacionadas con la materia laboral, como por ejemplo las derivadas de la normativa de prevención de riesgos laborales o, incluso, frente a terceros, por la deficiente prestación del servicio o, en su caso, por los daños causados en cuanto puedan ser responsabilidad del empresario-plataforma, empresario digital o la persona física o jurídica que esté detrás de ella.

II. LOS SERVICIOS PRESTADOS A TRAVÉS DE PLATAFORMAS TECNOLÓGICAS Y SU LABORALIDAD

1. ¿Es la plataforma un empresario digital?

Una evolución inteligente solo se puede articular haciendo que la técnica sirva para hacer pensar y vivir mejor a los hombres que se sirvan de ella, pero no al revés, aun admitiendo el pensamiento tecnocrático por el que *"la máquina tiene leyes propias sobre las cuales el hombre carece de poderío"*[3]. En esta línea, bien cabe aplicar las palabras de ORTEGA Y GASSET, cuando sostiene que la técnica representa un *"paisaje artificial tan tupido que oculta la naturaleza primaria (del hombre) tras él"*[4].

---

[3] Reflexión hecha a raíz de la automatización de la industria, en la España del S. XX, en ESTEVA FRABEGAT, C.: "La máquina y la deshumanización del trabajo", *Revista de Política Social*, N.º 47, 1960, p. 77.

[4] ORTEGA Y GASSET, J.: *Meditación de la técnica*, Espasa Calpe, Madrid, 1965, p. 83.

Para determinar si una plataforma digital es una empresa, en el sentido económico y jurídico del término, cabe plantearse si esta actividad se incardina dentro del ámbito del derecho constitucional a la libertad de empresa. La fórmula que utiliza la CE —"*Se reconoce la libertad de empresa*"—, parece remitir a la noción de empresa como actividad: Es la libertad económica del empresario sobre la que se proyectan las facultades que integran el contenido esencial del derecho fundamental. Es decir, no cualquier actividad económica está encuadrada en el derecho fundamental, sino solo la libertad de empresa en particular, caracterizada por ser una actividad continuada (no ocasional), que supone una organización (de factores de producción, en términos económicos, y de personas y bienes, en términos jurídicos), al servicio de un objetivo, la producción de bienes y servicios en el mercado[5]. Cabría la ocasionalidad de la actividad empresarial para su protección constitucional, en la medida que requiera planificación u organización de factores productivos[6].

Desde el ámbito subjetivo del derecho, el titular de la libertad de empresa es el empresario. Es decir, la persona física o jurídica que profesionalmente y en nombre propio ejercita la actividad de organizar los elementos precisos para la producción de bienes o servicios para el mercado. No es posible, por tanto, que la plataforma en sí pueda ser una empresa, si no existe una persona física o jurídica, que la crea, organiza y se responsabiliza de ella.

La plataforma digital, en sentido amplio, no es más que un canal que pone en relación a determinadas personas que pueden tener un interés común, ya sea el mero intercambio de información, o de bienes y servicios. Este tipo de canales digitales pueden tener un interés exclusivo de intermediación entre particulares o profesionales, sin intervenir en el servicio en sí, o puede tener una participación necesaria en la prestación del mismo a través de los propios usuarios. A su vez, este intercambio de bienes o servicios puede ser gratuito o de bajo precio, cuyas condiciones pueden estar establecidas por la propia plataforma, cobrando una parte del servicio e intermediando en los pagos entre prestador y consumidor, pero también pueden pactarse directamente entre estos sujetos sin intervención de la plataforma.

Estas cuestiones permiten diferenciar aquellas plataformas que son meras intermediarias de las que son realmente quienes actúan como prestadoras de servicios y, por tanto, como empresas. Las primeras, no tienen en principio relevancia alguna en el plano laboral, pues trasladan a los usuarios todo lo relativo a la ejecución del servicio, poniéndolos únicamente en contacto, sin llevar a cabo ningún

---

[5]   CIDONCHA MARTÍN, A.: *La libertad de empresa*, Aranzadi, Cizur Menor, 2006, p. 218.
[6]   ARAGÓN REYES, M.: "La libertad de empresa", *Revista del Ministerio de Empleo y Seguridad Social, N.º 108,* 2014, p. 20.

tipo de organización ni participando en el precio, en caso de que existiera. Un ejemplo de ello son las plataformas que se limitan a poner en contacto a personas que quieren realizar un desplazamiento en un periodo concreto, optimizando el bien del que es titular un usuario con otro que sufraga parte del coste del viaje (Blablacar, Umcoche, Liftshare y Karzoo).

Algo similar ocurre con las plataformas de alojamiento. Se trata de plataformas que aglutinan a propietarios de viviendas que ofertan temporalmente desde una habitación hasta parte o toda la casa o piso, permitiendo al cliente disponer de un alojamiento a un coste más barato que el que pueda ofrecer un establecimiento de hostelería (Airbnb, Homeway, Bedycasa y Rentalia). En principio, no cabe considerar como emprendedor o autónomo a estas personas que alquilan su casa, sobre todo cuando es puntual y temporalmente y mucho menos podemos encontrar indicios de laboralidad.

Las plataformas que no solo median, sino que participan, aunque sea indirectamente en la prestación de servicio, pues lo diseñan y organizan, cobrando además por ello, llevan a cabo una actividad económica empresarial, en la que normalmente están implicados los usuarios que directamente prestan ese servicio. Son indicios que determinan la prestación de servicios por la plataforma, la organización y el control de la actividad, la asignación de los "prestadores" del servicio, la titularidad de las licencias que, en su caso, sean necesarias para intervenir en el sector de que se trate (por ejemplo, del transporte) y el cobro de una cantidad económica, bajo precio, que distribuye entre la propia plataforma y el prestador. Ejemplo de ello, es UBER, en la gestión del servicio de transporte que organiza a través de los conductores reclutados, fijando el precio y siendo parte esencial de la actividad, a pesar de que no preste el servicio directamente.

Ahora bien, el hecho de que sea la plataforma la que desarrolla la actividad no implica su caracterización como empresario a efectos laborales. A pesar de que la empresa-plataforma gestione el servicio, por lo general se valen de profesionales independientes que, como autónomos, llevan a cabo el servicio de forma directa. Será cuestión de plantear si realmente son trabajadores autónomos o, si por el contrario, se trata de relaciones laborales prestadas con ciertas singularidades, sin olvidar, que puede tratarse de particulares que únicamente buscan un beneficio propio a través del intercambio de bienes, a título amistoso y sin ánimo de lucro (plataformas que comparten libros, películas, intercambian bienes de segunda mano de particular a particular, etc.).

Desde la perspectiva empresarial, la estrategia de negocio permite construir un marco en el que la prestación de servicios pueda justificarse a través de trabajadores autónomos. Existen prestaciones sin necesidad de habitualidad ni especial organización y control, sin sujeción a un horario concreto o a una jornada rígida, donde cabe aprovecharse de que los medios de trabajo sean propiedad del prestador. Todo ello confluye en que la organización del negocio en sí se canalice con aquellos trabajadores que suponen un menor coste, pues son ellos los que corren con la carga de las cotizaciones a la Seguridad Social, no existe un convenio o un salario mínimo a respetar, ni existe obligación de abonar una indemnización en caso de cese.

Por otra parte, la ausencia de vínculo personal entre empresa y trabajador aleja aún más la especial dependencia propia de las relaciones laborales, trabajando prácticamente por encargo o por tarea, con el único vínculo de una plataforma accesible a través de Internet. Ello supone un condicionante añadido, pues el riesgo de impago por los servicios y las posibles reclamaciones a la empresa deslocalizada, en ocasiones, existente solo en línea y con las dificultades de prueba a efectos de acreditar un incumplimiento, añaden a la soledad del prestador, separado del resto de prestadores a quienes no tiene tampoco la necesidad de conocer, una carga más para el normal ejercicio de su actividad como trabajador y para el ejercicio de sus derechos.

No parece propio de una relación laboral o de prestación de servicios que el trabajador o "prestador" no conozca quién es su empleador o su proveedor, más que por un portal o plataforma a través de Internet, con quien se relaciona. Pero lo realmente extraordinario es que quien está detrás de esa plataforma, quien da las ordenes e instrucciones sobre el servicio a realizar no es más que un programa informático. Es el propio programa instalado en la plataforma quien a menudo capta a los clientes potenciales a través de la web y quien los pone en contacto con los prestadores de servicios, quienes retroalimentan su opinión sobre el servicio prestado, por ejemplo, a través de una puntuación, que a su vez tiene en cuenta el programa para demandar de nuevo servicios al prestador. En este sentido cabe plantearse, en palabras de MERCADER UGUINA, la siguiente cuestión: ¿Es mi jefe un algoritmo?[7].

Existe, de facto, una delegación de los poderes empresariales en una simple máquina, que es capaz de medir el rendimiento, valorarlo, hacerse cargo del cobro y del pago del servicio y, en última instancia, prescindir del propio trabajador.

Todo ello permite construir, a efectos de exigir responsabilidad, una vía para conocer realmente quién es la persona física o jurídica que está detrás de la plataforma, para poder demandar, incluso judicialmente, a quien sea realmente responsable de una serie de incumplimientos, entre los que se encuentran los de carácter laboral. Por ello, al igual que en las sociedades convencionales, cuando son utilizadas de pantalla para ocultar los incumplimientos relevantes, bien sea a través de los grupos de empresas, de empresas aparentes o en los casos de cesión

---

7   MERCADER UGUINA, R.: *El futuro del trabajo en la era de la digitalización y la robótica*, Tirant lo Blanch, Valencia, 2017, p. 90.

ilegal de trabajadores, el empresario digital puede también ocultarse detrás de la plataforma, por lo que habrá que levantar ese velo "digital" a la hora de exigir responsabilidades.

A efectos laborales, el empresario digital es aquel bajo cuya organización y dirección prestan servicios los trabajadores a través de una plataforma o programa, que perciben por sus servicios una contraprestación económica derivada de su actividad en la misma, bien como soporte, mantenimiento o desarrollo, bien facilitando la prestación del servicio con terceros. Son notas fundamentales las típicas de la relación laboral, si bien algunas notas, como la subordinación o dependencia, se flexibilizan hasta el extremo, pues en ocasiones, tanto la sujeción a una jornada o a un horario, la habitualidad en la prestación del servicio, la recepción de ordenes e instrucciones sobre la ejecución del trabajo o el control y la vigilancia empresarial no son facultades ejercidas al uso, sino de forma indirecta, como por ejemplo, atendiendo solo a la valoración o puntuación de los clientes sobre la prestación del servicio.

Es también una nota común del trabajo en plataformas digitales, la peculiaridad de que el empresario como tal, persona física o jurídica, no es más que una marca o un reclamo en las búsquedas por Internet, con facilidad por tanto para cambiar de nombre y trasladar lo que sería el "centro de trabajo" en el mismo espacio de Internet.

Puede ocurrir también que el empresario digital venda su marca a otro empresario, o preste sus servicios bajo otro dominio, unas veces manteniendo la misma dirección digital y haciéndose cargo del servicio, mientras que en otras cede el dominio e incluso la marca. Se pueden dar así supuestos de sucesión de empresa digital, entendiendo que la infraestructura necesaria para el desarrollo de la actividad no es más que la propia plataforma. En estos casos, los empleados digitales, que no tienen necesariamente que tener una sede física, pasarían a configurar la plantilla de la nueva empresa que se subrogaría en los derechos y obligaciones de la anterior.

Lo que puede ocurrir en todos estos casos es que la empresa digital, al amparo de la plataforma, no atienda a los derechos de los trabajadores, negándoles incluso, bajo la apariencia de colaboraciones puntuales, la propia relación laboral así como el alta en Seguridad Social, quedando por tanto desprotegidos y solo amparados por las denuncias que puedan plantear en su caso, ante la amenaza de perder su empleo.

La empresa digital no tiene necesidad de contar con un establecimiento físico, ni tan siquiera requiere mantener un contacto presencial previo o durante la relación por lo que no queda más remedio que todas las pruebas que se puedan aportar por el trabajador para acreditar su relación laboral, incluyendo los trabajos, la jornada o el horario, han de salir de la propia plataforma, lo que en ocasiones, y debido a la falta de exposición pública en la misma puede resultar de difícil demostración.

Esta modalidad de prestación de servicios cuenta además con la ventaja para el empresario digital de la difícil persecución de la inspección, tanto de la Inspección de Hacienda, como de la Inspección de Trabajo, cuyas visitas al centro de trabajo solo se podrían llevar a cabo a través de la propia plataforma lo que requiere de medios y de conocimientos complementarios para los propios inspectores.

Por último, el hecho de que la empresa digital esté alojada en el ciberespacio permite que las prestaciones laborales no estén protegidas por el ordenamiento de nuestro país, sino en teoría y por el principio de territorialidad, por las reglas del país en el que físicamente se presten los servicios. Ni siquiera el empresario puede estar físicamente en nuestro país, sino en cualquier lugar del mundo, lo que supone un nuevo problema para la exigencia de responsabilidades.

A todo ello debemos añadir la dificultad que, en ocasiones, supone conocer qué persona física o jurídica es la que está detrás de la plataforma digital, teniendo como único rastro una página web y, en su caso, el posible rastreo de sus medios de financiación y explotación, así como el beneficio económico obtenido, cuyas transacciones pueden quedar en gran parte al margen de los bancos, a través de medios de pago como Paypal y otros medios en línea, como las criptomonedas y otros "*tokens*"[8].

En definitiva, resulta complejo delimitar e identificar al auténtico empresario digital que lleva a cabo su actividad en plataformas digitales que prestan servicios sin necesidad de una ubicación física, licencia o autorización, sin fronteras y, a menudo, bajo el amparo del intercambio de bienes o servicios entre los usuarios, tratando de esquivar una actividad económica.

2. *Trabajos amistosos y colaborativos vs. actividad laboral o profesional*

Las plataformas digitales permiten una enorme cantidad de posibilidades, tanto de negocio como de mera colaboración, siendo además sencillas de localizar a través de los motores de búsqueda o buscadores que se pueden encontrar en Internet. Ello permite que personas sin un interés económico o, al menos, sin un ánimo de lucro directo, intercambien información, opiniones, contenidos

---

[8]   Un *token* es "una unidad de valor que una organización crea para gobernar su modelo de negocio y dar más poder a sus usuarios para interactuar con sus productos, al tiempo que facilita la distribución y reparto de beneficios entre todos sus accionistas". En MOUGAYAR W.: *The business blockchain*, John Wiley & Sons Limited, Hoboken (EEUU), 2016.

(música, libros, películas y experiencias) de forma altruista, espontánea, con o sin habitualidad, tanto de forma interesada, buscando un beneficio a cambio, como desinteresadamente.

En la medida en que estas actividades puedan quedar enmarcadas en meras relaciones sociales o en la exclusión de laboralidad del art. 1.3.d) del Estatuto de los Trabajadores (ET), como trabajos realizados a título de benevolencia o amistad, no deben ser consideradas como laborales.

Sin embargo, cuando estas actividades tienen una finalidad profesional, buscando una contraprestación económica o se realizan con ánimo de lucro, pueden quedar enmarcadas en el ámbito de la relación laboral, si se realizan para una entidad que dirige y organiza el negocio, o en el trabajo por cuenta propia, cuando es la propia persona la que a través de la plataforma presta servicios por su propia cuenta.

La dificultad estriba, sin embargo, en separar aquellas actividades que amparadas en principio por la plataforma, permitiendo un intercambio de bienes y servicios, buscan la explotación de un negocio lucrativo, o cuando menos, transacciones espontáneas que conllevan un beneficio económico para el prestador.

Así, por ejemplo, la plataforma "Blablacar" tiene como finalidad poner en contacto a personas interesadas en compartir vehículo para realizar un viaje, compartiendo también los gastos. En principio, se trata de una actividad meramente de intercambio, sin finalidad lucrativa, aunque persigue un fin económico como es viajar a un coste más barato. En la medida en que el viaje se haría de todas formas por el titular del vehículo, con o sin acompañante, y en la medida que este último solo pretende viajar en unas determinadas condiciones aceptadas por ambas partes, no se puede deducir la existencia de una actividad profesional. Sin embargo, cuando el conductor del vehículo se aprovecha de la plataforma para llevar habitualmente a viajeros con ánimo de compartir los costes del viaje, obteniendo sin embargo una ganancia, y siendo el objeto de su actividad lucrarse con esa actividad de transporte, sí podemos entender que realiza una actividad profesional autónoma, teniendo por tanto que regularizar a efectos laborales y fiscales su actividad.

Surge así dentro del concepto amplio de la economía colaborativa, lo que algunos denominan la economía bajo demanda, economía de acceso y actividad subyacente.

La economía colaborativa tiene por objeto una amplia diversidad de intercambios o prestaciones de servicios a través de las plataformas digitales o aplicaciones que ponen en contacto a personas interesadas en la oferta y demanda de esos servicios que pueden ser profesionales o de carácter doméstico y personal.

La economía bajo demanda se basa en la prestación de servicios de un profesional, que puede ser empresario, autónomo o particular, ofreciéndose a una pluralidad de personas para llevar a cabo el servicio ofertado y demandado por el "cliente", adaptándose a sus requerimientos y normalmente a cambio de una remuneración o contraprestación. Este profesional puede ejercer la actividad a través de una empresa con trabajadores, o bien de forma autónoma.

La economía de acceso radica en la actividad de una plataforma digital que realiza una actividad económica permitiendo el acceso temporal a determinados bienes, a cambio de un fin comercial o lucro económico. La plataforma es una empresa, que puede prestar los servicios directamente, con trabajadores contratados para ello, o bien descentralizando la actividad a otras empresas o autónomos.

Y, por último, la actividad subyacente es la que realizan los usuarios que hacen uso de la plataforma que facilita la intermediación, pudiendo ser profesionales o personas a título particular.

Pues bien, a efectos de determinar la existencia de una actividad económica que implique la prestación de servicios profesionales, ya sea por cuenta propia o por cuenta ajena, cabe aplicar los siguientes indicios:

En primer lugar, distinguir entre la mera intermediación sin ánimo de lucro de lo que es la prestación del servicio. La actividad de mediación puede ser lucrativa, lo que determinaría una actividad económica que lleva a cabo la propia plataforma. Por ejemplo, UBER, obtiene un beneficio poniendo en relación a clientes y prestadores de servicios. La mediación sin ánimo de lucro no determina el ejercicio de una actividad económica como empresa o profesional.

En segundo lugar, cuando la cuantía económica obtenida es superior al salario mínimo interprofesional por el desempeño de la actividad. Si la cantidad está por debajo en cómputo anual de este umbral, puede considerarse marginal y no dar lugar a su inclusión en el campo de aplicación de trabajadores por cuenta propia o autónomos.

En tercer lugar, el criterio de la habitualidad o el carácter esporádico de la actividad. El aprovechamiento puntual de un intercambio de bienes o servicios, incluso bajo precio, entre particulares, no presupone una actividad económica o la explotación como negocio. El ofrecimiento general de prestaciones de servicios bajo demanda presupone la continuidad en la actividad económica ante los pedidos o encargos que se realicen.

En cuarto lugar, la existencia de una mínima organización empresarial o profesional que permita afrontar las demandas de los servicios que se prestan. Ello implica normalmente ciertos recursos en cuanto a la atención, la gestión y la prestación del servicio, si bien, en ocasiones, es suficiente con la propia plataforma.

En quinto lugar, la visibilidad exterior del servicio que se oferta. El reclamo publicitario en redes sociales y los anuncios a través del marketing electrónico pueden llevar a neutralizar actividades colaborativas o marginales a simple vista, cuando el propio reclamo publicitario asume el compromiso de atender al cliente, en cualquiera de los servicios que se ofertan.

En sexto lugar, la naturaleza de la propia plataforma en la que se lleva a cabo la gestión de los servicios. En las plataformas que gestionan un servicio profesional los prestadores son normalmente trabajadores, bien por cuenta ajena, bien autónomos, que reciben el encargo y que, con frecuencia, cobran de la plataforma o del cliente una contraprestación económica.

Quedan sin embargo en el aire algunas prestaciones de servicios que, por su carácter marginal o por los escasos recursos y el rendimiento obtenido, presentan dudas en cuanto a su naturaleza como actividad económica. Sirva de ejemplo, la plataforma "*DogBuddy*", que pone en contacto a los dueños de perros con posibles paseadores que, con carácter ocasional o habitual, aceptan microtareas consistentes en sacar a pasear al perro a cambio de una pequeña cantidad dineraria que podría calificarse incluso como propina, cuando no se ha pactado la obligación del pago de una cantidad. Otro ejemplo similar es la actividad esporádica de actuar como cuidadores de niños, a los que se ha denominado "canguros", pudiendo ser desempeñada por una misma persona con carácter habitual obteniendo beneficios que permitan incluso constituir su medio fundamental de vida. Las ofertas y demandas en esta actividad se puede encontrar fácilmente en las plataformas "*Indeed*" y "*Yoopies*".

Aunque cabe argumentar que este tipo de tareas o microtareas se han desempeñado siempre en la economía tradicional, amparadas por la exclusión de trabajos amistosos, benévolos o de buena vecindad, la diferencia sustancial es precisamente la existencia de la plataforma que permite gestionar ofertas y demandas, lo que a su vez ofrece al prestador dedicarse por entero a esa actividad, que puede compatibilizar con tareas domésticas, estudio o, simplemente, ser su medio de vida.

Desde el momento que la plataforma permite al prestador la búsqueda continua y habitual de estos servicios, en determinadas condiciones y compromiso, como, por ejemplo, adecuándose a un horario y bajo una contraprestación económica pactada, obteniendo recursos económicos suficientes, cabe presumir que se trata de una actividad económica por cuenta propia y, por tanto, sería obligatorio el alta en este Régimen de Seguridad Social, salvo que por los rendimientos percibidos se pueda entender que se trata de una actividad marginal.

El problema de la contraprestación económica y los servicios prestados para una economía de tipo familiar es que no está normalmente declarada, dificultando por tanto su control y la exigencia de responsabilidad.

3. Trabajo por cuenta ajena y trabajo por cuenta propia en plataformas digitales

El trabajo por cuenta ajena, regulado en la normativa laboral es aquel prestado bajo dos características esenciales, como son la ajeneidad (tanto en los frutos, como en los riesgos) y la dependencia, así como la existencia de una contraprestación económica exigible al empleador por el trabajo prestado en unas condiciones de jornada, horario, condiciones de trabajo y poder disciplinario que se encuadran dentro de la potestad organizativa empresarial o poder de dirección.

El trabajo por cuenta propia, como contraposición, es aquel que de forma directa ejecuta el trabajador con sus propios medios y recursos, ostentando la dirección de la actividad contratada por un tercero a cambio de un precio.

La diferencia en términos económicos estriba en el mayor coste y riesgo que supone para un empresario realizar contratos de trabajo cuando la actividad o el servicio a contratar puede enmascararse a través de autónomos, bajo el pretexto de la autonomía en la realización del trabajo a título personal por uno o varios "profesionales" que son los que realizan con sus propios recursos la actividad económica. Es decir, utilizar la vía de la contratación civil y mercantil con terceros para llevar a cabo el servicio o la actividad de la empresa, circunstancia que permiten fácilmente algunas plataformas digitales al carecer de centro de trabajo, otorgar una amplia flexibilidad y disponibilidad al trabajador y limitar su actividad a prestar el servicio al cliente de la empresa principal.

En efecto, la tecnología permite, a través de plataformas virtuales, aplicaciones, apps, redes sociales y programas informáticos descubrir nuevas formas de organización del trabajo, más flexibles, dinámicas y eficientes. La flexibilidad en el trabajo prestado, ya sea por cuenta propia o a través de un contrato de trabajo por cuenta ajena, supone una enorme ventaja desde muy diversos puntos de vista.

En el plano económico, estas herramientas permiten aumentar la productividad, potenciar la visibilidad a un bajo coste, dirigiendo los productos a potenciales consumidores a través del marketing electrónico, así como crear estructuras organizativas o núcleos de actividad que permiten prescindir de un centro de trabajo físico, siendo en ocasiones irrelevante el lugar desde el que se presta el trabajo.

En el plano laboral, la tecnología permite, no ya una desubicación del trabajador sino, al contrario, su ubicación en todas partes, o en cualquiera de ellas. Si bien la distancia con el empleador potencia un mayor grado de autonomía en la toma de decisiones y en la ejecución de la prestación laboral, sin embargo, el control omnímodo, contrarresta lo que podría verse como un debilitamiento del carácter de la dependencia.

Esta mayor flexibilidad y autonomía debe también aplicarse a la relación individual de trabajo, que no es ajena al empleo tecnológico de los medios y recursos que a tal fin se ponen a disposición de los trabajadores. Incluso, podría apreciarse cierto paralelismo con la época de la introducción de la automatización en la industria, donde ya se apuntaban reflexiones sobre las ventajas de involucrar al trabajador en la tecnología en pro de la productividad, ante el fenómeno creciente de la deshumanización del trabajo[9].

Se observa, por tanto, que la introducción de las distintas aplicaciones en Internet permite la prestación laboral en lugares distintos al propio centro de trabajo, lo que provoca que la tendencia tradicional a la limitación de la jornada laboral se flexibilice ahora para poder adecuar en cada momento la prestación de servicios a las necesidades del mercado[10]. Muestra de ello es el fomento del trabajo a tiempo parcial, la distribución irregular de la jornada o la mayor facilidad de modificar las condiciones de trabajo inicialmente pactadas, para su adaptación a las necesidades productivas de la empresa, que conviven con una regulación proteccionista del trabajador que permite también una adaptación de la jornada para la conciliación de la vida laboral y familiar, cuidado de hijos, etc.

Si bien las plataformas digitales no influyen de manera directa en estas materias, sí que suponen una vía más de flexibilización de la relación laboral, en los casos en que sea factible, compatible con las medidas de flexibilidad interna que recoge la actual regulación de las condiciones de trabajo y que conlleva que el control empresarial se centre en el resultado, por encima del trabajo por unidad de tiempo. Esta forma de control empresarial sobre la prestación laboral permite una mayor autonomía al trabajador, quien puede compatibilizar el trabajo con su vida personal, sin que ceda el control sobre su actividad que, incluso, puede ser mayor, pues las actuales técnicas de control informático permiten conocer exactamente que es lo que está haciendo el trabajador en cada momento.

Un ordenador portátil y una conexión a Internet, cuando no un teléfono móvil (*smartphone*), o cualquier dispositivo conectado a Internet, permite atender desde cualquier lugar un reclamo de la prestación laboral mediante el acceso al correo electrónico, a la *Intranet* de la empresa o incluso, al contacto directo con

---

[9]   Como ya apuntara CUÑAT COSSONIS, "*Las mejores máquinas automáticas, los más modernos sistemas de organización científica del trabajo, resultan inoperantes si no se cuenta con la voluntad de trabajar de los hombres que han de manejarlos. Precisamente por ser cada día más delicado y complejo el mecanismo de la producción, es cada vez más necesario contar con la colaboración activa de los trabajadores, los cuales hayan en la práctica muchas combinaciones para entorpecerlo, cuando se ven tratados injustamente*", en CUÑAT COSSONÍS, R.: "Productividad y moral de trabajo", *Revista de Política Social*, N.º 17, 1953, p. 66.

[10]   COLÀS NEILA, E.: *Derechos Fundamentales del trabajador en la era digital: Una propuesta metodológica para su eficacia*, Bomarzo, Albacete, 2012, p. 79.

proveedores y clientes. No es preciso estar físicamente en el centro de trabajo y, aunque cada sector económico requiere unas condiciones distintas, cada vez es mayor la flexibilidad de horarios, la adaptación de éstos al cuidado de menores y familiares y, al mismo tiempo, una mayor capacidad de respuesta y eficacia ante demandas profesionales.

Ahora bien, el debilitamiento de la característica de la dependencia, típica de la relación laboral, no puede abocar a dejar a las partes la libertad para definir el contrato que las une, como de trabajo, civil o mercantil. Será la naturaleza del contrato la que determinará su calificación jurídica y los efectos, consecuencias, deberes y responsabilidades entre las partes.

No se puede olvidar que además de las ventajas "tecnológicas" descritas, el empresario que contrata laboralmente a sus trabajadores no es libre para fijar el precio del trabajo, sino que se somete al mínimo que establezca el convenio colectivo o, en su defecto, al salario mínimo interprofesional. Tampoco se puede obviar el respeto de las condiciones laborales establecidas en el convenio, las limitaciones de jornada y horario, los permisos retribuidos, las ausencias justificadas y las vacaciones, así como la garantía de la indemnización en caso de despido objetivo, colectivo o improcedente.

Desde el ámbito de la Seguridad Social, el empresario debe cotizar por sus trabajadores, lo que incrementará, aproximadamente, un tercio el coste salarial pagado. Además, le hace responsable directo en caso de accidentes laborales originados por falta de adopción de las medidas de seguridad.

En cambio, la contratación de profesionales, independientes en principio, que reciben la asignación de un encargo a través de la plataforma y que, a priori, no están sometidos al poder de dirección, sino que responden solo por el servicio prestado, evita al empresario "principal" toda la carga laboral y de Seguridad Social que supone el contrato de trabajo. El trabajador autónomo es responsable de su trabajo y del alta, así como de sus cotizaciones a la Seguridad Social.

A tenor de todo lo anterior, parece claro que se ha ampliado el tipo de prestación laboral frente al modelo tradicional del trabajo industrial. El trabajo "parasubordinado" ha provocado ampliar la relación laboral o alguna de sus características a figuras que hasta hace poco constituían los límites a su propia identidad. En este sentido, se hace necesario fijar una serie de indicios que, reconocidos tanto por la doctrina científica como por la jurisprudencia, nos ayudarán a delimitar las fronteras entre el trabajo por cuenta propia y el trabajo por cuenta ajena[11]. El objetivo es aclarar un escenario en el que se aborde y aclare el fraude en la contratación, sobre todo en la medida que verdaderas empresas digitales

---

[11]   DE LA VILLA GIL, L.E. y LÓPEZ CUMBRE, L.: *Los principios del Derecho del Trabajo*, Centro de Estudios Financieros, Madrid, 2003, p. 25.

fijan perfectamente las condiciones de trabajo y ejercen su poder de dirección y organización con trabajadores autónomos, eludiendo las obligaciones derivadas del contrato de trabajo y ahorrándose, por tanto, los costes que de esta relación derivan. Todo ello en detrimento de las condiciones laborales de los trabajadores. Entre los indicios que apuntan a una relación de laboralidad, cabe enumerar los siguientes:

- El ejercicio del poder empresarial manifestado en establecer ordenes e instrucciones precisas a los trabajadores.

Las instrucciones precisas sobre cómo desarrollar el trabajo prestado a través de la plataforma, estableciendo las condiciones de tiempo y lugar en las que se desarrollará la actividad, la forma concreta para llevarla a cabo o las indicaciones sobre la calidad del servicio presuponen la existencia de subordinación y dependencia del trabajador.

- La fijación del precio del servicio y las condiciones de pago y sus modalidades.

Cuando el precio del servicio queda fuera de la libertad de pactos entre el cliente y el prestador, siendo establecido por la propia plataforma, es nuevamente la falta de independencia del trabajador lo que resulta un indicio de falta de autonomía y, por el contrario, de subordinación y dependencia empresarial. De la misma forma, el hecho de percibir las mismas cantidades por el trabajo prestado, independientemente del resultado, o incluso percibir una cantidad económica solo por el hecho de estar a disposición es un indicio de laboralidad.

- La captación de los clientes a través de la propia plataforma, unido a la percepción del usuario que acude a la plataforma para que sea ésta, y no un particular quien presta el servicio

Resulta de especial importancia de quién es el cliente y si éste podría acudir al prestador directamente o solo a través de la plataforma. La marca puede desempeñar un papel importante para comprobar si el servicio se presta por la marca o es indiferente. El cliente percibe a los prestadores como empleados, sobre todo ante repetidas y frecuentes prestaciones de servicios[12].

---

[12] ÁLVAREZ CUESTA, H.: *El futuro del trabajo VS. El trabajo del futuro. Implicaciones laborales en la industria 4.0*, Colex, A Coruña, 2017, p. 87.

* Las garantías ofrecidas por la plataforma son diferentes a las que podría ofrecer un particular

Se trata de comprobar si la plataforma concede prestaciones accesorias al servicio prestado o garantías, en su caso, por una deficiente prestación del servicio, como puede ser la devolución del importe cobrado o, simplemente un servicio de atención al cliente.

* La sujeción a una jornada o a un horario, así como el disfrute de vacaciones y permisos

A pesar de que son condiciones de trabajo que apuntan hacia una relación laboral, sin embargo, el trabajo en plataformas digitales permite una cierta flexibilidad en estas condiciones, al poder ser "a demanda" o "por tarea". Por ello, habría que acudir a otros indicios, pues la flexibilidad en Internet es máxima.

* La voluntariedad u obligatoriedad a la hora de prestar el servicio solicitado

El compromiso a prestar el servicio ante la llamada o el reclamo de un cliente apunta a la laboralidad, mientras que la libre elección de acoger o no el servicio ofertado apunta a un trabajo autónomo e independiente.

* El ejercicio del poder disciplinario mediante acciones correctivas, advertencias o sanciones

La posibilidad de ejercer el poder disciplinario forma parte del poder de dirección empresarial típico de la relación laboral y somete al trabajador a unas reglas de conducta cuya infracción acarrea consecuencias, siendo en éstas donde más claramente cabe diferenciar la naturaleza de la relación. En el trabajo autónomo, la consecuencia recaerá sobre la obligación adquirida del pago de la contraprestación económica, mientras que en la relación laboral esto no es posible, pues el salario está garantizado, salvo que se trate de una suspensión, tanto de empleo como de sueldo. En la relación laboral las consecuencias serían distintas, como la conservación del salario debido, aun a riesgo de perder el empleo. Cuando es la propia plataforma, de acuerdo a los datos recogidos, encuestas a clientes, etc, quien tiene la potestad de excluir a determinados prestadores unilateralmente, estaremos ante un indicio de laboralidad.

* La propiedad de los recursos o herramientas con los que se lleva a cabo la prestación del servicio.

Si los recursos necesarios para llevar a cabo el servicio son de la plataforma o de la empresa que explota el negocio, poniéndolos a disposición del trabajador, la relación apunta a la laboralidad. En caso de que estos medios sean propiedad del prestador del servicio, o cuando éste sea el responsable de su mantenimiento y renovación, el indicio es de actividad autónoma. Sin embargo, caben excepciones como, por ejemplo, el abono de un canon o complemento por el desgaste del bien propiedad del trabajador, el pago de aseguramientos, las garantías de reparaciones o las ventajas para adquirir nuevas herramientas (desde un ordenador, hasta un vehículo), situaciones que podrían equipararse al poder de disposición de los recursos por la empresa.

- El carácter exclusivo en la prestación del servicio para un mismo cliente o empresa

Cuando los servicios son prestados con habitualidad para un mismo comercializador (que, a su vez, dirige y asigna los trabajos a uno o varios prestadores del servicio que con carácter exclusivo realizan su trabajo para una sola empresa), es un indicio, aunque no determinante, de trabajo por cuenta ajena o, en su caso, de trabajador autónomo económicamente dependiente. Sin embargo, en la empresa-plataforma, esta exclusividad se impone con frecuencia a los prestadores, siendo advertidos de que la prestación para otra empresa-plataforma puede ocasionar la "desactivación" del programa[13].

- La participación en los costes del servicio prestado

El trabajador por cuenta ajena no aporta nada más que su trabajo, por lo que no participará en la asunción de los costes que implique el servicio. Sin embargo, en este punto, aparecen divergencias en el trabajo a través de la plataforma cuando el equipo mismo, por ejemplo, el ordenador, es propiedad del trabajador, que asume los costes derivados, como la electricidad. Esta asunción de costes es compatible con el trabajo por cuenta ajena cuando el coste es relativamente pequeño en relación al servicio, al ser una escasa infraestructura necesaria para el trabajo y, en ocasiones, incluso el trabajador percibe una compensación por ello, o esos costes se resarcen en el precio fijado o en el salario.

El problema radica en la mezcla de indicios a favor de la laboralidad, sobre todo respecto a la organización del trabajo, junto a los indicios que apuntan hacia un trabajo autónomo, como la falta de dependencia, al prestarse el servicio fuera de la órbita de control de quien realiza el encargo.

---

[13]   TODOLÍ SIGNES, A.:"Nuevos indicios de laboralidad como resultado de las nuevas empresas digitales", en RODRÍGUEZ-PIÑERO ROYO, M. y HERNÁNDEZ BEJARANO, M. (Dirs.): *Economía colaborativa y trabajo en plataforma: realidades y desafíos*, Bomarzo, Albacete, 2017, p. 240.

Así pues, sería necesario un análisis en profundidad que determine si, en su conjunto, se da la autonomía necesaria para llevar a cabo la prestación en sí, sin intervención activa del intermediario, para excluir la laboralidad de la relación, con especial énfasis en determinar si los medios y recursos se aportan por el propio trabajador, si es libre para decidir si realiza el trabajo y cómo lo realiza, así como si es autónomo también en la fijación del precio.

El caso más paradigmático y conocido, al ser también uno de los primeros, fue el de Uber. De hecho, no pocos autores han denominado a este fenómeno de relaciones a través de plataformas de intermediación entre proveedores y clientes como "*la uberización de las condiciones laborales*", "la uberización del trabajo"[14] o la "*Uber economy*"[15]. A pesar de que un análisis en profundidad sobre esta plataforma determina que ésta ejerce el control sobre la actividad que presta a través de los conductores, en principio autónomos, por haberlo así pactado las partes (o quizá impuesto por una de ellas), sin embargo, en la realidad, la mezcla de indicios en pro y en contra de la laboralidad ha venido a crear un área difusa donde el hecho cierto es que Uber aparece como una empresa, titular de una licencia de transporte de viajeros, bajo la que prestan servicios trabajadores autónomos.

Así, a pesar de que Uber (y otras plataformas similares, como Cabify) se escuda en la plataforma de intermediación y de limitarse a poner en contacto a conductores y clientes, para prestar un servicio de transporte bajo licencia VTC de mayor calidad que el servicio del taxi, con vehículos propiedad del prestador que asume los gastos de la actividad, lo cierto es que el cliente con quien contacta es con Uber, quien fija las tarifas, recibe el precio y reparte la proporción que corresponde al conductor. El problema radica en que algunos indicios de subordinación, como la jornada y el horario, se ven desvanecidos en cuanto a que es el conductor quien voluntariamente puede estar a disposición o no de la empresa en un determinado momento, lo que se utiliza como escudo para eludir el poder de dirección empresarial típico del contrato de trabajo.

Pero si nos fijamos en el resto de indicios que apuntan a la laboralidad, la balanza se inclina hacia la existencia de verdaderos contratos de trabajo por cuenta ajena. La selección de trabajadores "disponibles", la exigencia de condiciones,

---

[14] LEÓN ORDÓÑEZ, G.C.: "Ausencia de regulación, desprotección y encubrimiento de las relaciones de trabajo, ante las nuevas tendencias de prestación de servicio derivadas de la economía colaborativa", en TODOLÍ SIGNES, A. y HERNÁNDEZ BEJARANO, M. (Dirs.): *Trabajo en plataformas digitales: innovación, derecho y mercado*, Aranzadi, Cizur Menor (Navarra), 2018, pp. 112 y 113.

[15] SÁNCHEZ OCAÑA, J.M.: "La Uber Economy y el fenómeno de la economía colaborativa: el mundo del trabajo en disputa", en TODOLÍ SIGNES, A. y HERNÁNDEZ BEJARANO, M. (Dirs.): *Trabajo en plataformas digitales: innovación, derecho y mercado*, Aranzadi, Cizur Menor (Navarra), 2018, pp. 69-104.

como la antigüedad como conductor, las características del vehículo, e incluso la forma de vestir o las comodidades que se han de ofrecer al cliente, someten al conductor a unas directrices muy similares a lo que serían las típicas ordenes e instrucciones laborales.

Además, la fijación del precio y su recaudación excluye la libertad de pactos entre cliente y prestador, pero también es cierto que estas empresas reparten la asunción del riesgo del servicio prestado o lo derivan a terceros, a través de un seguro de automóviles, si ocurriera algún percance. Parece pues que la actividad de la empresa va más allá de la intermediación, aunque es cierto que hay algunas notas típicas del trabajo autónomo, a la vez independiente y subordinado.

Sin duda se trata un tema conflictivo, cuya solución pasa por los tribunales de justicia, si bien, al ser un servicio generalizado que puede operar en varios países, puede haber divergencias con las legislaciones nacionales. Por ejemplo, en el ámbito de la Unión Europea, es el propio Tribunal de Justicia quien sostiene que *"el servicio de intermediación de Uber se basa en la selección de conductores no profesionales que utilizan su propio vehículo, a los que esta sociedad proporciona una aplicación sin la cual, por un lado, estos conductores no estarían en condiciones de prestar servicios de transporte y, por otro, las personas que desean realizar un desplazamiento urbano no podrían recurrir a los servicios de los mencionados conductores"*. Por ello, sostiene el Tribunal, Uber ejerce una influencia decisiva sobre las condiciones de las prestaciones efectuadas por estos conductores. Y, así, destaca algunos indicios de laboralidad, como que *"Uber, mediante la aplicación epónima, establece al menos el precio máximo de la carrera, recibe este precio del cliente para después abonar una parte al conductor no profesional del vehículo y que ejerce cierto control sobre la calidad de los vehículos, así como sobre la idoneidad y el comportamiento de los conductores, lo que en su caso puede entrañar la exclusión de éstos"*[16].

Pero no solo se ha judicializado la intermediación del transporte de viajeros en reclamación del reconocimiento de una relación laboral. En nuestro país, cabe aludir a algunas muestras de actividades de intermediación que han merecido la consideración de laborales.

Es el caso de *Deliveroo*, una plataforma cuya actividad consiste en el reparto y distribución de comida preparada de restaurantes a domicilio o en la oficina de trabajo del cliente a través de *"riders"* o *"jinetes"* que se desplazan en bicicleta para realizar el servicio. Esta relación se ha calificado como laboral, en atención a las circunstancias del caso.

---

[16] STJUE de 20 de diciembre de 2017, asunto *C-434/15*.

El trabajador, tras ingresar en la empresa, debía descargarse la aplicación desarrollada y gestionada por ésta en su teléfono móvil, recibiendo una autorización y, con ella, un usuario y una contraseña personal para poder acceder a la misma. Era la propia organización la que decidía la zona en la que el trabajador debía desempeñar sus funciones. En cuanto al horario, siendo cierto que el trabajador ofertaba a la compañía las franjas horarias en las que podía trabajar, también lo es que esas franjas tenían que estar dentro del horario previamente establecido por la empresa. Respecto al servicio de reparto, la empleadora daba instrucciones concretas a los repartidores sobre la forma en que este se tenía que llevar a cabo, fijando tiempos y normas de comportamiento que estos debían cumplir. En este caso, el poder de dirección se manifestaba a través del control, pues la empleadora tenía en todo momento geolocalizado al trabajador, a quien podía pedir explicaciones sobre el servicio, llevando un control de tiempos de cada reparto.

En contra de la laboralidad, convivían otros indicios que, sin embargo, no alcanzaron a romper la estructura de la relación de trabajo subordinado y personal. Estos indicios eran que el trabajador aportaba para el trabajo su bicicleta y su teléfono móvil, pudiendo ser sustituido. Sin embargo, estos indicios no fueron consistentes cuando se demuestra que el trabajador carecía de organización empresarial, siendo la empresa la titular de la plataforma virtual la que, a través de una aplicación informática —APP—, organizaba la actividad empresarial. En cuanto a la ajenidad, era la empresa la que decidía el precio de los servicios realizados por el trabajador que este percibía con independencia del cobro por parte de la empresa, y tras la elaboración por parte de esta de la factura correspondiente. Además, la empresa establecía las condiciones de los restaurantes adheridos y de los clientes a los que prestaba sus servicios, desconociendo el trabajador cuales eran los restaurantes que en cada momento estaban adheridos a la plataforma y la identidad de los clientes que solicitaban sus servicios[17].

En otro caso distinto, el Tribunal Supremo ha declarado la existencia de relación laboral entre un traductor y la empresa que, a través de un programa informático, seleccionaba a los intérpretes en función de su proximidad geográfica (Ofilingua)[18].

---

[17]   SJS de Valencia N.º 6, de 1 de junio de 2018, sentencia n.º 244/2018. En casos similares y respecto a los repartidores de la plataforma de intermediación "on demand" GLOVO, la SJS N.º 39 de Madrid, de 3 de septiembre de 2018, consideró la relación existente entre el repartidor y la plataforma como de autónomo económicamente dependiente, mientras que la STJS N.º 33 de Madrid, de11 de febrero de 2019, estimó la relación como laboral.

[18]   STS (Sala de lo Social), de 16 de noviembre de 2017, rec. n.º 2806/2015.

Se trata de una buena muestra en la que, a pesar de la concurrencia de indicios importantes de no laboralidad, finalmente se declaró la existencia de contrato de trabajo. Si bien el intérprete no tenía un horario fijo, este venía impuesto por las necesidades de los organismos que solicitaban a la empresa los servicios de traducción e intérprete, fijando el día, la hora y el lugar al que el mismo había de acudir. El intérprete decidía si asistía o no a desarrollar sus servicios y, caso de no hacerlo, se llamaba a otro, corriendo el riesgo de que no se le volviera a llamar. Dicha actividad la desempeñaba a cambio de una retribución, percibiendo una cantidad fija y periódica (mensual) determinada por la demandada en proporción con la actividad prestada. Debía justificar las horas que había trabajado, mediante la presentación mensual de facturas, percibiendo una cantidad fija por hora trabajada.

En el caso analizado no consta que el actor tuviera algún tipo de estructura empresarial, insertándose en la organización de trabajo de la entidad demandada. Lo más llamativo es que no se desvirtuó la laboralidad de la relación por el hecho de que la empresa no facilitase medios materiales al intérprete, ya que dadas las características del trabajo que realizaba —traducción e interpretación—, este descansaba fundamentalmente en el elemento personal, careciendo de relevancia los medios materiales. Incluso, la sustitución esporádica por alguno de sus familiares cuando el intérprete escogido no podía realizar el trabajo no implicó, en el tipo de trabajo contratado, la ausencia del carácter personal de la prestación.

Bien pueden ser estos casos el inicio de una interpretación menos estricta en la exigencia de la subordinación típica y necesaria, a efectos de reconocer la laboralidad de aquellas relaciones en las que a pesar de no ejercerse directamente un poder de dirección, ni aportar la empresa medios materiales, ni siquiera estar el trabajador sometido a una jornada, prevalece la realización de la actividad bajo la organización, a través de la plataforma, del propio servicio, indispensable para llevar a cabo la actividad, seleccionando, dirigiendo y asignando a los trabajadores que finalmente actúan como prestadores de servicios de carácter laboral.

Sin embargo, debido a la variada casuística que se puede presentar, es fundamental analizar cada supuesto concreto para determinar cuál es la verdadera naturaleza jurídica del vínculo, sin que quepa establecer normas o principios generales para una determinada profesión o actividad, pues el modo y la manera de realización de la misma puede diferir enormemente de unos casos a otros y no cabe aplicar en todos ellos una misma calificación[19].

---

[19] STSJ de Navarra (Sala de lo Social), de 17 de mayo de 2018, rec. n.º 124/2018. Esta sentencia realiza un interesante análisis de la relación de dos profesores que imparten clases virtuales a través de una plataforma, para una universidad pública siendo su vínculo de naturaleza administrativa.

4. *El levantamiento del velo digital y sus consecuencias*

La expresión tradicional del "levantamiento del velo", de configuración jurisprudencial, ha servido en el ámbito mercantil, y también en el laboral, cuando se utiliza a una persona jurídica cuyos principios han sido en realidad desconocidos por los propios socios o componentes de la entidad, debido a la prevalencia de realidades socioeconómicas por encima de las formas jurídicas. Esta doctrina equivale a una derogación de las reglas de la persona jurídica, siendo ocasional su aplicación y limitándose a la existencia de fraude ejercido a través de la persona jurídica ficticia[20].

Así, si la persona jurídica se emplea para perseguir una finalidad fraudulenta y contraria a derecho, los tribunales pueden prescindir de su forma externa y penetrar en la interioridad de la misma, "levantar su velo", a fin de descubrir la finalidad real pretendida. De esta forma, supone una vía para la no aplicación del principio general de limitación de la responsabilidad de los socios, especialmente en lo relativo al incumplimiento de sus obligaciones, con perjuicio a terceros.

En el ámbito laboral, se trataría de imputar las responsabilidades laborales de las sociedades mercantiles a los titulares de las acciones de las mismas, cuando fueran éstas las que aparecieren como verdaderas empleadoras y se dieran, con respecto a ellas y a sus patrimonios los rasgos de confusión de plantillas, unidad de patrimonio y codirección de la actividad. El caso típico, es cuando existe un grupo de empresas que actúa laboralmente bajo el paraguas de una de ellas, pero que, sin embargo, son todas ellas en su conjunto quienes ejercen las potestades empresariales y quienes reciben la prestación del trabajador. El hecho de que una de ellas no pueda responder de sus obligaciones laborales frente al trabajador convierte al grupo en responsable solidario.

En este caso, el de las plataformas virtuales, se trataría de aplicar esta doctrina para buscar al responsable, persona física o jurídica, que opera detrás de la plataforma, ya que un programa informático, una APP, o un robot (incluso, su fabricante), no puede ser responsable en sí mismo por los incumplimientos que se le puedan imputar. El responsable será el dueño del programa o de las cosas en cuanto le pertenecen, que también responderá por los actos de las personas dependientes que ocasionen un daño a terceros, o por los daños ocasionados a los propios trabajadores[21].

---

[20]   SSTS (Sala de lo Social), de 16 de julio de 2015, rec. n.º 312/2014; 20 de marzo de 2013, rec. n.º 81/2012; 20 de diciembre de 2012, rec. n.º 3754/2011; 24 de febrero de 2009, rec. n.º 3984/2006; 25 de enero de 2007, rec. n.º 4137/2005 y 8 de junio de 2005, rec. n.º 150/2004.

[21]   IGLESIAS CABERO, M: *Robótica y Responsabilidad. Aspectos legales en las diferentes áreas del Derecho*, Colex, A Coruña, 2017, p. 52.

Es decir, en paralelo con la doctrina tradicional, se trata de considerar como verdaderos empresarios a las personas físicas o jurídicas que actúan como pantalla a través de las plataformas para eludir sus responsabilidades frente a los trabajadores. Y lo mismo puede ocurrir cuando se trata de constituir una persona jurídica que es responsable de la plataforma y de la misma forma actúa como pantalla, a efectos de eludir la limitación de responsabilidad de las personas físicas que están detrás de ella. En este caso, cabe ejercitar una acción contra los administradores de la sociedad, verdaderos responsables contra quienes los trabajadores pueden interponer la acción social y la individual frente a dichos administradores, así como la reclamación por deudas.

Si bien esta responsabilidad puede exigirse en todos los ámbitos (civil, penal o laboral) y ante terceros (los clientes que hayan de ser indemnizados por las prestaciones de servicios que les ocasionen un daño o se presten de forma irregular o distinta a lo pactado), nos vamos a centrar en la responsabilidad empresarial respecto a los trabajadores que prestan servicios por cuenta ajena para la plataforma por concurrir las notas típicas de la relación laboral.

La responsabilidad recaerá sobre quien sea el empresario, es decir, quien asuma la puesta en funcionamiento de una plataforma a través de la cual se presta de forma directa y organizada el servicio a los clientes. Solo cabe hablar de responsabilidad laboral cuando la plataforma, lejos de limitarse a la mera puesta en contacto entre personas, realiza una actividad económica, cobrando el servicio y prestándolo a través de personas (trabajadores) seleccionadas al efecto, instruidas sobre la forma exacta de llevar a cabo el servicio, retribuidas por ello y excluidas de la actividad por decisión de la plataforma o de la persona física o jurídica que la soporta. Es decir, cuando se presume la existencia de un contrato de trabajo.

Las consecuencias del incumplimiento de formalizar la relación laboral y, sobre todo, de no dar de alta a los trabajadores en Seguridad Social, provoca las consecuencias siguientes, imputables a la persona física o jurídica que está detrás de la plataforma, a cuyos efectos podemos decir que los tribunales determinarán, mediante el levantamiento del velo digital, la persona física o jurídica que controla y asume el control de la plataforma y de los recursos por ella obtenidos:

En primer lugar, el contrato de trabajo no depende de la denominación que las partes le hayan dado. Es irrelevante a efectos constitutivos de la relación que las partes consideren el contrato como de trabajo o de arrendamiento de servicios con trabajadores autónomos. El contrato depende de su propia naturaleza y será laboral en la medida que se cumplan los requisitos de esta relación (art. 8.1 ET).

En segundo lugar, una vez que el contrato es calificado como de trabajo, el juez puede declarar su carácter indefinido, cualquiera que fuera su modalidad de contratación, cuando el empresario no hubiera dado de alta al trabajador en Seguridad Social una vez transcurrido un plazo igual al que legalmente hubiera podido establecer para el período de prueba, salvo que de la propia naturaleza de las actividades o de los servicios contratados se deduzca claramente la duración temporal de los mismos.

En tercer lugar, el hecho de la existencia de un contrato de trabajo determina la atribución de una serie de derechos, principalmente de contenido económico, entre los que cabe referirse a los siguientes:

- El derecho a percibir las cantidades económicas establecidas en las tablas del convenio colectivo de aplicación correspondientes a su categoría profesional. El trabajador tiene acción de reclamación de cantidad por el importe de lo adeudado por el trabajo prestado o la diferencia con el salario de su categoría, cuando el salario abonado fuera inferior.

- El derecho a percibir una indemnización por despido, en los términos establecidos en la normativa de aplicación (art. 56 ET), en caso de improcedencia, por cese de la relación laboral.

En cuarto lugar, el empresario puede ser sancionado, por el procedimiento instruido por la Inspección de Trabajo por falta de alta y cotización con una multa económica en función de la cantidad no ingresada. Además, el empresario será responsable de ingresar las cuotas de Seguridad Social no abonadas durante el periodo en el que el trabajador prestara servicios, en el periodo de los cuatro años anteriores, con un recargo mínimo del 20%.

En quinto lugar, no podemos olvidar las responsabilidades que tendría que asumir el empresario si el trabajador sufriera un accidente de trabajo o bien, no se hubieran adoptado las medidas de seguridad y las obligaciones establecidas en la Ley de Prevención de Riesgos Laborales. En este caso, el empresario será responsable del abono de las prestaciones a que tuviera derecho el trabajador, con las correspondientes sanciones administrativas en función del incumplimiento en materia de prevención de riesgos. Las sanciones en materia preventiva oscilan entre los 40 y los 819.780 euros de multa, según sean leves, graves o muy graves y se gradúan en función de la concurrencia de una serie de criterios agravantes o atenuantes. En último caso, el empresario tendría que asumir la responsabilidad derivada del recargo de prestaciones por falta de medidas de seguridad, no asegurable y en cuantía de un incremento entre el 30 y el 50% de las prestaciones de Seguridad Social a que tuviera derecho el trabajador derivadas de accidente de trabajo o enfermedad profesional.

Estas responsabilidades específicas, que han de recaer sobre personas físicas o jurídicas se complementarían, al igual que en un escenario físico de trabajo, con las derivadas de interposiciones fraudulentas en la intermediación de mano de obra como, por ejemplo, la contratación de trabajadores a través de una plataforma, con la única finalidad de cederlos a otra empresa.

Se trata de una forma de descentralización digital en la que, al contrario de las prácticas anteriores, consistentes en "vestir" de trabajadores autónomos a verdaderos trabajadores laborales, en este caso, se trataría de contratar laboralmente a trabajadores para su prestación en otras empresas, aprovechando la intermediación de la empresa-plataforma. La diferencia con las contratas y subcontratas de obras y servicios legales estriba en que en este último caso de "cesión ilegal de trabajadores", la empresa-plataforma actúa como "empresario aparente", pues el verdadero empresario sería para quien efectivamente prestaran servicios estos trabajadores bajo su dirección y organización, con sus recursos y medios de trabajo. La empresa-plataforma carece en estos casos de actividad, más allá de la intermediación, así como de una organización propia y estable, sin recurso alguno para realizar la actividad contratada y sin ejercer las potestades empresariales.

En estos casos, además de las responsabilidades administrativas de las dos empresas, los efectos jurídicos serían los siguientes, de acuerdo con el art. 43 del ET:

- Ambos empresarios responderían solidariamente de las obligaciones contraidas por la plataforma, respecto al pago de los salarios y de las deudas de Seguridad Social, sin perjuicio de las demás responsabilidades, incluso penales, que procedieran.
- Los trabajadores sometidos al tráfico prohibido tendrían derecho a adquirir la condición de fijos, a su elección, en la empresa cedente o en la cesionaria.
- Los derechos y obligaciones del trabajador en la empresa cesionaria serían los que correspondieran en condiciones ordinarias a un trabajador que preste sus servicios en el mismo o equivalente puesto de trabajo, computándose la antigüedad desde el inicio de la cesión ilegal.

Todas estas responsabilidades recaerán en la persona física o jurídica que de soporte a la plataforma como empresario, para lo que pueden surgir nuevas dificultades derivadas, principalmente, de aquellas actividades que no tienen un escenario físico para su realización, pues es posible hacer encargos laborales y prestarlos a través de la plataforma, sin conocer siquiera quién está detrás de la misma. Estas dificultades se acentúan en los casos en que los responsables de la plataforma se encuentran en otro país.

III. EL FACTOR GLOBALIZADOR DE INTERNET SIN FRONTERAS Y SUS REPERCUSIONES LABORALES

Los problemas jurídicos que plantea la tecnología informática, sobre todo en el derecho privado, surgen cuando se tratan de resolver en una dimensión estatal, aplicando las normas de un Estado para la solución de conflictos entre particulares que pertenecen a ese mismo Estado. Pero Internet se desenvuelve en una dimensión supraestatal, un espacio en el que no existen las fronteras territoriales y donde, sin embargo, se ponen en contacto personas que pueden estar en cualquier lugar del mundo para intercambiar información, dinero y trabajo, por poner algunos ejemplos.

Pero no es posible entender una convivencia pacífica si no hay una regulación que evite abusos como la precariedad en el empleo, el fraude fiscal y el libre ejercicio de actividades económicas al margen de cualquier regulación. En Internet, las fronteras territoriales no existen y es posible llevar a cabo actividades online, como actividad económica e, incluso, trabajando por cuenta ajena. El denominado "*crowdwork*" o trabajo colaborativo online permite a cualquier trabajador o prestador de un servicio operar desde cualquier lugar del mundo. Estos trabajos se caracterizan, además, por ser microtareas de corta duración, donde una vez realizado el servicio, la relación se da por finalizada y el "prestador" busca de nuevo en una u otra plataforma otra microtarea.

La plataforma Crowdflower, actualmente *Figure Eight*, aglutina a nivel mundial trabajos ofrecidos por páginas web, particulares, organizaciones y empresas y los divide en pequeñas tareas o "microjobs" que son asignadas a prestadores online previamente seleccionados a los que se abona una pequeña cantidad, a través de cualquier modalidad de pago a través de Internet. En la mayor parte de los casos estos trabajadores no son autónomos, ni mucho menos trabajadores por cuenta ajena, sin tener un mínimo de retribución garantizada, ni protección social, ni derechos colectivos.

En la plataforma *Mechanical Turk* de *Amazon*, los empleadores, llamados "solicitantes" (que a su vez pueden ser tanto personas físicas o jurídicas), remiten sus necesidades a un programa de ordenador que ejecuta un script que externaliza cualquier tarea que requiere inteligencia humana. Para ello colocan tareas en el portal y ofrecen contratos no negociables. A los prestadores se les asignan pequeñas tareas, "*Hit*" una y otra vez, pero raramente pueden ver el conjunto del trabajo. Se trata generalmente de recopilaciones de datos, búsquedas, etiquetado, revisiones de contenido, categorización y otras tareas puramente digitales. La selección e incluso clasificación de los proveedores se lleva a cabo por la plataforma, de forma que los solicitantes demandan a prestadores de una determinada categoría (que en algunos casos incluye restricciones, por ejemplo, a los nacionales de determinados países). La plataforma, además, puede excluir a los prestadores cuyas opiniones o valoraciones no hayan sido satisfactorias.

Esta forma de intermediar, obteniendo un beneficio, gestionando la oferta y demanda de trabajos, replanteándolos y dividiéndolos, fijando el precio de los mismos, así como eligiendo a los prestadores o eliminándolos del portal, se hace exclusivamente online, sin conocer, ni solicitante ni prestador donde se encuentra cada uno, ni cuál es la legislación aplicable de referencia, que claramente no se aplica en cuanto a las condiciones laborales, de Seguridad Social, o régimen fiscal. Ante este fenómeno, que avanza imparable tendríamos que reconducir esta realidad virtual a una realidad jurídica que proteja cuantos derechos se han consolidado en el mundo offline. Para ello habría que superar el obstáculo de la extraterritorialidad y consensuar una norma de mínimos, aplicable en cualquier Estado, que garantice a cualquier ciudadano una mínima protección del trabajo en Internet. Cuando en un pueblo o en una época no tiene vigencia la "*auctoritas*", se cae en lo contrario de la libertad, proceso que suele acaecer en dos periodos: Primero, el desorden y la licencia ilimitada y segundo, la ocupación del poder ante el vacío dejado por la autoridad[22]. Es, en suma, la transposición del "*ubi societas, ibi ius*" ("*donde hay sociedad, hay Derecho*"), bien que aplicado a la "*sociedad virtual*"[23].

En nuestro país, se han hecho distintas reflexiones sobre la globalización y el Derecho, tomando como referencia Internet, ya que posee un carácter universal que supera las fronteras de los Estados. Este hecho tiene una importante incidencia en la aplicación de las normas, dado que los Estados pierden su capacidad tradicional de control, basada en la territorialidad de su soberanía. No se puede regular la actividad en Internet con los mismos instrumentos (tratados, leyes, reglamentos) ni de la misma forma (exclusivamente unilateral) en un espacio extraterritorial. Internet requiere nuevos mecanismos de regulación o, cuando menos, demanda un replanteamiento de los mecanismos de regulación tradicionales[24].

El factor de la transnacionalidad en las prestaciones de servicios plantea varios problemas de difícil solución.

En primer lugar, determinar la legislación aplicable a un contrato en el que empresario y trabajador se encuentran en distintos países o bien, cuando el lugar de la prestación de servicios es en la red (por ejemplo, atención telefónica, asesoría, docencia virtual, traducción, etc.). Para ello, se deben coordinar las legislaciones de los distintos Estados, estableciendo normas de cooperación y con-

---

[22]   GARCÍA PELAYO, M.: "*Auctoritas*", en GARCÍA PELAYO, M.: *Idea de la política y otros escritos, Centro de Estudios Constitucionales*, Madrid, 1983, pp. 157-158.

[23]   VERA SANTOS, J.M.: "Derechos Fundamentales, Internet y Nuevas Tecnologías", en GARCÍA MEXÍA, Pablo (Director): *Principios de Derecho de Internet*, Tirant lo Blanch, Valencia, 2005, p. 189.

[24]   CERRILLO I MARTÍNEZ, A.: "Las Tecnologías de la Información y la Comunicación en el debate del derecho público contemporáneo", *Revista Catalana de Dret Públic*, N.º 35, 2007, p. 3.

trolando los abusos, ya sean laborales, o fiscales, al no declarar los rendimientos obtenidos[25].

En este sentido, se dan distintas circunstancias que inciden en la falta de protección del trabajador digital:

Si nos atenemos a la legislación del Estado donde se desarrolla el trabajo, será la legislación de este Estado la que califique esa prestación como laboral, autónoma o extralaboral, que no tiene que coincidir con la calificación de la legislación del Estado donde se ubica la plataforma o la empresa que la sustenta. Y, aún así, en el caso de que ambas legislaciones coincidieran en calificar como laboral la prestación de los servicios, se hace muy difícil reclamar contra la empresa-plataforma cuando su sede y sus bienes o recursos se encuentran en otro país[26].

En todo caso, las condiciones laborales que, por el principio de territorialidad serían las aplicables en el Estado donde se encuentra el trabajador, con las especialidades que las distintas legislaciones establezcan, pueden ser absolutamente distintas e incompatibles, sobre todo en países muy distintos al entorno europeo, como Asia.

A pesar de todo, sin embargo, existe una conciencia de los prestadores para aceptar este tipo de encargos en las condiciones que establece la plataforma, sin oponerse a ello, y bajo la amenaza de ser excluidos del acceso a los trabajos y, por tanto, de las compensaciones económicas.

En segundo lugar, provoca precariedad en el empleo, al ser muy difícil el control y la garantía de los derechos laborales, en cuanto a jornada, salarios o régimen de extinciones. Es probable que dentro de las facultades de la Inspección de Trabajo, o de la Inspección fiscal, sea necesario establecer un cuerpo de inspectores digitales o tecnológicos, que puedan seguir el rastro de las prestaciones de servicios y de los rendimientos obtenidos. Pero probablemente ello no solucionará el problema de utilizar mano de obra barata en países donde los salarios son más bajos, en perjuicio, al fin y al cabo, del Estado en el que se encuentra establecido el empresario.

En tercer lugar, se presentan problemas de desprotección, sobre todo en cuanto a la diversidad de regímenes de Seguridad Social en los distintos Estados, siendo necesario acuerdos similares al régimen existente en la Unión Europea, para determinar donde corresponde ingresar las cotizaciones y para la totalización de

---

25   RODRÍGUEZ-PIÑERO ROYO, M.: "El jurista del trabajo frente a la economía colaborativa", en RODRÍGUEZ-PIÑERO ROYO, M. y HERNÁNDEZ BEJARANO, M. (Dirs.): *Economía colaborativa y trabajo en plataforma: realidades y desafíos*, Bomarzo, Albacete, 2017, p. 219.

26   SERRANO OLIVARES, R.: "Nuevas formas de organización emprearial: Economía colaborativa —o mejor, Economía digital a demanda—, Trabajo 3.0 y laboralidad", en RODRÍGUEZ-PIÑERO ROYO, M. y HERNÁNDEZ BEJARANO, M. (Dirs.): *Economía colaborativa y trabajo en plataforma: realidades y desafíos*, Bomarzo, Albacete, 2017, p. 30.

éstas y, en su caso, prorrateo en el pago de las futuras pensiones por cada institución de Seguridad Social en cada Estado.

En cuarto lugar, sería necesario armonizar las legislaciones de los distintos Estados que garanticen un mínimo de las normas de territorialidad en cada uno como, por ejemplo, las condiciones mínimas de acceso al trabajo, o la prohibición del trabajo de menores de determinada edad.

Sin embargo, parece que prevalece el aspecto económico a la garantía de unas condiciones dignas, como se puede contrastar en el discurso anual de septiembre de 2018 sobre el estado de la Unión de Jean-Claude Juncker, presidente de la Comisión Europea: "Europa necesita un mercado único digital de confianza, que facilite la vida de sus ciudadanos, genere un crecimiento del orden de 415 000 millones EUR cada año y cree cientos de miles de nuevos puestos de trabajo".

A pesar de ello, al menos en el ámbito de la Unió Europea, existe la voluntad de reconocer parte de la problemática existente, así como se trata de delimitar y coordinar los conceptos de trabajo por cuenta ajena y trabajo por cuenta propia. En una Comunicación de la Comisión Europea, denominada "Una Agenda Europea para la economía colaborativa", se reconoce que el éxito de las plataformas colaborativas, a pesar de la dificultad que suponen para algunos operadores y prácticas del mercado, permiten a los ciudadanos nuevas oportunidades de empleo, modalidades de trabajo flexibles y nuevas fuentes de ingresos[27].

Sin perjuicio de admitir este hecho, sin embargo, cuando se habla de la protección frente abusos para conseguir una mano de obra más barata y precaria, solo se reconocen algunos problemas relacionados con los marcos jurídicos existentes, que se tratan de solventar, por ejemplo, tratando de unificar la definición de trabajador por cuenta ajena, para dar la protección que la Unión Europea garantiza a los trabajadores.

En el plano fiscal, también se plantean cuestiones relativas al cumplimiento y ejecución de las obligaciones fiscales, que van un poco más allá de las preocupaciones meramente laborales: Por ejemplo, sí que se alude a la dificultad para identificar a los contribuyentes y los ingresos imponibles, la falta de información sobre los prestadores de servicios, la exacerbación de la planificación fiscal agresiva en el sector digital, las diferentes prácticas fiscales en la UE y el deficiente intercambio de información.

---

[27] Comunicación de la Comisión al Parlamento Europeo, al Consejo, al Comité Económico y Social Europeo y al Comité de las Regiones, de 2 de junio de 2016, sobre "Una Agenda Europea para la economía colaborativa". En línea: https://eur-lex.europa.eu/legal-content/EN-ES/TXT/?uri=CELEX%3A52016DC0356&from=EN&locale=es

IV. A MODO DE CONCLUSIÓN

La evolución demográfica, no tanto cuantitativa, sino cualitativa, en el sentido de que las generaciones presentes y venideras están totalmente adaptadas a la digitalización, demanda nuevas formas de socializar, de empleo, de organización y emprendimiento, así como de aprovechar al máximo las posibilidades y los servicios que se adapten a sus necesidades al menor coste posible. La sociedad siempre se adelanta al Derecho, por lo que la rápida evolución de algunas prácticas pueden poner en peligro el estado del bienestar o el nivel de protección social, sobre todo en las prestaciones de servicios que pueden verse afectadas por la falta de control y garantía de derechos laborales y de las condiciones de trabajo ante la globalización y extraterritorialidad en que se desenvuelve este universo digital.

La práctica de trabajar en plataformas virtuales ofreciendo los servicios a una empresa de la que, aparte de la marca comercial, se ignora su identidad, pero que demanda un servicio a través de un intermediario, que organiza, gestiona y cobra por ello, es una actividad empresarial, generalmente con ánimo de lucro y, en muchas ocasiones, exige un trabajo dependiente y subordinado, pero escasamente retribuido, siendo mercantilizado al máximo. La diversidad de supuestos es enorme, pero, con carácter general, la relación en estos casos es laboral y debería estar regida y protegida por el Derecho del Trabajo.

Pero, ¿qué Derecho del Trabajo? El elemento de la extraterritorialidad plantea interrogantes que giran en torno a qué reglas se aplican a estas prestaciones de servicios. Si recurrimos al criterio del lugar de ejecución del trabajo, éste puede ser un lugar físico y, en este caso, sería posible aplicar las normas de cada Estado. Aún así, quedaría el problema de exigir posibles responsabilidades a un ente digital, cuyo propietario puede no estar en el Estado que lo persigue.

El problema mayor es que las prestaciones de servicios online, que tienen lugar en el universo virtual de la red, no se prestan en un lugar concreto y, además, sin que sea siquiera conocido el lugar donde se ubica el trabajador que fácilmente puede cambiar la localización de su identificador. En este caso, podemos encontrarnos ante la circunstancia de que ni la empresa digital está en el Estado que trata de tutelar los derechos del prestador, que tampoco tengamos constancia de cuál es el lugar de la prestación de servicios y, por tanto, ni siquiera se pueda conocer con claridad cuál es la legislación aplicable. Si a ello añadimos la heterogeneidad de las legislaciones de los distintos Estados, así como de las distintas obligaciones laborales, de Seguridad Social y fiscales de cada Estado, nos encontramos en un terreno yermo, donde no es posible el control de verdaderas actividades económicas que persiguen un ahorro fraudulento de costes en perjuicio de los derechos de los trabajadores.

Tratar de hacer valer las normas locales de cada Estado en un mundo globalizado no es una solución, cuando es relativamente fácil eludir esas normas. Ni siquiera a nivel de la Unión Europa quedan asegurados todos los supuestos, ni están claros los efectos que provoca emplear a un trabajador por cuenta ajena sin contrato, eludiendo los derechos laborales, de Seguridad Social o de defensa frente a prácticas notoriamente ilegales. Tampoco los convenios de la OIT, así como sus informes y estudios, van más allá de tratar de definir los trabajos que pueden ser considerados por cuenta ajena y a los que se trata de dar protección, pero sin proponer los medios necesarios[28].

Son distintas soluciones las que se ha propuesto, pero casi siempre caen en el error de ser soluciones locales, es decir, adaptando la regulación o legislación de un Estado a las exigencias y principios internos. Estas soluciones, por sí solas, no son válidas ni siquiera a corto plazo.

En España, se ha propuesto regular el trabajo en plataformas digitales, teniendo en cuenta nuestro propio ordenamiento. Así, se trata de adaptar estas prestaciones de servicios y sus especialidades al marco de nuestra legislación laboral. Incluso se ha propuesto como solución, la regulación como relación laboral especial de este tipo de trabajos.

Si bien estas iniciativas pueden atenuar algunas prestaciones de servicios que físicamente se desarrollan en nuestro país, sobre todo, cuando se hallan localizados tanto el empresario, como el trabajador, no es la solución para las plataformas en las que se compra y se vende trabajo digital, en cualquier lugar del mundo.

Sería necesario una regulación universal, general, aplicable en todos los Estados, que haga respetar unos derechos mínimos, reconocidos en todos los países, partiendo de la delimitación de aquellos trabajos o tareas que por ser "profesionales" sean dignos de protección frente a las empresas digitales, a menudo ubicadas tras una plataforma o programa.

Seguramente, las normas, en su actual concepción, también tendrían que evolucionar hacia el lugar de prestación de los servicios en la propia web, partiendo de algunas ventajas que permiten acreditar hechos que se puedan subsumir en el supuesto regulado. Estas ventajas parten de la trazabilidad, el rastro o la huella digital que queda en Internet y que a través de aplicaciones de control, como por ejemplo, el blockchain, permite una transparencia y control universal de todos y cada uno de los detalles y movimientos de cada encargo, trabajo, retribución, etc. ¿Serían las empresas digitales partidarias de un control transparente y total de

---

[28]   Véase el Informe de la OIT "Las plataformas digitales y el futuro del trabajo", de 20 de septiembre de 2018. En línea: https://www.ilo.org/global/publications/WCMS_645887/lang--es/index.htm

cada operación, con el fin de atribuir responsabilidades y exigir el respeto a los derechos laborales, a la vez que identificaría las rentas obtenidas? Es una cuestión compleja, ante una realidad compleja, pero las soluciones a los problemas digitales, tendrían que proponerse también mediante medios digitales, previo acuerdo entre todos los países para cimentar una sociedad digital que respete los derechos sociales a nivel mundial y pueda perseguir, también digitalmente, a quienes incumplen o abusan de prácticas evasivas de las obligaciones tradicionales.

V. BIBLIOGRAFÍA

ALFARO DE PRADO SAGRERA, A.: "Estrés tecnológico: medidas preventivas para potenciar la calidad de vida laboral", *Temas Laborales, Revista Andaluza de Trabajo y Bienestar Social*, N.º 102, 2009, pp. 123-155. En línea: http://www.juntadeandalucia.es/empleo/anexos/ccarl/33_1146_3.pdf

ÁLVAREZ CUESTA, H.: *El futuro del trabajo VS. El trabajo del futuro. Implicaciones laborales en la industria 4.0*, Colex, A Coruña, 2017.

ARAGÓN REYES, M.: "La libertad de empresa", *Revista del Ministerio de Empleo y Seguridad Social*, N.º 108, 2014, pp. 17-40.

CERRILLO I MARTÍNEZ, A.: "Las Tecnologías de la Información y la Comunicación en el debate del derecho público contemporáneo", *Revista Catalana de Dret Públic, N.º 35*, 2007, pp. 1-15.

CIDONCHA MARTÍN, A.: *La libertad de empresa*, Aranzadi, Cizur Menor, 2006.

COLÀS NEILA, E.: *Derechos Fundamentales del trabajador en la era digital: Una propuesta metodológica para su eficacia*, Bomarzo, Albacete, 2012.

CUÑAT COSSONÍS, R.: "Productividad y moral de trabajo", *Revista de Política Social, N.º 17*, 1953, pp. 65-77.

DE LA VILLA GIL, L.E. y LÓPEZ CUMBRE, L.: *Los principios del Derecho del Trabajo, Centro de Estudios Financieros*, Madrid, 2003.

ESTEVA FRABEGAT, C.: "La máquina y la deshumanización del trabajo", *Revista de Política Social*, N.º 47, 1960, pp. 43-77.

GARCÍA PELAYO, M.: "Auctoritas", en GARCÍA PELAYO, Manuel: *Idea de la política y otros escritos, Centro de Estudios Constitucionales*, Madrid, 1983, pp. 135-180.

IGLESIAS CABERO, M: *Robótica y Responsabilidad. Aspectos legales en las diferentes áreas del Derecho*, Colex, A Coruña, 2017.

LEÓN ORDÓÑEZ, G.C.: "Ausencia de regulación, desprotección y encubrimiento de las relaciones de trabajo, ante las nuevas tendencias de prestación de servicio derivadas de la economía colaborativa", en TODOLÍ SIGNES, A. y HERNÁNDEZ BEJARANO, M. (Dirs.): *Trabajo en plataformas digitales: innovación, derecho y mercado*, Aranzadi, Cizur Menor (Navarra), 2018, pp. 105-126.

MARVIT, M.C.: "How crowdworkers became the ghosts in the digital machine", *The Nation*, Nº 5. Estados Unidos, 2014. En línea: https://www.thenation.com/article/how-crowdworkers-became-ghosts-digital-machine/

MERCADER UGUINA, R.: *El futuro del trabajo en la era de la digitalización y la robótica*, Tirant lo Blanch, Valencia, 2017.

MOUGAYAR, W.: *The business blockchain*, John Wiley & Sons Limited. Hoboken (EEUU), 2016.

ORTEGA Y GASSET, J.: *Meditación de la técnica*, Espasa Calpe, Madrid, 1965, p. 83.

RODRÍGUEZ-PIÑERO ROYO, M.: "El jurista del trabajo frente a la economía colaborativa", en RODRÍGUEZ-PIÑERO ROYO, M. y HERNÁNDEZ BEJARANO, M. (Dirs.): *Economía colaborativa y trabajo en plataforma: realidades y desafíos*, Bomarzo, Albacete, 2017, pp. 187-221.

SÁNCHEZ OCAÑA, J.M.: "La Uber Economy y el fenómeno de la economía colaborativa: el mundo del trabajo en disputa", en TODOLÍ SIGNES, A. y HERNÁNDEZ BEJARANO, M. (Dirs.): *Trabajo en plataformas digitales: innovación, derecho y mercado*, Aranzadi, Cizur Menor (Navarra), 2018, pp. 69-104.

SERRANO OLIVARES, R.: "Nuevas formas de organización emprearial: Economía colaborativa —o mejor, Economía digital a demanda—, Trabajo 3.0 y laboralidad", en RODRÍGUEZ-PIÑERO ROYO, M. y HERNÁNDEZ BEJARANO, M. (Dirs.): *Economía colaborativa y trabajo en plataforma: realidades y desafíos*, Bomarzo, Albacete, 2017, pp. 19-49.

TODOLÍ SIGNES, A.: "Nuevos indicios de laboralidad como resultado de las nuevas empresas digitales", en RODRÍGUEZ-PIÑERO ROYO, M. y HERNÁNDEZ BEJARANO, M. (Dirs.): *Economía colaborativa y trabajo en plataforma: realidades y desafíos*, Bomarzo, Albacete, 2017, pp. 223-241.

VERA SANTOS, J.M.: "Derechos Fundamentales, Internet y Nuevas Tecnologías", en GARCÍA MEXÍA, P. *(Director): Principios de Derecho de Internet*, Tirant lo Blanch, Valencia, 2005, pp. 189-246.

PARTE V
INTELIGENCIA ARTIFICIAL: PERSPECTIVAS DE FUTURO

CAPÍTULO 14

LA INTELIGENCIA ARTIFICIAL Y EL DERECHO: PASADO, PRESENTE Y FUTURO

MARÍA AURORA MARTÍNEZ REY
Profesora Contratada Doctora de Ingeniería Informática
Universidad a Distancia de Madrid
JUAN PAZOS SIERRA
Catedrático de Ciencias de la Computación e Inteligencia Artificial

Sumario: I. Introducción y un poco de historia. II: La IA y su Versatilidad. III. Definición de IA. IV. Tipos de IA. V. Singularidad Tecnológica. VI. IA y Jurisprudencia (Leibniz). VII. La IA y el derecho. VIII. Finalmente, una mirada hacia el futuro. IX. Bibliografía.

Palabras clave: Inteligencia Artificial, Gobernanza Tecnológica, Legislación Tecnológica, Ética Tecnológica.

Resumen: Es más que sabido que para poder comprender en profundidad un tema, es importante saber cómo empezó todo, de la misma que forma que para saber a dónde se dirige uno es recomendable mirar hacia atrás y ver de dónde se parte. Pues bien, la Inteligencia Artificial, en adelante IA, no es la excepción a la regla. Por esta razón, en este capítulo se hará una breve introducción y puesta en contexto de la definición de la IA, sus principales hitos históricos, etc. También se verán los tipos de IA y sus diferencias. Luego se verá el concepto de singularidad tecnológica y las consecuencias que puede tener para la humanidad. Finalmente, se considerarán las interrelaciones entre la IA y el mundo del derecho.

I. INTRODUCCIÓN Y UN POCO DE HISTORIA

Los inicios de IA, pueden datarse, con absoluta precisión, en 1932-38, con los trabajos de Marian Rejeswky, Jerzy Eozyeahi y Henryk Zygalski en el descifrado de la máquina de cifrado alemana Enigma y el diseño de su máquina *bomba (sic)*. Dichos trabajos fueron continuados, de 1939 a 1940 por Alan M. Turing y colegas, en el CGPCS, *Government Code and Cypher School*, quienes diseñaron *Bombe*, en primera instancia denominada *Superbombe*. Máquina que, a lo largo del tiempo, sufrió muchas mejoras, como la adición del panel diagonal diseñado por Gordon Welchman y en cuyo desarrollo colaboró Joan Clarke. A esta nueva máquina, para distinguirla de la antigua, se le puso el nombre de *Spider*, aunque más tarde, cuando se abandonó el diseño antiguo, volvió a rebautizarse con el nombre de *bombe*.

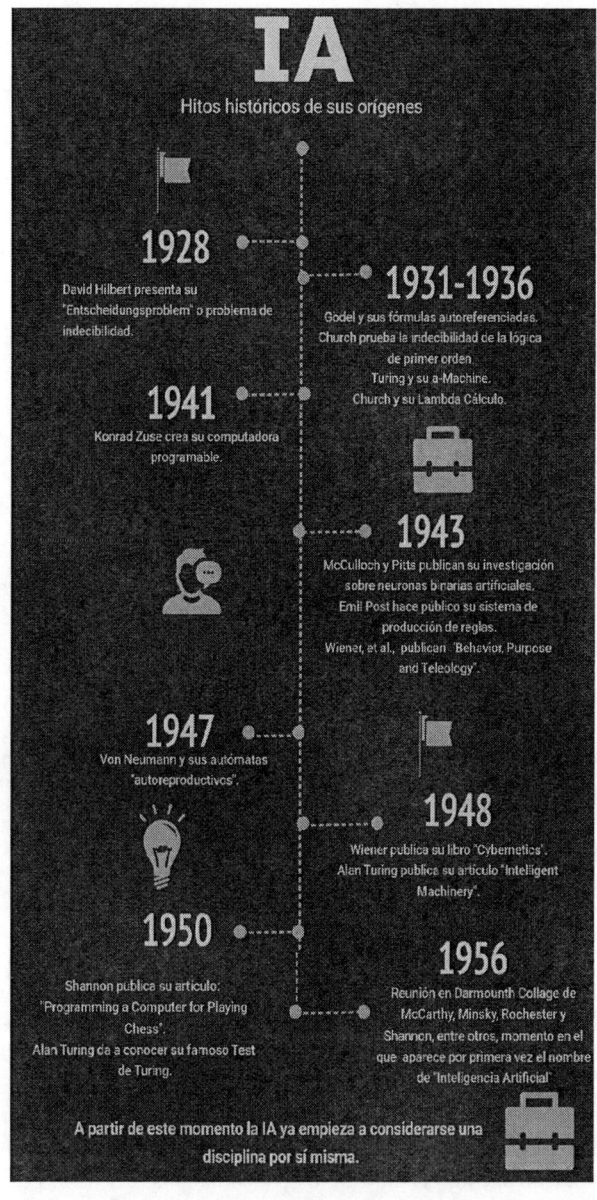

Pues bien, *Bomba* usaba la heurística *ignora el clavijero*, hoy ampliamente usada en el procedimiento heurístico tan empleado en IA de *generar y verificar*. Por su parte, *Bombe* empleaba dos heurísticas: *Cribs* o puntales y conocimiento de que Enigma jamás codificaba una letra con ella misma. Ambos procedimientos heurísticos constituyen los primeros trabajos, de los que se tiene constancia sobre IA. Aunque, eso sí, al igual que el Sr. Jourdain de Moliere, sin ser conscientes de ello.

En 1941, Turing empezó a pensar ya en el aprendizaje en máquinas, según testimonio de Doran Mitchie. Dos años después, en 1943, Turing visitó los Laboratorios de la Bell, donde se reunió con Shannon, el padre de la *Teoría de la Información*, en los almuerzos. Allí y entonces, como no podían hablar de sus respectivos trabajos, eran secretos militares, intercambiaban conjeturas y opiniones sobre el futuro de las máquinas inteligentes capaces de aprender.

Ese mismo año, se publican tres artículos teóricos que, para uno de los padrinos de la IA, Marvin Minsky, constituyen el punto de inflexión en el desarrollo de la misma[1]. En el primero de ellos, Norbert Wiener, Arturo Rosenblueth y Julian H. Bigelow, sugerían formas de conferir propósitos y fines, es decir, hacerlas teleológicas, a las máquinas[2]. En el segundo, Warren S. McCullooh y Walter H. Pitts, ponían de manifiesto de qué modo, las máquinas podían emplear los conceptos de la lógica y la abstracción en forma de redes de neuronas[3]. Finalmente, en el tercero, K. J. W. Craik, propuso que las máquinas empleasen modelos y analogías en la resolución de problemas[4].

En ese mismo artículo, Minsky escribió: *En principio, la idea de una máquina inteligente puede parecer totalmente inverosímil [...]. Los logros conseguidos por las máquinas son importantes por sí mismos; pero más interesantes y significativos aún que los programas realizados son los métodos que intervienen en ellos. Dichos programas establecen metas, hacen planes, consideran hipótesis, reconocen analogías y llevan a cabo varias actividades intelectuales....*

Luego, en una nota a pie de página, Minsky dice: *En una genealogía lógica Turing sería central, él tuvo las que muy pronto iban a ser algunas de las ideas centrales de la IA: La naturaleza simbólica del computador, o la necesidad de fijarse en el aspecto funcional en lugar de en el hardware, a la hora de comparar a los seres humanos y a las máquinas....*

1   MINSKY, M.: *Procesamiento de información semántica*. Título original en inglés, *Semantic Information Processing*. MIT Press, 1968.
2   ROSENBLUETH, A.; Wiener, N.; Bigelow, J.: *Behavior, Purpose and Teleology*. Philosophy of Science. Vol. 10; 1, pp. 18-24. 1943.
3   MCCULLOCH, W. S. AND PITTS, W.H.: *A Logical Calculus of the Ideas Imanent in Nervous Activity*. Bulletin of Mathematical Biophysics, 5, pp. 115-133. 1943.
4   CRAIK, K. J. W.: *The Nature of Explanation*. Cambridge University Press. 1943.

En 1945, Turing, en una carta sin fecha dirigida a W. Ross Ashby[5], decía que en sus trabajos en el computador ACE, estaba más interesado en la posibilidad de producir modelos de la acción del cerebro que en las aplicaciones prácticas del mismo. Y en *Proposed Electronic Calculator* escribe que, *por ensayo y error, una máquina llegaría a jugar bien al ajedrez.*

En 1948, Turing dio una conferencia, en la *Royal Astronomic Society*, que constituye la primera sobre IA. Allí y entonces, planteó la tesis de que las mentes son máquinas. Ese mismo año, escribió su informe de investigación en el NPL, titulado *Intelligent Machinery: A Heretical Theory*, no publicado hasta 1968[6]. En él introducía ideas y conceptos centrados en la IA. Asimismo, ese año, construyó con Champernowne, el sistema *Turochamp* para jugar al ajedrez.

Tabla 1. Resumen de las diferentes MT, incluyendo sus principios básicos y los resultados a los que posteriormente han dado lugar en el área de la Informática

Máquina	Principios	Resultados
a-machine	Manipulación de símbolos sobre una cinta según una tabla de reglas	Computación algorítmica; Computador moderno
c-machine	Interacción con un operador, tal como un usuario humano, durante la computación	Máquinas no deterministas e interactivas
o-machine	Uso de oráculos que pueden ser interrogados durante la computación	Computación oracular; Hipercomputación; Oráculos criptográficos aleatorios
u- machine	Máquinas desorganizadas: Tipo-A (Red Booleana Aleatoria); Tipo-B (una tipo-A donde cada conexión ha sido reemplazada por una pequeña máquina tipo-A)	Redes de Neuronas Artificiales; Computación Evolutiva; Conexionismo
p-machine	Uso de señales de premio y castigo (*pleasure and pain*)	Aprendizaje algedónico, por refuerzo

5   TURING, A.: Carta a Ross Ashby sin fecha. Archivo NPL, Biblioteca del Museo de Ciencias, South Kensington. Londres. Sin fecha.
6   TURING, A. M.: *Intelligent Machinery*. Report for National Physical Laboratory 1948. In, Meltzer, B. and Michie, D. (Eds.): *Machine Intelligence, 5*. Edinburgh University Press. Edinburgh, U.K. 1969. PP. 3-23. También en: *The Turing Archive for the History of Computing*. http://www.AlanTuring.net/intelligent-machinery [accessed July 2015]. 1948.

En paralelo, desde 1936 a 1948, Turing diseñó, tal y como se muestra en la tabla 1, diferentes tipos de máquinas. Como puede verse en la tabla, hay cinco o seis, si se descomponen las máquinas no organizadas en tipo-A y tipo-B, máquinas de Turing. Sin embargo, en una sinécdoque, que da idea de la impostura de muchos profesores de informática, sólo se consideran máquinas de Turing las, por él llamadas, *automatic machines* o *a-machines*, en dos versiones, en su honor bautizadas por Church como *máquina Turing*, y *Máquina Turing Universal*. Lo importante de esta tipología es que las *máquinas Turing*, en sus dos versiones; *particular* y universal, dieron lugar a la definición de algoritmo y a la conceptualización del computador actual, según lo reconoció, en múltiples ocasiones, el propio von Neumann. Y que el resto de máquinas de Turing, las *c-*, *o-*, *u-* y *p- machines*, son la base de otras computaciones distintas de la algorítmica de las *máquinas Turing* y los computadores actuales. Sin embargo, son importantísimas en IA; por ejemplo, el *conexionismo* con aprendizaje tiene como soporte computacional las *u-machines* y las *p-machines*. Y la inteligencia natural en su faceta intuitiva, que permite superar la restricción del teorema de incompletud de Gödel, puede modelizarse, mediante máquinas oráculo u *o-machines*. Finalmente, la interacción hombre-máquina, o, por mejor decir, máquina hombre, más allá de los aspectos ergonómicos viene dada por la *c-machine*.

En 1950, Turing amplió el informe de 1948 para el NPL, y publicó en Mind su artículo más famoso *Computing Machinery and Intelligence*[7], que comenzaba con su provocador: *¿Pueden pensar las máquinas?* Este artículo puede considerarse como el primer manifiesto de IA. En él se proponía un test, basado en un juego de sociedad llamado "Juego de la Imitación", luego llamado en su honor *Test Turing* (TT), para evaluar el comportamiento inteligente de las máquinas.

En definitiva, Turing con sus máquinas como soporte de la IA, sus programas como realizaciones prácticas y su test como vara de medir, puede y debe ser considerado el padre de la IA.

Entre 1951 y 1952, Strachey construyó un programa *El jugador de Damas* que incorporaba búsqueda heurística. Por esas calendas, Oetinger creó el primer programa que, explícitamente, incorporaba aprendizaje.

En 1953, Shannon publicó *Computers and Automata*[8] que era una revisión de sus ideas previas destinadas a impulsar la investigación en IA. En especial, de las

---

[7]   TURING, A.M.: *Computing Machinery and Intelligence*, Mind, Vol. LIX, Número 236, 1 October 1950, PP: 433-460.

[8]   SHANNON, CLAUDE. E.: *Computers and Automata*. Proceedings of the IRE. 41. 1953, pp. 1234-1241.

ideas de su artículo de 1950, en *Scientific American, A Chess-Playing Machine*[9]. En él se señalaba que las nuevas máquinas podían no sólo llevar a cabo cálculos numéricos, sino que eran generales y flexibles que podían adaptarse para trabajar simbólicamente con elementos que representan palabras, proposiciones y otras entidades *conceptuales*. Su artículo era una lúcida descripción de los problemas de la IA simbólica:

a) Los métodos de fuerza bruta no funcionan.

b) Es necesario aprendizaje, su máquina carecía de ello.

En el de 1953, afirma: *El problema de cómo funciona el cerebro y cómo pueden diseñarse máquinas que simulen su actividad es seguramente uno de los más importantes y difíciles a los que se enfrenta la ciencia actual*. De hecho, la lista de cuestiones que planteaba en él, es un auténtico programa de investigación en IA. Dichas peguntas son:

• ¿Es posible organizar las máquinas en una jerarquía de niveles, tal como el cerebro parece estar organizado y hacer que el nivel de aprendizaje de la máquina vaya progresando gradualmente en esa jerarquía?

• ¿Se puede programar un computador de tal forma que, finalmente, el 99% de las instrucciones que siga estén escritas por el propio computador, en lugar del escaso porcentaje de los programas actuales?

• ¿Puede construirse una máquina que se autorepare?...

En 1955, Newell, Shaw y Simon desarrollaron IPLII, el primer lenguaje de IA, y crean *The Logic Theorist*[10], que usa técnicas heurísticas de búsqueda para resolver problemas matemáticos. En dicho programa, aparece claramente instrumentada la búsqueda heurística.

Y así llega el verano de 1956, cuando, en Darmouth College, se reunieron un grupo de científicos encabezados por los cuatro que habían solicitado la financiación a la fundación Rockefeller para celebrar dicho evento. Sus nombres eran: John McCarthy, el principal organizador de la conferencia, Marvin Minsky, entonces profesor de matemáticas y neurología en Harvard. Nataniel Rochester, director de investigación de información en el centro de IBM en Poughkepsie, en New York, y, el ya citado, Claude Shannon, el padre de la teoría de la información. El título del proyecto presentado para la financiación era: *The Darmouth Summer Research Proyecto n Artificial Intelligence*, que es donde, a instancias de McCarthy, aparece, por primera vez, el nombre por el que sería, y es conocido, el campo: *Inteligencia Artificial*.

---

9   SHANNON, CLAUDE E.: *A Chess-Playing Machine*. Scientific American, vol. 182, no. 2, 1950, pp. 48-51.

10   NEWELL, A. & SIMON, H.: *The logic theory machine: A complex information processing system*. IRE Transactions on Information Theory, 2. 1956, pp. 61-79.

Los otros participantes más destacados del encuentro fueron: *Trenchard Moore* y *Arthur Samuel de IBM*, *Oliver Selfridge* y *Ray Solomonaf del MIT* y *casi a última hora Allen Newell* y *Herb Simon* de la hoy CMU y en aquella época *Carnegie Tech* y *la Rand Corporation.*

Tal vez lo más relevante de este período, por establecer una analogía con la aeronáutica es que se pasó en IA del aspecto mítico de Dédalo-Ícaro, o los dibujos de Leonardo da Vinci de humanos con alas para volar, al terreno empírico-científico de los hermanos Wright de la aeronáutica actual, con los reactores y naves aeroespaciales como realizaciones.

A partir de ahí, se produjo una verdadera explosión que, con altibajos, continua actualmente, de la investigación, desarrollo, invención, innovación y demostración en el área, hasta el punto de que muchos señalan que se está a punto de producir una singularidad tecnológica. Más concretamente, se está a punto de construir verdadera inteligencia fuera del cerebro, más poderosa que la de los humanos; es decir, hacer realidad el sueño de la IA. A continuación, y para que esta última afirmación no parezca producto de una enajenación mental se va a continuar para poner al lector en contexto de la cuestión, definiendo tanto la IA como la Singularidad tecnológica.

II. LA IA Y SU VERSATILIDAD

Como casi toda la tecnología, la IA no es la excepción en el sentido de que no deja de ser una herramienta que puede aplicarse de forma muy versátil y exitosa a infinidad de campos. Algunos ejemplos de esto se muestran a continuación:

- David Cope, en los años 1991, 1996 y 2000 desarrolló, sin ser informático, EMI, de "Experiment in Music Intelligent", que engañó a audiencias musicalmente competentes, especialmente con su ¡*Eight Branderburg Concert!* Su programa es estrictamente algorítmico sin heurística alguna.
- IAMUS: en el 2012, como resultado de un proyecto de la Universidad de Málaga dirigido por Francisco J. Vico. IAMUS en la mitología clásica era el hijo de Evadne y Apolo, y profetizaba el futuro a través del canto de las aves. También es la contracción en inglés de "I AM US". Y finalmente, las siglas de "Inteligencia Artificial Música". El Nasciturus de IAMUS fue interpretada por Gustavo Díaz-Jerez profesor de piano del conservatorio del País Vasco con Sviatovlav Belogonov al violín. IAMUS, es 100% autónomo.
- En el campo de los juegos la IA ha sido especialmente utilizada, algunos ejemplos a reseñar son Deep Blue y Deeper Blue, supercomputadoras desarrolladas por IBM, la segunda una versión mejorada de la primera, que

se conocen como la primera máquina en ganar al ajedrez al campeón mundial, Kaspárov. Igualmente, está Watson, superordenador, también de IBM, que compitió durante tres días en el programa televisivo Jeopardy. Más recientemente, hay un hito importante en este sentido y se trata AlphaGo, se explica a continuación.

- Hace unos meses, una división de Google, *Google Deep Mind*, anunciaba que una máquina de su creación, denominada *Alpha GoZero* había ganado a su predecesora *AlphaGo* por un contundente 100 a 0. Como su nombre indica, ambas fueron diseñadas para jugar Go. El Go es un juego de estrategia y ésta es extremadamente compleja y supone considerar muchas variables, algunas contradictorias. Por ejemplo, ubicar *piedras* juntas ayuda a mantenerlas conectadas. Por otra parte, colocarlas separadas hace que se tenga más influencia sobre una porción mayor del tablero y abre la posibilidad de apropiarse de un territorio más extenso. La dificultad estratégica del juego estriba en equilibrar ambas alternativas; es decir, en conseguir la enantiodromía entre ambas. En Go, los movimientos de los jugadores son tanto ofensivos como defensivos y deben combinar tanto tácticas de urgencia como planes a largo plazo.

Alpha Go fue entrenada basándose en la experiencia humana. Se *alimentó* con los datos de miles de partidas y millones de movimientos de jugadores humanos. Tras el entrenamiento en marzo de 2016 le ganó a Leed Sedal, campeón del mundo. Por su parte, *AlphaGo Zero* es un nuevo sistema que tiene la capacidad de aprender a jugar sin entrenamiento previo supervisado. Su red neuronal está basada en el aprendizaje por refuerzo; esto es, *algedónico* (por premio y castigo): la máquina se auto-mejora practicando consigo misma hasta alcanzar una capacidad muy superior a la de sus versiones previas. La situación es muy similar, por no decir igual, que la que Stefan Zweig presentó en su última novela de 1941, *Novela del ajedrez*, publicada póstumamente en 1943 y escrita en Petrópolis, Brasil. En ella, el Doctor B, es sometido por los nazis a un aislamiento total, y la única forma de no acabar loco, fue gracias a un manual de ajedrez que consiguió de manera fortuita. A partir de ahí, memoriza cada partida, analizando todas sus posibilidades, logrando conseguir que su cerebro se *duplique*, disocie, en dos jugadores distintos, el jugador de las blancas y el de las negras. De esta manera, y después de jugar miles de partidas contra sí mismo, tras su liberación, derrota con facilidad al, en la novela, campeón del mundo de ajedrez, Mirko Czentobic, durante una travesía en barco por el Atlántico.

Curiosamente, en esta partida el Doctor B representa a un humano y campeón del mundo, escasamente dotado para cualquier menester intelectual, taciturno: es decir, un auténtico leño, pero excepcionalmente dotado para jugar al ajedrez, para el que tiene un don natural, que es la representación genuina de un programa de computador. En otros términos, esta novela es premonitoria respecto al duelo computador vs. Kasparov de 1997.

La moreleja a extraer de lo anterior supone la existencia de ingenios capaces de aprender de la experiencia humana, *aprendizaje en máquinas*, y, sobre todo, máquinas con independencia cognitiva, que adquieren conocimientos autónomamente, sin el concurso humano, *aprendizaje profundo* o *deuteroaprendizaje*. En definitiva, supone la constatación de que la IA, al menos en su aspecto o propiedad de aprendizaje, es una realidad. En efecto, *AlphaGo Zero* emula al Doctor B, sin previa supervisión humana mediante redes de neuronas artificiales o sistemas conexionista. En este sentido, también es interesante destacar la demostración de la Conjetura de Robbins, hoy teorema EQP, de Bill McCune y Larry Woss.

III. DEFINICIÓN DE IA

Stern, quien estableció el concepto de "cociente intelectual" definió la inteligencia como: *La capacidad de resolver los problemas de la vida de forma adecuada, productiva e independiente*. (Aprender de la experiencia y tener un comportamiento adecuado que se invierta en la realidad).

Para que un comportamiento pueda tenerse como inteligente, debe, cuando menos tener las capacidades y/o competencias siguientes:

- Autoconciencia.
- Razonar y, o, inferir correctamente.
- Aprender.
- Responder adecuadamente a los cambios; es decir, ser adaptable.
- Actuar teleológica y, o, proactivamente.
- Tener suficiente capacidad predictiva, competencia suficiente para resolver problemas de todo tipo y no sólo los algorítmicos.
- Adquirir y aplicar conocimientos y habilidades.

Más recientemente, el físico del MIT Mark Tegmark[11], en 2017, definió la inteligencia de la forma más amplia e inclusiva posible, de la siguiente forma:

Inteligencia = capacidad de alcanzar objetivos complejos.

---

[11]   TEGMARK, M.: *Life 3.0: Being Human in the Age of Artificial Intelligence*. Knopf Publishing Group. 2017.

Hofstadter[12], *define* la inteligencia como *la facultad mental que permite descubrir el orden en una situación considerada confusa.* Y añade que las características de la inteligencia son:

1. *Adaptabilidad:* Responder flexible y adaptativamente a las situaciones.
2. *Serendipidad:* esto es, extraer provecho de circunstancias fortuitas.
3. *Discriminación* y *Categorización* Reconocer la importancia relativa de los diferentes elementos de una situación.
4. *Desambiguación:* Encontrar sentido en mensajes ambiguos y/o contradictorios.
5. *Encontrar semejanzas entre varias situaciones, pese a las diferencias que puedan separarlas.*
6. *Descubrir diferencias entre varias situaciones, pese a las semejanzas que puedan presentar y vincularlas.*
7. *Síntesis:* de nuevos conceptos en base a otros viejos que se toman y reacomodan de nuevas maneras, así como, obtener nuevas maneras.
8. *Aprendizaje:* Adquirir continuamente conocimientos, a partir de todas las fuentes disponibles e incorporarlos en un todo integrado y congruente.
9. *Usar toda la información accesible disponible e integrar elementos de información aparentemente no relacionados para crear perspectivas nuevas e importantes.*
10. *Creatividad:* Capacidad de Imaginación, intuición e invención.
11. *Establecer correcta y adecuadamente prioridades.*
12. *Diagnosticar:* entender las situaciones más allá de lo que superficialmente aparentan bajo los signos y, o, síntomas. Identificando correctamente los conceptos, objetos y relaciones tras las situaciones.
13. *Teleología* y *proactividad:* Considerar las consecuencias, inmediatas y colaterales, de las acciones.
14. *Formulación y planteamiento idóneo de problemas y su resolución.*
15. *Previsión, prospectiva y predicción,* anticipando desarrollos futuros y los consiguientes planes de actuación dirigido por metas.
16. *Proporcionalidad de esfuerzos:* invertir esfuerzos proporcionales a la situación. En suma, *eficiencia.*
17. *Adopción de comportamientos coherentes y deseables de acuerdo con cada situación.*
18. *Pensamiento abstracto y experimentación mental.*
19. *Razocinio e inferencia:* Abductiva, deductiva e inductiva, y anterogado.

---

12   HOFSTADTER, D.: *Godel, Escher, Bach: An Eternal Golden Braid.* Basic Books, Inc., New York, NY, USA. 1979.

20. *Dotar de sentido a situaciones "ad initio" sin él.*
Ahora bien, no hay que confundir estos recursos instrumentales con la propia inteligencia. Como muy bien lo señaló Thomas Carlyle (Carlyle, 1937-2012), *no es la inteligencia una herramienta, como nos inclinábamos a creer, sino que, por el contrario, es un brazo que puede esgrimir cualquier herramienta.*
Por otro lado, más fácil resulta establecer lo que se quiere decir con el adjetivo: artificial. Lo primero que hay que señalar, al respecto, es que es un término ambiguo pues se usa en dos sentidos, sino opuestos, sí muy diferentes. Uno, cuando se aplica, verbigracia, al césped. Otro, completamente distinto, cuando se aplica, por ejemplo, a la luz. Naturalmente, en ambos casos, algo, césped o luz, se denomina artificial porque es fabricado. Pero, en el primer uso, artificial significa que la cosa parece ser, simula, pero realmente no es lo que parece. Lo artificial es lo meramente aparente y justo se muestra como algo distinto de lo que es. El césped artificial es sólo un compuesto químico, no hierba en absoluto. Cualquiera que lo tomara por hierba se equivocaría de medio a medio, pues ni huele, ni sabe a hierba, no crece, sólo da el pego a la vista. Sin embargo, la luz artificial es luz verdadera, ilumina, se compone, como la natural, de fotones, viaja a unos 300.000 Km/seg, etc. Obviamente, es fabricada, como un sustituto de la luz natural, pero una vez fabricada es lo que parece ser. En este caso, lo artificial no es meramente aparente, no simplemente una imitación de algo distinto. La apariencia de la cosa revela lo que es, no como algo que parece distinto[13]. Otros ejemplos similares a la diferenciación descrita son los automóviles y su movimiento o la urea....

IV. TIPOS DE IA

Aclarado lo anterior, se pasa a hablar de IA como tal. Aquí se abren dos vertientes, la IA blanda, estrecha o tecnológica y IA general, dura, fuerte o científica. A continuación se explica, brevemente cada una de ellas.
A) IA general, dura, fuerte o científica: que es la que trata de dar respuesta afirmativa a la cuestión de la posibilidad de construir una inteligencia fuera del cerebro humano.

---

[13]   SOKOLOWSKI, R.: *Natural and Artificial Intelligence.* Daedalus 117 (1988): 45-64. Reprinted in The Artificial Intelligence Debate. False Starts, Real Foundations, ed. Stephen R. Graubard, 45-64. Cambridge, MA: The MIT Press, 1988. Reimpreso como *Intelligence naturelle et intelligence artificielle*, trans. Évelyne Clavaud. Le temps de la réflexion 9 (1988): 199-217.

Turing, por ejemplo, al preguntarse: ¿Pueden pensar las máquinas? Separa las facultades mentales e intelectuales, de su sustrato estructural y material natural conocido: el cerebro. Forma parte del problema general de la conciencia y la mente.

Este tipo de IA está presente en lo que constituyen los dos problemas científicos abiertos más profundos y difíciles que tiene la ciencia[14]; la conciencia y el origen y evolución del *Universo* o todo.

B) IA específica, tecnológica, blanda, que es la que resuelve los problemas "cotidianos" de alta complejidad para el ser humano y es la que se tiene, a día de hoy, en la mayoría de los "entes" que suelen llamarse, *inteligentes*. Consiste en programar los computadores, equipos, máquinas, etc., para que resuelvan problemas coextensivos con los que resuelven los humanos; es decir, problemas tales que si los resolviera un ser humano éste sería considerado inteligente. A su vez se subdivide en, simbólica o GOFAI (*Good Old Fashioned Artificial Intelligence*) y conexionista.

a) Convencional, simbólico-deductiva (GOFAI). Basada en el análisis formal y estadístico del comportamiento humano ante diferentes problemas: Razonamiento basado en casos (RBC), Sistemas basados en Conocimiento (Sistemas Expertos), IA basada en comportamientos, Gestión Inteligente de procesos, etc. Facilita la toma de decisiones complejas, proponiendo una solución a un determinado problema al igual que lo haría un experto especialista en dicha actividad.

b) Computaciones, sub-simbólica-inductiva. Implica desarrollo o aprendizaje interactivo; por ejemplo, modificaciones interactivas de los parámetros de los sistemas de conexiones. El aprendizaje se efectúa basándose en datos empíricos; Redes de Neuronas, Computación evolutiva, autómatas celulares, Inteligencia colectiva (*Swarm*, del enjambre, percoreo,...), etc. Algunos ejemplos son: danza de las abejas, percoreo de hormigas, alineamiento de aves en vuelo, comportamiento de rebaños en el pastoreo y el crecimiento bacteriano. Es decir, unión holística de partes elementales no inteligentes que, congruentemente, logran la emergencia de inteligencia.

A pesar de la carencia de una definición formal de inteligencia, sí existen unas metas bien definidas y establecidas que permiten definir si, efectivamente, se está avanzando en el logro de una verdadera IA, dichas metas son:

A) Razonamiento. Dados algún(os) conocimiento(s) de tipo general, junto con algunos hechos específicos, inferir (mediante abducción, deducción e

---

[14]   ATKINS, L.: *El Dedo de Galileo, Las Diez Grandes Ideas de la Ciencia*. Editorial Espasa. Calpe, S.A. Pozuelo de Alarcón, Madrid. España. 2003.

inducción, en especial en forma de analogía(s)), ciertas consecuencias. Por ejemplo, dado conocimiento acerca de enfermedades y señales, signos, síntomas, diagnosticar un caso particular concreto en base a la información, en forma de datos, noticias y conocimientos aportada por dichas, señales, signos, síntomas,...

B) Planificación. Dados algún conocimiento, la situación presente y una meta deseada, buscar una forma de pasar de la situación actual a la meta. Es decir, usar razonamiento dirigido por metas o teleológico.

La diferencia entre ambos tipos de razonamiento, aunque muchas veces se solapan, estriba en que razonando, *grosso modo*, se busca respuesta a ¿Qué? y ¿Por y para qué?, sin embargo, planificando se busca respuesta a ¿Cómo? Por ejemplo, ¿qué tipo de estudiante es Pepe? frente a ¿Cómo puede Pepe convertirse en un estudiante de MH?

C) Aprendizaje. Hay muchas y variopintas definiciones de aprendizaje. Todas ellas hacen referencia a la capacidad de comportamiento adaptativo. De todas ellas, y por estar directamente relacionada con las máquinas, los autores consideran, sino la mejor que también, la más idónea, la de Norbert Wiener[15] siguiente: *Puede definirse un sistema organizado como aquel que transforma un cierto mensaje de entrada en uno de salida, de acuerdo con algún principio de transformación. Si tal principio está sujeto a cierto criterio de validez de funcionamiento, y si el método de transformación se ajusta a fin de que tienda a mejorar el funcionamiento del sistema de acuerdo con este criterio, entonces se dice que el sistema "aprende".* De esta definición, lo más relevante es su generalidad y precisión: la generalidad viene dada, por hablar de sistemas organizados, sin que importe cómo y de que están hechos; es decir, sirve igual para personas, máquinas o cualquier otra cosa que sea un sistema organizado. Y la precisión la proporciona su facilidad de formalización. En efecto, un sistema organizado, natural o artificial, organismo o máquina, se dice que aprende si después de sometido a aprendizaje, cualquier conjunto de procedimientos $\{P[T_j(g_i)]\}$, con $j = 1, m$; $i = 1, n$, puede generar un nuevo procedimiento $P[h(k)]$ que efectué cierta tarea T, entonces si $P[h(k)] \leq P[h'(k)]$, siendo m y n las cardinalidades de los conjuntos de datos, se dice que P aprende. P denota el orden del procedimiento.

La adquisición y gestión del conocimiento es una cuestión capital en IA puesto que el conocimiento debe ser adquirido y gestionado adecuada-

---

[15]   WIENER, N.: *God and Golem, Inc* (1964). Siglo XXI editores, S.A. 1ª Ed. (en español). Méjico. 1967.

mente antes de que pueda usarse, efectiva y eficazmente, cuando menos, y, si es posible, eficientemente. Entonces se requiere que un sistema, repetidamente, pueda ampliar su base de conocimientos de una manera coherente por adquirir nuevos hechos e integrarlos en, y con, conocimientos previos, con frecuencia mediante un proceso de abstracción. Por ejemplo, si a un sistema de IA se le presentan varios ejemplos de sillas, sería bueno que fuese capaz abstraer el concepto silla.

Estas metas, más bien de naturaleza general, son relevantes para varias partes de la IA y permiten establecer otras más específicas como son: Entendimiento y uso del lenguaje natural, que concierne a los apartados (A) y (C) anteriores. Procesamiento de imágenes, donde el apartado (C) es fundamental. Robótica donde están concernidos los apartados (B) y (A). etc.

D) Toma de decisiones. La inteligencia está muy relacionada con la capacidad de tomar decisiones adecuadas a la luz de metas específicas, en especial científicas y adaptar dicho comportamiento para alcanzar dichas metas en un amplio rango de entornos. Ahora bien, uno de los hechos más importantes, frecuentemente pasado por alto en IA, es que la generación, el desarrollo y aplicación de la inteligencia natural es un proceso continuo autoevolutivo. De hecho, los humanos, frecuentemente, pueden realizar tareas complicadas acerca de las cuales nunca habían recibido entrenamiento previo alguno. Recuérdese, al respecto, que Newton jamás había recibido clases de mecánica, Wallace, nunca había estudiado la teoría de la evolución. O Dirac de la antimateria, etc.

Simplemente, inventaron esos dominios. Sin duda, ésta parece ser la más elevada facultad de la inteligencia humana, que desde luego a las "máquinas" le costará conseguir en un futuro previsible. Es decir, los componentes más importantes de la inteligencia natural que actualmente en la IA sólo se vislumbran, en el mejor de los casos, son las tres ies, a saber: Imaginación, Intuición e Invención.

E) Uso del conocimiento. Uno de los resultados más firme, sólido y acreditado, tras las más de seis décadas de aparición de la IA es que, sea eso lo que sea, la inteligencia requiere conocimiento. El problema, en este apartado, es consecuencia de un mal entendido acerca del conocimiento que se remonta a los griegos y que tomó carta de naturaleza cuando la visión reduccionista cartesiana se impuso a la propuesta pascaliana, y se asentó cuando a partir del siglo XVII las matemáticas tuvieron tanto éxito en la ciencia que el famoso aserto de Galileo de que eran el lenguaje de la naturaleza se aceptó como dogma de fe.

En efecto, el tradicional entendimiento de la naturaleza del conocimiento, que los autores denominan *gnoseología de posesión*, trata el conocimiento como algo que poseen las personas, esto es, considerar al conocimiento como producto u objeto. Y esto es reduccionista y mutilador, dado que no tiene en cuenta la *conoscencia* basada en la práctica individual y de grupo, o sea, el *conocimiento* como acción o proceso, que lo autores denominan *gnoseología de la práctica.* Más aun, pues esta última tiende a privilegiar el conocimiento explícito y el implícito sobre el tácito y el conocimiento que poseen los individuos al que poseen los grupos. La *conoscencia* se centra en las interacciones de los humanos con su entorno, cosas del mundo físico y social; en suma, su conocimiento es acerca de la posesión, la *conoscencia* es sobre la relación e interacción entre los conocedores y el mundo. Pero, como lo señaló Ortega y Gasset: *Interactuando con el mundo, nosotros encontramos tanto "facilidades" como "frustraciones". Las facilidades no son propiedades del mundo, sino propiedades que se producen-relacionan únicamente con nuestras relaciones con el mundo.* Esta interacción con el mundo da origen a un "ofrecimiento", en inglés *affordance,* dinámico de posibilidades percibidas que es lo que permite el aprendizaje; es decir, la interacción proporciona así tanto la adquisición como el uso del conocimiento una vez adquirido. Este ofrecimiento de posibilidades percibidas, *affordance,* dinámico está íntimamente conectado con la *conoscencia.* Pues bien, esta distinción conduce, naturalmente, a distinguir entre conocimiento y consciencia del conocimiento permitiendo establecer, tal y como se muestra en la tabla 2, una clasificación que afecta a todos los seres y en especial a los humanos.

Tabla 2. *Conoscencia* vs. Conocimiento

CONSCIENCIA CONOCIMIENTO	DE QUÉ SE ES CONSCIENTE	DE QUÉ NO SE ES CONSCIENTE
SE CONOCE	Cuestiones contestadas: Se es consciente de lo que se sabe: Al aprobar el carnet de conducir, se es consciente de que se sabe conducir.	Cuestiones sin responder: No se es consciente de lo que se sabe. Cuando uno es un conductor veterano, no es consciente de que se sabe conducir, sencillamente se conduce.
NO SE CONOCE	Cuestiones sin responder: Se es consciente de lo que no se conoce. En la juventud y madurez, se es consciente de que no se sabe conducir, por esta razón se saca el carnet.	Cuestiones sin responder: No se es consciente de lo que no se sabe. De niños, no tenemos consciencia de que no se sabe conducir.

Una vez puntualizada contextualizada la IA, como objeto de la cuestión, se pasará a explicar el concepto de Singularidad Tecnológica.

V. SINGULARIDAD TECNOLÓGICA

Si se busca en los diccionarios el término *singularidad* se encuentra que significa: *Cualidad de singular. Distinción o separación de lo común*. Y si se busca *Singular*, se ve que, en una de sus acepciones, es *algo extraordinario, raro o excelente*. En fin, resulta ser un término demasiado vago como para ser útil para los propósitos de lo que aquí, ahora, interesa.

Sí, por tanto, se busca su significado en las ciencias duras y las matemáticas, se observa que, en ellas, el término tiene un sentido más específico. En efecto, en análisis matemático se usa *singularidad* para aludir a ciertas funciones que presentan comportamientos inesperados cuando se les asignan determinados valores a la(s) variable(s) independiente(s). Ejemplos de funciones singulares hay muchos y variados. Uno de los más comunes es el de la hipérbole elemental $y(x) = 1/x$, que obviamente posee una singularidad en el punto $x = 0$. Dicha función pone de manifiesto la característica de que toda *función racional* cuyo denominador se anule presentará una singularidad en el punto en que eso suceda.

En física se presentan varias singularidades, sin embargo, la más conspicua es la que se encuentra en la solución de Schwarzschild de las ecuaciones de campo de la *relatividad general* de Einstein. Singularidad, en el continuo espacio tiempo, que predice la existencia de *agujeros negros*. Por otra parte, actualmente, un problema abierto, interesantísimo, de la cosmología es el determinar, sí o no, hubo una singularidad en el inicio del Universo, *Big Bang*, se supone que sí.

Finalmente, se llega a la *Singularidad* que interesa a la tecnología. En este contexto, el término *singularidad,* empleado por primera vez, en 1958, por von Neumann en una conversación con Stanley Ulam[16], significa un *acontecimiento único, disruptivo, con profundas e irreversibles implicaciones*. Algo así como el punto de no retorno en el despegue de una avión, una vez que se alcanza, es irreversible el cambio de estado en el proceso. Y como concepto es un cambio tan abrupto, profundo y rápido que representa una ruptura total en la estructura, sistema o dominio a la que afecta.

Si al término *singularidad* se le añade el adjetivo *tecnológica* entonces se está haciendo referencia a un hipotético punto a partir del cual una civilización tecnológica, como la actual, sufriría una aceleración recursiva del proceso técnico que provocaría la incapacidad de predecir sus consecuencias.

Más en concreto, se define la *singularidad tecnológica*, ST, como el advenimiento de la *IA* general. Esto implica que un ente, ¿*cientefacto*?, ¿*holón*?, podría modificarse recursivamente mejorándose a sí mismo. Las repeticiones de este ci-

---

16 ULAM, S.: *Tribute to John von Neumann*. The American Mathematical Society. Vol. 64, N° 3. 1958, pp. 1-49.

clo de retroalimentación positiva, con probabilidad rayana en la certeza, darían lugar a un efecto fuera de control para los humanos. Esto conduciría a una *explosión* de inteligencia, en donde esos entes inteligentes diseñarían y construirían generaciones de entes sucesivamente cada vez más inteligentes superando, *ad infinitum*, la capacidad intelectual humana. Esto, ciertamente, tendrá consecuencias, jurídicas sociológicas, antropológicas, económicas, … inimaginables, imposibles de comprender y, o, predecir, por cualquier humano. Se daría paso una nueva era, llamada post-humana, donde, tal y como puede verse en distintas historias de ciencia ficción, los humanos, podrían quedar relegados a un segundo plano en la sociedad, tal y como pueden ser, a día de hoy, nuestras mascotas, siendo superada su inteligencia por las máquinas.

El caso es que en la IA, a día de hoy, si no se tienen todos los mimbres, sí un gran número de ellos para construir el cesto de la IAG, sólo falta saber cómo construirlo. La situación es, en cierto sentido, similar a la que se dio cuando Turing definió sus Máquinas de Turing (MT) particulares que resolvían algoritmos concretos. Pero no consiguió encardinarlos hasta que consiguió conceptualizar su MTuniversal, que lo hacía a la perfección, dando origen al computador actual.

Es cierto, que actualmente, no se sabe si es posible alcanzar dicha singularidad, o si se ha alcanzado ya. La cuestión va de suyo, es posible medir ¿a qué distancia se está de alcanzarla? La respuesta es sí, de hecho, los autores de este capítulo están trabajando en un proyecto sobre el tema, que permitirá, usando razonamiento plausible y abducción y una métrica asociada, establecer cuantitativa y exactamente sí o no y cuánto falta para alcanzar la ST. Pero lo cierto es que el avance, a pasos agigantados, de la IA hace necesario e inminente que se establezcan mecanismos de control y se investiguen las consecuencias y efectos de este fenómeno, a la vista de los indicios, posible. Es aquí donde juega un papel muy importante el derecho, pues es perentorio que se establezca la estructura legal y jurídica, que permita controlar y establecer responsabilidades en esta nueva sociedad.

VI. IA Y JURISPRUDENCIA (LEIBNIZ)

En 1966, a los 19 años, Leibniz, editó su obra *Disertatio de Arte Combinatoria* de la que formaba parte la *Disputatio Arithmetica de Complexionibus*, que había presentado para su habilitación en la Facultad de Filosofía de Leipzig. Pues bien, en esta obra juvenil, se encuentran buena parte de sus ideas fundamentales en cuanto a combinatoria, arte o ciencia, que será uno de los cimientos principales de su sistema, además de una de las reglas metodológicas básicas de su arte de inventar; es decir, de la investigación científica. En ella, Leibniz afirmó categóricamente que: Cuando Dios calcula y ejerce el pensamiento, hace el mundo. Un año después, concretamente el 22 de febrero de 1967, obtuvo su doctorado en la Universidad de Alddorf cerca de Nuremberg, con una Tesis, en derecho, titulada *De casibus perplexis in jure.*

Desde un punto de vista científico, su actividad se centró en la lógica simbólica, matemáticas y su lingüística racional, en sus términos *Logica realis; Mathesis Universalis* y *Lengua rationalis.* Estos tres campos están ligados, de una u otra manera, a su inacabado proyecto de *Lengua Combinatoria;* del cual dio una descripción particularmente plástica al duque de Hannover, en 1679[17], como sigue: *He comenzado a meditar ciertas consideraciones completamente nuevas para reducir todos los razonamientos humanos a una especie de cálculo, que serviría para descubrir la verdad (...). Esta especie de cálculo general proporcionaría al mismo tiempo una especie de escritura universal que tendría las ventajas de las de los chinos, porque cada cual la entendería en su lengua, pero que sobrepasaría infinitamente a la de los chinos porque cabría aprenderla en pocas semanas, ya que sus caracteres estarían ligados según el orden y la conexión de las cosas (...). Esta misma escritura sería una especie de Álgebra general y nos daría el medio para razonar calculando, de modo que, en lugar de disputar podríamos decir: calculemos. Y sucedería que los errores de razonamiento no serían sino errores de cálculo que se descubrirían mediante pruebas como en la aritmética. Los hombres encontrarían en ella un juez de sus controversias verdaderamente infalible".*

El famoso *calculemos* de Leibniz aparece en varios de sus escritos; el más citado es "[...] *si surgieran controversias, no debería haber más necesidad de disputa entre dos filósofos que entre dos calculistas. Para ello, debería bastarle a ellos coger sus lápices en sus manos y colocándose frente al ábaco, y decirse entre ellos (y si así lo desean también ante un amigo llamado para ayudar) "Calculemos"[...].*

Entonces la cuestión estriba en lo siguiente: ¿cómo transformar el derecho en aritmética para posibilitar dicho cálculo? Y aquí es donde entra en escena un, aparentemente insulso, teorema demostrado en 1915 por Leopoldo Löwenheim[18] (1878-1957) y mejorado en 1920 por Albert Thoral Skolem[19] (1887-1963)

---

17 GOTTFRIED WILHELM LEIBNIZ: *Philosophischen Schriften* (Berlin: Gerhardt, 1875-90); reimpreso por Hildesheim: Georg Olms, 1960-61), pp. 25-26.
18 LÖWENHEIM, L. "Über Möglichkeiten im Relativkalkül". Mathematicsche Annalen, 76. 1915, pp. 447-470. Traducción Inglesa en: Van Meijenoort, J.: "From Frege to Gödel. A Source Book in Mathematical Logic". Harvard Unibersity Press. Cambridge, Mass. 1977, pp. 228-251.
19 SKOLEM, TH.: *"Logisch-Kombinatorische Untersuchungen über die Erfüllbarkeit oder Beweisbarkeit Mathmatischer Sätze nebst einem Theorem über dichte Mengen".* Videnskapsselskapts Shrifter, I, Mathematisknaturwidenskabeling Klasse, 4. 1920, pp. 1-36. Traducción al Inglés en: VAN HEIJENEERT, J.: *"From Frege to Gödel. A Source Book in Mathematical Logic".* Hardward University Press. Cambridge, Mass. 1977.

y cuyo enunciado es el siguiente: *Si un conjunto de fórmulas es satisfacible, tiene al menos un modelo definible en el dominio de los números naturales.* Este enunciado formal traducido a "roman paladino" dice: *Un sistema de reglas, como las de la aritmética, puede emular cualquier campo de conocimiento que pueda formalizarse según un conjunto de axiomas como, verbigracia: la geometría, la mecánica cuántica, la selección natural, o, que es lo que aquí importa y concierne, la jurisprudencia, dado que dichas ramas de conocimiento pueden expresarse axiomáticamente.* En suma, y esto es lo extraordinario del teorema, un *"relato" sobre la aritmética es, en realidad, un relato acerca de cualquier rama sistemática del saber humano.* Y lo que es aún mejor, la recíproca también es cierta y más aleccionadora: *Todos los sistemas formalizados de conocimiento son simple aritmética.*

Esto significa varias cosas. En primer lugar, que el *Calculemos* de Leibniz estaba más que justificado. En multitud de órdenes de la vida; esto es, la intuición de Leibniz fue acertada y fructífera.

En segundo término, se hace factible, y los autores de este trabajo ya han realizado un modelo matemático, evaluar a cualquier juez, fiscal o abogado, defensor o acusador. Para ello hay que añadirle al aspecto aritmético de la jurisprudencia, técnicas de IA basadas en el razonamiento plausible cuyo fundamento es el silogismo hipotético que se enuncia como sigue: Si *A implica B* y se consigue verificar o evidenciar B, A es más plausible. Y, a continuación, definir una métrica que proporcione una valoración para cada elemento sometido a evaluación, de acuerdo a los resultados de sus trabajos: sentencias, informes, acusativos o no, de los participantes en los juicios.

Y tres, y más importante si cabe, que mediante IA podrían generarse toda la legislación, habida y por haber, eliminando ambigüedades, contradicciones, etc., haciendo uso de los computadores actuales y otros *cientefactos* de cómputo, en sentido general de transformación de información de entrada, en forma de signos, señales, datos, noticias y, sobre todo, conocimientos mediante técnicas de IA, en especial de *razonamiento anterogado.*

Por otra parte, el derecho, desde sus inicios, tiene por finalidad garantizar la seguridad humana previendo y previniendo, al máximo posible, los eventuales conflictos[20]. En este sentido, el derecho constituye una forma cuasi-óptima de *programación.* El legislador enuncia leyes que, pretenden eliminar los acontecimientos posibles o los hechos repetibles así como las reglas de conducta que le son aplicables. El derecho está obligado a anticipar pero no puede prever todo. Ni todos los eventos futuros, ni las reglas que devienen necesarias, ni los efectos

---

[20]   NAVAS, S.; GÓRRIZ, C.; CAMACHO, S.; ROBERT, A.; CASTELLS, M.; MATEO, I.: *Inteligencia Artificial. Tecnología y Derecho.* Tirant lo Blanch. Valencia, 2017.

directos o colaterales de los dispositivos puestos en funcionamiento, ahora bien, ni como la ley, ni por otra parte el contrato, cualquiera que sea la evolución imprevista del mismo, pueden adaptarse de forma continua, el juez palía las inadaptaciones encontrando soluciones, caso a caso, recurriendo a ficciones como la voluntad del legislador o construyendo *teorías* como la de la imprevisión en el dominio de los contratos administrativos. En esos casos, ¿el derecho debe recurrir al descubrimiento, la invención, la imaginación y la lógica, en especial, la abductiva? Pues bien, si la respuesta es sí, ¿cómo? y aquí es donde entra en juego la IA débil facilitando a los legisladores magistrados, fiscales, abogados y, en general, a todos los jurisprudentes, su labor, al permitirles hacer uso del razonamiento anterogado, para no cometer errores, simulaciones, etc., que permiten ver, sin necesidad de llevarlas a la práctica, las consecuencias o efectos en especial, los perversos.

VII. LA IA Y EL DERECHO

No se va a entrar aquí, ahora, en la multitud de interrogantes suscitados por la IA[21] que requieran atención y consideración legal, entre otras cosas porque personas más autorizadas que los autores ya están por la labor, como es el caso de José María Anguiano[22], entre otros[23], al menos en su aspecto civil respecta.

También es cierto que un examen completo de cómo la IA puede interactuar con las legislaciones de los países es prácticamente imposible en el estado actual del desarrollo de la tecnología, pero no es menos cierto que la IA tiene el potencial de desafiar cualquier número de suposiciones legales en el corto, medio y largo plazo. Precisamente, cómo las leyes se adaptarán a los avances y realizaciones de la IA, y, recíprocamente, cómo la IA se adaptará a los valores reflejados en la ley, dependerá de una gran variedad de factores sociales, culturales, económicos, antropológicos, etc., y es probable que varíen a lo largo del tiempo.

---

[21] PAULIUS ČERKA, JURGITA GRIGIENĖ, GINTARĖ SIRBIKYTĖ: *Liability for damages caused by artificial intelligence.* Computer Law & Security Review, Vol. 31, Nº 3, 2015, pp. 376-389 https://doi.org/10.1016/j.clsr.2015.03.008.

[22] ANGUIANO, J.M.: *Las personas Electrónicas.* Diario la Ley, Nº 14, Sección Ciberderecho, 18 enero, 2018. Editorial Wolters Kluwer.

[23] SANTOS GONZÁLEZ M.J.: *Regulación legal de la robótica y la inteligencia artificial: retos de futuro,* Revista Jurídica de la Universidad de León, Nº 4, 2017, pp. 25-50. BARRIO ANDRÉS M. (Dr.): *Derecho de los robots,* La Ley, Madrid, 2018; MATEO BORGE, I., *La robótica y la inteligencia artificial en la prestación de servicios juriídicos,* en NAVARRO NAVAS, S. et al., *Inteligencia Artificial, tecnología, derecho,* Valencia, Tirant lo Blanch, 2017, pp. 123-150; IGLESIAS CABERO, M., *Robótica y responsabilidad. Aspectos legales en las diferentes áreas del Derecho,* Barcelona, Colex, 2017; DÍAZ ALABART S.: *Robots y responsabilidad civil,* Reus, Madrid, 2018.

Los coches sin conductor son, naturalmente, un ejemplo, no único ni mucho menos, de las múltiples instanciaciones de la IA en productos, servicios, y otros contextos. Los efectos de introducir IA en, verbigracia, asesoría fiscal, comercio automático, bolsa o diagnóstico, terapia y pronóstico médico variará de acuerdo con las regulaciones, las leyes y las normas que rijan esos contextos y las reglas que se apliquen dentro de ellos.

Sin embargo, es posible enumerar categorías amplias de cuestiones legales y jurídicas que la IA tiende a plantear en varios contextos, como son:

Privacidad. En efecto, la información privada acerca de un individuo puede revelarse a través de la IA. Por ejemplo, predecir el comportamiento futuro de alguien en base a comportamientos previos del mismo.

Responsabilidad, tanto civil como penal. Dado que la IA está pensada para afectar al mundo, incluso físicamente, la responsabilidad por daños causados por la IA se incrementará notoriamente. La perspectiva de que la IA se comportará de manera no esperada desafía la suposición predominante dentro de un acto ilegal, injurioso o dañino, no implicando un incumplimiento contractual por el que puedan presentarse demandas civiles y que los tribunales compensan cuando los daños son previsibles. Los tribunales pueden, arbitrariamente, asignar responsabilidad a autores humanos cuando la responsabilidad está mejor ubicada en otra parte por razones de imparcialidad o eficiencia. Alternativamente, los tribunales podrían rechazar encontrar responsabilidad debido a que la defensa no podía prever el daño que la IA causó. Entonces, por defecto, la responsabilidad debería caer instantáneamente sobre la víctima. El papel de la responsabilidad de los productos, y de las empresas que los fabrican, previsiblemente aumentarán cuando actores humanos realicen dejación de responsabilidades en las acciones de una máquina.

En el caso penal, las cosas van aún más allá, pues los daños deben ser intencionados. Todas las legislaciones conceden importancia transcendental al concepto de *mens rea*, intención criminal, a medida que las aplicaciones de la IA estén ligadas a comportamientos que, si fueran hechos por humanos, constituirían un crimen o delito, los tribunales y otros autores legales se enfrentaran a auténticos *rompecabezas* acerca de a qué o quién imputar o condenar, y en base a qué.

Según John Kingston[24], de la universidad de Brighton, el centro del debate es acerca de las responsabilidades penales de un sistema de IA, de acuerdo con el trabajo de Gabriel Hallevy de la Ono Academic College de Israel. Como es

---

[24]   KINGSTON, J.: *Artificial Intelligence and Legal Liability*. En: Bramer, Max and Petridis, Miltiadis, eds. Research and Development in Intelligent Systems XXXIII: Incorporating Applications and Innovations in Intelligent Systems XXIV. Springer Verlag, Cambridge, UK, PP. 269-279.

conocido, la responsabilidad penal requiere tanto una acción como una intención mental, en términos legales, *actus reus* y, el ya citado, *mens rea*. Kingston explica que Hallevy explora tres escenarios que podrían aplicarse a los sistemas de IA.

1) Denominado *perpetrador por intermedio de terceros*. Se aplica cuando una ofensa y, o, daño ha sido cometida por una persona mentalmente deficiente o un animal, al que se considera inimputable, por lo tanto, inocente. Pero quien haya instruido a la persona mentalmente deficiente o al animal puede ser considerado responsable penalmente. Por ejemplo, el dueño de un animal que lo adiestra, puede ser considerado por un tercero (otro individuo), penalmente responsable. Esto tiene implicaciones para quienes diseñan sistemas de IA y quienes los usan. *Podría considerarse que un tal sistema es un agente inocente, puesto que el perpetrador, por intermedio, de otros sería el programador o el usuario*, dice Kingston.

2) Conocido como *consecuencia natural probable*, ocurre cuando las acciones naturales de un sistema de IA pueden ser utilizados de manera no adecuada para realizar un acto delictivo. Kingston pone como ejemplo a un robot "inteligente" en una fábrica de motocicletas japonesa que mató a un trabajador humano. El robot identificó erróneamente al empleado como una amenaza para su misión y calculó que la forma más eficiente de eliminar dicha amenaza era empujándola hacia una maquina operativa adyacente. Mediante su poderoso brazo hidráulico, el robot aplastó al trabajador sorprendido en la máquina, matándolo instantáneamente, luego reanudó su cometido como si nada. Aquí la pregunta clave es si el programador de la máquina sabía que este resultado era una consecuencia probable de su uso.

3) Llamado de la *responsabilidad directa*, que requiere tanto de una acción como de una intención. Una acción es una prueba directa si el sistema de IA realiza una acción o decide no efectuarla cuando tiene la obligación y se produce un acto criminal como resultado. La intención, por su parte, es mucho más difícil de determinar, pero sigue siendo relevante. El exceso de velocidad, verbigracia, es un ilícito que genera una responsabilidad objetiva. Según Hallevy, entonces si se descubre que un automóvil que circulaba sin conductor estaba superando el límite de velocidad, la ley puede asignar responsabilidad penal al programa de IA que conducía el vehículo en ese momento. En este caso, el propietario puede no ser el responsable.

Por otro lado está el asunto de la defensa. Si una IA puede ser penalmente responsable[25], ¿qué tipo de defensa podría usar? Kingston plantea una serie de

[25]   PALMERINI E., "Robótica y derecho: sugerencias, confluencias, evoluciones en el marco de una investigación europea", *Revista de Derecho Privado*, n° 32, 2017, pp- 53-97.

posibilidades: ¿Podría un programa que funciona mal solicitar una exoneración de la responsabilidad por enajenación mental, similar a la defensa humana? ¿Podría una IA infectada por un virus electrónico reclamar una estrategia defensiva similar a la coerción o a la intoxicación?

Este tipo de defensas no son en absoluto teóricas. Hay casos en el Reino Unido en los que las personas acusadas de delitos informáticos defendieron, con éxito, que sus máquinas habían sido infectadas con *malware* y que éste era el responsable del delito. En un caso, un pirata informático adolescente acusado de ejecutar un ataque de denegación de servicio, afirmó que un programa troyano era el responsable y que se había borrado del computador antes de que se analizara de manera forense. El abogado del acusado convenció al jurado de que tal situación no estaba fuera de toda duda razonable.

Finalmente, está el tema del castigo. ¿Quién o qué sería castigado por un crimen cometido por un sistema de IA directamente responsable y qué forma tomaría dicho castigo? Por el momento, no hay respuestas a estas cuestiones.

Es posible que la responsabilidad penal no se aplique, en cuyo caso el asunto tendría que resolverse mediante leyes civiles[26]. Entonces, una cuestión, crucial sería la siguiente: un sistema IA ¿es un producto o un servicio? Si se trata de un producto, la legislación de diseño del producto se aplicaría en función de una garantía, por ejemplo. Si se trata de un servicio, entonces es de aplicación la imputación de responsabilidad por negligencia. En este supuesto, el demandante, generalmente, tendría que demostrar tres elementos para probar la negligencia. Uno, el acusado tenía un deber de cuidado, por lo general sencillo de demostrar, aunque el nivel de atención podría ser difícil de evaluar en el caso de una IA. Dos, el acusado incumplió ese deber. Tres, la vulneración de dicho deber causó una lesión al demandante.

Y si todo esto no fuera lo suficientemente complicado, la situación legal de los sistemas IA podría cambiar a medida de que sus capacidades se vuelvan más humanas, incluso, si se da la "singularidad tecnológica", sobre-humana. Algo es seguro, en los próximos años, es probable que los abogados, los legisladores y los jueces, o los sistemas IA que los reemplacen, tengan que afrontar estas y otras cuestiones y situaciones[27].

---

[26]   NAVAS NAVARRO, S., "*Derecho e inteligencia artificial desde el diseño. Aproximaciones*", en NAVARRO NAVAS, S. et al, Inteligencia Artificial, tecnología, derecho, Valencia, Tirant lo Blanch, 2017, pp. 23-72.

[27]   MATEO BORGE, I., "La robótica y la inteligencia artificial en la prestación de servicios jurídicos", en NAVARRO NAVAS, S. *et al.*, Inteligencia Artificial, tecnología, derecho, Valencia, Tirant lo Blanch, 2017, pp. 123-150.

Agency. Las cuestiones anteriores dan lugar a plantearse si y en qué circunstancias podría operar un sistema de IA como agente de una persona o empresa/ institución. A medida que la IA se extienda en este ámbito los problemas legales aumentarán y se harán más difíciles de resolver. El caso extremo sería el de un sistema de IA actuando como juez, fiscal o abogado defensor en un tribunal.

Certificación o *Titulación*. La noción genuina de IA sugiere la sustitución de *habilidades, competencias, pericia* y desempeños humanos. Ahora bien, en muchos casos y contextos concretos, que van desde la conducción hasta realizar operaciones quirúrgicas o la abogacía o la ingeniería o el profesorado, se necesitan ciertas titulaciones, licencias y certificaciones u oposiciones para realizar ciertas tareas y, o, ocupar ciertos puestos. Teniendo esto en cuenta, legisladores y políticos tendrán que esforzarse en afrontar cómo determinar el nivel de competencia de un sistema de IA. Por ejemplo, supóngase que una empresa de robótica crea un sistema de cirugía capaz de, autónomamente, extirpar un apéndice. O imagínese un despacho de abogados que usa un sistema de IA capaz de proporcionar consejo legal. Hoy no está claro, desde una perspectiva legal, *quién*, en este marco, tendría que superar las pruebas para ejercer la medicina o la abogacía, y *dónde* se requeriría hacerlo.

Y así podría continuarse en otros terrenos, como el laboral, o el fiscal, y, en definitiva, en cualquier actividad humana. Como puede verse, la tarea es ímproba y urgente, aunque, asimismo, interesante e ilusionante.

Para abandonar el plano de lo posible y centrándose en lo ya realizado, a continuación se van a dar, a título de ejemplo, algunos sistemas basados en IA que están completamente operativos en diferentes áreas del derecho.

Ross, definido como *el primer abogado artificialmente inteligente del mundo*, fue desarrollado en la Universidad de Toronto y puesto en funcionamiento, en 2016, en el despacho norteamericano Baker & Hosteler y, posteriormente, lo adoptaron otros despachos como: Carlton Fields o Latham-Watkins, entre otros.

Sin embargo, en la realidad, Ross hace un trabajo más propio de un técnico jurídico o asistente, del denominado "paralegal"; es decir, dada la descripción de un caso, es capaz de:

- Revisar toda la jurisprudencia para localizar los precedentes más relevantes.
- Ross lee y comprende el lenguaje, propone hipótesis, o sea, realiza inferencias abductivas, y genera respuestas a preguntas concretas, junto con las referencias y citas pertinentes para respaldar sus conclusiones.
- Aprende de las sucesivas consultas y mejora sus resultados con la experiencia.

Es indudable que Ross supone un ahorro considerable del tiempo en la indagación y en la búsqueda en bases de datos jurídicas y puede acceder, en tiempo real, a casos acabados de incorporar a los archivos de cualquier tribunal al que tenga acceso vía internet. Asimismo, minimiza el número de errores o de ocasiones en las que, inadecuadamente, los humanos los pasan por alto. Sin embargo, al menos de momento, no habla con los clientes, no comparece ante el juez, no presenta razonamientos, ni siquiera argumentos. En suma, no es un verdadero abogado.

Ahora bien, en España, pueden destacarse las siguientes iniciativas de IA en el ámbito judicial:

A) *Legal Innovation*, herramienta *in Legal Data* capaz de predecir los resultados de litigios en función de la búsqueda y parámetros que introduzca el usuario.

B) *Wolters Kluwer de Jurimetría*, que permite tomar decisiones procesales de forma rápida mediante indicadores gráficos y visuales, basándose en el análisis cognitivo de millones de resoluciones judiciales en función de la duración del procedimiento, del juez, de la línea jurisprudencial o la viabilidad de interpones un recurso, etc.

C) *Vies Analytics*, que ayuda a predecir mejor los casos a través de la visión analítica de juzgados y tribunales, tanto en plazos como en probabilidades de éxito. Asimismo, consigue modelizar asuntos para poder realizar estimaciones de resultados entre diferentes juzgados de un mismo *partido judicial*.

D) *Tirant Analytics (Tirant lo Blanc)*, que permite examinar: posibles estrategias, el porcentaje de éxito, los criterios del tribunal, la sala, la sección o el ponente, así como a analizar la posición contraria y obtener el porcentaje de éxito de cada uno.

Por otro lado, los peligros asociados a la IA y, más en concreto, a la robótica ya fueron objeto de análisis cuando el fenómeno sólo era ciencia ficción, de ello dan fe las tres leyes de la robótica de Isaac Asimov[28] de 1942, para evitar el complejo Frankenstein, que las máquinas se rebelen contra sus creadores. Setenta y cinco años después el mundo comienza a plantearse la necesidad de leyes actualizadas a la realidad actual. En este sentido, el 31 de mayo de 2016, la comisión de Asuntos Jurídicos del Parlamento Europeo, publicó un proyecto de informe en el que recomendó a la Comisión que considere la posibilidad de promulgar normas de derecho civil que den respuesta a las cuestiones que suscita la robótica en dicha jurisdicción. El proyecto de informe enumera a los considerandos que aconsejaran la promulgación de este tipo de regulación, finalmente el 16 de febrero de 2017 el parlamento europeo aprobó una resolución con Recomendaciones

---

[28]   ASIMOV, J. "I, Robot" En español, "Yo, Robot". EDHASA- Barcelona España. 1975.

destinadas a la comisión sobre normas de Derecho Civil referidas a robótica y donde solicita la limitación y control de un marco regulador.

En resumen, en el campo del derecho, la IA tecnológica ya es útil, entre otras cosas, para:

1) El minutaje, o sea, fijar con gran precisión los honorarios, ahorro de costos y proyección de trabajo, ejemplos de esto son: Clocktimer, Legal Decoder o Brightflag.

2) Análisis predictivo de resultados, para el planteamiento de diferentes estrategias de actuación.

3) Automatizar la gestión de documentación legal.

4) Gestión *on line* de servicios y asesoría.

5) Gestión del talento y el conocimiento jurídico.

De las ventajas y peligros que impone la robótica y otras facetas de la IA, hay uno que es realmente inquietante y es el momento en que se produzca, si ello es posible, la *singularidad tecnológica*; esto es, como ya se ha mencionado, el momento en que los sistema IA superen la capacidad intelectual humana. Esto podría suponer un desafío a la capacidad humana de controlar su propia creación y, por ende, quizá también a la capacidad de ser dueña de su propio destino y garantizar la supervivencia de la especie, salvo que se consiga una IA segura.

VIII. FINALMENTE, UNA MIRADA HACIA EL FUTURO

En la segunda conferencia sobre la IA segura[29]o beneficiosa, celebrada en Asilomar, California en enero de 2017, (la primera fue en Puerto Rico en 2015), se establecieron, por consenso superior al 90%, los siguientes principios para la IA segura:

A) Relacionados con la investigación

1. "Objetivo de Investigación". El objetivo en IA no debe ser crear cualquier inteligencia, sino inteligencia beneficiosa.

2. "Financiación de la investigación". La inversión en IA debe ir acompañada de fondos para investigar cómo garantizar que su uso es beneficioso, incluidas cuestiones espinosas relacionadas con la informática, la economía, la legislación, la ética y las ciencias sociales.

---

[29]   FUTURE OF LIFE INSTITUTE. https://futureoflife.org/ai-principles/. Último acceso el 28d de Agosto del 2018.

a) ¿Cómo podemos hacer que los futuros sistemas de IA sean altamente robustos, que hagan lo que queremos sin que fallen o sean hackeados?

b) ¿Cómo podemos incrementar nuestra prosperidad a través de la automatización sin que las personas pierdan sus recursos ni la sensación de tener un propósito vital?

c) ¿Cómo podemos actualizar nuestros sistemas legales para que sean más justos y eficientes, no queden desfasados respecto a los avances en IA y puedan gestionar los riesgos asociados con la IA?

3. "Relación entre ciencia y política". Debe producirse una comunicación honrada y constructiva entre los investigadores en IA y los responsables políticos.

4. "Cultura de la investigación". Debe fomentarse la existencia de una cultura de cooperación, confianza y transparencia entre los investigadores y desarrolladores de la IA.

5. "Evitar las carreras". Los equipos que estén desarrollando sistemas de IA deben cooperar activamente para evitar chapuzas en los estándares de seguridad.

B) Ética y valores

6. "Seguridad". Los sistemas de IA deben ser seguros, toda su vida operativa, y verificables cuando sea posible y factible.

7. "Transparencia en los fallos". Si un sistema de IA causa daño, debe ser posible determinar el por qué.

8. "Transparencia judicial". Cualquier intervención de un sistema autónomo en una decisión debe ir acompañada de una explicación satisfactoria susceptible de ser revisada por una autoridad humana competente.

9. "Responsabilidad". Los desarrolladores de sistemas avanzados de IA no son ajenos a las implicaciones morales del uso, abuso y las acciones de dicho sistemas, pues tienen la responsabilidad y la oportunidad de determinar dichas implicaciones.

10. "Conformidad de valores". Los sistemas de IA altamente autónomos deben diseñarse de manera que pueda garantizarse que sus objetivos y comportamientos son conformes con los valores humanos mientras estén en funcionamiento.

11. "Valores Humanos". Los sistemas de IA deben diseñarse y gestionarse para que sean compatibles con los ideales de dignidad humana, derechos, libertades y diversidad cultural.

12. "Privacidad Personal". Las personas deben tener el derecho de acceder, gestionar y controlar los datos que generan, dada la capacidad de los sistemas para analizar y utilizar esa información.

13. "Libertad y Privacidad". La aplicación de la IA a los datos personales no puede restringir de forma injustificada la libertad real o percibida, de las personas.
14. "Beneficio Compartido". Las tecnologías de IA deben beneficiar y empoderar a tanta gente como sea posible.
15. "Prosperidad Compartida". La prosperidad económica creada por la IA debe ser ampliamente compartida, para beneficio de toda la humanidad.
16. "Control Humano". Los seres humanos deben poder decidir si delegan decisiones a los sistemas de IA para lograr objetivos escogidos previamente, y de qué manera lo hacen.
17. "Sin subversión". El poder conferido por el control de sistemas de IA altamente avanzados debe respetar y mejorar los procesos sociales y cívicos de los que depende la salud de la sociedad, y no subvertirlos.
18. "Carrera Armamentística". Debe evitarse cualquier tipo de carrera armamentística en torno a las armas autónomas letales.

C) Cuestiones a más largo plazo

19. "Precaución sobre la Capacidad". Al no haber consenso al respecto, debemos evitar hacer suposiciones fuertes sobre los límites superiores de las capacidades futuras de la IA.
20. "Importancia". La IA avanzada podría representar un cambio profundo en la historia de la vida en la Tierra y debe planificarse y gestionarse con la atención y los recursos correspondientes.
21. "Riesgos". Los riesgos asociados a la IA, especialmente los catastróficos o existenciales, deben estar sujetos a una planificación y unos esfuerzos de mitigación acordes a su impacto potencial.
22. "Auto-mejora Recursiva". Los sistemas de IA, diseñados para auto-mejorarse recursivamente o auto-replicarse de tal forma que pudiera llevar a un rápido aumento cualitativo o cuantitativo deben someterse a unas estrictas medidas de control y seguridad.
23. "Bien Común". La *superinteligencia* sólo debe desarrollarse al servicio de unos ideales éticos compartidos y para beneficio de la humanidad, no de un único Estado u organización.

Finalmente, la Inteligencia Artificial está alcanzando niveles de desarrollo tales que es capaz de resolver cualquier problema coextensivo con los que resuelven los humanos. Y, probablemente, tarde o temprano, a dicha capacidad se unirá la facultad de ser proactiva y autónoma lo que llevará a la singularidad tecnológica. Y cuando esto se produzca, será la última cosa que decida el ser humano.

Ahora bien, en el ínterin, cuestiones éticas, sociológicas, políticas y, sobre todo, jurídicas, tendrán que abordarse para conseguir que la ST se produzca bajo el manto de la IA segura.

IX. BIBLIOGRAFÍA

ANGUIANO, J.M.: *Las personas Electrónicas*. Diario la Ley, Nº 14, Sección Ciberderecho, 18 enero, 2018. Editorial Wolters Kluwer.

ASIMOV, J. "I, Robot" En español, "Yo, Robot". EDHASA-Barcelona España. 1975.

ATKINS, L.: *El Dedo de Galileo, Las Diez Grandes Ideas de la Ciencia*. Editorial Espasa. Calpe, S.A. Pozuelo de Alarcón, Madrid. España. 2003.

BARRIO ANDRÉS M. (Dr.): *Derecho de los robots*, La Ley, Madrid, 2018.

CRAIK, K. J. W.: *The Nature of Explanation*. Cambridge University Press. 1943.

FUTURE OF LIFE INSTITUTE. https://futureoflife.org/ai-principles/. Último acceso el 28d de Agosto del 2018.

GOTTFRIED WILHELM LEIBNIZ: *Philosophischen Schriften* (Berlin: Gerhardt, 1875-90); reimpreso por Hildesheim: Georg Olms, 1960-61), pp. 25-26.

HOFSTADTER, D.: *Godel, Escher, Bach: An Eternal Golden Braid*. Basic Books, Inc., New York, NY, USA. 1979.

IGLESIAS CABERO, M., *Robótica y responsabilidad. Aspectos legales en las diferentes áreas del Derecho*, Barcelona, Colex, 2017; DÍAZ ALABART S.: *Robots y responsabilidad civil*, Reus, Madrid, 2018.

KINGSTON, J.: *Artificial Intelligence and Legal Liability*. En: Bramer, Max and Petridis, Miltiadis, eds. Research and Development in Intelligent Systems XXXIII: Incorporating Applications and Innovations in Intelligent Systems XXIV. Springer Verlag, Cambridge, UK, PP. 269-279.

LÖWENHEIM, L. "Über Möglichkeiten im Relativkalkül". Mathematicsche Annalen, 76. 1915, pp. 447-470. Traducción Inglesa en: Van Meijenoort, J.: "From Frege to Gödel. A Source Book in Mathematical Logic". Harvard Unibersity Press. Cambridge, Mass. 1977, pp. 228-251.

MATEO BORGE, I., "La robótica y la inteligencia artificial en la prestación de servicios juriídicos", en NAVARRO NAVAS, S. *et al.*, *Inteligencia Artificial, tecnología, derecho*, Valencia, Tirant lo Blanch, 2017, pp. 123-150.

MATEO BORGE, I., *La robótica y la inteligencia artificial en la prestación de servicios juriídicos*, en NAVARRO NAVAS, S. *et al.*, *Inteligencia Artificial, tecnología, derecho*, Valencia, Tirant lo Blanch, 2017, pp. 123-150.

MCCULLOCH, W. S. AND PITTS, W.H.: *A Logical Calculus of the Ideas Imanent in Nervous Activity*. Bulletin of Mathematical Biophysics, 5, pp. 115-133. 1943.

MINSKY, M.: *Procesamiento de información semántica*. Título original en inglés, *Semantic Information Processing*. MIT Press, 1968.

NAVAS NAVARRO, S., "*Derecho e inteligencia artificial desde el diseño. Aproximaciones*", en NAVARRO NAVAS, S. et al, Inteligencia Artificial, tecnología, derecho, Valencia, Tirant lo Blanch, 2017, pp. 23-72.

NAVAS, S.; GÓRRIZ, C.; CAMACHO, S.; ROBERT, A.; CASTELLS, M.; MATEO, I.: *Inteligencia Artificial. Tecnología y Derecho*. Tirant lo Blanch. Valencia, 2017.

NEWELL, A. & SIMON, H.: *The logic theory machine: A complex information processing system*. IRE Transactions on Information Theory, 2. 1956, pp. 61-79.

PALMERINI E., "*Robótica y derecho: sugerencias, confluencias, evoluciones en el marco de una investigación europea*", Revista de Derecho Privado, nº 32, 2017, pp. 53-97.

PAULIUS ČERKA, JURGITA GRIGIENĖ, GINTARĖ SIRBIKYTĖ: *Liability for damages caused by artificial intelligence*. Computer Law & Security Review, Vol. 31, Nº 3, 2015, pp. 376-389 https://doi.org/10.1016/j.clsr.2015.03.008.

ROSENBLUETH, A.; Wiener, N.; Bigelow, J.: *Behavior, Purpose and Teleology*. Philosophy of Science. Vol. 10; 1, pp. 18-24. 1943.

SANTOS GONZÁLEZ M.J.: *Regulación legal de la robótica y la inteligencia artificial: retos de futuro*, Revista Jurídica de la Universidad de León, Nº 4, 2017, pp. 25-50.

SHANNON, CLAUDE E.: *A Chess-Playing Machine*. Scientific American, vol. 182, no. 2, 1950, pp. 48-51.

SHANNON, CLAUDE. E.: *Computers and Automata*. Proceedings of the IRE. 41. 1953, pp. 1234-1241.

SKOLEM, TH.: "*Logisch-Kombinatorische Untersuchungen über die Erfüllbarkeit oder Beweisbarkeit Mathmatischer Sätze nebst einem Theorem über dichte Mengen*". Videnskapsselskaps Shrifter, I, Mathematisknaturwidenskabeling Klasse, 4. 1920, pp. 1-36. Traducción al Inglés en: VAN HEIJENEERT, J.: "*From Frege to Gödel. A Source Book in Mathematical Logic*". Hardward University Press. Cambridge, Mass. 1977.

SOKOLOWSKI, R.: *Natural and Artificial Intelligence*. Daedalus 117 (1988): 45-64. Reprinted in The Artificial Intelligence Debate. False Starts, Real Foundations, ed. Stephen R. Graubard, 45-64. Cambridge, MA: The MIT Press, 1988. Reimpreso como *Intelligence naturelle et intelligence artificielle*, trans. Évelyne Clavaud. Le temps de la réflexion 9 (1988): 199-217.

TEGMARK, M.: *Life 3.0: Being Human in the Age of Artificial Intelligence*. Knopf Publishing Group. 2017.

TURING, A. M.: *Intelligent Machinery*. Report for National Physical Laboratory 1948. In, Meltzer, B. and Michie, D. (Eds.): *Machine Intelligence*, 5. Edinburgh University Press. Edinburgh, U.K. 1969. PP. 3-23. También en: *The Turing Archive for the History of Computing*. http://www.AlanTuring.net/intelligent-machinery [accessed July 2015]. 1948.

TURING, A.: Carta a Ross Ashby sin fecha. Archivo NPL, Biblioteca del Museo de Ciencias, South Kensington. Londres. Sin fecha.

TURING, A.M.: *Computing Machinery and Intelligence*, Mind, Vol. LIX, Número 236, 1 October 1950, PP: 433-460.

ULAM, S.: *Tribute to John von Neumann*. The American Mathematical Society. Vol. 64, Nº 3. 1958, pp. 1-49.

WIENER, N.: *God and Golem, Inc* (1964). Siglo XXI editores, S.A. 1ª Ed. (en español). Méjico. 1967.